DICTIONNAIRE ENCYCLOPÉDIQUE

DES

SCIENCES MÉDICALES

PARIS. — IMP. SIMON RAÇON ET COMP., RUE D'ERFURTH, 1.

DICTIONNAIRE ENCYCLOPÉDIQUE

DES

SCIENCES MÉDICALES

COLLABORATEURS : MM. LES DOCTEURS

ARCHAMBAULT, AXENFELD, BAILLARGER, BAILLON, BALBIANI, BALL, BARTH, BAZIN, BEAUGRAND,
BÉCLARD, BÉHIER, VAN BENEDEN, BERTILLON, ERNEST BESNIER, BLACHE, BLACHET, BOINET, BOUCHACOURT, CH. BOUCHARD,
BOUISSON, BOULEY (H.), BOUVIER, BROCA, BROCHIN, BROWN-SÉQUARD, CALMEIL,
CAMPANA, CERISE, CHARCOT, CHASSAIGNAC, CHAUVEAU, CHÉREAU, CORNIL, COULIER, COURTY, DALLY,
DAREMBERG, DAVAINE, DECHAMBRE (A.), DELIOUX DE SAVIGNAC,
DELPECH, DENONVILLIERS, DEPAUL, DIDAY, DOLBEAU, DUPLAY (S.), DUTROULEAU, ÉLY, FALRET (J.), FOLLIN, FONSSAGRIVES.
GALTIER BOISSIÈRE, GAVARRET, GIRAUD-TEULON, GOBLEY, GODELIER, GREENHILL,
GRISOLLE, GUBLER, GUÉRARD, GUILLARD, GUILLAUME, GUYON (F.), HECHT, HÉNOCQUE, ISAMBERT, JACQUEMIER, KRISHABER.
LABBÉ (LÉON), LABOULBÈNE, LAGNEAU (G.), LANCEREAUX, LAVERAN, LEFORT (LÉON), LEGOUEST,
LEREBOULLET, LE ROY DE MÉRICOURT, LÉTOURNEAU, LÉVY (MICHEL), LIÉGEOIS, LIÉTARD, LINAS, LIOUVILLE, LITTRÉ.
LUTZ, MAGITOT (E.), MAGNAN, MALAGUTI, MAREY, MARTINS, MILLARD, MOREL (B. A.), NICAISE, OLLIER,
ORFILA (L.), PAJOT, PARCHAPPE, PARROT, PASTEUR, PAULET, PERRIN (MAURICE), PETER (M.), PLANCHON,
POLAILLON, POTAIN, REGNARD, REGNAULT, REYNAL, ROBIN (CH.), ROGER (H.),
ROLLET, ROTUREAU, ROUGET, SAINTE-CLAIRE DEVILLE (H.), SCHÜTZENBERGER (CH.), SCHÜTZENBERGER (P.),
SÉDILLOT, SÉE (MARC), DE SEYNES, SOUBEIRAN (L.), TARTIVEL, TESTELIN, TILLAUX (P.),
TOURDES, TRÉLAT (U.), TRIPIER (LÉON), VELPEAU, VERNEUIL, VIDAL (ÉM.), VILLEMIN, VOILLEMIER.
VULPIAN, WARLOMONT, WORMS (J.), WURTZ.

DIRECTEUR : A. DECHAMBRE

DEUXIÈME SÉRIE

TOME DEUXIÈME

LAR — LOC

PARIS

P. ASSELIN, S^R DE LABÉ | VICTOR MASSON ET FILS

PLACE DE L'ÉCOLE-DE-MÉDECINE

MDCCCLXIX

DICTIONNAIRE

ENCYCLOPÉDIQUE

DES

SCIENCES MÉDICALES

LARYX ou **LARIX**. (*Voy.* MÉLÈZE.)

LA SAULCE (EAU MINÉRALE DE), *athermale* ou *protothermale, chlorurée sodique moyenne, non gazeuse*. Dans le département des Hautes-Alpes, dans l'arrondissement de Gap et à 17 kilomètres de la ville de ce nom, émergent d'un terrain métamorphique les deux griffons peu abondants de la source de La Saulce. Leur eau est claire et limpide, sans odeur, son goût est salé ; la température d'un des filets est de 15°,1 centigrade, celle de l'autre est de 22°,8 centigrade. M. Niepce a trouvé dans 1000 grammes de cette eau les principes suivants :

Chlorure de sodium	2,135
— calcium	0,072
— magnésium	0,035
Bromure alcalin	traces.
Carbonate de chaux	0,237
— magnésie	0,008
Oxyde de fer	0,010
Silice	0,019
Matière organique	traces.
TOTAL DES MATIÈRES FIXES	2,516

Les eaux chlorurées, bromurées et ferrugineuses de La Saulce sont exclusivement employées en boisson par les habitants du voisinage qui les font prendre à leurs enfants lymphatiques, scrofuleux, anémiques ou chlorotiques. C'est dans les accidents scrofuleux, caractérisés principalement par un engorgement ou une ulcération des ganglions ou de la peau qui les recouvre, que ces eaux sont employées le plus fréquemment et le plus heureusement. Elles donnent de bons résultats aussi dans les dyspepsies des sujets affaiblis auxquels convient un traitement tonique et reconstituant. Les eaux chlorurées moyennes de La Saulce sont utilement prescrites à l'intérieur, et, *à faible dose*, aux malades qui souffrent depuis longtemps d'une diarrhée reconnaissant pour cause une inflammation chronique quelquefois accompagnée d'ulcérations du gros intestin. A. R.

LA SAXE (EAUX MINÉRALES DE), *athermales, ferrugineuses faibles* ou *sulfureuses*. En Italie, à l'extrémité de la vallée d'Aoste ouverte au midi seulement, au pied du mont Blanc de l'autre côté duquel se trouvent un peu à gauche l'établissement et les sources de SAINT-GERVAIS [*voy.* GERVAIS (SAINT)], à 300 mètres du bourg de Courmayeur dont nous indiquerons les sources ferrugineuses (*voy.* COURMAYEUR), à 200 mètres du village de La Saxe qui n'a pas plus de cinquante habitants et qui est bâti au bas du rocher qui lui a donné son nom, en face des aiguilles du Géant, émergent les deux sources de La Saxe, dans l'intérieur même de l'établissement thermal. La première de ces sources se nomme la *source Ferrugineuse*, et la seconde, la *source Sulfureuse*.

L'eau de la *source Ferrugineuse*, employée exclusivement en boisson, serait claire et limpide si elle ne contenait quelques flocons ; elle n'a aucune odeur; sa saveur est extrêmement ferrugineuse, styptique, désagréable ; c'est une des plus martiales au goût que l'on puisse rencontrer ; elle est traversée par des bulles de gaz qui viennent de temps en temps s'épanouir à sa surface ; sa réaction est légèrement acide ; sa température est de 13°,4 centigrade, celle de l'air étant de 14°,8 centigrade. L'eau de la source Ferrugineuse de La Saxe n'a point été analysée et l'on ne connaît pas sa densité.

La *source Sulfureuse* est la plus intéressante des deux sources de La Saxe. Elle sort du granit par un jet unique de 6 à 7 centimètres de diamètre, et est reçue dans un canal découvert formé de troncs de mélèzes qui l'apportent à la buvette. Cette eau est très-claire et ne forme aucun dépôt au moment où elle sort de la pierre, mais elle ne tarde pas à laisser précipiter une sorte de poudre d'un gris jaunâtre, composée de soufre et de barégine ; ce mélange onctueux donne au toucher l'impression du savon mouillé. Sa réaction est franchement acide ; la température de la galerie étant de 17° centigrade, celle de l'eau sulfureuse, au griffon, est de 18°,4 centigrade. Son odeur est sensiblement hépatique, mais moins que son goût ne le ferait supposer. Aucune bulle gazeuse ne s'en échappe, et cependant son eau, reçue dans un verre, est traversée par quelques perles trop fines pour être de l'air atmosphérique. On ne connaît pas exactement la densité ni l'analyse chimique de l'eau de la source Sulfureuse de La Saxe.

La saison commence à La Saxe le 15 juillet et finit le 1er septembre. Cette station est à 1216 mètres au-dessus du niveau de la mer ; la température moyenne des mois de juillet et d'août est de 10°,3 centigrade ; aussi les baigneurs et les touristes doivent-ils y apporter des vêtements épais et chauds pour se garantir du froid des matinées et des soirées.

L'établissement minéral de La Saxe est à 110 mètres de la rive droite de la Dora Aurea ; il se compose d'un bâtiment flanqué de deux pavillons. Celui de gauche est construit sur les sources ; les moyens balnéaires se trouvent dans les autres parties de la maison. Le canal découvert qui apporte et qui emporte l'eau sulfureuse de La Saxe permet à ses principes volatils et gazeux de se mêler à l'atmosphère de la salle de la buvette, qui sert aussi de salle de respiration. Le pavillon de droite et le corps principal de l'établissement renferment une belle pièce carrée, à coupole, et vingt cabinets de bains non précédés de vestiaires, mais grands, bien éclairés et bien ventilés. Ces cabinets ont vingt-quatre baignoires de bois ; un d'eux a quatre baignoires ; un autre, deux séparées par une cloison ; les dix-huit derniers ont une baignoire simple. Chacune d'elles est alimentée par deux robinets de cuivre, dont l'un verse l'eau sulfureuse chauffée dans une chaudière hermétiquement fermée ; l'autre, l'eau à la température de la source. L'établissement de La Saxe est complétement dépourvu d'ajutages de douches.

EMPLOI THÉRAPEUTIQUE. L'eau de la source Ferrugineuse ne sert qu'en boisson; celle de la source Sulfureuse sert en boisson, en bains, en gargarismes, en applications topiques, et en inhalations gazeuses. L'eau de la source Ferrugineuse se donne le matin à jeun, à la dose de trois à huit et même dix verres pris à un quart d'heure d'intervalle. La plupart du temps les malades en font usage pendant leurs repas, soit pures, soit mêlées au vin. L'eau de la source Sulfureuse se prescrit depuis un demi-verre jusqu'à quatre et même six verres. Elle est en général bien acceptée par l'estomac, et il est assez rare que l'on soit obligé de l'étendre avec du lait ou des infusions aromatiques, émollientes ou béchiques. Les bains de La Saxe sont le plus souvent d'une demi-heure à une heure de durée. La longueur du séjour dans la salle d'inhalation peut être aussi longue que les malades le désirent.

L'étude de l'action physiologique des eaux ferrugineuses ou hépatiques de La Saxe, ne présente rien de remarquable. La source martiale est tonique et reconstituante. La source Sulfureuse donne de l'appétit, mais elle constipe souvent assez pour nécessiter l'emploi des purgatifs; si la constipation n'occasionne pas d'accidents trop prononcés, il ne faut pas s'en inquiéter, car elle disparaît presque toujours seule après les quatre ou cinq premiers jours. Il est bon de noter que les eaux sulfureuses de La Saxe tendent à accroître l'embonpoint; elles accélèrent les pulsations artérielles, mais elles n'augmentent sensiblement ni les fonctions des organes urinaires, ni celles de la peau. Elles occasionnent de la toux dans les maladies chroniques des voies aériennes et rendent plus abondantes les sécrétions de la membrane muqueuse du larynx, de la trachée et des bronches; ces effets ne se produisent qu'au début de la cure.

Les bains sulfureux de La Saxe n'ont guère plus d'effets physiologiques que ceux d'eau ordinaire; il est bien rare qu'ils produisent la fièvre thermale ou la poussée; mais ils élèvent presque toujours la caloricité du tégument externe en le rendant moins sensible aux transitions de la température.

Un séjour assez prolongé dans la salle de la buvette fournit un moyen de diététique respiratoire que l'on trouve seulement dans les stations minérales possédant des salles d'inhalation gazeuse. Les résultats obtenus à La Saxe sont dus à l'abaissement de la proportion normale de l'oxygène dans l'air de la buvette et à ce qu'il est chargé d'un certain volume de gaz acide sulfhydrique, de soufre en cristaux d'une ténuité extrême et de quelques sels contenus dans l'eau minérale. Les malades éprouvent d'abord dans cette salle une lourdeur de tête et souvent une céphalalgie intense, une sensation de chaleur dans la gorge, un goût à la fois sucré et amer, et un chatouillement laryngien provoquant la toux. Après quelques jours, l'expectoration devient plus facile et les crachats plus visqueux; la toux disparaît progressivement, et les mouvements respiratoires sont plus amples et moins précipités. Les battements du cœur et les pulsations artérielles diminuent d'une manière notable.

L'eau de la source Ferrugineuse de La Saxe est utile dans les anémies, la chlorose, les diarrhées atoniques, la spermatorrhée; il rend des services, enfin, dans les paralysies qui reconnaissent pour cause une hystérie ou une chorée, et dans les cachexies survenant après des pyrexies graves et longues, après des fièvres intermittentes prolongées, ou une lactation excessive ayant altéré l'économie; après des empoisonnements virulents ou métalliques.

L'action curative de l'eau sulfureuse de la Saxe s'exerce principalement sur les maladies des voies respiratoires, sur les laryngites, les trachéites et les bronchites chroniques, si fréquentes avec le climat froid et variable du voisinage du mont Blanc. Son emploi est très-profitable encore contre les pharyngites et les angines granuleuses. Elle est vantée aussi contre l'asthme dont elle éloigne les accès, qu'elle parvient même à empêcher tout à fait. Qu'il nous soit permis de faire deux observations à cet égard : nous accordons que dans l'asthme spasmodique, dans la névrose des bronches connue sous le nom d'asthme essentiel, les eaux hépatiques de La Saxe, en boisson surtout, agissent sur l'innervation d'une manière assez profonde pour que des accès de contractions bronchiques soient modifiés heureusement, entravés complétement même; nous accordons encore qu'elles améliorent cette maladie, lorsqu'elle est sous la dépendance d'un catarrhe des bronches antérieur; mais nous ne pouvons admettre qu'elles méritent la réputation qu'on leur a faite de s'opposer aux accès de dyspnée reconnaissant pour cause un état anatomique du poumon, comme dans la rupture et la dilatation des bronches. L'altitude de La Saxe, l'air pur et vif qu'y respirent les emphysémateux, expliquent suffisamment les cures merveilleuses que l'on a publiées à une époque où les services que la percussion et l'auscultation ont rendus à la médecine n'étaient pas ou étaient mal connus. Les asthmatiques retirent souvent, même pendant leur accès, un grand bénéfice des douches en jet reçues entre les deux épaules et sur les parois thoraciques; ces résultats favorables font regretter plus vivement encore qu'on n'ait pas cru devoir installer, à La Saxe, les ajutages nécessaires à l'administration de ce moyen balnéothérapique.

On emploie également l'eau de la source Sulfureuse dans les dyspepsies, les gastro-entéralgies, les douleurs rhumatismales, les maladies de l'utérus d'origine herpétique, et dans plusieurs maladies de la peau caractérisées par des vésicules, des pustules ou des papules. Comme toutes les eaux sulfureuses, elle est utile dans les empoisonnements saturnins, arsenicaux et mercuriels. Enfin, peu d'eaux sulfureuses sont mieux indiquées qu'elle dans les affections des voies urinaires se traduisant à l'extérieur par l'excrétion d'urines avec dépôt de pus, de muco-pus ou de mucus. Les malades doivent se baigner, mais ils doivent surtout prendre l'eau en boisson et à dose progressivement croissante; s'ils vont trop vite, ils déterminent un état aigu dont le moindre inconvénient est de forcer de suspendre la cure. Pour que le traitement hydrosulfureux de La Saxe donne les meilleurs résultats, il faut que l'amélioration augmente de jour en jour, sans que l'économie éprouve une violente secousse. De temps immémorial, ainsi qu'on peut s'en assurer dans le curieux *Traité* de Mollo, les eaux sulfureuses de La Saxe ont donné des résultats favorables, en applications topiques, sur les plaies anciennes, les vieux ulcères et les affections chroniques des paupières.

L'eau ferrugineuse et sulfureuse de La Saxe est tonique, reconstituante et excitante; ces effets indiquent qu'il faut craindre de la prescrire dans les circonstances où il est dangereux de donner au sang trop de plasticité et à la circulation une trop grande activité. Ces eaux sont donc *contre-indiquées* chez les pléthoriques, chez tous ceux qui sont doués d'une constitution faisant redouter des congestions ou des hémorrhagies cérébrales ou pulmonaires, chez les malades enfin qui portent des altérations du cœur ou des gros vaisseaux.

Durée de la cure : de quinze à vingt-cinq jours.

On n'*exporte* pas les eaux des deux sources de La Saxe. A. ROTUREAU.

BIBLIOGRAPHIE. — MOLLO. *Traité des eaux minérales de Courmayeur*. Genève, 1728, in-12. La Saxe, pages 52 et 113.—BERTINI. *Idrologia minerale degli Stati sardi*. Torino, 1843, in-8°. — GARELLI (Giovanni). *Delle acque minerali d'Italia e delle loro applicazioni terapeutiche*, Torino, 1864, in-8. A. R.

LASER, nom appliqué par les anciens médecins à un ou peut-être à deux médicaments dont l'un était probablement l'*Asa fœtida*. (*Voy.* ce mot.) L'autre était certainement leur *Succus cyrenaicus*. D'après Geoffroy (*Tract. de Mater. medic.*, II, 609), la plupart des auteurs qui l'ont précédé ont considéré ces deux substances comme identiques. Mais on a retrouvé la plante que les Grecs appelaient σίλφιον, et les Romains *Laserpitium*, et qui produit le *Suc cyrénaïque*. C'est le *Thapsia Silphion* de Viviani, plante du groupe des Ombellifères, comme le *Ferula* (*Narthex*) *Asa fœtida*. On suppose, dit Pereira (*Elem. Mat. med.*, éd. 4, II, p. II, 174), que le *Succus cyrenaicus* étant devenu rare dans le commerce, les anciens lui substituaient une substance de propriétés analogues, quoique inférieures, et qu'ils appliquaient aux deux objets le nom commun de *Laser*. Pline (*Hist. nat.*, livr. 19, ch. 15, éd. Valp.) dit que le *Laser* ou *Silphion* ne se trouvait plus depuis longtemps en Cyrénaïque, parce que les publicains qui affermaient les pâturages de ce pays trouvaient avantage à détruire la plante pour la nourriture de leur bétail. Un seul pied put être recueilli pour être envoyé à Néron. On savait alors quand les bestiaux en avaient rencontré et brouté les jeunes pousses, parce que les moutons en éprouvaient, dit-on, des éternuments. Le seul *Laser* introduit depuis longtemps à Rome était récolté en abondance en Perse, en Médie et en Arménie, mais il était fort inférieur à celui de la Cyrénaïque. « Il n'est pas du tout improbable, ajoute Pereira, que le *Laser* de Perse ait été notre *Asa fœtida*. Le mot *Assa fœtida*, dit Murray (*Appar. medic.*, I, 361), paraît avoir été introduit par les moines de l'école de Salerne. Mais il semble aussi être d'origine orientale et pourrait bien être dérivé, comme on l'a soupçonné, du mot *Laser*. Nicolaus Myrepsus (*Antidotar.*, ch. XXVII, p. 365, cité par Alston, *Mat. med.*, LI, 438), le dernier à peu près des médecins grecs, lequel vivait, d'après Sprengel (*Hist. de la médec.*, IV, 368), vers 1227, parle de l'Ασα φοιτιδα. Il y a, dit Avicenne (lib. II, tr. 2, cap. 53), deux sortes d'*Asa* (i. e. *Laser* lat.), l'un fétide et l'autre odoriférant. » Ce dernier serait seul le *Laser*, employé autrefois, non-seulement comme médicament, mais encore comme condiment; ce qui s'appliquerait d'une façon moins vraisemblable à l'*Asa fœtida*, (*Voy.* sur ce point le mot ASA.) H. BN.

LASERPITIUM L. Genre de plantes, de la famille des Ombellifères, qui a donné son nom à une tribu des Laserpitiées. Ses fleurs sont disposées en ombelles composées, avec involucre et involucelles. Leurs sépales sont nuls ou très-courts. Leur disque hypogyne est conique ou déprimé, et leur fruit oblong est presque de la même largeur dans tous les sens sur une coupe transversale, un peu rétréci vers la commissure. Il y a quatre ailes à chaque carpelle ; elles sont formées par les côtes secondaires et se présentent sous forme de lames verticales, entières ou ondulées. Les bandelettes sont solitaires sous les ailes. La columelle se partage en deux baguettes. La graine est comprimée suivant le dos, et sa face verticale est plane ou légèrement concave. Les *Laserpitium* sont des plantes herbacées, vivaces, européennes et asiatiques, ou originaires de l'Afrique boréale. Leurs feuilles sont pennées, ou subternées et décomposées. Leurs fleurs sont blanches ou d'un jaune verdâtre. Le nom de ce genre vient de ce qu'on a cru autrefois que le *Laser* provenait d'une de ses espèces; on a attribué cette substance aux *L. Siler* L., *gummiferum* Desf. et *latifolium* L. Le *L. Siler* est une plante française; c'est le *Siler montanum* Crantz (*Ligusticum garganicum* Ten.); on le trouve dans le Dauphiné, la Lozère, les Pyrénées. Il a une souche amère qui a été employée comme vulnéraire, et ses fruits sont estimés comme stomachiques, emménagogues, diurétiques. M. Fée atttribue la production du *Faux-Turbith* ou *T. des montagnes*, au *L. glabrum* Crantz (*Fl. austr.*, t. 146), ou *L. latifolium* Jacq. (*Fl. austr.*, t. 146). Le *L. Chironium* L. est le *Séseli d'Éthiopie*, et la *Panacée d'Hercule* des anciens, au dire de Paulet. La racine, qui a l'odeur de l'encens, était employée comme excitante, échauffante, carminative, antihystérique. On la prescrivait souvent sous le nom de *Centiana alba*. Olivier et Bruguière ont, dans leur voyage en Orient, trouvé aux environs de Constantinople une espèce de ce genre que Ventenat nomme *L. triquetrum*, et dont la tige incisée donne un suc laiteux et visqueux qui se coagule en une gomme-résine très-odorante.

Le *L. Chironium* est un Opopanax (*voy.* ce mot). H. Bn.

L., *Gen.*, n. 344. — Desf., *Flor. atlant.*, t. 75. — DC., *Prodrom.*, IV, 204. — Lamk, *Dict.*, III, 422. — Paulet, in *Journ de médec.*, LII, 422. — Vent., *Jard. Cels*, V, 97. — Mér. et Del., *Dict.*, IV, 45. — Endl., *Gen.*, n. 4402. — Guib., *Drog. simpl.*, éd. 4, III, 229. — Lindl., *Fl. med.*, 53. — Fée, *Cours*, II, 209. — Gren. et Godr., *Fl. de Fr.*, I, 679. — Rosenth., *Syn. pl. diaph.*, 551. — Benth. et Hook., *Gen. plant.*, I, 929, n. 149.

LASSAIGNE (J. L.), un des élèves distingués de l'école de Vauquelin, naquit, le 22 septembre 1800, au Muséum d'histoire naturelle de Paris, où son père exerçait la profession de mécanicien; c'est là que le jeune Lassaigne étudia la chimie sous les auspices du célèbre professeur que nous venons de nommer. A peine âgé de dix-sept ans il publiait avec M. A. Chevalier, son condisciple et longtemps son ami, des recherches sur le *Chenepodium olidum* et sur le *Chara vulgaris*; en 1821 et 1822 il vit quelques-uns de ses travaux couronnés par la Société de médecine du département de la Seine. En 1825, l'Institut mentionnait honorablement un mémoire très-remarquable sur la digestion, qu'il avait composé en collaboration avec Leuret. Bientôt après il était nommé professeur de chimie à l'École de commerce de Paris, et l'illustre Dulong, professeur de physique et de chimie à l'École vétérinaire d'Alfort, le plaçait à la tête de son laboratoire et lui laissait sa chaire lorsqu'il eut été appelé sur un théâtre plus digne de lui. C'est dans cette position que Lassaigne composa une foule de travaux dans lesquels la chimie organique eut une large part. On lui doit la découverte de différentes substances, telles que la delphine, l'acide pyrocitrique, les acides maliques pyrogénés. Il a introduit le chromate de plomb dans la fabrication des toiles peintes. On lui doit encore un certain nombre de rapports sur des questions de médecine légale. Enfin, il a composé un abrégé élémentaire de chimie demeuré longtemps classique. Lassaigne succomba le 18 mars 1859 aux progrès d'une maladie qui, depuis près d'une année, le tenait éloigné de l'enseignement; il était depuis longtemps déjà membre de l'Académie de médecine et d'un très-grand nombre de sociétés savantes.

Il a fait paraître les ouvrages suivants :

I. *Recherches physiologiques et chimiques, pour servir à l'histoire de la digestion* (avec Leuret). (Ouvr. ment. hon. par l'Acad. des sc.) Paris, 1825, in-8°. — II. *Abrégé élémentaire de chimie considérée comme science accessoire*, etc. Paris, 1829, 2 vol. in-8°, fig., col., 2° édit., ibid., 1839 ; 3°, 1842 ; 3°, 1846, 2 vol. in-8, fig. — III. *Dictionnaire des réactifs chimiques employés dans toutes les expériences*. Paris, 1839, in-8°, fig. — IV. *Hist. naturelle et médicale des médicaments employés pour les animaux domestiques* (avec Delafond). Paris, 1841, in-8°. 2° éd. sous ce titre : *Traité de mat. méd. et de pharmacie vétérinaires*. Paris, 1853, in-8°. — Voir un grand nombre de mémoires dans les *Annales de chimie et de physique*, dans le *Journal de chimie médicale*, dans les *Annales d'hygiène*, *Rapports à l'Académie de médecine*, etc. E. Bgd.

LASSERRE (Eau minérale de), *athermale, amétallite, carbonique faible.* Dans le département du Lot-et-Garonne, dans l'arrondissement de Nérac, à 2 kilomètres environ du village de Francescas, émerge d'un terrain calcaire la source de Lasserre. Son eau limpide, claire et transparente, n'a ni odeur ni saveur caractéristiques, elle est sans action sur les préparations de tournesol ; sa température est de 12°,5 centigrade. Sa densité n'est pas connue ; Dulong a fait en 1825 son analyse chimique, il a trouvé que 1000 grammes de cette eau contiennent les principes suivants :

Carbonate de chaux	0,254
— magnésie	0,003
Sulfate de magnésie cristallisé	0,135
— soude cristallisé	0,060
Chlorure de sodium	0,048
— magnésium cristallisé	0,041
Sulfate de chaux	0,068
Silice	0,003
Total des matières fixes	0,612

Gaz.	Air atmosphérique	48,191 cent. cubes.
	Acide carbonique	47,000 —
	Total des gaz	95,191 cent. cubes.

L'eau de Lasserre est exclusivement employée en boisson par les habitants des pays voisins qui viennent chercher auprès de cette source une panacée à toutes leurs affections dans lesquelles l'appétit a diminué, les digestions sont laborieuses et les garde-robes difficiles. Pour arriver à une guérison rapide, ils croient devoir ingérer une quantité énorme d'eau minérale tous les matins à jeun. Ils obtiennent alors un effet laxatif, purgatif même, dont la composition élémentaire de l'eau de Lasserre ne peut donner la clef et qu'une indigestion seule peut expliquer d'une manière satisfaisante. A. R.

LASSERON. (*Voy.* Laisseron)

LASSIS. Né à Châtillon-sur-Loire, le 21 octobre 1772 ; reçu docteur en 1803, il servit d'abord dans les armées, puis étant revenu dans sa ville natale, il y remplit les fonctions de médecin en chef de l'hôpital. Lassis s'est surtout fait connaître lors des grandes luttes sur la transmissibilité des maladies épidémiques qui occupa si vivement les observateurs de 1815 à 1830. Dans son ouvrage publié en 1819 sur les causes du typhus, il combattit énergiquement sous le drapeau des non-contagionistes, fit voir le danger des croyances contraires, insistant particulièrement sur les effets déplorables qui en résultent, terreur, affaissement intellectuel, délaissement des malades. Il a, dans ces recherches, déployé un vrai talent de discussion et une érudition sérieuse. Après la grande épidémie de Barcelone qui donna lieu à des débats si passionnés, il fit le voyage d'Espagne, pour recueillir des documents ; mais dès cette époque exagérant ses idées sur les effets de la crainte qu'inspire la contagion, il en vint à rapporter en quelque sorte à cette seule cause toutes les maladies pestilentielles, qu'il regarde comme des maladies ordinaires exaspérées par la terreur qu'elles occasionnent; il en vint, enfin, à nier l'infection à laquelle il les rapportait autrefois, quand il disait que « ces maladies (les typhus) se développent dans tous les lieux où s'élèvent des émanations méphitiques et, surtout, dans ceux où les hommes sont en trop grand nombre. » C'est alors qu'il eut le malheur de s'attaquer à Chervin dont il contestait les idées sur l'infection, et dont il semblait déprécier les immenses recherches. Chervin lui adressa une de ces répliques dont il avait le secret, le raillant sur ses tergiversations et sa manière d'emprunter ses idées aux autres observateurs anciens ou modernes. Au total, les derniers opuscules de Lassis, mis de côté, son ouvrage sur le typhus doit prendre un rang distingué parmi les pièces qui figurent dans le grand procès relatif aux causes et au mode de propagation des maladies épidémiques.

Lassis, après avoir volontairement bravé la terrible épidémie du typhus à Mayence en 1813, et notre épidémie cholérique de 1832, alla mourir à Marseille, en 1835; victime de son dévouement, en soignant les habitants de cette ville décimés par le choléra.

Voici l'indication de ses principaux travaux :

I. *Dissertation sur les avantages de la paracentèse pratiquée dès le commencement de l'hydropisie abdominale*. Th. de Paris, an XI, n° 321 (attribuée à Chaussier). — II. *Recherches sur les véritables causes des maladies appelées typhus ou de la non-contagion des maladies typhoïdes*. Paris, 1819, in-8°. — III. *Causes des maladies épidémiques, moyen de les prévenir, d'y remédier; avec quelques réflexions sur la maladie d'Espagne*. Paris, 1822, in-8° (c'est l'ouvrage précédent avec un autre titre et une introduction). — IV. *Etat de la science relativement aux maladies épidémiques, ou nouvelles recherches*, etc. Paris, 1831, in-8°. — V. *Description d'un nouveau bandage propre à maintenir réduite la luxation de l'extrémité scapulaire de la clavicule*. In *Bullet. des sc. méd.*, t. VII, p. 242. — VI. *Appareil pour les fractures avec contusion*, in *Archiv. gén. de méd.*, t. XXIV, p. 146; 1830.

E. Bgd.

LASSONE (Joseph-Marie-François de). Naquit à Carpentras le 3 juillet 1717. Son père, qui remplissait les fonctions de médecin ordinaire du roi, le plaça sous le célèbre chirurgien Morand à l'hôpital de la Charité, où il fit de solides études, si bien qu'à l'âge de 21 ans il partagea avec le célèbre et éternel lauréat, Lecat, de Rouen, le prix proposé par l'Académie de chirurgie sur le cancer des mamelles. Après avoir, pour des raisons de famille, refusé d'occuper à Padoue une chaire de médecine, il se fit agréger à la Faculté de médecine de Paris, et, malgré sa jeunesse, il n'avait alors que vingt-cinq ans, il fut admis à l'Académie des sciences; d'autres honneurs l'attendaient encore : en 1751, il devenait médecin de la reine, puis de Marie-Antoinette et de Louis XVI. C'est alors que voulant alléger le poids des attributions dont le premier médecin du roi était alors investi, telles que l'examen des remèdes secrets, la surveillance des eaux minérales, la police sanitaire, l'étude des épidémies, etc., sentant bien que tant de questions et de si importantes ne pouvaient être examinées et jugées par un seul homme, il provoqua la formation d'une société qui devait s'en occuper avec l'ensemble et la maturité convenables. Telle fut l'origine de cette *Société royale de médecine* qui joua dans la science un si beau rôle à la fin du siècle dernier, donna tant de tablature à la vieille et jalouse Faculté de médecine de Paris, et attira tant d'injures au pauvre Lassone. Cet honorable et savant médecin mourut le 8 décembre 1788.

Il a publié un très-grand nombre de mémoires parmi ceux de l'Académie des sciences, de l'Académie de chirurgie et de la Société royale de médecine. Nous ne citons que ceux qui sont relatifs à la médecine, et nous laissons de côté tous ses travaux qui ont la chimie seule pour objet.

I. *Description anatomique d'un veau monstrueux* (avec Morand). In *Mém. de l'Acad. des sciences*, 1745. — II. *Observ. anatomiques pour l'histoire d'un fœtus*. Ibid., 1749. — III *Deux mém. sur l'organisation des os*. Ibid., 1751-1752. — IV. *Observ. physiques sur les eaux thermales de Vichy*. Ibid., 1753. — V. *Mém. sur la question proposée par l'Acad. royale de chirurgie sur le cancer des mamelles* (mém. cour.). In *Prix de l'Acad. de chir.*, t. I, 1753. — VI. *Histoire anatomique de la rate* (1er mém.). In *Mém. de l'Académie des sc.*, 1754. — VII. *Recherches sur la structure des artères*. Ibid., 1756. — VIII. *Rapp. sur les inoculations faites dans la famille royale au château de Marly*. Ibid., 1771. — IX. *Histoire de divers accidents graves occasionnés par les miasmes d'animaux en putréfaction et de la nouvelle méthode de traitement qui a été employée avec succès dans cette circonstance*. In *Mém. de la Soc. de méd.;* 1776-77. — X. *Méthode éprouvée pour le traitement de la rage*. Paris, 1776, in-8°. — XI. *Notice d'une suite d'expériences nouvelles qui font connaître la nature et les propriétés de plusieurs espèces d'airs ou émanations aériformes, extraits*, etc. In *Mém. de l'Acad. des sciences*, 1778. — XII. *Mém. sur quelques moyens aussi efficaces que prompts et faciles de remédier à des accidents graves qui surviennent assez fréquemment dans les petites véroles et les rougeoles de mauvais caractère*. In *Mém. de la Soc. de méd.*, 1779. — XIII. *Observat. sur quelques propriétés médicales du camphre*. Ibid., 1782-83. — XIV. *Mém. sur les altérations que l'air éprouve par les différentes substances que l'on emploie en fumigation dans les hôpitaux et dans les chambres de malades* (avec Cornette). In *Mém. de la Soc. de médecine*, 1786. E. BGD.

LASSUS (PIERRE). Laborieux chirurgien de la fin du dernier siècle, né en 1741, mort le 7 mars 1807; fait plutôt pour les études du cabinet et pour le professorat que pour la pratique; dissertant plus souvent sur les faits recueillis par d'autres, et n'établissant guère de principes d'après ses propres observations. Il n'a eu ni le génie fécond et original de Desault, ni l'expérience de Sabatier, mais il posséda plus que ces derniers la science et l'érudition; aimait les arts et apportait dans l'enseignement une grande méthode et beaucoup de clarté. Aussi, ses succès furent-ils rapides, et successivement, il devint: démonstrateur à l'Académie de chirurgie, chirurgien de Mesdames filles de Louis XV (1770), lieutenant du premier chirurgien du roi (1779), inspecteur des écoles de chirurgie, premier chirurgien de madame Victoire, professeur d'histoire de la médecine aux écoles de santé, membre de l'Institut, professeur de pathologie externe, enfin, chirurgien consultant de Napoléon. On a de lui les ouvrages suivants:

I. *Nouvelles méthodes de traiter les fractures par Pott, avec une description des attelles de Sharp pour le traitement des fractures de la jambe;* trad. de l'anglais. Paris, 1771, in-12. — II. *Dissertation sur la lymphe*, Paris, 1774, in-8°. — III. *Diss. sur les maladies vénériennes* par Turner; trad. de l'anglais. Paris, 1777, in-12. — IV. *Essai ou discours historique et critique sur les découvertes faites en anatomie par les anciens et les modernes*. Paris, 1783, in-8°. — V. *Manuel pratique des amputations des membres*, par Alanson; trad. de l'anglais. Paris, 1784, in-12. — VI. *Mémoire sur le prolongement de la langue hors de la bouche*. In *Mém. de l'Institut royal de France*, an VI, t. I, p. 1. — VII. *Traité élémentaire de médecine opératoire*. Paris, 1795, in-8°. — VIII. *Traité de pathologie chirurgicale*. Paris, 1805-1806, in-8°. — IX. *Le charlatan, dit le docteur Sacroton*, comédie parade en un acte et en prose. La Haye, 1780, in-8°. A. C.

LATANIER (*Latania* COMM.). Genre de plantes, de la famille des Palmiers, à feuilles en éventail, à étamines plus nombreuses que les divisions du périanthe (on en compte de quinze à trente et quelquefois plus), et à ovaire triloculaire, devenant une drupe à trois noyaux monospermes. Les fleurs sont dioïques et disposées en espèces de chatons. Les *Latania* sont originaires de l'Inde. On les cultive dans la plupart des pays tropicaux. Le *L. borbonica* sert, aux îles Mascareignes, à un grand nombre d'usages domestiques. Son fruit a une chair rougeâtre à l'extérieur, astringente. Les graines ont un albumen fort amer, purgatif; il sert à préparer des émulsions, administrées contre les affections scorbutiques. On en obtient par incisions une sève qui jouit des mêmes propriétés thérapeutiques. Aigrie, elle s'emploie comme vinaigre. Le *L. rubra* a des fruits succulents. C'est cette plante, originaire de l'île Maurice, que Gærtner a nommée *Cleophora lontaroides*. M. de Martius a adopté le nom spécifique de Linné, c'est-à-dire celui de *Latania Commersonii*. Quant au *L. borbonica* de Lamarck, il en a fait une espèce du genre *Livistona* sous le nom de *L. chinensis*, et il considère comme probable l'identité de cette espèce avec le *Rhoon-lin* du *Pentsao*, dont les fruits sont amers et stomachiques avant leur maturité complète. H. Bn.

COMMERS., ex JUSS., *Gen.*, 39. — L., *Syst.*, éd. XIII, 1055. — GÆRTNER, *Fruct.*, II, 185, 120. — MARTIUS, *Palm.*, 223, t. 158, fig. 4; t. 154, t. 161, fig. 2, t. W; 240, t. 146. — MÉR. et DEL., *Dict.*, IV, 46. — ENDL., *Gen.*, n. 1747.

LA TERRASSE (EAU MINÉRALE DE), *protothermale, chlorurée sodique moyenne, carbonique et sulfureuse faible*. Dans le département de l'Isère, dans l'arrondissement de Grenoble, à 16 kilomètres de la ville de ce nom, sur la route de Chambéry, émerge la source de La Terrasse qui sort du calcaire jurassique avec une certaine abondance, puisque son débit, en vingt-quatre heures, est de 4,500 litres. Son eau est limpide et transparente; elle a une odeur légèrement sulfureuse et un goût manifestement salé. Sa température est de 10°,3 centigrade. M. Niepce, qui en a fait l'analyse, a trouvé dans 1,000 grammes d'eau les substances suivantes :

Chlorure de sodium	1,205
— calcium	0,007
Carbonate de chaux	0,148
— magnésie	0,025
— fer	0,008
Sulfate de chaux	0,039
— soude	0,029
— magnésie	0,083
— alumine	0,005
Phosphate de chaux	0,012
Iode, silice, glairine	traces.
TOTAL DES MATIÈRES FIXES	1,381

Gaz.	Acide carbonique	0,08300 litre.
	Azote	0,01127 —
	Acide sulfhydrique	0,01703 —
	TOTAL DES GAZ	0,11130 litre.

Les eaux de La Terrasse s'administrent en boisson seulement. Les habitants de la contrée les prennent avec utilité lorsqu'ils ont un tempérament lymphatique, scrofuleux ou des manifestations herpétiques. Dans ce dernier cas, ils associent les lotions sur les parties malades à l'usage interne de l'eau. Ce sont les dartres humides, et particulièrement l'eczéma, qui se trouvent le mieux d'une cure à La Terrasse. Ces eaux, en boisson et en applications locales, donnent surtout de bons résultats dans les engorgements ganglionnaires et les ulcérations de nature strumeuse. Leur action tonique et reconstituante est souvent mise à profit dans les affections où l'anémie et la chlorose sont les symptômes prédominants.

A. ROTUREAU.

LA TESTE (Station marine), à 50 kilomètres de Bordeaux, dans le bassin d'Arcachon. C'est cette dernière localité qui attire aujourd'hui les baigneurs. (*Voy*. Arcachon.)

LATEX, LATICIFÈRES. Liquide spécial qui s'observe dans un grand nombre de végétaux, et qui s'appelle encore *Suc propre* ou, plus rarement, *Suc vital*. Les vaisseaux *laticifères* sont souvent, dans les végétaux phanérogames, les réservoirs qui contiennent ce suc, et c'est de là qu'ils ont tiré leur nom. Mais le *latex* peut aussi se trouver dans d'autres cavités, telles que celles qui font partie du tissu cellulaire, et c'est là seulement, ou dans le tissu prosenchymateux, qu'il peut se rencontrer dans les plantes dépourvues de tissu vasculaire.

Lorsqu'on produit une solution de continuité sur divers organes d'un grand nombre de plantes, on voit sortir des blessures ce *latex* qui a souvent l'apparence blanchâtre et opaque du lait animal, et qui, pour cette raison, dans certaines espèces, a reçu le nom de *Lait végétal*. (*Voy*. ce mot.) Plus rarement le *latex* est presque incolore, comme dans plusieurs Fumariées, Asclépiadées, ou légèrement verdâtre, comme dans quelques Apocynées du genre *Vinca*, ou jaune orangé, comme dans les Artichauts, les Clusiacées, les Chélidoines, les *Bocconia*, etc., ou enfin rouge, comme dans la Sanguinaire du Canada qui a tiré son nom de cette particularité. Mais la couleur blanche opaque est de beaucoup la plus ordinaire dans les plantes de notre pays, telles que les Pavots, les Euphorbes, les Figuiers, les Laitues, etc.

Le *latex* n'est pas un liquide homogène ; mais, de même que le sang, il est formé de divers matériaux liquides et solides. On y distingue généralement un liquide aqueux transparent et, en suspension, de petits globules solides, desquels dépend la coloration de l'ensemble. Ces corpuscules sont de nature très-diverse et il en résulte, pour les divers *latex*, des propriétés différentes dont on tire souvent parti dans l'économie domestique, les arts, l'industrie, la médecine, etc.

Beaucoup de *latex* sont riches en caoutchouc, et il n'est pas étonnant qu'on les recueille et qu'on les dessèche pour la préparation de cette substance. Plusieurs Euphorbiacées américaines fournissent par incision le caoutchouc qui vient de l'Amérique équatoriale, notamment de la Guyane et du Brésil septentrional. Ce sont des *Hevea* ou *Siphonia*. (*Voy*. ces mots). Le caoutchouc est encore fourni par des genres du groupe des Artocarpées, l'*Urceola elastica*, les *Castilloa*, etc. Celui de l'Inde provient surtout des Figuiers, tels que les *Ficus elastica*, *religiosa*, etc. On a recueilli dans ces dernières années une certaine quantité de la même substance, dans l'Afrique tropicale occidentale, où les plantes qui la fournissent sont des lianes appartenant aux familles des Apocynées ou des Asclépiadées. On a toujours remarqué comme un fait très-singulier que certaines plantes de ces derniers groupes, ou de la famille des Artocarpées elle-même, ne donnent qu'un *latex* bienfaisant, limpide, doux, légèrement sucré, comme le lait de nos bestiaux. Tel sont le *Hya-hya* des Galibis, qui est le *Tabernæmontana utilis*, et le *Palo de Vaca* de l'Amérique équinoxiale, ou *Galactodendron utile*, plus connu sous le nom vulgaire d'*Arbre à la vache*. C'est cependant au même groupe naturel qu'appartiennent le fameux poison de Java, l'*Upas-Antiar*, suc de l'*Antiaris toxicaria* (*voy*. ce mot), et les sucs, bien moins âcres, il est vrai, mais parfois employés comme irritants, de certains Figuiers et des Arbres-à-pain ou *Artocarpus*. La *Gutta-percha*, dont les applications à l'industrie et à la médecine sont aujourd'hui nombreuses, est encore un *latex* qui s'extrait en Malaisie de l'*Isonandra Gutta*, arbre de la famille des Sapotacées, et qui découle aussi, par incisions, des tiges d'un assez grand nombre d'autres arbres de la même famille, originaires de l'Inde ou de l'Amérique tropicale. Dans ces plantes, la coloration du *latex* est blanche, ou légèrement jaune; tandis que la matière colorante jaunâtre devient abondante dans les Clusiacées ou Guttifères, notamment dans celles qui fournissent les Gommes-guttes du commerce, les *Garcinia*, *Hebradendron*, *Stalagmitis* (*Xanthochymus*). Quant aux *latex* qui sont doués de vertus médecinales énergiques ou qui constituent des poisons dangereux, ils doivent ordinairement ces propriétés à des alcaloïdes particuliers; tel est celui des Strychnées, des Papavéracées, notamment du Pavot somnifère, puisque l'on sait que l'opium n'est que le *latex* concrété et d'abord lactiforme, qui s'écoule de cette plante, lorsqu'on soumet à des incisions les capsules avant leur maturité.

Dans les plantes qui n'ont pas de vaisseaux, le *latex* ne peut, bien entendu, être renfermé dans des vaisseaux particuliers, mais il se trouve dans l'intérieur des fibres, des cellules ou dans les intervalles qui les séparent. Là seulement peut être le siége du suc laiteux dans les Champignons qui en renferment.

On a beaucoup discuté sur le rôle physiologique du latex. C. H. Schultz lui a donné, il y a plus de trente ans, le nom de *Suc vital* (*Lebenssaft*), ce qui suppose que ce liquide a une grande importance dans la nutrition de la plante. L'opinion de A. P. De Candolle et d'un grand nombre de physiologistes de son temps est encore une exagération de cette première manière de voir, puisque le *latex* a été un grand nombre de fois confondu avec la séve élaborée ou descendante. Dans une seconde période, le rôle attribué au *latex* est totalement différent. Comme, d'une part, il ne se rencontre que dans un nombre limité de végétaux, et comme, d'autre part, il est souvent renfermé dans des réservoirs spéciaux, on admit que, loin d'être une substance utile à la nutrition des plantes, il n'en est qu'un liquide sécrété, résidu de la nutrition, ne pouvant par conséquent y concourir; et on a été même jusqu'à le considérer comme pouvant être dangereux pour la santé du végétal, s'il se mêlait aux autres liquides de la circulation, notamment à la séve dont l'ensemble de la plante est gorgée. Les propriétés très-actives, et souvent âcres, dangereuses, du suc laiteux des végétaux ont sans doute fait beaucoup pour inspirer aux physiologistes cette opinion : qu'il était nécessaire que le *latex*, une fois séparé des liquides de la plante, fût renfermé dans des cavités dont il ne pouvait sans inconvénient franchir les limites. Aujourd'hui, grâce surtout aux beaux et nombreux travaux de M. A. Trécul, travaux insérés depuis cinq ans dans les *Comptes rendus de l'Académie des sciences*, la question du rôle physiologique du *latex* entre dans une troisième phase, ou plutôt elle revient à la première période, et le *latex* est de nouveau considéré comme un fluide nourricier analogue au sang. Grâce à des communications plus ou moins fréquentes, des réservoirs du *latex* avec les vaisseaux dits lymphatiques et les autres éléments histologiques des plantes, ou grâce seulement à la faculté qu'a le *latex* de traverser les parois de ces différents réservoirs, ce liquide pourrait, pense M. Trécul, aller s'oxygéner dans leur cavité, comme le sang veineux va s'oxygéner, chez les animaux, dans certains organes desquels il sort à l'état de sang artériel. H. Bn.

LATHRÆA. *Voy.* Clandestine.

LATHYRIS. *Voy.* Épurge, Euphorbe.

LATHYRUS. *Voy.* Gesse.

LATITUDE. On appelle latitude d'un lieu l'arc de méridien compris entre ce lieu et l'équateur. Les latitudes se comptent de *zéro degré*, 0°, à *quatre-vingt-dix degrés*, 90°, à partir de l'équateur ; on les dit *boréales* ou *australes*, suivant que le lieu considéré est dans l'hémisphère *boréal* et dans l'hémisphère *austral*.

La latitude est en réalité la mesure de l'angle que la *verticale* du lieu fait avec l'équateur ; elle est donc égale à la *hauteur* du pôle au-dessus de l'horizon du lieu. Pour un lieu quelconque à la surface de la terre, l'angle compris entre la verticale et l'équateur est égal à l'inclinaison de l'axe de la terre sur l'horizon.

L'influence de la latitude sur les divers éléments des climats a été ou sera étudiée aux articles ATMOSPHÈRE, CLIMATS, ISOTHERMES. G.

LATOUR (**Les**). Plusieurs médecins ont porté ce nom, et leur histoire a été singulièrement mêlée par les biographes. Un examen attentif des titres de chacun d'eux, les observations consignées sur eux-mêmes dans les préfaces de leurs ouvrages, m'ont permis de rétablir les choses à leur place et de restituer à chacun d'eux la part qui lui revient. Nous les partagerons en deux branches, les Latour de Toulouse et les Latour d'Orléans.

A Toulouse nous trouvons deux médecins de ce nom.

Latour (PIERRE), grand-père paternel de M. Amédée Latour, auquel je dois les renseignements qui suivent : P. Latour, quoique médecin, professait la chirurgie, suivant l'usage du temps et avec un grand succès, à Toulouse, au milieu du siècle dernier. La notoriété dont il jouissait lui valut d'être appelé comme médecin expert dans la déplorable affaire Calas. C'est lui qui, le premier, examina le corps du jeune Calas, immédiatement après la mort, et reconnut l'absence complète de lésions autres que celles de la strangulation, fait de la plus haute importance, dont Voltaire s'est victorieusement servi pour démontrer l'innocence du malheureux vieillard. Pierre Latour n'a rien publié.

Latour (?). Après avoir servi dans les armées de la république, il se fixa à Toulouse vers le commencement du siècle et s'acquit une grande réputation. On lui doit d'avoir propagé la vaccine avec beaucoup d'ardeur. Il a publié les opuscules suivants :

I. *Rapport au cit. Brun, préfet du département de l'Ariége, sur un grand nombre de vaccinations pratiquées dans l'arrondissement de Saint-Girons*, etc. Toulouse, 1804, in-8°. — II. *Notice historique sur quelques maladies dont la guérison a été opérée par les fumigations sulfureuses*. Toulouse, 1818, in-8°. — III. *Réfutation de quelques préjugés qui se sont répandus contre la vaccine*, etc. Toulouse, 1822, in-8°; 2e édit., ibid., 1823, in-8°.

Viennent maintenant les Latour d'Orléans.

Latour (DOMINIQUE), naquit à Ancizan (Hautes-Pyrénées), en 1749, il était déjà pourvu du titre de docteur quand il vint à Paris où il se lia avec ses illustres compatriotes, Bordeu, Roussel, etc. Disciple du célèbre Ant. Petit, c'est par les conseils de celui-ci qu'il alla pratiquer la médecine d'abord à Neuville près d'Orléans, puis dans cette dernière ville, et, sur ce théâtre plus digne de lui, il se fit bientôt une grande réputation. Pendant le règne de la Terreur, son humanité qui ne savait pas distinguer les partis lui suscita quelques persécutions, qui l'obligèrent à se réfugier à Paris où il demeura quelque temps. Après le 9 thermidor il retourna à Orléans, et là il fut bientôt nommé médecin en chef de l'Hôtel-Dieu, position qu'il dut quitter pour céder aux instances de Louis Bonaparte, roi de Hollande, qui l'emmena avec lui dans ses États ; après une absence de huit ans,

Latour reparut à Orléans où il termina sa vie en 1820, encore accablé de la perte cruelle qu'il avait faite de son fils quelques années auparavant, comme nous allons le dire en parlant de celui-ci.

Latour fut un médecin instruit et très-laborieux; des divers ouvrages qu'il a composés, il en est un qui sauve son nom de l'oubli, c'est son *Traité des hémorrhagies*, non pas tant assurément pour la valeur des idées que renferme ce livre, que pour la multitude d'observations qu'il a rassemblées et qui forment un recueil précieux, encore journellement consulté.

Voici la liste de ses principales publications, soigneusement distinguées de celles de son fils et de son homonyme de Toulouse, avec lesquels il a été si singulièrement confondu par Dezeimeris, Quérard, etc.

I. *Sur un tétanos.* In *Journ. gén. de méd.*, t. XLVIII, p. 213; 1777. — II. *Sur une catalepsie.* Ibid., t. LII, p. 340, 1779. — III. *Mém. sur la paralysie des extrémités inférieures qu'on supposait dépendante de la courbure de l'épine du dos, avec des observations qui prouvent que cette maladie avec ou sans vice vertébral dérive de la lésion de la moelle épinière,* etc. In *Mém. de la Soc. méd. d'émulat.*, t. VI. p. 62; 1806.— IV. *Histoire philosophique et médicale des causes essentielles immédiates ou prochaines des hémorrhagies.* Orléans, 1815, 2 vol. in-8°; réimpr. en 1828, ibid., 2 vol. in-8°. — V. Quelques articles dans les journaux scientifiques d'Orléans. *Sur l'influence de l'imagination dans les maladies; sur l'influence du corps dans les opérations de l'âme,* etc.

Latour (Jean-François-Louis-Dominique), fils du précédent, né à Neuville, près d'Orléans, le 23 décembre 1783. Ses humanités terminées d'une manière brillante à Orléans, son père l'envoya à Paris où il suivit les leçons des hommes éminents alors chargés de l'enseignement, et notamment celles d'Ant. Dubois à qui il s'attacha d'une manière particulière. Sa dissertation inaugurale soutenue le 23 germinal an XI (1803), intitulée : *Essai sur le rhumatisme*, est une monographie de 280 pages in-8°, qui atteste des recherches historiques et des connaissances bien remarquables chez un jeune homme de vingt ans. Après cet acte probatoire qui lui fit le plus grand honneur, Latour retourna à Orléans et là, sous les auspices de son père, secondé par son mérite personnel, il sut bientôt conquérir l'estime et la confiance de ses compatriotes. En 1808, il était médecin de l'Hôtel-Dieu et du Lycée d'Orléans, chargé du traitement des maladies épidémiques dans l'arrondissement de cette ville, etc. Son zèle, dont il devait donner bientôt une preuve éclatante et si funeste pour lui, ses travaux incessants justifiaient et au delà ces positions honorables.

En 1814, pendant l'invasion, les troupes françaises refoulées vers la Loire avaient encombré de malades et de blessés les hôpitaux d'Orléans, et introduit ce terrible typhus qui fit tant de victimes dans ces temps désastreux. Latour fut une de ces victimes; il succomba à une violente attaque du fléau, le 24 février 1814, laissant les ouvrages suivants :

I. *Essai sur le rhumatisme.* Thèse de Paris, an XI, in-8°. — II. *Manuel sur le croup.* Orléans, 1805, in-12. — III. *Nosographie synoptique.* Orléans, 1810, in-fol. (le premier fascicule contenant les fièvres a seul paru). — IV. *Obs. d'une lèpre des Hébreux, leuce ou alphos des Grecs, vitiligo des Latins.* In *Mém. de la Soc. méd. d'émulat.*, t. VI, p. 312; 1806. — V. *Eloges academ.*, prononcés à la Société des sc. phys. méd. et d'agric. d'Orléans, pendant l'année 1810. Orléans, 1811, in-8°. E. Bgd.

LA TREMBLADE (Station marine). Dans le département de la Charente-Inférieure, dans l'arrondissement de Marennes, est un chef-lieu de canton, peuplé de 2,758 habitants. Le petit port de La Tremblade se trouve près de l'embouchure de la Seuldre, à 7 kilomètres sud-sud-ouest de Marennes, à 5 kilomètres du rivage, au milieu de parcs aux huîtres vertes et de marais salants.

Les bains de mer de La Tremblade sont déjà fréquentés par un assez grand nombre de baigneurs venus des départements voisins; mais un établissement plus important que les deux chalets-restaurants qui en tiennent lieu aujourd'hui, attirerait, à n'en pas douter, sur cette plage sablonneuse et unie les personnes qui cherchent une température agréable et les aises de la vie. A. R.

LATRINES. (*Voy.* FOSSES D'AISANCE.)

LATRODECTES (de λατρίς, captif, et de δήκτης, qui mord). Genre d'Arachnides, de la division des Aranéides, créé par Walckenaer, avec un démembrement des *Theridion*. Ce genre est composé d'espèces de couleurs sombres, ayant souvent sur le corps des taches d'un rouge de sang, et regardées comme très-venimeuses.

Les Latrodectes sont caractérisés par huit yeux, presque égaux entre eux, placés sur deux lignes écartées et légèrement divergentes; les latéraux plus écartés que les intermédiaires, et portés sur des éminences de la tête. Lèvre triangulaire, grande et dilatée à la base. Mâchoires inclinées sur la lèvre, allongées, cylindriques, arrondies extérieurement, terminées en pointe, le côté interne coupé en ligne droite. Pattes allongées, inégales : la première paire plus longue que la quatrième, qui est elle-même plus longue que les intermédiaires, la troisième paire la plus courte de toutes.

Ces arachnides, de moyenne taille, filent dans les sillons, les ornières et sous les pierres, dans les endroits arides, des fils très-forts, disposés en filets, où les gros insectes sont arrêtés. Leur cocon est sphéroïde, avec l'un des deux bouts pointu.

Le *Latrodecte Malmignatte*, *Aranea tredecim-guttata* Rossi, *Latrodectus Malmignatus* Walck., est l'espèce typique du genre; elle atteint 6 lignes de longueur, et elle est d'un noir sombre, avec treize à quinze taches couleur de sang sur un abdomen gros, renflé, comme globuleux, et très-pointu vers l'anus. Cette espèce est fort commune en Corse, en Sardaigne, en Italie, en Espagne, en Algérie, etc., et extrêmement redoutée. Boccone, Keisler, Rossi et plusieurs autres auteurs ont avancé qu'elle causait par sa morsure des fièvres, de vives douleurs et de la léthargie. Luidgi Rotti, ancien médecin de l'hôpital de la Madeleine, à Volterra, en Italie, a confirmé les mauvais effets de sa morsure. Abbot dit que les espèces américaines sont très-redoutées et venimeuses. Cauro, Graells, Lambotte, ont cité des faits d'hommes et d'animaux rendus malades par la piqûre des Latrodectes. J'ai demandé leur opinion à des naturalistes très-consciencieux, et je puis dire que pas un d'entre eux ne partage ces croyances sur l'activité nocive pour l'homme, ou les grands animaux, du venin de la Malmignatte. Léon Dufour n'y croyait point; Hippolyte Lucas, qui a très-fréquemment observé cette espèce en Algérie et qui en a été mordu plusieurs fois, n'en a éprouvé aucun inconvénient. Eugène Simon l'a trouvée fréquemment en Espagne; il n'a constaté aucun mauvais effet produit par sa piqûre; mais il a vu tous les paysans très-effrayés à l'aspect de cette arachnide tandis qu'une espèce voisine (*Theridium lugubre* Léon Dufour, *Latrodectes erebus* Savigny-Walck.) ne leur causait aucune crainte. Vinson a remarqué pareillement la peur excessive que les habitants de Madagascar éprouvent en rencontrant sous leurs pieds le *Latro-*

dectus Menavodi, qui est noir et rouge comme la Malmignatte, avec quelques points blancs, tandis qu'une espèce rapprochée, mais noire et sans tache, leur est indifférente.

Il me paraît résulter de ces documents que la Malmignatte et les espèces voisines sont redoutées partout, aussi bien dans le midi de l'Europe, le nord de l'Afrique, qu'à Madagascar et dans l'Amérique du Nord, à cause de leur couleur noire avec des taches ou des lignes d'un rouge de sang, qui tranchent sur leur abdomen et qui leur donnent un aspect féroce ou dangereux. Si réellement ces animaux étaient aussi à craindre qu'on l'a dit, les espèces unicolores et noires, ou brunâtres, dépourvues de taches, seraient non moins à redouter; or, ceux-là même qui tremblent ou s'éloignent à la vue de la Malmignatte, prennent avec les doigts les Latrodectes sans taches rouges, et ne font aucune difficulté à admettre que jamais celles-ci n'ont causé de mal.

La Malmignatte est timide; enfermée avec d'autres insectes, elle ne les attaque pas; mais elle se jette avec fureur sur les animaux de sa propre espèce. Le combat est toujours à mort, et la victime est mangée par le vainqueur. Le cocon a 6 lignes de diamètre; il est roussâtre clair, d'un tissu fort résistant, que le canif a de la peine à entamer. Il renferme cent à deux cents œufs d'un jaune pâle, suivant Walckenaer. Les longs fils tendus sous les pierres par la Malmignatte prennent les plus gros insectes, même les Cicindèles, les Cigales et les Criquets; l'araignée les saisit aussitôt, et les suce après les avoir engourdis avec son venin.

Les noms donnés aux animaux de ce genre, qui renferme une douzaine d'espèces, sont tous plus ou moins effrayants; tels sont les Latrodectes belliqueux, chasseur, érèbe, lugubre, redoutable, perfide, assassin, meurtrier, etc. On conçoit combien ces dénominations, jointes à la robe si souvent noire et sanglante de l'araignée, doivent impressionner les personnes craintives quand elles se trouvent en présence des Malmignattes et des autres Latrodectes. J'ai la conviction que des observations bien faites confirmeront ce que j'avance sur le peu de danger du venin de ces aranéides, par rapport à l'homme : ce venin ne peut faire périr que les insectes dont l'araignée fait sa proie. A. LABOULBÈNE.

BIBLIOGRAPHIE. — BOCCONE. *Musco di fisica*, p. 107 et 280, in-4°, 1697. — KEISLER. *Neuester Reisen*, 2° Th., p. 762; 1751. — ROSSI. *Fauna etrusca*, t. II, p. 136, n° 982, pl. 9, fig. 10; 1790. — CAURO (A.). *Exposition des moyens curatifs de la morsure de la Theridion Malmignatte*. Thèse de Paris, in-4°, 1833. — WALCKENAER. *Tableau des Aranéides*, p. 81, pl. 9, fig. 83 et 84, et *Insectes aptères* (Suites à Buffon), t. I, p. 645; 1837. — GRAËLLS. *Notice sur divers faits qui confirment la propriété venimeuse du Latrodectus malmignatus*. In *Ann. de la Société entomologique de France*, 1842, p. 205, pl. 10, fig. 1 et 2, n° II, et même ouvrage, 1845, Bulletin, p. VIII. — VINSON (A.). *Aranéides des îles de la Réunion, Maurice et Madagascar*, in-8, p. 122 et suivantes, pl. 8, fig. 5 (espèce appelée *Vancoho* dans la partie sud de Madagascar, et *Ménavodi* dans l'est et à l'intérieur chez les Hovas.) 1863.

LA TROLLIÈRE (EAU MINÉRALE DE), *athermale, amétallite, crénatée ferrugineuse faible, carbonique forte*. Dans le département de l'Allier, dans l'arrondissement de Moulins, à 1 kilomètre et demi du bourg de Theneuille et de la source de PARDOUX (SAINT-) (*voy.* ce mot), à 17 kilomètres de Bourbon-l'Archambault, émerge des marnes irisées d'une prairie la source de La Trollière. Son bassin circulaire est recouvert d'un pavillon à toiture de zinc et à pilastres à jour; son eau est limpide, claire et transparente, l'analyse chimique n'y démontre l'existence d'aucun principe sulfuré; mais l'odorat perçoit aux environs de la source une sensation de gaz acide sulfhydrique appréciable surtout pendant les changements de temps et les jours d'orage. Le goût de l'eau de La Trollière n'est pas hépatique ; il est très-piquant et un peu amer. Le papier et la teinture de tournesol sont instantanément rougis par cette eau minérale, ou plutôt par la grande quantité des gaz qui la traversent, viennent s'épanouir en grosses bulles et avec bruit à sa surface, ou se fixent en perles nombreuses, brillantes et volumineuses sur les parois intérieures des vases qui la contiennent. Sa température est de 13°,3 centigrade ; son analyse, faite par M. O. Henry, a démontré dans 1,000 grammes d'eau l'existence des principes qui suivent :

Bicarbonate de chaux	} 0,0300
— magnésie	
— soude	0,0240
Sulfates de soude et de chaux	0,0180
Chlorures de sodium et de magnésium	0,0400
Silicates de chaux et d'alumine	0,0600
Oxyde de fer associé à l'acide crénique	0,0200
TOTAL DES MATIÈRES FIXES	0,1920
Gaz acide carbonique libre	1 volume 1/3

Cette source appartient à l'État, et elle est soumise à la régie de l'établissement de Bourbon-l'Archambault ; son débit est de 4,800 litres en vingt-quatre heures.

Elle est employée exclusivement en boisson par un petit nombre d'habitants de la contrée et par quelques baigneurs de Bourbon-l'Archambault qui viennent en excursion à La Trollière ; elle est surtout consommée à la station de Bourbon, où elle est apportée chaque matin dans des bouteilles hermétiquement bouchées. C'est surtout après ce transport qu'elle prend une odeur sulfureuse. Le docteur Regnault, ancien inspecteur de Bourbon-l'Archambault, assure avoir souvent prescrit avec succès l'eau de La Trollière en boisson, à la dose de trois à six verres par jour, un verre de quart d'heure en quart d'heure, dans la bronchite chronique, la bronchorrhée, l'irritation des voies urinaires depuis longtemps entretenue par la présence de graviers ou de petits calculs dans les reins de personnes irritables et nerveuses. Il ajoute qu'il s'est souvent bien trouvé de l'usage journalier de deux à quatre verres de cette eau dans certaines diarrhées chroniques et dans quelques maladies de la peau.

A. ROTUREAU.

BIBLIOGRAPHIE. — REGNAULT (E.). *Précis descriptif et pratique sur les eaux minéro-thermales de Bourbon-l'Archambault*. Paris, 1842, in-8°. — GRELLOIS. *Etudes sur les eaux minérales de Bourbon-l'Archambault faites pendant l'été de* 1858. Paris. in-8°, 67 pages.

A. R.

LAUDANUM. § I. **Pharmacologie.** Il paraît certain que le mot persan *lâdan*, où l'on a voulu trouver l'étymologie de *laudanum*, est l'origine du mot *ladanum* ou *labdanum*. (*Voy*. LADANUM). Suivant Castelli, *laudanum* vient de *laudare*, louer, en témoignage de l'extrême faveur qui s'est attachée aux préparations opiacées. Le nom de *laudanum* a d'abord été donné à l'opium ramolli dans l'eau, passé avec expression et évaporé en consistance d'extrait ; et, quelquefois aussi, il a été appliqué à l'extrait d'opium préparé avec le vin. Aujourd'hui, le nom de *laudanum* est réservé à deux préparations dans lesquelles l'opium se trouve associé à divers ingrédients : 1° *laudanum de Sydenham ;* 2° *laudanum de Rousseau.*

1° *Laudanum de Sydenham* ou *Vin d'opium composé.* Sydenham, qui en a donné la formule, ne le considérait pas autrement que comme un moyen commode de doser l'opium. Voici comment le *Codex* de 1866 prescrit de le préparer : opium de Smyrne, 200 grammes; safran incisé, 100 grammes ; cannelle concassée, 15 grammes; girofles concassés, 15 grammes; vin de Malaga, 1,600 grammes. On coupe l'opium en petits morceaux, on le met avec les autres substances dans un matras ; on fait macérer le tout pendant quinze jours, en agitant de temps en temps. On passe, on exprime fortement et on filtre.

4 grammes de laudanum de Sydenham contiennent 0gr,50 d'opium ou 0gr,25 d'extrait d'opium.

L'opium cède au vin les méconates de morphine et de codéine, de la narcotine, de la résine, de l'huile acide, l'arome, beaucoup de matière colorante. Ces substances se trouvent unies à la matière colorante et aux huiles volatiles de la cannelle, du safran et du girofle.

On a conseillé différentes modifications à la formule du *Codex ;* il en sera question au chapitre de l'*Emploi médical*.

Quelques pharmacopées étrangères ajoutent une certaine quantité d'alcool au vin, d'autres le substituent même complétement à ce dernier, par ce motif que la force dissolvante du vin est variable. La pharmacopée de Londres supprime le safran. Tous ces laudanums renferment des proportions différentes d'opium.

Le *laudanum de Sydenham de la pharmacopée française* a une couleur d'un brun jaune en masse, teignant la paroi des vases d'un jaune d'or qui persiste assez longtemps, une odeur vireuse où domine l'arome du safran. Sa densité est de 1,075; sa richesse alcoométrique, 17 à 18 pour 100, et il doit laisser 20 pour 100 d'extrait. 1 partie de laudanum de Sydenham, étendue de 50,000 parties d'eau, donne une liqueur dont la teinte jaune est encore très-appréciable.

Le laudanum de Sydenham laisse déposer, au bout de quelque temps, une poudre jaune qui est formée par de matière colorante du safran et de narcotine.

2° *Laudanum de Rousseau* ou *Vin d'opium par fermentation*. La formule de ce laudanum a été donnée par l'abbé Rousseau, médecin de Louis XIV. Voici comment le *Codex* indique d'opérer : on prend 200 grammes d'opium de Smyrne que l'on divise et que l'on fait dissoudre dans 3,000 grammes d'eau chaude; on ajoute 600 grammes de miel blanc et 40 grammes de levûre de bière fraîche. On met le tout dans un matras que l'on expose à une température constante de 25 à 30°, jusqu'à ce que la fermentation soit complétement terminée; on filtre la liqueur, on l'évapore au bain-marie jusqu'à ce qu'elle soit réduite à 600 grammes; on laisse refroidir, on y ajoute les 200 grammes d'alcool et, après vingt-quatre heures, on filtre de nouveau.

4 grammes de laudanum de Rousseau correspondent à 1 gramme d'opium ou à 0gr,50 d'extrait d'opium. Ce laudanum renferme donc le double d'opium que le laudanum de Sydenham, et il ne doit jamais lui être substitué, à moins cependant qu'on ne tienne compte de la différence dans la proportion du principe actif.

Ce médicament est d'une couleur brune très-foncée, très-différente de celle du laudanum de Sydenham, qui est d'un brun jaune en masse, comme nous l'avons dit ; il est entièrement privé d'odeur vireuse, et la forte dose d'opium qu'il renferme le rend très-actif et très-calmant.

L'abbé Rousseau conseillait de distiller le liquide fermenté et de retirer une certaine quantité de liqueur spiritueuse qu'il ajoutait au produit de l'évaporation ;

mais cet alcool d'odeur vireuse et de propriété presque nulle a été remplacé, avec juste raison, sur le conseil de Baumé, par de l'alcool ordinaire. Autrefois, on laissait la fermentation se prolonger pendant un mois; il est bien préférable, comme cela se pratique aujourd'hui, d'arrêter l'opération aussitôt que le miel est détruit.

Le laudanum de Rousseau ne doit pas être confondu avec le médicament connu sous le nom de *gouttes noires*, lesquelles sont très-employées en Angleterre et commencent aussi à l'être en France. La formule du Codex est la suivante : opium de Smyrne, 100 grammes ; safran, 8 grammes ; muscades, 25 grammes ; sucre, 50 grammes. Cette préparation est quatre fois plus active que le laudanum de Sydenham.

Le nom de *laudanum* avait encore été donné autrefois aux trois préparations suivantes qui ne sont plus employées aujourd'hui. Le *laudanum de Lalouette* ou *vin d'opium de Lalouette*, se préparait avec extrait d'opium acétique, 24 grammes ; vin d'Espagne, 500 grammes, et eau-de-vie, 60 grammes. Le *laudanum opiatum* ou *opium purifié*, s'obtenait en coupant de l'opium par rouelles, le mettant au bain-marie avec une petite quantité d'eau, le délayant exactement, passant avec expression, laissant déposer, décantant la liqueur claire, et la faisant évaporer ensuite au bain-marie pour l'amener en consistance pilulaire. Le *laudanum tutissimum* était une teinture préparée avec de l'alcool et de la thériaque. (*Voy.* OPIUM.)

T. GOBLEY.

§ II. **Emploi médical.** Nous ne voulons pas revenir sur l'exposé pharmacologique qui précède. On nous permettra seulement, à ce même point de vue, quelques remarques susceptibles d'intéresser le praticien. Nous ne saurions anticiper ici sur ce que nous aurons à dire plus tard de l'opium (*voy.* ce mot), et nous devons nous borner à indiquer les propriétés spéciales des laudanums, leur mode de préparation, la relation de leurs doses avec celles de l'opium lui-même, et enfin les indications particulières qui leur ont été attribuées en tant que laudanums.

Je décrirai ici : 1° le laudanum de Sydenham ; 2° le laudanum de Rousseau ; 3° les solutions acétiques d'opium, et en particulier les gouttes noires.

I. LAUDANUM DE SYDENHAM. C'est dans sa description mémorable des épidémies de dysenterie d'une partie de l'année 1669 et des années 1670, 71, 72 (*Op. omnia*, t. I, sectio IV, caput III, p. 113) que Sydenham a, pour la première fois, parlé de cette préparation, dont l'usage, devenu universel, devait singulièrement populariser son nom. Il le fait en cinq lignes avec une conviction très-nette des avantages de sa formule, mais sans avoir l'air de se douter de la fortune qui l'attendait. On me permettra de reproduire ce texte, d'autant plus qu'il contient l'indication du procédé suivant lequel il préparait son laudanum.

« *Laudanum liquidum*, quod in quotidiano, ut dictum, usu mihi erat hanc ad normam simpliciorem præparavi : ℔ ♃ *Vini Hispanici ℥ j. Opii ℥ ij Croci j. Pulv. cinnamomi et cariophyllorum. an. ʒ j. infundantur simul in B. M. per duos vel tres dies donec liquor debitam consistentiam acquirat ; colatura servetur pro usu.* Hanc nostram præparationem *laudano* officinarum *solido* anteferendam virtutibus quidem non censeo, sed ob formam saltem commodiorem et majorem dosis certitudinem, eidem antepono. »

Il n'employait pas, du reste, cette formule à l'exclusion de toutes les autres ; c'est ainsi que, dans la variole, il préférait souvent le sirop d'opium (*Syrupus de*

Meconio), et ne recourait au laudanum que lorsque le premier de ces deux médicaments provoquait des nausées. Il considérait quinze gouttes de laudanum comme équivalant à ℥ j de sirop d'opium. (*Op. med.*, t. I, p. 248.)

Sydenham ne pensait pas de son laudanum tout le bien qu'on en pense aujourd'hui ; il est certain cependant qu'il y a dans cette formule autre chose qu'un avantage d'administration facile, et que, dans un certain nombre de maladies, en particulier dans les flux diarrhéiques, le laudanum l'emporte, à dose égale, sur les autres préparations d'opium.

La préparation du laudanum de Sydenham a été l'objet de recherches nombreuses, et dont il serait difficile de contester l'intérêt si l'on songe qu'il s'agit du plus usuel des médicaments et de l'un des plus actifs. Il importerait donc qu'il fût toujours identique à lui-même ; par malheur, il n'en est rien, et, pour ne citer que la formule du dernier Codex, on comprend que la nature du malaga employé, influant sur l'épuisement plus ou moins complet de l'opium, il eût sans doute été utile de déterminer la richesse alcoométrique du vin dont on se sert, et on peut regretter que le vœu de M. Stanislas Martin (*Bull. de thér.*, LXVIII, p. 554), de voir déterminer le titre morphique de l'opium employé, n'ait pas été écouté. Cette réserve faite, il faut évidemment se rallier à cette dernière formule, afin d'éviter une anarchie pharmacologique des plus regrettables.

La proposition faite par M. Dublanc, pharmacien de Troyes (*Bullet. de thérap.*, 1838, t. XIV, p. 172) de traiter l'opium d'abord par la moitié du vin, puis le marc de cette première opération par la moitié du vin restant, puis le second marc par le reste du vin, n'a pas été adoptée par le Codex, non plus que celle de Henri et Guibourt, qui voulaient qu'on fît agir d'abord le vin sur le safran, la cannelle et le girofle, pendant quinze jours, puis qu'on mît ce menstrue au contact de l'opium pendant le même temps.

Les pharmacopées anglaises emploient le xérès (sherry-wine) comme menstrue ; la formule du collége de Dublin a supprimé les substances aromatiques.

En 1857, Pauliet, pharmacien de Bordeaux, a proposé de faire disparaître la différence de préparation qui sépare le laudanum de Sydenham et celui de Rousseau, de les préparer tous deux par fermentation, et de combiner les proportions réciproques du véhicule et de l'opium de façon à avoir un laudanum titré au dixième ; il supprime la cannelle et le girofle pour éviter que le tannin contenu dans ces substances ne précipite une certaine quantité de morphine. (*Bullet. de thér.*, t. LIII, 1857, p. 416.)

En supposant que la formule du Codex ne satisfît pas complétement, il n'en est pas moins vrai qu'il faudrait encore s'y rallier pour avoir partout un médicament à action uniforme sous les mêmes doses.

Le laudanum est souvent falsifié. La fraude la plus employée consiste dans la substitution au malaga d'un vin de qualité inférieure, de vin blanc sucré, d'un mélange d'eau, d'alcool et de sucre. M. Stan. Martin a proposé le moyen suivant pour reconnaître la fraude : on fait évaporer le laudanum suspect en consistance de sirop épais ; on l'abandonne plusieurs jours à lui-même ; si le laudanum a été préparé avec un des mélanges sucrés indiqués plus haut, il se forme de gros cristaux de sucre candi ; le résidu du laudanum au malaga conserve la forme d'un magma souvent grumelé. Mais la fraude la plus coupable et la plus importante est celle qui prépare le laudanum avec des opiums épuisés de morphine. L'essai par l'ammoniaque permet de la reconnaître quand elle atteint des limites trèsreculées. On sait, en effet, que cette base sépare la morphine du laudanum sous forme d'un nuage épais qui en trouble la transparence.

Le laudanum s'altère en vieillissant, ou du moins il change de propriétés physiques; il tend à se décolorer et à devenir plus ténu. Ces modifications tiennent à l'oxydation des matières colorantes qu'il renferme, en particulier celles du safran et du vin, et puis aussi à la disparition de l'état sirupeux de celui-ci par une transformation alcoolique plus complète. Le laudanum n'a perdu aucune de ses propriétés actives, mais la conservation de ses caractères habituels est une condition à rechercher, puisqu'elle rassure les malades, et évite au pharmacien des reproches de mauvaise préparation. On conserverait presque indéfiniment le laudanum en le renfermant dans des fioles en verre noir ou bleu foncé.

Si la décoloration du laudanum de Sydenham ne préjudicie pas à ses qualités réelles, il ne faut pas oublier que, quand on le laisse exposé à l'air dans une bouteille débouchée, il se produit par évaporation une concentration de ses principes narcotiques, de sorte que, dans ces conditions, une dose égale de laudanum a plus d'activité. Il faut connaître ce fait surtout pour la médecine des enfants, qui sont, comme on le sait, d'une extrême impressionnabilité au laudanum, et chez lesquels, par conséquent, on ne l'emploie qu'à des doses très-minimes.

Des expériences intéressantes de Guibourt lui ont montré que le poids des gouttes de laudanum de Sydenham varie suivant la contenance du flacon et suivant que ces flacons sont pleins ou à peu près vides. Elles l'ont porté à évaluer à 0gr,048 le poids moyen d'une goutte de laudanum. Dans les dosages habituels, on considère 20 gouttes de laudanum de Sydenham comme correspondant à 1 gramme, ce qui est exagéré. Reveil, recherchant, à l'aide du compte-gouttes Salleron, le poids des gouttes de différents liquides, a reconnu qu'un gramme de laudanum de Sydenham contenait 34 gouttes de ce liquide, et que chaque vingt gouttes pesaient exactement 0gr,58. Chaque gramme de laudanum de Sydenham du Codex, contenant 0gr,062 d'extrait d'opium, on comprend que vingt gouttes n'en renferment que la moitié environ ou 0gr,034. Il ne faut donc pas croire, comme on le fait journellement, qu'on donne cinq centigrammes d'extrait d'opium quand on prescrit vingt gouttes de laudanum de Sydenham : on reste de beaucoup au-dessous de cette dose. Ces détails de posologie ont leur intérêt quand il s'agit d'un médicament aussi usuel.

Cela dit, passons aux usages thérapeutiques.

Le laudanum de Sydenham est sans contredit la plus employée des préparations de l'opium, tant à l'intérieur qu'à l'extérieur. Tous les médecins le considèrent comme préférable aux autres opiacés dans les flux diarrhéiques récents ou anciens, qui, par leur nature, indiquent, du reste, l'emploi de l'opium. Il doit peut-être cette supériorité à ce qu'il offre les principes actifs de cette substance sous une forme soluble, facilement absorbable, et puis aussi parce qu'il est associé à des substances stimulantes carminatives qui combattent les flatuosités dont s'accompagnent d'habitude les troubles digestifs. Aussi convient-il, dans ce cas, de le faire prendre dans des boissons théiformes aromatiques d'anis, de menthe. Il agit plus rapidement que l'extrait thébaïque en pilules, surtout quand celles-ci, préparées depuis quelque temps, ont pris une dureté qui leur permet quelquefois de traverser inaltérées toute la filière digestive. Les lavements laudanisés sont un des moyens usuels du traitement domestique des diarrhées, et, il faut le dire, on en abuse singulièrement. Ils valent mieux cependant et sont plus inoffensifs que les lavements de pavot, qui ont déterminé souvent, même chez des adultes, des accidents assez graves. On s'en rend compte par la différence de volume, de poids et d'activité que peuvent présenter les capsules de pavot, récoltées tantôt au moment favorable, tantôt avant maturité. Le laudanum est d'un usage plus sûr et plus inoffensif.

Les lavements laudanisés ne sont pas employés seulement dans les diarrhées : ils combattent avec efficacité le ténesme, quelle qu'en soit la cause ; le ténesme hémorrhoïdal, le ténesme rectal, dû à une affection organique ou à l'irritation produite par la répétition des selles dysentériques. Les lavements laudanisés sont aussi employés contre diverses affections douloureuses des organes du bassin, les névralgies vésicales, ovariques, utérines ; ils agissent à la fois par voisinage et par absorption générale. Les douleurs de la fissure anale trouvent aussi dans l'usage répété de ces lavements un moyen de soulagement au moins momentané.

On sait toute l'efficacité des lavements laudanisés comme moyen d'arrêter un avortement imminent. Cette pratique, vantée par Van Swieten, a été remise en honneur par Paul Dubois, généralisée par lui, et adoptée par la plupart des accoucheurs qui ont été à même d'éprouver son utilité. Elle a été formulée ici même et dans tous ses détails par Jacquemier. (*Dict. encycl. des sc. méd.*, t. III, 1866, art. *Avortement*, p. 568.) Velpeau, Stoltz, Chailly, — Honoré, ont rapporté des cas où les lavements laudanisés ont très-positivement arrêté des avortements qui se seraient produits sans eux. Crouzet, cité par ce dernier auteur (*Traité pratique de l'art des accouchements*, Paris, 1853, 3e éd., p. 294), a vu ces lavements arrêter un avortement qui était assez avancé pour que la poche fît une saillie prononcée à travers l'orifice du col. Il n'est guère de médecins qui n'aient dû à cette méthode un nombre considérable de succès. P. Dubois associe les saignées aux lavements de laudanum, mais c'est une affaire d'indication. La saignée peut très-souvent être omise, et les lavements laudanisés n'en atteignent pas moins le but. La première période de l'avortement est évidemment la plus favorable pour leur emploi, mais il ne faudrait pas y renoncer pour les autres ; on a vu, en effet, le travail s'arrêter sous leur influence après des hémorrhagies assez fortes, et même dans des cas où il y avait eu écoulement des eaux. On peut dire que cette méthode est une des conquêtes thérapeutiques les plus importantes de notre époque.

Le laudanum entre, comme moyen adjuvant, dans une foule de formules destinées tant à l'intérieur qu'à l'usage externe.

A l'intérieur, il fait tolérer certains médicaments en engourdissant la sensibilité des réservoirs organiques, estomac ou rectum, dans lesquels on le dépose. D'autres fois il joue un rôle plus personnel dans ces associations. Je citerai par exemple l'usage du laudanum combiné avec le vin scillitique dans le traitement de l'hydropisie et de l'anasarque. Cette formule proposée en 1847 par Teissier (de Lyon) consiste dans une macération pendant douze heures de 4 à 8 grammes de poudre de scille dans un demi-litre de vin blanc ; on l'additionne de 40 à 60 gouttes de laudanum de Sydenham. On commence par deux cuillerées à bouche de ce vin, une le matin, l'autre le soir, et on arrive progressivement à quatre cuillerées. Ce n'est qu'une formule diurétique, ce praticien distingué le fait remarquer lui-même, mais elle est active et bien tolérée. (*Bullet. de thérap.*, 1847, t. XXXIII.) Je l'ai employée plusieurs fois, et elle m'a paru réellement avantageuse.

Les usages externes du laudanum sont assez nombreux, et ils offrent un intérêt pratique réel. Je ne décrirai que ceux qui ont le plus d'importance.

Aran a préconisé dans les maladies utérines douloureuses ce qu'il appelle des pansements laudanisés. Pour les pratiquer on introduit un spéculum, et, le col saisi, on laisse couler à sa surface de 30 à 50 gouttes de laudanum de Sydenham ; on jette ensuite dans le fond de l'instrument quelques grammes d'amidon en poudre, des bourdonnets de coton ou de charpie maintiennent le contact. On pratique des lavages à grande eau avant chaque pansement pour enlever le résidu du pansement précédent. On revient à cette pratique tous les jours ou tous les deux jours. L'hyperesthésie du col cède sous l'influence de ce moyen qui ne produit qu'un peu de somnolence, et auquel Aran attribuait l'avantage de laisser intactes les fonctions digestives, ce que l'opium pris par la bouche ne fait pas toujours. (*Bullet. de thérap.*, 1857, t. LIII, p. 481.) Le badigeonnage du col avec un pinceau imbibé de laudanum est recommandé dans ces cas par Courty (*Traité pratique des maladies de l'utérus et de ses annexes*, Paris, 1866, p. 242), et il attribue, avec raison, à ce moyen une action cicatrisante. C'est là en effet une autre application utile de ce médicament qui, mis en contact avec des ulcérations douloureuses et rebelles, les modifie en même temps qu'il en émousse la sensibilité.

Ici se place naturellement l'emploi des lotions laudanisées contre le panaris. On sait que cette pratique a été employée avec succès aux Invalides par Pasquier fils qui l'étendit même au phlegmon grave et à la phlébite. 2 onces de laudanum dans un litre de décoction de pavot servaient pour ces fomentations et ces irrigations en quelque sorte continues. Il ne serait pas prudent d'employer sur de larges surfaces ces lotions laudanisées qui sont d'ailleurs inoffensives, et de plus, il ne faudrait ni dans l'un ni dans l'autre cas, omettre le bistouri qui est, comme on l'a dit, le meilleur anesthésique, et dont les rigueurs sont, du reste, singulièrement atténuées par la possibilité de recourir au chloroforme.

Voillemier a recommandé un moyen analogue pour diminuer les douleurs très-vives de l'orchite aiguë ; une compresse imbibée de laudanum est appliquée sur le testicule, et on la recouvre d'un morceau de taffetas gommé ; au bout de quelques heures, les douleurs s'amendent notablement. (*B. de thérap.*, 1848, t. XXXV, p. 88.)

Je rappellerai enfin l'usage du laudanum à hautes doses préconisé contre l'entorse par Lebert (de Nogent-le-Rotrou). Il consomme de 30 à 60 grammes de laudanum en frictions dans l'espace de deux jours ; après chaque friction, on applique un cataplasme émollient et froid. On termine par un bandage inamovible permettant au malade de marcher et il est maintenu quinze jours en place. (*Abeille médicale*, 1866.)

Le laudanum joue un rôle important dans la thérapeutique oculaire. Il est bien peu de collyres dans lesquels il ne figure lorsque l'élément de douleur existe dans les maladies pour lesquelles ces collyres sont prescrits. On a signalé, il y a quelques années, l'incompatibilité du laudanum et des sels astringents ou caustiques qui sont journellement introduits dans les collyres; acétate de plomb, sulfate de zinc, nitrate d'argent; il se formerait des méconates insolubles susceptibles d'incruster la cornée de la tatouer d'une manière indélébile. Je ne saurais dire s'il s'agit d'un à *priori chimique* ou d'un fait bien observé, mais la limpidité des collyres étant une qualité à rechercher, il vaut mieux éviter ces formules compliquées. On n'emploie pas seulement le laudanum pour combattre la douleur et la photophobie, son influence la plus utile réside dans l'action qu'il exerce sur les ulcérations cornéales, qu'il déterge, dont il modifie la surface, et qu'il excite par suite à se cicatriser. On commence par étendre le laudanum de cinq ou six fois son poids d'eau, et on arrive progressivement à employer du laudanum pur en instillations. On a prétendu (*Journal de médecine de Bordeaux*, 1866) que le laudanum instillé n'agissait pas comme opium, mais comme vin, et qu'il pourrait par suite être remplacé par un autre collyre vineux ou alcoolique, mais l'hypothèse ne me paraît nullement justifiée. Deval (*Traité théorique et pratique des mal. des yeux*, Paris, 1862, p. 158) a recommandé un collyre laudanisé et belladoné composé de 6 grammes d'eau distillée, 1 ou 2 grammes de laudanum de Sydenham, et 0gr,50 à 1 gramme d'extrait de belladone. Il l'a employé avec succès dans des staphylomes de l'iris, des ulcérations atoniques de la cornée sans synéchie, et il n'accorde d'ailleurs que peu d'importance pratique à l'antagonisme d'action pupillaire de la belladone et de l'opium dans cette formule complexe.

Je signalerai enfin les idées du professeur Nasca (de Naples), sur l'utilité du laudanum en applications topiques pour relever la vue des personnes âgées, chez lesquelles la presbytie fait des progrès rapides. En un mois, l'amélioration serait accusée. (*Gaz. méd. de Lyon*, novembre 1852.) C'est vague et demande confirmation.

II. Laudanum de Rousseau. Béral avait indiqué *un extrait de laudanum de Rousseau* huit fois plus actif que le laudanum, dont on a vu plus haut la formule; un saccharure six fois moins actif, et des tablettes contenant chacune une goutte de ce laudanum (*Bullet. de thérap.*, 1838, t. XIV, p. 358), mais ces formules ne sont pas restées dans la pratique.

Reveil, dans le travail de posologie indiqué plus haut, a déterminé le nombre de gouttes que renferme 1 gramme de laudanum de Rousseau, et le poids moyen de vingt gouttes de ce narcotique; il a trouvé 34 pour le premier chiffre et 0gr,58 pour le second. Les deux laudanum sont donc dans le même cas sous ce double rapport.

En ce qui concerne la relation d'activité des deux laudanum, le Codex considère 4 grammes de laudanum de Rousseau comme correspondant à 1 gramme d'opium ou 0,50 d'extrait. Le laudanum de Rousseau est donc deux fois plus actif que l'autre. C'est une erreur typographique qui a fait dire à Gubler (*Commentaires thérapeutiques du Codex medicamentarius*, Paris, 1868, p. 235) que 20 gouttes de laudanum de Rousseau équivalent à 12 centigrammes d'extrait gommeux. Pour que cette équivalence fût réelle, il faudrait que 20 gouttes de ce laudanum eussent le poids d'un gramme. Or, il n'en est rien, comme nous l'avons vu tout à l'heure.

Le laudanum de Rousseau n'a qu'un avantage sur l'autre, c'est de ne pas avoir cette saveur de safran qui répugne à bon nombre de personnes, et qui constitue quelquefois, principalement chez les enfants, un obstacle sérieux à son administration. Sa supériorité, sous ce rapport, a moins de prix d'ailleurs depuis que l'habitude de recourir aux *laudanum anglais* ou teintures acétiques d'opium s'est introduite chez nous. Examinons avec quelques détails cette troisième sorte de laudanum.

III. Laudanum anglais ou gouttes noires (*Black drops*, *Lancaster drops*, *Quaker's black drops*, etc.). Cette préparation fort usitée en Angleterre ne l'était guère chez nous, lorsque Monneret lui consacra, en janvier 1851, un excellent mémoire (*De l'emploi des gouttes noires anglaises*, in *Bull. de thér.*, t. XL, p. 49). J'ai essayé, d'après ses indications, les *black drops*, et je suis arrivé aux mêmes résultats que lui. Par malheur il est difficile d'avoir des préparations identiques, de sorte que les doses doivent en être déterminées par tâtonnement et en commençant par des quantités minimes. Les essais cliniques devront porter dorénavant sur la formule du nouveau Codex.

Dans la préparation des *black drops* véritables, on fait intervenir le verjus au lieu du vinaigre. La solution d'opium dans l'acide citrique du docteur Porter n'est jamais entrée dans les habitudes, même en Angleterre. (Pereira, *the Elements of Materia medica and therapeutics*, vol. II, part. II, p. 2159.) J'ai fait venir de Londres, et pour mon usage personnel, des *black drops* ayant une forte odeur d'amande amère; cette liqueur était assez agréable au goût, et il m'a paru qu'elle agissait trois ou quatre fois plus que le laudanum de Sydenham.

M. Monneret a constaté que ce médicament était très-efficace dans les affections douloureuses du tube digestif, en particulier dans la gastralgie des chlorotiques, des gens nerveux adonnés aux travaux de l'esprit, dans les névroses de l'estomac liées à l'hystérie, l'ulcère chronique de l'estomac, l'entéralgie hystérique, etc. Je l'ai employé avec avantage dans les cas de diarrhée auxquels sont sujets les gastralgiques dont l'estomac, pris d'une sorte d'intolérance pour les aliments, les chasse rapidement dans l'intestin; imparfaitement élaborés, ils irritent sa muqueuse et produisent de la diarrhée. Trousseau a décrit avec beaucoup de sagacité cette forme de troubles digestifs qui se rencontrent assez souvent dans les convalescences. Deux ou trois gouttes noires prises dans un peu d'eau et de vin au commencement des repas, engourdissent la sensibilité et la motilité de l'estomac, et le ramènent à sa fonctionnalité normale. J'ai pu observer maintes fois ces effets sur moi-même, et ne saurais par suite en douter : c'est aussi de cette façon que Monneret prescrivait les gouttes noires; il les donnait à la dose initiale de deux gouttes à chaque repas, et il les élèvait graduellement à 8, 12 et même 16 gouttes par jour; il a dépassé cette dose, mais il est prudent de n'y arriver qu'avec lenteur, en tâtant la susceptibilité des malades, et de diminuer les doses quand on entame un nouveau flacon, dans le cas où on a recours à des *black drops* de provenance anglaise et non pas à celles du Codex.

La *teinture ammoniacale d'opium* employée en Angleterre comme stimulant diffusible dans la coqueluche; l'*élixir parégorique* composé d'opium, d'acide benzoïque, d'essence d'anis, de camphre et d'alcool, et employé à la dose de 2 à 8 grammes, le laudanum de Lalouette, etc., ne sont par le fait que des sortes particulières de *laudanum*; mais il en sera parlé à propos de la posologie de l'opium. (*Voy.* Opium.)

Fonssagrives.

LAURANO. (*Voy.* Laurier.)

LAUREL, LAURÉLIE. Arbre du Chili, qui doit ces noms à la ressemblance de son feuillage et de ses propriétés aromatiques avec les Lauriers proprement dits, mais qui appartient à la famille des Monimiacées. Son nom scientifique est *Laurelia sempervirens* Tul. (*L. aromatica* Poir. — *Pavonia sempervirens* R. et Pav.). Il a tous les caractères des *Atherosperma* (*voy.* ce mot) et ne s'en distingue guère que par le mode de déhiscence en valves longitudinales, du sac réceptaculaire qui entoure ses fruits plumeux. Aussi l'avons-nous appelé *Atherosperma sempervirens*. Les feuilles sont très-aromatiques; on en prépare des infusions excitantes, stomachiques, sudorifiques, qui sont fort utiles dans un grand nombre de maladies.

H. Bn.

Juss., in *Ann. Mus.*, XIV, 134. — Poir., *Dict.*, Suppl., III, 313. — Endl., *Gen.*, n. 2021. — Ruiz et Pav., *Prodr. fl. per. et chil.*, 127, t. 28. — Tul., *Mon. Monim.*, 40. — A. DC,

Prodr., XVI, s. post., 674. — MÉR. et DEL., *Dict.*, IV, 49. — ROSENTH., *Syn. pl. diaphor.*, 228. — H. BN., *Hist. des plantes*, I, 321, 336.

LAURENT (J.-L.-MAURICE). Un des bons anatomistes de ce siècle, né à Toulon en 1784. Il était entré, dès l'âge de quinze ans, dans la chirurgie de marine et se distingua dans différentes expéditions. Reçu docteur à vingt-cinq ans dans l'université de Pise, alors française, il fut obligé de prendre de nouveau ce même grade à Paris en 1823. Deux ans plus tard, il était nommé, par concours, professeur d'anatomie à l'École de médecine navale de Toulon, et, en 1830, chirurgien en chef du port de Cherbourg. Mais il ne tarda pas (1832) à sacrifier ces positions péniblement conquises, pour venir à Paris se consacrer exclusivement à l'étude et à l'enseignement de l'anatomie et de la physiologie comparées. En 1836, il concourut, non sans honneur, pour la chaire d'anatomie à la faculté de médecine de Paris, et, en 1837, il se faisait recevoir docteur ès sciences naturelles; c'est alors qu'il fut distingué par l'illustre de Blainville qui se fit plusieurs fois suppléer par lui dans la chaire d'anatomie et de zoologie à la Faculté des sciences. Laurent est mort le 30 janvier 1854.

C'est surtout l'anatomie générale, l'étude approfondie de la texture des organes qui, depuis Bichat, est regardée comme la base des connaissances physiologiques positives, que Laurent cultivait avec le plus d'ardeur. Il poursuivait cette étude à l'aide de tous les moyens que la science moderne met à la disposition des observateurs; examen minutieux direct ou à l'aide du microscope, analyse des éléments primordiaux par la chimie, etc... On peut adresser à Laurent un reproche qui a été fait à la plupart de ceux qui se livrent à ces recherches d'anatomie philosophique, une tendance trop marquée à la spéculation, et à prendre les vues de l'esprit pour l'expression réelle des faits. C'est ce qui lui arriva dans ses aperçus, ingénieux, d'ailleurs, sur les tissus animaux naturellement durs ou tendant à la dureté, les tissus fibreux, cartilagineux et osseux qu'il réunissait sous la dénomination générique de scléreux.

Voici, au total, l'indication des principaux écrits de ce laborieux observateur; plusieurs, malheureusement, n'ont pas été achevés.

I. *Propositions générales de physiologie, de pathologie et de thérapeutique.* Thèse de Paris, 1823, n° 12. — II. *Atlas d'anatomie physiologique, ou tableaux synoptiques d'anatomie*, etc. Paris, 1826, in-fol. et *Mém. explicatif.* Ibid., 1826, in-8°. — III. *Essai sur les tissus élastiques contractiles.* In *Ann. de la méd. physiol.*, t. XI. 1827. — IV. *Lettre à M. de Blainville sur des sujets d'anatomie comparée.* In *Bullet. des sc. méd.*, t. XI, p. 108; 1827. — V. *Essai sur la théorie du squelette des vertébrés, précédé*, etc. In *Journ. du progrès*, t. XIV, p. 134, et t. XV, p. 118; 1829, pl. 1. — VI. *De la texture et du développement de l'appareil urinaire.* Thèse de conc. (ch. d'anatomie). Paris, 1836, in-4°. — VII. *Prodromes d'anatomie et de physiol. comparées.* Paris, 1837, in-8°. — VIII. *Propositions générales relatives à la doctrine philosophique des sciences*, etc. Paris, 1837. — IX. *Recherches sur l'hydre et l'éponge d'eau douce pour servir*, etc. (mém. cour. par l'Acad. des sc.). Paris, gr. in-8°, atl. gravé, pl. col. — X. *Zoophytologie* (fait partie du *Voy. aut. du monde*, exécuté en 1836-37, sur la corvette *la Bonite*). Paris, 1844, in-8°. — XI. *Annales françaises et étrangères d'anatomie et de physiologie*, fondées et rédigées avec Bazin, de Basseneville, Hollard, etc. Paris, 1837-39, 3 vol. in-8°. — XII. Un certain nombre d'articles dans le *Dict. de la conversation* et dans l'*Encyclopédie moderne*.

E. BGD.

LAURENT- (SAINT-) LES-BAINS (EAUX MINÉRALES DE), *hyperthermales, amétallites, non gazeuses.* Dans le département de l'Ardèche, dans l'arrondissement de l'Argentières (chemin de fer de Paris à Montélimart; de Montélimart à Saint-Laurent-les-Bains, route de poste), est un village de

789 habitants, à 882 mètres au-dessus du niveau de la mer, bâti dans une gorge étroite, ouverte au midi seulement sur un des versants de l'Espérelouze. Le climat de Saint-Laurent, chaud pendant le jour, est frais et humide le matin et le soir. Deux sources, découvertes en l'année 1400, de composition et de chaleur identiques, émergent du terrain primitif au centre du village, et débitent en vingt-quatre heures 54,000 litres d'une eau limpide, transparente, inodore, sans goût particulier, sans réaction sensible sur les préparations de tournesol. Cette eau n'est traversée par aucune bulle gazeuse; sa température est de 53°,5 centigrade. M. le professeur Bérard (de Montpellier) a trouvé que 1,000 grammes de l'eau des sources de Saint-Laurent-les-Bains contiennent les principes suivants :

Carbonate de soude	0,505
Sulfate de soude	0,040
Chlorure de sodium	0,085
Acide silicique et alumine	0,032
TOTAL DES MATIÈRES FIXES	0,682

Les deux sources de Saint-Laurent-les-Bains se rendent par des canaux souterrains à trois petits établissements thermaux appartenant à des particuliers et recevant chaque année huit cents ou mille malades. Un des établissements est exclusivement fréquenté par les hommes, et l'autre par les femmes; le troisième admet les baigneurs des deux sexes. Chacune des maisons de bains a une buvette, une piscine, des baignoires isolées, un ou des cabinets de douches et une salle où se trouvent les bains de vapeur.

EMPLOI THÉRAPEUTIQUE. L'eau hyperthermale, amétallite et non gazeuse de Saint-Laurent-les-Bains a une chaleur et une composition élémentaire qui la rapprochent singulièrement de l'eau de WILDBAD-GASTEIN dans les Alpes du Tyrol. (*Voy.* ce mot.) Son action physiologique principale est de déterminer une sédation consécutive à une excitation modérée. Ces eaux, prises en boisson, en bains, en douches ou en étuves, sont sensiblement toniques, diaphorétiques et diurétiques. Elles ont aussi pour propriété à peu près constante de réveiller les douleurs rhumatismales que les malades avaient quelquefois oubliées depuis longtemps; souvent même ces douleurs se montrent avec une telle intensité que les baigneurs regrettent, malgré l'assurance donnée par le médecin que c'est une preuve à peu près certaine de l'heureuse issue de la cure, de s'être soumis à l'usage des eaux de Saint-Laurent-les-Bains.

Les affections rhumatismales sont celles que l'on traite le plus souvent à Saint-Laurent. Ce sont les douches et les bains de vapeur qui constituent la base de la médication thermale. Ces mêmes moyens conviennent au traitement des névralgies qui reconnaissent pour cause l'exposition prolongée au froid ou à l'humidité. Les bains généraux ne doivent pas être prescrits alors; ils augmentent les douleurs sans arriver, même à ce prix, à procurer des guérisons durables. C'est le contraire à Wildbad-Gastein.

Les eaux de Saint-Laurent-les-Bains, en boisson et en bains, donnent de bons résultats dans les affections de la peau caractérisées par des furoncles, de l'ecthyma, de l'eczéma, du prurigo et de l'herpès. On les emploie contre les paralysies, et les ouvriers mineurs qui ont éprouvé de grands traumatismes recouvrent quelquefois, à Saint-Laurent, l'intégrité du mouvement et de la sensibilité de leurs membres perdus. On a vanté aussi l'efficacité des eaux de Saint-Laurent à l'intérieur et à l'extérieur dans la cachexie scrofuleuse; cette indication nous paraît très-secondaire, et les eaux chlorurées sodiques fortes et quelquefois les sulfurées fixes nous semblent devoir toujours occuper le premier rang dans la thérapeutique thermale du lymphatisme exagéré et des accidents strumeux. L'effet diurétique des eaux de Saint-Laurent les a fait administrer avec profit contre les maladies des voies urinaires dans lesquelles une production pathologique de mucus ou de pus est le symptôme prédominant. Les eaux de Saint-Laurent ont été quelquefois appliquées, en boisson et en bains d'étuves, dans la goutte et dans la gravelle ; mais les résultats obtenus n'ont pas encore complétement fixé les médecins sur leur valeur réelle en semblable circonstance. Enfin, ces eaux thermo-minérales, en boisson, en bains et en douches d'eau, ont trop souvent guéri des anémiques et des chlorotiques pour qu'il soit possible de douter de leur vertu tonique et reconstituante ; mais l'altitude élevée de cette station doit avoir une large part dans le succès des eaux hyperthermales, amétallites, de Saint-Laurent-les-Bains dans l'anémie et la chlorose.

La *durée de la cure* est de vingt jours à un mois.

On n'*exporte* pas les eaux de Saint-Laurent-les-Bains. A. ROTUREAU.

LAURÉOLE. (*Voy.* DAPHNÉ.)

LAURIER (*Laurus* T.). § 1. **Botanique.** Genre de plantes qui a donné son nom à la famille des Laurinées. Dans le principe, toutes les plantes de cette famille étaient confondues sous le nom de *Laurus*. Plus tard, ce genre a été démembré en un grand nombre d'autres, et il ne reste plus actuellement, pour constituer le genre Laurier proprement dit, que deux espèces linnéennes, le L. noble ou d'Apollon et le L. des Canaries. Le premier est seul employé en médecine. Ainsi réduit, le genre *Laurus* a les caractères suivants. Ses fleurs, hermaphrodites ou dioïques, régulières, sont construites sur le type binaire. Dans les fleurs hermaphrodites, on observe, sur un réceptacle concave, deux sépales extérieurs, et deux folioles plus intérieures, considérées par quelques auteurs comme des pétales alternes avec les sépales. Plus intérieurement se trouvent six verticilles de deux étamines chaque, savoir deux étamines opposées aux sépales, deux alternes, et ainsi de suite. Leurs filets sont accompagnés de deux glandes latérales, et leur insertion est légèrement périgynique. Leurs anthères sont biloculaires, déhiscentes par deux panneaux, et introrses. Le gynécée est libre et inséré au centre du réceptacle. Il se compose d'un ovaire uniloculaire, surmonté d'un style à extrémité stigmatifère renflée. Dans l'ovaire se trouve un seul ovule, anatrope et suspendu, avec le micropyle dirigé en haut et du côté du placenta. Dans les fleurs mâles, l'ovaire est peu volumineux et stérile. Dans les fleurs femelles, le nombre des étamines est réduit ; il n'y en a souvent que quatre, et elles sont stériles. Le fruit est une baie monosperme, garnie à sa base du calice persistant. La graine renferme sous ses téguments un embryon épais et charnu, à gros cotylédons plans-convexes, sans albumen. Les *Laurus* sont des arbres de l'Asie Mineure et des Canaries. Leurs feuilles sont alternes, simples, coriaces, persistantes, d'un beau vert. Leurs fleurs sont réunies sur de petits axes communs, insérés dans l'aisselle des feuilles. De grandes bractées imbriquées enveloppent l'inflorescence qui est formée de plusieurs glomérules réunis autour d'un bourgeon central.

Le *Laurier d'Apollon* (*Laurus nobilis* L. — *L. vulgaris* C. BAUH.) est encore appelé *L. commun*, *L. sauce*, *L. franc*, L. *à jambons*. C'est un bel arbre à feuillage glabre, touffu, haut de dix à trente pieds. Ses feuilles sont oblongues-lancéolées, atténuées à la base, aiguës au sommet, lisses, brillantes en dessus. Ses fleurs mâles sont réunies dans un involucre de bractées, glabres ou légèrement soyeuses dans le milieu, et elles sont rapprochées autour du petit bourgeon central de l'inflorescence, en trois à six glomérules, tandis que les fleurs femelles ou hermaphrodites forment un, deux ou trois, en général enfin un nombre moindre de petits glomérules. La partie qu'on emploie le plus en médecine est le fruit. C'est une baie ovoïde, supportée par un pédoncule grêle; lisse à la surface, odorante, aromatique comme tout le reste de la plante. Elle atteint jusqu'à tout près d'un demi-pouce de longueur. Sa graine a des enveloppes membraneuses, et un gros embryon ovoïde, charnu, aromatique. Ses cotylédons sont presque hémisphériques et se touchent par une large surface plane. Vers leur base, ils se prolongent au-dessous de leur point d'insertion, de manière à former par leur rapprochement un étui complet à la radicule; ils descendent ainsi au delà de son sommet. Le *L. nobilis* paraît originaire de l'Asie Mineure; il est abondant à l'état spontané sur les côtes de la Méditerranée, et il est cultivé dans la plupart des jardins; c'est à peine s'il supporte les rigueurs des hivers de Paris.

Les principales plantes médicinales autrefois rapportées au genre *Laurus* sont les suivantes

Le *Laurus Benzoin* L. est un *Benzoin* ou *Lindera*.
Le *L. Camphora* L. est le type du genre *Camphrier*.
Le *L. Cassia* L. est un *Litsæa*, et la plante à laquelle Burmann a donné le même nom est un *Cannellier*.
Le *L. Cinnamomum* est le type du genre *Cannellier*.
Le *L. Culilawan* est un *Cannellier*.
Le *L. Cubeba* LOUR. est un *Tetranthera*.
Le *L. cupularis* LAMK est un *Mespilodaphne*.
Le *L. glauca* THG est un *Litsæa*.
Le *L. involucrata* VAHL est un *Litsæa*.
Le *L. Malabathrum* est un *Cannellier*.
Le *L. Persea* L. est le type du genre *Avocatier*.
Le *L. Pichurim* est un *Aydendron*.
Le *L. porrecta* ROXB. est un *Cannellier*.
Le *L. Sassafras* L. est un *Sassafras*.

} Voy. tous ces mots.

Beaucoup d'arbres employés en médecine, et qui ont plus ou moins le feuillage des Lauriers, en ont aussi reçu le nom; ils appartiennent, à d'autres genres, ou même à des familles tout à fait distinctes.

Le *Laurier rouge* de Bourbon est un *Nectandra*, ainsi que celui de la Martinique; c'est l'*Asakana* des Caraïbes. On donne encore ce nom aux *Frangipaniers*.
Le *L. Alexandrin* est un *Fragon*.
Le *L. Cerise* ou *L. Amande*, *L. Amandier*, *L. impérial*, *L. de Trébizonde*, est un PRUNIER. (*Voy.* ce mot.)
Le *L. des Iroquois* est un *Sassafras*.
Le *L. Putiet* et le *L. de Portugal* sont des *Pruniers*.
Le *L. Rose* est un *Nerium*.
Le *L. de Saint-Antoine* est un *Epilobe*.
Le *L. sauvage*, un *Cirier*.
Le *L. Tin*, un *Viorne*.
Le *L. Tulipier*, un *Magnolia*.

} Voy. tous ces mots.

H. BN.

TOURN., *Inst. rei herb.*, 507, t. 367. — L., *Hort. Cliffort.*, 55. — BAUHIN (C.), *Pinax*, 460. — GÆRTN., *Fruct.*, II, 68, t. 92. — NEES D'ESENBECK, *Syst. Laurin.*, 502, 579. — SCHKUHR, *Handb.*, t. 110. — NEES (Fr.), *Gen. fl. german.*, fasc. 7, icon. — SIBTH., *Fl. græc.*, t. 365. — DUHAM., *Arbr.*, I, 350, t. 134, 135. — WEBB, *Phytogr. canar.*, III, 229, t. 204. — BLACKW., *Herb.*, t. 175. — ENDL., *Gen.*, n. 2061. — MEISSN., *Gen.*, 327 (239), et ap. DC. *Prod.*, X., sect. 1, 233. — MÉR. et DEL., *Dict.*, IV, 61. — DUCH., *Répert.*, 57. — RICH. (A.), in *Dict. de méd.* (en 30 vol.), XVII, 594; *Elém.*, éd. 4, I, 287. — GUIB., *Drog. simpl.*, éd. 4, II, 363. — MOQ., *Bot. méd.*, 234. — PEREIRA, *Elem. Mat. med.*, éd. I, II, p. 1, 465. — LINDL., *Fl. med.*, 340. — ROSENTH., *Syn. pl. diaph.*, 236. H. BN.

§ II. **Emploi médical**. Ainsi qu'on vient de le voir, la botanique ne retient plus aujourd'hui, dans le genre laurier, qu'une seule espèce médicinale. Mais d'autres espèces distraites de ce genre ayant conservé en matière médicale le nom de *lauriers*, nous sommes forcés de nous en occuper ici. Nous ne parlerons que de ceux de ces lauriers qui offrent un intérêt véritable au point de vue de la matière médicale.

I. LAURIER COMMUN (*Laurus nobilis* en grec, δάφνη). On connaît la gracieuse fiction mythologique qui lui a valu ce nom, et le culte en quelque sorte superstitieux que les anciens professaient pour cet arbre. Il serait en dehors de notre sujet de nous en occuper, si quelques-unes de ces idées n'accusaient une notion de certaines propriétés hygiéniques ou médicamenteuses attribuées à ce végétal. On lui accordait une action purificatrice; les temples d'Apollon en étaient entourés; on représentait Esculape le front ceint d'une couronne de laurier; on se servait de sa fumée pour assainir les étables; on le considérait comme un alexitère puissant, comme un préservatif assuré contre les morsures virulentes ou venimeuses et contre les maladies contagieuses. L'article que Loiseleur-Deslongchamps et Marquis ont consacré au laurier, article tout imprégné de cette élégante érudition classique que nous avons trop désapprise, a réuni sur les idées que les anciens professaient pour cet arbre des détails d'un grand intérêt, et nous ne pouvons que renvoyer le lecteur au volume du *Dict. des sciences médicales* qui les renferme. (*Dict. des sc. méd.*, 1818, t. XXVII, p. 315.)

Les feuilles et les baies de laurier sont les parties de cette plante qui sont employées en médecine. Les feuilles ont une saveur amère, piquante et une odeur aromatique qu'elles doivent à l'existence d'une huile essentielle qui se retrouve également dans les baies. Celles-ci ont une odeur plus fragrante que les feuilles. Elles contiennent deux huiles; l'une grasse, l'autre volatile, et de plus du *laurin* ou camphre de laurier. Bonastre, analysant ces baies en 1824, y a trouvé les principes suivants: huile essentielle, 0,8; laurin, 1; huile grasse, 12,8; cire, 7,1; résine, 1,6; sucre incristallisable, 0,4; extractif, 17,2; bassorine, 6,4; amidon, 25,2; ligneux, 18,8; albumine, traces; principe acide, 0,1; eau, 6,4; sels, 1,5. Les cendres pesant 1,2 consistent en carbonate de potasse et en carbonate et phosphates de chaux. (Pereira, vol. II, p. I, p. 464.)

L'huile volatile de laurier est très-soluble dans l'alcool et dans l'éther; elle a pour formule $C^{20}H^{16}O$. Le camphre ou *laurin* s'obtient des baies en les traitant par l'alcool rectifié. L'huile fixe s'obtient par l'expression des baies sèches ou fraîches (*op. cit.*).

Ce dernier produit est le seul qui intéresse la matière médicale. On a suivi divers procédés pour préparer l'huile de laurier. Celui de Duhamel consiste à broyer les baies dans un mortier et à les faire bouillir; l'huile surnage. Si les baies sont sèches, on les pulvérise, on les soumet à la vapeur d'eau pour les ramollir, et on les exprime entre des plaques métalliques chauffées. Soubeiran, qui a décrit ce procédé et qui l'a appliqué, a retiré 100 grammes d'huiles, pour 1 kilogramme de baies, c'est-à-dire le 10e en poids et non le 5e, comme l'établit Pereira. Le procédé décrit par Maingault (*Bullet. de th.*, t. XIV, 1835, p. 323) ne lui a fourni qu'un 15e d'huile.

Cette huile de laurier, qui nous vient de Trieste enfermée dans des barils, est verte, odorante, limpide, d'un goût amer, soluble dans l'alcool qui lui ôte sa couleur, saponifiable. Elle est siccative, elle s'épaissit progressivement jusqu'à prendre une consistance de graisse; elle a alors une couleur jaune paille.

Pereira (*op. cit.*, p. 465) décrit sous le nom d'*Oleum lauri æthereum nativum* ou huile naturelle éthérée de laurier, un médicament huileux qui vient de Démérari, et que l'on obtient en incisant l'écorce d'une sorte de laurier appelé par les Espagnols *Azeite de Sassafras* (olivier de sassafras). Il n'est pas très-certain qu'elle ait cette origine botanique; c'est une huile transparente, à odeur de térébenthine mélangée du parfum du citron; elle a des propriétés excitantes diurétiques et diaphorétiques; on l'emploie dans les paralysies, les rhumatismes, les engorgements articulaires, etc.

Les baies et les feuilles de laurier ont une action stimulante et apéritive. La propriété que leur attribuaient les anciens de permettre aux buveurs d'éviter l'ivresse paraît parfaitement apocryphe; elles ne la justifient pas mieux que le reproche d'être abortive qui lui a été aussi adressé. Dioscoride cité par Oribase (*Med. collect.*, lib. XI, D) attribue aux feuilles vertes une action astringente, et les considère comme vomitives: « Pota stomachum subvertunt et vomitum cient. » Plus loin il parle de la poudre de l'écorce employée dans du vin contre les calculs hépatiques (lib. II, *Ad Eunapium*). Nicolas Myrepsus recommandait les baies de laurier contre *la toux* (*De antidot.*, sect. prima, cap. CCCLXV), affirmation vague, mais dont on se rend compte en rapprochant sous ce rapport le laurier de certaines Labiées amères avec lesquelles il doit avoir en effet une grande ressemblance thérapeutique. Enfin Actuarius a résumé aphoristiquement les propriétés qu'il attribuait au laurier dans la phrase suivante: « Medicamentum e baccis lauri ad stomachicos, aqua intercute, laborantes, ischiadicos, lienosos. » (*De Meth. med.*, lib. VI; *De emplastris malagmatis et linimentis*.) L'avant-dernière de ces indications est à peu près la seule qu'on lui reconnaisse aujourd'hui.

L'action carminative du laurier peut être admise par analogie; c'est un condiment âcre et aromatique dont on fait un usage habituel dans nos cuisines, et qui peut en effet stimuler utilement l'estomac et combattre l'atonie de cet organe et la flatulence qui en est la suite. Les propriétés emménagogues du laurier ont été admises, mais elle sont à démontrer.

Les préparations de laurier s'emploient surtout à l'extérieur pour stimuler la peau, résoudre les engorgements indolents, réveiller la sensibilité des parties frappées de paralysie, et aussi pour détruire les *pediculi capitis*.

Les baies de laurier entrent dans la composition du baume de Fioraventi employé, comme on sait, contre le rhumatisme, les paralysies, les engelures, etc. Enfin on se sert quelquefois des feuilles pour la préparation d'un bain aromatique particulier.

II. LAURIER SASSAFRAS. (*Voy.* SASSAFRAS.)

III. LAURUS PERSEA. (*Voy.* AVOCATIER.)

IV. LAURIER CANNELLE. (*Voy.* CANNELLIER.)

V. LAURIER CAMPHRIER. (*Voy.* CAMPHRE.)

VI. LAURIER CASSE (*Laurus Cassia, Cinnamomum Cassia.*) Cet arbre, originaire de la Chine et cultivé à Java, fournit à la matière médicale : l'*écorce de cassia* et les *fleurs* ou *clous* de *cassia*.

1° L'écorce nous vient de la Chine, de la côte de Malabar, de Manille ou de Maurice. Analysée par Bucholz, elle a donné : huile essentielle, 0,8 ; résine, 4,0 ; gomme, principe astringent et extractif, 14,6 ; ligneux et bassorine, 64,3 ; eau et perte, 16,3.

Quand on traite une décoction d'écorce de *laurier casse* par le sesquichlorure de fer, la liqueur noircit par suite de la formation d'un tannate de fer ; avec la gélatine il se produit aussi un précipité ; la teinture d'iode la bleuit, ce qui la distingue d'une décoction d'écorce de cannelle.

2° Les clous ou boutons de laurier casse proviennent très-vraisemblablement du même arbre que l'écorce. Ils nous viennent de Canton. Ils renferment une essence et du tannin.

Le laurier casse, très-anciennement connu comme bois de parfum chez les Hébreux, a été employé à titre de médicament, par Hippocrate, Dioscoride, etc. Aujourd'hui son usage est très-borné en Angleterre, et il est nul chez nous. Les médecins anglais se servent de l'huile essentielle de casse à la dose de 1 à 4 gouttes ; de l'eau de casse obtenue en distillant de l'eau alcoolisée sur l'écorce et qu'ils emploient comme véhicule de potions stimulantes, et enfin de la teinture de casse. Celle-ci se donne à la dose de 1 à 2 gros dans des boissons toniques.

Le *malabathrum* est rapporté par quelques auteurs, à tort, paraît-il, au laurier casse. (*Voy.* la *Botanique* du mot *Malabathrum*). Quoi qu'il en soit, cette substance si recherchée des anciens à cause de son parfum, et qui était employée chez eux à titre de médicament, est complétement tombée en désuétude.

VII. LAURIER CULILAWAN ou BEEBERU (*Laurus Culilawan* de L.). C'est l'*arbre à cœur vert* des Anglais (*green heart tree*) ou Bibiru ou Beeberu, car l'orthographe de ce mot n'est pas encore fixée. C'est un arbre de la Guyane anglaise. Son bois très-dur et très-lourd s'enfonce dans l'eau et est susceptible de prendre un beau poli ; il paraît à peu près incorruptible. Les tourneurs anglais lui ont donné le nom de bois au cœur vert (*green heart wood*). Pereira, qui a consacré à ce médicament un article très-étendu a décrit ainsi l'écorce de cet arbre : « L'écorce de bibiru ou beeberu (*cortex bibiru*) se tire du tronc. Elle se présente sous l'aspect de morceaux considérables, très-lourds et plats, ayant 1 à 2 pieds anglais de long, 2 à 6 pouces de large, et 3 à 4 lignes d'épaisseur. Elle est recouverte extérieurement d'un épiderme caduc, gris brunâtre ; elle a en dedans la couleur de cannelle brune ; sa cassure est fibreuse, sa saveur est amère, très-forte et persistante, avec astringence marquée ; elle n'est ni aromatique, ni âcre, ni piquante (Pereira, vol. II, part. I, 467).

Signalées en 1769 par Bancroft, les propriétés thérapeutiques du beeberu ont été principalement étudiées par le docteur Roder ou Rodie, chirurgien de la marine anglaise, qui, en 1834, signala l'analogie médicamenteuse de la *beeberine* et de la *quinine*. Le nom de *nectandra Rodei* donné au beeberu par quelques botanistes a consacré le souvenir des recherches de ce médecin.

L'écorce et les graines de cet arbre ont été analysées par Maclagan qui y a signalé l'existence de deux alcaloïdes, la *beeberine* et la *sipirine* ; mais un examen plus attentif permit de reconnaître que le second n'était qu'un produit de l'oxydation du premier. Cet alcaloïde y est associé à une résine, du tannin, de l'amidon, du ligneux, etc. Il existe dans les proportions de 2,50 environ p. 100.

La beeberine est une substance incristallisable, jaune, amorphe, d'aspect résineux, mais elle devient blanche quand elle est réduite en poudre; elle est très-soluble dans l'alcool, moins dans l'éther et très-peu dans l'eau. Sa dissolution alcoolique a une réaction alcaline. Elle se dissout dans les acides, et forme avec eux des sels jaunes amorphes. On avait prétendu que la beeberine avait la même formule que la morphine, dont elle n'était qu'une modification isomérique. L'analyse de Planta lui assigne la composition suivante : $C^{38}H^{21}Az^{2}O^{6}$. On la retire du sous-sulfate de beeberine obtenu lui-même par un procédé analogue à celui à l'aide duquel on prépare le sulfate de quinine. La beeberine forme avec l'acide sulfurique deux sels : le sulfate neutre ($Bi\,SO^{3}$) et le sous-sulfate ($2Bi\,SO^{3}$). Ce dernier est le seul employé ; il est très-amer, soluble dans l'alcool, légèrement soluble dans l'eau froide ; sa solubilité dans ce liquide est favorisée par l'addition d'acide sulfurique. (*Voy.* Pereira, *loc. cit.*, *passim.*)

Le travail du docteur Douglas Maclagan lu devant la Société royale d'Édimbourg, en 1843, c'est-à-dire neuf ans après les recherches de Roder, fixa d'une manière particulière l'attention des médecins sur cette substance intéressante, et en 1850, un autre médecin anglais, le docteur Stratton, consigna dans l'*Edinburgh Medical Journal* le résumé des résultats qu'il avait obtenus de la beeberine employée comme fébrifuge dans le cours d'un voyage d'émigration. Dès lors, on conçut l'espoir d'avoir trouvé un succédané du sulfate de quinine aussi efficace que ce médicament et beaucoup moins dispendieux. Des faits empruntés à Anderson, Ewatt, Bennet, Simpson, etc., vinrent confirmer ces espérances ; ce médicament devint d'un usage assez répandu en Écosse, et, en 1851, Becquerel fit connaître au public médical français dans le *Bulletin général de thérapeutique* (*Note sur l'emploi du sulfate de beeberine dans le traitement des fièvres intermittentes ;* in *Bullet. de th.*, t. XLI, p. 295, 1851) les résultats auxquels l'avaient conduit ses essais sur ce nouveau fébrifuge. Sept cas de fièvre intermittente ont été traités par le sulfate de beeberine, et ont cédé après une administration de $0^{gr},60$ à 2 grammes du sel, répétée pendant un nombre de jours qui a varié de 1 à 4. L'auteur conclut à la réalité de l'action fébrifuge du sulfate de beeberine, et fait ressortir la modicité du prix de ce médicament qui ne coûte environ que le quart du sulfate de quinine. Ce serait là une condition fort avantageuse, si la beeberine avait les mêmes vertus que la quinine. Or, il faut remarquer qu'on est placé sur un mauvais terrain à Paris pour expérimenter un fébrifuge. Les fièvres intermittentes y sont peu tenaces, et elles tendent d'elles-mêmes à la guérison. Il aurait fallu reprendre ces essais, et sur une large échelle, dans des localités marécageuses. Or je ne sache pas que ce médicament ait été essayé, ni dans les colonies, ni dans les provinces, telles que la Bresse, la Saintonge, etc., où règne le paludisme. On a si souvent annoncé la fin du règne de la quinine, et son remplacement par un autre alcaloïde que l'annonce d'un nouveau succédané est accueillie avec un certain scepticisme. Il est plus prudent de compter sur la fabrication artificielle de la quinine, progrès dont la chimie n'est pas très-loin, et qu'elle réalisera un jour, il est permis de l'espérer.

Les doses du sulfate basique de beeberine sont les mêmes que les doses fébrifuges de la quinine de $0^{gr},6$ à 1 gramme. On l'emploie en pilules ou en solution aqueuse obtenue à l'aide de quelques gouttes d'acide sulfurique et avec addition de sirop d'écorces d'oranges amères.

La poudre de l'écorce serait probablement susceptible de toutes les préparations auxquelles on soumet l'écorce de quinquina, mais on ne s'est occupé jusqu'ici que du sulfate de beeberine.

En résumé, s'il n'est pas possible de nier la valeur de la beeberine comme fébrifuge, elle n'est assez active, ni assez sûre pour qu'on la substitue à la quinine dans les cas d'accès qui s'éloignent des caractères d'une simplicité absolue. (*Bullet. de th*, t. LXVIII, p. 69.)

Un médecin anglais, H. Llewellyn Williams, a proposé de substituer le sulfate de beebérine au sulfate de quinine dans le traitement de l'ophthalmie scrofuleuse. J'ai cherché à démontrer, dans un travail publié il y a quelques années, *Du caractère névralgique de la photophobie qui complique certaines ophthalmies, notamment l'ophtalmie phlycténulaire et de son traitement par le sulfate de quinine* (*Bull. de thér.*, t. LXVIII, 1865, *Phlycténulaire*), l'action très-remarquable que ce dernier médicament exerce contre la photophobie liée à l'ophthalmie phlycténulaire des enfants scrofuleux, action du reste admise par Lawrence, Mackensie, Quadri, Deval. Le sulfate de beeberine a-t-il la même efficacité? C'est possible, mais il faut le démontrer par des observations bien faites.

Je signalerai enfin l'emploi du sulfate de beeberine contre la diarrhée. Le docteur Clarence Matthews, qui a publié à ce sujet une note dans le journal *the Lancet* (septembre 1854), n'émet que des assertions assez vagues et dont la sévérité clinique s'accommode mal. Qu'on s'en tienne à l'action fébrifuge, c'est assez pour le moment. Au reste, la beeberine n'a guère pris en France, car je ne sache pas que depuis 1851, c'est-à-dire depuis le mémoire de Becquerel, rien ait été publié chez nous relativement à cet alcaloïde. Trop d'enthousiasme d'abord, trop d'indifférence ensuite, c'est l'histoire invariable de toutes les nouveautés thérapeutiques.

VIII. LAURIER PICHURIM (*Ocotea pichurim* Humboldt et Bonpland). C'est le *bois d'anis*. Cet arbre, qui croît sur les bords de l'Orénoque, donne une écorce décrite jadis par Murray sous le nom d'*écorce de Pichurim* et des semences appelées *fèves pichurim* ou noix de sassafras.

La fève de pichurim se présente sous deux états; l'une est la *fève pichurim* vraie, l'autre est la *fève pichurim bâtarde*. Son odeur est intermédiaire entre celle de la muscade et du sassafras. Substance aromatique, susceptible de servir comme parfum, mais ayant été peu étudiée au point de vue médical.

IX. LAURIER RAVENSARA ou *noix de girofle*.

X. LAURIER CERISE. (*Prunus lauro-cerasus*), *prunier laurier-cerise*, *laurier-amande*, *laurier au lait*, etc. La première de ces désignations lui vient de la ressemblance de ses feuilles avec celles du laurier, la seconde de l'odeur d'amandes amères qu'exhalent presque toutes ses parties, notamment ses fleurs; la troisième de l'usage vulgaire que l'on fait de ses feuilles pour communiquer au lait un arome agréable.

Le laurier-cerise constitue un médicament fort important dans le groupe des CYANIQUES. (*Voy.* ce mot.) Il est en effet le plus maniable et, si on savait toujours s'en servir convenablement, il pourrait remplacer toutes les autres formules à base de cyanogène; de plus, l'école pharmacologique italienne lui a attaché une importance toute particulière en en faisant en quelque sorte le type de ses hyposthénisants cardiaco-vasculaires; sa posologie est extrêmement délicate et exige une attention très-grande, enfin son histoire toxicologique offre un intérêt réel; toutes ces considérations justifieront, je l'espère, l'importance que je vais donner à son étude.

a. *Pharmacologie*. Les feuilles du laurier-cerise ont été analysées, il y a une trentaine d'années, par Winkler, qui y a constaté de l'acide prussique, une huile essentielle, de la chlorophylle et un principe protéique particulier analogue à l'amygdaline et qui, mis au contact de l'émulsine des amandes douces, de l'eau et d'une température convenable, dégage l'odeur d'amandes amères. Si on traite ces feuilles par l'alcool absolu, on leur enlève cette sorte d'amygdaline et le résidu du traitement agit à la manière de l'émulsine sur l'amygdaline des amandes amères; d'où la conclusion que l'huile essentielle de laurier-cerise se produit de la même façon que l'huile essentielle d'amandes amères. Toutefois si on s'en rapporte aux recherches de Lepage (de Gisors), l'acide prussique et l'huile essentielle de laurier-cerise existent tout formés dans les feuilles fraîches du végétal. Soubeiran a fait remarquer (*Bullet. de th.*, t. VII, 1834, p. 334) que l'huile essentielle de laurier-cerise est rarement un corps identique dans sa composition, que c'est un mélange en proportions variables, d'essence, d'acide prussique et peut-être aussi d'un autre principe cyanique particulier. Sa formule est $C^{20}H^{16}$. Elle est blanchâtre, concrète, âcre, presque toujours mélangée d'une certaine quantité d'acide cyanhydrique.

L'eau distillée de laurier-cerise est la plus usitée des formes de ce médicament. Son mode de préparation et sa composition ont été l'objet de travaux très-nombreux, ce qui se conçoit quand on songe à l'instabilité d'action de ce médicament, dont l'activité peut varier dans les proportions de 1 à 5, si ce n'est plus, quand il est mal préparé.

On connaît deux sortes d'eau distillée : l'eau distillée ordinaire et l'eau cohobée ; celle-ci, obtenue en recommençant plusieurs fois la distillation de l'eau distillée sur de nouvelles feuilles fraîches, est extrêmement active parce qu'elle contient en suspension une quantité notable d'essence qui lui donne quelquefois un œil laiteux. L'eau distillée ordinaire doit seule être employée pour les usages médicaux, et encore a-t-elle une composition assez variable qui paraît dépendre de la localité dans laquelle les feuilles ont été recueillies et de la saison ; c'est ainsi que toutes choses égales d'ailleurs, l'eau distillée de laurier-cerise préparée en Italie est plus active que celle recueillie en France ; celle faite en juillet et août qu'à une autre époque de l'année. On prétend même que la différence d'activité de deux eaux distillées préparées l'une en avril, l'autre en juillet peut aller jusqu'au double. Garod a fait à ce sujet des essais qui montrent au moins le soin méticuleux qu'il faut apporter dans la préparation de l'eau distillée de laurier-cerise.

Le nouveau Codex est entré sur ce point dans des détails qui ne sembleront pas superflus et les pharmaciens ne devront plus s'écarter du procédé qu'il conseille.

Il consiste à distiller 4000 grammes d'eau sur 1000 grammes de feuilles de laurier-cerise recueillies de mai à septembre. Le produit de la distillation doit être de 1500 grammes ; la filtration à travers du papier mouillé sépare l'huile essentielle suspendue et ne laisse que celle qui est en dissolution dans l'eau. On titre la quantité d'acide cyanhydrique contenue dans cette eau distillée, et on l'amène au chiffre de 50 milligrammes par 100 grammes ou d'un demi-milligramme par gramme en y ajoutant une quantité convenable d'eau. « On détermine facilement le titre de l'eau de laurier-cerise, c'est-à-dire la proportion d'acide cyanhydrique qu'elle contient au moyen d'une dissolution titrée de sulfate de cuivre contenant 23gr,09 de ce sel cristallisé sur 1000 centimètres cubes et en opérant de la manière suivante. On prend un petit ballon de verre à fond plat, on le pose sur une feuille de papier blanc; on y verse 100 centimètres cubes d'eau de laurier-cerise et 10 centimètres cubes d'ammoniaque; puis, au moyen d'une burette divisée en dixièmes de centimètre cube, on ajoute graduellement, et en agitant convenablement la dissolution titrée de sulfate de cuivre jusqu'à ce qu'elle cesse de se décolorer entièrement. On lit alors sur la burette le nombre des divisions de cette liqueur que l'on a employées. Ce nombre exprime très-exactement en milligrammes la proportion d'acide cyanhydrique contenue dans les 100 grammes de l'eau de laurier-cerise soumise à l'expérience. Si donc, pour 100 grammes de cette eau, on a employé 60 divisions de liqueur titrée, on peut en conclure qu'elle contenait sur 100 grammes 60 milligrammes d'acide cyanhydrique et qu'elle doit être étendue d'une proportion d'eau suffisante pour la ramener au titre normal de 50 milligrammes par 100 grammes.

« Pour connaître la proportion d'eau qu'il faut ajouter, il suffit de multiplier par 60 le poids de l'eau de laurier-cerise recueillie, soit 1000 grammes par exemple et de diviser le produit par 50; le quotient 1200 représente la quantité totale d'eau de laurier-cerise au titre normal que l'on doit obtenir après l'addition de l'eau distillée. On ajoute en conséquence 200 grammes d'eau distillée aux 1000 grammes du produit et l'on a ainsi 1200 grammes d'eau de laurier-cerise normale à 50 milligrammes d'acide cyanhydrique pour 1000 grammes. » (*Codex medicamentarius*, 1866, p. 415.)

Deschamps (d'Avallon) a proposé d'ajouter une très-petite quantité d'acide sulfurique dans un flacon d'eau de laurier-cerise pour maintenir la stabilité de sa composition. La filtration de cette eau et le titrage de l'acide cyanhydrique rendent cette précaution inutile. Il est bon de ne pas maintenir débouchés les flacons qui contiennent cette eau distillée, parce qu'elle perd son arome et son activité.

L'eau distillée doit être parfaitement transparente. Le nitrate d'argent ou bien, après addition préalable de potasse, l'action du sulfate ferroso-ferrique et d'une goutte d'acide sulfurique, y révèlent la présence de l'acide prussique. Celle de l'huile volatile y est décelée par l'agitation avec un sixième en volume d'ammoniaque; il s'y forme un trouble laiteux. (Dieu, *Traité de mat. méd. et de thérapeutique*, Paris, 1853, t. IV, p. 753.)

Les feuilles sèches de laurier-cerise perdent leur arome par le fait du dégagement de l'acide prussique et de l'huile essentielle, mais leur poudre contient les éléments de la formation d'une nouvelle quantité de ces principes quand on la place dans certaines conditions.

b. *Action physiologique et toxique*. Nous réunissons intentionnellement ces deux études parce que la seconde éclaire dans une certaine mesure la première. L'action toxique du laurier-cerise varie suivant qu'on l'étudie dans les feuilles entières, dans les principes qu'on en retire ou dans sa préparation la plus usuelle, l'eau distillée.

L'usage des feuilles de laurier-cerise pour aromatiser le lait a quelquefois produit des empoisonnements, surtout chez les enfants très-jeunes. Ingenhouz avait vu des accidents graves se manifester par l'effet de la décoction de deux de ces feuilles dans du lait. Vater cité par Loiseleur-Deslongchamps et Marquis (*Dict. des sc. méd.*, 1818, t. XXVII, p. 327, art. *Laurier-cerise*), a vu des accidents très-graves se produire chez une personne qui avait pris du lait dans lequel on avait laissé infuser trois ou quatre feuilles; une autre personne moins impressionnable en fut quitte pour des vertiges. Il faut donc y regarder de près et ne pas prescrire, chez l'adulte, plus d'une feuille pour aromatiser un liquide.

L'huile essentielle est d'une effroyable toxicité, qu'elle ne doit pas seulement à l'acide cyanhydrique auquel elle est mêlée; elle est très-vénéneuse par elle-même, au même titre et au même degré que l'essence d'amandes amères. Cette essence est vendue en Italie sous ce dernier nom ; elle est utilisée dans la parfumerie et aussi dans la pâtisserie à titre de condiment, et ces usages économiques et industriels ont été la cause d'accidents si graves que le débit a dû à une certaine époque en être interdit en Toscane. Les expériences de Nicholls et de Fontana ont démontré la terrible énergie de cette essence. Le dernier de ces observateurs a déterminé la mort chez un chien en en déposant une goutte à la surface d'une plaie. Les accidents très-rapides développées par ce poison se confondent du reste complétement par leur physionomie avec ceux de l'empoisonnement par l'acide cyanhydrique. (*Voy.* ce mot.)

Les cas les plus nombreux d'empoisonnement par le laurier-cerise se sont produits sous l'influence de l'eau distillée et surtout de l'eau cohobée qui est beaucoup plus active et d'une composition beaucoup plus variable, comme nous l'avons déjà dit. Giacomini (*Thér. et Mat. médic.* In *Encyclopédie des sciences méd.*; trad. Mojon, Paris, 1839, p. 128) a réuni, dans un intérêt doctrinal, un assez grand nombre de faits d'empoisonnement par l'eau distillée de laurier-cerise, entre autres celui observé à Dublin en 1728 et dont deux femmes furent les victimes ; l'une d'elles avait pris 30 grammes environ de cette eau ; le fait cité par Madden qui but par erreur une certaine quantité d'eau de laurier-cerise et qui succomba ; l'observation recueillie par Fodéré de deux personnes qui, à Turin, durent la mort à une erreur de même nature ; celle d'une jeune fille à laquelle un pharmacien anglais fit prendre par méprise 30 grammes environ d'eau de laurier-cerise, et qui succomba rapidement. Le crime n'a pas manqué de se servir de cette arme et l'Angleterre a dû à ce poison un de ses drames judiciaires les plus émouvants.

Les symptômes observés dans quelques-uns de ces accidents et ceux recueillis dans des expériences faites intentionnellement sur les animaux par Nichols, Madden, Vater, Fontana, Rasori, Orfila, etc., ont permis de constater, sauf l'intensité, l'analogie des accidents toxiques produits par le laurier-cerise et l'acide cyanhydrique. Troubles cérébraux, vertiges, titubation, perte de connaissance, accès convulsifs suivis de symptômes de paralysie musculaire, quelquefois vomissement, respiration enchaînée, état d'hyperesthésie générale, refroidissement, etc., tels sont les symptômes diversement groupés que développe cet empoisonnement quand il ne revêt pas une forme trop sidérante. Le traitement varie suivant les idées doctrinales en vigueur à propos de l'action interne de cette substance. Les Italiens, voyant dans ses effets tous les signes de l'hyposthénisation la plus énergique, emploient des stimulants : vin, alcool, alcool de cannelle, éther, etc. On peut dire qu'il n'y a pas de formule absolue. Un empoisonnement est une maladie et quand on a déféré à l'indication d'expulser le poison, ou quand on a reconnu que cette expulsion n'est plus possible, on est en présence d'une *maladie* et les moyens à mettre en œuvre sont dans la tête du médecin et non dans un formulaire. Les affusions froides recommandées par Herbset, constituent le moyen dans lequel on peut avoir le plus de confiance. J'y ajouterai la stimulation faradique de la peau et la respiration artificielle. Les accidents les plus pressants, une fois conjurés, les indications les plus diverses peuvent surgir et il n'y a pas de ligne de conduite à tracer. Les stimulants et les antiphlogistiques peuvent avoir tour à tour leur utilité. Cette conception de la thérapeutique des empoisonnements est la seule qui soit vraiment clinique.

Si des faits toxiques, qui, il faut bien l'avouer, n'apprennent pas grand'chose sur l'action intime des agents médicamenteux, nous passons aux faits cliniques, nous notons au nombre des symptômes qui ont pu être attribués à des doses *mé-*

dicamenteuses de laurier-cerise, de la pesanteur de tête, des vertiges, un état de torpeur des facultés intellectuelles, de la tendance au sommeil (Roux de Brignolles, *Bullet de thérap.*, t. III, 1852, p. 197), de la faiblesse musculaire. Ce degré est-il dépassé, il survient des troubles digestifs qui paraissent liés à l'impression subie par les centres nerveux, puis tout se dissipe au bout de peu de temps, et il ne se produit d'effets consécutifs que quand la dose a été considérable. Les Italiens, se fondant sur la nature présumée hyposthénique de ces symptômes, sur l'action antidotique des médicaments stimulants, et sur la nature inflammatoire des maladies auxquelles on oppose avec succès l'eau de laurier-cerise, concluent à l'action contro-stimulante de celle-ci et en font un *hyposthénisant cardiaco-vasculaire*. Les pharmacologistes français la classent dans le groupe des *antispasmodiques*. Nous avons dit, à propos de ces médicaments (*voy.* ce mot), que les cyaniques ou médicaments à base de cyanogène se rattachent à la médication *stupéfiante diffusible*, dont ils constituent un groupe très-naturel et très-important. Nous n'avons pas à revenir sur les raisons que nous avons alléguées pour justifier cette opinion. (*Voy.* ANTISPASMODIQUES et CYANIQUES.)

c. *Thérapeutique*. 1° L'eau de laurier-cerise est employée à cause de son arome agréable, comme adjuvant, dans certaines potions nauséeuses; elle y joue le rôle de condiment et les fait tolérer par l'estomac. C'est à ce titre qu'elle intervient dans les formules des potions stibiées. Cependant, il est bon de remarquer que les malades se lassent assez promptement de cette odeur, et qu'il faut remplacer l'eau de laurier-cerise par une autre eau distillée aromatique, sous peine de produire les effets nauséeux qu'on voulait éviter.

2° Le laurier-cerise est un médicament antispasmodique, c'est-à-dire qu'il partage avec un grand nombre de substances volatiles et odorantes la propriété d'influencer vivement, mais passagèrement, le système nerveux dans le sens de la disparition de ces troubles fonctionnels expressifs, mais habituellement peu profonds, que l'on désigne sous le nom de *spasmes*. Les antispasmodiques, reconnaissant, comme tous les médicaments qui s'adressent à la fonctionnalité nerveuse, l'influence très-marquée des idiosyncrasies et des habitudes, on ne saurait avoir une gamme trop variée de ces agents, et le laurier-cerise y joue un rôle réellement utile. Nous n'avons pas à parcourir ici la liste fastidieuse des troubles spasmodiques auxquels le laurier-cerise peut être opposé avec plus ou moins de succès. Le lecteur trouvera d'ailleurs cette énumération à l'article ANTISPASMODIQUES. (*Voy.* ce mot).

3° Mais les antispasmodiques deviennent en même temps des anesthésiques ou des stupéfiants diffusibles quand leur action dépasse une certaine limite. Les huiles essentielles, les éthers, les alcools, les cyaniques, un certain nombre de substances pyrogénées volatiles, jouissent de cette propriété commune quand elles sont inhalées ou mises en contact avec des nerfs douloureux, d'engourdir la sensibilité, ou même de l'éteindre, si l'action est poussée suffisamment loin. L'empoisonnement par l'acide prussique et la sidération chloroformique offrent une analogie irrécusable. L'huile essentielle de laurier-cerise ne la rompt en rien. Autour de cette propriété se rangent certaines applications du laurier-cerise; telles sont : son emploi contre les crampes douloureuses de la gastralgie, la photophobie, son application sur les caries ou sur certains ulcères pour éteindre des douleurs vives, etc.

4° L'eau de laurier-cerise dissipe aussi ou calme les spasmes musculaires, d'où son utilité contre les diverses névroses convulsives, les vomissements incoercibles, les toux nerveuses spasmodiques, mais surtout les palpitations du cœur. Fodéré a surtout insisté sur cette indication. L'article *Laurier-cerise* du *Dict. des sc. méd.* (*loc. cit.*) contient le fait intéressant d'un soldat qui, atteint de fortes palpitations de cœur, et obligé par cet état à un repos absolu, guérit sous l'influence de l'eau de laurier-cerise prise pendant un mois, et put reprendre son service. Cette action sédative cardiaque du médicament est, du reste, connue des gens du monde et utilisée par eux. On a recommandé l'eau de laurier-cerise dans la cardite; mais, outre que le diagnostic de cette maladie n'est pas aisé à établir, il faut au préalable établir l'opportunité, et elle n'existe pas toujours, d'une sédation des mouvements du cœur.

5° L'école pharmacologique italienne a beaucoup insisté sur l'action hyposthénisante de l'eau de laurier-cerise, et l'a opposée à ce titre à toutes les maladies inflammatoires ou *présumées* inflammatoires. Le cadre nosologique y a, bien entendu, passé tout entier. Borda, Brera et Tommasini ont surtout employé ce médicament à titre d'*hyposthénisant*, c'est-à-dire d'*antiphlogistique indirect*, et il a eu le singulier honneur d'inaugurer la révolution pharmacologique italienne. On sait l'histoire du fermier de Borda. Une pneumonie guérie solennellement par l'eau de laurier-cerise, en présence d'une clinique nombreuse, était un événement au commencement de ce siècle; il offrirait moins d'intérêt et de signification aujourd'hui que l'on connaît les tendances spontanées vers une terminaison favorable qu'affecte la pneumonie simple et franche, chez des sujets jeunes et surpris par cette maladie dans de bonnes conditions de santé. De la pneumonie, Borda passa au rhumatisme, à la pleurésie, à la bronchite, à la phthisie (qui n'est, bien entendu, dans sa doctrine, qu'une pneumonie chronique). Que le laurier-cerise ait une action sédatrice sur la circulation, et, par suite, sur la fonction calorigénique, c'est ce qu'on ne saurait mettre en doute; mais que ce médicament anodin puisse et doive remplacer les antiphlogistiques réels, quand ceux-ci sont par ailleurs indiqués, c'est ce qu'il est difficile de croire et dangereux d'admettre.

6° L'eau de laurier-cerise combat utilement le symptôme *toux*, quelle qu'en soit la nature; non-seulement la toux nerveuse, sans support matériel, cela va sans dire, mais aussi la toux se rattachant à une lésion, bronchite, phthisie, etc. quand elle prend un caractère un peu spasmodique. Un médicament qui calme la toux est destiné à être considéré comme un spécifique de la phthisie. L'eau de laurier-cerise n'a pas échappé à cette loi, et Linné nous a appris que, de son temps, les feuilles de laurier-cerise étaient employées en Belgique contre la phthisie. Cette illusion s'explique.

7° Quant aux éloges qui lui ont été prodigués comme moyen curatif de l'épilepsie, de l'hydrophobie, du tétanos, c'est un leurre véritable. Ces trois névroses sont *guéries* infailliblement par *tous* les agents de la matière médicale, il faudrait que cela fût bien convenu : on s'épargnerait des redites fastidieuses.

8° Je signalerai comme plus sérieux l'emploi de ce médicament contre l'éréthisme nerveux et l'insomnie qui s'y rattache. Il n'y a là rien que de plausible; mais, seulement, il faut pousser les doses assez loin pour arriver à un résultat utile.

9° Je ne dois pas omettre de parler de l'emploi ophthalmologique de l'eau de laurier-cerise, de son usage en applications topiques contre le *prurigo pudendi*, contre l'engorgement laiteux des seins (Caron Du Villard. *Note sur les bons effets de l'emploi extérieur de l'eau distillée de laurier-cerise dans quelques maladies* In *Bullet. de th.*, t. VI, 1834, p. 77), et enfin comme moyen topique dans les brûlures. Un médecin italien, le docteur Franchini Eugenio, a préconisé cette méthode en 1861. Elle consiste à nettoyer la surface avec soin, à vider les phlyctènes et à recouvrir la partie d'une compresse trempée dans un mélange de 8 parties d'eau de laurier-cerise et de 100 parties de sirop de gomme ; on interpose un linge cératé et percé de trous. Des brûlures peu étendues peuvent sans inconvénient être traitées par ce moyen. Le sirop de gomme n'agit sans doute qu'en recouvrant la partie brûlée d'un enduit isolant, d'une sorte de collodion.

10° Enfin il n'est pas inutile de signaler la propriété qu'ont certains médicaments cyaniques, et que le laurier-cerise partage avec eux, de désodorer les vases imprégnés de musc. Cette propriété est utilisable dans les pharmacies pour purger de cette odeur les fioles ou les mortiers; on se sert de feuilles fraîches pilées ou d'eau distillée de laurier-cerise. Cette propriété curieuse a été signalée, il y a plus de vingt ans, par Soubeiran et Fauré. (*Bullet. de thér.*, 1847, t. XXIX, p. 282.)

IV. *Modes d'administration et doses.* 1° *Eau distillée de laurier cerise du Codex.* De 4 à 15 grammes dans une potion appropriée ou sous forme de tisane. Le sirop de laurier-cerise du Codex est préparé avec 500 grammes d'eau distillée et 950 grammes de sucre ; il contient donc à peu près la moitié de son poids d'eau de laurier-cerise ; il s'emploie par cuillerée à bouche.

2° *Huile essentielle.* Médicament très-actif, peu maniable ; étendu convenablement dans de l'huile d'amandes douces, il s'emploie à la dose de 3 milligrammes par jour.

3° *Poudre des feuilles.* Mauvaise préparation ; peu active ; dose de 0gr,20 à 0gr,40.

4° *Feuilles fraîches.* Servent à la préparation du lait amandé. Une feuille pour les adultes, une demi-feuille pour les enfants. On peut faire infuser une feuille dans un bol d'eau chaude convenablement édulcorée.

XI. Laurier-rose. Le laurier-rose, suspect au point de vue toxicologique, est encore en dehors des ressources régulières de la thérapeutique : toutefois, des essais récents, dus à Latour, Lukowski, Landerer, Pelikan, mais surtout à de Girard, ont fourni déjà des connaissances plus précises sur la composition des principes actifs de cette substance, sur leur nature et leur préparation, et sur la façon dont ils impressionnent l'économie. L'admission du laurier-rose au nombre des médicaments utiles est probablement au bout de ces recherches.

Nous devons au dernier de ces observateurs la communication de recherches inédites d'un intérêt véritable et que nous allons utiliser.

Loiseleur-Deslongchamps et Marquis ont rapporté dans l'article relativement considérable qu'ils ont consacré, en 1818, au laurier-rose (*Dict des sc. méd.*, t. XXVII, p. 540) une analyse empruntée au t. VI du *Bullet. de pharm.*, et de laquelle semblait résulter la conclusion que le principe actif du laurier-rose résidait dans une matière volatile. Les travaux qui ont été faits depuis sur le laurier-rose n'ont pas confirmé cette manière de voir. Latour (*Gaz. méd. de l'Algérie*, année 1856, p. 124) rapporte l'activité de cette plante à une résine qu'il obtient en traitant l'extrait alcoolique par l'acide chlorhydrique. De Girard, qui a essayé ce mode de préparation, le considère comme supérieur aux autres : le produit qu'il fournit contient l'acide *oléandrique* et l'*oléandrin*, les deux produits actifs que renferme, selon lui, le laurier-rose. En 1861, Lukowski a retiré des feuilles et de l'écorce de cette plante deux principes qu'il considère comme des alcaloïdes et qu'il désigne sous les noms d'*oléandrine* et de *pseudo-curarin*. (*Répert. de chim. appl.*, t. III, 1861, p. 7.)

J'emprunte à une note de l'auteur cité plus haut les détails pharmacologiques suivants : « Il y a, dit-il, dans le laurier-rose, au moins deux substances actives :

« 1° L'une est un acide ; je l'appellerai acide *oléandrique ;*

« 2° L'autre me paraît être un corps neutre ; je le désignerai sous le nom d'*oléandrine.*

« Pour les préparer, on reprend par l'eau l'extrait alcoolique d'écorce. La solution est filtrée, pour séparer une petite quantité de résine verte insoluble, et précipitée par l'acétate neutre de plomb ; le précipité obtenu est bien lavé, et décomposé au sein de l'eau par l'hydrogène sulfuré. Le dépôt de sulfure de plomb ainsi formé est lavé à l'eau distillée, desséché vers 50° à l'étuve à air, et traité à chaud par l'alcool à 90° ; la solution alcoolique évaporée abandonne une substance d'un jaune brun ; cette substance, traitée par une dissolution très-étendue de carbonate de soude, donne une liqueur colorée et une partie reste sur le filtre. Cette portion insoluble, c'est l'*oléandrine.* La dissolution donne, par l'acide nitrique pur, un précipité floconneux jaune, se rassemblant bientôt au fond du vase, c'est l'acide *oléandrique.* Cet acide est soluble dans l'alcool absolu, insoluble dans l'éther, très-faiblement soluble dans l'eau. La solution aqueuse est très-amère ; elle précipite en jaune par l'acétate de plomb. » (Communication de l'auteur.)

Les recherches de de Girard tendraient à démontrer que l'oléandrin est à peu près aussi actif que l'acide oléandrique ; mais il a surtout expérimenté le second de ces principes, et ses expériences déjà nombreuses sur les lapins et les grenouilles peuvent, dit-il, se résumer ainsi :

« 1° Ce n'est pas un poison du cœur ; cet organe, en opposition avec les assertions de Pelikan (*Comptes rendus de l'Ac. des sc.*, 1866, 29 janvier, t. LXII), continue à battre très-longtemps.

« 2° Les phénomènes observés sur les grenouilles peuvent se diviser en trois périodes : *a.* l'animal est immobile, dans une sorte de stupeur, mais il saute quand on le pique ; *b.* convulsions tétaniques très-intenses succédant à la moindre excitation ; *c.* la sensibilité est épuisée ; il n'y a plus de mouvements ; le cœur continue néanmoins à battre pendant plusieurs heures.

« Si l'on étudie la marche de la paralysie, on voit qu'elle s'étend de la périphérie au centre. Le pouvoir excito-moteur de la moelle est d'abord augmenté, puis éteint ; les nerfs sensitifs ne transmettent bientôt plus les impressions ; les nerfs moteurs résistent plus longtemps à l'action du poison ; les muscles, enfin, sont paralysés en dernier lieu. » (Note de M. de Girard.)

Les principes actifs du laurier-rose paraissent résider principalement dans les feuilles et dans l'écorce ; les climats chauds, au dire de quelques auteurs, augmenteraient l'énergie toxique de cette plante. Loiseleur-Deslongchamps et Marquis expliquent de cette façon la dissemblance qui s'est rencontrée entre les résultats qu'ils ont obtenus avec de l'écorce de laurier-rose de Provence, et ceux auxquels est arrivé Orfila, qui se servait d'écorce récoltée à Paris. Il a fallu, en effet, à cet expérimentateur jusqu'à 4 ou 5 grammes d'extrait ou de poudre introduits par diverses voies pour déterminer la mort chez des chiens, avec une certaine rapidité, il est vrai.

En somme, il y aurait lieu, tout en poursuivant la recherche d'un principe actif, de se servir, pour de nouvelles expériences physiologiques, d'un extrait alcoolique préparé suivant un mode uniforme, et avec l'écorce ou les feuilles du laurier-rose du Midi. Cette substance est assez active pour qu'elle puisse être employée à petites doses, et l'*oléandrin* ou l'*acide oléandrique* n'offriront sans doute d'intérêt, au point de vue pratique, que par l'emploi en injections sous-cutanées.

Il est difficile de se faire, dès à présent, une idée de l'action véritable du laurier-rose et d'assigner à ce poison une place en toxicologie. Orfila le range, bien entendu, dans son groupe confus des narcotico-âcres, qui contient les substances les plus discordantes; on ne simplifie rien et on embrouille tout avec des généralisations de cette nature. L'action primitive du laurier-rose paraît se passer tout entière du côté des centres nerveux; c'est là tout ce qu'on en sait et tout ce qu'on en peut dire. Il est à espérer que les recherches que de Girard poursuit avec une persévérance digne d'éloges le conduiront à quelque chose de plus précis.

Loiseleur-Deslongchamps a fait sur lui-même une expérience qui offre de l'intérêt. Il s'est servi d'une dissolution de 30 grammes d'extrait de feuilles de laurier-rose, dans 120 grammes de vin. « Le 13 avril 1811, nous portant parfaitement bien, nous commençâmes, dit cet auteur, à prendre quatre fois par jour trois gouttes de cette teinture, et tous les jours, jusqu'au 25, nous augmentions la dose d'une goutte chaque fois, de sorte que nous en prenions à cette époque 48 gouttes entre six heures du matin et neuf heures du soir. Nous commençâmes alors à sentir notre appétit diminuer, à éprouver dans la journée des lassitudes spontanées. Incertain si c'était au laurier-rose que nous devions en attribuer la cause, et pour nous en assurer, nous en continuâmes l'usage encore pendant trois jours en portant à 15 gouttes chacune des doses que nous prenions quatre fois par jour. Mais le 28 avril, nous dûmes avouer que nous n'eûmes pas le courage d'aller plus loin ; ce jour-là nous ne pûmes presque pas manger, nous éprouvions une inappétence de tous les aliments, accompagnée de douleur, comme de courbature dans les bras, les jambes, enfin d'une débilité musculaire très-prononcée et d'un malaise universel; la cessation absolue de l'usage du laurier-rose suffit pour nous rendre notre bonne santé habituelle, dans l'espace de deux ou trois jours. Voulant cependant nous assurer d'une manière positive si les symptômes que nous avions éprouvés étaient bien réellement produits par l'extrait de laurier-rose, un mois après l'avoir cessé, étant dans le meilleur état de santé, nous en recommençâmes l'usage de même que la première fois, c'est-à-dire que, le 1er juin, nous prîmes 12 gouttes de cette même teinture, et que le 13 du même mois nous en prenions 60 gouttes. Ce jour-là, et dès la veille, nous avions commencé à voir notre appétit diminuer, puis à ressentir de la courbature, de la faiblesse dans les jambes. Ayant poussé la dose le 14 jusqu'à 64 gouttes dans l'espace de cette journée, tous les symptômes que nous avions éprouvés depuis deux jours augmentèrent assez sensiblement pour nous forcer de nouveau à ne pas porter nos essais plus loin. Il nous fut assez clairement démontré que l'extrait des feuilles de laurier-rose contenait un principe vénéneux destructif de l'irritabilité. » (*Loc. cit.*, p. 541.)

Cette conclusion n'est peut-être pas aussi évidente que le pensaient les auteurs précités, mais ce fait est doublement intéressant, et par les garanties de bonne observation qu'il offre et surtout parce qu'il constitue pour l'expérimentation sur l'homme un point de départ posologique.

Les cas d'empoisonnements par le laurier-rose sont très-nombreux ; sans parler de ce fait d'intoxication par l'odeur de fleurs de laurier-rose enfermées dans une chambre à coucher, fait qui n'offre peut-être pas toute l'authenticité désirable, on a rapporté un grand nombre d'accidents produits par le laurier-rose. Un des plus curieux est celui relaté par Loiseleur-Deslongchamps et Marquis, d'après Gaspard Robert, jardinier en chef de la marine à Toulon, et qui a trait à l'empoisonnement de soldats français en Corse, par l'usage de broches en bois de laurier-rose dont ils avaient traversé les viandes qu'ils faisaient rôtir. Les mêmes auteurs ont vu un malade auquel ils avaient prescrit 3 doses d'un grain chacune par jour, et qui, par excès de zèle, en prit 10 à 12 grains en une fois, présenter des accidents très-graves, des vomissements accompagnés d'éblouissements, de défaillances, de sueurs froides, etc. L'éther dissipa ces symptômes.

Le laurier-rose est donc un poison actif; il paraît être un poison assez général, puisque tous les animaux, sauf peut-être la chenille du Sphynx nérion, évitent ses feuilles, suivant la remarque faite par Loiseleur-Deslongchamps.

Je n'ai rien à dire du traitement de cet empoisonnement, il ne repose encore que sur des bases incertaines. Faire vomir le poison s'il en est temps encore, et instituer le traitement des indications, ce sont les deux seules règles qu'il comporte. L'observation relatée plus haut semblerait indiquer l'utilité de l'éther et probablement aussi des autres stimulants diffusibles.

Le laurier-rose deviendra sans doute un médicament puisqu'il est un poison, mais c'est à l'avenir à déterminer son action et à lui assigner son utilité.

Le laurier-rose a été essayé dans le midi de la France contre les maladies cutanées et syphilitiques. Loiseleur-Deslongchamps a rapporté deux observations dont les résultats ont été à peu près négatifs. Au dire de cet auteur on se servirait aux environs de Nice, du bois de laurier-rose râpé comme mort-aux-rats. Mérat a guéri plusieurs galeux par des frictions faites avec une dissolution d'extrait de laurier-rose. Il y a tant de moyens efficaces et inoffensifs de guérir cette maladie parasitaire que celui-ci qui n'est pas sans danger peut être laissé de côté. J'en dirai autant de l'usage de la poudre de feuilles ou d'écorce de laurier-rose comme moyen antipédiculaire, de son emploi (assez dangereux) comme sternutatoire.

Un médecin russe, Lukowski, dont j'ai rappelé plus haut les recherches relatives au principe actif du laurier-rose, et qui a retiré de l'écorce et des feuilles de cette plante deux principes qu'il a appelés *pseudo-curarine* et *oléandrine*, a essayé cette dernière substance chez une jeune fille de 11 à 12 ans présentant des accès épileptiformes dont la cause provocatrice avait été une frayeur. Ces accès se répétaient deux fois par jour; des ascarides lombricoïdes et des oxyures avaient été évacués sous l'influence du semen-contra, et il avait été dès lors permis de rattacher les convulsions à ces parasites. Le retour des attaques engagea M. Lukowski à administrer l'*oléandrine*. Il prépara une solution de 1 centigramme de ce principe dans 400 gouttes d'alcool, et débuta par une goutte; ce jour-là l'accès manqua; le lendemain 4 gouttes furent données en deux doses; on continua ainsi pendant quelques jours, puis les accès cédant, on revint à une goutte tous les jours, puis à une goutte par semaine. Les accidents furent complétement enrayés. L'auteur en conclut que l'*oléandrine* est un vermicide puissant, mais cette opinion est peu justifiable, puisqu'il n'est pas indiqué que l'enfant ait expulsé de vers à partir du moment où elle prit de l'oléandrine. M. Lukowski avertit lui-même d'aller avec une extrême prudence dans le dosage d'une substance qui est aussi active, si ce n'est plus active que la strychnine. (*Gaz. des hôpit.*, septembre 1863, et *Bullet. de thérap.*, t. LXV, 1863, p. 423.)

On voit en résumé qu'il est légitime de prévoir dans le laurier-rose un médicament indigène d'une extrême activité, et dont l'utilité peut être soupçonnée dès à présent; seulement il faut qu'il soit étudié à nouveau, principalement au point de vue physiologique et thérapeutique. Faire pressentir l'importance future de ce médicament, indiquer les travaux accomplis ou en voie d'exécution qui s'y rapportent, et signaler les lacunes nombreuses qui existent encore dans son histoire, c'était là tout ce que nous pouvions faire dans l'état actuel de nos connaissances sur le laurier-rose. FONSSAGRIVES.

LAURINE. Substance neutre contenu dans les baies de laurier, se présente sous forme de prismes incolores. Elle est insipide, insoluble dans l'eau, très-soluble au contraire dans l'alcool et l'éther.

LAURINÉES ou **LAURACÉES.** Famille de plantes dicotylédones, placée par A. L. de Jussieu dans l'Apétalie-monogynie, et qui est caractérisée principalement par trois traits d'organisation de la plus grande valeur. Leur réceptacle floral est concave, ce qui rend leur insertion périgynique. Leur gynécée est formé d'un seul carpelle, dont l'ovaire uniloculaire contient un ovule anatrope, suspendu, avec le micropyle supère, interposé au placenta et au point d'attache ou hile. Leurs étamines sont à panneaux, ou valvicides ; c'est-à-dire qu'à droite et à gauche de la ligne médiane de leur anthère, qui se continue directement avec le sommet du filet et n'en est qu'une dilatation, on voit se dessiner de chaque côté une ou deux petites logettes contenant le pollen, et que la paroi de ces logettes se détache définitivement dans presque tout son pourtour, sauf en un point supérieur, suivant lequel le petit panneau se relève lors de l'émission du pollen. Ce dernier caractère n'est pas constant, il est vrai, si l'on range parmi les Laurinées quelques types exceptionnels, comme ceux des Illigérées et Gyrocarpées ; mais il est très-général et très-commode dans la pratique pour reconnaître une Laurinée. Les fleurs sont petites, hermaphrodites ou unisexuées, ordinairement très-nombreuses et disposées en grappes simples ou ramifiées de cymes ou de glomérules. Elles sont construites sur le type 3 ou 2, et ont un double périanthe. Les étamines sont en nombre double, triple ou quadruple de celui des sépales ; leurs anthères sont introrses ou extrorses, et ce caractère peut varier dans la même fleur. Elles sont souvent garnies à leur base de deux glandes latérales, sessiles ou stipitées. Le fruit des Laurinées est ordinairement une baie monosperme, plus rarement une drupe ou un achaine. Le calice et le réceptacle accrescents accompagnent la base du fruit, ou lui forment une enveloppe plus ou moins complète. La graine est dépourvue d'albumen. Les Laurinées forment une famille très-nombreuse et très-naturelle. Presque toujours ce sont des arbres ou des arbustes. Les *Cassytha* seuls sont de petites herbes aphylles et parasites, à la façon de nos Cuscutes. Les Laurinées arborescentes ont des feuilles alternes ou opposées, sans stipules. Un grand nombre d'entre elles sont des plantes des pays chauds, essentiellement aromatiques, ce qu'elles doivent à la présence de réservoirs d'huile volatile, dans la plupart de leurs organes, principalement les feuilles, les fruits et l'écorce. Le péricarpe de plusieurs espèces renferme une huile abondante. Plusieurs autres plantes de cette famille produisent du camphre, comme le Camphrier proprement dit. Toutes les Laurinées sont excitantes, chaudes, parfois âcres, piquantes, irritantes. Ces propriétés seront étudiées à propos des principaux genres employés en médecine, c'est-à-dire les *Benzoin*, les *Camphora*, les *Cinnamomum*, l'*Avocatier*, le *Pichurim*, le *Culilawan*, le *Sassafras* et les *Lauriers* proprement dits. H. BN.

JUSS., *Gen.*, 80. — VENTENAT, *Tabl. du Règn. vég.*, II, 245. — DC., *Théor. élém.*, éd. 2, 247. — LINDL., *Veg. Kingd.*, 535. — ENDL., *Gen.*, 315. — RICH. (A.), *Elém.*, éd. 4, I, 286-500 ; *Dict. de méd.* (en 30 vol.), XVII, 590. — MEISSN., in DC. *Prodr.*, XV, sect. 1, 1.

LAURUS. *Voy.* LAURIER.

LAUTARET (Eau minérale de). Dans le département des Hautes-Alpes, dans l'arrondissement de Briançon, à 120 mètres de l'hospice de la Madeleine, à 1,900 mètres au-dessus de la vallée, émerge d'un rocher de granit la *source Sulfureuse* de Lautaret, dont le griffon est, la plus grande partie de l'année, recouvert par les neiges qui fondent rarement dans cette partie des Alpes. L'analyse chimique exacte de l'eau de cette source n'est pas complète; on sait seulement par un travail sommaire de M. le docteur Niepce, que 1,000 grammes renferment une petite quantité de carbonates, quelques sulfates, 0,00084 de gaz acide sulfhydrique, et qu'elle a une température de 34° centigrade.

A. R.

LAUTERBERG (Établissement hydrothérapique). Dans le Hanovre, sur la Lauter, est une ville de 3,500 habitants, dans laquelle on a créé, en 1839, un Institut hydrothérapique. L'air pur et salubre, les eaux vives et fraîches, les promenades variées qui entourent la ville, le site ravissant où l'on a placé l'établissement dominé par le Hansberg, expliquent aisément la grande affluence des baigneurs qui viennent chercher la santé à Lauterberg en y suivant un traitement par l'eau froide. A. R.

LAUTH (Les), le père et les deux fils.

Lauth (Thomas), une des gloires de la Faculté de Strasbourg. Il naquit dans cette ville, le 29 août 1759, et, après d'excellentes études, dirigées surtout vers les sciences exactes, Lauth s'adonna à la médecine et prit le bonnet de docteur en septembre 1781. Désireux de compléter ses connaissances, il entreprit divers voyages. Desault attirait alors à Paris, par son enseignement, la jeunesse de tous les pays, Lauth vint étudier sous lui l'anatomie et la physiologie; de là il passa en Angleterre où Hunter brillait de tout son éclat, puis en Allemagne dont il visita les principales universités, et rentra à Strasbourg à la fin de 1782. Peu après son retour, il fut nommé adjoint de Rœderer et Ostertag, professeurs d'accouchement; puis, après la mort de Lobstein le père (1784), il obtint la place de démonstrateur d'anatomie, et enfin, l'année suivante, celle de professeur ordinaire d'anatomie et de chirurgie. Lors de la réorganisation des Facultés, Lauth, qui avait noblement refusé une chaire à l'université de Tübingen, fut naturellement compris dans le nouveau personnel enseignant; il était alors, en même temps, médecin en chef du grand hôpital de Strasbourg. La grande réputation qu'il s'était acquise, et par son enseignement et par ses travaux, le fit inscrire au nombre des associés résidants lors de la création de l'Académie de médecine. Sa santé s'étant trouvée fortement ébranlée en 1826, Lauth, pour se rétablir, avait fait un voyage en Allemagne, au retour duquel il mourut presque subitement.

Le plus beau titre de Lauth à la reconnaissance de la postérité est, sans contredit, son *Histoire de l'anatomie*, ouvrage conçu dans un excellent esprit, rempli d'une solide et saine érudition, et qui malheureusement est resté inachevé. Le premier volume, le seul qui ait paru, comprend l'examen de tous les travaux, de toutes les découvertes dont cette science s'est enrichie depuis l'antiquité jusqu'à Harvey. Il est bien à regretter que la suite, qui, dit-on, est restée manuscrite, n'ait pas été publiée par les soins de son fils, le professeur Alex. Lauth, et qu'on ait ainsi laissé incomplet un des plus beaux monuments de l'érudition moderne.

Lauth a laissé les ouvrages suivants :

I. *Diss. de analysi urinæ et acido phosphoreo*. Argent., 1781, in-8°. — II. *Diss. botanica de acere*. Ibid., 1781, in-8°. — III. *Scriptorum latinorum de anevrysmatibus collectio* (Lancisius, Guatani, Mattani, Verbrugge, etc.). Ibid., 1785, in-4°, fig. — IV. *Nosologia chirurgica, accedit notitia auctorum recentiorum Platero*. Ibid., 1788, in-8°. — V. *Vom Witterungszustand, dem Scharlachfieber und dem bösen Hals*. Ibid., 1800, in-8°. — VI. *Vita Johannis Hermann*. Ibid., 1802, in-8°. — VII. *Histoire de l'anatomie*. Ibid., 1815, t. I (seul paru), in-4°.

Lauth (Gustave), fils aîné du précédent, naquit à Strasbourg, le 9 mars 1793, et mourut dans cette ville à peine âgé de vingt-quatre ans ; il était professeur d'anatomie et de chirurgie, adjoint à l'hôpital civil de cette ville. On lui doit les ouvrages suivants, qui annonçaient un homme instruit et laborieux :

I. *Précis d'un voyage botanique fait en Suisse*. Strasbourg, 1812, in-8°. — II. *Spicilegium de vena cava superiore*. Thèse de Strasbourg, 1815, in-4°.

Lauth (Ernest-Alexandre), autre fils de Thomas Lauth et frère du précédent, naquit à Strasbourg, le 14 mars 1803. Après de solides études littéraires, dirigé par les conseils et l'exemple de son illustre père, il commença ses études médicales, s'adonnant de préférence à l'anatomie et à la physiologie, sous le professeur Ehrmann, auquel il dédia sa thèse. Après avoir, à l'exemple de son père, voyagé pendant quelque temps, en France, en Angleterre et en Allemagne, il revint à Strasbourg, et, riche de la succession paternelle, il laissa de côté la pratique médicale pour se livrer sans réserve à ses sciences de prédilection, l'anatomie et la physiologie. Successivement professeur et agrégé à la Faculté de médecine de sa ville natale, il conquit après deux concours la place de professeur de physiologie (1836). Mais à peine avait-il commencé son enseignement, qu'une aphonie, symptôme d'une phthisie tuberculeuse, vint l'enlever à la chaire qu'il avait si victorieusement conquise, et il ne tarda pas à succomber aux progrès incessants de cette affreuse maladie, en 1837.

Parmi les travaux qui assurent à Alex. Lauth un rang distingué parmi les anatomistes de ce siècle, nous citerons d'abord sa dissertation inaugurale sur le système lymphatique ; son beau travail sur l'anatomie du testicule, qui fut jugé digne de la médaille d'or pour le prix de physiologie expérimentale à l'Institut ; des recherches sur le larynx, qu'il regarde comme un instrument à anche ; et enfin un excellent manuel d'anatomie.

Voici l'indication de ses principales publications :

I. *Essai sur les vaisseaux lymphatiques*. Thèse de Strasbourg, 1824, in-4°. — II. *Mém. sur les vaisseaux lymphatiques des oiseaux*. In *Ann. des sc. naturelles*, t. III. Paris, 1824, pl. 5. — III. *Description des matrices biloculaires et bicornes conservées*, etc. In *Répert. d'anat.*, etc., de Breschet, t. V, p. 178, pl. 3. Paris, 1828. — IV. *Manuel de l'anatomiste*. Strasbourg, 1829, in-8° ; 2e édit., ibid., 1835, pl. 7. — V. *Mém. sur divers points d'anatomie*. In *Mém. de la Soc. d'histoire naturelle de Strasbourg*, t. I, 1830, pl. 7. — VI. *Recherches d'anatomie*. In Vorrentrapp *Observationes anatomicæ de parte cephalica nervi sympathici*. Francof. a. M., 1831. — VII. *Mém. sur le testicule humain* (mém. cour. l'Institut). In *Mém. de la Soc. d'histoire naturelle de Strasbourg*, t. I, part. 2 ; 1832, pl. 3. — VIII. *Anomalies dans la distribution des artères de l'homme*. Ibid., 1832, pl. 1. — IX. *Variétés dans la distribution des muscles chez l'homme*. Ibid., 1833. — X. *Du mécanisme par lequel les matières alimentaires parcourent leur trajet de la bouche à l'anus*. Thèse de Strasbourg, 1833, in-4°. — XI. *Remarques sur la structure du larynx et de la trachée artère*. Strasbourg, 1835, pl. — XII. *Exposition et appréciation des sources des connaissances physiologiques*. Thèse de conc. (ch. de physiol.). Strasbourg, 1836, in-4°. Plus un certain nombre d'articles dans divers recueils. E. Bgd.

LAUVERGNE (Hubert), médecin très-distingué de la marine, et auteur d'écrits estimés, naquit le 20 janvier 1796, à Toulon. Il entra au service en 1819, en qualité d'officier de santé de troisième classe, fit plusieurs campagnes dans le Levant et l'Amérique du Sud, et franchit successivement les autres grades. Reçu docteur en 1829, il assista, en qualité de chirurgien-major du *Colosse*, à la prise d'Alger en 1830. Bientôt après, poussé par son mérite, il quitta le service actif et fut nommé professeur de matière médicale à Toulon (1832), après avoir successivement rempli des fonctions élevées à Cherbourg et à Brest, il revint à Toulon, comme directeur du service de santé en 1858, et c'est là qu'il mourut le 22 décembre 1859.

Parmi les nombreux écrits publiés par Lauvergne, il en est un qui mérite une mention spéciale, c'est celui qui est relatif aux forçats, dont il a donné une histoire très-curieuse, et que ne pourront se dispenser de consulter tous ceux qui s'occuperont de cette intéressante question.

Voici la liste des principales publications de Lauvergne :

I. *Souvenirs de la Grèce pendant la campagne de* 1825, ou *Mém. historique*, etc. Paris, 1826, in-4°, et 1827. — II. *Géographie botanique du port de Toulon et des îles d'Hyères*. Th. de Montp. 1829, n° 60. — III. *Histoire de l'expédition d'Afrique en* 1830. ou *Mém. historiques*, etc. Toulon, 1831, in 8°. — IV. *Le choléra-morbus en Provence, suivi de la biographie du docteur Fleury*. Toulon, 1836, in-8°. — V. *Histoire de la Révolution dans le département du Var, depuis* 1789 *jusqu'en* 1794. Ibid., 1838-39, in-8°. — VI. *Les forçats considérés sous le rapport physiologique, moral, intellectuel, observés*, etc. Paris, 1841, in-8°, trad. all. — VII. *De l'agonie et de la mort dans toutes les classes de la société sous le rapport*, etc. Ibid., 2 vol. in-8°. — VIII. *Divers mém. sur les fonct. du cerveau; les causes et les symptômes de la tuberculisation*, etc. Toulon, 1846, in-8°. E. BGD.

LAUVERJAT (THÉODORE-ÉTIENNE), accoucheur, qui se fit un nom dans la seconde moitié du siècle dernier. Il est surtout connu aujourd'hui pour la part qu'il prit à la grande querelle relative à la symphyséotomie et à l'opération césarienne. L'analyse raisonnée qu'il donna d'une opération de ce genre, qui avait été publiée par Sigault, l'inventeur et l'ardent propagateur de la section du pubis, contribua beaucoup à faire revenir les médecins de l'enthousiasme qu'avait inspiré le premier succès obtenu par cette opération. Lauverjat, qui avait été reçu maître en chirurgie en 1774, mourut à Paris en 1800.

Voici l'indication de ses publications ; elles témoignent des préoccupations de l'auteur.

I. *An utilia in graviditate, partu et post partum balnea?* Th. du coll. de chir. Paris, 1774. in-4°. — II. *Examen d'une brochure qui a pour titre : Procès-verbaux et réflexions à l'occasion de la section de la symphyse*. etc. Amsterdam, 1779, in-8°. — III. *Nouvelle méthode de pratiquer l'opération césarienne, et parallèle de cette opération et de la section des os pubis*. Paris, 1788, in-8°. E. BGD.

LAVAL (EAU MINÉRALE DE), *protothermale, sulfatée magnésienne et sodique moyenne, carbonique et sulfureuse faible*. Dans le département de l'Isère, dans l'arrondissement de Grenoble, au nord-est du village, jaillit, par plusieurs griffons, la source de Laval dont l'eau traverse des couches d'anthracite et de houille.

Le débit de ces filets réunis est de 800,000 litres en vingt-quatre heures. Cette eau est claire et limpide, son odeur est manifestement sulfureuse, son goût est amer ; elle est traversée par quelques bulles gazeuses d'un assez gros volume ; sa température est de 21°,7 centigrade. Sa densité n'est pas connue ; M. le docteur Niepce a trouvé que 1,000 grammes de cette eau contiennent les principes suivants :

Sulfate de magnésie	1,127
— soude	1,048
Carbonate de chaux	0,028
— manganèse	0,009
Chlorure de sodium	0,351
— calcium	0,030
— magnésium	0,007
Silice	0,013
Iode, matière organique et glairine	traces.
TOTAL DES MATIÈRES FIXES	2,613

Gaz.	Acide carbonique	0,02270 litre.
	— sulfhydrique	0,00831 —
	Azote	traces.
	TOTAL DES GAZ	0,03101 litre.

Les eaux de la source de Laval sont exclusivement employées en boisson et en lotions par quelques personnes des environs qui ne peuvent se rendre aux autres sources de l'arrondissement de Grenoble, si fertile en eaux minérales et particulièrement en eaux chlorurées et sulfureuses. L'eau de Laval est purgative, même à la dose de trois ou de quatre verres, pris le matin à jeun et à un intervalle d'un quart d'heure. Cette propriété vient-elle des sulfates de magnésie et de soude qu'elle tient en dissolution ou de la difficulté qu'ont les buveurs à la digérer? Cela est incertain, mais ce qui paraît très-probable, c'est que sa sulfuration provient de la réduction des sulfates en présence des matières végétales que cette eau rencontre avant d'arriver à la surface du sol. Quoi qu'il en soit, les affections du tube digestif, dont les symptômes principaux sont une dyspepsie ou une atonie de l'intestin avec constipation, sont celles qui se trouvent le mieux de l'usage interne de l'eau de Laval. Cette eau, en boisson et en lotions, donne aussi d'assez bons résultats dans quelques maladies de la peau, et en particulier dans les dartres sécrétantes, pour que plusieurs personnes viennent chaque année tenter une cure auprès de la source sulfureuse accidentelle de Laval, du département de l'Isère.

La *durée de la cure* est aussi illimitée que l'emploi de cette eau est peu méthodique.

On n'*exporte* pas l'eau de Laval. A. R.

LAVANDE (*Lavandula* T.). § I. **Botanique.** Genre de plantes de la famille des Labiées, tribu des Ocymoïdées, auquel se rapportent les *Stœchas* de Tournefort et les *Fabricia* d'Adanson. Leurs fleurs ont les caractères généraux de celles des Labiées, avec les particularités suivantes. Le calice est tubuleux, d'une seule pièce à la base. En haut, il est partagé en trois portions. Les deux antérieures sont très-profondément séparées des autres, et représentent deux sépales. Les trois postérieures, ou sont unies en une seule pièce à peu près entière, ou ne sont séparées les unes des autres que par deux échancrures peu profondes, le sépale postérieur demeurant, dans ce dernier cas, isolé par son sommet qui est coupé presque droit ou qui est surmonté d'une sorte d'appendice ou de cuilleron plus ou moins saillant. La corolle est bilabiée, avec une lèvre supérieure plus développée que l'inférieure, qu'elle enveloppe, dans la préfloraison, de ses deux lobes arrondis. Il y a quatre étamines didynames, les supérieures étant de beaucoup les plus courtes. Les anthères sont réniformes, à deux loges qui deviennent confluentes après s'être ouvertes suivant leur longueur. Le gynécée est formé de quatre demi-loges ovariennes, entourées d'un disque qui forme en dehors de chaque demi-loge un lobe saillant et arqué. Le style gynobasique se dilate à son sommet en une tête stigmatifère à deux lobes aplatis et obtus. Le fruit est un tétrachaine entouré du calice persistant. Les Lavandes sont des herbes méditerranéennes, à tige vivace, souvent ligneuse à la base. Leurs feuilles sont opposées, étroites, entières, ou plus ou moins découpées. Leurs inflorescences sont supportées par un axe long et grêle, dressé, nu. Vers son sommet, il porte un certain nombre de bractées disposées en séries verticales, à l'aisselle desquelles sont les fleurs fertiles. Parfois ces bractées deviennent stériles vers le sommet de l'inflorescence totale. Elles prennent alors un grand développement, et surmontent les fleurs d'une sorte de couronne verdâtre ou colorée. Plusieurs espèces de Lavandes sont médicinales.

a. Sect. *Spica*. Lavandes à bractées florales pluriflores, les supérieures fertiles, peu développées, plus courtes que les fleurs qui occupent leur aisselle.

I. *Lavande vraie, femelle*, ou *officinale* (*Lavandula vera* DC., *Fl. Fr.*, suppl., V, 398.—*L. vulgaris* LAMK, *Fl. Fr.*, II, 403.—*L. officinalis* CHAIX, in VILL. *Dauph.*, II, 355, 363). Cette plante, que Linné ne considérait que comme une variété, à feuilles florales ovales-losangiques, du *L. Spica*, est encore appelée *Lavande mâle*, *Garde-Robe*, et *Nard d'Italie* ou *Nard faux*. C'est une plante à tige suffrutescente, haute d'un tiers ou d'un demi-mètre, dont la tige est à sa base assez épaisse, brunâtre, et se divise bientôt en branches nombreuses, grêles, allongées, couvertes d'un fin duvet blanchâtre, cotonneux, quadrangulaires, chargées d'un grand nombre de feuilles opposées et rapprochées. Puis ces axes deviennent nus dans une grande étendue, et ce n'est qu'au voisinage de leur sommet qu'ils portent un assez grand nombre de fleurs réunies en une sorte de faux épi terminal. Les feuilles sont sessiles, étroites, linéaires, lancéolées, chargées d'un duvet blanchâtre, d'autant plus abondant qu'elles sont plus jeunes. Les fleurs sont situées dans l'aisselle de bractées ou feuilles florales, superposées en séries rectilignes. Ces feuilles florales seules caractérisent, par leur forme dont nous avons parlé tout à l'heure, cette espèce qui n'a pas grande valeur. L'aisselle de chaque bractée est occupée par un petit glomérule de fleurs, à corolle bleuâtre, violacée. Le calice est tubuleux, strié longitudinalement, velu. Son bord est surmonté en dedans d'un petit appendice arrondi, rétréci à sa base, s'élevant entre l'axe et le dos de la corolle, dont le tube est droit, plus long que le calice. La corolle est pubescente en dehors. Son lobe postérieur est dressé, obcordé, avec une petite échancrure au sommet et des lobes arrondis. Son lobe antérieur est trilobé et descend presque verticalement. Le style est à peu près de la longueur du calice. Il se dilate subitement à son sommet, en deux lames qui ressemblent à de petits cuillerons obtus, plus larges que hauts, se regardant par leur concavité. Le fruit est entouré du calice persistant; il est formé de petits achaines lisses, oblongs, de couleur brune.

Le *L. vera* est originaire de la région méditerranéenne; il croît spontanément en France, aux environs de Toulon, Marseille, Montpellier, Narbonne, dans les Pyrénées-Orientales et en Corse, en Suisse, en Italie et en Espagne; il est fréquemment cultivé dans les jardins, pour les usages médical et industriel.

II. *L. Spica* ou mâle (*L. Spica* DC., *Fl. Fr.*, II, 403.—*L. latifolia* VILL., *Dauph.*, II, 363). Cette plante appartenait, pour Linné, à la même espèce que la précédente, et il ne considérait le *L. vera* de De Candolle que comme une variété du *L. Spica*. Cette opinion est probablement la seule vraie, car on trouve des intermédiaires entre les *L. vera* et *Spica*, quant à la forme et à la taille des feuilles florales. Qu'on considère donc le *L. Spica* comme une espèce distincte, ou comme une variété, on reconnaîtra toujours le *Spica* à ce que ses feuilles florales sont plus étroites, linéaires, lancéolées ou subulées, et fort atténuées au sommet. Le vulgaire en fait souvent, de lui-même, un type tout spécial, qu'on désigne dans nos provinces du Midi sous les noms de *Badase*, *Espic* ou *Aspic*, *Espidol* ou *Spicanard commun*. C'est une plante de taille plus humble que le *L. vera*, à feuillage plus blanchâtre, à feuilles plus rapprochées les unes des autres vers la base des rameaux, à inflorescences plus courtes et plus serrées. Elle est, comme la précédente, très-aromatique dans toutes ses parties, et ses propriétés sont les mêmes ; elle croît dans les mêmes régions à peu près de la France, et à Gap, à Lyon et dans la Lozère. On la trouve aussi en Espagne, aux Baléares, à Naples, en Sicile, en Grèce, en Algérie et en Tunisie.

b. Sect. *Stœchas*. Lavandes à inflorescence surmontée d'une couronne de bractées stériles développées, souvent colorées.

III. *L. Stœchas* ou *Stœchas arabique* (*L. Stœchas* L., *Spec.*, 800. — *Stœchas officinarum* MILL., *Dict.*, n. 1.—*S. purpurea* T., *Instit.*, 201, t. 95). Cette espèce, suffrutescente, haute d'un demi-mètre à un mètre, très-ramifiée, dressée, a des rameaux adultes à peu près cylindriques, et de jeunes rameaux blanchâtres, tomenteux, à feuillage très-touffu. Les feuilles sont sessiles, oblongues-linéaires, très-entières, veinées en dessous, à bords réfléchis ou révolutés, tomenteuses, blanchâtres. Leur inflorescence est portée par un axe peu allongé ; elle simule un épi long d'un pouce à un pouce et demi ; les feuilles florales sont étroitement imbriquées, losangiques-cordiformes, acuminées, opposées ou disposées par faux-verticilles de quatre. Chacune d'elles a dans son aisselle un petit glomérule 3-5-flore ; elle est tomenteuse, blanchâtre. Mais vers la partie supérieure de l'inflorescence, ces bractées deviennent stériles, et elles s'allongent beaucoup, de manière à former une sorte de couronne ou de panache, et à représenter des lames dilatées, oblongues, cunéiformes à la base, d'une couleur plus ou moins violacée ou pourprée. Les fleurs ont une corolle à tube assez court, d'un beau pourpre noirâtre. Le calice est ovoïde, tubuleux, tomenteux, à quatre dents antérieures presque égales, la supérieure étant surmontée d'un appendice obcordé. Les achaines sont ovales-triangulaires. Cette plante croît en France, dans la région méditerranéenne, et en Corse, en Espagne, en Portugal, en Italie, en Sicile et en Grèce, à Constantinople, en Algérie et en Tunisie, aux îles Canaries, à Ténériffe.

On emploie, dit-on, encore le *L. viridis* AIT. (*Hort. kew.*, II, 288), qui est un *Stœchas* à bractées stériles verdâtres, et le *L. pedunculata* CAV. (*Prælect.*, 70), qui est un *Stœchas* à longs pédoncules et à tube de la corolle égal au calice La *Lavande femelle* de Paris est le *L. latifolia* DESF. (*Cat. h. par.*, éd. 3, 98), espèce douteuse, à larges feuilles ovales très-entières. H. BN.

L., *Gen.*, n. 711. — ADANS., *Fam. des pl.*, II, 188 (*Fabricia*). — GINGINS DE LASSARAZ, *Hist. nat. des Lavandes*. Genève, 1826. — ENDL., *Gen.*, n. 3585. — MÉR. et DEL., *Dict.*, IV, 71. — DUCH., *Répert.*, 81. — GUIB., *Drog. simpl.*, éd. 4, II, 422. — RICH. (A.), in *Dict. de méd.* (en 30 vol.), XVII, 600 ; *Elém.* éd. 4, II, 486. — BENTH., *Labiatarum gen. et spec.*, 1832-1836, 146 ; et in DC. *Prodr.*, XII, 143. — RÉV., in *Bot. méd. du dix-neuvième siècle*, II, 220. — PEREIRA, *Elem. Mat. med.*, éd. 5, II, p. 1, 507. — LINDL., *Fl. med.*, 485. — MOQ., *Bot. méd.*, 379. — ROSENTH., *Syn. plant. diaphor.*, 397, 1127. — GREN. et GODR., *Fl. de France*, II, 646.

§ II. **Pharmacologie**. Trois espèces du genre *Lavandula* intéressent la matière médicale :

1° La lavande officinale (Codex), *Lavandula vera* ; lorsque l'on emploie le seul mot de *lavande*, c'est cette espèce que l'on sous-entend.

2° La lavande commune (Codex), *Lavandula Spica*, spic, aspic (de *spica*, épis, par suite de la disposition de ses fleurs) ; faux nard, grande lavande, lavande mâle.

3° La lavande stæchas, *Lavandula Stæchas*, plus connue sous le seul nom de stæchas (de στάχυς, épi, ou de ce qu'elle croît en abondance sur les îles Stæchades ou îles d'Hyères en Provence) ; lavande dentelée ; stæchas d'Arabie, parce qu'elle y est aussi très-commune.

Mérat et Delens disent que le suc frais du *Lavandula carnosa*, plante de l'Inde, est employé, d'après Ainslie, mélangé avec le sucre candi, contre l'esquinancie ; associé à celui d'autres plantes ou à l'huile de sésame, il entre dans la composition de liniments pour la tête.

Les lavandes ont une odeur aromatique *sui generis*, très-agréable, que conservent les fleurs desséchées. Leur saveur est chaude, amère, et plait moins que leur odeur.

L'analyse n'en a été qu'incomplétement faite ; on peut dire qu'elle s'est arrêtée à l'extraction de l'huile essentielle, laquelle donne aujourd'hui à ces plantes leur importance commerciale. La lavande contient cependant en outre, comme principes intéressants au point de vue médical, une résine, une matière amère et un peu de tannin. De la présence de celui-ci résulte l'incompatibilité de la lavande, dans les manipulations pharmaceutiques, avec toutes les substances décomposables par le tannin.

Plusieurs auteurs indiquent, comme *parties usitées*, les sommités fleuries ; il est mieux de n'employer que les *fleurs mondées*, et ce sont celles-ci en effet qui servent exclusivement aux bonnes préparations.

Les fleurs de lavande s'emploient en nature, pour des infusions destinées à des lotions, à des bains aromatiques. C'est même de cette destination spéciale chez les Romains que dérive le nom de la plante : *Lavandula a lavando, quod ea parantur balnea*. On peut s'étonner que le Codex n'ait pas fait entrer les fleurs de lavande dans les *espèces aromatiques*, d'autant plus qu'on les trouve dans les diverses formules de ces *espèces*, données par la plupart des autres pharmacopées.

On en prépare une *poudre*, qui s'administre à l'intérieur, et que l'on fait aussi servir à la préparation : des poudres aromatiques composées, pour l'usage externe ; des poudres sternutatoires ; des sachets aromatiques.

On en retire un *hydrolat* et un *alcoolat*. On en a fait aussi une *teinture alcoolique*.

Le Codex inscrit les fleurs de lavande parmi les éléments du *vinaigre aromatique des hôpitaux*, du *vinaigre antiseptique* ou *des Quatre Voleurs*, et du *baume tranquille*. Elle entrait anciennement dans l'*Eau vulnéraire*, le *Baume nerval*, et plusieurs autres compositions polypharmaceutiques.

Huile essentielle de lavande. Elle s'obtient par distillation, avec l'intermède de l'eau, des fleurs de lavande. Elle a ordinairement une couleur verte plus ou moins prononcée, selon son degré de pureté ; mais parfaitement rectifiée, elle est incolore. Elle a une odeur forte, aromatique, une saveur brûlante et amère. — Densité, à +12°,0,886 ; pouvoir rotatoire — 21, 20 ; indice de réfraction, 1,467. (Buignet.) Formule : n'est pas encore rigoureusement déterminée ; on sait du moins que, en outre du carbone et de l'hydrogène, elle contient de l'oxygène ; elle est en conséquence classée dans les *essences oxygénées*. Elle se dissout dans l'alcool et dans l'acide acétique concentré. Proust y a découvert du camphre, ce qui a été vérifié par M. Dumas. La proportion de camphre contenue dans l'essence de lavande s'élève (Pelouze et Fremy) jusqu'au quart et quelquefois même jusqu'à la moitié de son poids.

L'huile essentielle que l'on retire de la lavande spic, et désignée vulgairement dans le commerce sous le nom d'*huile d'aspic*, a des propriétés et une composition analogue, une odeur moins agréable, et est moins estimée. L'une et l'autre sont souvent falsifiées par l'essence de térébenthine, qu'un odorat exercé peut y reconnaître ; une solubilité moindre dans l'alcool et la vérification des chiffres donnés ci-dessus peuvent encore mieux démontrer la fraude.

Le parfum de l'huile essentielle de lavande est en rapport avec les soins apportés à sa préparation, avec la bonne qualité de la plante, avec le terroir qui a fourni celle-ci. Les Anglais prétendent que le climat de l'Angleterre est plus favorable à la culture de la lavande, et que par suite leurs essences de Mitcham, dans le comté de Surrey, et d'Hitchim, dans le comté d'Hertford, sont supérieures à celles de nos fabriques du Midi. Mais nous croyons, après avoir comparé leurs produits, très-remarquables d'ailleurs, avec ceux des Alpes maritimes, que la supériorité est surtout acquise à leurs prix, et que nos qualités d'essences de lavande sont susceptibles de valoir les leurs.

L'essence de lavande intéresse plus la parfumerie que la thérapeutique ; elle entre dans la composition d'un grand nombre de cosmétiques, et surtout dans ceux vulgarisés sous le nom d'*Eaux de toilette*. Sa dissolution, en proportion variable, dans l'alcool (30 à 40 pour 1000 donnent un produit satisfaisant), forme ce qu'on appelle l'*esprit*, l'*alcool*, ou l'*eau-de-vie de lavande ;* on ajoute parfois d'autres essences, et particulièrement celle de bergamote, afin d'améliorer la qualité de la préparation. L'alcool de lavande ainsi obtenu a plus de parfum que l'alcoolat et remplace avantageusement celui-ci pour les usages pharmaceutiques. Dans la parfumerie, pour obtenir les plus belles qualités d'*esprit de lavande*, on ne s'arrête pas au simple mélange d'essence et d'alcool ; on distille ce mélange, et l'on recueille un produit incolore, plus parfumé et d'une meilleure conservation que la simple dissolution de l'essence dans l'alcool, qui se colore et se résinifie avec le temps.

Les fleurs de spic peuvent être employées aux mêmes usages et dans les mêmes circonstances que celles de la lavande officinale.

Les parties usitées de la lavande stœchas sont également les fleurs, qui peuvent donner lieu aux mêmes préparations que celles des deux espèces précédentes. Elles ont servi en outre à la confection de sirops qui ont joui autrefois d'une certaine vogue, et qui valaient peut-être bien beaucoup de ceux pour lesquels on les a délaissés. L'un était le *sirop de stœchas simple ;* l'autre, le *sirop de stœchas composé*, dont les formules variaient, basées sur l'association d'un plus ou moins grand nombre de substances aromatiques (V. Jourdan, *Pharmacopée universelle*).

§ III. **Thérapeutique.** Si l'on tient compte de la présence, dans la lavande, d'une matière amère, du tannin, d'une huile essentielle qui elle-même contient une notable proportion de camphre, on comprendra que cette plante, se rapprochant des labiées qui ont une composition analogue, telles que la menthe, le romarin, le thym, puisse posséder des propriétés à la fois stimulantes, toniques et antispasmodiques. Il paraît même, d'après Kraus, que, prise à l'intérieur à trop fortes doses, elle est susceptible de produire quelques accidents toxiques. Mais si la lavande plait à l'odorat, elle déplait au goût ; et sa saveur en effet n'a pas peu contribué à la laisser tomber en désuétude comme médicament interne. Cependant, sous ce dernier rapport, elle n'a pas été sans quelque réputation. On la considérait autrefois comme excitant le système nerveux en général, et le cerveau en particulier ; ce qui fit vanter son eau distillée contre la syncope, l'asphyxie, le début de l'apoplexie, les affections soporeuses. La croyance à ce pouvoir d'excitation nerveuse était telle, que la lavande était l'un des remèdes les plus employés contre les paralysies, et particulièrement contre les paralysies de la langue. Ainsi en pareil cas, on prescrivait fréquemment la teinture alcoolique de lavande, étendue d'eau, en gargarisme, et le même moyen s'appliquait aussi au traitement du bégayement. Il ne serait peut-être pas sans intérêt de vérifier le degré d'utilité de ce mode de traitement contre les lésions musculaires et nerveuses de la langue.

L'amaurose nous offre un autre cas de paralysie sensoriale où les préparations de lavande auraient manifesté quelque efficacité. De nos jours encore, M. Desmarres prescrit contre les affaiblissements de la vue des frictions sur la région sourcilière avec un mélange de : ammoniaque, 1 partie ; eau-de-vie de lavande, 40 p.; et il en obtient souvent de forts bons résultats.

Les propriétés nervines et particulièrement céphaliques possédées par d'autres labiées, telles que la menthe et la mélisse, ont été également reconnues à la lavande que l'on a en conséquence recommandée contre divers états nerveux dépendant du trouble de l'innervation cérébrale, et entre autres la céphalalgie et le vertige.

Comme antispasmodique, on l'a jugée utile contre plusieurs névroses, et surtout contre l'hystérie, estimant même qu'elle avait une action spéciale sur l'utérus, qu'elle favorisait l'éruption des menstrues et le travail de l'accouchement ; ce qui ne peut être accepté que sous toutes réserves, de même que des influences particulières sur les reins et sur la peau dont on a aussi prétendu qu'elle activait les fonctions sécrétoires.

Ses propriétés digestives et carminatives paraissent être plus réelles ; et l'on en a tiré parti contre certaines dyspepsies avec flatulences gastro-intestinales.

Enfin, comme léger tonique amer, et aussi par suite de propriétés inhérentes à son huile essentielle, la lavande a pu et pourrait encore être utilisée contre les hypercrinies chroniques, muqueuses ou puriformes, telles que leucorrhée, gonorrhée, bronchorrhée. Dans cette dernière, c'est surtout le stœchas, dont nous allons dire quelques mots, qui a été employé.

On a reconnu aux fleurs de stœchas (qui pourraient être, du reste, ainsi que celles de la lavande spic, substituées, pour les usages médicaux, à la lavande officinale à défaut de celle-ci) une utilité particulière contre les affections chroniques des organes respiratoires, asthme humide, catarrhe muqueux, engorgements pulmonaires, et dyspnées résultant de ces affections. Bodard dit avoir trouvé le stœchas très-efficace en pareils cas ; et nous ajouterons que l'on aurait tort de le laisser dans un oubli complet. Les infusions des labiées, mais surtout de celle qui nous occupe ici, d'hysope et de sauge (nous associons souvent ces trois substances dans la même infusion), sont infiniment préférables, dans le traitement des catarrhes bronchiques, aussi bien aigus que chroniques, aux tisanes émollientes ou soi-disant pectorales communément usitées.

En outre de ses propriétés béchiques, Alibert dit avoir trouvé dans le stœchas des propriétés antispasmodiques, qu'il a particulièrement utilisées contre certains états névropathiques de l'estomac, tels que les vomissements nerveux.

Les lavandes et leurs préparations ne sont guère employées aujourd'hui que pour l'usage externe. Seules ou associées à d'autres substances analogues, elles servent à la préparation de lotions, de frictions, de bains aromatiques. Leurs fleurs, mélangées avec celles d'autres labiées ou avec d'autres plantes odorantes, entrent dans la composition de *sachets*, de *litières* aromatiques. (Voir ces mots, ainsi que les articles AROMATIQUES et BAINS.)

L'alcoolat, l'alcool, ou l'eau-de-vie de lavande, par leurs propriétés encore plus stimulantes que les autres préparations de cette plante, conviennent pour ranimer les fonctions de la peau ou des parties sous-jacentes, dissiper les engorgements indolents, œdémateux, combattre les asthénies nerveuses et musculaires ; et l'efficacité qu'on leur attribuait autrefois contre les paralysies pourrait, au moins dans une certaine mesure, se manifester encore. Ces dissolutions alcooliques d'essence de lavande servent avec avantage à composer des bains aromatiques stimulants, très-propres à réveiller, en diverses circonstances, la vitalité de certains appareils organiques ou de tout l'organisme lui-même ; bains plus actifs encore que ceux préparés avec la seule infusion des plantes aromatiques. Enfin, on fait entrer l'alcoolat ou l'eau-de-vie de lavande, comme élément, dans des mixtures ou liniments prescrits pour l'usage externe, soit pour ajouter à leur action stimulante, soit pour couvrir l'odeur désagréable d'autres ingrédients, telle que l'ammoniaque par exemple, dont l'essence de lavande corrige ou masque assez bien les effluves repoussants. C'est ce dernier motif qui fait admettre l'essence de lavande dans l'aromatisation du carbonate ammoniacal qui fait la base des *sels anglais*, *sels de Preston*, *smelling salts*, dont les effluves, à la fois excitants et antispasmodiques, *ne sont* pas sans utilité dans les états nerveux, contre la migraine, les défaillances, la syncope, etc.

La poudre de lavande s'administre à l'intérieur à la dose de 1 à 4 grammes ; les fleurs, depuis 10 jusqu'à 20 grammes pour un litre d'eau, en infusion théiforme ; pour un grand bain, 500 à 1000 grammes. Nous n'engagerons pas, comme certains formulaires, à donner sur un morceau de sucre quelques gouttes d'huile essentielle, qui, âcre et brûlante, produit ainsi une impression des plus désagréables sur l'organe du goût ; nous pensons, d'ailleurs que, jusqu'à plus ample informé de son utilité à l'intérieur, elle doit être réservée pour l'usage externe. L'alcoolat de lavande pourrait être mêlé à une potion à la dose de 8 à 10 grammes, l'eau distillée à celle de 30 à 60 grammes. Les sirops de stœchas se prescriraient à la dose de 30 à 60 grammes ; pour les fleurs de stœchas, mêmes doses que celles de lavande officinale. D. DE SAVIGNAC.

LAVANDULA STŒCHAS. (*Voy.* LAVANDE.)

LAVARDENS (EAU MINÉRALE DE), *protothermale*, *amétallite*, *carbonique faible*. Dans le département du Gers et dans l'arrondissement d'Auch, à 1 kilomètre du village de Lavardens, émerge une source d'eau limpide, sans odeur ni saveur prononcées, à peine traversée par quelques bulles gazeuses, sans réaction sur les préparations de tournesol, et d'une température de 19°,4 centigrade. Sa densité est la même que celle de l'eau ordinaire ; l'analyse chimique ne lui donne guère plus de droits à avoir une place distincte dans le cadre hydrologique ; le travail de MM. Lidange et Boutan indique, en effet, dans 1,000 grammes de cette eau, les proportions minimes des principes suivants :

Carbonate de chaux	0,190
— magnésie	0,045
— fer	0,006
Sulfate de chaux	0,008
— magnésie	0,076
— soude	0,054
Chlorure de sodium	0,044
— magnésium	0,015
Silice et débris végétaux	0,026
Résine	0,005
Chlorhydrate d'ammoniaque	traces.
TOTAL DES MATIÈRES FIXES	0,467
Gaz acide carbonique	0,028 litre.

L'eau de cette source, que les gens du pays nomment la *Fontaine Chaude*, est seulement employée en boisson. Son usage n'est soumis à aucune règle méthodique, et quelques habitants de Lavardens et des contrées voisines croient cette eau capable de guérir les maladies chroniques les plus sérieuses et les plus variées. Sans accorder que la physique et la chimie renseignent complétement sur l'efficacité thérapeutique d'une eau minérale, nous doutons que la thermalité et la constitution élémentaire de l'eau de Lavardens lui assignent jamais une place importante parmi les eaux minérales. A. R.

LAVATER (Les).

Plusieurs médecins de ce nom, tous de Zurich, et dont quelques-uns unis par les liens de la plus étroite parenté, se sont fait une réputation dans la science.

Lavater (HEINRICH) naquit à Zurich, en 1559 ; après avoir fait et complété ses études dans plusieurs universités d'Allemagne et d'Italie, il revint dans sa ville natale, où il remplit les fonctions de professeur de mathématiques et de physique, et mourut en 1623, laissant les ouvrages suivants :

I. *Defensio medicorum galenicorum adversus calumnias Angeli Sala*. Hanov, 1610, in-4°. — II. *Epitome philosophiæ naturalis*. Ibid., 1621, in-4°.

Lavater (JOH.-HEINRICH), fils du précédent, né à Zurich, en 1611, occupa la même chaire que son père et se distingua par divers travaux. On lui doit notamment une curieuse observation de hernie scrotale du volume du poing, déterminée par la chute du côlon. Il s'occupa aussi de l'analyse des eaux minérales et de règlements sur la peste. Voici la note de ses ouvrages :

I. *De arthritide*. Basileæ, 1647, in-4°. — II. 'Εντεροπεριζολή, *seu intestinorum compressione*. Ibid., 1672, in-4°.

Lavater (JOH.-CASPAR.-CHRIST.), probablement de la famille des précédents, naquit à Zurich, le 15 novembre 1741, et mourut dans cette ville, le 12 janvier 1801, des suites d'une blessure qu'il avait reçue à la prise de cette ville par les Français. Il était ministre protestant, et se fit une grande réputation par son zèle évangélique, sa charité et son mysticisme. Outre ses écrits religieux, Lavater a laissé des ouvrages très-originaux et qui ont obtenu un grand succès de curiosité ; je veux parler de ses recherches sur la *physiognomonie*, dans lesquelles il s'efforce de découvrir toutes les nuances du caractère d'après les traits du visage. Cette prétention lui attira quelques mystifications, particulièrement de la part du célèbre Zimmermann, qui lui fit prendre un affreux bandit pour un homme doué de toutes les vertus. Voici l'indication de cet ouvrage :

I. *Physionomische Fragmente zur Beförderung der Menschenkenntniss und Menschenliebe*. Leipzig und Winterthur, 1775-78, 4 vol. pet. in-fol. ; trad. fr. sous ce titre : *Essai sur la physionomie ou l'art de connaître les hommes*, etc. 1782, 4 vol. in-4°, fig. — Autre édit. *L'art de connaître les hommes*, par Moreau de la Sarthe. Paris, 1806-35, 10 vol. in-8°. — II. *Physiognomonie*, etc. Paris, 1845, gr. in-8°, pl.

Lavater (JOH.-HEINRICH), fils du physiognomoniste, né à Zurich, le 21 mai 1768; étudia la médecine à l'Université de Gœttingue, où il prit le bonnet de docteur en 1789. Il revint ensuite à Zurich exercer la médecine avec beaucoup de distinction. Il se fit surtout remarquer par le zèle qu'il déploya pour propager la vaccine parmi ses compatriotes. Il mourut le 20 mai 1819. On a de lui :

I. *Observ. de statu hodierno artis medicæ*. Gœttingæ, 1789, in-4°. — II. *Anleitung zur anatomischen Kenntniss des menschlichen Körpers für Zeichner und Bildhauer*. Zurich, 1790, in-8°; trad. fr. par Gauthier de la Peyronie, et enrichi de notes. Paris, 1797, in-8°, fig. — III. *Abhandlung über die Milchblattern oder die sogenannten Kuhpocken, einen*, etc. Zurich, 1800, in-8°; ibid, 1801, in-8°.

Il y eut encore à Zurich :

Lavater (DIETHELM), né à Zurich, en 1777, mort en 1826, qui a laissé un ouvrage intéressant sur les bains, intitulé :

Abhandlung über den Nutzen und den Gefahren des Badens der Jugend an freien Orten. Zurich, 1804, in-8°. E. BGD.

LAVATÈRE (*Lavatera* L.). Genre de plantes, de la famille des Malvacées, dont les caractères sont ceux des Guimauves, à deux près : le calicule est formé de trois à six folioles unies à leur base, et les carpelles ont leur portion ovarienne recouverte par une sorte d'auvent circulaire que forme au-dessus d'eux le sommet dilaté de l'axe floral qui leur sert de support. Les Lavatères sont des plantes mucilagineuses, dont les propriétés sont tout à fait celles des Mauves et des Guimauves, et c'est aux mêmes usages qu'elles qu'on les emploie dans certains pays, et, par exemple, le *L. thuringiaca* L., en Allemagne ; le *L. arborea* L., dans le midi de la France ; le *L. triloba* L., en Espagne. H. BN.

L., *Gen.*, n 842. — DC., *Prodr.*, I, 438. — MÉR. et DEL., *Dict.*, IV, 73. — DUCH., *Répert.*, 213. — ROSENTH., *Syn. pl. diaphor.*, 705. — ENDL., *Gen.*, n. 5269. — BENTH. et HOOK., *Gen.*, 200, n. 5.

LAVAUGUION (DE), médecin qui vivait dans la seconde moitié du dix-septième siècle et qui, selon l'usage absurde de cette époque, enseignait la chirurgie dans les écoles. Dezeimeris a démontré que le traité de médecine opératoire qu'il a fait paraître est, de même que celui de Lacharrière, rédigé d'après les leçons célèbres que Dionis donna au Jardin du Roi de 1670 à 1682, et qui parurent seulement en 1707. Haller l'avait aussi noté comme un compilateur de ses contemporains, particulièrement de Mauriceau et de Fabrice de Hilden :

Voici le titre de l'ouvrage de Lavauguion :

Traité complet des opérations de chirurgie, contenant leurs définitions, leurs causes expliquées sur la structure de la partie, etc. Paris, 1696, in-8°; ibid, 1697, in-8°; trad. angl., Lond., 1707, in-8°, etc. E. BGD.

LAVEMENTS. § I. **Pharmacologie.** Les lavements ou injections intestinales sont des préparations qui ont presque toujours pour véhicule l'eau, à laquelle on ajoute souvent une ou plusieurs substances médicamenteuses. La manière de les obtenir varie selon la nature des matières qui en font partie. Lorsque la substance médicamenteuse est soluble, leur préparation est fort simple puisqu'il suffit d'en opérer la solution, tels sont les lavements à l'azotate d'argent, au sulfate de soude, etc. Quand une plante ou une partie de plante entre dans leur composition, il faut avoir recours, selon la densité de la matière, soit à l'infusion, soit à la décoction. Pour le séné, la mousse de Corse, la camomille on se sert de l'infusion; pour la racine de guimauve, la graine de lin, on emploie la décoction. Le lavement à l'amidon se prépare par un procédé tout particulier: on délaye l'amidon en poudre dans l'eau froide, et on verse le tout dans le restant de l'eau qui a été portée à l'ébullition. Lorsqu'on veut introduire dans ces médicaments une résine ou une gomme-résine, ou bien une huile très-épaisse, on a le plus souvent recours au jaune d'œuf, c'est ce qui a lieu pour les lavements à l'asa fœtida, au baume de copahu, à la térébenthine, à l'huile de ricin, etc. Cependant lorsque l'huile est très-fluide, comme l'huile d'amandes douces, on se contente de la mélanger avec le véhicule.

Pour les lavements à l'amidon, à l'aloès, à l'asa fœtida, à l'armoise, au borax, au cachou, au camphre, au chloroforme, au baume de copahu, au cubèbe, à la céruse, à la digitale, à l'émétique, à l'azotate d'argent, à la mousse de Corse, à l'iode, au musc, au tannin, au tabac, à la térébenthine, au quinquina, au sulfate de quinine, au sulfate de soude, au savon, à l'huile de ricin, etc., etc. (*Voy.* ces substances.) Nous ne mentionnerons ici que les formules de quelques lavements qui ne trouveraient pas leur place ailleurs. On trouvera, du reste, dans la partie de l'article consacrée à la *thérapeutique*, toutes les indications relatives aux modifications amenées dans les diverses formules de lavement par les nécessités de la pratique.

Lavement anodin ou *laudanisé*. Décoction de guimauve, 250 grammes; laudanum de Sydenham, 50 centigrammes. En ajoutant amidon, 15 grammes, on a le *lavement d'amidon laudanisé*.

Lavement anodin des peintres. Huile de noix, 200 grammes; vin rouge, 400 grammes.

Lavement antidiarrhéique. (Trousseau.) Eau de chaux, 200 grammes; eau de riz, 300 grammes; laudanum de Sydenham, 1 gramme.

Lavement astringent. Roses roses, racine de bistorte, de chacun, 10 grammes. On fait infuser dans 300 grammes d'eau bouillante; on passe et on ajoute 5 gouttes de laudanum de Sydenham. Contre les diarrhées chroniques.

Lavement émollient. Espèces émollientes, 30 grammes; eau bouillante, q. s.

Lavement gélatineux. Gélatine, 15 grammes; eau tiède, 500 grammes. On fait dissoudre.

Lavement huileux. Huile d'olives ou d'amandes douces, 60 grammes; décoction de guimauve ou de graine de lin, 500 grammes.

Lavement laxatif. Mellite de mercuriale, 100 grammes; eau tiède, 400 grammes. Mêlez. (*Codex*.)

Lavement purgatif. Feuilles de séné et sulfate de soude, de chacun, 15 grammes; eau bouillante, 500 grammes. Après un quart d'heure d'infusion, on passe. (*Codex*.)

Lavement purgatif des peintres. Séné, 8 grammes; eau bouillante, 500 grammes. On fait infuser, on passe et on ajoute jalap en poudre, 4 grammes; diaphœnix, 30 grammes; sirop de nerprun, 30 grammes.

Lavement vermifuge. Tanaisie, rue, absinthe, de chaque, 10 grammes; on fait infuser dans eau bouillante, 500 grammes; on passe et on ajoute huile de ricin, 20 grammes.

Lavement analeptique. Jaune d'œuf nº 1; salep, 2 grammes; bouillon de viande sans sel, 125 grammes.

Lavement nourrissant. Huile de foie de morue, 20 grammes; thé de bœuf, 200 grammes; vin de Bourgogne, 200 grammes; jaune d'œuf n° 1. Contre les dyspepsies chroniques, les vomissements incoercibles des femmes enceintes.

Le thé de bœuf se prépare de la manière suivante: Bœuf entièrement maigre et sans mélange d'os, 500 grammes: on hache menu, puis on ajoute son poids d'eau froide, on chauffe jusqu'à l'ébullition. Quand le liquide a bouilli pendant une minute, on passe avec expression. Ce thé de bœuf est employé également pour les convalescents. T. GOBLEY.

§ II. **Emploi médical.** Le lavement (de *lavare*, laver, baigner; *clystère*, *clysma*, κλυστήρ, de κλύζω, je lave; *enema* de ἐνίημι, jeter dedans, injecter) est l'injection d'un liquide simple ou composé, faite dans le rectum à l'aide d'un appareil spécial, seringue, clysopompe, clysoir, dans un but hygiénique ou thérapeutique.

L'usage du lavement remonte à la plus haute antiquité médicale. Nous nous abstiendrons de reproduire ici la fable répétée partout de la cigogne ou ibis égyptien, qui nous en aurait donné l'exemple. Qu'il nous suffise de remonter à la source pure et authentique de l'histoire.

Le lavement est souvent mentionné dans les œuvres d'Hippocrate, qui le recommande dans diverses affections, notamment dans la pleurésie et la pneumonie, au début de la fièvre, après la saignée, dans les fièvres avec accidents cérébraux, dans le choléra sec, où il prescrit les lavements gras; dans la dysenterie, dans les plaies du ventre, il conseille les lavements salés et ténus pour les personnes grasses et humides, plus gras et plus épais pour les personnes sèches et grêles; ils conviennent surtout, d'après lui, pendant les six mois de chaleur. On trouve enfin dans Hippocrate diverses formules de lavements purgatifs, détersifs, émollients, astringents, diversement composés.

Après Hippocrate, Celse, Galien, Oribase recommandent également l'usage du lavement, non-seulement comme agent thérapeutique, mais encore comme moyen nutritif.

Asclépiade recommandait les lavements comme un moyen auxiliaire très-utile du traitement des fièvres et des affections vermineuses; il ordonnait des lavements irritants pour combattre les maladies chroniques invétérées.

Les anciens, dit Celse, sollicitaient le relâchement du ventre dans presque toutes les maladies par des lavements et différents purgatifs. La plupart du temps, il est préférable, suivant cet auteur, de recourir aux lavements. Cette pratique adoptée par Asclépiade avec réserve, ajoute-t-il, était à peu près mise en oubli de son temps; et cependant l'usage modéré de ces remèdes, lui paraît offrir les plus grands avantages. Celse en conseille l'usage dans les circonstances où il y a pesanteur de tête, obscurcissement de la vue, affection du gros intestin, douleurs dans le bas-ventre ou dans les hanches, amas de bile, de pituite ou d'une humeur aqueuse dans l'estomac, difficulté d'expulser les gaz, constipation, séjour trop prolongé des matières fécales dans le rectum; ou bien encore si le malade, sans pouvoir aller à la selle, rend des gaz d'une odeur stercorale, si les matières alvines sont corrompues, si la diète observée d'abord n'a point enlevé la fièvre, si l'on ne peut faire une saignée nécessaire, parce que les forces du sujet s'y refusent, ou qu'on n'a pas saisi le moment convenable; si l'on a bu avec excès avant de tomber malade, ou enfin si la constipation succède brusquement à un relâchement du ventre, habituel ou accidentel. Il expose longuement les préceptes à suivre à cet égard, et les précautions à prendre, relativement à l'état de la digestion ou au degré d'épuisement des malades; il spécifie les circonstances où il convient de s'en abstenir; il décrit les moyens convenables pour se préparer à cette médication, et pour en assurer les meilleurs effets possibles, et donne la meilleure composition des diverses sortes de lavements adoucissants, astringents, excitants, stimulants, en indique la température, etc.

Oribase traite avec détails de l'emploi des lavements, et il en préconise particulièrement l'usage dans les maladies de la vessie.

Galien formule plusieurs applications importantes de ce genre de médication et parle des lavements nutritifs.

Les médecins arabes, héritiers des traditions de l'époque gréco-romaine, ont conservé et étendu encore l'usage des lavements, malgré les scrupules et les répugnances que ce moyen paraissait inspirer aux premiers sectateurs de Mahomet[1]. On trouve des détails curieux à cet égard dans une thèse très-originale et très-bien faite, soutenue en 1867 à la Faculté de médecine de Paris, par M. Édouard Colson. « L'iman Ahmed, y est-il dit, a établi des textes qui désapprouvent comme chose répréhensible le lavement que n'exige pas une circonstance indispensable ; tandis que d'autres autorités respectées, telles que Djarab, Mondjahed, Hacan, Taôus, Amir, et nombre d'autres déclarent que le clystère n'est point répréhensible. D'après Khallal, le second kalife Omar considérait le clystère comme chose à tolérer. « J'ai questionné, dit Djaber, Mohammed, fils d'Ali, au sujet du lavement. — Il n'y a rien de mal, me répondit-il, à en prendre, c'est un médicament comme un autre. » Enfin Abou-Bekr-el-Mouroïgi, parlant au père d'Abd-Allah des avantages des clystères, lui posa cette question : « Prendre un lavement, est-ce rompre le jeûne ou non? » A ce sujet, ajoute M. Colson, les casuistes diffèrent encore.

Sans attendre leur décision, revenons à la pratique des médecins arabes.

Avicenne parle fréquemment de l'emploi des lavements, il en décrit les avantages et les inconvénients, et en pose très-nettement les indications. Dans *Sermo de qualitate clysteriorum et instrumento eorum*, il a laissé la description de l'instrument dont il se servait. Il en sera parlé plus loin. On y trouve aussi des conseils sur le choix des positions à prendre pour le patient et pour l'opérateur, etc.

Les médecins du moyen âge et de la Renaissance ont eu garde de laisser tomber l'usage du lavement. Guy de Chauliac, qui, par parenthèse, ne sortait jamais sans porter avec lui une bourse de clystère, le qualifie de notable remède pour rejeter les superfluités qui sont aux boyaux. « Il est bon, ajoute-t-il, aux passions des boyaux et des rognons et des membres supérieurs. » Il en distingue trois espèces, savoir : le rémollitif, le mondicatif et le restrinctif.

Ardern, chirurgien anglais de la seconde moitié du quatorzième siècle, qui a donné des détails curieux et intéressants sur l'usage des clystères, nous apprend que les femmes anglaises de son temps, moins dédaigneuses alors qu'aujourd'hui, sans doute, pour cette pratique hygiénique, en faisaient un très-fréquent usage.

[1] Cet éloignement pour le lavement subsiste encore aujourd'hui parmi les observateurs les plus scrupuleux de la loi du Prophète. L'émir Abd-el-Kader, pendant sa détention au château d'Amboise, étant tombé malade, le médecin appelé à lui donner des soins lui prescrivit l'usage de lavements. L'état était grave, il s'agissait peut-être de la vie. On ne le lui laissait pas ignorer. « Que la volonté de Dieu soit faite, répondit l'émir en s'enveloppant fièrement dans son burnous. » Les lavements ne furent point administrés, et... l'émir vit encore.

C'est au quinzième siècle qu'on trouve la première description de la seringue classique sous le nom d'instrument à clystère, faite par Marcus Gatenaria, qui en a donné la figure.

Dans le grand siècle, avec le raffinement des mœurs, la vie plus mondaine, et peut-être l'exubérance du régime alimentaire, l'usage du lavement devient de plus en plus fréquent, et passe dans les habitudes hygiéniques journalières. Louis XIV en donne lui-même l'exemple; ce qu'il prend de lavements d'après les conseils de ses médecins Vallot d'Aquin et Fagon, est inimaginable, ainsi qu'en témoigne d'ailleurs le *Journal de la santé du roi*[1]. Il n'en fallait pas davantage pour le mettre à la mode. On se ferait difficilement une idée de l'abus que l'on en fit à cette époque et du sans-façon avec lequel on s'en entretenait et on y procédait même parfois. Rien ne peut atteindre, à cet égard, au rapport du duc de Saint-Simon, jusqu'au sans-gêne de Madame la dauphine se faisant glisser subrepticement un clystère par-dessous ses jupes par sa femme de chambre, en présence du roi.

Toutefois cette grande faveur devait avoir ses revers. Mais, tant l'entraînement de la mode et l'imitation servile ont de force, il ne fallut pas moins de deux véritables puissances pour mettre un terme à cet engouement. Ces deux puissances furent madame de Maintenon et Molière. La pruderie de madame de Maintenon fit réformer sinon la chose, du moins le nom, en lui substituant l'expression plus euphémique de *remède*, qui est restée depuis dans le langage commun. Molière en déversant à pleines mains le ridicule sur le rôle grotesque auquel étaient descendus des hommes respectables d'ailleurs, en se faisant les ministres complaisants et officieux d'une cérémonie qui ne demande que le silence et le secret, n'a pas peu contribué à réformer sur ce point les mœurs de son temps, et à ramener la pratique d'une chose saine et utile aux conditions de discrétion qui lui conviennent, et dont elle n'aurait jamais dû sortir.

La scène n'a pas été la seule révélatrice de ces écarts du bon sens; l'auguste enceinte des tribunaux a plus d'une fois retenti de débats qui ne le lui cédaient en rien, en fait de bouffonnerie. Témoin la fameuse plaidoirie de l'avocat Grosley, en faveur d'Étiennette Boyau, garde-malade, contre maître François Bourgeois, chanoine de Troyes, à l'effet d'obtenir de ce dernier le payement de 2,190 lavements à lui administrés dans l'espace de deux ans, par la dite Étiennette. (Thèse de M. Colson.)

Mais il est temps de revenir au côté sérieux du sujet. Comme toutes les pratiques bonnes et utiles, l'usage des lavements a résisté à la double épreuve de l'engouement et de ses réactions habituelles, et il a bravé jusqu'au ridicule même. Nous le voyons, après comme avant cette phase d'épreuve, préconisé avec raison par tous les grands praticiens. Sydenham recommande les lavements anodins, et particulièrement le lavement de petit-lait dans la dysentrie, dans le choléra-morbus, dans la diarrhée, dans la fièvre aiguë avec pissement de sang; les lavements astringents dans la diarrhée des fièvres continues, le lavement avec la térébenthine et les lavements narcotiques dans le calcul produit par la goutte invétérée, etc. Hoffmann écrit un chapitre *de clysteriorum usu medico*. Il faudrait citer ici plus de trente auteurs, parmi lesquels figurent des noms justement estimés, qui n'ont pas dédaigné de traiter d'une manière spéciale et avec de sérieux détails, de l'usage et des indications des lavements. On en trouvera l'énumération à la bibliographie.

[1] Voir *Journal de la santé du Roy Louis XIV*, par M. Leroy; Paris, 1862. In-8°.

Jusqu'ici il n'a été question que du lavement considéré d'une manière générale, sans aucune spécification de sa composition, de son action locale ou générale. Bien que dès l'origine de la médecine, on ait déjà commencé à distinguer les lavements simples des lavements médicamenteux et des lavements nutritifs, c'est surtout à partir du commencement du dix-huitième siècle, qu'on s'occupa sérieusement de la question du lavement comme moyen d'introduction dans l'économie de substances médicamenteuses actives. Helvétius écrit un livre ayant pour titre : *Méthode pour guérir toutes sortes de fièvres sans rien faire prendre par la bouche.* Cette méthode consistait tout simplement à administrer le quinquina par la voie intestinale. Depuis cette époque, les applications de ce mode de médication se sont de plus en plus multipliées. Avant de rappeler les principaux essais de ce genre, il nous faut exposer le point de physiologie sur lequel ils reposent. Bien que l'expérience clinique ait devancé en ceci comme pour bien d'autres questions l'expérimentation physiologique, il convient de rétablir ici l'ordre de succession logique et de subordination des faits.

I. PHYSIOLOGIE. Quelle est l'action des lavements sur les surfaces avec lesquelles ils sont mis en contact? Quels sont les phénomènes généraux ou spéciaux qui suivent leur absorption? En d'autres termes, quels sont leurs effets locaux et leurs effets généraux, suivant leur état simple ou leurs divers états de composition? Tels sont les points de physiologie sur lesquels il importe d'être fixé, si l'on veut se rendre suffisamment compte des résultats hygiéniques ou thérapeutiques que l'on désire obtenir par l'usage des lavements.

1° *Effets locaux ou action sur les surfaces de contact.* Le premier effet d'un lavement simple, d'un lavement d'eau tiède, est de déterminer immédiatement, par sa seule action de contact sur la muqueuse intestinale, une contraction qui en sollicite immédiatement l'expulsion, si l'on ne fait effort pour le garder. La quantité de liquide, sa température, modifient plus ou moins cet effet, soit en l'atténuant, soit en l'activant. Une quantité minime d'eau, soit 100 grammes ou au-dessous, injectée dans le rectum, peut n'y produire aucune impression, être gardée sans effort, et y rester en quelque sorte comme un corps étranger, inerte, et indifférent à l'économie, jusqu'à ce qu'elle soit en partie absorbée, en partie expulsée avec la première selle. Si la quantité d'eau est élevée à 300, 400 ou 500 grammes, elle produit à peu près inévitablement la contraction de l'intestin. A une dose plus élevée, s'il s'agit surtout de jeunes enfants dont les intestins sont facilement extensibles, il peut arriver que la dilatation de l'intestin, soit portée au point de lui faire perdre momentanément son ressort et toute puissance de réaction sur la masse d'eau qu'il contient.

La température de l'eau a également une grande part dans l'effet immédiat du lavement. A la température du corps, l'effet est nul et l'eau n'impressionne l'intestin que par sa masse et son action de simple contact. Au-dessus ou au-dessous il détermine la réaction de l'intestin par l'impression de chaleur ou de froid, plus énergiquement par le froid que par le chaud. Les lavements chauds, souvent répétés, amènent même à la longue un effet inverse, c'est-à-dire qu'ils émoussent la sensibilité et la contractilité de l'intestin, qui en vient peu à peu à se laisser distendre sans réagir.

A la double action de l'eau sur l'intestin par contact et par distension, il faut ajouter son action diluante sur les matières intestinales qui, le concours actif de la contraction intestinale aidant, facilite l'évacuation.

Tel est en effet le mode d'action du lavement simple administré dans les conditions ordinaires, c'est-à-dire à température moyenne et en quantité suffisante pour distendre le gros intestin dans une plus ou moins grande étendue. Telles sont les conditions qui répondent à l'indication la plus commune de l'administration du lavement, l'indication de provoquer ou de faciliter l'évacuation alvine.

Jusque-là le lavement est plutôt un agent hygiénique qu'un agent médicamenteux, à proprement parler. Nous entrons sur le terrain de la thérapeutique du moment où le lavement est composé, c'est-à-dire qu'il tient en suspension ou en dissolution une substance plus ou moins active, ou bien lorsque à l'état simple il est administré dans le but d'être livré à l'absorption, ou dans des quantités et des proportions insolites et qui dépassent l'indication d'une simple évacuation.

Mais avant d'aborder l'étude du lavement considéré comme agent thérapeutique, il importe que nous examinions deux autres questions majeures de physiologie, dont la solution nous aidera à comprendre et à régler les différents effets indicateurs ; savoir : jusqu'à quel point de l'intestin pénètrent les lavements? Que devient le lavement abandonné à l'intestin?

C'est une question bien vieille et bien controversée que celle de savoir à quelle hauteur du tube intestinal peuvent pénétrer les liquides injectés par l'anus. Galien (livre III, *de Causis sympt.*) parle de clystères ayant pénétré si haut, qu'ils ont été rejetés par le vomissement. Les médecins du seizième siècle se sont occupés de cette question et ont cherché à se rendre compte des singularités signalées depuis longtemps déjà, par d'autres que par Galien, de clystères rendus par le vomissement. Au rapport de M. Colson, Kerkringuy se serait prononcé positivement, assurant avoir expérimenté plusieurs fois que la valvule peut être franchie. Nombre d'observations sur ce sujet sont consignées dans les *Éphémérides des curieux de la nature* et autres recueils. L'opinion la plus répandue est que les lavements peuvent monter jusqu'à la valvule de Bauhin, sans jamais la dépasser; suivant quelques auteurs, ils ne traverseraient jamais l'S iliaque. De là des divergences sur le mode d'emploi des lavements et sur la quantité de liquide qu'ils doivent contenir.

Cette question a beaucoup occupé les médecins anglais surtout. Le docteur Christison dans son *Dispensatory*, dit que « si l'on se propose de vider l'intestin, le lavement ne doit pas être de moins de 16 onces ou 1 pinte. » Le docteur Burns, dans la huitième édition de son *Traité d'accouchement*, sans déterminer précisément la quantité de liquide à injecter en cas de constipation, distingue cependant entre les matières accumulées dans le rectum et celles qui sont encore contenues dans le côlon. Contre ces dernières, il conseille de les amener d'abord dans le rectum au moyen de laxatifs administrés par la bouche, puis de les chasser au dehors par des lavements; ce qui donnerait à supposer que dans son opinion ces derniers ne pénétreraient que peu ou point dans le côlon.

Suivant le docteur Anthony Thomson (*Éléments de matière médicale et de thérapeutique*, 2ᵉ édition), le volume d'eau à injecter suivant les différents âges est de 1 pinte pour un adulte, et de 3 onces seulement pour un enfant. Pour lui l'inefficacité des lavements tient surtout à ce qu'ils n'atteignent pas la partie obstruée de l'intestin.

Le docteur Denman (*Traité d'accouchement*, 4ᵉ édition) insiste également sur l'inutilité des lavements dans certains cas d'endurcissement des matières fécales, et n'en conseille l'emploi qu'après avoir divisé ces matières par des moyens mécaniques et pour en entraîner les fragments.

A ces auteurs partisans des lavements à petites doses, on peut en opposer d'autres qui conseillent, au contraire, d'abondantes injections ; tels sont notamment Graves (de Dublin) et Marshall-Hall. « Si l'on veut laver le côlon, dit ce dernier, il convient d'employer la seringue de Read ; 3 pintes d'eau chaude seront suffisantes. L'injection doit être faite aussi lentement que possible. De cette manière l'intestin ne se distend qu'après avoir été rempli ; son action péristaltique est excitée à la longue par la distension même, et, se contractant énergiquement dans toute sa longueur, il chasse d'un seul coup les matières accumulées. »

Voulant savoir à quoi s'en tenir sur cette question de physiologie et de thérapeutique, le docteur Hall entreprit une série d'expériences propres à déterminer la hauteur à laquelle peuvent parvenir dans le tube digestif les injections pratiquées par l'anus, et spécialement, la quantité de liquide que peuvent contenir les gros intestins.

Dans une première expérience faite sur le cadavre, on put injecter facilement, au moyen de la seringue de Read, 5 ou 6 pintes d'eau mucilagineuse, qui remplirent complétement le gros intestin. Le liquide avait même franchi la valvule iléo-cæcale.

Dans une deuxième expérience sur le cadavre, la paroi abdominale ayant été préalablement ouverte, on put suivre de l'œil le cours du liquide injecté. Quand 3 pintes eurent pénétré, le gros intestin se trouva rempli et distendu. Puis le liquide s'étant épanché lentement dans la cavité péritonéale, on découvrit dans le cæcum et l'iléon plusieurs ulcérations avec perforation.

Dans une troisième expérience sur le cadavre, 8 pintes d'eau furent injectées sans difficultés : le liquide parcourut toute la longueur des intestins et remplit même une portion de l'estomac (?), une incision cruciale des parois abdominales avait parmis de suivre rigoureusement, à travers les parois intestinales la marche du liquide.

M. Hall ne s'en est pas tenu là, il a fait des expériences sur le vivant.

Chez un homme affecté d'un rétrécissement du rectum, un tube élastique ayant été porté jusqu'au-dessus de ce rétrécissement, on pratiqua, après avoir toutefois eu soin de constater par la percussion la vacuité des côlons transverse et descendant, une injection de 5 pintes d'un liquide huileux. La percussion de nouveau pratiquée donna un son mat sur toute l'étendue des côlons.

Une autre expérience fut faite sur un jeune garçon. Le ventre ayant été préalablement percuté, et le cæcum, aussi bien que les trois portions du côlon, ayant donné un son clair, le sujet fut placé horizontalement sur le côté gauche, et 5 pintes de liquide furent injectées. A ce moment, on éprouva de la résistance, et l'injection ne put être portée plus loin. La percussion fit reconnaître que ce liquide avait pénétré jusqu'à l'union des côlons transverse et descendant. Le sujet fut placé sur le côté droit, dans le but de s'assurer si le liquide ne se porterait pas du côté du côlon ascendant et du cæcum ; et, en effet, une nouvelle percussion donna un son obscur dans les régions correspondantes où l'on remarquait une distension manifeste, tandis que la région du côlon descendant donnait maintenant un son clair. 5 nouvelles pintes de liquide furent injectées, et après que le sujet eut uriné deux fois, le son devint clair sur toute l'étendue du cæcum et des côlons jusqu'à l'S iliaque.

Que peut-on inférer de ces expériences ? que les liquides injectés en certaine quantité par l'anus peuvent remplir la totalité du gros intestin ; mais rien de plus, car rien dans ces expériences, ni dans quelques autres analogues que rapporte l'auteur, n'autorise à conclure que la valvule iléo-cæcale ait été franchie et que le liquide injecté ait pénétré dans l'iléon.

Il est d'ailleurs une expérience qui se fait tous les jours dans les amphithéâtres d'anatomie et qui résout la question d'une manière péremptoire. Lorsque dans le but de dessécher un gros intestin pour le conserver, on l'insuffle d'air à grand renfort de pression, toute l'étendue du gros intestin depuis l'ampoule rectale jusqu'à la grande ampoule cæcale inclusivement, se laisse distendre par l'air, sans que jamais une bulle d'air s'échappe à travers la valvule iléo-cæcale dans l'iléon. La disposition bien connue de cette valvule s'oppose absolument et hermétiquement au passage soit de gaz, soit de liquides dans l'intestin grêle. Nous parlons, bien entendu, des conditions normales. Que si la valvule venait à être détruite par une ulcération ou par toute autre lésion ou à être empêchée dans son mode normal de fonctionnement, comme il arriverait par exemple par l'interposition d'un corps étranger ou d'une portion de matière fécale durcie qui, sans oblitérer complétement l'orifice, empêcherait les bords valvulaires de s'appliquer exactement l'un sur l'autre, il est clair que dans l'une ou l'autre de ces circonstances un liquide poussé avec force pourrait franchir le passage et pénétrer dans l'intestin grêle. C'est probablement dans des conditions exceptionnelles de ce genre qu'ont eu lieu les faits de pénétration rapportés par quelques auteurs dignes de foi. Mais à part ces conditions exceptionnelles, il est évident que la valvule iléo-cæcale oppose une barrière infranchissable au cours rétrograde ou ascendant des liquides, et que c'est à juste titre qu'elle a été qualifiée de *barrière* ou de *colonnes d'Hercule des apothicaires*.

Au reste, le point qui intéresse surtout la pratique est moins de savoir si le lavement franchit quelquefois la valvule que de connaître la hauteur à laquelle il peut pénétrer dans les côlons. Or on vient de voir qu'il est assez difficile de pousser le liquide jusque dans le côlon ascendant. Mais on ne doit pas oublier qu'il est possible, à l'aide de canules ou de sondes introduites par le rectum, de porter très-haut un lavement sans être pour cela obligé d'employer une grande quantité de liquide. M. Dechambre nous a fait connaître un cas de sa pratique, dans lequel, le cours des matières étant interrompu depuis huit jours par une tumeur siégeant dans le flanc droit, sur le trajet du côlon ascendant, une sonde, dont il était facile de sentir le bec à mesure qu'elle cheminait, put pénétrer jusqu'au delà de la tumeur et donner passage à un litre d'eau qui ne tarda pas à amener une garde-robe copieuse.

2° *Effets généraux ou d'absorption.* Que deviennent les liquides une fois injectés dans le gros intestin?

On sait que l'absorption se fait à des degrés divers sur toute l'étendue du tube digestif. Moins active sans doute dans le gros intestin que dans l'intestin grêle où elle est à son summum, elle l'est assez encore pour que cette voie puisse être souvent utilisée pour l'introduction de certains agents thérapeutiques dans l'économie. Des faits démontrent que chez beaucoup d'animaux l'absorption est plus active dans le gros intestin que dans l'estomac. Les expériences faites avec le curare, par exemple, ont montré que cet agent introduit dans l'estomac de quelques animaux y est absorbé si lentement que les portions qui se trouvent à un moment donné dans le sang de l'animal ne suffisent pas pour déterminer des accidents d'empoisonnement; tandis que introduit directement dans le rectum, il a déterminé chez les mêmes animaux des accidents promptement mortels. On sait que la belladone et l'opium administrés en lavement chez l'homme agissent à la fois plus rapidement et avec une plus grande intensité que lorsqu ils sont ingérés dans l'estomac.

Dans le but de déterminer la rapidité relative de l'absorption par l'estomac et par le rectum, le docteur W. Savory a fait des expériences comparatives sur divers animaux avec la strychnine, le cyanure de potassium, l'acide cyanhydrique et la nicotine. Les résultats de ces expériences ont été variables suivant les substances toxiques employées.

La strychnine (en solution) a produit des effets toxiques beaucoup plus rapidement, administrée en lavement qu'ingérée dans l'estomac; pour le cyanure de potassium et l'acide cyanhydrique, la différence a été bien moins marquée, et pour la nicotine, c'est le contraire qui a été observé.

Se demandant, en présence de cette différence, si elle ne tiendrait pas à ce que la strychnine pouvait être modifiée par le suc gastrique de manière à perdre une partie de ses propriétés toxiques, M. Savory a fait des mélanges artificiels d'une solution de strychnine et de suc gastrique, et il les a injectés dans le rectum. Il a observé alors des effets toxiques au moins aussi rapides et aussi énergiques qu'en employant une solution de strychnine non mélangée de suc gastrique. La réponse était donc négative à cet égard.

Une autre série d'expériences a démontré que la présence d'aliments dans l'estomac n'exerce aucune influence sensible sur la rapidité et l'énergie des effets toxiques d'une solution de strychnine.

Lorsque, au lieu d'administrer la strychnine en solution, on la donne en poudre, elle est absorbée beaucoup plus lentement. Dans ces conditions, l'absorption a lieu plus rapidement dans l'estomac que dans le rectum, ce qui tient à l'action dissolvante plus énergique du suc gastrique. (*The Lancet* et *Gaz. méd. de Paris*, 1864, mars.)

M. Demarquay a institué aussi une série d'expériences pour arriver à déterminer le degré d'activité absorbante du rectum. Il a fait administrer à des individus bien portants sous certains rapports, et qui devaient être soumis à un traitement par l'iodure de potassium, un lavement de la contenance de 200 grammes d'eau, avec 1 gramme d'iodure de potassium en dissolution. Dans quelques circonstances, il avait fait vider l'intestin rectum, mais le plus souvent, le lavement était administré sans prendre cette précaution; l'expérience a été répétée plus de dix fois, et toujours elle a donné le même résultat, toujours l'absorption a été plus prompte par le gros intestin que par l'estomac.

Voici quel a été ce résultat chiffré dans cinq expériences :

Première expérience :	élimination en.	7 minutes.
Deuxième expérience :	—	5 —
Troisième expérience :	—	6 —
Quatrième expérience :	—	6 —
Cinquième expérience :	—	2 —

Ces faits tendent, comme on le voit, à établir que l'on peut faire pénétrer les substances solubles dans le torrent circulatoire plus promptement par le rectum que par l'estomac, et que, chez les individus qui ont une grande répugnance pour l'iodure de potassium, on peut le faire absorber par la voie rectale.

Dans un mémoire communiqué à l'Académie de médecine en 1856 sur l'absorption des substances médicamenteuses introduites dans le gros intestin sous la forme de lavements, M. Briquet s'est proposé de déterminer les limites que ceux-ci atteignent, de rechercher si les substances introduites dans le gros intestin éprouvent quelques modifications chimiques avant d'être absorbées, dans quelle proportion se fait cette absorption, avec quel degré de promptitude elle se fait, etc. Il a résumé les résultats principaux de ses recherches dans les conclusions suivantes :

1° Le liquide qui constitue les lavements peut assez facilement aller jusque dans le cæcum, et par conséquent être en contact avec une surface absorbante fort étendue.

2° La membrane muqueuse du gros intestin et les liquides qui baignent sa surface n'ont aucune action chimique sur les substances introduites dans le gros intestin, où il n'y a d'absorbé que ce qui était primitivement en dissolution.

3° Quand on administre en lavement des sels solubles de quinine à des doses au-dessous de 1 gramme, un peu plus du tiers de la quantité administrée est éliminé, et par conséquent a été absorbé.

4° Quand on administre des doses supérieures à 1 gramme, celles-ci sont mal tolérées, et il n'y a qu'un cinquième ou un sixième de la quantité administrée qui soit absorbé...

5° On n'aperçoit de traces d'élimination, et par conséquent d'absorption, qu'une heure après l'administration d'un lavement, et à ce moment l'élimination est peu considérable.

6° La durée de l'élimination est en général assez courte, et ordinairement de 2 à 3 jours au plus.

7° La dilution plus ou moins grande, mais pourtant limitée à un certain degré, la nature plus ou moins visqueuse du liquide, et enfin l'addition des sels de morphine aux alcaloïdes du quinquina ne modifient pas sensiblement l'absorption.

8° Les jeunes gens absorbent mieux que les adultes; les vieillards de l'un et l'autre sexe absorbent très-mal.

9° Les alcaloïdes du quinquina administrés en lavement à des doses au-dessous de 1 gramme, peuvent rendre par cette voie tous les services qu'on peut attendre de ces alcaloïdes donnés à faible dose par la bouche, et peuvent très-bien les remplacer.

10° Il n'en est pas de même pour les cas où il faut des doses élevées; celles-ci ne sont jamais absorbées en assez grande quantité pour produire des effets stupéfiants énergiques.

11° On ne peut faire généralement tolérer au gros intestin plus de 2 grammes de sulfate de quinine à la fois.

Ces conclusions peuvent s'appliquer plus ou moins exactement aux diverses substances employées en lavement. (*Bulletin de l'Acad. de méd.*, t. XII, p. 237.)

Dans un deuxième mémoire faisant suite au précédent, M. Briquet s'est proposé d'étudier les variations que subit l'absorption des médicaments, suivant la nature des maladies, suivant l'âge et suivant le sexe des malades. Voici les résultats auxquels il est arrivé :

L'état pyrétique est notablement plus favorable à l'absorption des médicaments que l'état apyrétique.

L'état typhoïde favorise cette absorption moins que les autres états phlegmasiques ; cependant elle y est, dans le tube digestif, plus énergique qu'on ne l'avait supposé jusqu'à présent, puisqu'elle n'est que d'un dixième à peu près inférieure à celle qui se produit dans l'état pyrétique en général.

Dans le diabète, l'absorption des médicaments dans l'intestin paraît être très-faible.

On peut constater si, dans certaines maladies, les états de tolérance ou d'intolérance pour les médicaments tiennent à une susceptibilité particulière ou à des variations dans l'absorption; ainsi, dans l'état hystérique, la tolérance pour l'opium ne tient nullement à un défaut d'absorption : elle est le résultat d'une susceptibilité spéciale.

L'absorption des médicaments analogues aux alcaloïdes du quinquina est plus active chez les jeunes gens que chez les adultes, dans une proportion considérable; chez les vieillards, elle est encore notablement moins active que chez les adultes; elle est moins active chez la femme que chez l'homme, dans la proportion de 1 sixième à 1 huitième, etc. (*Bull. de l'Acad. de méd.*, t. XXII, p. 1273.)

Ces données physiologiques établies, étudions maintenant les diverses sortes de lavements, leurs indications et leurs effets thérapeutiques.

II. Thérapeutique. Nous distinguerons les lavements en simples, médicamenteux et composés; les lavements médicamenteux et les composés devront être distingués à leur tour, suivant l'objet qu'on se propose, en lavements à action locale ou à action générale; nous ferons, enfin, une dernière catégorie des lavements nutritifs.

1° *Lavements simples*. Le lavement simple ou à l'eau pure, le plus habituellement mis en usage, a pour objet principal de combattre la constipation, de faciliter les selles naturelles et de rafraîchir, suivant l'expression vulgaire, qui ne manque pas ici de justesse. Nous ne nous y arrêterons pas plus longtemps, ce que nous en avons dit plus haut étant suffisant pour ce point.

Mais le lavement simple devient un agent thérapeutique sérieux et constitue parfois une médication d'une certaine énergie, soit par la répétition fréquente, soit par la quantité d'eau injectée chaque fois, soit par sa température insolite, au-dessus ou au-dessous de la température normale du corps. C'est ainsi, par exemple, que les grands lavements d'eau chaude ont été élevés à la hauteur d'une méthode spéciale de traitement de quelques inflammations abdominales. Un traitement de ce genre a été institué par M. le docteur Eisenmann, après des expériences faites sur lui-même.

Voici en quels termes ce médecin rapporte les effets qu'il a obtenus sur lui-même de l'administration de grands lavements chauds pour combattre une inflammation rhumatismale :

« En 1837, dit-il, je fus pris d'une inflammation rhumatismale peu intense de l'enveloppe séreuse du foie, dont la guérison ne présenta pas de difficulté. Quatre semaines plus tard, la périhépatite reparut à la suite d'un refroidissement, et cette fois avec une intensité effrayante : l'hypochondre droit, un peu ballonné, était le siége d'une douleur tellement forte que tout mon corps était agité de mouvements convulsifs. Cette douleur s'irradiait jusque vers l'omoplate; j'avais des vomituritions et des vomissements, et de la répugnance contre toute espèce d'aliments; l'urine était extrêmement rouge; pouls très-fréquent, tendu et petit. Une application de sangsues, des fomentations chaudes avec une application de sublimé corrosif et des bains n'amenèrent aucune amélioration de l'affection locale. En raison de ma constitution détériorée, je ne voulus pas avoir recours à une saignée. Vers deux heures de l'après-midi, la douleur étant devenue intolérable, je me remis au bain et j'eus alors l'idée de m'injecter de l'eau chaude dans l'intestin. Exécutant aussitôt mon dessein, je m'injectai successivement sept seringues d'eau à 37° centigrade environ (à peu près 3 litres), jusqu'à ce que l'abdomen commençât à se tendre. Peu de temps après, l'injection fut expulsée, en donnant lieu à une évacuation alvine très-abondante. Je fis immédiatement une nouvelle injection de cinq à six seringues; elle ne fut plus évacuée, et la douleur, qui jusque-là avait été excessive, disparut, à mon grand étonnement, d'une manière complète, seulement l'hypochondre droit était encore un peu ballonné et sensible à la pression. Je pris alors une première dose de vin de colchique opiacé; et une deuxième dose, le soir même, vint clore le traitement de cet accès.

« Dans la suite, j'ai encore eu douze accès au moins de périhépatite rhumatismale, mais je ne laissai plus à l'affection le temps de se développer; je parvenais toujours à en enrayer la marche dès le debut par les injections d'eau chaude et le vin de colchique opiacé.

« Peu de temps après, ajoute M. Eisenmann, une femme fut prise d'une péritonite intense. Je lui fis injecter autant d'eau chaude que la malade put en supporter sans être trop incommodée; cette injection ayant été évacuée avec une grande quantité de matières fécales, j'en fis faire une deuxième toute aussi abondante, que la malade garda; la douleur disparut comme par enchantement et ne reparut plus. »

En 1838, M. Eisenmann fut pris d'un accès de néphrite. Le résultat des injections d'eau chaude fut le même : en moins d'une demi-heure, il était guéri.

En 1839, un homme de 61 ans, atteint d'une affection fébrile de la muqueuse intestinale, obtint le même résultat.

Plus tard, M. Eisenmann a guéri par l'emploi du même moyen un homme qui présentait tous les symptômes d'un typhus abdominal commençant.

M. Guttiërt rapporte (*Gaz. méd. de Russie*) qu'ayant souvent employé les injections d'eau chaude, il pouvait confirmer tout ce que M. Eisenmann avait avancé.

M. Hare a trouvé ces grands lavements très-utiles dans le traitement de la dysenterie des Indes orientales, lorsqu'elle ne provient pas toutefois d'affection paludéenne. Lorsqu'un malade atteint de dysenterie arrivait à l'hôpital, on commençait par lui injecter, avec la seringue de Read, de 2 à 3 litres d'eau chaude, jusqu'à produire une certaine tension de l'abdomen. On avait la précaution d'adapter à cette seringue une canule élastique assez longue pour dépasser l'S iliaque, des injections aussi abondantes ne pouvant être faites avec une seringue à canule ordinaire, à cause de l'irritabilité du rectum, qui est telle dans cette maladie que le liquide est expulsé dès que quelques onces ont pénétré dans l'intestin. Cette première injection ne tardait pas à être évacuée, et sa sortie était toujours suivie d'un soulagement très-notable. Lorsque le malade était pléthorique ou qu'il avait une forte fièvre, ou encore lorsque l'abdomen était douloureux à la pression, M. Hare faisait pratiquer une saignée abondante et donnait ensuite une dose d'opium. A leur réveil, on leur administrait de nouveau un grand lavement d'eau chaude et l'on appliquait au besoin des sangsues et des fomentations. Dans la nuit, troisième injection d'eau chaude et deuxième dose d'opium, et alors les malades entraient ordinairement en convalescence. Le lendemain, s'ils accusaient la moindre colique ou une sensation anormale de l'abdomen, on revenait aux injections.

M. Hare croit devoir attribuer les heureux résultats qu'il a obtenus de l'emploi de ces grands lavements à la circonstance qu'ils évacuaient les matières irritantes contenues dans l'intestin, opinion erronée. C'est incontestablement un de leurs effets utiles, mais ce n'est pas le seul. M. Eisenmann pense que M. Hare n'a pas retiré de cette médication tous les avantages qu'il eût pu en obtenir, parce qu'il a négligé de répéter l'injection dès que la première avait été expulsée avec les matières fécales. Il attache, pour sa part, une grande importance à cette seconde injection, qui est ordinairement résorbée, tandis que la première ne séjourne que peu de temps dans l'intestin. Le premier lavement produit déjà une amélioration, mais ce n'est qu'à la suite du deuxième que la douleur disparaît d'une manière complète. (*Voy.* DYSENTERIE.)

M. Eisenmann a appelé également l'attention sur l'opportunité de l'essai des injections copieuses d'eau chaude dans le traitement du choléra. Il a essayé de donner une théorie de la manière d'agir de ces grands lavements répétés. Il admet, dans l'état actuel de nos connaissances, que la chaleur humide exerce une action calmante sur les nerfs sensitifs de la vie animale et végétative, notamment aussi sur les nerfs sensitifs des vaisseaux capillaires, et qu'elle les empêche de réagir contre l'irritation produite par la maladie ou d'exciter à cette réaction les nerfs vasculaires moteurs. En tout cas, l'effet de ces lavements doit se porter aussi sur les nerfs sensitifs pris dans un sens plus restreint, car la stase qui existe déjà ne saurait disparaître complétement dans un intervalle de 7 à 10 minutes, ce temps suffisant à peine pour en préparer la résolution. Et cependant on voit disparaître complétement, pendant ces quelques minutes, la douleur spontanée produite par la stase.

Quoi qu'il en soit de ces vues théoriques, le fait de l'utilité de cette pratique reste acquis. (*Voy.* CHOLÉRA.)

M. Piorry a appliqué aussi les grandes irrigations intestinales au traitement de la fièvre typhoïde. Toutes les fois que dans les fièvres graves il constate par la plessimétrie la présence dans l'intestin de matières demi-solides et liquides, ou de liquides et de gaz, dont l'odeur est très-fétide, il a recours à des irrigations abondantes et réitérées coup sur coup, et cela pendant quelques minutes, et il continue ainsi jusqu'à ce que l'eau qui s'échappe de l'intestin pendant et après l'irrigation, soit claire et que les gaz aient beaucoup moins de fétidité. Ces irrigations ont été renouvelées dans les cas graves jusqu'à quatre et cinq fois par jour. M. Piorry attribue à cette méthode la guérison et la brièveté de la convalescence. [*Voy.* TYPHOÏDE (fièvre).]

On a eu recours aussi en chirurgie aux lavements simples abondants ou forcés pour les invaginations intestinales. Un médecin de Saint-Dié, M. Lhommée, dans un cas d'invagination parfaitement caractérisée, a obtenu le plus heureux résultat en injectant par le rectum une aussi grande quantité de liquide que le malade a pu en supporter.

2° *Lavements médicamenteux*. Les lavements médicamenteux ont pour objet soit d'agir directement ou topiquement sur la surface intestinale elle-même, soit d'être livrés à l'absorption pour introduire un agent plus ou moins actif dans l'économie.

Au premier rang des lavements médicamenteux, en procédant des moins actifs aux plus actifs, nous placerons les lavements émollients, qui ne diffèrent des lavements simples que par l'addition d'une substance mucilagineuse ou huileuse, et les lavements évacuants laxatifs, qui n'en diffèrent que par l'addition d'une substance qui ajoute son action légèrement excitante sur l'intestin à celle de l'eau pure. Tels sont en particulier le lavement au gros miel ou au miel de mercuriale, le lavement à l'huile de ricin, au séné ou au sulfate de soude, ou bien à l'aloès, toutes substances qui, en excitant la muqueuse intestinale, y déterminent un état fluxionnaire et une augmentation de sécrétion, qui facilite l'effet évacuant.

Lavements purgatifs. Les plus actives des substances dont il s'agit, telles que le séné, l'aloès, vont même jusqu'à produire quelquefois un certain degré d'irritation intestinale, qui, s'ajoutant à l'action évacuante, produit des effets dérivatifs souvent utilisés dans la pratique. Ce sont alors de véritables lavements purgatifs. D'après M. Bouchardat, les lavements salins agiraient en déterminant sur la muqueuse intestinale un courant exosmotique beaucoup plus considérable que le courant endosmotique, et cette voie d'élimination étant frayée, l'économie se débarrasserait ainsi des parties liquides qui ne peuvent plus servir à la nutrition et qui y amènent des perturbations.

On combine quelquefois l'action de la quantité avec celle de la qualité, en administrant de grands lavements purgatifs pour combattre la constipation.

On doit au docteur Aran une application utile des lavements purgatifs au traitement du catarrhe utérin. Ce médecin a été conduit à cette pratique par une circonstance fortuite assez curieuse. Ayant prescrit à une jeune fille aménorrhéique l'usage de petits lavements purgatifs, composés de 10 grammes d'aloès pour 50 grammes de mucilage, mode de traitement institué par le professeur Schœnlein (de Berlin), Aran apprit par cette jeune fille que ces lavements n'avaient point rappelé ses règles, mais qu'ils avaient fait cesser un écoulement blanc très-abondant, dont elle était affectée depuis plusieurs années. Éclairé par ce fait, Aran se livra à partir de ce moment à une série d'essais dont le succès lui a fait instituer, à titre de méthode de traitement du catarrhe utérin, l'emploi des lavements purgatifs à l'aloès, méthode qui consistait à faire prendre, tantôt tous les jours, tantôt tous les deux jours, suivant l'effet produit par le médicament, et toujours le soir en se couchant, d'abord un lavement simple d'eau tiède, pour débarrasser l'intestin, puis un lavement comme suit :

Aloès . . . . Savon médicinal	de chaque : 5 ou 10 grammes.
Eau bouillante	100 grammes.

Tout en conservant le même mode d'administration, il a successivement remplacé l'aloès par la coloquinte, par la gomme-gutte, la décoction de rhubarbe, les résines de jalap ou de scammonée, etc. De cette comparaison, il est résulté pour lui que les lavements d'aloès étaient les seuls qui pussent être continués plusieurs jours de suite, sans provoquer des douleurs trop vives vers l'anus. A la suite de ces lavements, l'écoulement utérin diminuait de jour en jour. Chez quelques malades, en vingt-quatre heures il avait déjà diminué de moitié, et chez d'autres en quatre ou six jours, toute trace avait disparu. Toutefois le succès n'a pas été constant, et il a fallu dans quelques cas renoncer à ce mode de traitement.

Lavements astringents. Les substances astringentes et les divers agents modificateurs de la vitalité des membranes muqueuses, sont très-souvent administrés sous cette forme, lorsqu'il s'agit surtout de modifier directement un état morbide de la muqueuse du gros intestin.

Les principales substances astringentes employées en lavement sont le tannin, la ratanhia, le kino, le cachou, le sous-acétate et le sous-carbonate de plomb. Les modificateurs plus actifs des muqueuses sont l'iode, le nitrate d'argent, etc.

Les lavements de *tannin* (de 1 à 2 grammes pour 500 grammes d'eau) ont été administrés dans les diarrhées et les dysenteries chroniques, dans les écoulements muqueux de l'anus (proctorrhée).

Les lavements de *ratanhia* (de 4 à 20 grammes d'extrait et 4 grammes de teinture pour 150 grammes d'eau) ont été particulièrement préconisés par Bretonneau et Trousseau dans le traitement de la fissure de l'anus, et appliquées depuis avec succès par un grand nombre de praticiens. Voici de quelle manière Trousseau en a formulé l'emploi : après un lavement d'eau de guimauve, on administre le quart de lavement de ratanhia, qui n'est gardé que quelques instants. On en prend deux dans les vingt-quatre heures, un matin et soir.

La *monesia* a été également employée de la même manière et dans les mêmes circonstances. Mais les effets n'en ont paru ni aussi efficaces ni aussi constants que ceux de la ratanhia.

L'étroite sympathie qui lie les affections du rectum à celles de la vessie, et réciproquement, a inspiré au docteur Miquel (d'Amboise) l'idée de recourir à l'usage des lavements de ratanhia associée au laudanum pour combattre l'engorgement inflammatoire de la prostate. — Il a administré des quarts de lavement contenant 1 gramme d'extrait de ratanhia et 8 gouttes de laudanum de Sydenham pour un verre d'eau, alternés avec des lavements entiers émollients et huileux, et il en a obtenu de bons résultats.

Lavements aux sels de plomb. Le sous-acétate de plomb, sous forme d'eau blanche ou d'eau de Goulard, a été employé en injection rectale dans les cas de proctorrhée, de flux purulent hémorrhoïdal et dans la diarrhée chronique qui suit les dysenteries. Le docteur Fr. Barthez, à l'époque où il était médecin en chef de l'hôpital militaire de Saint-Denis, a appliqué avec succès cette médication au traitement de la dysenterie aiguë. Voyant le peu de succès des moyens usités jusque-là, il tenta l'emploi de l'acétate de plomb à des doses d'abord minimes, qu'il a élevées ensuite graduellement jusqu'à 100 gouttes d'extrait de saturne, soit 5 grammes pour 500 grammes d'eau tiède. A cette dose, la dysenterie s'arrêtait presque subitement, sans qu'il ait eu à constater aucun accident. Depuis cette époque le docteur Barthez, poursuivant ses essais, est arrivé, dans le traitement des dysenteries aiguës, jusqu'aux doses énormes de 30, 40 et 100 grammes dans un lavement, sans donner lieu à des accidents toxiques. Boudin a été à même, quand il était médecin en chef de l'hôpital militaire du Roule, de confirmer par ses propres expériences celles de Barthez ; il a employé le sous-acétate de plomb en lavement sur plus de 600 malades atteints de diarrhée, de dysenterie ou de choléra épidémique. Le médicament, dissous dans 100 grammes d'eau distillée, a été donné depuis 10 jusqu'à 60 grammes dans les vingt-quatre heures, en plusieurs quarts de lavement. Non-seulement l'innocuité du sous-acétate de plomb ainsi administré a été complète, mais encore les résultats thérapeutiques se sont montrés les plus satisfaisants.

M. Devergie a employé le lavement de carbonate de plomb contre la diarrhée des phthisiques. Voici de quelle manière il le prescrit : acétate de plomb, 1 gramme ; carbonate de plomb, 5 centigrammes ; dissous séparément dans une très-petite quantité d'eau ; la dissolution est versée dans 250 grammes de décoction de lin, et on ajoute quatre gouttes de laudanum de Rousseau.

Lavements iodés. Les lavements iodés ont été prescrits dans la diarrhée et la dysenterie chronique, par M. Eimer (iode de $0^{gr},25$ à $0^{gr},50$, iodure de potassium q. s. dissous dans 30 à 90 grammes d'eau distillée), pour un lavement que l'on renouvelle deux fois dans les vingt-quatre heures, et plus rarement trois ou quatre fois. S'il y a du ténesme et si le malade a de la peine à garder son lavement, on l'additionne de 10 à 15 grammes de teinture d'opium, et on remplace l'eau par un véhicule mucilagineux.

M. le docteur Delioux de Savignac dit en avoir obtenu dans les mêmes circonstances des succès remarquables. Il donne ces lavements à la dose de 10 à 30 grammes de teinture d'iode, maintenue soluble par 1 à 2 grammes d'iodure de potassium pour 200 à 250 grammes d'eau. Sur douze cas consignés dans son mémoire (*Union médicale*, 1853), l'affection intestinale a été notablement amendée ou guérie dix fois; dans les deux cas d'insuccès, il n'y a eu du moins aucune aggravation. M. Delioux affirme qu'en général ces lavements ne produisent que de légères coliques, très-facilement calmées par un lavement laudanisé. Il ajoute, enfin, qu'en raison de la facilité d'absorption les lavements pourraient servir de moyen d'introduction de l'iode dans l'organisme, dans les cas qui peuvent en réclamer l'usage.

D'après M. le docteur Boinet, on pourrait joindre avec beaucoup d'avantage à la formule de M. Delioux 1 ou 2 grammes d'extrait de ratanhia, ou bien, au lieu d'eau ordinaire, faire usage d'une décoction de ratanhia ou de monesia, ou de toute autre substance renfermant de l'acide tannique. M. Boinet affirme que les lavements ainsi composés lui ont été très-utiles pour arrêter le dévoiement dans le choléra. (*Iodothérapie*, 2e édit., 1865.)

M. le docteur Bossu (de Lyon) a obtenu, à l'aide de cette médication, des résultats qui ont dépassé toute attente. Sur trois malades qui y ont été soumis, deux ont guéri après l'emploi de deux lavements seulement; quant au troisième, dont la maladie remontait à plusieurs années, il guérit aussi, mais six lavements furent nécessaires pour venir à bout d'une maladie aussi invétérée. Or, chez ces trois malades, bien que la dose de la teinture d'iode ait été de 15, 20, 25 et jusqu'à 30 gouttes pour un quart de lavement de 150 grammes d'eau, cette dose a été parfaitement supportée, et à part le premier lavement qui a causé un peu de pesanteur et de chaleur rectale, les malades n'ont éprouvé aucun malaise et ont pu le garder depuis un quart d'heure jusqu'à deux et même trois heures. (Thèse de Paris, 1856.) (*Voy.* DIARRHÉE, DYSENTERIE.)

Les lavements iodés ont été utilement mis en usage aussi dans un cas d'hépatite aiguë, par M. le docteur Inhauser. (*Journal de médecine de Bruxelles.*)

Nous ajouterons ici les diverses formules de lavements iodés que donne M. Boinet dans le *Formulaire de l'Iodothérapie :*

LAVEMENT IODÉ.

Teinture d'iode	15 à 25 grammes.
Iodure de potassium. . . . . }	āā 0,25 —
Tannin. . . . . }	
Eau de riz ou eau distillée	125 à 150 —
Laudanum	19 gouttes.

LAVEMENT D'IODURE DE POTASSIUM.

Iodure potassique.	1 gramme.
Eau distillée	250 grammes.

Lavements au nitrate d'argent. C'est encore dans les diarrhées et les dysenteries que les lavements au nitrate d'argent ont été préconisés. Trousseau en a fait un très-fréquent usage, à titre d'agent substitutif, dans le traitement des maladies de l'appareil digestif. Dans la dysenterie aiguë, en même temps qu'il prescrivait de demi-heure en demi-heure une pilule avec un mélange de 5 centigrammes d'amidon ou de mie de pain, 2 centigrammes 1/2 de nitrate d'argent et 2 centigrammes 1/2 de sel de nitre, il faisait prendre deux fois par jour un lavement avec 500 grammes d'eau distillée dans laquelle on avait fait dissoudre de 15 à 50 centigrammes de nitrate d'argent.

C'est surtout chez les enfants à la mamelle, lorsque la diarrhée persistait longtemps, malgré la diète, le régime et l'usage de la magnésie, du bismuth ou de la poudre d'yeux d'écrevisse, qu'il avait recours au nitrate d'argent. Voici les règles qu'il formule à cet égard : « Si la diarrhée est tormineuse, accompagnée de sécrétions glaireuses ou de glaires ensanglantées, et en même temps de ténesme, nous prescrivons, dit-il, soir et matin, un clystère composé de 250 grammes d'eau distillée, de 5 à 10 centigrammes de nitrate d'argent, suivant l'âge de l'enfant ; quelquefois, après l'expulsion du liquide injecté, nous donnons un nouveau lavement d'eau tiède, auquel nous ajoutons une demi-goutte ou même une goutte de laudanum de Sydenham. » Il est rare, ajoute-t-il, que cette médication si simple ne guérisse pas avec rapidité une diarrhée qui semble liée à un état phlegmasique de la membrane muqueuse du côlon.

Le lavement au nitrate d'argent, dans la proportion de 0,50 de ce sel pour 100 grammes d'eau, a été utilement employé par Aran dans un cas de flux hémorrhoïdal incoercible chez un homme de 61 ans. Ce lavement fut renouvelé pendant quatre jours, et le malade le gardait pendant deux heures, malgré la cuisson qu'il lui causait.

Les lavements au nitrate ou azotate d'argent ont été, de la part de M. le docteur Delioux de Savignac, l'objet d'une étude spéciale dont les résultats intéressent assez la pratique pour que nous croyions devoir les rappeler ici. Dans un mémoire relatif à l'influence que joue l'albumine sur l'absorption et l'assimilation des composés minéraux, communiqué en 1850 à l'Académie des sciences, M. Delioux a démontré, par des expériences en conformité avec des travaux antérieurs de Lassaigne, que, si l'azotate d'argent précipite au premier abord l'albumine de ses dissolutions, un grand excès de dissolution albumineuse redissout ce précipité ; que, d'un autre côté, si les chlorures alcalins précipitent l'azotate d'argent dans l'eau pure, à l'état de chlorure d'argent insoluble, ils ne le précipitent plus dans l'eau albumineuse ; qu'enfin, dans ces deux circonstances, il se forme une combinaison d'albumine et d'azotate d'argent, soluble et conséquemment facilement absorbable.

Ces faits acquis, M. Delioux s'est demandé s'il ne serait pas avantageux d'associer l'albumine et l'azotate d'argent lorsque l'on veut administrer ce dernier sel à l'intérieur, soit par la bouche, soit par l'extrémité rectale. Il ne s'agit ici que de ce second mode d'administration.

Le sel d'argent, employé par injection rectale, déterminant parfois, même à très-petites doses, des coliques assez vives, M. Delioux a pensé qu'on obvierait à cet inconvénient, en même temps qu'on ferait bénéficier le malade des propriétés de l'albumine et de celles de l'azotate d'argent, en administrant ce sel en dissolution, ou dans l'eau albumineuse pure, ou dans l'eau albumineuse légèrement salée par le chlorure de sodium pour les doses élevées. Il a, en conséquence, adopté comme règle générale de prescrire des quantités égales d'azotate d'argent et de chlorure de sodium pour une quantité donnée de solution albumineuse. Ainsi, pour préparer un quart de lavement d'après cette formule, on prend :

Blanc d'œuf . . . . n° 1

On dissout dans :

Eau distillée. 250 grammes.

On filtre à travers un linge.

On prend d'un autre côté :

Azotate d'argent cristallisé	10, 20, 30	centigrammes.
Chlorure de sodium.	10, 20, 30	—

On fait dissoudre séparément les deux sels dans une très-petite quantité d'eau distillée : on verse dans la solution albumineuse d'abord la solution d'azotate d'argent ; — il se fait un précipité blanc floconneux ; — on ajoute aussitôt la solution de chlorure de sodium, et l'on agite vivement la liqueur avec une baguette de verre ; alors le précipité disparaît, la liqueur reprend sa transparence, ou conserve, si l'on a employé des doses plus fortes que ci-dessus d'azotate d'argent, une légère teinte opaline ; mais il ne se dépose plus aucun précipité. Il s'est formé une combinaison soluble d'azotate d'argent et d'albumine, à laquelle le chlorure de sodium ne prend aucune part, mais dont il favorise seulement et maintient la solubilité.

Cette solution d'azoto-albuminate d'argent, ou d'azotate double d'albumine et d'argent, ne doit être préparée qu'au moment d'être administrée.

M. Delioux affirme, après une longue expérience, que les lavements à l'azotate d'argent, ainsi préparés, ne déterminent presque jamais de coliques, et jamais de douleurs vives. Il serait donc rationnel, dans toutes les circonstances où l'emploi des lavements d'azotate d'argent est indiqué, de substituer cette formule à la dissolution dans l'eau distillée.

Le lavement au nitrate d'argent a été employé aussi avec avantage par M. Guérard, dans un cas d'entérite pseudo-membraneuse chez une malade de son service de l'Hôtel-Dieu ; mais, comme il s'était convaincu, dans un cas analogue qu'il avait eu l'occasion d'observer en ville, de l'insuffisance des petits lavements, la lésion diphthéritique existant dans les parties supérieures du gros intestin, il ne réussit dans ce dernier cas qu'en portant la quantité du liquide jusqu'à 4 litres, de manière que l'intestin se trouvât rempli jusqu'à la valvule iléo-cæcale. Le lavement avait été préparé de la manière suivante : la seringue était remplie presque jusqu'en haut avec une forte décoction de guimauve ; une solution de 50 centigrammes de nitrate d'argent dans 30 grammes d'eau distillée fut mise dans l'espace laissé vide ; on mit en place la canule et l'on administra promptement le lavement. La solution caustique, poussée la première, modifia la surface intestinale, qui fut ensuite lavée par la décoction de guimauve. (*Voy.* DIARRHÉE, DYSENTERIE, ENTÉRITE.)

Lavement arsenical. La médication arsenicale, tirée par les travaux de Boudin, de l'oubli ou du discrédit où elle était tombée en France, instituée par cet habile praticien sur une grande échelle pour le traitement des fièvres intermittentes, et étendue depuis au traitement d'un grand nombre d'autres affections, devait naturellement rappeler l'attention sur la méthode d'administration des préparations arsenicales par la voie rectale, déjà mise en usage très-anciennement. Boudin a eu recours aux lavements d'arsenic, lorsque les malades soumis au traitement arsenical étaient arrivés à la limite de la tolérance de ce médicament par l'estomac. Il l'a formulé ainsi : solution arsenicale, 50 grammes (soit 5 centigrammes d'acide arsénieux, la solution étant au 1,000e). Il a pu, dans un grand nombre de cas, porter la solution à 20 centigrammes d'acide arsénieux, sans provoquer aucun accident, ni même aucun phénomène d'intolérance, alors que les malades ne pouvaient plus supporter 1 centigramme d'acide arsénieux par la voie gastrique.

Nous venons de dire que la méthode d'administration de l'arsenic par la voie rectale avait été très-anciennement mise en usage. En effet, les lavements arsenicaux ont été conseillés par Cœlius Aurelianus pour détruire les vers intestinaux. Mais, comme le font très-justement remarquer les auteurs du *Traité de thérapeutique et de matière médicale*, il suffit de savoir quelles sont les parties de l'intestin habitées par les vers pour comprendre que ces lavements ne peuvent être utiles que pour la destruction des ascarides vermiculaires. Leur efficacité, dans ce cas, est incontestable. « A l'époque, dit Trousseau, où nous avions un service dans un hôpital d'enfants, nous avons eu souvent l'occasion de les employer. Pour un lavement de 200 grammes d'eau, on fait dissoudre 1 à 5 centigrammes d'arséniate de soude ou d'arsénite de potasse. Cette dose, qui serait énorme si elle était conservée, provoque une irritation assez vive, et par conséquent est rapidement rejetée ; mais le contact, quelque rapide qu'il soit, de la solution arsenicale avec les vers suffit pour les tuer. Un seul lavement suffit ordinairement pour détruire ceux qui existent ; mais il y faut revenir deux ou trois jours de suite, et ensuite deux ou trois fois encore, en laissant quatre jours d'intervalle, pour détruire les œufs d'ascarides et faire cesser toute chance de récidive. »

Lavements mercuriels. Le mercure à l'état de calomel a été employé en lavement au même titre que l'arsenic et pour remplir la même indication à l'égard des oxyures vermiculaires. Il suffit d'injecter dans le rectum une petite quantité de mucilage de gomme contenant en suspension 5 à 20 centigrammes de calomel. Ce moyen est peut-être moins fidèle que le précédent. Mais, si le calomel manque quelquefois son effet, il n'en est pas de même des préparations mercurielles solubles. Pour les adultes, il suffit de faire prendre, deux ou trois jours de suite, un quart de lavement, auquel on ajoute 5 centigrammes de bi-iodure de mercure dissous au moyen de 1/10e d'iodure de potassium, ou bien la même dose de bichlorure de mercure. La dose doit être quatre ou cinq fois moindre pour les enfants. Cette médication manque rarement son effet.

Lavements opiacés. On a déjà vu, dans ce qui précède, que l'opium est joint quelquefois à d'autres substances destinées à être administrées en lavement, dans le but de faciliter la tolérance de l'intestin pour ces substances. L'indication des lavements purement opiacés se présente souvent dans la pratique, soit que l'on se propose une action stupéfiante directe sur l'intestin ou sur quelque organe connexe ou voisin, soit que, dans le but d'obtenir une sédation générale, on ait des motifs pour s'adresser de préférence à ce mode d'introduction des narcotiques dans l'économie. Toutes les coliques généralement, de quelque nature qu'elles soient et quelles qu'en soient les causes, sont calmées par l'emploi des lavements opiacés. Les diarrhées avec ou sans coliques, la dysenterie en réclament aussi très-souvent l'emploi. Ils sont souvent mis en usage aussi, pour combattre les coliques néphrétiques et les coliques hépatiques. On y a eu recours quelquefois dans les cas de hernie étranglée, mais les lavements avec les solanées leur sont préférables. L'une des applications les plus utiles des lavements opiacés est celle que l'on en fait assez fréquemment pour modérer ou calmer les contractions utérines excessives dans le travail d'accouchement, ou les contractions inopportunes comme celles qui surviennent pendant la durée de la grossesse, et qui rendent une fausse couche imminente ; de même que pour combattre les tranchées utérines après l'accouchement. Les névralgies et les douleurs provoquées par la phlegmasie utérine sont également combattues avec avantage par les lavements opiacés. Enfin on a recours à ce moyen d'introduction de l'opium dans l'économie dans les circonstances où cet agent doit être administré à des doses très-considérables, comme dans le tétanos, par exemple, dans certains traumatismes graves ou à la suite de grandes opérations où il est nécessaire de plonger les malades dans le narcotisme pour prévenir l'explosion d'accidents consécutifs redoutables.

Les lavements opiacés ont été conseillés encore et employés, paraît-il, avec succès, par le docteur H. Bennet, contre le mal de mer. (*Voy.* MAL DE MER.)

Il prescrit le laudanum ou la solution de biméconate de morphine (solution de squirrhe) à la dose de 30 gouttes, dans 120 grammes d'eau chaude. (*The Lancet*, 1857.)

On n'administre guère généralement sous cette forme que le laudanum de Sydenham, le laudanum de Rousseau ou la décoction de pavot. Les doses moyennes sont de 10 à 20 gouttes environ de laudanum de Sydenham, de 5 à 10 gouttes de laudanum de Rousseau par lavement. Mais on conçoit que ces doses puissent varier infiniment selon les indications qu'on se propose de remplir et suivant l'habitude et le degré de tolérance connu des malades. En règle générale, sachant que l'absorption de l'opium introduit dans le rectum est plus active et plus rapide que lorsqu'il est administré par l'estomac, les doses de l'opium donné en lavement doivent être toujours un peu inférieures à celles que l'on ferait prendre par la bouche.

Quant au pavot, mode essentiellement infidèle et dangereux à la fois par la difficulté de le doser, la prudence veut qu'on ne mette pas plus d'une tête pour un lavement de 500 grammes. Mieux encore serait de s'en abstenir, si l'on n'était pas quelquefois réduit à ce seul moyen.

Lavements à la belladone. L'extrême activité de cette substance, sa facilité d'absorption par le gros intestin et les dangers si graves qu'entraîne l'administration de doses un peu élevées, doivent rendre très-circonspect sur son emploi en lavement. Les recueils périodiques de médecine renferment plusieurs exemples d'accidents très-graves d'empoisonnement produits par l'ingestion de doses d'extrait ou de décoction de belladone, qui pouvaient cependant ne pas paraître au premier abord très-exagérées (50 centigrammes d'extrait, par exemple). Aussi depuis que ces funestes exemples sont connus, l'usage de ces lavements est-il restreint à un très-petit nombre d'indications.

La belladone est donnée en lavement à la dose de 2 à 5 centigrammes d'extrait, comme adjuvant de l'administration de cette même substance par la bouche et en onction sur les parois abdominales, dans le traitement de la colique de plomb, d'après la méthode instituée par M. le docteur Malherbe (de Nantes).

On la prescrit, à la dose de 10 à 20 gouttes de teinture dans une petite quantité d'eau, pour combattre les douleurs utérines, la dysménorrhée, la rétention du flux menstruel, ou le spasme et la constriction de l'orifice utérin, dans certains accouchements laborieux.

Le docteur Holbrovek a prescrit des lavements avec l'infusion de feuilles de belladone contre la constriction spasmodique de l'urèthre. Mais il n'est pas dit avec quel résultat.

Les chirurgiens ont quelquefois utilisé avec avantage les lavements belladonés pour obtenir le relâchement des parties qui produisent la constriction de l'intestin dans l'iléus et la hernie étranglée. Considérant son action sur la contractilité des tissus, le docteur B. Hanius a eu l'idée d'employer les lavements de belladone dans les cas d'iléus, en 1835, et il l'a fait avec succès. (*Journal der practischen Heilkunde* de Hufeland et Osann.) On trouve, notamment, dans un journal américain de 1837, traduit par la *Gazette médicale* (1838), quatre exemples très-remarquables de hernies étranglées, réduites avec le secours des lavements de belladone. Mais la dose administrée dans ces circonstances a été telle (1 gros (4 grammes) de racine de belladone infusés dans 12 onces d'eau et divisés en 3 parties), que nous n'oserions conseiller d'imiter cet exemple.

Le *datura* pourrait au même titre que la belladone et dans des conditions analogues être administré en lavement. Nous ne sachons pas qu'il ait été employé de cette manière. Il ne faudrait pas oublier, en tout cas, si l'on jugeait à propos d'y avoir recours, que, comme tous les agents toxiques livrés à cette voie d'absorption, le datura injecté par le rectum détermine des effets beaucoup plus rapides que lorsqu'il est porté dans l'estomac.

Lavements de tabac. C'est particulièrement dans le traitement de l'iléus ou du volvulus et de la hernie étranglée que les lavements de fumée ou d'infusion de tabac ont été conseillés. Ils sont très-usités en Angleterre où ils ont été préconisés déjà par Sydenham, et depuis par Mertens, Abercrombie, Schœffer, Bott et d'autres. Schœffer à l'exemple de Sydenham prescrivait les lavements de fumée de tabac. Pott, au lieu de fumée, donnait le tabac en infusion, à la dose de 4 grammes de feuilles de tabac pour 500 grammes d'eau. En France, l'application de ce moyen a été beaucoup plus restreinte, quoiqu'il ait été très-préconisé par Lisfranc. On lit de loin en loin seulement dans les journaux de médecine quelques relations de cas d'iléus ou de hernie étranglée qui ont été traités par ce moyen. Les *Annales de la chirurgie française et étrangère* de 1843 rapportent deux cas de volvulus qui auraient été traités avec succès par M. Berruyer à l'aide de lavements de tabac. La *Gazette des hôpitaux*, de 1858, signale un fait dans lequel le lavement de tabac a été associé à l'usage de la belladone, ce qui en diminue la valeur comme témoignage de l'efficacité du tabac. Le Bulletin de la Société de médecine de Poitiers (1864) rapporte une observation très-intéressante de guérison d'un étranglement interne récidivé à l'aide des lavements de tabac, communiquée à cette Société par les docteurs Gaillard et Albert. Mais voici venir le revers de la médaille. On trouve dans le *Bulletin général de thérapeutique* (1843) une relation de M. le docteur Ch. Japiot, qui fait connaître un cas d'accidents toxiques terminés par la mort, à la suite de l'administration du tabac en lavement dans un cas de hernie étranglée. La dose de tabac administrée dans cette circonstance était de 15 grammes en décoction dans la quantité d'eau nécessaire pour un lavement entier, dose élevée, sans doute, mais encore inférieure à celle qui est indiquée dans quelques formulaires. On trouve dans le journal de Vandermonde un cas de hernie étranglée, guérie par un lavement fait avec la décoction de 1 once (30 grammes) de tabac dans 2 livres (1 kilogr.). Personne aujourd'hui n'oserait prescrire cette dose. Les lavements de tabac sont avantageusement remplacés, d'ailleurs, dans ces circonstances, par les lavements de belladone ou de datura. (*Voy.* ILÉUS.)

La colique de plomb a été traitée aussi par les lavements de tabac. On les a longtemps employés comme purgatifs, mais ils sont à la fois inefficaces et dangereux. On les a appliqués avec plus de raison comme anthelminthiques.

Enfin c'est surtout comme moyen de combattre l'asphyxie, et en particulier l'asphyxie par submersion, que les lavements de fumée de tabac ont eu le plus de vogue. On y a à peu près généralement renoncé aujourd'hui.

La *valériane,* dont les indications sont bien connues, trouve assez souvent son emploi en lavements. On l'administre à la dose de 8 à 16 grammes en décoction.

L'*asa fœtida,* à raison de la qualité qu'exprime si bien son adjectif, n'est guère administré que sous cette forme. On le prescrit à la dose de 4 à 8 grammes délayé dans un peu d'huile ou dans un jaune d'œuf pour 100 grammes d'eau environ. C'est un des médicaments les plus sûrs et les plus fidèles que nous connaissions contre certains phénomènes hystériques. Nous en avons plusieurs fois obtenu de très-bons résultats.

Le *musc*, si utile dans quelques épiphénomènes nerveux des phlegmasies pulmonaires ou de fièvres graves, peut être donné par la voie rectale, mais on n'a que très-rarement l'occasion d'y recourir sous cette forme.

Le *castoréum* est plus souvent administré ainsi, sous forme de teinture, uni aux teintures d'aloès et d'asa fœtida, et à la dose de 4 grammes. Cette préparation est surtout employée dans l'aménorrhée dépendant d'une sorte de ténesme utérin et qui s'accompagne du gonflement douloureux du ventre, et dans certaines coliques nerveuses.

Le *camphre* est administré sous cette même forme à peu près dans les mêmes conditions que le musc et le castoréum, à la dose moyenne de 4 grammes, délayé dans un jaune d'œuf pour 500 grammes de décoction de graine de lin ou de guimauve. Ses propriétés sédatives et anaphrodisiaques l'ont fait prescrire souvent dans les dysuries et les maladies des voies urinaires.

L'*éther*, dans quelques circonstances exceptionnelles où il était impossible de le faire accepter par l'estomac, a pu être donné avec succès en injection dans le gros intestin.

M. le docteur Laffont de Sainte-Hélène (Gironde) a fait cesser à plusieurs reprises un accès de manie furieuse chez une femme à l'aide d'un lavement d'éther (4 grammes d'éther sulfurique dans 125 grammes d'eau fraîche).

Le *quinquina* et son principe actif, le *sulfate de quinine*, quand ils sont impérieusement indiqués et que l'état de l'estomac n'en permet point l'administration par la voie ordinaire, peuvent être confiés à la voie rectale. Voici les deux principales formules pour ce mode d'administration.

LAVEMENT DE QUINQUINA.

Quinquina jaune royal . . . . 20 grammes.

Faire bouillir pendant une demi-heure dans :

Eau commune, q. s. pour colature . . . . 250 —

Passez et ajoutez :

Laudanum de Sydenham . . . . 12 gouttes.

LAVEMENT DE SULFATE DE QUININE.

Sulfate de quinine . . . . 1 gramme.
Décoction de pavot. . . . . 150 grammes.
Acide sulfurique alcoolisé, quelques gouttes pour dissoudre le sulfate.

Lavements vineux et alcooliques. La difficulté qu'on éprouve à faire pénétrer par l'estomac une certaine quantité de toniques, et surtout de vin, sans apporter un trouble marqué à l'accomplissement des fonctions digestives, et d'un autre côté les avantages qu'il y a, dans certains cas, à porter dans le torrent circulatoire, et par suite dans tous les organes, une assez grande quantité d'un liquide aussi vivifiant, ont engagé plusieurs praticiens à recourir à la voie d'introduction rectale. Hoffmann avait eu déjà cette idée, et l'avait même mise en pratique, mais elle avait été presque entièrement perdue pour ses successeurs. Il faut arriver jusqu'à notre époque pour voir remettre cette pratique en honneur.

Dans un cas de métrorrhagie par inertie de la matrice après la délivrance, qui avait résisté à tous les moyens employés, et ne put être arrêtée que par la compression de l'aorte, la malade étant épuisée et dans l'état le plus alarmant, absence du pouls, refroidissement des extrémités, sueur froide, jactitation, relâchement des sphincters, etc., indiquant l'imminence d'une terminaison fatale, et en présence de l'impossibilité d'administrer des stimulants par la bouche, un médecin anglais, le docteur Llewellyn Williams a eu recours aux lavements froids de vin d'Oporto, d'abord à la dose de 4 onces avec vingt gouttes de teinture d'opium. Deux minutes après le premier lavement, le pouls radial reparaissait d'abord faible, puis augmentant de force pendant cinq minutes, il faiblit ensuite de nouveau. Deuxième lavement : vingt minutes après, amélioration marquée. — La malade reprend connaissance. — Demi-heure après, troisième lavement. — Après dix heures, la malade est hors de danger. — Employé un peu plus d'une bouteille ordinaire de vin. (*British Medical Journal.*)

M. Herpain cite le fait d'un soldat, qui à la suite d'une variole fut pris d'une gastro-entérite, puis d'une péritonite, qui acquirent des proportions menaçantes. Son état général était des plus alarmants, lorsque M. Herpain prescrivit les lavements de vin (vin vieux de Bordeaux), renouvelés trois fois par jour. Les deux premiers jours ils furent mal supportés, M. Herpain ayant ajouté 60 grammes de sirop simple aux 100 grammes de vin, ceux-ci furent bien supportés, et la diarrhée ne tarda pas à s'arrêter. Le mieux se manifesta et alla croissant à partir de là.

Cazin, dans son *Traité des plantes médicinales indigènes*, recommande contre la diarrhée chronique un traitement qui consiste dans l'emploi des lavements de vin et dans l'administration des œufs crus pour nourriture exclusive.

Telles étaient à peu près les seules indications qui existaient dans la science sur l'emploi de ce moyen, lorsque en 1854 Aran eut dans le service dont il était chargé alors à l'Hôtel-Dieu, une femme affectée depuis treize semaines d'un dévoiement que rien ne pouvait arrêter, et qui présentait avec un état anémique des plus prononcés, un œdème des jambes, sans affection du cœur ni urines albumineuses. Trois lavements de vin furent administrés tous les jours à cette malade, et sans être immédiat ni complet, le résultat de ce traitement fut des plus remarquables ; le nombre des selles diminua, mais surtout les forces revinrent, l'œdème disparut, la face prit une coloration plus naturelle et la malade put être occupée dans la salle comme infirmière.

Frappé surtout de l'influence exercée sur l'état général de cette malade par les lavements de vin, Aran se demanda si dans la convalescence des maladies graves, alors que les fonctions digestives sont encore languissantes, on ne pourrait pas abréger la convalescence par ce moyen ; si même dans les cas où l'estomac ne pourrait pas tolérer des aliments, et encore moins des toniques, il ne serait pas possible de soutenir momentanément et de relever les forces des malades à l'aide de ces lavements. L'occasion s'étant présentée de vérifier cette prévision, l'événement est venu montrer à Aran qu'il ne s'était pas trompé. Il a eu recours depuis aux lavements de vin dans la convalescence de toutes les maladies graves, lorsque cette convalescence marchait avec lenteur, et surtout lorsque les fonctions digestives conservaient une susceptibilité morbide qui mettait obstacle à la nutrition. Il y a eu recours avec le même succès dans des cas où une diarrhée persistante compromettait gravement la nutrition pendant la convalescence. Dans la fièvre typhoïde, en particulier, il a vu, à la fin de la maladie, les lavements de vin continués pendant plusieurs jours triompher définitivement de la diarrhée et ramener très-rapidement à une convalescence parfaite des malades dont la vie semblait compromise. Mais une des maladies dans lesquelles Aran a dit avoir observé les effets les plus inattendus, c'est la phthisie pulmonaire. En employant ces lavements chez les phthisiques, il avait seulement en vue de faire cesser la diarrhée. Il fut assez heureux pour obtenir ce résultat ; mais en même temps que la diarrhée se suspendait, il remarqua que les malades éprouvaient une amélioration inespérée dans leur état général. Malheureusement leur action s'arrête devant la lésion pulmonaire, et cette amélioration n'est que temporaire.

Les essais d'Aran ne se sont pas bornés là. Il a employé les lavements vineux chez les dyspeptiques, et en particulier dans la forme gastralgique de la dyspepsie et dans la gastralgie accompagnée de vomissements.

Mais la maladie dans laquelle les effets des lavements de vin ont donné, au dire d'Aran, les résultats les plus surprenants, est la chlorose. Il a vu sous l'influence de cette médication, les forces reparaître en quelques jours, tandis que l'œdème et la bouffissure disparaissaient, les palpitations et l'essoufflement ne se montrer plus qu'après un exercice violent, l'appétit devenir meilleur, les maux d'estomac et la sensation de défaillance faire place à un sentiment de force et de bien-être; puis la coloration devenir meilleure, les bruits de souffle vasculaire cesser d'être continus, et le bruit de souffle intermittent perdre beaucoup de son intensité. Bref, les chlorotiques, dit Aran, se trouvaient ramenées aux conditions normales de la santé, et sortaient de l'hôpital dans un état au moins aussi bon que si elles eussent été soumises à un traitement par les ferrugineux.

Enfin les lavements vineux, d'après ce même observateur, lui auraient rendu encore de grands services dans divers autres états morbides, caractérisés par la faiblesse, et en particulier dans les cachexies paludéenne, syphilitique, cancéreuse, dans certains cas d'anasarque, en un mot dans toutes les circonstances qui réclament l'intervention des stimulants.

L'utilité de cette médication a été constatée, depuis lors, dans diverses conditions d'asthénie par plusieurs praticiens, notamment par M. Blache, qui a rappelé à la vie à l'aide de ce moyen, des enfants dont l'état lui paraissait tout à fait désespéré; par M. le docteur Giraud (de Draguignan), qui les a administrés avec succès chez un enfant de 2 ans et demi, atteint de rachitisme très-prononcé, avec engorgement des tissus blancs de toutes les articulations, et qui avait été soumis jusque-là sans avantage aux préparations ferrugineuses iodurées, et aux toniques sous toutes les formes; et chez un enfant de 6 ans affaibli par une longue maladie, et qui a vu revenir promptement ses forces sous l'influence de ce traitement.

Les lavements vineux ont encore rendu de très-grands services dans les cas de syncope hémorrhagique. Dans une circonstance de ce genre où la transfusion semblait devoir être l'unique ressource, l'ancien rédacteur en chef du *Bulletin général de thérapeutique*, le docteur Debout, à l'exemple du docteur Williams, a été assez heureux pour sauver une femme presque expirante, par le concours de l'application du marteau de Mayor et des lavements de vin. Cette pratique a été heureusement imitée, depuis, par M. le docteur Charrier dans un cas analogue, avec cette seule différence qu'il a associé l'opium au vin dans le lavement.

Aran, qui a étudié avec beaucoup de soin cette médication, décrit ainsi les phénomènes qu'il a observés.

Les lavements de vin déterminent, dans les premiers jours de leur emploi, lorsque la personne qui y est soumise n'y est pas encore habituée, des phénomènes particuliers, qui varient suivant la dose de vin qui a été injectée et suivant la susceptibilité individuelle. Ces phénomènes sont ceux de l'ivresse, mais d'une ivresse dont les suites sont bien différentes de celles produites par l'ingestion des alcooliques dans l'estomac. Huit ou dix minutes après le lavement, lourdeur de tête, besoin de dormir, face animée, yeux brillants, pupilles dilatées, peau moite, accélération des battements artériels, et quelquefois un peu d'excitation ou même de délire gai ; mais ces derniers phénomènes ne se montrent que chez les malades qui sont restés debout et qui ont continué à causer. Les malades qui se couchent après l'injection s'endorment en général profondément et se réveillent le lendemain matin frais et dispos, sans aucune trace d'ivresse et sans aucun trouble des fonctions digestives.

Ce qui a frappé particulièrement l'attention d'Aran, dans les effets des lavements de vin, c'est l'impression plus grande produite sur le système nerveux par une dose de vin qui resterait presque sans effet général si elle était ingérée dans l'estomac.

Relativement aux quantités de vin à injecter dans le rectum, voici quelques-uns des préceptes qu'il a formulés. Cette quantité varie naturellement suivant la somme d'effets que l'on veut obtenir. Un quart de lavement de vin, soit 150 grammes, suffit souvent pour amener une stimulation convenable dans les cas légers et chez les personnes impressionnables. Il faut aller jusqu'à 250 et 350 grammes en une seule fois dans les cas graves et rebelles. La dose peut être moindre si, au lieu d'un seul lavement, on en fait prendre deux. Cette stimulation, répétée deux fois dans les vingt-quatre heures, a paru avoir une influence très-heureuse, surtout chez les chlorotiques, et accélérer beaucoup la guérison. En général, cependant, un lavement dont la dose varie de 150 à 250 grammes de vin rouge de bonne qualité paraît suffire. Il est nécessaire, chez les personnes susceptibles et peu habituées à la stimulation alcoolique, d'accoutumer peu à peu l'économie à en tolérer l'action, en leur administrant pendant quelques jours des quarts ou des demi-lavements d'eau vineuse. Il va de soi que les effets des lavements vineux varient beaucoup suivant les conditions de sexe, d'âge, de constitution et d'habitude, et qu'on en devra régler les doses d'après ces diverses convenances. Debout, qui a expérimenté ces lavements dans une contrée de la Picardie, où l'usage du vin est tout à fait inconnu, a remarqué que les effets de ce traitement se montraient bien autrement puissants chez ces campagnards que parmi les malades de Paris auxquels il avait eu occasion de le prescrire. C'est là une condition dont il y a évidemment lieu de tenir compte dans la pratique.

Les lavements vineux ont en outre, à côté de leurs avantages, leurs inconvénients. Borellus rapporte qu'une femme fut enivrée par un lavement de vin. On trouve dans les *Transactions philosophiques* divers faits analogues d'hommes plongés momentanément dans un état de délire ébrieux à la suite de lavements alcooliques. C'est au médecin de régler l'emploi de ce moyen suivant les conditions organiques et les habitudes hygiéniques des malades et d'en surveiller les effets. Ces inconvénients, qui peuvent d'ailleurs être évités, ne sauraient en neutraliser les effets véritablement avantageux.

Les substances balsamiques, telles que le *cubèbe*, le *copahu*, la *térébenthine*, les *baumes de Tolu, du Pérou, de la Mecque*, le *benjoin*, le *styrax* peuvent être facilement administrées par la méthode intestinale ou par la voie gastrique, à peu près indifféremment dans toutes les circonstances où elles sont indiquées, mais avec plus d'avantage par l'intestin, pour quelques-unes d'entre elles que le dégoût qu'elles inspirent ou la répugnance de l'estomac lui-même ne permettent que difficilement d'introduire par la bouche. Le cubèbe a été expérimenté sous cette forme dans la blennorrhagie par le professeur Velpeau, qui le prescrivait de préférence au copahu. Le lavement de cubèbe se compose de 8 grammes de cette substance en poudre dans 160 à 192 grammes d'un liquide oléagineux. Ce mode d'administration a réussi entre les mains d'autres médecins.

Le copahu a été administré par Velpeau de la même manière. Dans un mémoire publié en 1827 dans les *Archives générales de médecine*, et dans lequel il a réuni ses expériences sur ces deux agents du traitement de la blennorrhagie, le cubèbe et le copahu donnés en lavements, il est question de 30 cas relatifs à cette dernière substance. Voici ce qu'on peut en conclure :

Le baume de copahu donné par l'anus diminue à peu près constamment les écoulements blennorrhagiques, soit chez l'homme, soit chez la femme. Dans beaucoup de cas, il les supprime complétement au bout de quatre, cinq, six, sept ou huit jours ; plus souvent il les réduit au tiers ou à la moitié de leur abondance, et, règle générale, après le huitième ou dixième lavement, son action devient nulle s'il n'a pas complétement réussi. Il faut en augmenter graduellement la dose, en commençant par 8 grammes et l'élevant progressivement jusqu'à 32 grammes. On le suspend dans le jaune d'œuf ou dans un mucilage quelconque, la gomme, la guimauve, le lin. Si le rectum est très-irritable, on ajoute 5 centigrammes d'extrait aqueux d'opium, et dans le cas de douleurs excessives de l'urèthre, d'érections pénibles, etc., on y mêle quelques centigrammes de camphre. L'état le plus aigu de la chaude-pisse ne contre-indique pas le copahu, Velpeau affirmant ne l'avoir jamais vu produire d'accidents. Le lavement doit être pris sous le plus petit volume possible et gardé longtemps. On aura soin, en pratiquant l'injection, de ne pas humecter les sphincters avec le contenu de la seringue, le contact de ce liquide sur l'extrémité du rectum pouvant causer des épreintes cuisantes susceptibles de provoquer l'expulsion du remède.

Le copahu en lavement a guéri entre les mains de Velpeau plusieurs blennorrhagies chez des femmes, chez qui elles sont ordinairement si rebelles.

Bretonneau a employé avec succès les lavements de copahu dans le traitement du catarrhe chronique de la vessie, ainsi que dans le catarrhe pulmonaire chronique. Il a dû à cette médication la guérison d'un catarrhe pulmonaire chronique qui avait longtemps passé pour une véritable phthisie avec fonte tuberculeuse.

La *térébenthine* a été administrée en lavement par Van Swieten dans les dévoiements colliquatifs dus à la résorption du pus chez les phthisiques arrivés au dernier degré de la fonte tuberculeuse des poumons. Rien, dit-il, ne lui paraît plus propre à calmer cette diarrhée et à prolonger les jours du malade, abrégés si souvent par cet accident, que les lavements préparés avec 1 gros (4 grammes) de térébenthine bien purifiée, triturée avec un jaune d'œuf, en y ajoutant une demi-once (15 grammes) de thériaque et 4 onces (120 grammes) de lait. Ce lavement doit être gardé le plus longtemps possible. (*Voy.* PHTHISIE.)

Le lavement de térébenthine trouve aussi son emploi dans les diverses circonstances où ce médicament est indiqué, savoir : dans les catarrhes chroniques de la vessie, dans les névralgies, et principalement les sciatiques, dans les coliques hépatiques.

Le docteur Elliotson (de Londres) a employé avec succès le lavement térébenthiné contre l'aménorrhée rebelle, chez des jeunes filles de 16 à 18 ans.

Les lavements de térébenthine font partie du système de traitement institué pour la fièvre typhoïde par M. le docteur Worms. Nous nous en sommes servi plusieurs fois avec avantage.

Les lavements de *borate de soude* ont été préconisés par M. Bouchut dans les diarrhées idiopathiques, nerveuses ou catarrhales des enfants, capables d'entraîner la mort et qui ne laissent après elles aucune trace matérielle appréciable. Ce médecin a été guidé dans le choix de cet agent et dans son administration sous cette forme par les succès que donne le borate de soude dans les maladies de la muqueuse buccale. D'après l'expérience répétée qu'il en a faite à l'hôpital Sainte-Eugénie, sur des enfants atteints de diarrhée, l'action topique du borate de soude sur la membrane muqueuse du gros intestin serait très-efficace dans cette circonstance. Il pense que ce sel agit à la fois comme astringent faible et comme substance alcaline destinée à neutraliser l'acescence des liquides du gros intestin. Quoi qu'il en soit de ce mode d'action, le borate de soude aurait sur quelques-uns des autres lavements usités en pareil cas, tels que le lavement au nitrate d'argent, par exemple, l'avantage de n'être point trop irritant et de ne point altérer le métal des instruments destinés à leur administration.

La formule de ce lavement est la suivante :

Eau	125 grammes.
Borate de soude.	10 à 15 et 20 —

Si l'on augmentait la quantité de borate de soude, il faudrait également augmenter la quantité d'eau, le borax n'étant pas très-soluble. (*Voy.* Diarrhée.)

Lavements composés. Nous venons d'indiquer les principaux lavements médicamenteux, ceux en particulier qui doivent leur action à la présence d'un médicament spécial, plus ou moins actif. Il nous resterait à citer quelques exemples de lavements composés, c'est-à-dire contenant une réunion de substances destinées à concourir à une action commune. Tels sont, entre autres, le lavement dit anodin des peintres, composé d'huile de noix, 200 grammes, et de vin rouge, 400 grammes; le lavement purgatif des peintres : séné 8 grammes, eau bouillante 500 grammes, jalap en poudre 4 grammes, diaphonix 30 grammes, sirop de nerprun 30 grammes; le lavement anthelminthique : mousse de Corse 12 grammes, eau 375 grammes, huile de ricin 30 grammes; le lavement antiseptique : camphre 3 grammes, quinquina jaune et serpentaire de Virginie, de chacun 15 grammes pour 500 grammes d'eau; le lavement d'Hoffmann contre l'entérite et la dysenterie chroniques, avec le baume de Locatelli, composé d'huile de fleurs d'hypericum, de vin d'Espagne, de santal rouge, de térébenthine de Venise et de baume du Pérou, etc.

Nous citerons encore, entre autres formules particulières, celle de M. Richart contre l'invagination et l'étranglement intestinal : décoction de fleurs de mauve, de mélilot et de camomille; faites infuser rue récente et pilée, ajoutez 5 grammes de sel ammoniac, 60 grammes d'huile de noix et 60 grammes de miel de mercuriale, pour deux lavements à prendre à deux heures de distance; — la formule de Newbold : sous-acétate de plomb 40 centigrammes, eau distillée tiède 300 grammes, acide acétique étendu de 4/5 d'eau, 8 grammes; — et le lavement de Valérius d'Arlon contre la dysenterie : alun cru 8 à 12 grammes, extrait de valériane 4 grammes, laudanum 1 gramme, amidon 30 grammes, décoction de guimauve 500 grammes, pour deux lavements à prendre en vingt-quatre heures.

Lavements nutritifs. L'application des lavements à l'alimentation est presque aussi ancienne que l'usage du lavement lui-même.

Les lavements alimentaires ont été prescrits par Hippocrate, par Celse, Oribase, Avensoar. Mais c'est surtout à dater de la fin du seizième siècle que les médecins retirent cette utile pratique de l'oubli où elle paraissait tombée. Parmi ses plus ardents défenseurs on cite Bartholin, Mercuriali, Tulpius, Peyer. M. Colson (thèse) cite, d'après Hildanus, l'exemple d'une femme grosse qui avait un dégoût invincible pour toutes sortes d'aliments, et qui se tira d'affaire avec son enfant par le moyen des clystères nourrissants; et, d'après Tiengius, celui d'une femme qui fut nourrie avec des lavements de lait et de jaunes d'œuf. Les médecins espagnols et italiens donnaient ces sortes de lavements non-seulement aux malades qu'on ne pouvait nourrir autrement, mais encore aux femmes hystériques.

Généralement on prescrit les lavements alimentaires dans toutes les circonstances où les aliments ne peuvent être introduits dans l'estomac, comme dans les maladies organiques du pharynx et de l'œsophage, dans le cancer de l'estomac, dans les cas de vomissements incoercibles, quelle qu'en soit la cause, et dans tous les cas où le malade tombe dans un état de défaillance par défaut et impossibilité d'alimentation par les voies naturelles. Ces lavements nutritifs sont ordinairement composés de bouillon de viande mélangé ou non avec du vin; de solutions gélatineuses, de décoctions de pain, de lait, etc.

Quand on administre des lavements nutritifs, il ne faut point perdre de vue que le gros intestin n'est point un organe de digestion, et que les liquides, pour être convertis en sang, ont, de même que les aliments solides, besoin d'être soumis au travail de la chylification. Il se trouve bien de la bile dans le gros intestin, mais il n'y existe aucun des fluides salins qui servent à la digestion. Pour y suppléer, le docteur Nasse fait ajouter aux bouillons une quantité suffisante d'acide hydrochlorique pour leur donner une saveur aigre; de plus, il laisse macérer préalablemant dans l'estomac d'un bœuf encore frais les substances végétales qui doivent entrer dans la composition de ces sortes de lavements. (*Korn's, Nasse's und Wagner's Archiv.*, 1854.) Les lavements nutritifs ou alimentaires doivent, enfin, être donnés au degré ordinaire de la température du corps, afin d'être plus sûrement conservés et absorbés.

Instrumentation. L'instrument dont se servaient les anciens pour administrer les clystères consistait en une vessie préparée et dont l'ouverture était fortement fixée par un lien à un roseau, une branche de sureau ou toute autre tige creuse, La vessie remplie de liquide, il suffisait de presser dessus des deux mains pour faire sortir le liquide par l'orifice de la tige. On trouve dans Hippocrate (*Traité des maladies des femmes*) la description d'un appareil un peu plus compliqué, destiné aux injections vaginales. La tige conductrice, fixée à la vessie formant réservoir, était mince et lisse du bout et percée de plusieurs petits trous sur ses parois, indépendamment de son ouverture terminale. « Clysteris quidem summa pars lævis esto, velut specilli argentea, supra quam interjecto parvo spatio foramen perforetur. Sint autem et alia foramina hinc et inde singula æqualiter inter se distantia, ex obliqua clysteris parte æqualia singula, non magna sed angusta, etc. » Cet appareil à injection n'était évidemment qu'une modification de l'appareil destiné aux clystères.

Un instrument analogue est décrit dans Avicenne, qui lui a déjà fait subir quelques modifications importantes, au point d'en faire même un instrument nouveau.

La description en est assez obscure et très-compliquée. Ce qui en ressort de plus clair, c'est que c'est un appareil à double courant, pourvu de deux canules, l'une servant à diriger l'eau du réservoir dans le rectum, l'autre destinée à livrer passage aux gaz contenus dans l'intestin.

Aujourd'hui, encore, dans nos campagnes et dans quelques contrées européennes notamment en Hollande, on se sert de l'appareil primitif des anciens, d'une vessie de porc emmanchée d'une tige creuse de sureau ou de roseau. D'après Malgaigne, les paysans de la Lorraine se servent journellement d'une vessie ou d'une outre fixée à une canule pour administrer les clystères aux bestiaux. Les Arabes et les paysans de quelques-unes de nos contrées se servent d'un instrument beaucoup plus simple encore et plus primitif, et qui a dû être inventé par les premiers pasteurs, c'est une corne de bœuf dont la pointe a été perforée. Cette pointe forme une canule naturelle et la pression seule de l'eau contenue dans la cavité de la corne suffit pour la faire pénétrer dans le rectum.

La seringue, de σῦριγξ, *syrinx*, fistule, flûte, composée de trois parties distinctes, d'un réservoir ou récipient en forme de cylindre creux en métal, le plus habituellement en étain, d'une canule ou siphon adaptée à l'extrémité antérieure du cylindre et d'un piston muni d'une tige et glissant à frottement dans ce cylindre, pour chasser devant lui le liquide qui y est contenu, la seringue classique, en un mot, est d'invention relativement moderne ; elle ne paraît pas remonter au delà du quinzième siècle; on l'attribue généralement à Marcus Gatinaria ou Gatenaria, qui mourut en 1496. « Ce qui doit assurer à Gatenaria, dit Malgaigne (Introduction à la *Chirurgie* d'A. Paré), une juste et inépuisable reconnaissance, c'est qu'il est l'inventeur de cet instrument si simple à la fois et si ingénieux, si bien apprécié, qu'il est devenu chez toutes les nations, d'un usage vulgaire, et que par là même les médecins ont cru de leur dignité de ne plus en souiller leurs mains : la seringue, en un mot, qui, modifiée sous toutes les formes, appropriée à une foule d'opérations, est encore de nos jours un des instruments auxquels le chirurgien a le plus souvent recours. Gatenaria décrit la seringue sous le nom d'instrument à clystère, et il juge même nécessaire d'en donner la figure ; mais, comme la plupart des inventeurs de cette époque, il n'ose pas de sa propre autorité introduire une si grande innovation dans la pratique ; il se réfugie derrière Avicenne, qui en a donné la description, dit-il, mais qui a été mal comprise par plusieurs. Cette déclaration du modeste auteur, ajoute Malgaigne, nous oblige cependant de déclarer qu'il n'y a absolument rien de semblable dans Avicenne. » M. Colson, dans la thèse citée, fait une querelle au savant commentateur d'Amb. Paré, qui se serait trompé, dit-il, sur la date et sur l'auteur de l'invention de l'instrument en question ; il lui reproche surtout la décision tranchante qui termine le passage que nous venons de rapporter. Sans doute, Malgaigne est dans l'erreur quant il dit qu'il n'y a absolument rien de semblable dans Avicenne. Mais il suffit de mettre en regard la description de l'instrument d'Avicenne et celle de la seringue moderne, pour se convaincre qu'il n'y a entre ces deux instruments qu'une analogie très-éloignée, et que si Gatenaria, qui a eu d'ailleurs l'extrême bonne foi d'en convenir, s'est inspiré de cette description d'Avicenne, pour imaginer sa seringue, il a évidemment poussé trop loin la modestie en reportant sur l'auteur arabe tout le mérite de sa propre invention. C'est donc avec raison que Malgaigne attribue à Gatenaria l'honneur d'avoir inventé la seringue en usage de nos temps. Garengeot, qui la décrit dans son *Histoire des instruments de chirurgie*, indique quelques-unes des modifications qu'on peut faire subir aux canules selon diverses circonstances, il décrit en particulier une canule à extrémité mousse, en olive, pour les personnes affectées d'hémorrhoïdes.

La seringue classique, qui compte à son avoir de si nombreux services, avait un inconvénient. Elle réclamait l'intervention d'un agent officieux. C'était une sujétion quelquefois nécessaire, il est vrai, mais à laquelle n'eût pas été fâché de se soustraire tout individu libre de ses mouvements et ayant l'usage de ses deux mains. Il fallait trouver un moyen de supprimer cet agent. L'invention de la canule recourbée ou coudée a réalisé ce progrès. Ce fut d'abord une simple canule courbe substituée à la canule droite que l'on adapta à la seringue ordinaire. En appliquant le pommeau du piston contre le mur ou un meuble, on s'administrait ainsi assez aisément un lavement soi-même. Plus tard on perfectionna cette modification en imaginant la canule coudée à angle droit reposant sur une lame métallique plane; c'est la seringue dite à bidet, qui était généralement en usage durant les vingt ou vingt-cinq premières années de ce siècle. Nous ne savons au juste à quelle époque il faut en faire remonter l'invention. Nous en avons trouvé le premier dessin très-complet et très-bien fait dans un atlas chirurgical de Brambilla publié en 1780.

Des modifications diverses, mais dont il serait trop long d'indiquer ici les détails. ont été introduites soit dans la forme et dans le mo a de propulsion du piston, soit dans l'agencement et la disposition des canules.

Nous rappelerons, en particulier, le piston dit *à double parachute*, imaginé par M. Charrière pour donner la plus grande précision possible au jeu de l'instrument et prévenir soit l'introduction des bulles d'air que laissaient passer les pistons ordinaires, soit le retour rétrograde du liquide, ainsi que la graduation régulière des différents calibres des corps de seringue, correspondant à des mesures exactes de capacité et celle des canules. (Thillage, *Rapp. à l'Acad. de méd.*, 28 sept. 1841). Il nous faut citer, en outre, ici, la seringue à double canule et à deux soupapes de Read, reproduite avec quelques variantes en France, la seringue à double effet de Robert et Mathieu.

En 1832, un pharmacien de Paris, M. Petit importait en France, en la perfectionnant, la seringue à pompe employée en Angleterre. Cette seringue de six pouces et demi de longueur, sur huit lignes de diamètre, était en tout semblable, pour le mécanisme, aux pompes foulantes et aspirantes ordinaires, et particulièrement aux pompes portatives dont on se sert, en été, pour arroser le devant des maisons; elle en différait seulement en ce qu'au lieu de clapet elle renfermait un système de soupapes beaucoup plus simple et moins sujet à dérangement. Ce sont deux petites boules métalliques destinées, l'une (inférieure) à s'opposer au refoulement du liquide dans le vase, par l'orifice qui lui a donné entrée, l'autre (latérale) à empêcher la rentrée du liquide dans le corps de pompe, une fois que le piston, en s'abaissant, l'aura poussé dans le cylindre latéral qui doit le transmettre au dehors. L'extrémité de ce cylindre est destinée à recevoir le petit bout d'un tuyau flexible, dont l'autre extrémité reçoit à son tour la canule.

Ces différentes pièces étant adaptées, voici comment on devait faire usage de l'instrument : on plaçait devant soi, sur une table ou sur une chaise, selon qu'on voulait prendre le lavement debout ou assis, le vase contenant le liquide qu'on se proposait d'injecter; on y plongeait l'extrémité inférieure de la seringue; d'une main on la forçait et de l'autre on donnait un coup de piston pour chasser l'air contenu dans l'appareil et le remplacer par le liquide; puis on introduisait la canule, que la contraction du sphincter maintenait en place. Cela fait on procédait à l'injection, en élevant et en abaissant alternativement le piston. Avec cet instrument l'injection se faisait à la vérité plus lentement et par saccades, mais il permettait d'augmenter ou de diminuer à volonté la force de projection et de ne faire pénétrer à la fois, si on le désirait, qu'une petite quantité de liquide. On pouvait également, à volonté et sans qu'on fut obligé de se déranger, injecter une masse considérable de liquide. C'était là, avec les petites dimensions de l'instrument qui permettaient de le renfermer dans une petite boîte facilement portative, un des avantages principaux de cet appareil.

Depuis lors, le génie inventif de nos fabricants d'appareils et d'instruments de chirurgie s'est exercé à qui mieux mieux à perfectionner ces utiles ustensiles. Les médecins et les chirurgiens eux-mêmes n'ont pas dédaigné d'y concourir. C'est à peu près vers cette même époque, en effet, que Leroy d'Étiolles imagina de remplacer les anciennes seringues par le clysoir, espèce de tube ou de tuyau, d'environ un mètre de long, fait avec un tissu imperméable, terminé d'un bout par une canule et évasé à l'autre extrémité en entonnoir. L'eau versée par la partie évasée s'écoule par la canule par son propre poids, et en comprimant peu à peu la partie supérieure du conduit. Plus tard, en annexant ce clysoir à une petite pompe agissant à jet continu, on a fait le clyso-pompe, diversement modifié à son tour, tels l'hydro-clyso sans piston, de Naudinat, dans lequel c'est le liquide lui-même qui joue le rôle de piston. — Puis est venu l'invention vraiment originale du docteur Eguisier, l'irrigateur à ressort fonctionnant seul et se montant comme une pendule; et, enfin, plus récemment les irrigateurs à poires de caoutchouc aspirantes, à jet continu et indéfini, plus particulièrement appropriés par leur petit volume à l'usage des voyageurs. Il est bien entendu que nous ne parlons ici que des appareils exclusivement à destination de lavements. Il sera question ailleurs, et à leur place, des diverses seringues à usage chirurgical et anatomiques ainsi que des appareils à douches et à injections vaginales ou à autres usages.

BROCHIN.

BIBLIOGRAPHIE. — HIPPOCRATE. Dans: *Épidémies; Affections internes; Maladies des femmes*, etc. — PLUTARQUE. *Lib. utr. anim. plur. rat. hab.* — PLINE. Liv. 8, ch. 27. — GALIEN. *De ven. sect. in præf. introd. et de causis sympt.* — AVICENNE. *Sermo de qualitate clysteriorum et instrumento eorum* (*canon medicinæ*). Patavii, 1476, in-fol. — GUY DE CHAULIAC. *Chirurgiæ tractatus septem*, etc., de 1490 à 1519, et *Annotations de Joubert.* — GATENARIA. *De curis ægritudinum particularium in nonum Almansoris practica uberrima.* Lyon, 1532. — PROSPER ALPIN. *De medicina Ægyptiorum.* Venetiis, 1591, in-4° — MOSSEN. *Dissertatio de animalibus pseudo-medicis, hippopotamo*, etc. Ibid. — MÆBIUS (G.). *Diss. de natura et usu clysterum saluberrimo*, Resp. Crauel. Ienæ, 1649, in-4°. — MAJOR (J. D.). *De clysteribus veterum ac novis.* Kiloniæ, 1670, in-4°. — BRASAVOLA (J.). *Problema: An clysteres nutriant? Affirm.* Romæ, 1682, in-4°. — GRAAF (REGNIER DE). *Tract. de clysteribus*, etc. La Haye, 1688, in-12. — CAMERARIUS (E. R.). *De clysmatibus.* Resp. Brigel. Tubingæ, 1688, in-4°. — HELVETIUS (J. Ad.). *Méthode pour guérir toutes sortes de fièvres sans rien prendre par la bouche.* Paris, 1694, 1746, in-12. En latin. Amstelod. et Lipsiæ, 1694, in-8°. — LANZONI (J.). *De clysteribus.* Ferrarii, 1691, in-4°; Lausanne, 1738. — ALBRECHT (J. G.). *De enematum evacuantium, alterantium et nutrientium usu.* Lugduni-Batavorum, 1698, in-4°. — FICK (J. J.). *De clysteribus nutritiis et frigidis.* Resp. Struve. Ienæ, 1718, in-4°. — SCHWARZ (J. G.). *Vom Clystieren*, etc. Hambourg, 1725, in-8°. — HOFFMANN (Fréd.). *Medicina rationalis systematica* (*De clysterum usu medico*). Halæ, 1730-40. — DETHARDING (G. C.). *De eo quod justum est circa enemata.* Rostochii, 1737, in-4°. — LUDOLF (J.). *De clysterum nutrientium insigni utilitate et noxa.* Erfordiæ, 1748, in-4°. — TRILLER (D. G.). *De clysterum nutrientium antiquitate et usu.* Wittembergæ, 1750, in-4°. — QUELLMALZ (S. F.). *De clysmatibus frigidis*, etc. Lipsiæ, 1751, in-4°. — DIAPER (J.). *De clystere.* Edinburgi, 1754, in-8°. — SIGWART (G. F.), *Novæ observationes de infarctibus venarum*, etc., *per enemata*, etc. Resp. (J. F.) Alvert. Tubingæ, 1754, in-4°. — LANGGUTH (G. A.). *De clystere febrium exanthematicorum remedia non minus tuto quam efficaci.* Wittembergæ, 1756, in-4°. — DU MÊME. *De clystere sicco*, etc. Wittembergæ, 1756, in-4°. — D'ONGLÉE (F. L. T.). *An sanis noceat quotidianus ἐνέματον simplicium usus?* Affirm. Præses (L. M.) Pousse. Parisiis, 1757, in-4°. — BUCHNER (A. E.). *De circumspecto clysterum in morbis exanthematicis usu.* Halæ, 1757, in-4°. — KREUGER (J. G.). *De usu enematum in febribus acutis.* Helmstadii, 1757, in-4°. — GIRARD (J. J.). *De enematibus intestinalis.* Argentorat., 1762, in-4°. — PFAFF (J. E.). *Historia clysterum pathologico-therapeutica.* Ienæ, 1780, in-4°. — SAPHRANI (J. M.). *De clysteribus eorumque effectibus.* Halæ, 1782, in-4°. — LODDEWEYCKX (H.). *De clysteribus eorumque in morbis usu.* Præs. M. Vanderbelen. Lovanii, 1782, in-4°. — NICOLAÏ (S. A.). *De virtute et usu clysterum ex aceto.* Ienæ, 1783. — MEYER (J. C.). *De clysmatibus.* Gœttingæ, 1786, in-4°. — SCHÆFFER (J. T.). *De noxa et abusu clysmatum.* Wittembergæ, 1788, in-4°. — BŒHMER (G. R.). *De noxa et abusu clysmatum.* Wittembergæ, 1788, in-4°. — GALLOIS (P. T.). *De enematibus.* Augustæ Taurinorum, 1809, in-4°. — HESSLER. Diss. inaug. *De clysmatibus in anxietate febrili.*

Éphémérides des Curieux de la nature (miscellanea curiosa sive Ephemeridum medico-physicarum germanicarum academiæ, etc.), de 1670 à 1722. On y trouve l'indication des mémoires suivants : *Clyster ridiculus, sed non omnino irridendus ad alvum referendam per injectionem ex syringa liquoris qui constabat ex solutione globulorum moschatelinorum in aquâ calida. — Acris in doloribus ventris scorbuticis convulsionum violentarum causa. — Frigidus mortem inferens. — Iliacum extinguens. — In dysenteria præstans. — Ex succo cancrorum fluviatilium. — Ex succo hyosciami et opii dysentericis noxius. — Naturalis non est bilis. — Ex sapa nigra confectus nigroris urinæ causa. — Calculum comminuens in vesicam urinariam injiciendus. — Per errorem haustus in obstructione alvi felicem exferens effectum. — Clysteris ad simplicis usum notabiliis alvi evacuatio consecuta. — In obstructione urinæ præstantis descriptio. — Clysteri falso mors imputata. — Clysterem sibi ipsi applicandi modus facilis. — Per fortem empyema ex pleuritide neglecta curatum. Clysteris frigidi an vilius sint usus. — In morbis chronicis non sunt admodum utiles. — Ore et vomitu innoxie rejecti. — Antipyretici, seu febrifugi, insignis sunt usus. — Febrifugi ex cortice Peruviano proprie non dantur.*

Clysterum inventor num sit avis Ægyptiaca, ibis dicta. — Utilitas in febre quartana. — Usus singularis in dentium dolore et obstructione lochiorum. — In morbis infantum usus præstantissimus. — Usus in pathematibus hypochondriacis. — Clysterum in affectibus gravidarum spasmodicis usus innoxius. — Usus in hydrope egregius. — In mola effectus salutaris. — Usus securus in alvis obstructione. — Mitiorum in excretionibus cutaneis variis cum febre acuta et motibus convulsivis, alvique obstructione junctis, in variolis aliisque exanthematicis febribus, prorsus innocuus.

COLSON (Edouard). *De la méthode intestinale.* In-4°, 1867. BRN.

LAVER-BREAD. Pain fabriqué avec des algues. (*Voy.* ALGUES, t. II, p. 785.)

LAVEY (EAUX MINÉRALES DE) *hyperthermales* ou *athermales, sulfatées strontianiques moyennes, chlorurées sodiques faibles, azotées moyennes.* En Suisse, dans le canton du Valais (chemin de fer de Paris à Genève ou à Lausanne ; une route de fer conduit des deux dernières villes à Saint-Maurice, station de la ligne d'Italie qui n'est qu'à 4 kilomètres de l'établissement de Lavey). La jolie route qui va de Saint-Maurice à Lavey occupe le milieu de la vallée et suit la rive droite du Rhône, dont les eaux rapides et bruyantes quittent trop souvent leur lit. La largeur de la vallée varie de 250 à 300 mètres ; les vents de l'ouest et de l'est y ont surtout accès ; elle est perpendiculaire au cours du fleuve. Le sol au point où a été construit l'établissement est constitué par des éboulements périodiques, dont le sable est la base ; ce sable, très-perméable à l'eau, préserve Lavey de l'humidité si fréquente dans presque toutes les parties de la Suisse. L'atmosphère de Lavey et de ses environs est assez excitante, puisque les personnes nerveuses outre mesure éprouvent une suractivité qui est due à la position topographique de l'établissement, situé à 375 mètres au-dessus du niveau de la mer, et exposé au siroco. La température moyenne des mois de la saison thermale qui commence le premier juin et finit le 30 septembre, est de 18°,5 centigrade ; ce qu'il faut noter surtout, c'est qu'à Lavey les transitions subites de la température ne sont jamais aussi fréquentes et aussi brusques que dans presque toutes les stations thermo-minérales.

L'établissement et les sources de Lavey appartiennent au canton qui les a données à bail pour une période de cinquante années. Par une des clauses du cahier des charges, le concessionnaire est obligé à rebâtir l'établissement, à compléter le captage des sources, à augmenter et à perfectionner les moyens balnéo-thérapiques.

Lavey n'a qu'une source chaude ; son débit de 100,800 litres par vingt-quatre heures suffit grandement aux besoins du service. Une seconde source froide, ayant la même minéralisation que la source chaude, se rend à la maison de bains, où elle sert à abaisser la température de la source hyperthermale. Les deux sources émergent à 20 mètres de profondeur d'un banc de gneiss ; jusqu'à ces derniers temps le captage de l'eau de chacune d'elles n'avait jamais été exécuté de façon à empêcher complétement leur mélange ; mais l'habileté et l'expérience de M. Jules François sont parvenues à vaincre une partie des difficultés, et les deux sources sont maintenant enchambrées distinctement.

La salle de la buvette est une pièce dallée de ciment et de planches. Un robinet verse sans cesse l'eau de la source thermale, qui alimente un cabinet de bains et de douches. Cette division contient un récipient, élevé de 2 mètres, rempli d'eau thermale qui se distribue à la buvette, à la baignoire de fonte émaillée et au tuyau de caoutchouc servant à l'administration des douches.

L'eau de la source hyperthermale est claire, limpide et transparente, sans odeur, d'une saveur un peu fade et sensiblement ferrugineuse. Les bulles gazeuses assez grosses qui la traversent, mettent quinze secondes à arriver à sa surface ; les plus petites, sont très-nombreuses, s'élèvent lentement et ne s'attachent pas aux parois des verres. Ces dernières montent en cent vingt-cinq secondes à la couche supérieure du liquide. Les premières se comportent comme le gaz acide carbonique, et les secondes comme l'azote. La réaction de l'eau est très-légèrement acide ; sa température est de 50° centigrade au fond du puits ; elle n'est plus que de 36°,2 centigrade sous le jet du robinet de la buvette, l'air ambiant étant à 15°,3 centigrade. La température de l'eau athermale, prise dans le ruisseau, qui la conduit au Rhône, est de 20°,5 centigrade ; mais il ne faut tenir qu'un faible compte de cette thermométrie, car elle a été faite avant le captage définitif des sources de Lavey. L'analyse chimique de l'eau hyperthermale, faite en 1833 par M. Samuel Baup, a donné sur 1000 grammes d'eau, les résultats que voici :

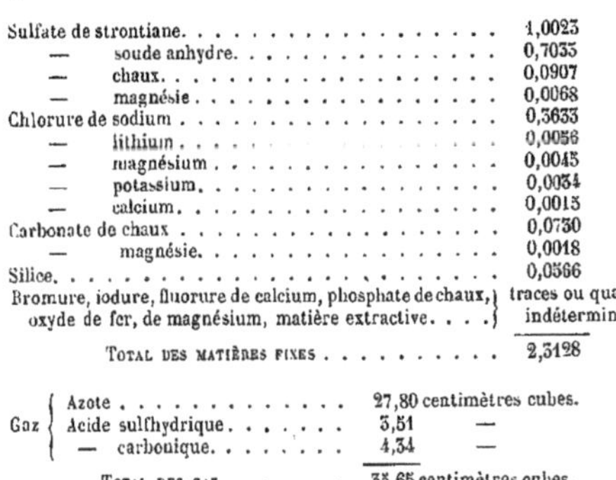

Sulfate de strontiane	1,0023
— soude anhydre	0,7035
— chaux	0,0907
— magnésie	0,0068
Chlorure de sodium	0,3633
— lithium	0,0056
— magnésium	0,0045
— potassium	0,0034
— calcium	0,0015
Carbonate de chaux	0,0730
— magnésie	0,0018
Silice	0,0566
Bromure, iodure, fluorure de calcium, phosphate de chaux, oxyde de fer, de magnésium, matière extractive	traces ou quantités indéterminées.
TOTAL DES MATIÈRES FIXES	2,5128

Gaz	Azote	27,80 centimètres cubes.
	Acide sulfhydrique	3,51 —
	— carbonique	4,34 —
	TOTAL DES GAZ	35,65 centimètres cubes.

En attendant que les bâtiments de la station de Lavey soient construits, en attendant même que leur emplacement définitif soit arrêté, nous émettons le vœu que le gouvernement du Valais, d'accord avec le concessionnaire, choisisse pour ériger l'établissement thermal le point le plus rapproché de l'émergence des sources. L'expérience a toujours démontré, en effet, que l'efficacité des eaux minérales est d'autant plus grande que les sources sont moins éloignées des moyens balnéaires. Le bâtiment des thermes actuels se compose de deux corps de logis ; le bâtiment neuf destiné aux douches fait suite au pavillon dit de la chaudière. On y trouve quatre cabinets pareillement installés, divisés chacun en deux parties, dont l'une sert de vestiaire, et dont l'autre, en contre-bas de 10 centimètres du sol de la première, est le prétoire réservé au doucheur et au douché. Un lit à spirale de fer et à dossier à crémaillère, permet aux malades d'être étendus pendant qu'on leur administre les douches dont l'eau tombe de 5 mètres de hauteur. Les deux buvettes de l'établissement sont formées par deux robinets, dont l'un verse l'eau suréchauffée, et l'autre l'eau à 30°,8 centigrade. Le second corps de bâtiment est occupé par la division des vieux bains servant aujourd'hui au logement des baigneurs.

MODE D'ADMINISTRATION ET DOSES. Les eaux de Lavey se boivent pures ou mélangées d'une certaine quantité d'eau mère, 15 grammes par jour le plus souvent, pris dans les deux premiers verres du matin. L'eau mère est apportée de BEX (*voy.* ce mot), elle provient, comme nous l'avons dit, des sources de Bex, qui renferment 27 grammes de chlorure de sodium par litre d'eau que l'on évapore en chauffant artificiellement, jusqu'à ce que le sel commun se cristallise. Les eaux de la source hyperthermale de Lavey, lorsqu'elles ne sont pas additionnées, s'ordonnent à la dose de quatre à six verres de 125 grammes chacun de quart d'heure en quart d'heure; le dernier doit être pris au moins une heure avant de manger. Dans certains cas, le médecin double la dose, mais plusieurs buveurs, n'obéissant qu'à leur caprice, ont ingéré jusqu'à trente et quarante verres dans la même journée; des accidents sérieux ne tardent pas à survenir alors, ils les instruisent trop tard de leur imprudence. La durée et la température des bains et des douches varient suivant les circonstances; ainsi les bains sont souvent de quatre heures par jour, en deux séances, et à une chaleur de 32° à 33° centigrade dans les affections des os et des ganglions : dans les cas ordinaires, le séjour au bain dépasse rarement une heure ou une heure et demie. Le temps pendant lequel les malades sont soumis à la douche se prolonge de dix à trente minutes en général. L'emmaillottement ou le massage sont appliqués ensuite suivant les indications.

Nous avons dit que la quantité des eaux-mères à l'intérieur était de 15 grammes par jour en deux fois, et mêlées à l'eau hyperthermale de Lavey. On avait aussi l'habitude d'ajouter à l'eau des bains de 3 à 18 litres d'eau-mère des salines de Bex; mais depuis le dernier captage des sources de Lavey, l'eau étant beaucoup plus active, il est souvent inutile d'avoir recours à l'eau-mère que l'on n'emploie plus d'ailleurs qu'à la dose *maximum* de 8 à 10 litres par bain.

EMPLOI THÉRAPEUTIQUE. Les effets physiologiques qui se produisent le plus fréquemment après l'ingestion de six verres d'eau hyperthermale de Lavey sont une diurèse marquée, une augmentation de l'appétit, une légère constipation au début de la cure. A dose double, les phénomènes de diurèse et d'augmentation d'appétit sont plus prononcés, il est important de surveiller très-attentivement les buveurs, dont l'affection reprend aisément alors la forme aiguë. Aussitôt que ces accidents apparaissent, il faut diminuer la quantité d'eau minérale, et quelquefois suspendre tout à fait le traitement. Ceux qui ingèrent vingt-cinq ou trente verres dans une même séance, boivent les eaux d'une façon non médicale, et il n'y aurait pas à s'en occuper, si le médecin n'était pas assez souvent appelé à remédier aux accidents fébriles, au catarrhe de la vessie, ou à la cystite inflammatoire résultant de cet abus. Lorsque l'eau de Lavey est prise en proportion convenable, elle ne fait éprouver qu'une légère sensation de plénitude épigastrique, quelques nausées fugaces, et une tendance à la transpiration. Les vertiges, la céphalalgie, l'accélération de la circulation, l'excitation nerveuse, n'arrivent que si la dose est trop forte. Lorsqu'on additionne d'eau-mère l'eau de Lavey en boisson, il faut s'arrêter à un effet laxatif et non provoquer une purgation complète. Les enfants tolèrent parfaitement, même pendant des mois entiers, l'eau-mère de Bex dans l'eau de Lavey ; ils la supportent mal, si on la mêle à l'eau ordinaire froide ou préalablement chauffée.

Les bains de courte durée n'ont pas d'effets physiologiques différant sensiblement de ceux d'eau ordinaire chauffée au même degré ; mais les bains prolongés, de quatre heures par jour en deux fois, déterminent souvent la poussée et une fièvre thermale plus ou moins développée. M. le docteur Cossy, médecin inspecteur de Lavey, voit dans la poussée elle-même une complication, et voici comment il la combat. Lorsqu'elle a l'aspect rubéolique, il la traite par des fomentations d'eau de Lavey simple ; lorsqu'elle se montre sous la forme d'impétigo ou de boutons qui présentent exactement l'aspect de ceux produits par de véritable vaccin, il prescrit par des aspersions d'eau hyperthermale additionnée d'eau-mère. Dans les plaies fistuleuses avec ou sans séquestres, dans les engorgements ganglionnaires, on doit surveiller attentivement l'administration des bains prolongés, qui amène quelquefois une fièvre accompagnée de l'inflammation des plaies, de la suppuration des glandes, etc., phénomènes qu'il ne faut jamais produire si l'on veut arriver à une heureuse issue.

Les eaux de Lavey pures et additionnées d'eau-mère à l'intérieur et à l'extérieur doivent être vantées en première ligne dans le lymphatisme exagéré, dans la scrofule et dans ses complications. Le rachitisme est de tous les accidents strumeux celui qui cède le plus sûrement à l'emploi des eaux de Lavey et de la *Mutter Laüge* de Bex. L'action fondante des eaux de Lavey est incontestable et incontestée, et il n'est pas de saison où l'on ne puisse constater leur puissance sur les tumeurs bénignes occupant tous les points de l'économie et sur les engorgements chroniques des viscères. Les résultats les plus favorables de la pratique de M. le docteur Cossy ont été obtenus, assure-t-il, sur des tumeurs solides ou liquides des ovaires, par l'administration méthodique des eaux de Lavey, à l'intérieur ou à l'extérieur, pures ou mêlées à l'eau-mère. On envoie à Lavey les malades de l'hôpital de Lausanne qui souffrent de catarrhes graves de la vessie, simples ou purulents. M. Cossy a suivi jour par jour ces malades, et il est convaincu que le traitement hydro-thermo-minéral, consistant surtout dans l'eau en boisson et quelquefois en bains, donne des succès plus constants que tous les autres moyens de la matière médicale.

Les dyspepsies et surtout les diverses formes de gastralgies, les diarrhées chroniques et incoercibles, sont très-favorablement traitées par l'usage interne et à doses fractionnées des eaux hyperthermales de Lavey.

Telles sont les indications principales des eaux de Lavey, qui sont avantageusement conseillées dans les anémies des sujets lymphatiques, ne pouvant s'expliquer par un état pathologique marqué de l'un ou l'autre de leurs organes. M. Cossy vante une méthode particulière et prescrit l'emploi de bains frais, ou de bains tièdes terminés par un lavage à l'eau froide au moyen de quatre éponges, avec lesquelles toute la surface du corps est immédiatement mouillée. Les malades ne doivent pas faire leur réaction au lit ; ils se couvrent de vêtements fort légers, font de l'exercice au grand air, et toute sensation de froid a bientôt disparu. Les affections nerveuses ou utérines sont souvent adressées à Lavey ; elles y sont traitées avec avantage. Les maladies non organiques du foie, les hémorrhoïdes non fluentes, qui déterminent des accidents congestifs vers la partie supérieure du corps, se trouvent très-bien d'une saison à Lavey, où elles sont soignées par l'usage interne et externe des eaux, et surtout par l'administration intérieure de l'eau-mère, à la dose de 20 à 30 grammes par jour, de manière à ce que l'on obtienne des effets franchement purgatifs.

Les eaux de Lavey pures ou additionnées d'eau-mère de Bex, sont *contre-indiquées* chez les pléthoriques ; chez ceux qui sont facilement congestionnés, ou qui sont prédisposés à une apoplexie ; chez les personnes qui souffrent de maladies organiques du cœur et des gros troncs vasculaires ; chez celles enfin qui sont depuis trop peu de temps convalescentes d'affections aiguës, longues et graves, qu'il faut avant tout se garder de ramener à un état inflammatoire.

La *durée de la cure* est, en général, de trente jours.

On *n'exporte pas* les eaux de Lavey. A. ROTUREAU.

BIBLIOGRAPHIE. — LEBERT (Hermann). *Monographie de l'eau minérale de Lavey.* — DU MÊME. *Comptes rendus des saisons thermales de* 1840, 1841 *et* 1842. — COSSY (M. J.). *Bulletin clinique de l'hôpital des bains de Lavey* (saison de 1847), précédé d'une notice abrégée sur ces eaux thermales. Lausanne, 1848, in-8°, 71 pages. — *Die Bäder und Kurorte der Schweiz.* Zürich, 1857, in-8°. A. R.

LA VEYRASSE (EAU MINÉRALE DE) *athermale, bicarbonatée sodique et calcique moyenne, carbonique moyenne,* émerge dans le département de l'Hérault. L'eau de cette source, claire, limpide, inodore, incolore, d'un goût un peu fade sans être désagréable, est traversée par des bulles gazeuses assez grosses et assez rares, elle a une température de 13° centigrade. Son analyse chimique, faite par M. Ossian Henry, apprend que 1000 grammes de cette eau contiennent les principes suivants :

Bicarbonate de soude	0,562
— chaux	0,523
— potasse	0,186
— magnésie	0,174
— fer	0,008
— strontiane	indices.
Sulfates alcalins et terreux } Chlorures alcalins et terreux }	0,104
Iodure et bromure	traces.
Acide silicique, alumine } Matière organique, principe arsenical dans le dépôt }	0,090
TOTAL DES MATIÈRES FIXES	1,647
Gaz acide carbonique libre	1/5e du volume de l'eau.

L'eau de La Veyrasse est exclusivement employée en boisson par les personnes du pays. Son action physiologique principale est une diurèse marquée. Son application la plus commune a lieu dans les affections des voies urinaires dans lesquelles il convient de stimuler ou de modifier les fonctions rénales. Cette eau bicarbonatée est employée aussi dans les troubles de la digestion causés surtout par une congestion ou un état pathologique du foie altérant les qualités et la quantité de la bile qu'il importe de rendre plus liquide et plus abondante.

A. ROTUREAU.

LAVIROTTE (LOUIS-ANNE), né à Nolay (Côte-d'Or) le 15 juillet 1725, mort à Paris le 3 mars 1759, et enterré à Saint-Roch. Ce médecin vécut trop peu pour donner tout ce qu'on pouvait attendre de lui. C'est à Paris qu'il fit ses études ; c'est là qu'il fut reçu licencié le 10 juillet 1752, et docteur le 22 août suivant. La Faculté de médecine l'a toujours compté comme un de ses plus fervents soutiens, et les charmes de son caractère, aimable et doux, ne lui ont fait que des amis dans la compagnie de la rue de la Bûcherie. Lavirotte fut de plus un grand travailleur. Outre sa collaboration au *Journal des savants*, il a laissé les observations et les traductions suivantes :

I. *An duodenum plurium morborum sedes haud infrequens?* Th. de Paris 1751 (soutenue sous la présidence de De Lépine). — II. *An legitimæ vulnerum suppurationi promovendæ Cortex Peruvianus?* Th. de Paris 1752 (soutenue sous la présidence de C. Falconet). — III. *An experimenta circa vim corporum electricam perficiant medicinæ theoriam et praxim.* (18 août 1752 ; thèse pour la licence). — IV. *An morbis cutaneis hydrargyrus et scammonium?* (22 août 1752 ; thèse pour le doctorat). — V. *Observations nouvelles sur les prédictions des crises par le pouls*, trad. de l'anglais de Nibell. Paris, 1748, in-12. — VI. *Dissertation sur la transpiration et autres excrétions du corps humain.* Paris, in-12. — VII. *Exposition des découvertes philosophiques de Newton*, trad. de l'anglais, de Maclaurin. Paris, 1749, in-4°, — VIII. *Nouvelle méthode pour pomper le mauvais air des vaisseaux*, trad. de l'anglais de Needham. Paris, 1750, in-8°. — IX. *Nouvelles observations microscopiques*, traduites du même auteur. Paris, 1750, in-8°. — X. *Dissertation sur la chaleur, avec des observations sur les thermomètres.* Paris, 1751, in-12. — XI. *Observation sur une hydrophobie spontanée, suivie de la rage.* Paris, 1757, in-12. A. C.

LAVOIRS. Hygiène publique. On appelle ainsi des établissements publics, convenablement aménagés, dans lesquels les femmes de la classe pauvre et les blanchisseuses de profession viennent laver le linge à bas prix. On peut y rattacher les buanderies, les blanchisseries particulières, et les bateaux sur rivière.

Cette institution est de date assez récente et elle nous a été importée d'Angleterre. Autrefois les femmes pauvres étaient obligées de laver leur linge à domicile, car toutes ne pouvaient profiter, pour une foule de raisons, dont la principale était l'éloignement, d'une ordonnance de police qui accordait aux indigents un certain nombre de places gratuites sur les bateaux à lessive.

Déjà cependant, en 1819, un membre très-distingué du conseil d'hygiène de la Seine, Cadet de Gassicourt, avait formé le projet de créer dans Paris plusieurs grandes buanderies où auraient été exécutés les procédés de blanchissage à la vapeur, et dans lesquels tout aurait été réglé d'après l'expérience. Il va sans dire que cette conception fut écartée par l'autorité, *pour défaut d'opportunité!* .... (Moléon, *Rapp. gén. du conseil de salubrité*, Rapp. de 1819, t. I, p. 143, 197, Paris, 1828, in-8°.)

Les choses en étaient là lorsque, en 1842, fut établi à Liverpool, à l'aide de souscriptions particulières, le premier lavoir public avec bains à prix réduits. Le succès le plus complet ayant couronné cette entreprise éminemment humanitaire, une foule de villes, en Angleterre et en Écosse, s'empressèrent de suivre cet exemple. Sous l'influence de l'initiative privée, si puissante chez nos voisins, des établissements analogues furent fondés à grands frais, quelques-uns même avec un luxe peu en rapport avec leur destination. Les paroisses entrèrent dans la même voie, et quatre ans s'étaient à peine écoulés, que le gouvernement anglais, comprenant toute l'importance de cette question, faisait adopter par le parlement (26 août 1846 et 2 juillet 1847) deux lois ayant pour objet d'autoriser les paroisses à emprunter, à défaut de fonds suffisants, les sommes nécessaires à la fondation de ces sortes d'établissements et à céder, dans ce but, les terrains qu'elles possédaient. Cette nouvelle impulsion détermina la construction de nouveaux lavoirs-bains à Londres et dans les provinces.

La France ne pouvait rester en arrière, et à la fin de 1849, une commission composée d'architectes, d'ingénieurs et d'administrateurs, fut nommée par le ministère de l'agriculture et du commerce pour ouvrir une enquête minutieuse et complète sur cette question. Des rapports savamment étudiés furent rédigés, et il en sortit un projet de loi adopté, par l'Assemblée nationale en 1850, qui mettait à la disposition des municipalités de Paris et des principales villes de France une somme de 600,000 francs, destinée à servir d'aide pour créer des établissements modèles, à l'instar de ceux d'Angleterre; mais, comme nous l'avons fait observer en parlant des bains publics (*voy.* BAINS PUBLICS, p. 209), on a peu profité des avantages offerts par le gouvernement.

A Rouen, cependant, en 1849, un habile ingénieur, auquel nous devons un très-remarquable rapport sur les lavoirs de l'Angleterre, M. de Saint-Léger, soutenu seulement par quelques souscriptions qui s'élevaient à la modeste somme de 6,402 francs, et après avoir obtenu d'une grande fabrique la concession gratuite des eaux de condensation, avait pu fonder un petit lavoir avec bains. Dans une maison louée à bon compte, il avait installé 5 baignoires, dont 3 de 1re classe à 25 centimes, et 2 de 2e classe à 10 centimes; 2 bassins de lavoir, l'un de 1re classe et de 8 places à 5 centimes par heure, l'autre de 10 places absolument gratuites.

Au total, chez nous, à Paris du moins, les lavoirs ont conservé le caractère d'entreprises particulières, et très-peu y joignent les bains; ce n'est guère qu'en province que ces établissements sont l'œuvre des municipalités.

Le savant hygiéniste Pappenheim nous apprend qu'après quelques hésitations, des sociétés fondées par l'initiative de l'autorité, ont ouvert à Berlin, en 1856, des bains-lavoirs avec un immense succès. L'affluence a été telle, que, pour satisfaire aux besoins de la population, il a fallu prolonger les séances de six heures du matin à neuf heures du soir, à la lueur du gaz, et même, le samedi, jusqu'à onze heures. (*Handb. der Sanitäts-Poliz.*, t. I, p. 178-187, art. ARMUTH, Berlin, 1858, in-8°.)

C'est à peu près exclusivement des lavoirs que nous aurons à parler ici; mais, d'abord, sans entrer dans le détail circonstancié des opérations qui constituent le blanchissage, nous devons faire connaître très-succinctement en quoi elles consistent, afin que nous puissions apprécier les améliorations effectuées par les lavoirs dans l'intérêt de l'hygiène.

Ces opérations sont les suivantes :

1° *Essangeage* ou *échangeage*. Les linges salis sont d'abord plongés dans l'eau pure et lavés rapidement ou seulement agités. On a pour but d'enlever les impuretés les plus grossières qui peuvent se dissoudre dans l'eau et se détacher facilement. On évite ainsi que, pendant le lessivage, elles ne pénètrent plus profondément dans les tissus, de manière à former des taches qu'il serait beaucoup plus difficile de faire disparaître.

2° *Lessivage*. On se propose ici de dissoudre une foule de matières grasses particulières qui imprègnent le linge. On y parvient à l'aide d'une dissolution alcaline, de cendres ou de carbonate de soude ou de potasse. Une température de 100 à 110° est nécessaire pour cette opération. A une température beaucoup plus élevée, les alcalis, même en dissolution très-affaiblie, exerceraient sur les tissus une action destructive; de même, la solution trop forte à 6 ou 7° du pèse-lessive attaquerait la fibre ligneuse.

Pour opérer le lessivage, à la manière ancienne, le linge est entassé dans un grand cuvier, le plus fin en dessus, le plus gros et le plus sale en dessous; le tout est recouvert d'une grosse toile (charrier), puis d'une couche de cendres de bois dont l'épaisseur varie suivant la quantité de linge, et d'un second charrier. On verse alors sur celui-ci de pleines chaudronnées d'eau bouillante qui traverse le lit de cendres, se charge des principes alcalins qu'elles renferment, humecte le linge et ressort par un robinet placé à la partie inférieure du cuvier. Ce liquide est recueilli, porté de nouveau à l'ébullition, versé sur le linge, et ainsi de suite pendant dix à douze heures. On a beaucoup simplifié ce procédé, en versant simplement sur le linge non recouvert d'un lit de cendres, une solution de carbonate de soude bouillante, recueillie et portée de nouveau à l'ébullition, comme dans le cas précédent. Mais ce procédé exigeait la même durée. Un simple ouvrier a imaginé un appareil adopté dans quelques établissements et dans lequel, sous l'influence de la vapeur, la solution alcaline passe d'abord froide à travers le linge, s'échauffe peu à peu jusqu'à l'ébullition. L'opération ne dure que deux heures à deux heures et demie, et n'exige qu'une solution pesant 3 à 3° 1/2. Outre la durée moins grande, on évite encore l'inconvénient que présente l'action trop brusque du liquide bouillant de crisper la fibre du linge et de fixer certaines taches. Assez généralement aujourd'hui on met en usage un système très-simple : toujours sous l'influence de la vapeur, la lessive chaude passe d'une chaudière placée au-dessous du cuvier par un tube de fonte qui monte verticalement au milieu de celui-ci, se déverse sur le linge au moyen d'un champignon qui couronne ce tuyau, ressort par-dessous, retourne à la chaudière, d'où elle remonte encore, etc.

3° *Savonnage.* On complète l'action de la lessive par le frottement du linge à la main, le battage, la brosse de chiendent, etc., dans un baquet plein d'une eau savonneuse chaude.

4° *Rinçage.* Il se fait dans de l'eau pure, et a pour but de débarrasser entièrement le linge du savon qu'il renferme après l'opération précédente ; il exige généralement beaucoup d'eau ; mais ici l'eau de puits est préférée comme chassant mieux le savon. Le rinçage comprend encore le *passage à l'eau de Javelle* ou à la solution de *chlorure de chaux*, quand le linge doit être livré très-blanc, et le *passage au bleu*, pour lequel l'eau de puits convient également mieux que l'eau de rivière.

Machines à laver. Un Anglais, M. Jearrad, a imaginé une machine à laver qui est usitée dans quelques lavoirs de Londres et dont on se loue beaucoup. Cet appareil se compose d'un châssis en bois à claires-voies en forme de gril ou de râtelier placé de champ dans une cuve en forme de coffre ou d'auge. Ce châssis est animé d'un mouvement de va-et-vient à l'aide d'une manivelle qui lui fait décrire un arc de cercle autour de son bord supérieur comme axe ; du linge est placé au fond de la cuve, de chaque côté de l'oscillateur ; le couvercle est fermé, et un tuyau amène de l'eau chaude ou froide, pure ou renfermant de l'eau de savon, une solution chlorurée, etc., à volonté. Alors l'oscillateur mis en mouvement, comprime et relâche alternativement les deux paquets de linge contre les parois de l'auge. Quand l'eau qui imbibe les tissus est salie, elle s'écoule par un tuyau ménagé à la partie inférieure, et que l'on ouvre et ferme à volonté, et remplacée par un nouveau liquide.

A côté de la machine de M. Jearrad, nous devons placer un appareil plus compliqué et dû à un chef de lavoir de Paris, M. Lejeune. Imaginez un arbre auquel se rattachent six branches également inclinées, à l'extrémité desquelles est suspendue une espèce de caisse à claire-voie ou tambour que l'inventeur appelle *laveuse*. Ces six caisses ou laveuses plongeant dans autant de cuves en bois, à moitié pleines de liquide, y reçoivent un mouvement de rotation tantôt dans un sens, tantôt dans un autre, au moyen d'un système d'engrenage fixé à l'arbre.

C'est par l'agitation que produit le mouvement de rotation que s'accomplit le blanchissage, sans que la main de l'homme intervienne. A l'aide d'un mécanisme particulier, on peut changer les laveuses de cuves, et les faire successivement passer par les six, qui contenant chacune un liquide différent, eau pour l'essangeage, solution alcaline bouillante pour le lessivage, eau de savon pour le savonnage, etc., font ainsi subir au linge la série complète des opérations du blanchissage dans le même tambour. Ce procédé épargne évidemment le linge, qui n'est plus soumis à ces frottements qui en amènent si promptement l'usure et la déchirure, et ménage la santé des blanchisseuses, qui n'ont plus qu'une surveillance sans fatigue et sans refroidissement à exercer. (Trébuchet, *Rapport sur les travaux du conseil de salubrité*, Paris, 1861, in-4°, p. 471.)

5° *Essorage.* C'est le premier des moyens employés pour purger le linge de l'eau qui l'imbibe largement après le rinçage. Il se fait ordinairement à la main. C'est le tordage qui distend, désagrége les fibres et hâte singulièrement l'usure du linge; il peut se faire entre deux cylindres qui, par leur pression, font sortir l'eau, ce qui fatigue encore la trame des tissus. Aussi, à ces procédés, doit-on préférer l'emploi des essoreuses, sortes de récipients à claires-voies, et animées d'un mouvement très-rapide de rotation qui chasse l'eau par l'effet de la force centrifuge. Au bout de quelques minutes, la dessiccation est telle que le doigt n'est pas mouillé au contact du linge. Celui-ci, cependant, est encore humide, c'est-à-dire qu'il retient environ son poids d'eau, et qu'il exige une autre opération, qui est la suivante.

6° *Séchage.* Dans la belle saison et dans les pays chauds il se fait très-bien et assez promptement à l'air libre et au soleil; mais dans les climats froids et dans les temps humides, il faut avoir recours à la chaleur artificielle des étuves ou à une ventilation forcée qui détermine une rapide évaporation du liquide par le renouvellement incessamment répété des couches d'air.

Cette question du séchage ayant été surtout étudiée en Angleterre, ainsi que celle de l'essorage, nous y reviendrons à propos des lavoirs proprement dits.

A côté du séchage se range une opération qui consiste à faire glisser sur le linge encore un peu humide et bien tendu une plaque de fer chauffée et tenue par un manche, c'est le *repassage;* il a pour but de lisser les tissus et de leur donner une certaine fermeté, surtout quand on les a humectés avec une solution d'amidon ou empois.

Les différentes opérations que nous venons de passer en revue s'exécutent soit chez des particuliers qui ont leur établissement, leurs ouvrières, et leur clientèle spéciaux, soit dans des établissements publics créés et entretenus par les communes ou par des industriels, et dans lesquels les ménagères peuvent apporter leur linge pour lui faire subir les mêmes opérations; celles-ci ayant lieu en commun, pourront se faire à bas prix. C'est là l'innovation qui constitue les lavoirs publics qui doivent actuellement nous occuper.

Des lavoirs proprement dits. Nous avons à examiner successivement leur construction, les conditions de leur aménagement intérieur pour le chauffage, la ventilation, l'origine et la répartition de l'eau, la disposition des localités pour le lavage, l'essorage, le séchage, etc., et, enfin, les avantages et les conditions économiques de leur installation.

1° *Constructions.* Autant que possible, comme le recommande M. Wool-Cott, secrétaire de la commission pour développer l'institution des bains et voirs, l'emplacement choisi doit être dans un quartier très-populeux, et ouvrir, autant que possible, sur deux rues. Suivant lui, le bâtiment ne doit pas être trop vaste au commencement ; mais il sera disposé de manière à pouvoir être agrandi. Dans un quartier de 80,000 à 100,000 habitants, il vaudra mieux ouvrir deux établissements que de concentrer tout le travail des ménagères dans un seul. Le bâtiment, les machines et appareils doivent être construits avec le plus grand soin et avec des matériaux de choix, dépourvus d'ornements, mais d'une grande solidité. Tout, enfin, sera approprié aux classes qui doivent en faire usage, et réunir les conditions nécessaires pour obtenir une bonne ventilation, un beau jour et l'ordre dans le service.

Dans les constructions on préférera surtout la brique et le fer à tous les autres matériaux. Le sol sera couvert de dalles jointes exactement au ciment, ou d'une couche de bitume, avec une pente convenable pour l'écoulement des eaux lequel aura lieu par des caniveaux ; les murs seront recouverts d'un enduit imperméable. En Angleterre, on emploie avec beaucoup d'avantage pour le dallage, les cloisons des stalles, et les refends des cabinets de bains, un schiste ardoisier très-commun dans le pays, et susceptible d'un beau poli. Ces cloisons sont très-solides, très-propres, et, on peut le dire, inaltérables.

Les établissements dont nous parlons sont habituellement au rez-de-chaussée, et éclairés par une toiture en vitrage. Cette situation, outre le genre de travail auquel on s'y livre, tend à y entretenir une grande humidité, aussi a-t-on adopté dans quelques lavoirs, en Angleterre, une disposition qui, au point de vue de la salubrité, offre de grands avantages. Le dallage repose sur de petits murs en briques qui l'élèvent à la partie supérieure du socle, il en résulte un soubassement de 1 mètre environ de profondeur entre ce dallage et le niveau naturel du terrain, dans lequel passent les tuyaux pour les eaux chaudes, froides, propres ou sales, et où l'air pénétrant par de nombreuses ouvertures dont le socle est percé autour du bâtiment, circule en toute liberté. Ceci nous conduit à parler de la ventilation.

2° *Ventilation*. Dans quelques établissements elle a lieu seulement par des fenêtres en tabatières percées dans la toiture de la buanderie. Dans ceux dont nous venons de parler, l'air admis dans le soubassement passe dans le rez-de-chaussée, où sont les lavoirs et les bains, puis il se rend dans une cheminée d'aspiration qui enveloppe celle des chaudières et des foyers et se perd dans l'atmosphère. Cette cheminée a 22 mètres de hauteur ; elle est divisée à sa base en compartiments, avec registres qui permettent de porter à volonté son action, soit sur les bains, soit sur les buanderies. Cette action est, au besoin, secondée par de puissants jets de vapeur disposés de manière à favoriser le mouvement d'ascension dans la cheminée à air. Mais, fait observer M. de Saint-Léger, comme pendant l'été la différence de température entre l'air extérieur et l'air intérieur n'est pas assez considérable pour favoriser le tirage, l'ascension de l'air échauffé n'a pas lieu d'une manière suffisante. Aussi, pour les buanderies particulièrement, en est-on revenu, au moins pendant la belle saison, à la ventilation directe à l'aide d'ouvertures pratiquées dans le vitrage qui forme toiture, ou dans les murs même du lavoir.

3° *Disposition intérieure pour les opérations du blanchissage*. Il y a plusieurs pièces destinées aux différentes pratiques dont nous avons parlé. Nous noterons seulement quelques différences dans les établissements français et anglais.

En Angleterre, les places des laveuses occupent habituellement chacun des côtés d'une longue pièce formée par deux murailles parallèles. Les laveuses se tiennent dans des compartiments ou stalles de $1^m,50$ de profondeur sur $1^m,10$ de largeur, formés par des montants en bois ou des plaques d'ardoise de 2 mètres environ de hauteur, ce qui fait que chaque femme est entièrement isolée de sa voisine (les Anglaises, paraît-il, tiennent beaucoup à ne pas être vues pendant qu'elles lavent leur linge) ; devant elles passe une auge en bois qui règne dans toute l'étendue de chaque muraille, et offrant $0^m,54$ de largeur sur $0^m,28$ de profondeur. Cette auge est divisée, au niveau de chaque stalle, en deux compartiments inégaux, l'un de $0^m,27$, l'autre de $0^m,62$ de longueur. Le premier, muni d'un couvercle, sert à faire bouillir le linge dans une dissolution de sous-carbonate de soude. Deux robinets y donnent accès, l'un à de l'eau dans laquelle la femme forme elle-même la dissolution alcaline ; l'autre à de la vapeur qui détermine l'ébullition. Une soupape sert à faire écouler l'eau à volonté, c'est la lessive. Le grand compartiment est destiné à l'essangeage, au savonnage, etc. ; il est également muni de deux robinets : l'un amène de l'eau froide, l'autre amène de l'eau chaude ; une soupape permet l'écoulement de l'eau qui a servi. Ailleurs, l'auge à compartiments est remplacée par deux baquets inégaux destinés aux mêmes usages. Ailleurs enfin, les compartiments ne sont pas le long des parois latérales, mais appuyés à des murs transversaux, avec la précaution de laisser un passage libre au milieu ou sur l'un des côtés.

Chez nous il n'en est pas ainsi : le lessivage, qui se paye à part, comme nous le verrons, a lieu dans une pièce spéciale, et en commun, dans de grands cuviers (*voy.* plus bas, la partie économique) ; dans le lavoir ont lieu les autres opérations. Nos ménagères, moins ridiculement réservées que les Anglaises, sont placées dans de petites stalles mobiles en bois formées d'une petite planche carrée servant de base avec trois montants, un antérieur et deux latéraux qui ne s'élèvent qu'à la hauteur de la ceinture, protégent une partie du corps contre les éclaboussures, et laissent les bras parfaitement libres. Elles ont devant elles un baquet dans lequel elles procèdent successivement au savonnage avec de l'eau chaude, et au rinçage avec de l'eau froide.

Soit dans la même pièce, soit dans un local particulier, sont les essoreuses (hydro-extracteurs) ; c'est en général une corbeille en fil de fer galvanisé, ou une sorte de bassine à parois criblées, offrant $0^m,60$ environ de diamètre sur $0^m,15$ de profondeur, que l'on remplit de linge mouillé, et qu'une manivelle ou une courroie mue par la machine à vapeur fait tourner rapidement sur son axe ; l'eau, en vertu de la force centrifuge est chassée violemment vers la circonférence, s'échappe par les mailles du treillage ou les trous de la bassine, et se trouve lancée contre la surface intérieure d'une enveloppe de fonte d'où elle s'écoule par un conduit situé au bas. Cet appareil, comme construction, est à peu près le même partout, il n'y a de différence que dans les conditions de son emploi.

Le *séchage* a donné lieu à une foule de procédés de la part des ingénieurs anglais ; il serait bien désirable de les voir adopter dans les établissements de Paris, afin d'éviter le séchage à domicile. Nous devons entrer ici dans quelques détails.

A Euston-Square, le séchoir fait suite à la buanderie ; c'est une sorte de long cabinet noir constitué par un refend vertical parallèle à l'axe du bâtiment, long, étroit, et éloigné de $1^m,60$ de l'un des murs longitudinaux. Cet espace est divisé, par des refends transversaux en maçonnerie, en seize compartiments ou cabinets égaux dans lesquels on entre par une porte en bois de $1^m,80$ de hauteur ; le tout est couvert, à la hauteur de 2 mètres, par un plafond percé, au niveau de chaque cabinet, d'une ouverture fermée par un registre mobile à volonté. Le sol est formé de plaques de tôle criblées de trous, et au-dessous desquelles se développe un système de tuyaux en fonte, contenant de l'air échauffé par un foyer dans lèquel passent ces tuyaux, en se contournant de manière à former une sorte de grille. L'air, élevé à une très-haute température, circule sous les plaques, revient au foyer, où il reprend de la chaleur pour recommencer le même parcours. Voici comment on met en usage ces compartiments : le linge est étendu, simple ou plié en plusieurs doubles, sur les barres d'un chevalet en bois de $1^m,70$ de hauteur et de $1^m,40$ de longueur, $0^m,40$ de large, puis celui-ci est placé dans un des compartiments, dont chacun peut contenir deux chevalets; l'air n'y pénètre que par les fissures de la porte; on ouvre le registre peu de temps après le commencement du séchage, pour laisser sortir la vapeur, on le ferme ensuite pour le rouvrir encore à la fin de l'opération, qui dure une demi-heure environ.

M. de Saint-Léger, l'habile ingénieur de Rouen qui a donné ces détails, croit un tel système dangereux, parce que l'on ne peut calculer la température, et par conséquent la tension de l'air échauffé qui, paraît-il, peut s'élever jusqu'à cinquante atmosphères !

A Goulston-Square, qui s'intitule l'établissement modèle, la disposition du séchoir est à peu près la même, seulement ses compartiments sont plus grands et peuvent recevoir chacun sept chevalets juxtaposés et montés sur roulettes. Ces chevalets sont terminés en avant et en arrière par des plaques en fonte qui ferment le cabinet quand ils sont entièrement entrés ou entièrement sortis, ce qui permet de les mettre et de les retirer isolément sans refroidir l'intérieur. Le séchoir est chauffé par un calorifère à air chaud avec deux foyers, de sorte que la chaleur est à peu près égale partout; la flamme et la fumée de chaque foyer circulent dans un tuyau horizontal en tôle galvanisée; il y a une cheminée d'appel pour chaque foyer; elle est placée à l'extrémité du tuyau correspondant. Les deux tuyaux sont posés dans une espèce d'auge en maçonnerie, recouverts par un treillage en fil de fer galvanisé et situé horizontalement sous les chevalets, à quelques centimètres au-dessus des tuyaux, pour empêcher le linge qui tomberait d'être brûlé au contact de ceux-ci. L'humidité du linge, vaporisée par la chaleur, s'échappe, comme à Euston-Square, par les ouvertures garnies de registres qui existent dans la petite voûte en briques qui recouvre les compartiments.

Une disposition toute différente et assez compliquée est employée à Saint-Martin-des-Champs : le séchoir forme la partie supérieure de la case dévolue à chaque laveuse; ouvert par le bas, il reçoit le chevalet tout chargé, que l'on fait monter à l'aide de cordes enroulées sur poulies et munies de contre-poids. La base du chevalet porte une planche horizontale qui ferme l'ouverture inférieure du compartiment. Là, il est placé entre des tuyaux à circulation continue du système Perkins. Quand la vapeur commence à sortir par les intervalles mal joints de la planche de fermeture, on lève, au moyen d'une ficelle, un clapet qui couvrait une ouverture percée à la partie supérieure du compartiment, et on la maintient ainsi jusqu'à la fin de l'opération, en fixant inférieurement la ficelle à un clou. Le chauffage a lieu par des tuyaux dans lesquels l'eau circule à une température de 150° à 170° centigrades, avec une pression de quatre à huit atmosphères. Ces tuyaux forment, au moyen de plusieurs circonvolutions horizontales, les parois de ces différentes cases que dessert un foyer auquel ils reviennent s'échauffer de nouveau. Chaque ligne de tuyaux est munie, à son point le plus élevé, d'un petit réservoir ayant la capacité de quelques litres, et qui est plein d'air quand l'appareil est froid; il sert à permettre la dilatation de l'eau par la chaleur. Son emploi est indispensable pour empêcher la rupture des tuyaux. Le séchage dure de quinze à trente minutes.

Enfin à Hull on fait sécher directement le linge sur des tuyaux enveloppés d'un manchon en fil de fer treillagé.

De ces différents systèmes, l'expérience a proclamé la supériorité de celui de Goulston-square. Suivant M. de Saint-Léger, le *secret* de la conduite économique du séchage est dans la proportion du courant d'air. Il faut qu'il y en ait assez pour emporter la vapeur au dehors, et cependant assez peu pour que la température de toutes les parties de l'appareil, soit autant que possible, maintenue au-dessus de 100° centigrades. C'est dans ces conditions que la dessiccation est le plus prompte et le moins coûteuse. Une température très-élevée de 100° à 110° a, dit-on, le double avantage de donner beaucoup de blancheur au linge et de faire disparaître les mauvaises odeurs. On sait, en effet, qu'une température au-dessus de 100° est un excellent désinfectant, qui détruit en même temps les germes fermentescibles.

Le *repassage* a lieu dans une salle à part, où se trouvent des fourneaux disposés à cet effet.

4° *Chauffage*. C'est là un des points les plus importants de la question économique des lavoirs. Il a lieu ordinairement par plusieurs foyers répondant à chacun des principaux services, quoiqu'il soit d'une économie bien entendue d'utiliser un même foyer pour plusieurs services, les bains et l'eau destinée aux savonnages, par exemple. Comme le fait observer M. Woolcott, la dépense en combustible dépend en grande partie de la perfection des appareils. Dans les premiers établissements construits, cette dépense, en employant du charbon de terre à 15 francs le tonneau, s'est élevée à 93 fr. 75 pour 1,000 bains chauds, tandis qu'à l'établissement modèle, en se servant de menu charbon à 12 fr. 50 le tonneau, on a chauffé le même nombre de bains pour 17 fr. 50. En général, malgré le bas prix du coke, on préfère la houille, qui donne bien plus de chaleur.

Les fourneaux pour les fers à repasser doivent aussi fixer l'attention. A Euston-Square c'est une sorte de poêle en briques, dont le dessus, recouvrant immédiatement le foyer, est formé de plaques de fonte posées horizontalement et sur lesquelles on fait chauffer les fers. Le tout est recouvert d'un couvercle en tôle qui se meut très-facilement à l'aide d'une chaîne en fer et de contre-poids; on le soulève chaque fois qu'il faut placer ou ôter un fer. C'est l'appareil généralement préféré et substitué presque partout à d'autres procédés moins avantageux.

5° *Fourniture de l'eau*. Autre question de la plus grande importance. Le volume de l'eau doit être calculé de telle sorte qu'il réponde à la plus grande consommation pendant l'époque des plus grands travaux. En Angleterre, l'eau est fournie en abondance par des Compagnies qui, dans ce pays d'initiative privée, se chargent de ce service. La plupart d'entre elles l'ont même livrée gratuitement dans les premiers temps, afin de favoriser l'installation d'établissements aussi utiles à la classe pauvre. Généralement elles la fournissent à prix réduits; seulement, dans quelques localités, l'eau n'arrivant pas à un niveau suffisant pour alimenter toutes les parties de l'établissement, il faut alors l'élever avec une machine, ce qui augmente les frais.

En France, et particulièrement à Paris, les lavoirs sont alimentés par des concessions de la ville pour l'eau de rivière destinée à la lessive et aux savonnages, et par de l'eau de puits pour le rinçage. D'après le rapport de M. Darcy, le prix d'abonnements s'élève à environ 10 francs par place.

Mais, il faut bien le dire, à Paris, l'administration semble avoir entièrement perdu de vue les intentions qui ont inspiré la loi de 1852, et que paralysent les tarifs actuels. En 1851, les 20 mètres cubes d'eau de l'Ourcq coûtaient 500 francs pour toute la ville et, chose bien juste, le prix était le même pour les *autres eaux* sur les points où il n'en existait que d'une seule nature. Aujourd'hui, d'après le tarif de 1861, l'eau de l'Ourcq coûte 950 francs les 20 mètres cubes, et l'eau de Seine 1900 francs, avec cette clause rigoureuse que « l'abonné ne pourra réclamer l'eau d'une origine autre que celle existant dans les conduites placées sous le sol de la voie publique où se trouve la propriété pour laquelle il contracte abonnement, et l'impossibilité par la compagnie de fournir l'eau d'une nature déterminée, ne pourra donner lieu à la modification des prix fixés ci-dessus. » Or, ainsi que me le faisait observer un maitre de lavoir que ces prix élevés ont empêché de joindre des bains à son établissement, comme l'eau de l'Ourcq ne dessert que la partie basse de la ville, et que les lavoirs se construisent surtout dans les quartiers populeux, qui se trouvent dans la partie haute, il s'ensuit que c'est de l'eau de Seine, c'est-à-dire la plus coûteuse, qu'ils sont obligés de prendre.

Ainsi que nous l'avons fait observer à l'article Bains, on n'a utilisé que dans très-peu de localités, l'eau de condensation des machines à vapeur qui va se perdre à l'égout sans profit pour personne.

6° *Économie des lavoirs. Avantages.* On ne saurait le nier, la création des lavoirs a été un véritable bienfait pour le peuple des villes. On peut s'en assurer facilement en comparant, comme l'a fait M. Darcy, le prix de revient des objets blanchis par les blanchisseuses avec le prix des mêmes objets blanchis au lavoir par une ménagère. Ainsi le blanchissage d'un ouvrier, tout en se renfermant dans les conditions de la plus stricte économie, coûte par mois environ 3 fr. 25; au lavoir les déboursés s'élèveront seulement à 85 centimes, et en estimant à 1 franc le temps employé à cet ouvrage, cela fait à peu près 1 fr. 85. Remarquons, d'ailleurs, que les femmes qui ont beaucoup d'enfants à soigner ne peuvent exercer une profession régulière et lucrative. Ces conditions économiques expliquent les succès obtenus par les établissements qui nous occupent.

Quels sont les prix exigés dans les lavoirs publics pour les différentes opérations qui s'y pratiquent? Il y a à cet égard d'assez grandes différences entre les habitudes de la France et celles de l'Angleterre.

Dans ce dernier pays, comme nous l'avons fait observer, le lessivage est accompli par la femme dans un petit baquet à l'aide d'une solution alcaline qu'elle fait bouillir. Voici les prix exigés : 10 centimes pour une heure; plus, comme fourniture : 5 centimes de sous-carbonate de soude; 6 centimes pour le savon; bleu, 2 centimes; total environ, 23 centimes. En général, le prix dans les lavoirs anglais est de 10 centimes pour la première heure, avec usage de l'essoreuse, du séchoir et des ustensiles de repassage : on exige 20 centimes pour la deuxième heure, et 10 centimes en plus par chaque demi-heure suivante. Cet accroissement de prix, pour une longue durée de travail, a pour objet d'empêcher les blanchisseuses de profession, qui exercent un état lucratif, de profiter d'avantages destinés à la classe ouvrière.

A Paris, le prix de l'heure est de 5 centimes, la demi-journée de 20 centimes et, pour la journée, de 40 centimes; on voit la différence qu'amènent, dans les prix des lavoirs, les différences qui existent dans le mode de création de ces établissements. Là-bas, ce sont des institutions humanitaires fondées par des souscriptions particulières ou des sommes votées par les paroisses ; ici, ce sont des entreprises particulières ; à la tête du lavoir est, non pas un gérant soldé, mais un entrepreneur qui organise et gère à ses risques et périls ; c'est, en un mot, une industrie privée. Nous pensons que les Anglais ont beaucoup mieux compris la question et l'ont posée sur son véritable terrain. Les blanchisseuses qui exercent un état lucratif payent, comme on le voit, assez cher chez nos voisins le droit de travailler toute une journée, et, chez eux, aux 10 centimes par heure se joint le droit d'essorage et de séchage. Ici l'eau froide seule est donnée gratuitement, l'eau chaude se paye à part 5 centimes le seau de 12 litres ; l'essorage est de 20 à 30 centimes. Mais les dimensions de l'essoreuse permettent à deux ou trois femmes de se cotiser pour assécher leur linge à frais commun, et, par conséquent à très-bon compte. Et, cependant, plusieurs reculant encore devant cet accroissement de frais, essorent par le tordage qui use et brise si promptement les fibres du tissu. Elles emportent sur leur dos leur linge encore tout imprégné d'eau qui mouille leurs vêtements et les refroidit, et elles l'apportent à sécher dans la chambre du ménage qui se remplit d'humidité.

Chez nous, par exemple, le lessivage se fait en commun et en grand ; chaque femme apporte son paquet de linge qui est aussitôt muni d'un numéro en zinc, attaché avec une ficelle, et elle reçoit un numéro correspondant; le paquet est mis dans le cuvier avec les autres et, la lessive coulée, la femme le reprend pour aller se livrer, à sa place, au savonnage, etc., des pièces qu'il contient. Le tarif est fixé d'après le volume des objets : pour un paquet renfermant trois ou quatre chemises, on prend 10 centimes, et ainsi de suite en proportion. Les différentes fournitures, savon, eau de Javelle, etc., sont au frais de chaque laveuse qui apporte ou achète à très-bon compte, dans l'établissement même, ces différents objets.

A Londres, il est un établissement, celui de *Glass-House-Yard*, fondé par une société pour développer la propreté parmi les pauvres, où tout est gratuit jusqu'aux fournitures. De pauvres femmes viennent laver là le linge qu'elles ont sur le corps, et pendant cette opération on leur prête des vêtements. A cela ne se borne pas la sollicitude de cette société ; elle donne aussi de l'eau et des chlorures pour laver les logements des pauvres du voisinage et les assainir ; on leur prête des brosses, des seaux, et, enfin, on leur donne du charbon pour que le logement puisse être séché immédiatement. L'établissement de Euston-Square loue dans le même but des seaux et des brosses, souvent même il les prête pour rien. C'est ainsi que, dans l'espace d'une seule année, 1493 localités (428 chambres, 226 escaliers, 375 cabinets, etc.) ont été nettoyées et assainies. Il se passera du temps avant que l'on voie pareille chose chez nous : non que le zèle manque aux personnes charitables pour le faire, mais en profiterait-on?... Un maître de lavoir me disait qu'il avait fallu plusieurs années pour faire comprendre aux femmes du peuple les immenses avantage de l'essorage à l'aide de la machine !

Réunion des bains et des lavoirs. Comme nous l'avons dit à propos des Bains publics (t. VIII, p. 209 et suiv.), on a, en Angleterre, très-habilement et très-économiquement combiné les bains publics avec les lavoirs, de manière à livrer les uns et les autres à des prix réduits en faveur de la classe pauvre. Nous avons donné là le mode d'aménagement de ces bains ; nous n'avons donc à en parler ici qu'au point de vue économique.

Le chauffage a lieu par le même foyer pour le bain et pour la buanderie, là est la source des avantages que l'on retire de cette association. Suivant toutes les personnes qui ont étudié la question, les bains doivent faire les bénéfices de l'entreprise. Aussi, suivant M. Woolcott, le nombre des baignoires doit-il être égal, sinon supérieur, au nombres des places de laveuses ; il admet que, d'après les prix fixés en Angleterre, la totalité des recettes doit se répartir de la manière suivante : 7 pour 100 fournis par les baignoires pour hommes ; 6 pour 100 par les baignoires pour les femmes ; 7 pour 100 par les bassins de natation ; et 16 pour 100 seulement par les laveuses.

Comment expliquer que ces avantages n'aient pas été sentis chez nous, et que si peu de lavoirs, à Paris, possèdent des bains. D'abord à ce fait que ce sont, comme nous l'avons dit, des entreprises particulières, et que tous les chefs de lavoir n'ont pas des ressources suffisantes pour monter et organiser une aussi vaste entreprise qui exige un grand emplacement et de grands frais d'installation. Ajoutons encore le prix de l'eau dans les quartiers qui sont obligés de s'approvisionner d'eau de Seine. Nous avons fait remarquer plus haut que la société concessionnaire des eaux de Paris se montre peu généreuse à l'endroit de ces établissements.

Nous donnons ci-joint le plan d'un projet de lavoir publié par MM. Trélat et Gilbert dans le rapport de la commission d'enquête sur cette question, publié en 1850.

Police médicale. Réglementation. Laissant de côté ce qui est relatif à la santé des ouvriers et ouvrières employés dans les établissements qui nous occupent, et dont il est traité au mot Blanchisseuses, nous avons à examiner quelles sont, au point de vue de l'hygiène publique, les inconvénients des lavoirs et quelles sont les précautions à prendre.

Les lavoirs publics, de même que les buanderies ordinaires, ont des inconvénients nombreux lorsqu'ils ne sont pas établis dans de bonnes conditions, et quand, surtout, ils ne sont pas suffisamment éloignés des maisons voisines ; aussi les a-t-on rangés dans la troisième classe des établissements incommodes et insalubres.

Il existe à l'intérieur de ces établissements une buée continuelle qui pénètre et s'infiltre dans toutes les constructions adjacentes, les dégrade et y entretient une humidité qui rend certains logements inhabitables. Aussi, par suite de plaintes des voisins et de poursuites judiciaires, plusieurs propriétaires d'établissement de ce genre ont-ils été forcés de les fermer, quelques-uns ont même été condamnés à des dommages-intérêts.

Il convient donc d'exiger qu'il y ait un isolement complet entre les lavoirs, buanderies, couleries et les maisons voisines, au moyen d'une cloison qui sépare le lavoir du mur mitoyen par un espace de 15 à 50 centimètres. Cette cloison doit régner sur toute la hauteur du mur mitoyen. On doit prendre *extérieurement* l'air qui doit circuler entre cette cloison et les maisons voisines. Le contre-mur sera construit en briques et chaux hydraulique. Dans le cas où cette opération ne peut être faite le long d'un gros mur de séparation, on construira à la hauteur de 1 mètre une cloison en briques de Bourgogne de $0^m,11$, hourdées en ciment romain. Enfin, dans certains cas, il suffira d'enduire de ciment romain à la hauteur de 1 mètre, le pourtour du lavoir.

Les autres conditions générales prescrites sont les suivantes :

1° Élever la cheminée de la machine à vapeur de 2 à 3 mètres au-dessus des maisons voisines, dans un rayon de 50 mètres, de manière que ces maisons ne soient pas incommodées par la fumée.

2° Daller et bitumer le sol avec une pente convenable pour l'écoulement des eaux.

3° Diriger les eaux par un conduit souterrain jusqu'à l'égout le plus rapproché. L'enlèvement des eaux savonneuses résultant des lavoirs, dans les localités où il n'existe ni égouts ni cours d'eau pour les recevoir, constitue une des causes les plus ordinaires et les plus graves d'insalubrité. Il faut alors, ou traiter ces eaux par la chaux, ou les répandre en irrigation sur les terres, ou les vendre pour l'extraction des matières grasses. Mais on ne devra jamais en permettre le séjour sur la voie publique ni la perte dans les puisards. Quelquefois, et par exception, on a permis que les eaux fussent recueillies dans une citerne étanche, à la condition qu'elles seraient traitées par la chaux et transportées pendant la nuit à la bouche de l'égout le plus voisin. On ne doit jamais en permettre l'écoulement dans les cours d'eau, elles causeraient la mort du poisson.

4° Établir les châssis mobiles destinés à la ventilation sur les côtés opposés aux maisons voisines.

5° Couvrir les cuviers d'un large couvercle en tôle, et les surmonter d'une hotte communiquant à la cheminée, afin de donner issue à la buée.

6° Prendre toutes les précautions nécessaire contre l'incendie.

7° Déterminer les places en laissant entre chaque laveuse l'intervalle de 1 mètre.

8° Pendant les gelées, les glaces seront soigneusement cassées et l'on sèmera de la cendre ou des scories dans les endroits où elles tendent à se former.

9° On établira des lieux d'aisances convenablement ventilés à l'usage des laveuses.

Si ces conditions ne peuvent être remplies, si, par exemple, les bâtiments sont trop exigus et ne permettent pas de garantir les maisons voisines des inconvénients de la buée et autres vapeurs ; si les eaux ne peuvent avoir un écoulement convenable soit par l'absence d'égout, soit par le mauvais état du sol de la voie publique où elles entretiendraient une insalubrité et une malpropreté permanentes, l'autorisation doit être refusée. (Trébuchet, *Rapp. gén. sur les trav. du cons. d'hyg.* Paris, 1861, in-4°, p. 473; et Vernois, *Traité prat. d'hyg. indust. et adm.* Paris, 1860, in-8°, t. II, p. 144.)

Bateaux-lavoirs. Il est bien évident que les premiers lavoirs publics ont été les bords des rivières et des ruisseaux, et sans remonter à l'exemple classique de la princesse Nausicaa, ce que l'on voit tous les jours, dans les petits villages, le démontre suffisamment. Le blanchissage s'exécutait autrefois à même la rivière ; de là, des ordonnances de police pour régulariser cette industrie. Ainsi nous trouvons une ordonnance en date du 10 juin 1666 qui prescrit aux lavandières de ne pas laver leur linge dans le canal de la rivière qui coule le long de la place Maubert, rue de la Bûcherie, des ponts de l'Hôtel-Dieu, Petit-Pont, pont Saint-Michel et pont Neuf, depuis Pâques jusqu'à la Saint-Martin, à cause de l'infection et de l'impureté des eaux qui y croupissent et sont capables de causer de graves maladies, à peine du *fouet* contre les lavandières ; mais seulement dans le courant où les eaux sont pures et salutaires, etc. (Delamarre, *Traité de la police*, t. II, p. 490, 3e édit. Paris, 1727, in-fol.) Au commencement du dix-huitième siècle ces mêmes ordonnances reparaissent, seulement la peine barbare du fouet est remplacée par l'amende et la prison.

Le système des lavoirs sur bateaux fut réorganisé par une ordonnance de police, en date du 9 mai 1805, qui, entre autres prescriptions telles que l'autorisation

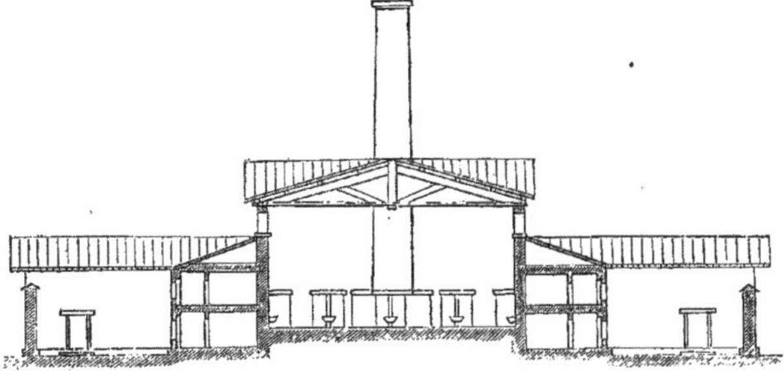

Fig. 1.

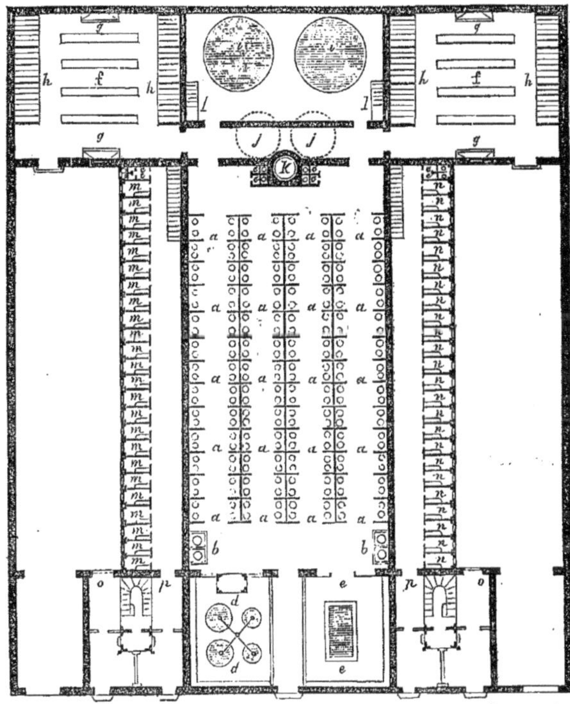

Fig. 2.

Légende.—Fig. 1. Coupe transversale d'un établissement de bains et lavoirs (104 laveuses et 100 baignoires).

Fig. 2. *a*, *a*. Lavoir pour 104 laveuses. — *b*. Essoreuses. — *c*. Cabinets d'aisance ventilés. — *d*. Buanderie. — *e*. Essangerie. — *f*. Salles de repassage et séchoirs. — *g*. Fourneaux pour les fers à repasser. — *h*. Séchoirs à air chaud. — *i*. réservoirs d'eau froide. — *j*. chaudières. — *k*. Cheminée. — *l*. Descentes aux foyers des chaudières et séchoirs. — *m*. Bains pour 50 hommes. — *n*. Bains pour 50 femmes. — *o*. Entrée des bains de 1re classe. — *p*. Entrée des bains de 2e classe.

préalable, stipule, article 4 : que les permissions de tenir bateaux à lessive ne seront accordées qu'à la condition qu'il y sera réservé des places où les indigents pourront laver leur linge sans payer aucune rétribution, le préfet se réservant de fixer le nombre de ces places en proportion de la grandeur et du produit présumé des bateaux. Article 5 : Il est défendu d'étendre du linge sur les berges, etc. En 1840 (25 octobre) on ajoute à ces prescriptions l'obligation d'établir des chemins solides, garnis de garde-fous à hauteur d'appui, pour faciliter l'accès de ces bateaux. Exiger encore que les bateaux soient solidement amarrés et munis de cordes, crocs, perches, etc., pour porter secours en cas de besoin. Dans le même but un bachot, muni de ses agrès, devra toujours être attaché à chacun de ces établissements, et les propriétaires sont, en outre, tenus d'avoir constamment à bord de leurs établissements un gardien, bon nageur, et une boîte de secours en bon état.

Aujourd'hui, les bateaux sont organisés à l'instar des lavoirs ; lessivage en commun à la vapeur, eau chaude à 5 centimes le seau ; prix des places, tout est semblable, seulement le rinçage se fait à même l'eau courante. La plupart de ces bateaux appartiennent à des compagnies qui les font tenir par des gérants.

E. BEAUGRAND.

BIBLIOGRAPHIE. — *Bath and Washhouses for the Labouring Classes*, etc. In *Lond. Med. Journ.*, t. XXVII, p. 1063 ; 1846. — *Bains et lavoirs publics. Rapp. de la commiss. instituée par ordre de M. le Président de la République*. Rapp. de MM. PINEDE, E. TRÉLAT et GILBERT, DARCY, WOOLCOTT, DE SAINT-LÉGER. Paris, 1850, in-4°, pl. 14. — ABAN (F. A.). *Les bains et les lavoirs publics*. In *Union méd.*, 1850, p. 607. — TROMPEO. Cenni sui bagni et lavatoj pubblici. Torino, 1850. — *Loi relative à la création d'établissements modèles des bains et lavoirs publics* (3 févr. 1851). — BALY (P. P.). *A Statement of the Proceeding of the Comittee appointed to promote the Establishments of Baths and Washhouses*, etc. Lond., 1852. — *Quelles sont les règles à suivre pour l'établissement des bains et lavoirs publics dans les principaux centres de population* (Compte rendu du congr. d'hyg. de Bruxelles). In *Ann. d'hyg.*, 1re sér., t. XLVIII, p. 455 ; 1852. — TARDIEU. Art. *Lavoirs*. In *Dict. d'hyg. publique*. Paris, 1852. et 2e édit., ibid., 1864. — BEHREND (F. J.). *Die öffentliche Bäde und Waschanstalten, ihr Nutzen und Ertrag*. Berlin, 1854, in-8. — BOURGEOIS D'ORVANNE (A.). *Bains et lavoirs publics à prix réduits*. Paris, 1854, in-8°. — LIVOIS. *Des établissements de lavoirs et de bains publics, au point de vue de l'hygiène*, etc. Boulogne-sur-Mer, 1857.

E. BGD.

LAVOISIEN (JEAN-FRANÇOIS), médecin fort instruit du siècle dernier qui, après avoir été chirurgien des hôpitaux des armées du roi, se retira dans la ville d'Eu, où il pratiqua la chirurgie. On lui doit un excellent *Dictionnaire lexicographique des sciences médicales*, avec un vocabulaire des termes de médecine grecs et latins, ouvrage qui a servi de modèle à ceux qui sont venus après.

Voici le titre de cet ouvrage :

Dictionnaire des termes français et latins de médecine, d'anatomie, de chirurgie, de pharmacie, de chimie, d'histoire naturelle, de botanique et de physique. Paris, 1764, in-12 ; 2e édit., intitulée : *Dictionnaire portatif de médecine, d'anatomie*, etc. Paris, 1771, 2 vol, in-12 ; 3e édit., Paris, 1793, in-8°.

E. BGD.

LAVOISIER (ANTOINE-LAURENT), un des plus grands génies que la France ait produits ; c'est le créateur de la chimie moderne, dont il peut, à juste titre, être regardé comme le Newton. Lavoisier naquit à Paris le 16 août 1743, d'une famille de riches négociants. Après de brillantes études au collége Mazarin, laissé libre sur sa vocation, il se livra avec ardeur à l'étude des sciences ; les mathématiques, la botanique, la géologie l'occupèrent tour à tour, enfin la chimie devint le principal objet de ses études. Dès les premiers pas, il mesure la portée du but qu'il s'est donné; et il dispose sa vie en conséquence. Il lui fallait une grande position de fortune; à peine âgé de ving-huit ans, déjà membre depuis trois ans de l'Académie des sciences, il sollicite et obtient une place de fermier général, et épouse la fille d'un de ses nouveaux confrères. Ses travaux de finances l'occuperont tout le jour, les matinées, les soirées et les dimanches seront exclusivement consacrés à la chimie. Bientôt les recherches, les découvertes se succèdent sans interruption. De même qu'il a arrangé sa vie pour ses occupations diverses, il cherche et choisit un procédé tout nouveau qui va lui servir de guide infaillible dans ses études. « Rien ne se perd, rien ne se crée, a-t-il dit; la matière reste toujours la même; il peut y avoir des transformations dans sa forme, mais il n'y a jamais d'altération dans son poids. » Tel est son point de départ; quel sera son critérium? La balance, dont, par un ensemble de précautions minutieuses, il rend l'emploi d'une rigueur mathématique. « Pour lui, dans toute réaction chimique désormais, les produits formés doivent peser autant, et pas plus, que les produits employés. Si cette condition d'égalité ne se manifeste pas, c'est que la chimie n'a pas tout su recueillir, ou bien qu'elle a méconnu l'intervention de quelque corps occulte. La balance vous apprend donc à l'instant qu'il faut retrouver le produit perdu ou reconnaître la nature des causes qui viennent compliquer l'expérience. Son application à l'étude des phénomènes naturels devait donc révolutionner la chimie et pouvait seule la révolutionner. » (Dumas, *Leçons sur la philosophie chimique*, p. 120, Paris, 1827, in-8°.)

Nous n'avons pas à examiner ici en détail la série des belles découvertes de Lavoisier, l'ordre merveilleux qui les rattache l'une à l'autre, l'invincible ténacité avec laquelle il les poursuit jusqu'à démonstration complète, évidente, incontestable; comment, laissant de côté, sans la discuter, la théorie de Stahl, qui tenait encore sous son joug les chimistes français et étrangers, il ne s'en occupe à la fin que pour la montrer renversée, anéantie à tout jamais. Tout cela a été exposé avec une précision, une éloquence à la hauteur du sujet, par le juge si autorisé auquel j'empruntais tout à l'heure quelques lignes, notre illustre Dumas. Du reste, cet ensemble merveilleux de faits, la doctrine qui les relie, les rapports de celle-ci avec les doctrines antérieures, les modifications qu'elle a éprouvées, etc., seront mieux à leur place dans l'article consacré à l'histoire de la chimie. (*Voy.* CHIMIE, Histoire.) Nous allons seulement donner ici le résumé des idées de Lavoisier, tel qu'il l'a lui-même formulé, dans ce style aphoristique dont, seuls, les hommes de génie possèdent le secret. « Le phlogistique n'existe pas; l'air du feu, l'air déphlogistiqué est un corps simple; c'est lui qui se combine avec les métaux que vous calcinez; c'est lui qui transforme le soufre, le phosphore, le charbon en acides; c'est lui qui, dans la respiration des animaux, change le sang veineux en sang artériel, en même temps qu'il développe la chaleur qui leur est propre; il forme partie essentielle de la croûte du globe tout entière, de l'eau, des plantes et des animaux; présent dans tous les phénomènes naturels, sans cesse en mouvement, il revêt mille formes, mais je ne le perds jamais de vue et puis toujours le faire reparaître à mon gré, quelque caché qu'il soit. Dans cet être éternel, impérissable, qui peut changer de place mais qui ne peut rien gagner ni rien perdre, que ma balance poursuit et retrouve toujours le même, il faut voir l'image de la matière en général; car toutes les espèces de matière partagent avec lui ces propriétés fondamentales et sont, comme lui, éternelles, impérissables; elles peuvent, comme lui, changer de place, mais non de poids, et la balance les suit sans peine à travers toutes leurs modifications les plus surprenantes. » Ainsi Lavoisier n'avait pas seulement trouvé les faits, mais il avait encore trouvé la méthode et jusqu'à ce jour on n'a pu que marcher dans la même voie.

Outre cette suite de recherches sur les théories chimiques, Lavoisier a publié quelques autres travaux où il a laissé l'empreinte de son génie sévère et méthodique. Ainsi, dès 1765, il avait obtenu une médaille d'or pour ses recherches sur l'éclairage. Son traité sur les salpêtres a longtemps servi de guide professionnel; on connaît son beau travail avec Laplace sur la chaleur latente. Son ouvrage d'économie politique sur la production et la consommation, en regard avec la population; un autre sur la richesse territoriale, attestent la variété de ses connaissances et ses prodigieuses aptitudes.

Pourquoi faut-il que le fanatisme politique, non moins cruel, non moins stupide que le fanatisme religieux, ait tranché le cours d'une si belle existence. Compris dans l'accusation portée contre les fermiers généraux, Lavoisier, malgré les services réels qu'il avait rendus au peuple dans l'exercice de ses fonctions, fut condamné à mort et exécuté le 8 mai 1794, sans que l'on voulût faire droit au sursis qu'il avait demandé pour mettre en ordre ses papiers et terminer quelques expériences.

A part la série de mémoires, au nombre de plus de quarante, qui ont été publiés presque tous parmi ceux de l'Académie des sciences, Lavoisier avait fait paraître les ouvrages suivants :

I. *Opuscules physiques et chimiques*. Paris, 1774, 2 vol. in-8°. — II. *Instruction sur les nitrières et sur la fabrication du salpêtre*. Paris, 1777, in-8° et ibid., 1794, in-8°. — III. *Traité élémentaire de chimie*. Paris, 1789, 2 vol. in-8°; 2° édit., Paris, 1793, 2 vol. in-8°, etc. — IV. *De la richesse territoriale*. Paris, 1791, in-8°. — V. *Mém. de chimie* publiés par madame Lavoisier. Paris, 1805, 2 vol. in-8°. — Une édition des *Œuvres complètes* de Lavoisier est en voie de publication. E. Bud.

LAWRENCE (William), un des plus illustres chirurgiens anglais contemporains, était né le 16 juillet 1783, à Cirensester, dans le Gloucestershire, où son père exerçait la chirurgie. Après d'excellentes études classiques, William Lawrence fut mis à Londres sous la direction d'Abernethy, qui sachant apprécier le mérite et les talents précoces de son disciple, le fit entrer comme démonstrateur d'anatomie à l'hôpital Saint-Barthélemi au bout de trois années d'études, place qu'il conserva douze ans, à la grande satisfaction et au grand profit des élèves. Reçu membre du Collége de chirurgie le 6 septembre 1805, il fut nommé, en 1813, chirurgien-adjoint de ce même hôpital Saint-Barthélemi et, la même année, il était élu membre de la Société royale. Dès lors, nous le voyons s'élever rapidement : en 1814, il est à l'infirmerie ophthalmologique et, en 1815, il obtient la position lucrative de chirurgien de l'hôpital de Bridewel et Bethlem; il faisait en même temps des cours d'anatomie et de physiologie qui attiraient un grand concours d'élèves.

Ici se place un épisode qui n'est pas sans analogie avec certaine circonstance de la vie de Lallemand que nous avons racontée. (*Voy*. Lallemand, p. 184.) Lawrence avait fait paraître, en 1819, ses leçons de physiologie, dans lesquelles il déclarait « que, de même que la digestion est une fonction de l'appareil digestif, que le mouvement est une fonction des muscles, de même les facultés intellectuelles sont des fonctions animales de l'appareil organique approprié, l'organe central du système nerveux. » Il n'en fallait pas davantage pour exciter le zèle intolérant des dévots ou prétendus tels. Lawrence fut accusé de matérialisme, de professer des doctrines subversives, etc., etc. Vainement, dans ses réponses à son ancien maître Abernethy, qui avait cru devoir se joindre à ce concert, Lawrence déclara qu'il n'avait examiné les choses qu'au point de vue exclusivement physiologique, réservant la question du principe immatériel. Trop de mauvaises passions se trouvaient cachées sous le masque de la religion et de la morale pour que l'on voulût se rendre. Menacé de perdre sa position de chirurgien à l'hôpital de Bridewell, Lawrence, sans y être cependant forcé par la même nécessité, fit comme Galilée, il céda... Dans une lettre devenue publique, il reconnaît que certains passages de ses leçons sont inconvenants (*improper*), et il promet de retirer son livre de la circulation. On a dit qu'il avait envoyé en Amérique ce qui restait de l'édition, mais son fils a tout récemment démontré qu'il y avait eu là une spéculation à laquelle William Lawrence était resté étranger. Une autre circonstance a permis d'apprécier le peu de fermeté du caractère de ce grand chirurgien. Après avoir attaqué avec violence le Conseil royal de chirurgie et la pérennité des fonctions du corps des examinateurs, il s'y fit agréger quelque temps après et conserva ces fonctions presque jusqu'à sa mort. C'était, a-t-on fait observer, pour y introduire d'utiles améliorations!

Malgré son grand et incontestable mérite, Lawrence ne paraît pas avoir joui, auprès de ses compatriotes, d'un crédit à la hauteur de sa réputation à l'étranger, et Benj. Brodie l'emportait sur lui dans la confiance publique.

Lawrence appartenait à un grand nombre de sociétés savantes nationales et étrangères, et il parvint aux plus grandes dignités auxquelles puisse aspirer un chirurgien. Il fut deux fois, en 1846 et en 1855, président du collége de chirurgie, premier chirurgien (*sergeant Surgeon*) de la reine, et peu de temps avant sa mort il avait été créé baronnet. Lawrence fut enlevé par une seconde attaque d'apoplexie, le 5 juillet 1867, à l'âge de 84 ans.

Voici la note de ses principaux ouvrages :

I. *Treatise on Hernia; being an Essay*, etc. (ouvr. cour. par le Collége de chir. en 1806). Lond., 1807, in-8°; 2° édit., ibid, 1810, in-8°; 3° édit., ibid., 1816 in-8°, etc. trad. allem., ital; trad. en français par Béclard et Jules Cloquet. Paris, 1818, in-8°. — II. *Introduction to Comparative Anatomy*. Lond., 1816, in-8°. — III. *Lectures on Physiology, Zoology and Natural History of Man*. Lond., 1819, in-8° (devenu excessivement rare. Il y a eu depuis plusieurs éditions, mais expurgées).—IV. *A Treatise on Venereal Diseases of the Eye*. Lond., 1830, in-8° trad. allem. — V. *Treatise on the Diseases of the Eye*. Lond., 1833, in-8.; 2° édit., ibid., 1841, in-8°. — VI. *Hunterian Oration*. Lond., 1834 et 1846, in-8°. — VII. *Lectures on Surgery*. Lond., 1863, in-8°. — VIII. Un très-grand nombre d'articles publiés dans les différents recueils anglais et notamment dans le *Journal d'Edimbourg*, dans les *Transactions de Londres*, mais surtout dans la *Lancet* où ses leçons étaient fréquemment reproduites. C'est là qu'il fit paraître d'abord ses leçons sur les maladies des yeux, traduites en français par Billard sous le titre : *Traité pratique des maladies des yeux*. Paris, 1830, in-8°. — IX. On lui doit aussi une traduction de l'anatomie comparée de Blumenbach. Lond., 1807, in-8°.

E. Bgd.

LAWSONIA. (*Voy.* Henné.)

LAXATIFS. Ce sont comme le mot l'indique, des relâchants, tels que le miel, la mauve, la cassonnade, plutôt que des substances purgatives. Les considérations générales auxquelles peuvent donner lieu les médicaments susceptibles de rendre les garde-robes plus fréquentes et plus liquides seront placées au mot Purgatifs.

LAYARD (Daniel-Peter), médecin anglais, né à Greenwich, reçu docteur à Oxford et mort le 5 février 1802; se fit une belle réputation à Londres dans la seconde moitié du siècle dernier. Il occupait les éminentes positions de médecin de la princesse douairière de Galles, de vice-président de la maison d'accouchements de Greenwich, directeur de l'hôpital français, etc.

On lui doit les opuscules suivants :

I. *Of a Fracture of the Os Ilium and its Cure*. In *Phil. Transact.*, 1745, et Abridg., t. IX, p. 175. — II. *Of a Women who had an Extraordinary Impostume formed in her Stomach*. Ibid., 1750. Abr., t. X, p. 29. — III. *An Essay on the Nature, Causes and Cure of the Contagious Distemper among the Horned Cattle*, etc. Lond., 1757, in-8°. — IV. *On the Usefulness of Inoculation of the horned Cattle to prevent*, etc. Ibid., 1758, et Abr., t. XI, p. 206. — V. *An Extraordinary Case of diseased Eye*. Ibid., p. 274. — VI. *Essay on the Bite of Mad Dog*. Lond., 1762, in-8°. — VII. *Pharmacopœia in usum gravidarum, puerperarum*, etc. Lond., 1770, in-8°. E. BGD.

LAZARETS. [*Voy.* SANITAIRES (Mesures).]

LEAKE (JOHN), né à Ainstable, près de Kirkoswald, dans le Cumberland, vers 1720. Il se destinait d'abord à l'état militaire, mais craignant de ne pas y trouver un avancement assez rapide, il se livra à l'étude de la médecine, se fit admettre à Londres, dans la corporation des chirurgiens, et se distingua surtout dans l'art obstétrical; c'est à lui que l'on doit la création de la maison d'accouchements de Westminster. Un forceps à trois branches, de son invention, et dont il vantait les avantages, n'a pu prévaloir contre celui de Levret. Il a donné après Hulme une des premières et des meilleures descriptions de la fièvre puerpérale. Rejetant formellement les hypothèses de la résorption du lait corrompu dans les mamelles, de la suppression des lochies, et de l'inflammation de l'utérus, il regarde cette maladie comme une affection tout à fait spéciale (*Disease of a peculiar nature, and distinct of all others*). Leake mourut à Londres le 1er août 1792.

Il a publié les ouvrages suivants :

I. *Dissert. on the Properties and Efficacy of the Lisbon Dietdrink*. Lond., 1757, in-8°, et ibid., 1790, in-8°.—II. *Practical Observations on the Childbed Fever : also on the Nature, Treatment*, etc. Lond., 1772, in-8°. — III. *A Lecture Introductory to the Theory and Practice of Midwifery*, etc. Ibid., 1774, in-4°, etc. — IV. *Practical Observations on the Acute Diseases incident to Women*, ibid., 1774, in-4°.— V. *Introduct. to the Theory and Practice*, etc., *to which is added a Description of the Author's New Forceps*, etc. Lond., 1777, in-8°, fig.; plus. autres édit. — VI. *Medical Instruction towards the Prevention, and Cure of Chronic and other Diseases peculiar to Women*. Ibid., 1777, et plus. édit. Trad. all., Leipzig, 1795, in-8°.—VII. *Specimen artis obstetricariæ ; being a Syllabus, or General Head*, etc. Ibid., 1787, in-8°.—VIII. *A practical Essay on the Diseases of the Viscera, particularly*, etc. Ibid., 1792, in-8°. E. BGD.

LEAMINGTON (EAUX MINÉRALES DE) *protothermales* ou *hypothermales*, *polymétallites fortes*, *carboniques* ou *sulfureuses faibles*, en Angleterre, dans le Warwickshire, sur la Leam; cette ville compte aujourd'hui 20,000 habitants, quand, en 1811, elle en avait 500 à peine; elle est à 65 mètres au-dessus du niveau de la mer. La température la plus élevée de toute l'année est de 25° centigrade, la moyenne de 8°,8 centigrade et la plus basse de 5° centigrade au-dessous de zéro. (Le chemin de fer de Great-Western conduit en trois heures de Londres à Leamington.) La ville est nouvelle et bien bâtie; ses rues sont plantées et larges comme des boulevards. Les arbres sont magnifiques; les ormes surtout sont d'une énorme grosseur. Les jardins publics et privés sont remarquablement tenus et très-grands : celui qui est derrière l'hôtel des bains de lord Aylesford est entouré d'une belle grille. Ses gazons et ses arbustes ont une verdure qui réjouit la vue; un orchestre y fait tous les jours de la musique. Le docteur Jefferson ayant gagné une immense fortune, a fait don à sa ville natale du jardin qui est en face de celui de lord Aylesford : il est plus spacieux encore et la haie vive qui l'entoure a plus de 500 mètres de longueur. La saison dure toute l'année à Leamington ; mais ce poste minéral est surtout fréquenté pendant la chasse aux renards, commençant au mois de novembre et finissant au mois d'avril.

Cinq sources alimentent les diverses parties de l'établissement; elles se nomment : 1° *Lord Aylesford's Spring* (source de lord Aylesford); 2° *Pump Room* (Chambre de la pompe); 3° *Wood's Spring* (source de Wood); 4° *Hudson's Spring* (source d'Hudson); 5° *Alexandra Spring* (source Alexandra).

1° *Aylesford's Spring* est la plus anciennement connue ; elle émerge dans un puits du sous-sol de la maison des bains. Elle est claire, limpide, transparente, sans odeur, d'une saveur amère assez désagréable, rappelant très-bien celle d'une solution pharmaceutique faite avec parties égales de sulfate de soude et de chlorure de sodium. Sa réaction est franchement alcaline, sa température est de 23°,4 centigrade, celle de l'air étant de 25° centigrade. Elle ne contient aucune bulle gazeuse et elle ternit assez promptement les verres. L'analyse chimique de 1000 grammes d'eau, faite en 1862 par M. le docteur Patrick Brown a donné les résultats qui suivent :

Sulfate de soude	3,9929
Chlorure de sodium	3,4243
— calcium	2,8398
— magnésium	1,2555
Silice, peroxyde de fer.	traces.
Iodure et bromure de sodium	traces.
TOTAL DES MATIÈRES FIXES	11,5125

Sur une pinte anglaise égalant $0^{\text{lit}},5679$; l'eau minérale de Leamington renferme :

Gaz	Acide carbonique.	3 pouces cubes anglais = 49,1610 cent. cubes.
	Azote	faible quantité.
	Oxygène	faible quantité.

L'eau de la *Saline Spring* de l'établissement de lord Aylesford alimente la buvette intérieure, la buvette extérieure, les bains particuliers, la piscine, les étuves et les bains turcs. La pièce d'entrée et ses deux galeries supérieures, une à chaque bout, servent à la fois de buvette et de salle de bal et de concert. L'un des robinets de la buvette verse l'eau à la température de la source, l'autre, cette même eau chauffée au bain-marie et élevée à 31° centigrade. Elle se trouble alors, elle devient rouillée et elle incruste beaucoup plus l'intérieur des conduits et des vases. La buvette extérieure ou buvette des pauvres est dans *Victoria Terrace.*

Les cabinets des bains isolés se trouvent au rez-de-chaussée ; ils sont tous précédés d'un beau vestiaire, éclairés et ventilés par leur partie supérieure. Leurs dimensions sont très-convenables et chacun d'eux a une baignoire un peu enfoncée dans le sol, de façon à ne faire saillie que de 35 centimètres au-dessus de l'aire des cabinets; les parois intérieures des baignoires sont émaillées. Trois robinets versent l'eau chaude ou froide par le fond de la baignoire. On a indiqué la destination de chacun des robinets sur une plaque de porcelaine blanche, on a écrit sur celle de gauche : *waste* (tuyau d'écoulement pour vider la baignoire), sur celle du milieu *hot* (chaud), et sur celle de droite *cold* (froid). Un corridor sépare les cabinets de bains d'eau de la pièce de la piscine. Trois jets d'eau minérale, d'un centimètre de diamètre chacun, jaillissent au-dessus d'une vasque semi-lunaire à huit échancrures et entretiennent l'eau courante à la température de la source et toujours à la même hauteur. Trois ouvertures égales ont été pratiquées au côté opposé de la piscine pour l'écoulement du trop-plein. Le bain commun d'Aylesford's Bath a 20 mètres de longueur, 8 mètres 25 centimètres de largeur et de 1 à 2 mètres de profondeur. Ses parois latérales sont de faïence émaillée; son fond est enduit d'asphalte. Des trottoirs également d'asphalte, de briques et d'ardoises, conduisent aux quatorze vestiaires établis tout autour, à l'estrade d'où s'élancent les plongeurs, et aux trois escaliers qui descendent à la piscine. L'eau de cette piscine a 34° centigrade, elle est jaunâtre et n'a plus la même limpidité qu'à la source, ce qui tient à la rouille qui se précipite et altère sa transparence.

Chacun des trois cabinets d'étuves se compose de trois compartiments ainsi disposés : une pièce d'entrée dont la température est de 34° centigrade, avec table de marbre pour ceux qui veulent être massés; une pièce du milieu où le thermomètre monte à 51° centigrade et où un filet d'eau minérale à la température de la source jaillit d'un rocher artificiel pour que les baigneurs puissent se rafraîchir la figure et la tête, s'ils se sentent un peu congestionnés. Des cadres de bois et des bancs de marbre blanc sont à la disposition de ceux qui veulent s'asseoir ou se coucher. Enfin, un troisième cabinet est garni d'ajutages de douches froides, de siéges mobiles et de lits de repos. La température de cette dernière salle est de 38° centigrade. Les étuves d'Aylesford sont éclairées par leur partie supérieure, chacun de leurs cabinets est à peu près carré et a 4 mètres de côté.

Les bains turcs se donnent dans un très-belle et très-vaste salle de 6 mètres carrés, éclairée à la fois par les côtés et par la partie supérieure de son dôme de 20 mètres de hauteur. L'architecture de cette salle, les mosaïques de son pavé, ses verres de couleur, ses divans, ses lits, son ameublement enfin, sont en harmonie avec la destination et les coutumes du pays auquel on a emprunté ces usages balnéaires.

2° *Pump Room*. Son puits est à 10 mètres au sud de l'établissement d'Aylesford, dans la partie voisine de la Leam, dont l'eau n'est pas à plus de 6 mètres de distance. Une autre source légèrement sulfureuse se mêle à l'eau de Pump Room et l'on a donné à ces deux filets un captage distinct. L'eau du puits de Pump Room a les mêmes caractères physiques et chimiques que ceux de la source Aylesford, seulement son goût est presque nul; sa température est de 10°,5 centigrade, celle de l'air étant de 25°,4 centigrade. Cette eau n'a point encore été analysée.

3° *Wood's Spring*. La source de Wood est à 50 mètres de la buvette d'Aylesford. Son eau a un goût beaucoup plus désagréable que celui de toutes les autres sources de Leamington; elle semble plus sulfatée et moins chlorurée. Sa température est de 21°,2 centigrade : sa densité n'est pas connue et son analyse chimique n'a pas été faite. L'eau de Wood's Spring alimente : la buvette où deux robinets distribuent l'eau à la température de la source ou chauffée au bain-marie à la volonté du public; cinq cabinets de bains dont les baignoires doublées de carreaux de faïence sont en contre-bas du sol. Un bassin percé de trous et placé au-dessus de chaque baignoire sert à l'administration des douches en pluie et alimente les ajutages des douches en lames, en jet, etc., etc. Un appareil de bain de vapeur par encaissement se trouve aussi dans chacun des cabinets.

4° *Hudson's Spring*. L'établissement nouveau alimenté par ces sources est sous le pont du chemin de fer qui passe au-dessus de la rue de la fontaine Alexandra. Ces deux sources dont l'une se nomme : *source Saline* et l'autre *source Sulfureuse*, ont leurs points d'émergence au bout de l'allée qui conduit à l'intérieur de la maison. La source Saline a son griffon dans un puits de 20 mètres de profondeur ;

son eau claire, limpide et transparente, est incolore et inodore; son goût est salé; sa réaction est alcaline et sa température de 18° centigrade. Son analyse chimique n'a point été faite. La source Sulfureuse sort de la terre de bas en haut à un mètre plus loin, et son eau a les mêmes caractères que ceux de la source Saline, à l'exception de son odeur d'œufs pourris et de sa saveur hépatique très-désagréable. Sa température est de 16°,1 centigrade. L'analyse chimique de l'eau de la source Sulfureuse d'Hudson, faite par Patrick Brown, a donné par 1000 grammes d'eau les principes suivants :

Sulfate de soude	3,1967
Chlorure de sodium	2,8525
— calcium	1,7112
— magnésium	1,0245
TOTAL DES MATIÈRES FIXES	8,7847

Le protoxyde de fer, les iodure et bromure de sodium s'y trouvent en proportion très-minime.

L'eau de la source Sulfureuse d'Hudson renferme encore dans une pinte anglaise égalant $0^{lit},5679$:

Gaz	Hydrogène sulfuré	1,144 pouces cubes	=	18,7467cc.
	Acide carbonique	3,156 —	=	51,7163cc.
	Oxygène	0,025 —	=	0,4096cc.
	Azote	0,425 —	=	0,9644cc.
	TOTAL DES GAZ	4,750 pouces cubes	=	71,8370cc.

L'établissement des bains d'Hudson se compose d'une buvette et d'un seul cabinet de bains d'eau minérale. La buvette a deux robinets; l'un verse l'eau de la source Saline, l'autre celle de la source Sulfureuse. La salle contenant une seule baignoire sans douche et sans appareil à bain de vapeur, compose toute l'installation balnéaire de l'établissement d'Hudson. Cette pièce, précédée d'un très-grand vestiaire, a une baignoire en contre-bas du sol; elle est doublée de carreaux de faïence. Deux robinets, dont l'un apporte l'eau saline préalablement chauffée, et l'autre l'eau sulfureuse à la température de la source, sont fixés au-dessus de la baignoire.

5° *Alexandra Spring.* L'eau de la source Alexandra est exclusivement employée en boisson. Elle alimente une fontaine publique dont la construction date de 1863. Son eau n'a pas été analysée.

MODE D'ADMINISTRATION ET DOSES. Le mode de l'administration et les doses des diverses sources de Leamington n'ont rien de spécial. Deux verres de 200 grammes chacun sont ordinairement ingérés le matin à jeun et à un intervalle de vingt minutes ou d'une demi-heure. La durée des bains et des douches avec l'eau chauffée n'a rien de particulier, mais le temps que l'on doit rester dans l'eau courante de la piscine d'Aylesford, dont l'eau n'a que 21°,5 centigrade, ne doit pas dépasser le moment où les premiers frissons viennent à se produire. Cette recommandation n'est pas assez observée à Leamington. Nous avons constaté plusieurs fois, en effet, que l'immersion était trop prolongée pour arriver à l'effet tonique e reconstituant d'une cure hydrothérapique méthodiquement administrée.

EMPLOI THÉRAPEUTIQUE. L'action physiologique des eaux sulfatées, chlorurées sodiques, magnésiennes et calciques de Leamington, dont la plupart sont en même temps ferrugineuses, est très-complexe, et son étude présente des difficultés presque insurmontables. Toutefois le premier effet de ces eaux est de produire des coliques, des épreintes, des ténesmes et une ou plusieurs selles diarrhéiques.

Ces phénomènes apparaissent successivement, une heure en général, après l'ingestion du dernier verre. Les eaux de Leamington débilitent assez pour qu'on s'en aperçoive du huitième au quinzième jour et pour que souvent on soit obligé d'en suspendre l'usage. Il semble, au premier abord, que la composition chimique de ces eaux chlorurées ferrugineuses doit les rendre assez analeptiques pour qu'on n'ait pas trop à redouter leur action déprimante occasionnée par la présence d'un sulfate neutre. Il n'en est rien pourtant, et il serait dangereux d'en continuer l'emploi avec ces idées préconçues. On pourrait croire aussi que ces eaux qui sont assez énergiquement purgatives, doivent dériver sur le tube digestif et ne pas agir en activant la circulation cérébrale. La pratique ne confirme pas ces données élémentaires en thérapeutique, et il serait très-imprudent d'administrer ces eaux sans surveiller avec soin la circulation générale, celle de la partie supérieure du corps et spécialement celle de la cavité du crâne. Les eaux de ces sources excitent aussi l'innervation à un point tel, chez quelques personnes au moins, qu'il est de toute impossibilité d'en continuer l'emploi. Enfin, elles sont diurétiques.

En bains et en douches tièdes et chaudes, elles ne donnent lieu à aucun phénomène qui ne s'observe aux autres stations minérales; mais en bains dans la piscine de natation et à l'eau courante, elles sont toniques, reconstituantes, à la condition expresse que les baigneurs observent les précautions indiquées ci-dessus, qu'ils ne prolongent pas trop la durée de leur séjour dans une eau qui n'a pas plus de 25° centigrade, et la plupart du temps de 21° à 21°,5 centigrade. Un phénomène qui manque bien rarement d'arriver auprès des sources sulfureuses de Leamington, est la surexcitation de la circulation et de l'innervation, ce qui rend leur application extrêmement délicate et exige une surveillance continuelle et très-attentive.

Les eaux chlorurées et sulfatées de Leamington sont très-utilement conseillées en boisson aux dyspeptiques et aux gastralgiques, chez lesquels on ne doit pas craindre d'activer trop la circulation générale, et aux personnes qui souffrent de congestions hépatiques. Ces eaux en boisson rendent de très-grands services dans les accidents si fréquents chez les Anglais qui ont habité les Indes, qui surviennent du côté du tube digestif ou de ses annexes. Les eaux sulfatées et chlorurées sodiques de Leamington doivent être conseillées à la fois en boisson, en bains et en douches dans le lymphatisme exagéré et dans la scrofule. Sous leur influence combinée, les malades reprennent bientôt une carnation meilleure, leurs engorgements ganglionnaires diminuent ou disparaissent et leurs ulcères se détergent, prennent un bon aspect et finissent par se cicatriser. Les engorgements périarticulaires, les tumeurs blanches, même d'origine strumeuse, sont très-avantageusement modifiées par les eaux chlorurées et sulfatées de Leamington en boisson en bains, et surtout en douches en jet appliquées sur le siége du mal.

Les eaux sulfureuses de cette station minérale doivent être administrées en boisson et en bains contre des affections de la peau caractérisées par des sécrétions plus ou moins abondantes (dartres humides), contre certaines manifestations syphilitiques; elles font supporter plus facilement enfin un traitement hydrargyrique indispensable dans les accidents primitifs. Il n'y a pas d'années où elles ne prouvent leur efficacité dans les empoisonnements mercuriels ou saturnins, communs dans une contrée où un grand nombre d'ouvriers travaillent les métaux. L'anémie et la chlorose, les laryngites et les bronchites chroniques, les engorgements du mésentère, la pléthore abdominale, les catarrhes vésicaux, la goutte et la gravelle, le rhumatisme chronique et la polysarcie trouvent encore à

Leamington un traitement par les eaux chlorurées, sulfatées et sulfureuses, qui, plusieurs fois, a été très-utile.

Toutes les eaux des sources polymétallites fortes de Leamington sont *contre-indiquées* lorsqu'on redoute de déterminer une congestion cérébrale ou de surexciter le système nerveux.

La *durée de la cure* est de quinze jours, mais certains habitants de la ville on l'habitude de venir tous les matins boire un verre d'eau minérale de l'une des sources de Leamington.

On n'*exporte* pas les eaux de cette station thermale. A. Rotureau.

Bibliographie. — Kerr (docteur). *Water of Leamington.* 1784. — Johnston (docteur). *Springs of Leamington.* Birmingham 1790. — Lambe (docteur). *Account of the waters appared in the « Manchester Philosophical Transactions. »* 1794. — Jephson (docteur). *The water of Leamington.* — Lee (Edwin). *The central watering Places.* — *Leamington*, — p. 37-45. London, 1861, in-12. A. R.

Le Bas (Jean), maître en chirurgie (1756), natif d'Orléans. Il ne faut souvent qu'une circonstance pour tirer un homme de l'oubli, lorsque cet homme est aidé par de l'intelligence, du savoir et le désir de faire parler de lui. Jean Le Bas a prouvé encore la vérité de cette maxime. Il n'était connu à Paris que comme un bon praticien, auteur de deux ouvrages assez médiocres : *Ergo cataractæ tutior extractio forcificum ope*, Paris, 1754, in-4°; *De fractura femoris theses anatomicæ et chirurgicæ*, Paris, 1764, in-4°, lorsqu'un procès mémorable le mit tout à coup aux prises avec les médecins et chirurgiens les plus célèbres de l'époque. Un marquis Charles de ***, épouse à 72 ans une demoiselle Renée de *** qui n'avait pas dépassé la trentième année; les époux passent quatre ans de mariage sans avoir d'enfants, et au bout de ces quatre ans, le susdit bonhomme tombe malade dans la nuit du 7 au 8 octobre 1762, d'une gangrène des membres inférieurs, et meurt le 17 novembre, âgé de 76 ans. Rien d'extraordinaire jusqu'à présent. Mais voilà que le 3 octobre 1763 — c'est-à-dire *un an moins quatre jours* après la mise au lit du vieux marquis pour la maladie qui devait le tuer, sa femme, dame Renée de *** met au monde un gros poupon, bien portant, né à terme, et qui vécut... On demande si l'enfant de la marquise, né 319 jours ou plus de dix mois et demi après la mort du marquis, peut être réputé l'enfant légitime du bonhomme...? Ce n'est pas dire trop que d'assurer que le procès dans lequel cette question fut posée à la science émut davantage le faubourg Saint-Germain et le quartier de l'Université que les grandes questions politiques du jour. Ceux-ci prirent le parti des héritiers du marquis, ceux-là proclamèrent l'innocence et la vertu conjugale de la marquise ; et les médecins... ne manquèrent pas non plus de se diviser en deux camps... ! La Faculté de médecine, toujours fidèle à Hippocrate qui fixe la grossesse la plus longue à neuf mois dix jours, déclara par la voie de Bouvart, Baron jeune, Verdelhan, Poissonnier, Bellot, Borie, Mac-Mahon, Macquart et Solier, que la grossesse légitime de la marquise était impossible, et que par conséquent son poupon était bâtard. C'est contre cet avis de la Faculté, c'est contre des mémoires publiés, à cette occasion, par Bouvart (*voy.* ce nom) que Le Bas tailla sa plume, soutenant avec aigreur, avec emportement, mais avec un talent réel de discussion, de critique et d'exposition, qu'il était impossible de déterminer une époque invariable pour l'accouchement. La question des *naissances tardives* sera traitée dans ce Dictionnaire ; mais le confrère qui se chargera de l'article devra nécessairement consulter et méditer les opuscules suivants du chirurgien Jean Le Bas :

I. *Question importante. Peut-on déterminer un terme préfixe pour l'accouchement?* Paris, 1764, in-8, 114 p. — II. *Lettre d'un naturaliste de la baie de Quiberon, qui croit à la vertu des femmes*, in *le supplément*, etc. Paris, 1765, in-8°. — III. *Nouvelles observations sur les naissances tardives... suivies d'une consultation de célèbres médecins et chirurgiens de Paris.* Paris, 1765, in-8°. — IV. *Recherches sur la durée de la grossesse.* Paris, 1766, in-8°. — V. *Lettre à M. Bouvart, docteur en médecine de la Faculté de Paris, au sujet de sa dernière consultation sur une naissance prétendue tardive, pour servir de réponse...* T. 1, Amsterdam, 1765, in-8°, etc. A. C.

LEBER (FERDINAND), né à Vienne, en Autriche, en 1727, reçu maître en chirurgie le 31 mars 1750, acquit une grande réputation dans sa ville natale ; il était chargé de pratiquer les grandes opérations chirurgicales à la célèbre clinique de de Haen, et, en 1761, il remplaça Jaus dans la chaire d'anatomie et de chirurgie. Leber était premier chirurgien de l'empire d'Autriche, quand il mourut le 14 octobre 1808, laissant, entre autres ouvrages, des leçons sur les dissections, qui ont eu longtemps en Allemagne beaucoup de succès, bien que tirées en grande partie des ouvrages de Winslow et de Haller.

I. *Abhandlung von der Nutzbarkeit des Schierlings in der Wundarzneikunst.* Wien, 1762, in-4°. — II. *Vorlesungen über die Zergliederungskunst.* Ibid., 1776-78, in-8°. Trad. lat., 1778, in-8°. — III. *Briefe über verschiedene Gegenstände der Arzneikunst.* Langensalza, 1776, in-8°. E. Bgd.

LEBLANC (LOUIS), né à Pontoise, mort à Orléans à la fin du dix-huitième siècle, a été un chirurgien distingué, et s'est surtout signalé dans l'opération des hernies. Professeur royal de chirurgie à Orléans, chirurgien de l'Hôtel-Dieu de cette ville, il a laissé les ouvrages suivants, sans compter plusieurs observations insérées dans les *Mémoires de l'Académie de chirurgie* et dans le *Journal de médecine* :

I. *Discours sur l'utilité de l'anatomie.* Paris, 1764, in-8°. — II. *Nouvelle méthode d'opérer les hernies.* Orléans, 1766, in-8°. — III. *Réfutation de quelques réflexions sur l'opération de la hernie.* In *Mém. de l'Acad. de chirurgie*, 4° vol. — IV. *Précis d'opérations de chirurgie.* Paris, 1775, in-8°, 2 vol. — V. *Œuvres chirurgicales contenant un précis d'opérations et une méthode de traiter les hernies.* Paris, 1779, in-8°, 2 vol.

La « Nouvelle méthode d'opérer les hernies » de Louis Leblanc, consistait à faire rentrer l'intestin, après l'ouverture du sac, par simple dilatation de l'anneau inguinal, et sans incision de cet anneau. A. C.

LE BOULOU (EAUX MINÉRALES DE), *athermales* ou *protothermales, bicarbonatées sodiques moyennes* ou *ferrugineuses faibles, carboniques moyennes* ou *faibles*. Dans le département des Pyrénées-Orientales, dans l'arrondissement de Céret, à 8 kilomètres de la ville de ce nom, à 5 kilomètres de la frontière d'Espagne, à une petite distance du village du Boulou, sur un des versants de la montagne des Alberès, émergent les quatre sources que l'on désigne par les noms de : 1° *source du Boulou*, 2° *source de Saint-Martin de Fenouilla*, 3° *source Sorède*, 4° *source Laroque*. L'eau des quatre sources du Boulou a à peu près les mêmes caractères physiques et chimiques ; elle ne diffère que par la quantité plus ou moins considérable de rouille qu'elle laisse déposer dans ses bassins de captage ou dans ses ruisseaux d'écoulement, et par sa température. Cette eau est claire et transparente, sans odeur, d'un goût sensiblement ferrugineux ; elle laisse dégager un certain nombre de bulles qui viennent s'épanouir à sa surface. La température de la source du Boulou est de 17°,5 centigrade, celle de la source de Saint-Martin de Fenouilla de 16°,25 centigrade, celle de la source Sorède de 20°,8 centigrade et celle de la source Laroque de 15°,6 centigrade. La source de Saint-Martin de Fenouilla est celle dont le débit est le plus considérable ; la source du Boulou, dont le point d'émergence est à 200 mètres de la source de Saint-Martin de Fenouilla, a ensuite le rendement le plus important. La source Sorède a son griffon dans le lit même de la petite rivière dont elle porte le nom ; les filets de la source Laroque suintent par les interstices du rocher, le plus gros sort par un point que l'on appelle le *font d'Aram*.

Anglada a fait l'analyse chimique de l'eau des quatre sources du Boulou. Cet auteur a trouvé dans 1,000 grammes de chacune de ces eaux les principes suivants :

	SOURCE DU BOULOU.	SOURCE SAINT-MARTIN DE FENOUILLA.	SOURCE SORÈDE.	SOURCE LAROQUE.
Carbonate de soude	2,451	2,787	0,053	0,008
— chaux	0,741	0,448	0,607	0,136
— magnésie	0,215	0,159	0,059	0,037
— fer	0,032	0,030	0,050	0,030
— manganèse	»	»	traces	»
Sulfate de soude	traces	0,019	0,026	0,031
Sel de potasse	»	traces	»	»
Chlorure de sodium	0,852	0,324	0,022	0,020
Silice	0,134	0,106	0,101	0,066
Alumine	»	»	0,003	»
Matière organique	indéterminé	0,022	0,021	0,003
Perte	»	0,104	0,025	0,012
TOTAL DES MATIÈRES FIXES	4,405	4,019	0,967	0,303
Gaz acide carbonique libre	$0^{lit},611$	$0^{lit},750$	quant. indét.	quant. indét.

EMPLOI THÉRAPEUTIQUE. Les eaux des quatre sources du Boulou sont employées en boisson seulement et fréquentées par un nombre de malades assez grand pour qu'il soit étonnant de ne pas trouver au Boulou un établissement pourvu de moyens balnéothérapiques complets. La composition élémentaire des deux sources du Boulou et de Saint-Martin de Fenouilla qui contiennent de 2 à 3 grammes de bicarbonate de soude et de 3 à 5 centigrammes de bicarbonate de fer par litre d'eau, et celle des sources Sorède dont la minéralisation active est exclusivement le fer, appelle l'attention sur elles d'une manière toute spéciale, et nous croyons qu'un jour Le Boulou deviendra une station minérale importante. Sa position géographique dans un pays très-riche en eaux thermales sulfurées, mais relativement pauvre en eaux alcalines pures, expliquera les dépenses que l'on fera probablement pour l'installation et l'aménagement régulier des sources du Boulou.

Les eaux des sources du Boulou sont prises le matin à jeun, de quart d'heure en quart d'heure, et à la dose de quatre à huit et dix verres. Leur action physiologique la plus marquée est la diurèse et l'augmentation de l'appétit et des forces. Les personnes qui souffrent de maladies anciennes de l'estomac, du foie ou des reins, doivent visiter les sources du Boulou et de Saint-Martin de Fenouilla ; celles qui n'attendent des eaux qu'un effet tonique, reconstituant et analeptique, comme les convalescents, les anémiques et les chlorotiques, font mieux d'aller boire aux sources de Sorède ou de Laroque, et préférablement à la première qui tient en dissolution 57 milligrammes de bicarbonate de fer. Ces deux dernières sources sont assurément précieuses, mais les deux premières sont celles qui méritent surtout une mention spéciale. L'eau des sources du Boulou et de Saint-Martin de Fenouilla est assez chargée de bicarbonates basiques pour être très-efficace, et elle contient assez de fer pour corriger, au besoin, l'effet débilitant et fluidifiant du sel alcalin sur l'économie et sur le sang de sujets fortement épuisés déjà.

Durée de la cure, de 25 à 30 jours.

On *n'exporte* pas les eaux du Boulou. A. ROTUREAU.

LEBRETON (Jacques-Alexandre-Exupère), naquit en 1784 à Paris, où son père s'était fait, comme accoucheur, une très-brillante position. Se destinant à la même spécialité, Lebreton dirigea très-sérieusement ses études de ce côté, et en fit le sujet de sa dissertation inaugurale. Les succès de sa pratique, l'instruction dont il avait fait preuve dans quelques publications, lui avaient ouvert les portes de l'Académie de médecine. Lebreton est mort subitement le 18 avril 1849, à deux heures du matin, au moment où il rentrait chez lui, après avoir terminé un accouchement.

On a de lui :

I. *Observ. et réflex. sur l'emploi du forceps.* Th. de Paris, 1810, n° 33. — II. *Obs. sur une prétendue phthisie laryngée et recherches anatomiques*, etc. In *Journ. univ. des sc. méd.*, t. XII, p. 241 ; 1818. — III. *Recherches sur les causes et le traitement de plusieurs maladies des nouveau-nés.* Paris, 1819, in-8°. Traduct. allem., Leipzig, 1820, in-8°. — IV. *Tableaux optomatiques des accouchements.* Paris, 1821, in-fol., pl. 3. E. Bgd.

LE CAIRE (Station hivernale), en arabe *Misr-el-Gâhirah*, qui veut dire *le Victorieux*, est la capitale de l'Égypte, située dans la basse Égypte, sur la rive droite du Nil, au pied du mont Mokattam. C'est une ville d'environ 300,000 habitants, remarquable par ses belles places, sa forte citadelle, ses palais, ses mosquées, ses bains, ses aqueducs, ses canaux, ses citernes, ses bazars, ses caravansérails, ses jardins et ses cimetières. On cite parmi ses curiosités le puits de Joseph qui a 90 mètres de profondeur, dont la rampe en spirale permet aux bêtes de somme de descendre jusqu'à son fond. Le Caire a deux parties distinctes : le nouveau Caire dont nous venons de parler et le vieux Caire (*Fostatt* des Arabes), à 2 kilomètres sud-ouest de la ville actuelle, qui fut d'abord la capitale de l'Égypte et qui n'est plus aujourd'hui qu'un des faubourgs (chemin de fer de Paris à Marseille, bateau à vapeur de Marseille à Alexandrie, chemin de fer d'Alexandrie au Caire).

Le Caire est abrité des vents de l'ouest et de l'est par le Mokattam sur la pente occidentale duquel est bâtie la ville, distante de 1,800 mètres seulement des eaux du Nil. Ce terrain est occupé par des massifs de beaux palmiers et par de vastes avenues plantées d'acacias et de sycomores. Les plaines sablonneuses et incultes qui séparent le nouveau Caire de l'ancien se trouvent au sud-ouest de la ville nouvelle. Les prairies qui unissent Le Caire aux campagnes fertiles du Delta bornent le Caire au nord.

Le climat du Caire serait intéressant à étudier aux diverses époques de l'année; nous devons nous contenter d'indiquer, pour être fidèle à notre titre, ses particularités pendant les mois de la saison hivernale. L'automne dure au Caire jusqu'au milieu de décembre et le printemps commence dès le milieu du mois de février. C'est ordinairement pendant la première quinzaine de janvier que l'on passe les plus mauvais jours de l'année et pourtant le thermomètre descend rarement à +2° ou 3° centigrade. La température moyenne est de 5° centigrade à huit heures du matin et de 14° centigrade à midi, et de 4°,5 centigrade à six heures du soir. Les nuits sont ordinairement très-fraîches et surtout très-humides. Les malades européens ne peuvent trop se garantir contre l'abaissement de la température du matin et du soir, ou mieux ne sortir qu'entre dix heures du matin et deux heures de l'après-midi pendant la saison hivernale. Le vent d'est est presque exclusif au Caire pendant les mois de janvier et de février, il dure de dix heures du matin au coucher du soleil, et c'est contre sa fraîcheur, quelquefois assez piquante, que les promeneurs doivent surtout se prémunir. Lorsque le vent d'est est violent, il ren les sorties impossibles à cause des nuages de poussière qu'il soulève et qu'il fait pénétrer dans les appartements les mieux clos. Sa durée à ce degré d'intensité est heureusement très-courte au Caire, elle ne dépasse pas six à huit jours par an, en général. Les vents du nord-est, du nord et de l'ouest soufflent quelquefois, mais n'existent jamais assez longtemps pour être dangereux. Le *kamsin* (cinquante), ou vent du midi, ne se fait sentir au Caire qu'après la mi-février, c'est-à-dire, après le retour du printemps; aussi n'est-il redoutable que pour ceux qui sont obligés de séjourner au Caire après l'époque où les hivernants se sont habituellement retirés. Le kamsin devance cependant quelquefois son époque, et alors les malades doivent éviter avec le plus grand soin son influence fâcheuse. Pendant sa durée, qui est en moyenne de onze jours par an, un peu avant et un peu après Pâques, le ciel devient obscur, le soleil se voile, et l'on ne distingue sa lumière qu'à travers une couche épaisse d'une poussière fine et noirâtre oppressant la poitrine et fatigant même les habitants du pays. La rosée est très-abondante au Caire en toute saison et quel que soit le vent qui souffle. Le rayonnement de la terre commence dès que le soleil approche de l'horizon. La condensation de la vapeur occasionne souvent des brouillards qui ne se dissipent qu'entre neuf heures et dix heures du matin, lorsque le soleil est déjà assez chaud pour réduire les vésicules aqueuses en vapeurs invisibles.

Les phthisiques qui n'ont pas un système nerveux très-irritable, les lymphatiques, les scrofuleux mêmes, les anémiques et les chlorotiques, les catarrheux, les rhumatisants et les asthmatiques, sont les malades qui se trouvent le mieux d'un séjour d'hiver au Caire. Mais il faut se garder d'y envoyer les Européens chez lesquels l'excitabilité et trop grande et l'innervation trop accentuée. Ceux qui souffrent de l'un des points des voies aériennes ne doivent pas quitter leur appartement avant que le soleil n'ait réchauffé et purifié l'atmosphère, et garder la chambre, et même le lit, pendant les quelques jours que soufflent les vents et que tourbillonne la poussière. Il ne doit pas en être de même des enfants lymphatiques, scrofuleux, anémiques ou chlorotiques auxquels convient un air agité, sec, et, par conséquent, tonique. Les rhumatisants ont à éviter, comme les poitrinaires, les catarrheux et les asthmatiques, les promenades du matin et du soir pendant les jours où la température varie de 15 à 20° centigrade en quelques heures, où les plantes sont couvertes de rosée, et où le brouillard obscurcit un ciel ordinairement sans nuages.

A. Rotureau.

Bibliographie. — Malte-Brun. *Précis de géographie universelle*, t. IV, p. 488. — Cortembert. *Géographie universelle*, t. VIII, p. 324. — Destouches. *Observations météorologiques sur le climat du Caire en* 1835, 1836, 1837, 1838, 1839. — Pruner. *Topographie médicale du Caire*. München, 1847, p. 28. — Reyer (A.). *De l'influence du climat d'Egypte sur les tubercules pulmonaires*. In *Gazette hebdom. de médecine et chir.*, 14 novembre 1856. — Joanne et Isambert. *Itinéraire en Egypte*, p. 907. — Laure (J.). *L'eau d'Allevard et les stations d'hiver au point de vue des maladies des poumons*. Paris, 1860, in-8°, p. 108-109. — Gigot-Suard (L.). *Des climats sous le rapport hygiénique et médical*, etc. Paris, 1862, in-12, p. 421-459. — Lambron (Ernest). *Les Pyrénées et les eaux thermales sulfurées de Bagnères-de-Luchon... indications générales pour le choix d'une station d'hiver*. Paris, 1864, in-12, t. II, p. 1036-1041.

A. R.

LE CANET. (*Voy.* Cannes).

LECANORA (*Voy.* Lecanore.)

LÉCANORE. Genre de Lichen appartenant à la tribu des Lécanorés, la plus nombreuse en genres et en espèces dans la classification de M. Nylander. Le nom de *Lecanora* a été appliqué par Acharius à un certain nombre de Lichens à thalle *crustacé* (*voy.* LICHENS) rangés plus tard, par Sprengel (*Syst. vegetabil.*), dans le genre *Parmelia* (*voy.* PARMÉLIE) et, par de Candolle, dans le genre *Patellaire* (*Fl. franç.*, t. II). Les Lécanores ont un thalle crustacé de couleur variée, tantôt déterminé et marginé d'une teinte plus foncée, tantôt diffus. Les apothécies sont sessiles à teinte pâle, jaunâtre, brunes ou noirâtres à bord épais formé par le thalle. Les thèques renferment de 4 à 8 spores et même plus, moyennes, ovoïdes ou ovales et ovales allongées quelquefois cloisonnées. Les spermogonies sont enfoncées dans le thalle, leur ouverture est à peine visible dans le *L. Parella* Ach. Chez d'autres espèces, les spermogonies sont soulevées et émergent sous forme de petits tubercules noirs. Les spermaties ont la forme d'aiguilles droites ou courbes. On trouve les Lécanores sur les écorces lisses ou rugueuses d'un grand nombre d'arbres, sur le bois, la terre, les rochers, les schistes. C'est un des genres de Lichen les plus répandus, et quelques espèces (*L. subfusca* Ach., *L. atra* Ach.) se rencontrent presque partout sur des points du globe les plus éloignés entre eux.

Les Lécanores fournissent des espèces comestibles et des produits tinctoriaux, entre autres le tournesol si employé comme réactif des acides et des alcalis. La Parelle d'Auvergne qui sert à fabriquer le tournesol se compose en partie de l'espèce appelée *L. Parella* Ach. et de diverses espèces appartenant aux genres *Isidium*, *Endocarpon*, *Umbilicaria*, *Variolaria* en particulier, du *Variolaria orcina*, espèces qui, pour la plupart, ne paraissent pas être des Lichens autonomes, mais des individus qui, par suite d'une anamorphose bien connue chez les Lichens, se sont désagrégés et appartiennent à d'autres espèces connues. (*Voy.* LICHEN.) Je renvoie donc à l'article PARELLE la description des espèces qui concourent à former le produit vendu sous le nom de Parelle ou Orseille de terre. Parmi les espèces tinctoriales on connaît encore le *Lecanora tartarea* Ach.; il présente l'aspect d'une croûte irrégulière grenue, verruqueuse, blanchâtre, fendillée, s'effleurissant en une poussière blanche. Les apothécies sont éparses, sessiles, irrégulières à disque plan, roux foncé, à bords épais blancs et calleux. Les Suédois retirent une couleur brune (*Boeltelet*) de cette espèce très-abondante sur les rochers de leur pays et qui se trouve aussi en France dans les montagnes des Vosges et des Pyrénées. Le *L. tinctoria* Fée présente un thalle diffus, granuleux, rouge, rugueux; les apothécies éparses sont inégales, à marge annullaire peu renflée, à disque concave brunâtre. Cette espèce abonde sur l'écorce des arbres au Brésil, elle est remarquable par sa couleur de cinabre, on en retire une laque violette magnifique. M. Fée suppose que c'est la plante analysée sous le nom de cochenille végétale par Vauquelin. (*Ann. du Muséum*, t. VI, p. 145.)

Les Lécanores comestibles, qui ont fait l'objet d'un très-grand nombre d'écrits, sont connus depuis les voyages de Pallas, qui décrivit, sous le nom de *Lichen esculentus*, des petits corps de la grosseur d'une noisette, trouvés à terre mais sans adhérence avec le sol dans les steppes de la Russie méridionale. Ces petits corps présentaient les caractères d'un thalle de Lichen roulé sur lui-même, crustacé, épais, coriace, blanc à l'intérieur, rugueux et de couleur gris cendré à l'extérieur. De rares apothécies concaves étaient enfouies dans l'intérieur ou émergeaient comme de petites verrues. Le professeur Eversmann reconnut trois espèces et des variétés de couleur gris verdâtre ou ferrugineuse; il donna à ces espèces les noms de *Lecanora esculenta*, *L. affinis* et *L. fruticulosa*.

Cette dernière diffère surtout des autres par son thalle à ramifications intriquées. Les travaux subséquents ont confirmé les observations d'Eversmann et ont conservé au Lichen de Pallas sa place parmi les Lécanores. Ces Lécanores se répandent à certains moments sur le sol, où on les trouve mêlées au Nostoc commun. (*Voy.* NOSTOC.) Le voyageur Parrot rapporte qu'au commencement de 1828 une véritable pluie de *L. esculenta* Evers. couvrit la terre dans plusieurs localités de la Perse d'une couche de 15 à 20 centimètres. Les habitants en nourrissaient leurs bestiaux et en consommaient eux-mêmes. En 1845, on a eu connaissance d'une pluie semblable tombée dans le district de Jenischehir, qui joncha le sol d'une couche de 10 à 15 centimètres. Un peu plus tard on reconnut des Lécanores comestibles en grande quantité dans les environs d'Alger, où on les utilisait. D'après les observations recueillies on a pu ainsi constater que, dans plusieurs des contrées qui s'étendent depuis Alger jusqu'en Tartarie, les Lécanores comestibles sont consommés soit par les animaux, soit par hommes qui en font une sorte de pain ou le mélangent à d'autres farines. C'est à la fécule contenue dans son thalle que ce Lichen doit ses propriétés alimentaires, mais au dire de Lindley les moutons qui en sont nourris ne prospèrent pas. On attribue ce résultat à la grande quantité d'oxalate de chaux que contiennent ces Lécanores, quantité qui s'élèverait à près de 66 pour 100 d'après les analyses de M. Gobel. L'origine des Lécanores comestibles a vivement piqué la curiosité des naturalistes. M. Léveillé a supposé qu'avant de retomber à l'état de manne les thalles avaient été arrachés de la roche sur laquelle ils se développent, par les vents, qui les répandent ensuite dans diverses localités. Cette opinion, généralement admise, est confirmée par les dernières observations de M. de Krempelhuber, qui a vu des échantillons adhérents à des fragments calcaires provenant du Taurus; il a donné aux Lécanores comestibles le nom spécifique de *L. desertorum*.

J. DE SEYNES.

BIBLIOGRAPHIE. — *Voyages de Pallas en différentes provinces de l'empire de Russie*, traduits par G. de la Peyronie, t. V, p. 516, pl. 21. Paris, 1793. — EDUARDI EVERSMANNI *in Lichenem esculentum Pallasii adversaria*, 1825. — MÉRAT et DELENS. *Supplément du dictionn. univers. de mat. médic.*, p. 428. Paris, 1846. — WRIGHT. *On Lichen esculentus.* In *American journal of Science*, p. 267; 1847. — REISSECK. *Ueber die Natur des kürzlich in Klein-Asien vom Himmel gefallenen Manna.* In *Bericht. Mittheil. von Freunden der Naturwiss.*, vol. I, p. 195-201. Vienne, 1847. — HAMPE. *Ueber Lichen esculentus Pall. Bot. Zeitung*, p. 889; 1848. — BERKELEY. *On Lichen esculentus, gardeners chronicle*, p. 611; 1849. — WALPERS. *Notiz über Lichen esculentus Pall. Bot. Zeitung*, p. 317; 1851. — LINDLEY. *On Lichen esculentus.* In *Vegetable kingdom*, p. 50; 1853. — LEVEILLÉ. In *Bot. voyage de Demidoff dans la Russie méridionale*, p. 139; 1862. — HAINDINGER. *Ueber einen Mannaregen bei Karput in Klein-Asien im März* 1864. *Kaiserl. Akad. der Wissensch. Mathem. naturw. Klasse*, 1 vol. 1864. — VISIANI. *Relazioni di una nuova specie di manna cadutta in Mesopotamia nel Marzo passato. Atti del imp. reg. Institut. Veneto*, t. X, 3e sér. Venise, 1864-65. — KREMPELHUBER. *Lichen esculentus Pall. ursprünglich eine steinbewohnende Flechte Verhandl. der k. zool. bot. Gesellschaft in Wien*, p. 599. Vienne, 1867.

J. DE S.

LE CAT (CLAUDE-NICOLAS). L'une des personnalités chirurgicales les plus singulières et les plus remarquables du dix-huitième siècle : vif, entreprenant, osé, d'une activité prodigieuse, ayant cultivé tous les genres de littérature et de philosophie, inventeur d'instruments, s'étant occupé d'architecture militaire, ayant touché à toutes les sciences d'une manière plus ou moins heureuse, mais, après tout, médiocre dans ce qu'il entreprenait, remplissant les journaux de ses faits et gestes, cherchant le bruit, la réclame, et ne parvenant pas, de son temps, à acquérir la vraie célébrité... Voilà, en quelques mots, Le Cat, auquel les biographes accordent une certaine place, parce qu'il a beaucoup écrit et qu'il a frappé à toutes les portes.

Le Cat naquit à Blérancourt (Oise), le 6 septembre 1700, et mourut à Rouen, le 10 août 1768. Nous ne le suivrons pas dans sa carrière agitée et presque vagabonde ; nous dirons seulement que docteur en médecine de Reims (1732), il devint successivement chirurgien en chef de l'Hôtel-Dieu de Rouen, lithotomiste pensionné de la même ville, professeur d'anatomie et de chirurgie, correspondant de l'Académie des sciences, membre des Académies de Londres, Madrid, Porto, Berlin, chirurgien de M. de Tressan, archevêque de Rouen, organisateur et secrétaire de l'Académie royale des sciences de Rouen, membre de l'Académie de chirurgie fondée par La Peyronie, etc. Telle était l'ardeur de ce chirurgien à emboucher à son profit la trompette de la renommée, qu'il ne craignait pas de courir les villes de France, et de s'y faire annoncer à l'avance. J'ai vu une affiche datée du 16 mai 1755, et par laquelle les baillis des quatre seigneurs haut-justiciers représentant la châtellenie de Lille, apprenaient à tous les habitants de cette ville « que M. Le Cat, chirurgien en chef de l'hôpital de Rouen, doit arriver à Lille dans les premiers jours de juin, pour y faire des opérations à quelques personnes, y opérer la cataracte, le bec-de-lièvre, l'extirpation du cancer, et toutes autres opérations de chirurgie, à l'exception de la taille, aux personnes pauvres et aisées. » Les susceptibilités chirurgicales de l'époque furent vivement éveillées par cette affiche ; la Société royale de chirurgie s'en émut, et Le Cat fut obligé de donner des explications qui ne convainquirent personne.

Au reste, malgré ses excentricités, on ne peut refuser à ce chirurgien une grande habileté opérative, d'ingénieuses ressources dans les cas graves et un esprit inventif. Ce fut lui qui en 1733 proposa l'emploi de trois instruments pour extraire les calculs de la vessie : l'*uréthrotome*, le *cystitome* et le *gorgeret-cystitome*. L'opération de la fistule lacrymale lui doit l'incision du sac en dedans de la paupière inférieure. Tous les prix proposés par l'Académie de chirurgie, de 1732 à 1738, furent gagnés par lui. Ce fut au point que le secrétaire de cette compagnie savante demanda que Le Cat fût dorénavant exclu du concours, et qu'un candidat aussi formidable se reposât sur ses lauriers. On a de Le Cat :

I. *Dissertation physique sur le balancement d'un arc-boutant de l'église de Saint-Nicaise de Reims*. Reims, 1724, in-12. — II. *Éloge du P. J.-B. Mercastel, de l'Oratoire, professeur de mathématiques*. (*Mercure de France*, nov. 1734.) — III. *Dissertation sur le dissolvant de la pierre, et en particulier sur celui de M*[lle] *Stephens*. Rouen, 1739, in-12. — IV. *Traité des sens*. Rouen, 1740, in-8°. — V. *Remarques sur les mémoires de l'Académie de chirurgie*. Amsterd., 1745, in-12. — VI. *Lettres concernant l'opération de la taille pratiquée sur les deux sexes*. Rouen, 1749, in-12. — VII. *Recueil des pièces sur l'opération de la taille* Rouen, 1749-53, in-8°. — VIII. *Lettre sur la prétendue cité de Limmes*. (*Mém. de Trévoux*, avril 1752.) — IX. *Éloge de Fontenelle*. Rouen, 1759, in-8°. — X. *Traité de l'existence de la nature du fluide des nerfs, et son action dans le mouvement musculaire*. Berlin, 1765, in-8°. — XI. *Traité de la couleur de la peau humaine en général, et de celle des nègres en particulier*. Amsterd. (Rouen), 1765, in-8. — XII. *Lettre sur l'ambi d'Hippocrate perfectionné* (*Journ. des savants*, déc. 1765 et mars 1767). — XIII. *Nouveau système sur la cause de l'évacuation périodique du sexe*. Amsterd. (Rouen), 1766, in-8°. — XIV. *Lettre sur les avantages de la réunion des titres de docteur en médecine avec celui de maître en chirurgie*. Amsterd., 1766, in-8°. — XV. *Traité des sensations et des passions en général, et des sens en particulier*, Paris, 1766, in-8°. — XVI. *Parallèle de la taille latérale*. Amsterd., 1766, in-8°. — XVII. *Cours abrégé d'ostéologie*. Rouen, 1768, in-8°.

A. C.

LECHEGUANA. On connaît sous ce nom au Brésil une espèce de guêpe, vivant en société, et dont le miel a causé quelquefois des accidents graves. Cet insecte hyménoptère, placé d'abord dans le genre *Polistes* par Auguste de Saint-Hilaire et Latreille, puis dans le genre *Chartergus* par E. Blanchard, appartient définitivement au genre *Nectarinia* de Schuckard dans lequel H. de Saussure l'a décrit et figuré sous le nom de *Nectarinia Lecheguana* (*Monographie des guêpes sociales*, p. 232, pl. XXXIV, fig. 3).

La *N. Lecheguana* a 8 à 10 millimètres de longueur et 19 millimètres d'envergure. Le corps est noir, la tête, le thorax et les pattes sont entièrement de cette couleur, sans taches ; les anneaux de l'abdomen sont tous bordés de jaune, l'anus est jaune ; les ailes d'une teinte ferrugineuse, enfumée à l'extrémité. Tout l'insecte est couvert d'un duvet gris, soyeux. Corselet fortement ponctué ; métathorax bidenté; abdomen finement ponctué. Cette description faite par H. de Saussure sur les individus rapportés du Brésil par A. de Saint-Hilaire (Muséum de Paris), concerne les ouvrières des nids ; la femelle est plus robuste et un peu plus grande. H. de Saussure a remarqué, du reste, que A. de Saint-Hilaire avait trouvé au Brésil les *Nectarinia analis*, *Lecheguana* et *Augusti*, et que Latreille paraissait avoir confondu ces espèces, dont les mœurs doivent être analogues.

Voici le très-intéressant récit qu'Auguste de Saint-Hilaire nous a laissé de l'accident dont il faillit être victime, ainsi que deux hommes qui l'accompagnaient dans l'intérieur du Brésil. Après avoir parcouru les bords du Rio de la Plata, il avait côtoyé l'Uruguay et se trouvait campé auprès du ruisseau de Santa-Anna. Un jour, accompagné de deux de ses gens, il parcourut le pays, et au bout de quelques heures, ramenés tous trois par la faim au lieu de halte, ils se rassasièrent avec leurs aliments ordinaires ; mais les deux domestiques allèrent détruire un guêpier suspendu à environ 1 pied de terre à l'une des branches d'un petit arbrisseau ; il avait une forme à peu près ovale, la grosseur de la tête, une couleur grise et une consistance cartacée comme les guêpiers d'Europe. Ils détruisirent ce guêpier pour en sucer le miel.

« Nous en goûtâmes tous les trois, dit A. de Saint-Hilaire. Je fus celui qui en en mangeai le plus, et je ne puis guère évaluer ce que j'en ai pris qu'à deux cuillerées. Je trouvai ce miel d'une douceur agréable et absolument exempt de ce goût pharmaceutique qu'a si souvent celui de nos abeilles. Cependant après en avoir mangé, j'éprouvai une forte douleur d'estomac, plus incommode que vive ; je me couchai sur ma charrette et je m'endormis. Pendant mon sommeil, les objets qui me sont les plus chers se présentèrent à mon imagination et je m'éveillai profondément attendri. Je me levai, mais me sentis d'une telle faiblesse, qu'il me fut impossible de faire plus de cinquante pas ; je retournai sous ma charrette ; je m'étendis sur le gazon et me sentis presque aussitôt le visage baigné de larmes, que j'attribuai à un attendrissement causé par le songe que je venais d'avoir. Rougissant de ma faiblesse, je me mis à sourire ; mais, malgré moi, ce rire se prolongea et devint convulsif ; cependant, j'eus encore la force de donner quelques ordres, et dans l'intervalle, arriva mon chasseur, l'un des deux Brésiliens qui avaient partagé avec moi le miel dont je commençais à sentir les funestes effets.

« José Mariano, c'est ainsi qu'il s'appelait, s'approcha de moi et me dit d'un air gai et pourtant un peu égaré, que depuis une heure il errait dans la campagne sans savoir où il allait. Il s'assit sous ma charrette et il m'engagea à prendre place à côté de lui. J'eus beaucoup de peine à me traîner jusque-là, et me sentant d'une faiblesse extrême, j'appuyai ma tête sur son épaule.

« Ce fut alors que commença pour moi l'agonie la plus cruelle. Un nuage épais obscurcit mes yeux et je ne distinguai plus que les traits de mes gens et l'azur du ciel traversé par quelques vapeurs légères. Je ne ressentis point de grandes douleurs, mais j'étais tombé dans le dernier affaiblissement. Le vinaigre concentré que mes gens me faisaient respirer et dont ils me frottaient le visage et les tempes me saisissait à peine, et j'éprouvais toutes les angoisses de la mort. Cependant j'ai parfaitement conservé la mémoire de tout ce que j'ai dit et entendu dans ces moments douloureux, et le récit que m'en a fait depuis un jeune Français qui m'accompagnait alors s'est trouvé parfaitement d'accord avec mes souvenirs.

« J'éprouvais un désir ardent de parler dans ma langue au Français qui me prodiguait ses soins, mais il m'était impossible de retrouver dans ma mémoire un seul mot qui ne fût pas portugais, et je ne saurais rendre l'espèce de honte et de contrariété que me causait ce défaut de mémoire.

« Lorsque je commençai à tomber dans cet état singulier, j'essayai de prendre de l'eau et du vinaigre ; mais n'en ayant obtenu aucun soulagement, je demandai de l'eau tiède. Je m'aperçus que toutes les fois que j'en avalais, le nuage qui me couvrait les yeux s'élevait pour quelques instants, et je me mis à boire de l'eau tiède à longs traits, et presque sans interruption. Sans cesse je demandais un vomitif au jeune Français, mais comme il était troublé par tout ce qui se passait autour de lui, il lui fut impossible d'en trouver un. Il cherchait dans la charrette, j'étais assis dessous et par conséquent je ne pouvais l'apercevoir ; cependant il me semblait qu'il était sous mes yeux et je lui reprochais sa lenteur. C'est la seule erreur dans laquelle je sois tombé pendant cette cruelle agonie.

« Sur ces entrefaites le chasseur se leva sans que je m'en aperçusse, mais bientôt mes oreilles furent frappées des cris affreux qu'il poussait. Dans cet instant je me trouvais un peu mieux, et aucun des mouvements de cet homme ne m'échappa. Il déchira ses vêtements avec fureur, les jeta loin de lui, prit un fusil et le fit partir. On lui arracha son arme des mains, et alors il se mit à courir dans la campagne appelant la Vierge à son secours et criant avec force que tout était en feu autour de lui, qu'on nous abandonnait tous les deux, et qu'on allait laisser brûler nos malles et la charrette. Un pion guarani, qui faisait partie de ma suite, ayant essayé inutilement de retenir cet homme, fut saisi de frayeur et prit la fuite.

« Jusqu'alors je n'avais cessé de recevoir les soins du soldat qui avait partagé avec moi et mon chasseur le miel qui nous avait été si funeste ; mais lui-même avait commencé par être fort malade : cependant comme il avait vomi très-promptement et qu'il était d'un tempérament robuste, il avait bientôt repris des forces ; il s'en fallait pourtant qu'il fût entièrement rétabli. J'ai su depuis que pendant qu'il me soignait, sa figure était effrayante et d'une pâleur extrême. Je vais, dit-il, tout à coup donner avis de ce qui se passe à la garde du Guaray. Il monte à cheval et se met à galoper dans la campagne, mais bientôt le jeune Français le vit tomber : il se releva, galopa une seconde fois, tomba encore, et quelques heures après mes gens le trouvèrent profondément endormi dans l'endroit où il s'était laissé tomber.

« Cependant l'eau chaude dont j'avais bu une quantité prodigieuse finit par produire l'effet que j'avais espéré, et je vomis avec beaucoup de liquide une partie des aliments et du miel que j'avais pris le matin. Je commençai alors à me sentir soulagé ; un engourdissement assez pénible que j'éprouvai dans les doigts fut de courte durée. Je distinguai ma charrette, les pâturages et les arbres voisins ; le nuage qui avait auparavant caché ces objets à mes yeux ne m'en dérobait plus que la partie supérieure ; et si quelquefois il s'abaissait encore, ce n'était que pour quelques instants. Quoi qu'il en soit, l'état de José Mariano continuait à me donner de vives inquiétudes et j'étais également tourmenté par la crainte de ne jamais recouvrer moi-même l'entier usage de mes forces et de mes facultés intellectuelles ; un second vomissement commença à dissiper mes craintes et me procura un nouveau soulagement ; j'eus moins de peine encore à distinguer les objets dont j'étais entouré ; je commençai à parler à mon gré le portugais et ma langue maternelle ; mes idées devinrent plus suivies et j'indiquai clairement au jeune Français où il pourrait trouver un vomitif. Quand il me l'eut apporté, je le divisai en trois portions, et je vomis avec des torrents d'eau le reste des aliments que j'avais pris le matin. Jusqu'au moment où je rendis la troisième portion du vomitif, j'avais trouvé une sorte de plaisir à avaler de l'eau chaude à longs traits ; alors elle commença à me causer de la répugnance et je cessai d'en boire ; le nuage disparut entièrement, je pris quelques tasses de thé ; je fis une courte promenade, et, aux forces près, je me trouvai dans mon état naturel.

« A peu près dans le même moment, la raison revint tout à coup à José Mariano, sans qu'il eût éprouvé aucun vomissement.

« Il pouvait être dix heures du matin, lorsque nous goûtâmes tous les trois le miel qui nous avait fait tant de mal, et le soleil se couchait lorsque nous nous trouvâmes parfaitement rétablis. Le soldat en avait présenté au pion guarani ; mais celui-ci, qui en connaissait la qualité délétère, avait refusé d'en prendre. Le Brésilien avait ri de sa crainte, il n'avait pas même cru devoir m'en faire part. »

Le lendemain un Indien botocude qui accompagnait A. de Saint-Hilaire et deux hommes de sa suite, mangèrent du miel d'un autre guèpier de *Lecheguana* sans en éprouver la moindre incommodité. Les Portugais, les Guaranis et les Espagnols que le célèbre voyageur interrogea quelques jours après dans la province des Missions lui dirent que l'on distinguait dans ce pays deux espèces de *Lecheguana:* l'une qui donne du miel blanc, et l'autre qui donne du miel rougeâtre. Ils ajoutèrent que le miel de la première ne faisait jamais de mal ; que celui de la seconde n'en faisait pas toujours, mais que quand il en faisait, il occasionnait une sorte d'ivresse ou de délire, dont on ne se délivrait que par des vomissements, et qui allait quelquefois jusqu'à donner la mort. On lui dit aussi que l'on connaissait parfaitement la plante sur laquelle la guèpe *Lecheguana* va récolter son miel empoisonné, mais comme on ne la lui montra pas, il se trouva réduit à former de simples conjectures.

De nouvelles recherches ont conduit Auguste de Saint-Hilaire à penser que cette plante est le *Paullinia australis*.

Le miel de la *N. Lecheguana* du nouveau monde n'est pas le seul qui ait causé des accidents, j'en rapporterai d'autres exemples au mot Guêpe, pour les espèces de l'ancien monde. On a pu voir d'ailleurs que le mot de *Lecheguana* ou de *Chiguana*, dont se sert d'Azara, pour indiquer les guêpes mellifères, a un sens étendu et se rapporte à diverses espèces. Le fait important de A. de Saint-Hilaire établit la nocivité possible du miel que produit l'espèce rigoureusement déterminée que j'ai décrite dans cet article.

A. Laboulbène.

Bibliographie. — D'Azara (F.). *Voyage dans l'Amérique méridionale*. Paris, 1809. — Auguste de Saint-Hilaire. *Plantes remarquables du Paraguay*, t. I (Polistes Lecheguana),

1825. — DUNAL. Considérations sur les organes floraux, p. 30, 1820 (Polistes Lecheguana). — LATREILLE. *Notice sur un Diploptère* (Lecheguana) *récoltant du miel.*, etc. In *Ann. des sc. nat.*, 1re sér., t. IV, p. 335; 1825. *Voy.* aussi p. 340 et suiv — BLANCHARD. *Hist. des insectes*, t. I, p. 60 (Chartergus Brasiliensis. Le même auteur n'en parle plus dans ses *Métamorphoses des insectes*, in-4°, 1868). — H. DE SAUSSURE. *Monographie des guêpes sociales ou de la tribu des Vespiens.* Introduction CL, et p. 232, pl. XXXIV, fig. 3; 1858.

LÉCITHINE (de λέκιθος, jaune d'œuf). Graisse phosphorée neutre, qui, par sa décomposition, donne de l'acide phospho-glycérique, de l'acide oléique et de l'acide margarique. On la trouve dans la bile, dans le sang (spécialement dans la fibrine, d'après Chevreul) dans le tissu nerveux, dans le jaune d'œuf. [*Voy.* BILE, FIBRINE, NERVEUX (Tissu), ŒUF et SANG].

LECLERC (Les) :

Leclerc (DANIEL), un des érudits les plus éminents dont puisse s'honorer la médecine; c'est véritablement le père de l'histoire de notre art. Appartenant lui-même à une famille de savants et de littérateurs, originaire du Beauvoisis, et réfugiée à Genève, à l'époque des persécutions contre les protestants, il naquit le 4 février 1652 à Genève, où son père exerçait la médecine, et professait la langue grecque. Après avoir étudié successivement à Montpellier et à Paris, il se fit recevoir docteur à Valence, et vint se fixer dans sa ville natale, où il mourut le 17 juin 1728.

Les exigences d'une pratique médicale fort étendue, qu'il abandonna seulement en 1704 pour des fonctions publiques, n'empêchèrent pas Leclerc de continuer ses études de littérature médicale, vers lesquelles l'entraînait une vocation irrésistible. Lié d'amitié et de goûts avec son savant compatriote Manget, ils travaillèrent en commun à une compilation d'un grand intérêt et d'une haute utilité, la Bibliothèque anatomique, vaste recueil en 2 volumes in-folio, qui contient les travaux les plus importants publiés sur l'anatomie depuis la fin du seizième siècle. Mais Leclerc s'adonna surtout à l'histoire des sciences médicales, et un premier essai qu'il avait fait paraître en 1696, pour pressentir le goût du public, ayant obtenu les suffrages du corps médical, il mit au jour (1702) son *Histoire de la médecine*, qui prend la science depuis ses origines jusqu'à la fin du second siècle de l'ère chrétienne, c'est-à-dire après Galien. Cet ouvrage, rédigé d'après les sources, est surtout remarquable par l'exactitude des analyses et la précision des détails. Avec une forme naïve et une bonhomie qui ne sont pas sans charme, Leclerc montre souvent un esprit de critique très-délicat, et une grande solidité de jugement. Il est ainsi apprécié par un juge bien compétent, Freind, que l'on a accusé d'acrimonie à son égard : « Il a rassemblé ses mémoires, non-seulement avec un travail infatigable, mais aussi avec un discernement exquis. La philosophie, la théorie et la pratique de tous les anciens médecins est développée avec tant de netteté et d'étendue, qu'à peine est-il une notion, une maladie, un remède, ou même un nom d'auteur, dans un espace de temps aussi considérable, dont il n'ait parlé exactement. » (*Hist. de la méd.*, trad. fr., Paris, 1728, in-4°, p. 1.)

L'Essai d'un plan pour servir à l'histoire de la continuation de la médecine, qu'il fit paraître à la suite de son histoire dans l'édition de 1723, est tout à fait indigne de la première partie. On y trouve des anachronismes et des erreurs que Freind a relevés avec beaucoup de justesse et de modération, quoi qu'on en dit dit.

Voici la liste des publications de Leclerc, nous en avons soigneusement retiré celles de Leclerc (Gabriel) que plusieurs bibliographes ont confondues avec celles du médecin de Genève.

I. *Histoire de la médecine où l'on voit l'origine et les progrès de cet art, de siècle en siècle, depuis le commencement du monde.* Genève, 1696, in-12. 2e édit., beaucoup plus développée, Amsterdam, 1702, in-4°, fig.; 3e édit. augmentée d'un plan pour servir, etc. Amsterdam, 1723, in-4°, et la Haye, 1729, in-4°. Cette dernière n'est que la précédente avec un nouveau titre. — II. *Historia naturalis et medica latorum lumbicorum intra hominem et animalia nascentium*, etc. Genève, 1715, in-4°, pl. — III. *Réponse à ce qu'a écrit M. Freind, concernant diverses fautes qu'il prétend avoir trouvées dans un petit ouvrage de M. Leclerc, intitulé:* Essai d'un plan, etc. In *Bibliothèque anc. et mod.*, t. XXVII, p. 388; 1727.

Leclerc (Charles-Gabriel), médecin français contemporain du précédent, était de Montpellier, suivant Haller. Il prend, dans ses ouvrages, le titre de médecin ordinaire du roi. Nous n'avons rien trouvé sur la vie de ce médecin. Voici au total la liste de ses principales publications, celles du moins que nous avons pu contrôler :

I. *La chirurgie complète par demandes et par réponses*, etc. Paris, 1694, in-12, plusieurs éditions. Le tome II est constitué par l'*Ostéologie exacte et complète* (anat. et pathol.), ouvrage dont l'auteur se reconnaît en partie redevable aux leçons de Duverney, Glisson, Maréchal, Arnaud, etc. Paris, 1706, in-12. — II. *La médecine aisée où l'on donne à connaître les causes des maladies internes, etc., avec une petite pharmacie commode*, etc. Paris, 1696, in-12, plus. édit. — On lui attribue encore : III. *L'École du chirurgien ou les principes de la chirurgie française*. Paris, 1684, in-12. — IV. *La médecine des riches et des pauvres*. Paris, 1696, in-12. — V. *Appareil commode en faveur des jeunes chirurgiens*. Paris, 1700 — VI. *Catalogue des drogues*. Paris, 1701, in-12, etc. (Haller, *Bibl. chir.* et *Bibl. méd. franç.* — Eloy, *Dict.*)

Beaucoup d'autres médecins ou chirurgiens ont porté le nom de Leclerc, mais ils n'ont publié que des dissertations académiques ou inaugurales. E. Bgd.

LECŒUR (Jules), professeur à l'École de médecine de Caen, chirurgien des hôpitaux, secrétaire du conseil central d'hygiène du Calvados, médecin des épidémies, etc. Né à Caen, le 26 septembre 1808, il commença dans cette ville ses études médicales, qu'il vint achever à Paris où il prit les grades de docteur en médecine et en chirurgie (1833-1834). Étant retourné dans son pays natal, il fut peu de temps après nommé professeur de matière médicale, puis de pathologie externe. Une pratique étendue, les différentes fonctions énumérées plus haut, ne l'empêchaient pas de se livrer à des travaux de cabinet dont nous allons donner la liste abrégée. On lui doit une des meilleures publications sur les bains de mer, d'intéressantes recherches sur la rage, le traitement des plaies par les alcooliques, etc. Lecœur mourut à Caen, d'une affection organique du centre circulatoire, le 23 février 1866.

I. *Précis sommaire sur le choléra-morbus épidémique*. Paris, 1832, in-8°. — II. *Essai sur l'éclampsie*. Th. de Paris, 1833, n° 340. — III. *Propositions de chirurgie pratique*. Thèse de Paris, 1834, n° 20. — IV. *Des bains de mer. Guide médical et hygiénique du baigneur*. Caen, 1846, 2 vol. in-8°. — V. *Secours aux noyés, et considérations sur les accidents déterminés par la submersion*. Ibid., 1856, in-18. — VI. *Études sur la rage*. Ibid., 1857, in-8°. — VII. *Du danger des eaux malsaines*. Ibid., 1860, in-8°. — VIII. *Étude sur l'intoxication alcoolique*. Ibid, 1860, in-8°. — IX. *Des pansements à l'aide de l'alcool et des teintures alcooliques*, etc. Caen, 1864, in-8°. E. Bgd.

LE CONQUEST (Station marine), dans le département du Finistère, dans l'arrondissement et à 28 kilomètres de Brest, est une station encore peu fréquentée des bords de l'Océan. Sa belle plage, la beauté du pays, la facilité de la vie dans cette partie de la Bretagne réservent au Conquest une place distinguée parmi les stations marines dans un avenir qui ne peut être éloigné. A. R.

LECOQ (Les deux).

Lecoq (Antoine), en latin *Gallus*, était de Paris, appartenait à notre Faculté, et mourut le 28 mars 1550. Élu deux fois doyen (2 novembre 1538 et 6 novembre 1539), il eut la douleur au milieu de son décanat de voir les licences suspendues par un acte arbitraire du chancelier de l'Université. Il y a un arrêt forcé dans les nobles exercices de la rue de la Bûcherie! Les registres-commentaires ont une feuille blanche, et sur cette feuille, Lecoq écrit de sa main cet adieu :

Valete
Gallus his ephemeribus finem imponebat anno 1540.
Jesus finis optimus.
Interturbatæ Licenciæ hoc anno.
Vivite, læti
Doctores.
Gallus pensum suum absolvit lætus.
Gallus posthac nunquam Decanus iterum futurus,
Gratias Domino agit.
Charta hæc vacat, propterea quod hoc anno non fuerunt Licentiæ.
Vale, vale, inquit Iòla.

Antoine Lecoq, jouit de son vivant d'une grande réputation, et fut appelé auprès de François Ier, que la maladie vénérienne clouait dans son lit. Il soutint avec chaleur, contre l'avis de Fernel, qu'il fallait soumettre Sa Majesté aux frictions mercurielles : « C'est un vilain, dit-il, qui a gagné la vérole... *Frottetur*, comme un autre et comme le dernier de son royaume, puisqu'il s'est gâté de la même manière. »

On ne connaît que deux ouvrages d'Antoine Lecoq :

I. *De ligno sancto non permiscendo.* Paris, 1540, in-8°.— II. *Consilia de arthritide.* Francof., 1592, in-8°.

Lecoq (Pascal), qui signe aussi habituellement *Gallus*, naquit dans le Poitou, en 1567, fut reçu docteur à Poitiers, en 1597, et mourut dans cette ville, le 18 août 1631. Il a laissé un catalogue alphabétique des médecins, avec des notes sur leurs écrits et les principaux traits de leur vie, le tout tiré principalement de la Bibliothèque de Gesner. Ce catalogue porte ce titre :

Bibliotheca medica, sive catalogus illorum qui ex professo artem medicam in hunc usque annum scriptis illustrarunt. Basil., 1590, in-8°. A. C.

LE CROISIC (Bains de mer; Hydrothérapie marine). Dans le département de la Loire-Inférieure, dans l'arrondissement de Savenay, est un chef-lieu de canton peuplé de 2,471 habitants, dont la belle et longue jetée, le phare dit la Tour du Four, l'école d'hydrographie, sont les particularités remarquables. Son principal commerce consiste dans la pêche et la conservation des sardines, et dans la production du sel de cuisine que les paludiers extraient des œillets salants du voisinage. La température de la petite ville du Croisic, bâtie à l'extrémité de la presqu'île de ce nom, est plus élevée que celle de l'intérieur des terres, et que celle de Paris ; les matinées et les soirées y sont cependant assez fraîches pour exiger des vêtements d hiver.

L'établissement des bains de mer et d'hydrothérapie marine a été construit à l'extrémité de la ville et au bord même de l'Océan dont les vagues battent aux fortes marées ou par le grand vent les murs de son jardin. Il se compose de trois cents chambres destinées aux baigneurs, toutes ayant vue sur la mer, et d'un immense salon destiné aux concerts et aux bals, qui se donnent plusieurs fois par semaine pendant la saison des bains. La jetée n'est pas à plus de 20 mètres de l'établissement, c'est la promenade habituelle des personnes qui craignent des excursions lointaines. Comme elle a d'ailleurs plus de 1 kilomètre de longueur, elle suffit parfaitement à l'exercice de ceux auxquels une course trop fatigante est interdite ou impossible. La plage du Croisic est formée d'un sable très-fin, son inclinaison est à peine sensible, et elle n'a aucun galet.

Les salles d'hydrothérapie sont dans le sous-sol de l'établissement. Au moment de la haute marée, on ouvre une écluse qui permet à l'eau de mer d'arriver dans une vaste piscine bordée d'un trottoir de marbre et entourée de dix-huit cabinets. Deux beaux escaliers descendent à la piscine au-dessus de laquelle sont fixés deux appareils de douches en pluie. A marée basse, la piscine est complétement vidée. L'eau destinée aux bains isolés et aux douches est montée par une machine à vapeur dans des bassins établis à 9 mètres au-dessus des salles d'hydrothérapie. Les ajutages des douches sont aussi complets que possible. L'établissement du Croisic reçoit aussi les eaux-mères des marais salants que le médecin peut employer en boisson, en application locale, en mélange avec l'eau douce ou de mer pour bains généraux, suivant les exigences du traitement et le caractère de la maladie (*voy.* EAU-MÈRE).

Les affections qui sont le plus favorablement traitées avec les ressources de l'hydrothérapie marine du Croisic sont : les lymphatisme et la scrofule, surtout avec manifestations ganglionnaires, et alors la base du traitement doit être l'application topique de l'eau-mère sur les parties engorgées; les névropathies dont les accidents aussi variés que tenaces résistent souvent aux traitements les plus rationnels; les rhumatismes chroniques affectant les articulations, les muscles ou les viscères. Les bains de piscine par affusion et les douches générales, doivent être mis en usage contre les névropathies et les rhumatismes chroniques généralisés; les douches locales, au contraire, constituent la médication spéciale des douleurs rhumatismales limitées à une partie distincte du corps. Les maladies utérines, l'anémie et la chlorose rentrent enfin dans la sphère d'action des bains de mer dans la piscine, des douches générales révulsives et des douches vaginales de l'établissement du Croisic. La guérison de la chloro-anémie peut, la plupart du temps, être obtenue par l'effet tonique et reconstituant seul des bains en pleine mer et par la respiration de l'air salin du Croisic et de ses environs.

A. ROTUREAU.

BIBLIOGRAPHIE. — CAILLE (jeune). *Notes sur le Croisic*. In-8°, 1842. — *Notice médicale sur les bains de mer du Croisic et sur l'effet thérapeutique des eaux-mères, de l'hydrothérapie marine et des bains de sables administrés à l'établissement du Croisic*. Paris, 1855, in-8°, 47 pages. — LEROY-DUPRÉ. *Établissement de bains de mer et d'hydrothérapie marine du Crisic (près Nantes); des maladies qui y sont traitées avec le plus de succès*. In *Union médicale*, nos du 8 et 10 janvier, et brochure, in-8°, Paris, 1861, onze pages. A. R.

LE CROL (EAU MINÉRALE DE), *athermale, sulfatée ferrugineuse faible, carbonique faible*. Dans le département de l'Aveyron, à une petite distance de CRANSAC (*voy.* ce mot), et de la petite ville d'Aubin, émerge la source du Crol dont l'eau est limpide, claire et transparente : elle laisse déposer cependant, sur les parois de son bassin, une couche notable de rouille. Elle n'a aucune odeur; sa saveur est ferrugineuse; sa température est de 12°,8 centigrade. M. Poumarède a fait son analyse chimique; il a trouvé dans 1000 grammes d'eau les principes suivants :

Sulfate ferreux	0,540
— ferrique	0,285
— manganeux	0,350
— de magnésie	0,300
— chaux	0,070
— alumine	traces.
Matière organique azotée	0,010
Total des matières fixes	1,555
Gaz acide carbonique libre	quantité indéterminée.

Les qualités physiques, chimiques et thérapeutiques des eaux du Crol ont une grande analogie avec celles de Cransac; elles émergent dans la même vallée et au pied de la même colline. Nous renvoyons à ce que nous avons dit des eaux de Cransac, pour tout ce qui se rapporte à l'action physiologique et curative des eaux du Crol. A. Rotureau.

LE CROTOY (Station marine). Dans le département de la Somme, près de l'embouchure de la rivière de ce nom, dans l'arrondissement et à 25 kilomètres nord-ouest d'Abbeville (chemin de fer du Nord, station de Rue, Le Crotoy en est à 10 kilomètres), est une petite ville de 1200 habitants, célèbre par la captivité de Jeanne d'Arc qui, en 1431, fut enfermée dans le château fort, dont on visite les ruines aujourd'hui. La plage du Crotoy est très-unie et composée d'un sable fin; un assez grand nombre de personnes la fréquentent depuis que l'on a créé un établissement et un casino. La chasse aux lapins, si nombreux dans les falaises voisines du Crotoy, est la distraction principale des baigneurs qui se rendent à ce poste du littoral de la Manche. A. R.

LECYTHIS ou **QUATELÉ**. Genre de plantes, de la famille des Myrtacées, qui a donné son nom à une tribu des Lécythidées, et qui est remarquable par ses feuilles alternes et ses belles fleurs en grappes simples ou ramifiées. Les étamines tombent avec la corolle et sont autour du gynécée, d'un côté de la fleur, tandis que de l'autre côté elles sont insérées sur une grande languette formant capuchon; celles qui se trouvent en haut et en bas sont stériles. A l'ovaire infère, pluriloculaire, pluriovulé, succède un fruit bien connu par ses parois épaisses et par la façon dont il s'ouvre en haut comme par un couvercle circulaire. De là le nom de *Marmites de singe*, donné par les Européens à ces fruits. Ils contiennent de nombreuses graines qui, sous leurs téguments, renferment un gros embryon charnu, huileux. C'est là, en général, la partie utile des *Lecythis*. Ses propriétés sont les mêmes que celles de l'amande du *Bertholletia*. Elles se retrouvent aussi bien dans les graines du *L. Zabucago* Aubl., qui croît à la Guyane, que dans le *L. ollaria* L., ou *Sapucaju*, arbre de Venezuela et du Brésil, le *L. grandiflora* Aubl., le *L. Pisonis* Camb. (*L. ollaria* Vell.) ou *Zabucajo*, espèces de la Guyane, et le *L. lanceolata* Poir., ou *Sapucaja branca* des Brésiliens, qui est cultivé aux îles Mascareignes et à Madagascar. Le liber de plusieurs espèces sert à fabriquer des tissus, mauvais conducteurs du calorique, des nattes, des cordages, et une partie, dit-on, de ces liens à mailles fines qui servent parfois à attacher les paquets de cigares. Les graines sont souvent amères, toniques, fébrifuges; telles sont celles des *L. amara* Aubl., *Idatimon* Aubl., *parviflora*, Aubl., originaires de la Guyane. Celles du *L. grandiflora* servent, au Brésil, à préparer une émulsion administrée dans les cas d'affections catarrhales des bronches. H. Bn.

L., *Gen.*, n. 664. — Lœfling, *Itin.*, 189. — Aubl., *Guian.*, t. 283-289. — Poiteau, in *Mém. du Mus.*, XIII, 143, t. 2, 3, 7. — Cambess., in *A.S.H. Fl. bras. mer.*, II, 377, t. 158. — Endl., *Gen.*, n. 6332. — Mér. et Del., *Dict.*, IV, 81. — Guib., *Drog. simpl.*, éd. 4, III, 248. — DC., *Prodr.*, III, 290. — Berg (O.), in *Linnæa*, XXVII, 448; XXIX, 258. — Benth. et Hook., *Gen.*, I, 723, n. 69. — Rosenth., *Synops. plant. diaphor.*, 940.

LEDERMUELLER (Martin-Frobenius). Un des médecins qui, au siècle dernier, fit le plus avancer les observations microscopiques, naquit à Nuremberg, le 20 août 1719, et mourut dans cette ville, le 16 mai 1769. Sa vie fut assez agitée, si l'on en croit ses biographies, car on le voit successivement clerc de notaire à Nuremberg, élève en droit à Iéna, fourrier dans un régiment, secrétaire d'un baron de Kaiserling, dessinateur de plans chez le major général de Bruehl, notaire à Nuremberg, secrétaire de l'ambassadeur de Suède à la diète de Franconie, secrétaire du prince Rodolphe Cantacuzène ; puis... atteint de surdité, obligé de quitter une place qui le faisait vivre honorablement ; enfin, guéri de son infirmité de l'ouïe, et chargé en 1760 d'établir à Bayreuth un cabinet d'histoire naturelle. C'est là qu'il continua des études microscopiques qu'il n'avait pas cessé de chérir, malgré les péripéties de son existence, et qui ont illustré son nom.

Ledermüller a beaucoup écrit. On peut voir la liste complète de ses ouvrages dans le grand *Dictionnaire de médecine en* 60 *volumes* (partie bibliographique). Nous nous contenterons d'indiquer et de traduire en français les titres des quatre principaux :

I. *Observations physiques des animalcules spermatiques, au moyen des meilleurs microscopes.* Nuremb., 1756, in-4°. 8 planches. — II. *Défense des animalcules spermatiques.* Nuremb., 1658, in-8, 6 planches. — III. *Études microscopiques.* Nuremb., 1759, in-8°. — IV. *Amusements microscopiques, tant pour l'esprit que pour les yeux.* Nuremb., 1760-1764, in-4°, trois volumes. A. C.

LEDESMA (Eaux minérales de), *hyperthermales*, ou *mésothermales*, *sulfatées calciques*, *sulfureuses* et *carboniques moyennes*, en Espagne, dans la province de Salamanca, à 31 kilomètres de la ville de ce nom, à 11 kilomètres au sud-est de la petite ville de Ledesma, peuplée de 1570 habitants, à 60 mètres de la rive gauche de la Tormes, au pied d'une colline couverte de pierres et de terre inculte. (Chemin de fer de Paris à Bayonne, San-Sebastiano, Burgos, Valladolid et Salamanca ; de cette dernière ville, route de poste.) La vie matérielle n'est pas toujours facile aux établissements thermaux de l'Espagne, et les baigneurs doivent apporter avec eux presque tout ce dont ils ont besoin, et se contenter souvent d'une nourriture très-frugale et surtout peu variée ; à Ledesma, on se procure aisément, et à bon marché, tous les objets de première nécessité et toutes les provisions indispensables à la cuisine. Cette station est la plus fréquentée de l'ouest de l'Espagne, et, de deux à trois mille personnes y viennent chaque année des provinces voisines de la péninsule Ibérique ou du Portugal. Les excursions sont nombreuses et intéressantes ; mais les chemins des environs de ce poste thermal sont très-mal entretenus. Un des points visités avec le plus de plaisir, est l'ancienne ville de Ledesma entourée de murs de pierre, construits au temps de l'occupation romaine. La température est chaude de dix heures du matin à cinq à six heures du soir ; le commencement et la fin des journées est assez froid et assez humide pour justifier la précaution du manteau dans lequel se drapent les Castillans. La saison ouvre le 15 mai et finit avec le mois de septembre.

Un grand nombre de sources émerge à Ledesma de la craie et du sable ; mais deux seulement ont un captage régulier ; elles sont désignées par les noms de *fuente de los Baños* (source des Bains), et de *fuente de la Bebida* (source de la Buvette). Le débit de la soure des Bains, déjà employée par les Romains, est de 235,100 litres en vingt-quatre heures. La source de la Buvette a été récemment découverte par l'ancien directeur, M. le docteur Alegre. Les griffons non captés sont à 40 mètres à l'ouest de l'établissement ancien, ou dans le lit même de la Tormes. Les ruisseaux d'eau minérale formés par les premiers sont d'eau moins chaude que ceux des derniers qui ont une température presque égale à celle de l'eau de la source des Bains.

La *source des Bains* jaillit dans l'établissement arabe, bâti, dit-on, par un Maure appelé Cephar, et elle est recueillie dans un grand réservoir voûté, divisé, depuis 1819, en deux compartiments, où trente personnes de chaque sexe peuvent se baigner à la fois, et en quatre cabinets plus petits pour ceux qui veulent être isolés.

Les caractères de toutes les eaux des sources minérales de Ledesma sont les mêmes à l'exception de la température et de la quantité de barégine qu'elles tiennent en suspension. Elles sont limpides et transparentes ; leur odeur et leur saveur sont très-sensiblement hépatiques ; elles sont douces et onctueuses au toucher ; elles charrient une matière blanchâtre, glaireuse, qu'elles laissent déposer sur les parois de leur bassin de captage et au fond des ruisseaux qui les contiennent ou les laissent couler. Leur densité est presque la même que celle de l'eau distillée. La température de l'eau de la source des Bains est de 50° centigrade, celle de *la source de la Buvette*, conduite dans un bassin pour tempérer l'eau de *la source des Bains*, est de 30° centigrade ; celle de l'eau des griffons inutilisés varie de 40° à 45°,8 centigrade. Nous ne connaissons pas d'analyse complète des eaux de Ledesma. M. Villar y Pinto, pharmacien à Salamanque, nous apprend seulement que 1000 grammes de l'eau de la source des Bains renferment les principes suivants, dont il n'a pas déterminé les quantités exactes :

Sulfate de chaux	»
— fer	»
Chlorure de calcium	»
Phosphate de chaux	traces.
Matière végéto-animale	très-abondante.
Gaz. { Acide sulfhydrique — carbonique	grande quantité.

Le directeur actuel, le docteur Ignacio José Lopez, a trouvé que 1000 grammes de ces eaux contiennent au sulfhydromètre :

Soufre	0,014517
Acide sulfhydrique	0,015418
qui équivalent à	8,967297 centimètres cubes de gaz.

Mode d'administration et doses. Les eaux de la source de la Buvette sont employées en boisson à la dose de deux à six verres, le matin à jeun, et à un quart d'heure d'intervalle. L'eau de la source des Bains se rend aux piscines et aux baignoires de l'établissement arabe de Ledesma. Le bain en commun et le bain isolé a une durée de quarante-cinq minutes à une heure, en général. Les baigneurs sont transportés ou se rendent dans des chambres à lits. La sudation fait une partie intégrante de la cure de Ledesma.

Emploi thérapeutique. L'eau de Ledesma en boisson et en bains, a pour effet physiologique principal une excitation marquée des systèmes nerveux et sanguin.

Son action à l'intérieur et à l'extérieur est très-prononcée sur la peau et sur les membranes muqueuses, dont elle active singulièrement les fonctions. Ainsi, la sueur est très-abondante et l'expectoration facile.

Les maladies cutanées chroniques, qui ont besoin pour être améliorées ou guéries de revenir à un état subaigu ou aigu; les rhumatismes articulaires ou musculaires très-éloignés de leur période inflammatoire; les paralysies, à la condition expresse qu'elles ne soient pas le résultat d'une congestion ou d'une hémorrhagie cérébrales, et les troubles de la digestion qui annoncent une manifestation cutanée, coexistent avec elle, ou suivent sa disparition, sont très-avantageusement traités par les eaux mésothermales sulfureuses et carboniques de la source de *la Buvette*, et par les eaux et les vapeurs hyperthermales de la source des Bains de Ledesma.

La *durée de la cure* était autrefois de trois à six jours, pendant lesquels les malades prenaient un bain tous les matins. Le séjour qu'ils font maintenant à Ledesma est de dix à douze jours, ce qui est un temps au moins de moitié trop court, pour que des affections ayant profondément détérioré les organes, et altéré leurs tissus, puissent y être utilement combattues.

On n'*exporte* pas les eaux de Ledesma. A. ROTUREAU.

BIBLIOGRAPHIE. — RUBIO (Pedro Maria) *Tratado completo de las fuentes minerales de España*. Madrid, 1855, in-8°, p. 109-115. — JOANNE (Ad.) et LE PILEUR (A.). *Les bains d'Europe, guide descriptif et médical*, etc. Paris, 1860, in-12, p. 181-182. A. R.

LÉDON (*Ledum* L.). Genre de plantes, de la famille des Éricacées, et du groupe particulier qui, dans cette famille, se distingue par sa corolle polypétale. Leur calice est peu développé, à cinq divisions, et leur corolle à cinq folioles alternes, imbriquées ou tordues. Les étamines sont hypogynes, insérées sous un disque peu épais, et il y en a souvent dix, dont cinq superposées aux sépales, et cinq aux pétales. Mais ces dernières, ou quelques-unes d'entre elles, peuvent manquer. Toutes les anthères sont biloculaires, introrses et porricides. L'ovaire est supère, à cinq loges multiovulées, superposées aux pétales. Il devient une capsule septicide, avec des placentas polyspermes qui demeurent fixés à une colonne centrale. Les Lédons sont de petits arbustes qui croissent dans les contrées marécageuses de l'hémisphère boréal, dans l'ancien monde et dans le nouveau. Leurs feuilles sont alternes, simples, épaisses, coriaces, chargées en dessous d'un duvet ferrugineux; leurs fleurs sont blanches, rarement hexamères, disposées en ombelles terminales. Deux espèces sont employées en médecine.

I. *L. des marais*, ou *Romarin sauvage*, *R. de Bohême* (*Ledum palustre* L., *Spec.*, 591. — ŒD., *Fl. dan.*, t. 1031. — SCHKUHR, *Handb.*, t. 117. — DUHAM., *Arbr.*, I, t. 67. — LODD., *Bot. Cab.*, t. 560). Cette espèce habite l'Amérique septentrionale, l'Asie et l'Europe; elle se trouvait, dit-on, en France, dans les Vosges et en Alsace; mais le fait paraît douteux. C'est un petit arbuste à feuilles étroites, épaisses, à bords réfléchis, à face inférieure couverte d'un duvet jaunâtre ou ferrugineux. Ses fleurs sont supportées par des pédicelles grêles. Leur calice est gamosépale, et l'ovaire se renfle à sa base en un disque circulaire fort peu prononcé. Les étamines sont au nombre de dix. Les feuilles sont nommées, dans les pharmacopées allemandes, *Folia Ledi*, *F. Rosmarini sylvestris* (*Anthos Sylvestre*. Elles ont une odeur forte, résineuse, qui écarte le bétail; les chèvres seules s'en nourrissent. On les place dans les maisons, les armoires, pour éloigner les rats, les teignes, les blattes; distillées avec de l'écorce de bouleau, elles donnent une huile à laquelle le cuir de Russie doit, dit-on, son odeur particulière. On en prépare des lotions, qui guérissent la gale, la teigne. C'est également comme insecticide que les infusions de Lédon des marais agissent dans la dysenterie, au dire de Bojœrlund qui pensait que cette maladie était produite par des insectes. Linné rapporte qu'on traite la coqueluche avec cette plante, dans la Westro-Gothie. D'autres ont prétendu qu'elle guérit les fièvres éruptives, et qu'elle a des propriétés narcotiques. Oldelius (*Mém. de l'Acad. de Suède*, 1774, 267 ; 1779, 218 ; 1785, 224) la préconise, en décoction, contre la lèpre du Nord. On en a préparé une eau distillée, administrée contre la céphalalgie ; et les vétérinaires en ont fait laver le bétail pour le débarrasser de la vermine. Rauchfuss, en 1796, et plus récemment Meissner ont analysé le Lédon qui contient, d'après ce dernier (*Bull. des sc. de Férussac*, XII, 179), du tannin, de la résine, une matière colorante brune, du sucre incristallisable, de la chlorophylle et une huile essentielle volatile. On croit que la bière contient quelquefois, en Allemagne, des feuilles de Lédon, ce qui lui donnerait des propriétés nuisibles.

II. *L. à larges feuilles* ou *Thé du Labrador, de James* (*Ledum latifolium* AIT., *Hort. kew.*, 65. — JACQ., *Icon. rar.*, t. 464. — LAMK, *Illustr.*, t. 363. — *L. canadense* LODD, *Bot. Cab.*, t. 1049. *L. groenlandicum* RETZ., *Scand.*, éd. 2, 493). Cette espèce n'était, pour Michaux (*Fl. amer. bor.*, I, 259), qu'une variété du *L. palustre*, qu'il appelait *L. palustre latifolium*. Aujourd'hui, elle est considérée comme distincte. C'est un petit arbuste toujours vert, à branches cotonneuses, à feuilles presque sessiles, longues de deux pouces environ, obtuses au sommet, et à duvet épais, couleur de rouille, sur toute la face inférieure. Ses fleurs ont des pédicelles pubescents. Leurs étamines sont au nombre de cinq, superposées aux sépales, ou de six à huit, deux ou trois des étamines superposées aux pétales pouvant aussi se développer. Le fruit est légèrement pubescent, et les graines sont terminées aux deux extrémités par une saillie membraneuse. Les feuilles ont été employées à préparer un infusion stimulante qu'on prenait en Amérique au lieu de thé pendant la guerre de l'indépendance. Leur saveur est cependant quelque peu amère. Mais l'odeur en est agréable, au dire de Bosc, et elles sont apéritives. Toutefois, on accuse la bière qui en contient de produire des nausées, de la céphalalgie et même du délire. En médecine, on emploie l'infusion comme pectorale, tonique, stomachique ; elle a été recommandée contre les fièvres d'accès, la diarrhée, la dysenterie. On doit à M. Bacon (*Journ. de pharm.*, IX, 558) une analyse de cette plante, qui renferme du tannin, de l'acide gallique, de la résine, de la cire, une matière extractive amère et différents sels. Cette espèce est fréquemment cultivée dans nos jardins botaniques, et elle pourrait être l'objet d'expériences décisives.

H. BN.

L., *Gen.*, n. 546 ; *Spec.*, 591 ; *Amœn. acad.*, VIII, 268 ; *Diss. de Ledo palustre*, resp. J. C. Westring. Upsal., 1775. — GÆRTN., *De fruct.*, II, 145, t. 112. — HOOK., *Fl. londin.*, t. 212. — DON, in *Edinb. Phil. Journ.*, VI, 50. — ENDL., *Gen.*, n. 4344. — MÉR. et DEL., *Dict.*, IV, 89. — A. DC., *Prodr.*, VII, 730. — H. BN., ap. PAYER, *Leçon sur les fam. nat.*, 225 ; *Adansonia*, I, 200. — LINDL., *Fl. med.*, 379. — ROSENTH., *Synops. plant. diaphor.*, 352.

H. BN.

LE DRAN (Les trois). Une partie des papiers de la famille Le Dran étant tombée de la bibliothèque de Desgenettes dans nos mains, nous pouvons donner sur ces trois hommes distingués des détails jusqu'ici inédits et d'une rigoureuse exactitude.

Le Dran (HENRI), le premier de tous, était fils de François Le Dran, marchand à Saint-Cloud, et de Denise Feuillet, cette dernière sœur du chanoine Nicolas Feuillet, qui s'est rendu célèbre par ses prédications à Paris. Il naquit à Saint-Cloud, le 24 décembre 1656. Ayant embrassé l'étude de la chirurgie, il s'acquit une telle réputation qu'il parvint bientôt aux plus grands emplois et aux plus grands honneurs. Ce fut lui qui remit en vigueur l'extirpation du cancer au sein, qui était depuis longtemps fort négligée en France, alors qu'Helvétius se vantait d'avoir pratiqué en Hollande deux mille fois cette opération. A la bataille de Malplaquet (1709), Le Dran accompagnait le maréchal de Villars en qualité de chirurgien-major du régiment des gardes françaises, et s'attirait un grand relief parmi les chirurgiens des troupes royales, en sauvant l'illustre guerrier d'un coup de feu qu'il avait reçu. De retour à Paris, il tint, comme on dit, le haut du pavé dans la pratique chirurgicale, et lorsque Louis XIV fut atteint de cette gangrène sénile qui l'enleva en quelques jours, les chirurgiens et les médecins du grand soleil en putréfaction voulurent que Le Dran vînt les aider de ses conseils et de son expérience : ils en avaient besoin, ces malheureux archiâtres, harcelés qu'ils étaient par une foule de charlatans qui se faufilaient jusqu'au chevet du roi, prétendant le sauver d'une affection devenue incurable chez un monarque épuisé par sa gloutonnerie, les excès, la gravelle, la goutte, les lavements et les médecines quotidiennes.

Henri Le Dran mourut à Paris, le 1er février 1720, dans sa maison de la rue Férou, et fut inhumé à Saint-Sulpice. Il n'était âgé que de soixante-quatre ans, et dans cette vie, relativement courte, il avait trouvé moyen de se marier deux fois et de procréer seize enfants, dont voici la liste.

De son mariage avec Catherine Darvoy, il eut :

1° Henriette-Catherine, née le 16 juillet 1682 ; 2° Denise, née le 9 novembre 1684 ; 3° Henri-François; né en 1685 ; 4° Nicolas-Louis, né le 24 avril 1687 ; 5° Pierre, né le 26 avril 1688 ; 6° François-Antoine, né le 5 avril 1690 ; 7° Charles-Pierre, né le 16 mai 1691 ; 8° Catherine-Marguerite, née le 20 octobre 1692 ; 9° Gabriel-Jacques, né le 29 juin 1694.

De son second mariage avec Marie-Madeleine Berthe (1703), *il eut :*

10° Louis-Victor, né le 4 août 1704 ; 11° Henri-Joseph, né le 3 septembre 1705 ; 12° Auguste-François, né le 12 octobre 1707 ; 13° Christine-Victoire, née le 24 novembre 1708 ; 14° Louis-Gabriel, né le 27 avril 1710 ; 15° Abraham-Maur, né le 15 janvier 1712 ; 16° Madeleine-Catherine, née le 28 novembre 1713.

N'oublions pas de relever une erreur qui est commune à presque tous les biographes qui se sont occupés des Le Dran. Ils assurent, en effet, que ce fut *Henri-François* Le Dran qui le premier pratiqua la désarticulation scapulo-humérale, tandis que cette priorité appartient à *Henri* Le Dran. L'erreur vient de ce que l'observation se trouve rapportée dans un ouvrage de *Henri-François* Le Dran (*Observat. de chirurg.*, t. I, p. 315) ; mais le fils prend cette observation dans les notes de son père, et il a soin de le dire tout d'abord.

Le Dran (Henri-François), fils aîné du précédent et de Catherine Darvoy, naquit à Paris, en 1685, et fut baptisé dans l'église de Saint-Barthélemi. La pratique de cet homme, justement célèbre ; ses livres nombreux et excellents; les réformes heureuses qu'il a apportées à différents procédés opératoires ; ses profondes connaissances en anatomie, le recommandent vivement à la postérité. L'on ne peut oublier qu'il donna le premier les signes caractéristiques de l'empyème ; qu'il s'éleva avec énergie contre cette prétendue impossibilité d'enlever le testicule lorsque le cordon est très-engorgé ; qu'il donna pour le traitement du cancer des préceptes judicieux, voulant qu'on tente la guérison lorsqu'il n'y a pas d'ulcération, recommandant dans le cas contraire l'amputation ; qu'il émit des idées fort judicieuses sur les accidents qui surviennent à la suite des plaies du crâne ; que son manuel opératoire du bec-de-lièvre n'a guère subi depuis lui de modifications ; qu'il apporta à l'opération de la taille par l'appareil latéral d'heureuses améliorations.

Henri-François Le Dran mourut, chirurgien en chef de l'hôpital de la Charité, chirurgien consultant des armées et membre de l'Académie de chirurgie, le 17 octobre 1770, laissant, de sa femme Françoise de Saint-Remy, une seule fille, qui a épousé Lalouette, médecin de la Faculté de Paris.

Voici les titres de ses ouvrages :

I. *Parallèle des différentes manières de tirer la pierre hors de la vessie.* Paris, 1730, in-8°, 2 vol. traduits en allemand (1737) ; en anglais (1738) ; et *Journal des savants*, année 1731, t. I, p. 348. — II. *Observations de chirurgie auxquelles on a joint plusieurs réflexions en faveur des étudiants.* Paris, 1731, in-8°, 2 vol. Un grand nombre de ces observations n'appartiennent pas en propre à l'auteur, mais il les prend à peu près partout. — III. *Traité ou réflexions tirées de la pratique sur les plaies d'armes à feu.* Paris, 1737, in-12. Trad. en allemand (1740) ; et *Journal des savants*, année 1738, t. II, p. 480. — IV. *Traité des opérations de chirurgie.* Paris, 1742, in-8°. Traduit en anglais par Gatacker, avec des notes de Cheselden (1749). — V. *Supplément au parallèle des différentes manières de tirer les pierres hors de la vessie.* Paris, 1756, in-8°. — VI. *Consultations sur la plupart des maladies qui sont du ressort de la chirurgie.* Paris, 1765, in-8°. — VII. *Traité économique de l'anatomie du corps humain.* Paris, 1768, in-12.

Le Dran (François-Antoine), un des seize enfants de Henri Le Dran, et frère, par conséquent, du précédent, naquit à Paris, le 5 avril 1690, et devint docteur en médecine de la Faculté de Paris (11 octobre 1714). Nommé médecin du roi à la Martinique (1716), il se rendit à son poste, et revint en France en 1721. Mais s'étant embarqué de nouveau pour le Pérou, il mourut en route, à Cadix, le 7 février 1724. On ne lui connaît que ses deux thèses soutenues à la Faculté de médecine de la rue de la Bûcherie.

I. 16 novembre 1713, sous la présidence de Armand-Joseph Collot : *An renum et vesicæ morbis diuretica calida?* — II. 22 février 1714, sous la présidence de Louis Poirier, premier médecin du Dauphin : *An ad tuendam senum, quam juvenum sanitatem potiores venæ sectio atque purgatio?*

A. Chéreau.

LEEA L. Genre de plantes que Linné a encore nommé *Aquilicia* et que Gærtner appelait *Ottilis*. On en a fait d'abord le type d'une petite famille des Leeacées ; après quoi l'on a reconnu qu'elles devaient être placées dans la même famille que les Vignes, dont elles ne diffèrent essentiellement que par deux caractères : les loges ovariennes sont uniovulées, et les étamines au lieu d'être libres, sont unies en un tube qui se partage supérieurement en languettes alternipétales, interposées aux anthères. D'ailleurs la fleur est pentamère et régulière. Le calice est gamosépale, quinquédenté. La corolle est gamopétale, à cinq divisions valvaires. Les étamines sont oppositipétales, et leurs anthères, extrorses quand leur filet est déployé, regardent d'abord en dedans parce que leur filet est replié sur lui-même. Le gynécée se compose d'un ovaire à cinq loges oppositipétales (plus rarement à 3-6 loges), surmonté d'un style à autant de lobes stigmatifères qu'il y a de loges. L'ovule est ascendant, anatrope, avec le micropyle inférieur et extérieur. Le fruit est une baie polysperme. La graine contient un albumen cartilagineux. Les *Leea* sont des arbustes à feuilles alternes, composées-pennées, rarement simples, à pétiole dilaté en gaîne, à fleurs disposées en cymes composées, oppositifoliées. Ils habitent les régions chaudes de l'ancien monde. Plusieurs espèces sont employées.

1. L. *sambucina* (W., *Spec. plant.*, I, 1177. — *Aquilicia sambucina* L. *Mantiss*, 211. — *Staphylea indica* Burm., *Fl. ind.*, t. 24, tige 2). Cette espèce est le *Bois de source* de l'île Bourbon. Ses tiges sont glabres, anguleuses, cannelées. Ses feuilles sont composées-pennées et ses fleurs très-nombreuses. On la trouve aussi dans l'Inde, où les habitants lui accordent d'importantes propriétés thérapeutiques. Ses feuilles jeunes fournissent par expression un suc qui s'administre pour faciliter les digestions. On broie les feuilles, on les torréfie, et on applique cette préparation sur la tête, dans les cas de « faiblesse de cerveau, de vertiges, » etc. Contre les douleurs d'origine goutteuse, on prescrit une décoction dont la vapeur est dirigée sur les points affectés. On dit qu'en Guinée cette décoction sert à dissiper les nausées, et que les femmes enceintes dont le ventre est douloureux en font usage. Le bois sert à préparer une infusion qui chasse la soif. L'écorce s'emploie en frictions contre les enflures; les racines, en décoction contre les douleurs d'estomac. Les baies renferment un suc violet caustique.

2. L. *rubra* Bl. Ses fruits sont employés à Java, dans le traitement des dysenteries.

3. Les L. *hirta* Hornem. (L. *scabra* Roxb.) et *speciosa* Jacq. ont des propriétés analogues. Plusieurs espèces ont, dit-on, des fruits comestibles, acidules ou astringents. H. Bn.

L., *Mantiss.*, 124, 211. — Roxb., *Fl. ind.*, II, 467. — Blume. *Bijdrag.*, 195. — D. C., *Prodrom.*, I, 635. — Gærtn., *Fruct.*, I, 275, t. 57. — Mér. et Del., *Dict.*, I, 374 ; *Suppl.*, 52. — Endl., *Gen.*, n. 4569. — Rosenth., *Syn. plant. diaphor.*, 569, 1140. — Benth. et Hook., *Gen.*, I, 388, n. 3. — Baillon (H.), in Payer, *Fam. nat.*, 343.

LEFEBURE (Guillaume-René) **DE SAINT-ILDEFONT** ou **ILDEPHONT.** Successivement militaire, médecin, littérateur politique, auteur dramatique, Lefébure de Saint-Ildefont, entraîné par les événements au milieu desquels il vivait, mena une existence assez agitée, que couronna dignement, d'ailleurs, une mort honorable. Il était né à Sainte-Croix-sur-Orne, le 25 septembre 1744. Ses études terminées, il entra, en 1769, dans les chevau-légers; mais, cédant à son penchant pour les sciences, il abandonna bientôt l'état militaire pour la médecine. En 1775, nous le voyons à Versailles professeur de maladies vénériennes et en l'art des accouchements ; peu après il est médecin de Monsieur (depuis Louis XVIII). Cette position l'obligea de s'expatrier pendant la Révolution, et il alla successivement pratiquer la médecine en Hollande, en Allemagne et en Italie. Il crut pouvoir revenir en France, en 1801 ; mais ses opinions indépendantes et philosophiques ne pouvaient s'accommoder du pouvoir intolérant et despotique de cette époque. Il se vit de nouveau forcé de se retirer en Allemagne. Il était à Augsbourg lorsque les événements de la guerre y conduisirent l'armée française. Les sanglantes batailles de Ratisbonne et d'Essling avaient encombré les hôpitaux de blessés français, décimés en outre par le typhus, cet autre fléau ; c'est alors que nommé médecin en chef des hôpitaux d'Augsbourg, il se dévoua avec un zèle sans égal à secourir ses malheureux compatriotes ; mais bientôt atteint par la contagion, il y succomba le 27 juillet 1809. Libre penseur jusqu'à ses derniers moments, il sut résister aux obsessions de quelques prêtres d'Augsbourg qui s'étaient mis en tête de le convertir, et, pour couper court à tout scandale sur sa tombe, il voulut être enterré dans le cimetière protestant.

Lefébure a beaucoup écrit ; il avait plus d'esprit que de savoir, bien que son esprit ne fût pas toujours du meilleur goût. Ses recherches sur les maladies vénériennes n'ont rien ajouté à l'histoire de cette maladie, mais il a donné là une bibliographie destinée à servir de complément à la savante bibliographie d'Astruc, et qui, sans être bien complète ni bien exacte, donne cependant de précieuses indications sur une foule de brochures de ce temps, presque complétement oubliées ou perdues aujourd'hui.

Laissant de côté ses écrits politiques et littéraires, nous citerons les ouvrages suivants de Lefébure de Saint-Ildefont :

I. *Méthode familière pour guérir les maladies vénériennes, avec les recettes qui y sont propres*, etc. Amsterdam, 1773, in-12. — II. *Le médecin de soi-même, ou méthode simple et aisée de guérir les maladies vénériennes, avec la recette d'un chocolat aussi utile qu'agréable*. Paris, 1775, 1 vol. en 9 parties. — III. *Lettre au sujet d'un rouge à l'usage des dames, tiré du règne végétal*. Paris, 1775, in-8°. — IV. *Remède éprouvé pour guérir radicalement le cancer occulte ou manifeste et ulcéré*. Paris, 1775, in-8°. — V. *État de la médecine, chirurgie et pharmacie en Europe, et principalement en France, pour l'année 1777* (en société avec L. A. César). Paris, 1777, in-12. — VI. *Le manuel des femmes enceintes, de celles qui sont en couches, et de celles qui veulent nourrir*. Paris, 1777, in-12; ibid., 1782, in-12; ibid., 1797, in-8°. — VII. *Mém. clin. sur les maladies vénériennes*. Utrecht, 1781, in-12. — VIII. *Obs. pratiques, rares et curieuses sur divers accidents vénériens*. Ibid., 1783, in-8°. — IX. *Sichere geschwinde und leichte Art sich selbst ohne Hülfe eines Arztes von der Gonorrhœa oder dem Tripper zu heilen*. Iena, 1787, in-8°. — X. *République fondée sur la nature physique et morale de l'homme*. Nuremberg, 1797, in-8°. — XI. *Le guide des personnes de l'un et de l'autre sexe, qui sont affligées de hernies ou descentes*, ou *Instruction*, etc. Francfort-sur-le-Mein, 1798, in-8°; ibid., 1800, in-8°. — XII. *Recherches et découvertes sur la nature du fluide nerveux ou de l'esprit vital, principe de la vie*, etc. Ibid., 1799, in-8°. — XIII. *Traité sur la paralysie du nerf optique vulgairement nommé goutte-sereine, au traitement de laquelle on applique le gaz hydrogène*. Paris, 1801, in-8°. — XIV. *Histoire anatomique, physiologique et optique de l'œil, pour servir d'introduction*, etc. Francfort, Strasbourg et Paris, 1803, in-8°. E. BGD.

LEFEBVRE DE VILLEBRUNE (JEAN-BAPTISTE). Philologue né à Senlis en 1732, se fit recevoir docteur en médecine; mais, entraîné par une véritable passion, il se voua exclusivement à l'étude des langues mortes et vivantes. Lefebvre profita de ses connaissances spéciales en médecine pour traduire de l'anglais, de l'allemand et de l'italien divers ouvrages relatifs à cette science — immense service rendu aux médecins alors peu versés dans la connaissance des idiomes étrangers. Après avoir professé à Paris l'hébreu et le syriaque, il se retira à Angoulême où il occupa successivement une chaire d'histoire naturelle, puis une chaire d'humanités, et mourut dans cette ville le 9 octobre 1809. On doit à sa plume infatigable une traduction des aphorismes d'Hippocrate; des traductions des traités des maladies des enfants, de Rosen et d'Underwood; des traités de la dysenterie et de l'expérience de Zimmermann; des recherches sur les fièvres de Grant; du traité des ulcères des jambes d'Underwood; de la manière d'allaiter les enfants de Baldini; du traité des maladies périodiques de Casimir Medicus, etc. E. BGD.

LEGALLOIS (le père et le fils).

Legallois (JULIEN-JEAN-CÉSAR) fut un des premiers médecins français qui lancèrent décidément la physiologie dans la voie féconde de l'expérimentation. Il était né le 1er février 1770, à Cherneix, près de Dol, en Bretagne. Après avoir fait avec les plus brillants succès ses humanités dans cette dernière ville, il étudiait la médecine à l'École de Caen, en 1793, quand il fut obligé d'en partir, après avoir pris, les armes à la main, le parti des fédéralistes. Il se réfugia alors à Paris et se perdit dans la foule des étudiants; mais, menacé de nouveau, il se fit, après un examen, donner une commission par le comité des poudres et salpêtres, qui l'envoya dans son département, d'où il revint comme élève de l'École de santé. Sa réception au doctorat fut signalée par la publication d'une thèse des plus remarquables, et qui indiquait ses études et ses tendances en physiologie expérimentale. Nommé, en 1812, à l'hôpital de Bicêtre, il s'y rendait chaque jour, à pied, de Paris. C'est dans une de ces courses, pendant le froid de l'hiver, qu'il fut pris d'une pneumonie à laquelle il succomba en février 1814. Isid. Bourdon prétend qu'il attenta lui-même à ses jours, en s'ouvrant l'artère crurale, pour se soustraire à de cuisants chagrins.

Doué d'une imagination moins brillante que celle de Bichat, Legallois se montre aussi plus positif, plus réservé. Un fait le frappe, et c'est par l'expérimentation qu'il cherche les conditions du phénomène qu'il veut étudier; les résultats auxquels il arrive sont donc presque toujours la déduction d'observations faites rigoureusement et *a posteriori*.

Ses recherches ont spécialement porté sur la moelle épinière, et il a surtout cherché les rapports de cet organe, non-seulement avec les mouvements, mais encore avec la respiration, la circulation, la chaleur animale. Il a démontré que chaque partie emprunte le principe de ses mouvements à la portion de la moelle d'où lui viennent ses nerfs. Il a fait voir, le premier, que le principe de la vie semble résider dans un point particulier de la moelle allongée, au niveau du trou occipital, dans l'origine des nerfs pneumogastriques, et, enfin, que la destruction du cordon médullaire en ce point détermine une mort en quelque sorte foudroyante.

Voici la notice de ses publications :

I. *Le sang est-il identique dans tous les vaisseaux qu'il parcourt?* Th. de Paris, an XIII, n° 131, in-8°. — II. *Recherches chronologiques sur Hippocrate.* Paris, 1804, in-8°. — III. *Recherches sur la contagion de la fièvre jaune.* Paris, 1805, in-8°. — IV. *Expériences sur le principe de la vie, notamment sur celui des mouvements du cœur, et sur le siége de ce principe, suivie,* etc. Paris, 1812, in-8°. — V. Un grand nombre d'articles publiés dans divers recueils; l'art. Cœur (anat. et physiol.) dans le *Dict. des sc. méd.* Ses divers ouvrages ont été réunis sous ce titre : *Œuvres de Cés. J. Julien Legallois, avec des notes de M. Pariset, précédées d'une notice,* etc. Paris, 1828, 2 vol, in-8°. (A la fin. dans les éditions complètes, il doit se trouver un opuscule de 15 pages, intitulé : *De la possibilité d'opérer une résurrection.*)

Legallois (Eugène), fils du précédent, naquit à Paris en 1804, et, voulant suivre les traces de son père, commença l'étude de la médecine sous les auspices du grand Laennec qui se plut à diriger ses premiers pas ; il passa ensuite dans le service d'Esquirol à la maison de Charenton, où il se livra à son goût héréditaire pour la physiologie expérimentale, et fit de curieuses études sur les altérations du sang des animaux dans les maladies. Reçu docteur en 1828 il avait été nommé médecin de l'hôpital de Saint-Mandé, quand il partit pour la Pologne avec M. Brierre de Boismont en 1831. Atteint du typhus des camps, il en guérit et il revenait en France, quand il succomba, avant d'avoir revu sa patrie, aux progrès d'une phthisie aiguë dont il avait déjà présenté plusieurs symptômes.

Il a laissé les quelques mémoires suivants qui montrent ce dont il eût été capable si la mort ne l'eût si prématurément enlevé à la science.

I. *Plusieurs perforations du canal intestinal et spécialement du gros intestin à la suite d'une affection tuberculeuse.* In *Arch. gén. de méd.*, 1re sér., t. VI, p. 68 ; 1824. — II. *Mém. sur la vaccine, lu à l'Acad. de méd.* Ibid., t. IX, p. 441; 1825. — III. *Aperçu sur quelques maladies qui paraissent consécutives à une affection du nerf trisplanchnique.* In *Rev. med.* 1826, t. II, p. 418. — IV. *Réponse expérimentale à cette question: La vaccine perd-elle son efficacité préservative après vingt ans d'insertion.* Th. de Paris, 1828, n° 15. V. *Des maladies occasionnées par* [illegible] *ésorption du pus.* In *Journ. hebd.*, t. III, p. 166, 321 ;

1829. — VI. *Obs. sur une forme insidieuse de la fièvre puerpérale.* In *Rev. méd.*, 1830, t. IV, p. 330. — VII. *Observat. du cancer de la verge et de matière squirreuse dans le cœur.* Ibid., p. 425. E. Bgd.

LEGENDRE (François-Laurent), né à Paris en 1812. Ses premiers pas dans la carrière médicale furent dirigés par Biett dont il était le filleul. L'élève devait faire honneur au maître. Reçu interne en 1837, il gagna, en 1841, les médailles d'or des hôpitaux et de la Faculté, et, à la fin de la même année, il se fit recevoir docteur. Sa thèse sur les syphilides est très-remarquable et mérite d'être consultée. Il avait déjà publié d'importants travaux de pathologie relatifs à l'enfance quand il fut nommé médecin des hôpitaux (1847). Chargé d'un service quelques années après il continuait avec ardeur ses recherches et ses publications, quand il fut enlevé par une pneumonie ataxique, le 9 janvier 1858, après quelques jours seulement de maladie. Legendre était un observateur patient et laborieux, recueillant les faits, les comparant et n'en tirant les conséquences qu'après les avoir rigoureusement analysés. Il a décrit avec soin la pneumonie chez l'enfant et distingué la forme catarrhale de la forme franchement inflammatoire ; il a constaté que l'anasarque scarlatineuse est due à une hyperémie des reins. Tout le monde connaît ses études sur la méningite tuberculeuse et les hémorrhagies dans la cavité de l'arachnoïde comparées suivant les différents âges.

Au total, voici l'indication des principales publications de Legendre :

I. *Nouvelles recherches sur les syphilides.* Th. de Paris, 1841, n° 200. — II. *Recherches anatomo-pathologiques et cliniques sur quelques maladies de l'enfance.* Paris, 1846, in-8°. (Legendre a réuni là pusieurs travaux déjà publiés dans divers recueils : *Sur les deux formes de la méningo-encéphalite tuberculeuse ; sur les hémorrhagies dans la cavité de l'arachnoïde ; sur quelques maladies du poumon ; sur quelques complications de la scarlatine ;* et, de plus, *sur la diarrhée des enfants ; sur le développement simultané de la vaccine et de la variole, et sur l'influence de la variole sur quelques maladies chroniques de la peau.*) — III. *Observations propres à éclaircir les symptômes nerveux que détermine le ténia.* In *Arch. gén. de méd.*, 4° sér., t. XXIII, p. 180 ; 1850. — IV. *Mém. sur l'herpès de la vulve.* Ibid., 5° sér., t. II, p. 171 ; 1853. — V. *Note à propos de plusieurs cas de vers solitaires observés pendant l'enfance.* Ibid., t. IV, p. 641 ; 1854. — VI. *Mém. sur les nævi materni traités par l'inoculation vaccinale.* Ibid., t. VII, 1856. E. Bgd.

LEGOUAS (François-Maurice-Victor), né en 1782, à Boyne, près de Pithiviers (Loiret) ; se fit recevoir docteur en 1808. Il remplit avec Marjolin et Breschet les fonctions de professeur au Collége des études médicales, fondé en 1805 et supprimé en 1811. Il avait été lauréat de l'École de médecine et des hôpitaux, mais il abandonna l'exercice de la médecine en 1814 et se créa une brillante fortune dans une autre direction. Legouas mourut au commencement de l'année 1862, à l'âge de quatre-vingts ans. Il a laissé un ouvrage qui a joui pendant longtemps d'un grand succès. Ce livre a rendu de grands services aux étudiants, qu'il initiait en peu de temps au premiers éléments de l'art de guérir de manière à leur permettre de suivre avec fruit, dès le début, les cours et les visites hospitalières. Six éditions successivement épuisées en ont démontré l'utilité.

I. *Essai sur les hémorrhagies.* Th. de Paris, 1808, n° 87. — II. *Nouveaux principes de chirurgie rédigés suivant le plan de l'ouvrage de G. de la Faye et d'après,* etc. Paris, 1812, in-8°. 6° édit., Paris, 1836, in-8°. E. Bgd.

LEGRAND (A.-L.), né à Amiens, se fit recevoir docteur en 1827, et sa thèse, sur l'emploi des préparations d'or substituées au mercure dans le traitement des maladies vénériennes, indiquait la pensée qu'il a suivie et développée pendant toute sa vie. Legrand était un praticien très-laborieux. Son travail sur les analogies et les différences entre les tubercules et les scrofules fut mentionné honorablement par l'Académie de médecine; mais la fortune ne vint pas récompenser ses efforts, et il mourut, le 31 décembre 1862, à l'âge de soixante-trois ans, dans un état voisin de la pauvreté, après avoir rempli pendant de longues années les fonctions de médecin de l'assistance publique dans le faubourg Saint-Germain.

Voici la notice de ses principales publications :

I. *De l'or dans le traitement des maladies vénériennes primitives et invétérées.* Th. de Paris, 1827, n° 247. — II. *De l'or et de son emploi dans le traitement de la syphilis récente et invétérée, dans celui des dartres syphilitiques; du mercure, de son inefficacité, des dangers de l'administrer,* etc. (Développement de la thèse précédente.) Paris, 1828, in-8°; ibid., 1832, in-8°. — III. *De l'hydrothérapie, Exposition,* etc., Paris, 1843, in-8°. — IV. *Des analogies et des différences entre les tubercules et les scrofules.* (Mém. mentionné honorablement par l'Acad. de méd.) Paris, 1849, in-8°. — V. *De l'action des préparations d'or sur notre économie et spécialement sur les organes de la digestion et de la nutrition.* Paris, 1849, in-8°. — VI. *De l'or dans le traitement des maladies scrofuleuses des os.* In *Rev. méd.*, 1850, t. II. — VII. *De l'ablation curative des loupes, lipômes et tumeurs analogues sans opération sanglante.* 2e édit., Paris, ibid., 1857, in-8°. E. Bgd.

LEGROS (Félix), né à Douai en 1799. Se distingua pendant son internat dans les hôpitaux de Paris, et fut admis, au concours, comme chef de clinique de Dupuytren qui lui accorda une affection dont il n'était pas prodigue. Le dévouement dont il fit preuve pendant les luttes sanglantes qui signalèrent la Révolution de 1830, et pendant la terrible épidémie cholérique de 1832, lui méritèrent des récompenses honorifiques de la part de l'administration. Legros aurait assurément pu demander aux concours une place à la Faculté, mais il préféra se livrer à la clientèle privée, et mourut à Paris le 20 juin 1850.

Il a publié un certain nombre de mémoires qui dénotent un esprit droit et éclairé, il s'était surtout occupé des anomalies et des maladies de l'appareil génital de la femme. On lui doit un procédé d'amputation pour les membres à un seul os, qui participe des avantages de la méthode circulaire et de la méthode à lambeaux, permet de couvrir l'extrémité de l'os d'une masse musculaire s'opposant à la saillie de l'os et facilitant l'application de la jambe de bois.

Voici, au total, l'indication de ses principaux écrits :

I. *Propositions sur divers points de l'art de guérir.* Th. de Paris, 1830, n° 236. — II. *Du coït comme cause de maladie* (?). — III. *Nouvelle méthode d'amputation, particulièrement applicable aux membres à un seul os.* In *Journ. des conn. méd.-chir.*, t. I, p. 174; 1834. — IV. *De l'atrésie des organes sexuels de la femme.* Ibid., t. III, p. 273; 1835-36. E. Bgd.

LEGROUX (J.-C.), né à Marégines (départ. du Nord), fit ses études médicales à Paris, dans les conditions pénibles que lui créait le défaut de fortune de ses parents; mais, soutenu par une volonté qui ne l'abandonna jamais, il devait à la fin triompher de tous les obstacles. Interne des hôpitaux, il passa en 1827 sa thèse sur les *concrétions sanguines développées pendant la vie*, question qui devait depuis prendre tant d'importance dans l'école de Virchow, et qui eut toujours le privilége d'attirer l'attention et les recherches de Legroux. Ses concours pour le bureau central des hôpitaux, et l'agrégation furent couronnés de succès. Il se présenta non sans honneur dans la lutte ouverte pour la chaire de pathologie interne (1840), et se fit remarquer là comme praticien éclairé. Legroux, enlevé à la science en septembre 1861, était en effet, avant tout et par-dessus tout, praticien et observateur attentif, les yeux toujours fixés vers le but, c'est-à-dire vers la thérapeutique.

On a de lui :

I. *Sur les concrétions sanguines dites polypiformes développées pendant la vie*. Th. de Paris, 1827, n° 215. — II. *Quelles sont les règles à suivre dans les applications de la statistique aux faits pathologiques*. Th. de conc. (agr. méd.). Paris, 1835, in-4°. — III. Divers articles dans le *Dict. des Études médicales : Apoplexie*, t. I, 1838; *Cerveau (maladies du)*, t. II, 1839; *Cœur (maladies du)*, t. IV, 1839. — IV. *De la spécificité dans les maladies*. Th. de conc. (path. int.). Paris, 1840, in-4°. — V. *Quelques mots sur l'emploi de la chaleur et du froid dans le choléra*. In *Actes de la Soc. de méd. des hôpit*. 1er fasc., p. 61; 1850. — VI. *Sur différents points de la pathologie et de la thérap. de l'affect. saturnine*. In *Arch. gén. de méd.*, 4e sér., t. XII, p. 370; 1846. — VII. *De la compression des nerfs laryngés et pneumogastriques*. Ibid., t. XXI, p. 491; 1849. — VIII. *Sur les concrétions du cœur et sur les oblitérations vasculaires par des caillots détachés du cœur*. In *Gaz. hebd.*, 1856. — IX. *Des polypes veineux ou de la coagulation du sang dans les veines*. Ibid., 1860. — X. *Communications à la Soc. de méd. des hôpit. sur la guérison du sclérome des nouveau-nés par le massage*. In *Bullet.*, t. III, p. 55, 89; 1856. — XI. *Faits cliniques relatifs au rhumatisme encéphalique, sur l'érythème et l'urticaire dans le rhumatisme*. Ibid., t. IV, p. 405; 1859.

E. Bgd.

LE GUÉ-SAINT-BRIEUC (Station marine), dans le département des Côtes-du-Nord, dans l'arrondissement et dans le canton de Saint-Brieuc, à 2 kilomètres de la ville de ce nom (chemin de fer de l'ouest de Paris à Rennes et Saint-Brieuc). La plage du Gué-Saint-Brieuc est large et unie ; et cependant, cette station marine est encore peu suivie ; elle n'est fréquentée que par les baigneurs de la ville et des environs.

A. R.

LÉGUMES. On appelle *légumes*, en bromatologie, des plantes ou parties de plantes diverses, dont bon nombre ne sont pas tirées de la famille des Légumineuses. On embrasse sous ce nom de légumes toutes les plantes dites potagères, auxquelles on emprunte ou les feuilles (épinards), ou la fleur (chou-fleur), ou le fruit vert (péricarpe du haricot), ou le fruit mûr (graine de haricots, tomates), ou la racine (céleri).

On les distingue généralement en deux grandes classes : les légumes *herbacés* et les légumes *féculents*. Les premiers sont, pour la plupart, de digestion facile : par exemple, la chicorée, les épinards, la laitue, les cardons; mais d'autres, parmi eux, sont lourds à l'estomac et exposent aux flatuosités; notamment le chou et le chou-fleur. Les seconds jouissent d'une plus grande propriété nutritive que les précédents, mais exigent un travail assez actif de digestion; néanmoins, on doit établir, sous ce rapport, une distinction entre les racines féculentes, comme la pomme de terre, et les graines féculentes, comme la lentille, les pois, les haricots. Beaucoup de personnes digèrent parfaitement la pomme de terre cuite à l'eau, qui ne peuvent supporter les légumes en grains; et ceux-ci sont d'ordinaire moins mal tolérés quand ils ont été réduits en farine et préparés sous forme de purée.

On a déjà indiqué à l'article Aliment la valeur nutritive des principaux légumes. Leurs usages culinaires ou leurs vertus médicamenteuses ont été ou seront indiqués au nom de chaque plante.

A. D.

LÉGUMINE ou *caséine végétale*. **Chimie.** La légumine est une matière albuminoïde ayant la plus grande analogie, sinon une identité complète sous le rapport de la composition et des propriétés, avec la caséine retirée du lait des animaux. La légumine est contenue dans la graine des légumineuses et surtout dans les pois, les haricots et les lentilles. On a signalé la présence d'une matière semblable (*amandine*) dans les amandes douces et dans les amandes amères.

Suivant MM. *Dumas* et *Cahours*, les *pois* conviennent le mieux à l'extraction de la légumine; les haricots présentent moins d'avantage; car, indépendemment de la fécule, ils contiennent une matière gommeuse qui rend la filtration des liquides extrêmement difficile. On écrase les pois et on les met en digestion dans l'eau tiède pendant deux ou trois heures, la légumine se dissout en grande partie. Pour extraire ce qui reste dans la pulpe, on écrase celle-ci dans un mortier et on y ajoute environ son poids d'eau froide. Au bout d'une heure de macération, on jette le tout sur une toile et on exprime. Au bout de quelque temps de repos, on filtre le liquide, et l'on y verse peu à peu de l'acide acétique étendu d'environ huit ou dix fois son poids d'eau en ayant soin de n'y pas mettre une trop grande quantité, car le précipité qui s'est formé d'abord ne tarderait pas à disparaître, la légumine étant soluble dans un excès de cet acide. Il se forme ainsi un précipité floconneux et très-blanc. Ce précipité, lavé, et épuisé d'abord par l'eau et ensuite par l'alcool, est séché et pulvérisé; un traitement par l'éther le débarrasse de toute matière grasse, on le dessèche ensuite de nouveau jusqu'à 140° dans le vide.

La légumine ainsi obtenue ressemble à l'empois d'amidon quand elle vient d'être précipitée par l'acide acétique; desséchée, elle forme une masse brillante et diaphane. Elle est insoluble dans l'alcool et dans l'éther, l'eau bouillante et l'alcool faible et bouillant ne la dissolvent pas. L'eau froide, au contraire, en dissout de grandes quantités; quand on porte la liqueur à une température voisine du point d'ébullition, elle se coagule (Dumas et Cahours) et laisse précipiter des flocons cohérents ressemblant à de l'albumine coagulée. La solution aqueuse est précipitée immédiatement par de l'acide acétique faible, un excès d'acide redissout le précipité. En saturant l'excès d'acide par de l'ammoniaque, on fait reparaître la légumine, qui se précipite de nouveau. Un excès d'ammoniaque ou d'un autre alcali le redissout à son tour. Des dissolutions faibles d'acides sulfurique, chlorhydrique, azotique, phosphorique tribasique agissent comme l'acide acétique.

La baryte et la chaux forment avec la légumine des combinaisons insolubles dans l'eau. Cependant une solution aqueuse de légumine froide ne précipite ni les sels de chaux ni les sels de magnésie; mais il suffit d'une légère élévation de température pour produire immédiatement la décomposition de ces sels et la coagulation du mélange. C'est à cette formation d'une combinaison insoluble de chaux et de légumine qu'est dû le durcissement qu'éprouvent les légumes quand on les fait bouillir dans une eau séléniteuse.

Une solution de légumine, telle qu'on l'extrait des légumineuses (avant la précipitation par l'acide acétique) ne se coagule pas par l'ébullition, mais par l'évaporation, elle se couvre, comme le lait, d'une pellicule qui se renouvelle chaque fois qu'on l'enlève; la raison de cette différence est que, dans l'extrait des légumineuses, la légumine se trouve combinée à un alcali, et que cette combinaison ne se coagule pas par la chaleur.

Une macération de graines de légumineuses, abandonnée à elle-même à la température de 15 à 20° pendant vingt-quatre heures, se coagule comme le lait caillé. C'est que la liqueur a subi la fermentation lactique, et l'acide lactique formé a précipité la légumine.

LUTZ.

LÉGUMINEUSES. Famille de plantes dicotylédones polypétales périgynes, dont les fleurs sont régulières ou plus souvent irrégulières. Elles sont construites ordinairement sur le type 5, et plus rarement sur le type 4, 3 ou 6. Le réceptacle est fréquemment concave, portant sur ses bords le périanthe et l'androcée, tandis que le gynécée s'insère au fond ou plus rarement sur les côtés de la cavité réceptaculaire. Les sépales sont unis ou libres, égaux ou inégaux, valvaires ou imbriqués dans le bouton. Les pétales sont libres ou exceptionnellement unis. Ils sont, ou en même nombre que les sépales, ou en nombre moindre, ou quelquefois tout à fait absents. Leur ensemble forme une corolle régulière ou irrégulière. Dans le premier cas, la préfloraison est valvaire ou imbriquée. Dans le second, elle est imbriquée et parfois résupinée. Souvent l'imbrication est vexillaire, correspondant à la forme de corolle polypétale dite papilionacée. Cette dernière est formée de cinq pétales. L'un deux, postérieur, appelé l'étendard, recouvre dans le bouton les deux pétales latéraux nommés ailes. Les ailes recouvrent à leur tour les deux pétales antérieurs qui, libres, ou unis par leur bord inférieur, constituent la carène. Les étamines, périgynes ou plus rarement hypogynes, sont au nombre de dix, superposées, cinq aux sépales, et cinq aux pétales, ou en même nombre que ces derniers, ou plus rarement en nombre indéfini. Leurs filets sont libres ou monadelphes, ou diadelphes; et la diadelphie est rarement égale, mais le plus ordinairement, avec la forme papilionacée de la corolle, inégale (9 et 1). Les anthères sont biloculaires, à déhiscence longitudinale, rarement porricide. Le gynécée est ordinairement unicarpellé, composé d'un ovaire uniloculaire, surmonté d'un style à sommet atténué ou dilaté, à tissu stigmatique terminal ou latéral. L'ovaire est uniloculaire, et sur le côté de sa paroi qui regarde l'étendard, on observe un placenta pariétal, chargé d'ovules en nombre variable, dirigés transversalement ou obliquement, anatropes ou plus souvent campylotropes. Le fruit est généralement une gousse (*legumen*), c'est-à-dire un fruit sec, polysperme, et déhiscent en deux panneaux; mais quelquefois un achaine, une drupe ou une baie. La cavité de l'endocarpe renferme des graines en nombre variable, nues ou entourées d'une pulpe formée par l'hypertrophie du tissu de l'endocarpe ; la cavité de ce dernier est continue ou partagée en logettes plus ou moins complètes, monospermes, par de fausses cloisons, suivant lesquelles la gousse peut se séparer transversalement en un nombre d'articles égal à celui des graines (*lomentum*). Les graines sont anatropes ou campylotropes, assez souvent arillées, renfermant sous leurs téguments un embryon charnu, parfois entouré d'albumen (charnu ou cartilagineux). Les cotylédons sont plans, foliacés ou épais. La radicule est ventrale, supère ou infère, droite, oblique ou infléchie et accombante aux cotylédons.

L'immense famille des Légumineuses habite toutes les régions du globe, sauf les îles glacées voisines du pôle antarctique. On en compte environ 6500 espèces, réparties dans 400 genres à peu près. On a subdivisé l'ensemble en trois sous-familles dont les caractères principaux sont les suivants :

I. *Mimosées*. Fleurs presque toujours de petite taille, régulières. Calice à folioles libres ou unies dans une étendue variable, imbriquées ou plus souvent valvaires dans la préfloraison. Pétales valvaires, libres ou connés dans une certaine étendue. Étamines en nombre défini ou indéfini, libres ou monadelphes.

II. *Cæsalpiniées*. Fleurs irrégulières et plus rarement régulières. Sépales libres jusqu'à la base, ou unis dans une étendue variable. Corolle imbriquée, le pétale supérieur ou vexillaire tout à fait enveloppé. Étamines ordinairement libres, plus rarement unies, quelquefois hypogynes. Embryon à radicule droite ou très-rarement légèrement oblique.

III. *Papilionacées*. Fleurs presque toujours irrégulières. Réceptacle plus ou moins prolongé en tube ou en coupe au-dessus du bord supérieur du disque, et au-dessous de la base du calice. Corolle dite *papilionacée*, le pétale supérieur enveloppant les latéraux. Embryon à radicule infléchie, accombante, ou plus rarement droite et très-courte.

Les plantes de la famille des Légumineuses ont quelques caractères communs dans les organes de la végétation. Ce sont des arbres, des arbrisseaux ou des herbes à feuilles alternes, rarement opposées, composées-pennées, ou digitées, ou décomposées, quelquefois réduites à une ou deux folioles, plus rarement transformées en phyllodes. Elles sont accompagnées de stipules, et les folioles elles-mêmes peuvent être munies de stipules. Les fleurs sont disposées en inflorescence uni ou multiflore, axillaire ou terminale, grappes, épis ou cymes, simples ou composés. Les pédicelles floraux sont placés à l'aisselle d'une bractée qui manque rarement, solitaires, géminés ou fasciculés.

Les propriétés des Légumineuses sont trop nombreuses et trop variables pour pouvoir être indiquées ici d'une manière générale. Elles devront être étudiées à propos de chacune des sous-familles ou des genres qui contiennent des plantes employées en médecine. H. Bn.

Juss., *Gen. plant.*, 345. — DC., *Mém. Légum.*, Paris, 1825, in-4°; *Prodr.*, II, 93. — Endl., *Gen.*, 1253, Cl. LXII. — Lindl., *Veg. Kingd.*, 544. — Benth. et Hook., *Gen.*, I, 434, — Rich. (A.), *Dict. de médec.* (en 30 vol.), XVIII, 1; *Élém.*, éd. 4, II, 277.

LE HAVRE-DE-GRACE (Station marine), dans le département de la Seine-Inférieure, est un chef-lieu d'arrondissement, situé sur la rive droite de la Seine, à son embouchure dans la Manche. Le Havre est une place forte, un sous-arrondissement maritime et une école d'hydrographie. La ville est peuplée de 80,000 habitants; elle est bien bâtie, bien percée et remarquable par la beauté de sa jetée, de ses quais, de son avant-port et de ses six bassins, qui peuvent contenir 500 navires à la fois. Elle offre un aspect pittoresque, vue de la côté d'Ingouville, ou des dunes qui conduisent au phare de la Hève, visité par tous les étrangers qui séjournent au Havre. La plage du Havre est formée de sable fin dans certains endroits, et de galets dans certains autres; elle n'est pas faite, par conséquent, pour attirer les baigneurs qui peuvent choisir le lieu de leur saison marine. Elle est très-suffisante cependant pour ceux qui demeurent dans la ville, ou qui ont quelques motifs d'y séjourner pendant les mois d'été. Les cabinets du sous-sol de l'hôtel Frascati sont munis de baignoires alimentées par l'eau de mer chauffée à la température du bain et de la douche. Si la plage du Havre laisse à désirer, au point de vue des bains de mer froids, l'installation des bains de mer chauds de Frascati est plus complète que celle des autres stations marines de la France.

La côte de *Sainte-Adresse*, couverte de villas, et qui domine la ville et la mer, attire beaucoup de baigneurs. A. R.

LEICHNER (Eccard), professeur de médecine à l'université d'Erfurt, né à Saltzungen, dans la Thuringe, le 15 janvier 1612, mort le 29 août 1690. Ce fut un très-savant homme, un travailleur infatigable, mais d'un caractère aigre, ami du paradoxe, combattant tour à tour Descartes, van Helmont et la circulation du sang. Jourdan, dans le grand *Dictionnaire de médecine* en 60 volumes (biographie, t. V, p. 567), a donné une compendieuse liste des ouvrages de Leichner. Nous en détachons les suivants.

I. *De motu sanguinis exercitatio antiharveiana.* Arnstadt, 1645, in-12. — II. *De atomo-*

rum subcœlestium syndiacrasi excercitationes. Erfurt, 1645, in-4°. — III. *De generatione seu propagativa animalium, plantarum, et mineralium multiplicatione in genere, excitationes physicæ antiperipateticæ XX.* Erfurt, 1649, in-4°. — IV. *De indivisibili et totali cujusque animæ in toto suo corpore et singulis ejus partibus existentia, dissertatio tripartita.* Erfurt, 1650, in-12. — V. *Isagogicum de philosophica, seu apodictica scholarum emendatione.* Erfurt, 1652, in-4°. — VI. *Hypomemnata vii de cordis et sanguinis motu.* Ienæ, 1655, in-12. A. C.

LEIDENFROST (Joh.-Gottlob). Médecin instruit et très-laborieux, né à Ortenberg, comté de Stollberg-Rossla, le 24 novembre 1715. Il étudia d'abord à Giessen puis à Leipzig et prit définitivement ses degrés à l'université de Halle ; après plusieurs voyages pour compléter son instruction, il pratiqua pendant quelque temps à Berlin, et accepta du service dans l'armée prussienne lors de la guerre de Silésie. En 1755, il occupa avec beaucoup de distinction une chaire de médecine à Duisbourg où il mourut le 2 décembre 1794, âgé de près de quatre-vingts ans. Leidenfrost a publié une foule d'opuscules sur différents points de physiologie, de pathologie et de matière médicale qui ont été réunis après sa mort sous le titre suivant : *Opuscula physico-chemica et medica antehac seorsim edita, nunc post ejus obitum collecta,* Lemgo, 1797-98, 4 vol. in-4°. Beaucoup de dissertations. dictées par lui, ont été soutenues sous sa présidence par ses élèves ; enfin il a fait paraître également beaucoup d'articles dans le journal de Duisbourg.

E Bgd.

LÉIOMIOME. *Voy.* Liomiome.

LÉIOTRIQUE. *Voy.* Liotrique.

LÉIPOPSYCHIE. *Voy.* Adynamie et Asthénie.

LEMAITRE ou **MAGISTRI** (**Les**). Il y a deux médecins de ce nom, qui n'appartiennent pas à la même famille :

Lemaitre (Claude), fils de Geoffroy Lemaître, prévôt de Montlhéry, et de Catherine Lefèvre, appartient à l'école de Paris, mourut le 8 décembre 1544 et fut enterré à Saint-André des Arts. Il était chanoine de Meaux et du Mans, prieur de Saint-Denis en France et de Chaumont. Je ne lui connais pas d'ouvrages.

Lemaitre (Rodolphe) était de Tonnerre, médecin de Gaston d'Orléans, frère de Louis XIII, qu'il accompagna dans son voyage en Lorraine, et mourut en 1632, laissant :

I. *De temporibus humani partus.* Nîmes, 1591, in-8°. — II. *Doctrina Hippocratis. Aphorismi nova interpretatione ac methodo exornati.* Paris, 1613, in-12. — III. *Préservatif des fièvres malignes de ce temps.* Paris, 1619, in-8°. — IV. *Conseils préservatifs et curatifs contre la peste, plus contre les piqûres venimeuses.* Épinal, 1632, in-16. A. C.

LEMBERT (Antoine). Ancien interne des hôpitaux de Paris, lauréat de l'Académie des sciences pour des recherches sur la méthode endermique, médecin des épidémies pour le département de la Seine, né à Nancy le 19 avril 1802, mort d'un cancer de l'estomac en 1851, Lembert a attaché son nom à un procédé opératoire pour la suture intestinale qu'il publia peu après Jobert de Lamballe, et à la méthode iatraleptique, sur laquelle il a publié un très-bon travail.

Voici la liste de ses publications :

I. *Exposé sommaire d'une médecine nouvelle par la voie de la peau privée de son épi-*

derme (avec Lesieur), lu à l'Acad. des sc. In *Arch. gén. de méd.*, 1re sér., t. V, p. 158 ; 1824. — II. *Propositions sur le système nerveux.* Th. de Paris, 1828 ; n° 36. — III. *Essai sur la méthode endermique.* Paris, 1828, in-8°. — IV. *Nouveau procédé d'entéroraphie.* In *Répert. d'anat.*, etc., t. I., II, p. 100 ; 1826. — V. *Du principe du mouvement dans les corps organiques.* In *Arch. gén. de méd.*, 1re sér., t. XXII, p. 276, 430 ; 1830. — VI. *Du délire sous le rapport du diagnostic.* Th. de conc. (agrégat. méd.). Paris, 1832, in-4°. — VII. *Dans quel cas la doctrine de la dérivation et de la révulsion est-elle applicable?* Th. de conc. (id.). Paris, 1835, in-4°. E. BGD.

LÉMERY (Les deux).

Lémery (NICOLAS), l'un des chimistes les plus éminents du dix-septième siècle, né à Rouen le 17 novembre 1645, mort à Paris, le 19 juin 1715. A une époque où la chimie était à peu près nulle comme science, et où l'alchimie régnait encore en souveraine, ce savant et judicieux homme sut y introduire de la clarté, y employer un langage précis, intelligible, substituer aux anciennes explications purement hypothétiques, des théories fondées sur l'observation attentive et exacte des phénomènes. Il fonda, en un mot, cette science, que Lavoisier devait transformer et que les recherches modernes ont portée si haut. Mais Lémery était calviniste : c'est assez dire les persécutions qu'il endura, dans ce siècle d'intolérance ; on ne se contenta pas de lui retirer son brevet de pharmacien ; on le força à se réfugier en Angleterre (1683) ; l'infâme révocation de l'édit de Nantes, signé par un roi fou de bigoterie et mené par une dame de Maintenon, ne fit qu'augmenter les malheurs de notre chimiste, lequel, privé de son état, dépouillé de sa fortune, obligé de se cacher, se trouva placé entre ces deux alternatives : s'expatrier ou renoncer à ses croyances religieuses. La vérité oblige à dire que Lémery opta pour ce dernier parti, et qu'il abjura en 1686. Il mourut le 19 juin 1715, laissant les ouvrages suivants, qui ont fait sa gloire :

I. *Traité de l'antimoine.* Paris, 1707, in-12. Traduit en allemand par Jean-André Mahlern (1709), et *Journ. des savants*, année 1707, t. III, p. 290. — II. *Cours de chimie, contenant la manière de faire les opérations qui sont en usage dans la médecine, par une méthode facile, avec des raisonnements sur chaque opération, pour l'instruction de ceux qui veulent s'appliquer à cette science.* Paris, 1675, in-8° ; plus un nombre énorme d'éditions et traductions dans presque toutes les langues de l'Europe. — III. *Pharmacopée universelle.* Paris, 1697, in-4°, etc., etc. — IV. *Dictionnaire universel des drogues simples, contenant leurs noms, origine, choix, principes, vertus, étymologie, et ce qu'il y a de particulier dans les animaux, dans les végétaux et dans les minéraux.* Paris, 1698, in-4°, etc.

Lémery (LOUIS), fils du précédent, fut en tous points digne de son père, et s'adonna pareillement, d'une manière spéciale, à la culture des sciences chimiques et physiques. Né à Paris, le 25 janvier 1677, licencié à la Faculté de médecine de cette ville, le 17 août 1698, il mourut d'une leuco-phlegmasie, le 9 juin 1743, et fut enterré à Saint-Sulpice. Il avait été médecin du roi, membre de l'Académie des sciences, professeur de chimie au Jardin royal, médecin de l'Hôtel-Dieu (1710). Il a laissé :

I. *Traité des aliments, où l'on trouve : la différence et le choix qu'on en doit faire ; les bons et les mauvais effets qu'ils peuvent produire, leurs principes, les circonstances où ils conviennent.* Paris, 1702, in-12, etc. ; revu, corrigé et augmenté par Jacques-Jean Bruhier, 1755, in-12, 2 vol. — II. *Dissertation sur la nourriture des os.* Paris, 1704, in-12, etc. — Plus divers mémoires insérés dans les *Mém. de l'Acad. des sciences*, et dont voici les principaux : — III. *De l'urine de vache, de ses effets en médecine, et de son analyse chimique* ; année 1707, p. 33. — IV. *Observation historique et médicinale sur une préparation d'antimoine, appelée Poudre des Chartreux ou kermès minéral* ; année 1720, p. 417. — V. *Sur un fœtus monstrueux* ; année 1724, p. 44. — VI. *Sur le trou ovale* ; année 1739, p. 31 et 97. — VII. *Remarque sur un nouveau monstre, dont M. Winslow a donné depuis peu la description* ; année 1740, p. 607. A. C.

LEMMENS, en latin **LEMNIUS (Les deux)**. Deux médecins zélandais qui ont joui dans leur temps d'une grande réputation, dont l'un a beaucoup écrit, mais dont les ouvrages restent aujourd'hui ensevelis sous la poussière des bibliothèques.

Lemmens (Louis), ou le père, né à Zirienée, le 20 mai 1505, mort chanoine je ne sais pas de quelle confrérie, le 1er juillet 1568, a laissé les ouvrages suivants :

I. *De astrologiæ liber unus, in quo obiter indicatur quid illa veri, quid ficti falsique habeat*, etc., etc. Anvers, 1554, in-8°. — II. *De occultis naturæ miraculis libri duo*. Anvers, 1559, in-12, etc. Trad. en françois par Ant. Dupinet et Jean Gaborry (1567). — III. *De habitu et constitutione corporis, quam trivialis complexionem vocant, libri duo*. Anvers, 1561, in-12. — IV. *Similitudinum et parabolarum quæ in Bibliis et herbis atque arboribus desumuntur, dilucida explicatio*. Anvers, 1569, in-8°, etc. Trad. en français (1577).

Lemmens (Guillaume), ou le fils, né pareillement à Zirienée, vers l'an 1530, s'acquit assez de réputation pour que Éric IV, roi de Suède, l'eût appelé à sa cour, et l'eût comblé de bontés. Tant de faveur devint fatale au médecin, qui fut jeté en prison et étranglé en 1568, lorsque son protecteur lui-même fut précipité du trône par Jean III. On n'a de lui qu'un opuscule tendant à prouver que l'éducation a plus d'influence que le climat sur le développement des facultés intellectuelles. Cet opuscule porte ce titre :

Epistola quâ obiter docetur educationem plus efficere in animis hominum, quam aeris ambientis aut loci qualitatem. Anvers, 1554, in-8°. A. C.

LEMNA, *Lenticule* ou *Lentille d'eau*. Genre de Monocotylédonées, établi par Linné, et donnant son nom à la famille des Lemnacées. Les plantes qui le composent flottent à la surface des eaux tranquilles sous forme de petits disques lenticulaires, de couleur verte, réunis deux ou plusieurs ensemble, et émettant par leur partie inférieure une ou plusieurs radicelles. Les fleurs sont unisexuées, et réunies d'ordinaire par trois, deux mâles et une femelle, dans une petite spathe commune. Elles sont extrêmement simples, les fleurs mâles se réduisant à une seule étamine, les femelles à un seul pistil. Le fruit est indéhiscent, uniloculaire et contient une ou plusieurs graines à testa coriace, entourant un embryon monocotylédoné, droit, placé dans un albumen très-peu abondant, nul d'après quelques auteurs.

Les diverses espèces de Lemna, fraîchement retirées de l'eau, étaient jadis appliquées comme réfrigérantes sur les organes enflammés. De nos jours, elles n'ont plus d'usage médical. C'est une nourriture très-recherchée par certains oiseaux aquatiques.

Linné. *Gener. Plant.* 960. — Endlicher. *Gen. Plant.* — J. Bauhin. *Hist. Plant.* III, 786.
G. Planchon.

LEMNISQUE (λημνίσκος, bandelette, ruban). Les chirurgiens grecs donnaient ce nom à des tentes ou mèches introduites dans une plaie, pour obtenir une cicatrisation isolée des bords de cette plaie, pour dilater une cavité étroite, ou pour faciliter l'écoulement d'un liquide après l'ouverture d'une collection. Ainsi, Celse qui, le premier, se sert de ce mot, conseille d'introduire un lemnisque enduit de vinaigre après l'opération qui consiste à ouvrir un conduit artificiel dans un vagin oblitéré par une masse charnue (l. VII, ch. xxviii). Aetius fait observer qu'après la ponction d'une hydrocéphale aqueuse, il ne convient point d'introduire un lemnisque dans l'incision, comme on a coutume de le faire pour les abcès. (Tetrab. 2, l. II, c. i.) Et, en effet, Paul d'Égine remarque que quand l'abcès que l'on ouvre est petit, on ne fait qu'une ouverture, et on n'y place qu'un lemnisque (l. VI, ch. XXXIV). C'est le plus ancien procédé de drainage chirurgical.

E. BGD.

LEMON-GRASS. On donne ce nom, en Angleterre, à plusieurs espèces qui ont été indiquées au mot ANDROPOGON. Les feuilles de l'*Andropogon Schœnanthum* sont employées comme stimulantes et digestives. L'*Andropogon citratum* passe pour abortif.

LE MONESTIER DE BRIANÇON (EAUX MINÉRALES DE), *mésothermales ou hyperthermales, bicarbonatées ou sulfatées calciques moyennes, carboniques moyennes.* Dans le département des Hautes-Alpes, dans l'arrondissement de Briançon et à 15 kilomètres au nord-ouest de la ville de ce nom, près de la Guisane, est un chef-lieu de canton peuplé de 1250 habitants, remarquable par ses mines de graphite ou plombagine, de houille et de cuivre. Des vestiges de constructions romaines ont été découverts dans plusieurs endroits des environs.

Deux sources émergent au Monestier de Briançon, l'une au nord et l'autre au midi de l'établissement; on nomme la première *source du Nord* ou *source de la Rotonde*, la seconde *source du Midi*. Le captage de ces sources est très-défectueux; aussi leur température varie-t-elle considérablement lorsque l'atmosphère change et que l'eau de pluie se mêle à l'eau minérale. Ainsi l'eau de la source du Nord a quelquefois 30° centigrade, et quelquefois 22° centigrade seulement. La température de la source du Midi est un peu plus fixe; elle oscille d'habitude entre 39° et 45° centigrade. L'eau des deux sources est claire, limpide et transparente, sans odeur, d'une saveur alcaline peu marquée; elle ramène au bleu les préparations de tournesol rougies par un acide lorsqu'on la laisse exposée à l'air pendant un certain temps et que ses gaz se sont évaporés. Des bulles, les unes petites, les autres d'un plus gros volume, la traversent et viennent s'épanouir à sa surface; lorsqu'elle est reçue dans un verre, les plus grosses s'attachent en partie à ses parois, les plus petites se mêlent à l'air après avoir promptement gagné la couche supérieure du liquide. La densité de cette eau minérale n'a pas été cherchée; M. Tripier a fait son analyse chimique et il a trouvé, dans 1000 grammes de l'eau de chacune des deux sources du Monestier de Briançon les principes suivants :

	SOURCE DU NORD OU DE LA ROTONDE.	SOURCE DU MIDI.
Carbonate de chaux	1,1974	0,4085
— fer	0,0048	»
— magnésie	0,0018	0,0871
— ammoniaque	traces	traces.
Sulfate de chaux	0,4627	1,5657
— soude	0,1628	0,3593
— magnésie	0,0073	0,0430
Phosphate de chaux	0,0071	0,0369
Chlorure de sodium	0,1430	0,5106
— potassium	0,0031	»
— calcium	0,0315	0,0261
— magnésium	0,0503	0,0718
Oxyde de manganèse	traces	»
Acide silicique	0,0366	»
Matière organique	0,0500	0,0500
TOTAL DES MATIÈRES FIXES	2,1584	3,1560
GAZ. Acide carbonique	0,066 litre	0,051 litre.
GAZ. Azote	0,014 —	0,004 —
GAZ. Oxygène	0,002 —	» —
TOTAL DES GAZ	0,082 litre	0,055 litre.

Les eaux de la source du Nord ou de la Rotonde sont exclusivement employées en boisson, celles de la source du Midi alimentent les baignoires d'un petit établissement thermal dont l'installation est très-peu confortable.

EMPLOI THÉRAPEUTIQUE. La dose de l'eau de la source de la Rotonde en boisson est de trois à huit verres, qui sont bus le matin à jeun et à un quart d'heure d'intervalle. La durée des bains est d'une heure en général. Les eaux de la source du Nord prises à l'intérieur sont faciles à digérer; leur action physiologique principale est la diurèse et l'augmentation de l'appétit et des forces. Ces deux propriétés ont conduit à leur emploi thérapeutique contre les affections des voies urinaires dans lesquelles il est utile d'augmenter la quantité de la sécrétion rénale et de débarrasser les graveleux de sables ou de calculs assez peu volumineux pour suivre la filière uro-poiétique; et dans les troubles de l'estomac ou de l'intestin dont la dyspepsie et l'anémie sont les symptômes les plus notables. Les bains avec l'eau de la source du Midi sont fréquentés surtout par les rhumatisants, si nombreux à Briançon et aux environs en raison des changements et de la rigueur de la température de cette ville, dont l'altitude au-dessus du niveau de la mer n'est pas moindre de 1306 mètres. Les tumeurs blanches, si elles ne sont pas accompagnées de caries ou de nécroses, rentrent dans la sphère d'action de ces eaux minérales, ainsi que la gène des mouvements consécutive aux engorgements de tissus provenant de fractures, de luxations, d'entorses anciennes ou de blessures produites par des armes de guerre. L'eau thermale sulfatée calcique moyenne de la source du Midi a enfin la réputation d'améliorer ou de guérir les affections cutanées que la médication sulfureuse naturelle ou artificielle a été impuissante à détruire.

Les eaux des sources du Monestier de Briançon ont une efficacité incontestable, malgré le mauvais état de leur captage, et quoique les moyens balnéothérapiques de l'établissement soient tout à fait insuffisants. Aussi leur vertu attire-t-elle tous les ans les malades des contrées voisines; l'organisation par trop primitive de la maison des bains explique facilement pourquoi les personnes étrangères au pays préfèrent suivre ailleurs leur traitement thermal.

La *durée de la cure* est de 25 à 30 jours.

On n'*exporte* pas les eaux du Monestier de Briançon. A. ROTUREAU.

LE MONESTIER DE CLERMONT (EAU MINÉRALE DE), *athermale, bicarbonatée calcique, sodique et magnésienne moyenne, carbonique forte*, dans le département de l'Isère, dans l'arrondissement de Grenoble et à 33 kilomètres de la ville, est un chef-lieu de canton n'ayant que 600 habitants. Le château des barons et plus tard des comtes du Monestier était autrefois le plus important du pays; il ne présente rien de remarquable aujourd'hui.

La source du Monestier de Clermont émerge par plusieurs griffons dans une prairie qui occupe la partie inférieure d'un coteau que traverse la route de Grenoble à Marseille par la Croix-Haute. L'eau de cette source est claire, limpide et transparente, sans odeur marquée; sa saveur est aigrelette et piquante; elle rougit instantanément la teinture et le papier de tournesol; elle est traversée par une si grande quantité de bulles gazeuses, preque toutes constituées par de l'acide carbonique, qu'il n'est pas rare, dit M. le docteur Dorgeval-Dubouchet, de trouver, sur les bords de la fontaine du ruisseau, des oiseaux qui, en venant s'y désaltérer, ont péri d'asphyxie. Sa température est de 12°,3 centigrade. Son analyse chimique a été faite par M. le docteur Leroy, professeur de la Faculté des sciences de Grenoble, qui a trouvé dans 1000 grammes les principes suivants :

Bicarbonate de chaux anhydre		0,886
— soude		0,794
— magnésie		0,547
— fer		traces.
Silicate d'alumine		0,033
Chlorure de sodium		0,050
Sulfate de soude		0,333
— chaux		0,015
— magnésie		0,016
	Total des matières fixes	2,674
Gaz.	Acide carbonique libre et demi-combiné	992
	— tout à fait libre	492
	Azote	24
	Total des gaz	1,508

L'eau du Monestier de Clermont est usitée en boisson seulement, soit à la source, soit en mangeant, pure ou mêlée au vin. Son action physiologique est apéritive et diurétique ; on l'emploie dans les affections où il est utile de stimuler l'appétit, de faciliter la digestion et de faire sortir le sable ou les petits graviers produits dans les reins.

Durée de la cure, un mois en général.

On *exporte* dans les environs l'eau du Monestier de Clermont. La quantité considérable de gaz acide carbonique qu'elle contient permettrait aisément une expédition beaucoup plus importante. Elle pourrait rivaliser avec les eaux de table et en particulier avec celles de Saint-Galmier, au voisinage desquelles elle doit trouver sa place dans le cadre hydrologique. A. Rotureau.

Bibliographie. — Dorgeval-Dubouchet. *Guide du baigneur aux eaux thermales de La Motte-les-Bains.* Paris et Lyon, 1849, in-8°, p. 157-158. A. R.

LE MONNIER (Louis-Guillaume). Cet homme de cœur, ce botaniste distingué, ce médecin fidèle, courageux et dévoué de Louis XVI, naquit à Paris, le 26 juin 1717, et fut baptisé le lendemain dans l'église de Saint-Cosme et Saint-Damien. Le 2 septembre 1737, il était maître ès arts ; docteur en médecine de la Faculté de Paris, le 17 octobre 1740. Ami de Cassini et de La Caille, avec lequel il alla, en 1739, dans le midi de la France, pour y prolonger la méridienne de l'Observatoire ; ami de Jean-Jacques Rousseau, avec lequel il a plus d'une fois herborisé ; introducteur dans notre France de cette belle plante que les poëtes appellent *belle-de-nuit*, et les savants, *mirabilis longiflora*, et de l'acacia à fleurs couleur de rose (*robinia hispida*), n'obtint pas de suite la confiance de Louis XVI. Il lui fallut suivre la hiérarchie ordinaire, tâter le pouls d'abord à la belle-sœur de ce roi, puis à *Monsieur*, comte de Provence (Louis XVIII), et attendre la mort de de Lassone. Il suffit d'écrire cette année 1788, pour dire combien court fut son règne *in curiâ Palatini*. Rien n'a transpiré des relations entre le roi et le médecin, dans ces premières, grandes et immortelles années de la Révolution française, depuis la prise de la Bastille, depuis le fatal voyage de Varennes, depuis le 25 juin 1791, où toutes les fonctions législatives de l'imprudent monarque furent suspendues, jusqu'à la sanglante journée du 10 août. Mais ce jour-là on retrouve Le Monnier ; on constate qu'il est à son poste, aux Tuileries, dans une chambre consacrée au service de santé, tout prêt à voler au secours du maître... qui n'est plus là et qui entend, dans une mauvaise petite tribune de logographe de l'Assemblée constituante, le renversement du trône de saint Louis. Le Monnier est entouré d'une foule avide de sang et de massacres ; déjà il se prépare à une mort sinon glorieuse, au moins passive... Tout à coup, un inconnu, sans armes, lui crie d'une voix dure et impérative :

— Suivez-moi... !

— Mais le combat dure encore, répond le médecin.

— Ce n'est pas le moment de craindre les balles, riposte l'inconnu.

Et sans désemparer, il l'entraîne, le fait sauter par-dessus les cadavres des suisses, parvient à le faire sortir sain et sauf de cette boucherie, et le conduit jusqu'à son logement, au Luxembourg...

On retrouve encore Le Monnier le 22 novembre 1792. Cette fois, c'est dans la grande tour du Temple. Que l'on se figure sa douleur en revoyant Louis XVI, séparé de sa famille depuis deux mois, réduit au strict nécessaire, relégué au deuxième étage de la tour. Dans une triste chambre, dont tout l'ameublement consiste en une table à dessus de maroquin vert, une commode en bois d'acajou, un secrétaire plaqué en bois de rose, une bergère à coussins en damas vert, deux fauteuils, deux petits tabourets en paille, deux lits, l'un pour l'ex-roi, l'autre, de sangle, pour son jeune fils... ! Il n'avait pas été facile d'obtenir l'entrée de la prison, quoique Louis fût atteint d'un rhume et d'une fluxion qui réclamaient des soins. La Commune de Paris avait des raisons pour craindre un enlèvement. Aussi, toutes les fois que Le Monnier venait à la tour (deux fois par jour), on le fouillait avant sa visite. On ne lui permettait de parler qu'à haute voix ; le respect qu'il montrait devant le maître tombé de si haut le faisait traiter de courtisan et d'aristocrate ; ses ordonnances mêmes étaient contresignées des commissaires et des municipaux.

Louis-Guillaume Le Monnier mourut à Montreuil, petit village entre Viroflay et Versailles, sur la lisière du joli bois de Ville-d'Avray, le 7 septembre 1799, âgé de quatre-vingt-deux ans. Les dernières années de sa vie furent dignes de sa grande âme. Ce n'est pas sans émotion qu'on lit dans les mémoires du temps que le noble vieillard, presque sans fortune, se mit bravement à ouvrir à Montreuil une boutique d'herboriste, et à y vendre, moyennant un modique salaire, les plantes qu'il allait récolter lui-même dans la campagne, et qu'il vendait mortes et desséchées, après les avoir cueillies fraîches et pimpantes.

A. C.

LEMOS (Luiz de), médecin et commentateur du seizième siècle, dont la vie nous est peu connue. Il était de Fronteira en Portugal. Après avoir étudié la philosophie et la médecine à l'université de Salamanque où il occupa pendant quelque temps la chaire de philosophie, il alla ensuite pratiquer à Llerena avec le titre de médecin juré. Plus tard, il obtint le grade de médecin de la chambre du roi de Portugal, qu'il conserva jusqu'à sa mort.

Lemos est le premier parmi les modernes qui se soit occupé de la critique des œuvres d'Hippocrate. Son ouvrage est assez rare pour que Sprengel n'ait pu se le procurer. M. Littré qui l'a lu, en fait peu de cas. « Louis Lemos, dit-il, s'appuie uniquement sur les dires de Galien, et il n'a pas d'autre avis que celui du médecin de Pergame; c'est là la seule base de sa critique » (*Œuvr. d'Hipp.*, introd., t. I, p. 160. Paris, 1839, in-8°.) Lemos a, en outre, écrit sur la séméiotique et quelques commentaires sur divers ouvrages d'Aristote et de Galien. En voici l'indication.

I. *Paradoxorum dialecticorum, libri II.* Salamanticæ, 1558, in-8°. — II. *In librum Aristotelis Perihermenias commentaria.* Ibid., 1558, in-4°. — III. *Commentaria in Galenum de facultatibus generalibus.* Ibid., 1850, in-4°; ibid., 1594, in-4°. — IV. *In libros XII de morbis medendis commentarii.* Ibid., 1581, in-fol. — V. *De optime prædicendi ratione,* libri VI. *Item. Judicii magni Hippocratis, liber unus.* Ibid., 1585, in-4°. D'après l'historien Morejon dont nous avons suivi les indications, il aurait laissé aussi un manuscrit intitulé : *Commentaria in libros posteriorum analyticorum Aristotelis.* E. Bgd.

LENGSFELD (Joseph), médecin de Vienne, né en 1765, mort le 5 décembre 1798 ; s'est livré particulièrement à l'étude des entozoaires, si peu connus alors, et sur lesquels il a publié les deux ouvrages suivants :

I. *Beschreibung der Bandwürmer und deren Heilmittel.* Vienne, 1794, in-8°. — II. *Ueber die Krankheiten von Würmern und deren Kennzeichen.* Vienne, 1795, in-8°, deux planches. A. C.

LENICEPS. *Voy.* Forceps.

LÉNITIF (Électuaire). C'est une de ces vieilles formules complexes que l'on conserve par respect pour la tradition, qui réunissent une foule de substances et dans l'élaboration desquelles nos devanciers se complaisaient tant. Cet électuaire, appelé aussi Conserve de séné, *Electuarium de Sennia compositum,* a été maintenue dans la nouvelle édition du Codex. Il ne renferme pas moins de quinze substances, que l'on peut classer ainsi : 1° substances féculentes ou herbacées (orge mondée, racine de polypode de chêne); 2° substances sucrées (réglisse, raisins secs, jujube, sucre); 3° substances aromatiques (fenouil, anis); 4° substances purgatives (feuilles de mercuriale et de séné, poudre de follicule de séné, pulpe de tamarin, de casse et de pruneaux). Les proportions du séné (tant feuilles que follicules) sont d'un dixième. Il s'administre à la dose de 30 à 45 grammes, contenant 3 à 4 grammes de séné. Si on le donne en lavement, on porte la dose à 60 grammes. Cette sorte de thériaque purgative est tombée en désuétude. Fonssagrives.

LÉNITIFS (Médicaments). Le mot lénitif est tiré du latin *lenire,* adoucir. On l'employait autrefois comme synonyme d'*adoucissants,* d'*humectants,* de *relâchants,* vieilles désignations qui n'ont plus de sens et que la médecine a définitivement abandonnées à la comédie. Le sens le plus général de ce mot est celui de laxatif, comme le montre le nom de l'électuaire de séné dont nous venons de donner la formule. C'est la signification que lui donne Argant dans la drolatique discussion de la note de Fleurant l'apothicaire ; c'est celle qu'on peut lui conserver, quelque peu scientifique que soit l'autorité sur laquelle s'appuie cette proposition. La vieille terminologie dont ce mot fait partie n'offre, du reste, qu'un intérêt historique ; elle consacre maintes fois des erreurs, devient souvent une source de confusion et pourra disparaître sans laisser de regrets. Fonssagrives.

LENOIR (Adolphe), un des chirurgiens distingués de notre temps, naquit à Meaux en 1802, et commença ses études médicales dans cette ville, sous la direction de Houzelot, chirurgien en chef de l'hôpital. Lenoir vint ensuite à Paris où il conquit successivement au concours les grades d'élève des hôpitaux, puis d'aide d'anatomie (1831), de prosecteur 1833, et, enfin, il parvint à l'agrégation en 1835. Ses cours d'anatomie et de médecine opératoire à l'École pratique attiraient une très-grande affluence d'élèves ; en qualité d'agrégé, il suppléa à plusieurs reprises, et avec le succès le plus éclatant, Sanson et M.-J. Cloquet, chirurgiens des hôpitaux ; enfin il était regardé comme un de ceux qui pouvaient le plus légitimement prétendre au professorat, ce bâton de maréchal de notre profession. Mais le sort en avait décidé autrement. Miné depuis longtemps déjà par une maladie chronique des organes hépatiques et rénaux, qui ne l'avait pas empêché de continuer ses travaux, il succomba le 17 juin 1860.

Comme l'a dit sur sa tombe, M. H. Larrey, « Lenoir ne fut pas seulement un chirurgien habile, il fut encore et surtout un chirurgien honnête, moins préoccupé de faire valoir la nouveauté d'une opération ou d'en vaincre les difficultés, que d'en reconnaître les indications ou d'en éviter les dangers. Peu soucieux de rechercher la clientèle ou la renommée, quoiqu'il fût l'un des premiers opérateurs des hôpitaux, il montrait de l'éloignement pour la chirurgie d'aventure. Son jugement droit et sévère blâmait ouvertement et en face, mais jamais dans l'ombre ou à l'écart, certaines doctrines ou opérations hasardeuses de ses confrères, fussent-ils ses amis. »

La notice suivante fait connaître les principales publications de Lenoir :

I. *Sur quelques points d'anatomie, de physiologie et de pathologie.* Th. de Paris, 1833, n° 315. — II. *Quels sont les lieux et quels sont les cas où il convient d'amputer la jambe?* Th. de conc. (agrég. chir.). Paris, 1835, in-4°. — III. *Lettre sur la lithotritie.* Paris, 1837, in-8°. — IV. *Note sur une modification de la méthode circulaire appliquée à l'amputation de la jambe au-dessus des malléoles.* In *Arch. gén. de méd*, 3e sér., t. VIII, 1840. — V. *De la bronchotomie.* Th. de conc. (ch. de méd. opérat.), 1841, in-4°. — VI. *Mém. sur deux cas d'anévrysmes qui ont présenté quelque chose d'insolite dans leur traitement.* In *Arch. gén. de méd.*, 4e sér., t. I, 1843. — VII. *Des opérations qui se pratiquent sur les muscles de l'œil.* Th. de conc. (ch. d'opérat. et d'appareils). Paris, 1850, in-4°. — VIII. *Fausse articulation du fémur traitée avec succès par l'acupuncture*, etc. In *Mém. de la Soc. de chir.*, t. II, 1851. — IX. *Atlas complémentaire de tous les traités d'accouchements.* Paris, 1860-1863, gr. in-8°. — X. Un grand nombre d'articles dans divers journaux ; *sur la désarticulation de la cuisse.* In *Journ. hebd.*, t. XIII ; *sur les bourses synoviales de la plante du pied.* In *Presse méd.* — Un *Manuel des préparations anatomiques*, à la suite de l'anatomie descriptive de Bichat. In *Edit. de l'Encyclopédie*, 1834 ; — divers articles dans le *Dict. des études médicales*, 1838-39 ; — *sur différents vices de conformat. du bassin.* In *Arch. de méd.*, 4e sér., t. XXVI, 1851 ; t. XVIII. 1852 ; addition aux *Nouv. élém. de pathologie médico-chir.* de Roche et Sanson (5 vol. in-8°, 1844) ; communications à la *Société de chirurgie*, dont il fut un des fondateurs.

E. Bgn.

LENS. *Voy.* LENTILLE.

LENS (ADRIEN-JACQUES DE) **FONTENOIS.** Médecin-naturaliste distingué, né à Paris, le 25 avril 1786, d'une famille qui comptait plusieurs illustrations dans ce qu'on appelait alors la robe. D'abord élève de l'École polytechnique, il fut distingué par Fourcroy qui le lança dans l'étude des sciences naturelles et de la médecine. Sa thèse inaugurale sur l'application de la chimie aux diverses branches de la médecine, depuis l'anatomie jusqu'à la thérapeutique, montre les connaissances étendues qu'il possédait déjà et ses vues nettes, précises sur le rôle que la chimie est appelée à jouer dans les sciences médicales. Ses publications dans le *Journal général de médecine* et dans la *Bibliothèque médicale*, les nombreux articles qu'il donna au grand *Dictionnaire des sciences médicales*, mais surtout sa part active de collaboration au *Dictionnaire universel de matière médicale et de thérapeutique* lui assurèrent une place, au premier rang, parmi les médecins naturalistes. Aussi avait-il été compris, en 1820, dès la création, parmi les membres titulaires de l'Académie de médecine. Enfin, son caractère si droit, si honnête et tout à fait à la hauteur de ses précieuses facultés le désigna-t-il au choix de l'Administration pour succéder à Royer-Collard, dans les fonctions d'inspecteur des Facultés de médecine ; position élevée qu'il perdit en 1830, ce dont l'étude et les travaux de sa profession surent bientôt le consoler. De Lens, d'une santé délicate, s'affaiblissait de jour en jour, et il succomba en février 1846, à peine âgé de soixante ans.

Nous ne donnons ici que ses plus importantes publications :

I. *Considérations générales sur l'application de la chimie aux diverses branches de la médecine.* Th. de Paris, 1811, n° 31, in-4°. — II. *Dictionnaire universel de matière médicale et de thérapeutique générale* (avec Mérat). Paris, 1829-34, 6 vol. in-8° (le 7e vol. ou *Supplément*, paru en 1846, est de Mérat seul). — III. Une cinquantaine d'articles de chimie organique et appliquée dans le *Dictionnaire des sciences médicales.* — Divers rapports et communications à l'Académie de médecine, etc. E. Bgd.

LENTIGO. *Voy.* Éphélides.

LENTILIUS (Rosinus), connu encore sous le nom de *Linsenbahrt.* Médecin allemand du dix-septième siècle, dont on ne lit plus depuis longtemps les livres, propagateur de la secte iatro-chimique, ennemi déclaré des émissions sanguines, méprisant l'anatomie comme inutile au disciple d'Esculape, regardant le maniement des drogues comme la principale partie de l'art de guérir, faisant un usage, Dieu merci inconnu de nos jours, des absorbants, des aromates, des sudorifiques, recommandant le vin dans les fièvres malignes et conseillant l'arsenic dans les fièvres intermittentes. Ce dernier point est peut-être le seul qui recommande ce pharmacophile à notre souvenir. Né le 3 février 1657, à Waldenbourg, Lentilius mourut le 12 février 1733, laissant, sous le nom d'Oribase, de nombreuses dissertations dans le *Recueil de l'Académie des Curieux de la nature;* plus, les ouvrages dont voici les titres :

I. *De febre tertianâ intermittente epidemicâ præterito vere septentrionem subque eo Curlandiam infestante.* Altdorf, 1680, in-12. — II. *Τέχνημα πρακτικόν. Tabula consultatoria medica, exhibens quæstiones per quarum responsiones in morbi genium penetrare indicantium et contraindicantium momenta invenire et in medendi methodo tutius procedere liceat* Ulm, 1696, in-8°. — III. *Miscellanea medico-practica tripartita.* Ulm, 1698, in-4°. — IV. *Bedenken über die im Frühling und Herbstzeiten unzeitig angestellte Præserviraderlæsse.* Ulm, 1692, in-8°. — V. *De hydrophobiæ causâ et curâ epistola.* Ulm, 1700, in-8°. — VI. *Eteodromus medico-practicus anni* 1709. Stuttgart, 1711, in-4°. — VII. *Iatromnemata theoretico-practica bipartita, quibus observationes, responsa, consilia, casus, epistolæ, disquisitiones, medicationes, selectiora omnia continentur.* Stuttgart, 1712, in-8°. — VIII. *Consultatio medica de quæstionibus ægrotis proponendis.* Nordlingen, 1718, in-8°.
A. C.

LENTILLE (*Lens* T.). § I. **Botanique.** Genre de Légumineuses Papilionacées, de la tribu des Viciées. Autrefois la Lentille commune faisait partie du genre *Ervum*, sous le nom d'*E. Lens* L. (*Spec.*, 1039). Aujourd'hui, les auteurs qui ont le mieux étudié les Légumineuses, M. Bentham, par exemple, font rentrer les *Ervum* dans le genre Vesce (*Vicia*), sauf la Lentille commune, qui devient le type d'un genre distinct, comme le voulait Tournefort, sous le nom de *Lens esculenta* Mœnch. Ce genre est caractérisé par un calice à sépales étroits, allongés, presque égaux, une corolle papilionacée à large étendard arrondi, atténué à sa base, à ailes obliquement obovées, plus longues que la carène et adhérentes à sa partie moyenne, à étamines didynames (9 et 1), formant une gaîne à ouverture oblique. L'ovaire, presque sessile, ne renferme que deux ovules, et est surmonté d'un style infléchi, légèrement aplati en haut sur sa portion dorsale, et chargé sur sa face intérieure de petits poils. La gousse renferme une ou deux graines qui sont les Lentilles, et dont la forme biconvexe est bien connue. Les *Lens* sont des herbes grêles, dressées ou grimpantes, à feuilles alternes pennées, à stipules sagittées. Elles sont originaires de la région méditerranéenne et de l'Asie occidentale. Le *Lens esculenta* (*Cicer Lens* W.) est une petite plante, de 5 à 50 centimètres de haut, cultivée dans notre pays et s'y rencontrant parfois à l'état subspontané. Ses feuilles ont de cinq à sept paires de folioles obovées ou oblongues-linéaires, et se terminent en vrille simple ou bifurquée. Ses fleurs sont petites, blanches, veinées de violet, et ses gousses sont de couleur fauve. On en a distingué deux variétés : 1° celle à graines jaunâtres, carénées sur les bords ; 2° le *Lentillon* (*L. esculenta subsphærosperma* Gren. et Godr. *Ervum dispermum* Roxb.), à graines bien plus petites, brunes et marbrées, arrondies sur les bords.

H. Bn.

Tourn., *Instit. rei herb.*, 390, t. 210. — Mœnch, *Meth.*, 131. — W., *Spec.*, III, 1114; *Enum.*, 766. — Mér. et Del., *Dict.*, III, 144. — Guib., *Drog. simpl.*, éd. 4, III, 353. — Gren. et Godr., *Fl. de Fr.*, I, 476. — Rosenth., *Synops. pl. diaph.*, 1005. — Alef., in *Bonplandia* (1861), 128. — Benth. et Hook., *Gen.*, I, 525, n. 185.

§ II. **Bromatologie.** La lentille est une graine alimentaire fournie par l'*Ervum lens* (du mot celtique *Erw*, terre meuble), de la famille des légumineuses.

Les lentilles ne réussissent que dans les terrains secs. On emploie pour les semis 10 à 15 décalitres à l'hectare, et on récolte 10 à 21 hectolitres. Celui-ci pèse environ 85 kilogrammes.

Les lentilles desséchées contiennent pour 100 parties, 4,4 d'azote, ce qui correspond à 28,6 pour 100 de matières azotées. Voici quelle est, d'après Payen, leur composition :

COMPOSITION DES LENTILLES.

Amidon, dextrine et matière sucrée	56,0
Légumine et autres matières azotées	25,2
Matières grasses et traces de substances aromatiques	2,6
Cellulose	2,4
Sels minéraux	2,3
Eau (variable) en moyenne	11,5
Total	100,0

Les lentilles ont été introduites de France en Angleterre, vers 1548. D'après leur composition, il est facile de voir qu'elles constituent un excellent aliment, tant par la proportion considérable des matières azotées, que par l'arome particulier qu'elles renferment. Cet arome réside dans l'épisperme, car la farine de lentilles décortiquées en est complétement dépourvue.

Il existe deux variétés de lentilles, qui sont cultivées en grand : 1° la grande lentille, la plus commune et la plus productive, à graines grosses, blondes et farineuses, etc. ; 2° la petite lentille, dont les graines sont plus petites, plus renflées, et d'une nuance roux foncé. Cette dernière est la plus estimée en raison de sa saveur plus agréable.

Les lentilles peuvent être altérées, par les insectes, par les moisissures, ou par suite d'une fermentation spontanée. Dans le premier cas, on les vanne pour séparer les grains légers. On peut également, au moment de s'en servir, les plonger dans l'eau, et rejeter tous les grains qui surnagent, parce qu'ils sont piqués. Les moisissures et la fermentation ne se développent que lorsque ces graines sont trop humides. Quand elles sont peu hydratées, elles peuvent se conserver indéfiniment. Il est probable que, si l'on voulait les conserver en grand, on réussirait à tuer les insectes qui s'en nourrissent, à l'aide du sulfure de carbone, employé comme il a été dit pour le blé.

Dans ces derniers temps, les lentilles sont devenues la base de préparations alimentaires, désignées par les noms de *Revalenta*, *Revalescière*, *Ervalenta* et autres. Il est inutile de dire que les propriétés thérapeutiques qu'on leur prête sont imaginaires. On rencontre pourtant, dans la pratique, nombre de personnes qui assurent retirer de leur emploi journalier une diminution notable de la constipation. Des expertises judiciaires et des analyses faites par les soins de quelques sociétés savantes n'y ont décelé aucune trace de substance médicamenteuse, purgative ou autre. C'est à cause de cette circonstance que la vente de ces produits, autrefois poursuivie, est maintenant permise en France. L'*Ervalenta Warton* est de la farine de lentilles décortiquées : son nom est grossièrement dérivé du latin *Ervum lens*, qui sert à désigner la lentille. La *Revalenta arabica* du docteur Barry, qui est aussi une importation anglaise, ne peut plus, par décision judiciaire, être vendue sous ce nom, qui avait été formé avec le mot Ervalenta, par interversion de ses deux premières lettres, ce qui constituait une concurrence illicite. Elle s'appelle aujourd'hui Revalescière. La Commission sanitaire de Londres, d'accord avec M. Payen, y a trouvé, avec la farine de lentille, des farines de pois, de maïs, de sorgho, d'avoine et d'orge, ainsi que du sel de cuisine. La Revalescière ne diffère de l'Ervalenta que par son prix, qui est double ; et cette circonstance est la seule qui puisse justifier l'épithète de *concentrée* ou *doublement raffinée*, qu'on lui donne sur le prospectus. P. Coulier.

LENTILLE (Physique) *voy*. Dioptrique, Optique.

LENTILLON. Nom donné à une variété commerciale de la lentille.

LENTINUS Fr. Genre de la famille des Agaricinées, de la section B des Agaricinées à tissu tenace, réviviscent, à lames flexibles. Genre très-naturel, caractérisé par son tissu entièrement *flexible, mais tenace*, par ses lames bien formées, *minces, à bords aigus*, mais le plus souvent *dentelés* en scie, incisés ou déchiquetés ; ces lames sont inégales, mais simples, et les spores sont blanches ; le chapeau a ses bords infléchis, le plus souvent d'abord convexe, puis à disque plus ou moins déprimé ou concave, quelquefois lobé ou dimidié ; sa surface est le plus souvent *squamulée ;* le stipe plus coriace évasé en haut est quelquefois tubiforme, surtout chez les individus qui, s'étant développés dans les antres creux et obscurs, se sont allongés vers la lumière. Espèces presque constamment *épixiles* sur le bois pourri, dans l'intérieur des vieux troncs, etc. Ces Agaricinées sont déjà trop coriaces pour servir d'aliment : aussi ignore-t-on leur propriété. L'espèce la plus commune est L. Lepideus, que caractérise son chapeau, relativement assez charnu et compacte, les fibrilles squameuses qui jaspent de taches plus obscures le fond jaune ocracé du chapeau ; enfin, les lames assez larges, et que divisent transversalement de nombreuses scissures, sont décurrentes sur un stipe squameux, tomenteux. L'odeur est notable et plutôt agréable, et sa chair sert de nourriture à plusieurs insectes ; sa taille très-variable s'élève, à en juger d'après les seuls échantillons que j'ai rencontrés de 10 à 30 centimètres.

Deux autres espèces sont figurées par Bulliard, L. *tigrinus*, pl. 70, et L. *Dunalii* Fr., pl. 36. Bertillon.

LENTISQUE. *Voy*. Pistachier.

LENZITES. Un des derniers genres de la famille des Agaricinées, division des tenaces réviviscents à lames coriaces ; leur tissu général est *subéreux* et *coriace ;* leur chapeau *dimidié* et *sessile*, les lames *rayonnantes*, *fermes*, tantôt simples et inégales, tantôt rameuses et anastomosées, et même alvéolées *par derrière*, c'est-à-dire près du stipe (et non vers la marge, comme dans les Dædalées et les

CYCLOMYCÈTES); leurs bords sont entiers, tantôt obtus, tantôt aigus; ces champignons, sans odeur notable, sont toujours épiphytes. Les espèces des tropiques sont ligneuses, celles d'Europe seulement subéreuses. Les *unes* croissent sur les arbres munis de feuilles, comme L. BETULINA, L. FLACCIDA, *Bull.*, pl. 394 et L. VARIEGATA *Bull.*, pl. 537, fig. I, K, L; les autres sur les Conifères, comme L. ABIETINA, *Bull.*, pl. 442, etc. Il est évident que le tissu tubéreux des LENZITES ne leur permet pas de servir d'aliment, c'est pourquoi leurs propriétés sont inconnues. Ces champignons sont sans usage. BERTILLON.

LEONHARDI (JOHANN-GOTTFRIED), né le 18 juin 1746 à Leipzig, où il commença ses études médicales sous le célèbre Chr. Gttl. Ludwig. Promu au doctorat en 1771, Leonhardi se fit bientôt connaître par des cours particuliers sur les différentes branches de la médecine, il était alors attaché à la rédaction des *Commentaria Lipsientia;* nommé professeur extraordinaire en 1781, il quitta cette position l'année suivante, pour occuper à Wittemberg une chaire d'anatomie et de physiologie qu'il échangea bientôt pour une chaire de pathologie. Appelé dix ans après à Dresde par l'électeur Frédéric Guillaume pour remplir les fonctions de médecin de la famille royale, Leonhardi resta dans cette brillante position jusqu'à l'époque de sa mort, arrivée le 11 janvier 1824.

Ce médecin éminent a publié un très-grand nombre de dissertations et de programmes académiques. Nous citerons seulement les suivants :

I. *Progr. de resorptione cutanea.* Lipsiæ, 1768, in-8°. — II. *Dissert. de frigoris atmosphærici effectibus in corpus humanum.* Ibid., 1771, in-4°. — III. *Dissert de resorptionis in corpore humano præter naturam impeditæ causis atque noxis.* Ibid., 1771, in-4°. — IV. *Animadversiones chimico-therapeuticæ de ferro.* Wittcb., 1785, in-4°. — V. *Progr. de latice pulmonum spumoso hominis viri submersi signo ambiguo.* Ibid., 1786, in-4°. — VI. *Physiologia muci primarum viarum.* Ibid., 1789, in-4°. — VII. *Pharmacopœa Saxonia jussu regio et auctoritate publica edita.* Dresde, 1820, in-8°. E. BGD.

LEONICENO (NICOLA) ou Nicolas de Lonigo, partage avec quelques autres médecins italiens l'honneur d'avoir, à l'époque de la renaissance contribué à vulgariser les classiques grecs de notre art, et d'avoir réveillé l'esprit de critique et de libre examen endormi depuis tant de siècles. Né à Lonigo, près de Vicence, en 1428, il se fit recevoir docteur à Padoue, et après avoir professé pendant quelque temps dans cette ville, il obtint à l'université de Ferrare une chaire de mathématiques et de morale qu'il occupa jusqu'à sa mort, en 1524; il avait alors quatre-vingt-seize ans. Leoniceno a donné des traductions de plusieurs livres d'Hippocrate et de Galien. Dans un traité spécial sur le *mal français* il admet que cette maladie n'a point été décrite ni dénommée d'une manière précise par les anciens, et il la regarde comme une épidémie particulière due à des inondations. Il a osé, courage bien rare à cette époque, signaler et relever des erreurs dans Pline l'Ancien, et surtout dans les Arabes copistes et commentateurs du naturaliste latin.

Laissant de côté les traductions, on doit à Léoniceno les ouvrages suivants :

I. *Plinii et aliorum plurium auctorum qui de simplicibus medicaminibus scripserunt errores notatæ*, Ferraræ, 1492, in-4, et *Epistolæ ad Herm. Barbarum; ad Fr. Titum; ad H. Menochium.* (Défense de son ouvrage.) Ibid., 1509, in-4; Basileæ, 1529, in-4; ibid., 1532, in-fol. — II. *Lib. de epidemia quam vulgo morbum gallicum vocant.* Venetiis, 1497, in-4; Médiol., 1497, in-4; Papiæ, 1506, in-fol.; et in *Coll. Luisini.* — III. *De dipsade et pluribus aliis serpentibus.* Basil., 1529, in-4. — IV. *Opuscula.* Ibid., 1532, in-fol. E. BGD.

LÉONIDÈS (Λεωνίδης). On sait par Galien (*Introd. seu med.*, 4) qu'il était d'Alexandrie, et par Soranus (Cælius Aurel., *Morb. acut.*, II, 1, p. 75), qu'il appartenait à la secte des *Episynthetici* (*voy.* MÉDECINE, histoire). Soranus florissait sous Trajan et Adrien, c'est-à-dire de l'an 98 à l'an 138 environ, et puisqu'il cite Léonidès, il faut bien admettre que ce dernier était plus ancien que lui ou du moins son contemporain; de sorte qu'il n'est guère possible de croire que Léonidès ait vécu après Galien, né l'an 131, et encore moins au troisième siècle, comme on le pense généralement. Mais on dit : Léonidès, qui est cité par Soranus, cite à son tour Galien, et pour justifier cette assertion on renvoie à Aétius, livre XIV, ch. II, lequel chapitre a pour titre : *De fistulis ani, Leonidæ*, et dans lequel on trouve, en effet, un renvoi à l'*Emplastrum fulvum et sine cera Galeni.* Comme en général on ignore les procédés dont Aétius a usé pour composer ses chapitres, on n'a pas remarqué que le texte de Léonidès finit avant cette mention de Galien, et qu'Aétius a pris la parole pour son propre compte, en renvoyant à Galien et à un autre chapitre du même livre XIV où il est parlé plus au long, d'après Galien, du traitement des fistules. Ainsi tout s'explique et les impossibilités disparaissent. Voilà comment l'étude critique des textes, quoi qu'en disent certaines personnes intéressées, peut servir à l'étude de l'histoire et de la chronologie. Aétius et Paul d'Égine ont fait à Léonidès, soit directement, soit plutôt encore par l'intermédiaire d'Oribase, de fréquents emprunts, pour la description et le traitement de plusieurs affections chirurgicales : hydrocéphale, maladies de l'anus et des organes génitaux, tumeurs, fistules, hernies. Ces extraits prouvent que Léonidès s'était appliqué à la chirurgie et qu'il excellait dans son art. CH. DAREMBERG.

LEONTICE L. Genre de plantes de la famille des Berbéridées, dont les fleurs sont construites sur le même plan général que celles des Épines-vinettes : trois sépales pétaloïdes, trois autres sépales, alternes, semblables, et six pétales disposés sur deux verticilles et superposés chacun à un sépale. Les pétales sont courts, en forme de nectaire écailleux, étroit, allongé, concave en dedans et glanduleux à la base. Les étamines sont aussi au nombre de six, libres, à anthère introrse, biloculaire, dont la demi-loge dorsale prend seule tout son développement de chaque côté et se relève en forme de panneau pour laisser échapper le pollen. L'ovaire, libre, uniloculaire, surmonté d'un style court, dilaté, stigmatifère, renferme un placenta central basilaire, court, supportant quelques ovules anatropes à funicule dressé. Le fruit est une vésicule sèche, indéhiscente ou inégalement déchirée en haut et contenant une ou plusieurs graines albuminées. Les *Leontice* sont des herbes vivaces de l'Asie moyenne. Leur souche tubériforme porte des feuilles pennées, bi ou triséquées, alternes. Celles des rameaux sont plus simples. Les fleurs sont disposées en grappes simples ou ramifiées, terminales. On a employé de toute antiquité, dans l'Orient, le L. *Leontopetalum* L. (*Spec.*, 448), espèce qui se trouve en Orient, en Crète et en Italie, et qui a des feuilles biternées, à segments obovés subpétiolulés, avec des fleurs jaunes, vernales, et des bractées bien plus courtes que les pédicelles. On s'en sert aujourd'hui pour guérir la gale. On la croyait autrefois efficace contre la morsure des serpents, la sciatique, les douleurs en général. (*Dioscoride*, liv. III, ch. 94.) La souche est savonneuse. Olivier l'indique comme servant, en Perse, au dégraissage des laines et des cachemires. Les propriétés de ce tubercule semblent analogues à celles de la Saponaire. C'est le *Moiadé* des Orientaux. La souche s'appelle encore *Ischar* ou *Saponaire du Levant*. H. BN.

Tournef., *Coroll.*, 484. — L., *Gen.*, n. 423. — Endl., *Gen.*, n. 4810. — Mér. et De L. *Dict.*, IV, 87. — Benth. et Hook., *Gen.*, I, 43, n. 10. — Rosenth., *Synops. pl. diaphor.*, 620.

LÉONTODON, *Liondent*. Genre de plantes de la famille des Synanthérées, de la tribu des Chicoracées. Ce genre, tel qu'il avait été établi par Linné, contenait les plantes dont le Pissenlit est le type. Mais Haller, suivi par Jussieu et les botanistes modernes, fit rentrer ces dernières dans un nouveau genre : *Taraxacum*. On en a distrait également quelques autres plantes pour les rapporter aux *Thrincia*, *Phrenanthes*, *Picris*, etc. Ainsi limité, le genre Léontodon ne contient que huit à dix espèces, participant des propriétés générales des Chicoracées, mais n'étant pas spécialement employées en médecine. Ce sont des herbes vivaces caractérisées par leur péricline à folioles imbriquées sur plusieurs rangs, leur réceptacle nu, leurs achaines striés, insensiblement atténués en bec, leurs aigrettes toutes semblables, persistantes, sessiles, à poils les uns denticulés, les autres plumeux.

Haller. *Helv.* n° 25. — Jussieu. *Gen. Plant.* 169. — De Candolle. *Prodr.* VII, 101.

G. Planchon.

LÉONTODON. *Voy.* Pissenlit.

LÉONTOPÉTALON. *Voy.* Léontice. Le *Corydalis bulbosa* ou *Fumaria bulbosa*, porte aussi quelquefois ce nom dans les anciens ouvrages de Matière médicale. H. Bn.

LÉONURUS. *Voy.* Agripaume.

LÉOPHANES (Λεωφάνης), médecin grec, ou plutôt simplement *physiologue*, ne nous est connu que par deux auteurs, Aristote et son disciple Théophraste. Aristote (*Gener. anim.*, IV, I, 22), copié par l'auteur inconnu des *Placita philosophorum*, nous apprend que, suivant Léophanes, il faut lier le testicule gauche au moment de la copulation, si on veut avoir un enfant mâle, et *vice versa*. Un texte tout semblable se trouve dans le traité hippocratique *De la superfétation*; M. Littré, qui n'a pas manqué de faire ce curieux rapprochement (t. I, p. 380-381; *voy.* aussi *Épid.*, VI, IV, 21), en conclut ou que le traité hippocratique est peut-être de Léophanes, ou que, du moins (ce qui me semble le plus vraisemblable), l'auteur de ce traité *De la superfétation* a extrait et inséré dans son ouvrage un passage de quelque ouvrage de Léophanes. Théophraste (*Caus. plant.*, II, IV, 12) cite Léophanes à propos des qualités que doit avoir le sol. Ch. Daremberg.

LÉOTIACÉES Corda, et Leotia Pers. Famille et genre de Champignons, charnu, claviforme, stipité, et dont l'extrémité supérieure capitée est revêtue d'un hyménium recouvert de thèques ou asces (petit sac) renfermant les spores comme dans les Pezizes; en vertu de cette organisation, les Léotiacées appartiennent à l'ordre de Hyménomicètes ascophorées de Corda, ou encore à celui des Discomycètes de Fries et de Bonorden, et aux Thécasporées, section des Géoglossés de Léveillé.

La famille des Léotiacées de Corda comprend cinq genres, renfermant des champignons stipités, de petite taille, mais ayant ordinairement plusieurs centimètres de hauteur; le stipe, souvent creux, est surmonté d'une tête charnue, diversement teintée, portant sur la face *supérieure* (L. cucullaria excepté) un hyménium lisse vaguement ondulé ou plissé; cet hyménium, composé d'asces (ou thèques) nombreux, pressés, allongés et remplis de spores *simples* (non composés) mêlés à des *paraphyses*. (*Voy.* Champignon, § *Hyménium*.)

1. Le genre des CUCULLARIÉS (Cord.), que caractérise leur stipe, qui s'évase en une tête étalée, comme le chapeau d'une cantarelle et un hyménium lisse et *inférieur.*

2. Les VIBRISSÉES Fr., ont aussi une tête hémisphérique à marge infléchie ou enroulée; mais c'est la face *supérieure* veloutée qui porte l'hyménium.

3. Le genre des LÉOTIÉS Pers. (Géoglossés de quelques auteurs), à tête globuleuse, charnue ou gélatineuse, plus ou moins sillonnée, plissée, ondulée ou lobulée, revêtue *partout* d'un hyménium d'abord lisse, coloré, gélatineux, puis diffluent; à asces tubuleux, octospores, mêlés à des paraphyses rameuses et capitées à leur extrémité libre. La Leotia lubrica est des plus communes.

4. Le genre des SPATULÉS Pers., à tête en massue, spatulée, ondulée, irrégulièrement décurrente et adnée sur le stipe et revêtue d'un hyménium charnu, ceracé, coloré, portant des asces tubuleux et claviformes mêlés de paraphyses simples, ondulées et contenant des spores très-longs en faisceaux parallèles simples et un peu courbés.

5. Le genre des MITRULÉS, à tête claviforme, ovoïde, charnue, lisse, revêtue de toutes parts de l'hyménium et embrassant étroitement le stipe grêle; asces allongés (sans paraphyses?). (*Bull.*, pl. 463, fig. 3.)

Diagnose. Cette famille peut être rapprochée des GÉOGLOSSÉES Cord., et des HELVELLACÉES Fr., que plusieurs auteurs réunissent en une seule famille; mais les spores sont *simples* chez les LÉOTIACÉES et chez les HELVELLACÉES, tandis qu'ils sont composés de *plusieurs articles* chez les GÉOGLOSSÉES. La tête, hyménophore, est charnue, épaisse, lisse, capitée ou spatiforme, le *stipe lisse,* chez les LÉOTIACÉES et les GÉOGLOSSÉES, tandis que chez les HELVELLACÉES le stipe est plus ou moins profondément sillonné ou reticulé ou alvéolé, et la tête est plutôt mince, sèche, membraniforme, que cet hyménophore soit campanulé (H. VERPA) ou diversement contourné, avec un stipe costé profondément alvéolé (H. HELVELLE), ou que le chapeau, encore campanulé, ou adné par sa face profonde (Morille), soit lui-même plus ou moins alvéolé. BERTILLON.

LE PALAIS (STATION MARINE), dans le département du Morbihan, dans l'arrondissement et à 68 kilomètres de Lorient, est une ville de 5,000 habitants. Sur la côte de Fenmer, au nord de Belle-Ile-en-Mer, dont elle est le chef-lieu. Cette station de l'océan Atlantique a une belle plage qui n'est encore fréquentée que par les habitants de l'île, elle n'a, en effet, aucune installation que y attire les étrangers.

A. R,

LE PAULMIER. *Voy.* PAULMIER.

LEPECQ DE LA CLOTURE (LOUIS), né en 1736, à Caen, où il fit ses études médicales et où il prit le bonnet de docteur. Après avoir passé quelque temps à Paris, il retourna dans sa ville natale, professer la chirurgie pendant cinq ou six ans; mais, désireux de déployer ses talents sur un plus vaste théâtre, il vint à Rouen; il fut bientôt attaché à l'Hôtel-Dieu de cette ville, et nommé médecin des épidémies pour la généralité de Normandie; là il put donner cours à son goût pour l'observation des constitutions médicales et à son amour sincère de l'humanité. C'est alors que, cédant à une vaine gloriole indigne de son mérite, il sollicita, dit-on, des lettres de noblesse, qui lui furent accordées en 1781 et lui attirèrent, de la part de ses envieux, des tracasseries et des désagréments assez amers pour l'obliger à quitter la pratique médicale. Il alla chercher le repos dans une propriété qu'il possédait à Saint-Pierre-des-Assis, et il y mourut en 1804.

Lepecq de la Cloture est venu trop tard dans la science. Son livre des épidémies, rédigé d'après les principes formulés par Hippocrate, lui eût fait une immense renommée dans le dix-septième siècle, mais ses opinions sur la marche des maladies, sur les crises, la coction, n'étaient déjà plus de mise à l'époque où il vivait; un autre ouvrage, publié peu de temps après, contient une excellente topographie de la Normandie, qui mérite d'être encore consultée aujourd'hui et dont M. Max Simon a donné une analyse très-complète dans un mémoire couronné par l'Académie de Rouen.

I. *Observ. sur les maladies épidémiques (année 1770), ouvrage rédigé d'après le tableau des épidémiques d'Hippocrate*, etc., *publié par ordre du gouvernement*. Paris, 1776, in-4°. — II. *Collection d'observations sur les maladies et constitutions épidémiques, ouvrage qui expose une suite de quinze années d'observations et dans lequel les épidémies, les constitutions régnantes*, etc. Rouen et Paris, 1778, in-4°, 2 tomes en 1 vol. E. Bgd.

LEPIDIUM. *Voy.* Passerage.

LÉPIDOPTÈRES (de λεπίς, λεπίδος, écaille, πτερόν, aile; aile écailleuse). Ordre d'insectes créé par Linné et l'un des plus naturels et des plus remarquables de la classe des animaux articulés. Les Lépidoptères présentent les caractères suivants: Quatre ailes, formées d'une double membrane incolore, recouvertes de petites écailles microscopiques, faciles à détacher et ressemblant alors à une fine poussière; trompe roulée en spirale (spiritrompe), placée entre deux palpes labiaux, composés ordinairement de trois articles velus; antennes de forme variable et composées d'un très-grand nombre d'articles; une pièce appelée ptérygode ou épaulette, placée en-dessus, à la base des ailes supérieures; abdomen sans tarière; presque toujours deux sortes d'individus de sexe différent pour chaque espèce, le mâle et la femelle.

Les Lépidoptères, si connus sous les noms vulgaires de papillons de jour ou de nuit, doivent compter parmi les insectes les plus remarquables par la beauté de leurs couleurs et la grandeur de leurs ailes. Ils offrent des métamorphoses complètes, mais au point de vue biologique leur organisation est presque uniforme et leurs habitudes fort semblables. Leurs larves, qui portent le nom spécial de Chenilles, faciles à trouver et à élever, ont frappé les plus anciens observateurs, aussi l'ordre des Lépidoptères est-il celui dont les premiers états sont le mieux connus. Nous allons successivement passer en revue l'insecte parfait, sa larve ou Chenille, et sa nymphe ou Chrysalide.

Le Lépidoptère à l'état de développement complet présente à considérer: 1° la tête, 2° le thorax, et 3° l'abdomen.

1° La tête, ordinairement grande, surtout chez les insectes diurnes, est élargie et transversale, un peu plus étroite que le thorax. Les yeux sont grands et à facettes multiples, ou à réseau; les stemmates, ocelles ou yeux lisses, sont placés sur le vertex et cachés par des écailles. Les antennes varient beaucoup pour la forme : chez les insectes diurnes elles sont d'abord filiformes, puis renflées en massue ou en bouton à l'extrémité, d'où le nom de Rhopalocères donné par Duméril et Boisduval (ῥόπαλον massue, κέρας corne, antenne); chez les Lépidoptères crépusculaires ou nocturnes les antennes sont très-diversifiées, tantôt prismatiques ou en corne de bélier, tantôt pectinées ou plumeuses, ou filiformes, etc., d'où le nom d'Hétérocères donné à ces insectes par Boisduval (ἑτεροῖος, variable, κέρας antenne). Les palpes sont au nombre de quatre : deux sont maxillaires et deux autres labiaux. Les palpes maxillaires sont très-petits, difficiles à apercevoir, situés à la base de la spiritrompe; les palpes labiaux sont au contraire fort développés, très-saillants, très-grands, redressés et velus. La trompe ou spiritrompe, de longueur variable, parfois atrophiée, parfois trois ou quatre fois plus longue que le corps (Sphingides), est constituée par les mâchoires, qui sont allongées, flexibles, rapprochées et creusées en demi-canal à leur partie interne, formant ainsi une langue ou trompe caractéristique. La conformation spéciale de la langue des Lépidoptères leur avait fait donner par Fabricius le nom de *Glossates* (γλῶσσα langue). Les mandibules de ces insectes sont tout à fait rudimentaires, ainsi que l'a démontré Savigny dans ses mémoires sur les animaux articulés; le labre, ou lèvre supérieure, est de même très-peu développé, très-difficile à apercevoir.

2° Le thorax (ou corselet des Lépidoptères) situé entre la tête et l'abdomen, donne attache aux ailes et aux pattes; il est formé de trois segments, dont le premier représente une mince bande antérieure en forme de collier, c'est le prothorax; le segment moyen est le mésothorax, qui donne attache aux ailes supérieures; puis vient le métathorax, intimement uni ou soudé au précédent et donnant attache aux ailes inférieures. Le thorax est moins gros chez les papillons diurnes que chez les crépusculaires et les nocturnes. En dessus, le thorax donne attache aux ailes, et en dessous les trois segments thoraciques portent les trois paires de pattes.

Les ailes sont toujours au nombre de quatre; elles sont très-rarement rudimentaires et alors elles sont remplacées par des moignons chez quelques femelles des genres *Orgya*, *Psyche*, *Hibernaria*, etc. Les ailes sont formées par deux lames membraneuses, incolores, soudées par leur face interne, divisées par des nervures cornées ou chitineuses. Ces écailles qui recouvrent les ailes sont attachées au moyen d'un pédicule mince à la face externe des membranes alaires et placées comme les tuiles d'un toit. Les écailles, qui sont des poils élargis ou contournés en forme de cornet, ont une forme variable et des stries longitudinales, et plus rarement transversales. Leur coloration est très-remarquable et tout autre à la lumière pénétrante qu'à la lumière réfléchie. Cette dernière donne aux ailes des *Apatura ilia* et *iris* mâles des reflets changeants, parce que l'écaille est teinte de deux couleurs à la manière de ces dessins disposés en relief et représentant des objets différents, suivant le point latéral examiné.

Les écailles sont quelquefois très-clair-semées sur les ailes (*Parnassius*, *Macroglossa*, *Sesia*), mais j'ai vérifié plusieurs fois que dans ces derniers genres l'insecte venant d'éclore a ses ailes couvertes d'écailles, celles-ci sont extrêmement fugaces et se détachent dès les premiers battements; les ailes paraissent alors comme vitreuses. Lyonet (*Œuvres posthumes*, in *Mém. du Muséum*, t. XX, p. 44, pl. VI à XII), Bernard Deschamps (*Annales des sciences naturelles*, 2e série, t. III, p. 111, pl. 3 et 4, 1835), et tout récemment Émile Blanchard (*Métamorphoses, mœurs et instincts des insectes*, p. 157, 158, 1868) ont publié d'intéressantes recherches et des figures sur la forme des écailles des ailes chez les Lépidoptères. Les entomologistes classificateurs ont étudié avec soin les nervures alaires pour établir les genres au milieu d'espèces nombreuses et très-difficiles à séparer.

Les ailes supérieures sont constamment plus grandes que les inférieures; celles-ci ont souvent, chez les diurnes, une excavation interne comme moulée et embrassant l'abdomen. Pendant le repos les Papillons de jour relèvent ordinairement leurs ailes, tandis que les nocturnes les tiennent horizontales ou repliées. Une disposition très-remarquable des ailes chez les crépusculaires et les nocturnes consiste en un frein ou anneau placé sur les premières ailes et recevant une soie, ou crin rigide, situé à la partie marginale supérieure des secondes ailes. Émile Blanchard a tiré parti de ce caractère organique pour former deux grandes divisions des Lépidoptères correspondant aux Rhopalocères et aux Hétérocères, il a nommé Achalinoptères (ἀχάλινος, dépourvu de frein, et πτερόν, aile) les diurnes qui n'ont pas la soie roide aux ailes inférieures, et Chalinoptères les autres Lépidoptères crépusculaires et nocturnes qui ont cette soie spéciale engagée dans un frein des ailes supérieures (χάλινος, frein, et πτερόν, aile). (E. Blanchard, *loc. cit.*, p. 170.)

Les ailes des Lépidoptères peuvent refléter les teintes les plus brillantes, celle des *Morpho* de l'Amérique méridionale sont d'un bleu métallique chez les mâles; d'autres espèces, même de nos climats (*Polyommatus virgaureæ*, *chryseis*, *phlœas*), offrent en dessus une couleur de cuivre rouge fort éclatante. Les Lépidoptères les plus richement colorés se trouvent dans les parties les plus chaudes et les plus humides du globe. Du reste, la coloration des ailes offre une certaine uniformité suivant les genres et souvent les contrées d'où ils proviennent. Beaucoup de *Papilio* sont jaunes et noirs, d'autres d'un noir de velours sablé de bleu ou de vert métallique; les Piérides sont blanches, les Coliades jaunes, les Danaïdes ont la tête et la poitrine ponctuées de blanc, les Mélitées sont fauves et noires, les *Lycæna* mâles le plus souvent bleus, les Zygènes verdâtres à taches rouges, les *Catocala* ont ordinairement les ailes inférieures rouges, ou jaunes à bandes noires, ou bien d'un noir de velours, etc., etc.

Les pattes offrent, comme chez les insectes des autres ordres, la hanche, le trochanter, la cuisse, la jambe et le tarse. Ces pattes sont longues, assez grêles, comparées à la masse du corps, et en effet les Lépidoptères marchent peu et ne se servent guère de leurs pattes que pour s'accrocher à l'état de repos. Dans certains groupes de Diurnes, les pattes antérieures sont atrophiées (Nymphalides, *Satyrus*, *Vanessa*), elles sont alors plus petites que les autres; le tarse est d'un seul article, sans crochets, et ces pattes, très-velues et vestigiaires, sont appliquées contre le sternum. On a dit que les Lépidoptères à pattes antérieures réduites ou à *pattes palatines* étaient tétrapodes, n'ayant que les quatre pattes ambulatoires; il y a là une exagération évidente, car ces insectes sont réellement hexapodes. Les pattes, toujours couvertes de poils ou d'écailles, offrent des pointes ou éperons qui ont rarement une valeur spécifique ou générique. Les tarses sont pourvus de crochets à l'extrémité; les crochets, presque uniformes chez les Hétérocères, varient beaucoup dans les Rhopalocères, et ces organes n'offrent point de valeur générique, car dans le même genre les espèces voisines ont les unes les crochets simples, les autres les crochets bifides; chaque espèce a les crochets conformés pour se poser sur les plantes, fleurs ou feuilles, tronc d'arbre ou rocher, et adaptés à une condition biologique particulière.

L'abdomen est ovale et parfois presque cylindrique ou conique. Il est formé de huit anneaux ou segments. Lacaze-Duthiers en a étudié la composition en elle-même et comparativement aux autres ordres d'insectes. (*Recherches sur l'armure génitale femelle des insectes*, thèse in-8°, p. 228.)

Les derniers segments présentent l'orifice des organes digestifs et ceux de la génération très-rapprochés. Le conduit des œufs est distinct de l'orifice par où s'introduit l'organe mâle; cette particularité anatomique était connue de Malpighi et je la signalerai bientôt avec soin. Il n'existe jamais de tarière comparable à celle des Hyménoptères, mais dans quelques espèces qui pondent leurs œufs dans le bois les derniers segments abdominaux s'allongent en un oviducte pointu. On voit difficilement les organes mâles à l'extrémité de l'abdomen; il faut, par la pression, écarter les valves cornées au milieu desquelles se trouve le pénis entouré parfois d'un forceps à deux petites branches. L'appendice extérieur le plus remarquable des organes génitaux femelles des Lépidoptères est la poche cornée des *Parnassius Apollo* et *Mnemosyne*, profondément creusée en gouttière et carénée à l'extérieur.

Les organes internes des Lépidoptères sont presque uniformément disposés dans tous les insectes de cet ordre. Cette similitude a frappé les anatomistes et, dans un travail couronné par l'Académie des sciences et encore inédit, Léon Dufour a décrit et représenté la splanchnologie des Lépidoptères. Le tube digestif, commençant par la spiritrompe, se continue en un œsophage grêle sur le côté duquel se trouve une poche (estomac de succion, jabot modifié), puis un ventricule chylifique. Les vaisseaux de Malpighi sont au nombre de quatre. L'intestin grêle est assez court, un peu allongé, le cæcum ordinairement très-ample, et le rectum de médiocre longueur.

Les stigmates sont thoraciques et abdominaux, un très-grand au thorax et cinq ou six à l'abdomen; il y a deux gros troncs latéraux trachéens sur les côtés desquels s'abouchent les conduits qui viennent des stigmates; ces troncs latéraux fournissent les branches qui se distribuent dans les diverses parties du corps de l'insecte.

L'appareil génital mâle consiste en deux testicules formés par une paire de glandes ovales ou arrondies, parfois réunies sous une seule enveloppe. Ces testicules sont fréquemment rouges, rosés, violets, et la coloration est due à une couche pigmentaire. Les canaux déférents s'unissent à deux glandes accessoires très-longues et il existe ensuite un conduit éjaculateur très-long et très-enroulé. Les organes femelles internes consistent toujours en quatre tubes ovariques très-longs, enroulés en spirale, pourvus d'un grand nombre d'œufs. Le *receptaculum seminis* est disposé en massue ou pyriforme, et son conduit est souvent allongé ou spiroïde. Une glande simple ou bifide s'insère souvent sur le fond du réceptacle séminal. Auprès du réceptacle il y a toujours une glande sébifique volumineuse, formée par deux longs cæcums qui se dilatent avant de se réunir en un conduit commun assez court et inséré sur le vagin. Quelques Lépidoptères seulement ont deux glandes ramifiées plus petites, près de l'orifice du vagin. Enfin la poche copulatrice est très-remarquable dans toutes les femelles de Lépidoptères; cette poche consiste en un réservoir volumineux pourvu d'un canal destiné à recevoir le pénis du mâle, canal qui s'ouvre au dehors par un orifice particulier situé au-dessous de la vulve. Pendant son trajet, il envoie un conduit latéral grêle qui aboutit au vagin, vis-à-vis de l'embouchure du *receptaculum seminis*, et établit ainsi une communication entre ce dernier et la poche copulatrice. Malpighi (*De Bombyce*, p. 81, pl. XII, 1669) avait très-bien distingué, chez le Bombyx du Ver à soie, la poche copulatrice, avec un conduit spécial de communication vaginale.

Le système nerveux des Lépidoptères à l'état parfait consiste en un cerveau occupant le segment céphalique, cerveau composé de 2 ganglions sus-œsophagiens et sous-œsophagiens réunis par deux commissures latérales. La moelle abdominale, faisant suite aux ganglions sous-œsophagiens, se compose de sept ganglions, les premiers appartiennent au thorax et sont très-volumineux, les doubles commissures qui les relient sont très-apparentes. Celles des ganglions abdominaux sont fréquemment réunies ou accolées. Les ganglions de la chenille sont séparés et très-visibles. (E. Blanchard, *loc. cit.*, p. 89.) Au nombre de neuf dans la chrysalide, ces ganglions commencent à devenir cohérents et par se confondre.

Des nerfs sympathiques existent chez les Lépidoptères, au-dessus de la moelle ganglionnaire. (*Voy.* Blanchard, *loc. cit.*, p. 94 et suiv.)

Le système musculaire est très-développé au thorax, les muscles sont à fibres striées ; les organes des sens sont comme chez la plupart des insectes, la vision a lieu au moyen d'yeux à réseau et de stemmates ; le système circulatoire rudimentaire est plus appréciable chez la chenille que chez l'insecte parfait. Les organes de sécrétion diffèrent considérablement chez les chenilles et les Lépidoptères ; les premières ont des glandes séricifères, les deuxièmes des glandes odorifiques destinées à faciliter la recherche des femelles par les mâles ; ceux-ci ont parfois une odeur musquée (*Charaxes Jasius, Sphinx convolvuli*). Certaines chenilles ont des tentacules situées entre la tête et le prothorax, qu'elles font saillir au dehors quand on les inquiète (*Papilio, Apollo*), celles des *Harpya* lancent un liquide sécrété dans une poche placée entre la tête et le premier anneau du corps.

Les organes spéciaux, pour la production des sons ou de bruits particuliers sont rares chez les Lépidoptères. Le cri produit par le *Sphinx atropos* n'est pas encore suffisamment expliqué dans son mécanisme, j'ai cherché la cause du bruit produit par la *Chelonia pudica* et la *Setina aurita*. (*Ann. ent. de France*, p. 689, pl. X, fig. 4 et 5, 1864.)

Le mâle des Lépidoptères est en général plus petit et plus agile que la femelle ; sa coloration est souvent beaucoup plus brillante (*Morpho, Apatura, Lycæna*) ou plus accentuée (*Saturnia*, etc.). La forme des ailes varie parfois suivant le sexe ; les mâles ont des prolongements aux ailes inférieures chez plusieurs Nymphalides et ces mêmes ailes sont arrondies chez les femelles. Mais souvent, principalement chez les diurnes ainsi que chez les moyennes et petites espèces de nocturnes, la forme et surtout la grosseur de l'abdomen distinguent à première vue les sexes, car l'abdomen est constamment plus gros, à cause des œufs qui le remplissent chez toutes les femelles des Lépidoptères. Il y a parfois des dissemblances extrêmes entre les sexes et de très-grandes différences dans leur développement. On connaît, ainsi que je l'ai déjà dit, des femelles privées d'ailes et ayant l'aspect de larves.

Les Lépidoptères vivent en général peu de temps sous leur dernière forme d'insecte parfait : le mâle meurt après l'accouplement, et la femelle se hâte de pondre, en choisissant pour placer ses œufs l'endroit le plus favorable pour les jeunes larves ou chenilles qui sortiront de ces œufs. Parfois, chez les lépidoptères nocturnes, elle recouvre sa ponte avec les poils et le duvet qui revêtent son corps, et toujours les œufs sont enduits d'une substance glutineuse, ou d'une matière gommeuse qui les colle sur les objets où ils sont déposés. On a souvent l'occasion, au printemps, de voir voler dès les premiers beaux jours, des insectes qui ont passé l'hiver, ce sont toujours des femelles n'ayant pas encore pondu et qui ont été fécondées pendant l'automne. On voit aussi des femelles de nocturnes pondre sans accouplement et alors ou bien les œufs sont inféconds, et c'est le fait le plus ordinaire, ou bien ils donnent naissance à des larves ou chenilles. Dans ces derniers temps, de Siebold et Leuckart ont expliqué cette ponte, féconde sans accouplement préalable, par la parthénogenèse. Balbiani pense qu'en pareil cas il y a plutôt réunion des spermatozoïdes et des ovules chez les mêmes individus et il croit que les éléments anatomiques caractérisant les sexes se trouvent actifs dans le même abdomen.

Les mâles des Lépidoptères ne s'accouplent ordinairement qu'avec une seule femelle, et une seule fois. Cependant on a vu, en captivité, des mâles de Bombyx féconder plusieurs femelles. Du reste, les Bombyx mâles qui volent en plein jour sont extrêmement ardents à la recherche de l'autre sexe; ils arrivent jusque dans les appartements des villes où une femelle est éclose. Souvent plusieurs mâles se posent sur une boîte où une femelle est enfermée et qu'ils ne peuvent voir. Il est très-digne de remarque que tous ces mâles ont des antennes extrêmement développées et plumeuses; ces organes, dans lesquels réside le sens de l'odorat, leur servent à percevoir quelque odeur spéciale inappréciable pour nous et qui les attire.

La nourriture des Lépidoptères consiste en matières sucrées et miellées qu'ils récoltent sur les fleurs, au moyen de leur trompe. Rien n'est plus facile que de voir aspirer par un papillon diurne au repos le suc renfermé dans une corolle; j'ai nourri pendant assez longtemps, à Paris, avec du sucre humecté un *Apollo* rapporté des Alpes. Quelques Lépidoptères nocturnes et diurnes sucent le suc séveux qui s'écoule des plaies des arbres; d'autres se posent sur les matières excrémentitielles, où ils trouvent des sucs azotés (*Nymphalis, Apatura, Limenitis*).

Le vol des Lépidoptères est connu de tout le monde; le mécanisme de ce vol facile, déjà étudié par Chabrier, Straus-Durckheim, Girard, etc., excite en ce moment les investigations de Marey. Les *Papilio* peuvent planer; parmi les Sphingides à vol très-rapide et qui restent comme suspendus, ou stationnaires, devant la fleur sur laquelle ils butinent, le Moro-Sphinx (*M. stellatarum*) contre-balance, par la vibration continue des ailes, l'action de la pesanteur, pendant que la trompe, allongée, pénètre jusqu'au fond de la corolle. Beaucoup de Lépidoptères ne prennent aucune nourriture à l'état parfait.

Œuf. Les œufs des Lépidoptères ont généralement une forme sphéroïdale ou allongée en ellipsoïde, très-fréquemment ils sont cannelés ou striés. J'ai déjà dit qu'ils sont enduits au passage dans l'oviducte par une matière insoluble dans l'eau et qui les protége contre les intempéries. Du reste la température n'a qu'une action faible sur ces œufs, car chauffés avec soin à 80° Réaumur et refroidis lentement, ils éclosent ensuite, et un froid de 40° ne les empêche pas de se développer après avoir été réchauffés. Parfois les œufs sont placés sous une couche de poils préparée par la mère (*Liparis dispar*); dans d'autres circonstances la femelle larviforme les dépose dans la coque où elle est rentrée après l'accouplement (*Heterogynis penella*). Les petites chenilles de cette dernière espèce mangent après l'éclosion l'humeur visqueuse qui fixe les œufs et même le corps desséché de la femelle; ce n'est qu'à la première mue qu'elles se répandent sur les tiges du Genêt. (De Graslin.)

Chenille. La larve qui sort de l'œuf prend le nom spécial de Chenille; elle présente une tête arrondie et un corps toujours allongé, formé de segments distincts, qui sont au nombre de trois pour le thorax et ordinairement au nombre de neuf pour l'abdomen. La tête de la chenille est caractéristique en ce qu'elle est partagée en deux parties médianes dans sa portion supérieure et parce que la bouche offre, outre un labre, des mandibules et des mâchoires, une filière portée par la lèvre inférieure. La présence de la filière, sur une larve mineuse des feuilles du bouleau, m'a permis d'affirmer qu'elle n'appartenait point à un Coléoptère, mais qu'elle devait produire un Lépidoptère de petite taille. Les observations ultérieures ont démontré la justesse de mon observation. (*Annales de la Société entomologique de France*, 1863, p. 105, pl. 2, fig. 5.)

Les antennes sont toujours petites, et les stemmates ou yeux lisses placés de chaque côté de la tête.

Le corps de la chenille toujours allongé, formé d'anneaux à peu près semblables, offre, au bord postérieur du premier segment ou prothoracique, un stigmate volumineux; les autres stigmates sont placées sur le quatrième segment représentant le premier anneau de l'abdomen et sur les autres segments jusqu'à l'avant-dernier inclusivement.

Les pattes sont toujours attachées au thorax et au nombre de six, trois de chaque côté. Ces pattes qu'on a souvent indiquées sous le nom de pattes écailleuses se retrouvent chez le Papillon. On a désigné sous le nom de fausses pattes ou de pattes membraneuses des organes placés sous l'abdomen, n'appartenant pas au thorax, et qui disparaissent chez l'insecte parfaitement développé. Les fausses pattes sont des organes de préhension très-remarquables par leur diversité, variant de quatre à dix suivant les familles des Lépidoptères, modifiées parfois par les mues (Goossens), et qui ont fait donner à certaines chenilles les noms de *fausses arpenteuses, demi-arpenteuses* et *arpenteuses*. (*Voy.* CHENILLES.)

Les chenilles sont pourvues d'appendices variés, de poils parfois caduques, de spinules, de piquants, d'autres sont couvertes de mamelons, il en est d'entièrement lisses ou glabres. Les détails de cette vestiture du corps et leurs modifications diverses seront plus spécialement étudiés au mot CHENILLE. La couleur peut varier extrêmement. Du reste, elle est quelquefois peu constante même chez les chenilles de la même espèce, elle se modifie avec l'âge; généralement le dessin, raies ou taches du corps, diffère beaucoup moins que la coloration de ce même dessin.

La mue des chenilles consiste dans le changement de peau qu'elles éprouvent en grossissant et avant de se transformer en chrysalide; les mues sont au nombre de trois à sept. La chenille qui est sur le point de muer cesse de manger, reste quelque temps immobile, puis gonfle la partie antérieure du corps, l'ancienne peau se fend sur le dos du thorax et la chenille quitte sa dépouille ancienne en dégageant d'abord la tête, puis successivement les anneaux du corps. Les diverses parties des téguments, poils, revêtement des pattes, etc., restent sur la dépouille, et celle-ci est parfois dévorée par la chenille dès qu'elle vient de s'en débarrasser, ainsi que je l'ai constaté avec Jules Fallou pour le *Sphinx euphorbiæ*.

Le développement des chenilles est ordinairement rapide, elles vivent tantôt solitaires, tantôt en société, presque toujours aux dépens des végétaux. Rarement elles attaquent les matières grasses (*voy.* AGLOSSE), les pelleteries, les étoffes. (*Voy.* TEIGNES.) Plusieurs espèces sont très-nuisibles, celles des Bombyx, surtout du Ver à soie produisent une matière employée par l'industrie. (*Voy.* CHENILLES et VER A SOIE.)

Chrysalide. A la chenille succède, dans la métamorphose du lépidoptère, la Nymphe qui porte le nom spécial de Chrysalide chez les Lépidoptères. La chrysalide est nue ou enveloppée d'une coque soyeuse, ou cocon. La forme en varie beaucoup et sert à caractériser quelques groupes des Lépidoptères. Les chrysalides des papillons de jour sont ordinairement nues, attachées par le dernier segment du corps et suspendues tantôt verticalement (*Vanessa*), tantôt soutenues par un fil transversal (*Papilio*, *Pieris*).

La couleur de quelques chrysalides seulement est très-brillante à cause des taches dorées ou argentées du tégument, d'où leur nom (χρυσός, or); telles sont, dans notre climat, les chrysalides des *Vanessa*.

Les chrysalides des Hétérocères, enfouies dans la terre ou cachées dans des coques, sont généralement brunes ou de couleur terne, et leur nombre est de beaucoup le plus considérable. La couleur brillante des chrysalides est l'exception.

La forme des chrysalides est variable pour les Rhopalocères surtout; elles offrent souvent dans cette division des saillies, et des pointes imitant grossièrement un masque ou des mufles d'animaux. Les chrysalides des Hétérocères ont toutes une forme stéréotypée, celle de la chrysalide du Ver à soie connue de tout le monde, offrant, emmaillottées, les différentes parties du papillon avec des moignons d'ailes enroulés autour du corps.

La manière dont le Lépidoptère sort de la chrysalide varie suivant que celle-ci est nue ou enveloppée d'une coque. Le papillon se dégage par une fente médiane thoracique.

D'abord très-faible, il se fixe sur un corps solide et agite doucement ses moignons d'ailes; celles-ci s'étendent à vue d'œil et prennent le développement propre à l'espèce. L'abdomen se dégonfle par plusieurs évacuations d'un liquide accumulé dans le cæcum et très-riche en sels uriques, d'une couleur rougeâtre. Quand l'insecte est bien séché et entièrement développé il essaye ses ailes, prend son vol et recherche l'autre sexe pour s'accoupler et reproduire des individus semblables à lui, mais variables de taille ou de coloration si la chenille ou la chrysalide ont eu des conditions spéciales de développement.

Je ne dois point omettre de citer ici les *pluies de sang* qui ont à plusieurs reprises effrayé les populations crédules et dont les Lépidoptères sont les auteurs inoffensifs. Réaumur, dans ses admirables Mémoires sur les insectes, en a fait justice. Voici comment les faits se produisent. Les papillons venant d'éclore répandent par l'anus un liquide rougeâtre ou jaunâtre, dont l'accumulation s'est faite pendant la nymphose. Chez les Vanesses, papillons de jour très-communs, et dont l'éclosion a lieu le long des murs rustiques, cette déjection est d'un rouge vif et carminé, imitant assez bien la couleur du sang.

Vers le mois de juillet de l'année 1608, les murailles d'un cimetière voisin de la ville d'Aix et celles des villages des environs parurent tachées de larges gouttes de sang. Le peuple et même, ajoute Réaumur, certains théologiens n'hésitèrent pas à y voir l'œuvre des sorciers ou du diable lui-même. Mais un homme instruit et peu crédule, nommé de Peiresc, alors dans la ville, observa qu'une multitude de Lépidoptères volaient dans ces endroits maudits. Il rassembla des chrysalides dans une boîte, il les fit éclore et montra aux curieux inquiets la diabolique pluie de sang sur les parois et le fond de la boîte renfermant les insectes. Il les mena dans la campagne après leur avoir fait remarquer l'absence des gouttes miraculeuses au centre de la ville, sur les toits; il leur prouva qu'elles se trouvaient dans des endroits creux, sous les chaperons et les saillies des murs et non à la surface des pierres tournées vers le ciel, enfin qu'il n'en existait pas à de plus grandes hauteurs que celles où volent ordinairement ces Lépidoptères. De Peiresc n'hésita pas à attribuer à la même cause certaines des pluies de sang dont on rapporte l'histoire; par exemple, la pluie de sang tombée sous le règne de Childebert dans différents endroits de Paris et près de Senlis; une autre sous le roi Robert et arrivée à la fin de juin. Réaumur ajoute que c'est l'espèce ravageant les Ormes dans certains cantons, la Grande tortue (*Vanessa polychloros*), à chrysalide dorée, qui lui paraît la plus capable de répandre ces alarmes. Elle apparaît quelquefois en très-grande quantité, quitte les arbres au moment de se mettre en chrysalide et se disperse alors contre les murs, sous les cintres des portes et même dans les maisons.

Lépidoptères utiles et nuisibles. Tout le monde sait que la soie est une production due à une chenille de Lépidoptère et que d'autres chenilles voisines (*voy.* Bombyx) filent des coques dont l'industrie cherche à profiter pour la fabrication des étoffes. Mais à part ces insectes utiles, la plupart des chenilles, extrêmement voraces, nous sont fort nuisibles ; elles causent des dégâts souvent irrémédiables ; elles dévorent les feuilles dans les forêts (*Bombyx processionea, pityocampa, dispar*, etc.), dans les vergers (*Bombyx neustria, Ypomoneuta*), les jardins (*Pieris*); elles creusent les arbres (*Cossus, Sesia, etc.*), attaquent les fruits (*Carpocapsa*), les grains (*Alucita, Tinea*), la vigne (*Pyralis pilleriana*, etc.), les betteraves (*Agrotis*) ; enfin les étoffes, les fourrures (*Tinea sarcitella, pezella, pellionella*), etc., etc. Ce sont des ennemis continuels avec lesquels l'homme a chaque année à lutter, dont l'échenillage ne fait qu'imparfaitement justice et qui pulluleraient à l'infini sans leurs ennemis nombreux (oiseaux, mammifères, reptiles et surtout insectes hyménoptères et diptères entomobies).

A l'état de chenille, les Lépidoptères ne sont point venimeux comme on le croit souvent, mais bien à tort. Les tentacules rétractiles de quelques espèces, les appendices de quelques autres ne sont que des moyens employés par elles pour effrayer leurs ennemis tels que les Ichneumons. Il est très-vrai qu'il faut manier avec la plus grande précaution les nids des chenilles processionnaires du chêne et du pin et des autres chenilles analogues. Les poils, surtout au moment des mues et de la transformation en nymphes, sont très-caduques, ils se détachent et se trouvent en grande quantité dans les nids. Ces poils, emportés par le vent, se répandent de toutes parts dans les forêts ou les bois, et pénétrant dans la peau, surtout au visage et aux mains, y causent des douleurs très-vives et des cuissons brûlantes. On a plusieurs fois empêché l'accès des allées du bois de Boulogne où se trouvaient une grande quantité de chenilles processionnaires du chêne.

J'ai déjà noté que quelques grosses chenilles (*voy.* Larves) servent à l'alimentation des peuplades sauvages ; la chenille énorme de l'*Hepialus grandis*, qui vit à la Nouvelle-Hollande dans les troncs des Camarinas, est recherchée par les naturels qui s'en régalent avec avidité en humant l'intérieur comme s'il s'agissait d'un fruit pulpeux.

Les chrysalides servent aussi comme aliment. On les mange frites ou bouillies. Le docteur Vinson m'a dit, et a rapporté, qu'à l'époque du couronnement de Radama, roi de Madagascar, le fils du roi, enfant de 10 ans, présent à la réception de l'ambassade française, mangeait des chrysalides de Bombyx avec un grand plaisir. En Chine, les chrysalides du Ver à soie sont employées dans l'alimentation.

Pendant ces dernières années, la mode a fait rechercher comme ornement un grand nombre de Lépidoptères. Les ailes fragiles des *Morpho*, à couleur d'un bleu métallique, et d'autres espèces resplendissantes, ont été appliquées sur des gazes ou placées sous des lames transparentes et minces. Elles ont servi de la sorte pour parures de bals et de soirées.

Les Lépidoptères, surtout à l'état de domesticité, sont sujets à des maladies qui en font périr un grand nombre. (*Voy.* Ver a soie.) A l'état libre, beaucoup de chenilles, par suite de circonstances spéciales, sont atteintes par des cryptogames (*muscardine*, etc.), ou bien elles s'étiolent, cessent de manger et meurent tantôt desséchées, tantôt au contraire bouffies et infiltrées. Les variations atmosphériques, l'électricité de l'air, un excès d'humidité, ou la trop grande sécheresse, une nourriture avariée en rendent parfois l'éducation impossible entre les mains des observateurs les plus habiles, des entomologistes les plus zélés. Quand ces chenilles sont passées à l'état de chrysalide, une sécheresse très-forte de la terre où elles sont enfermées, ou bien un degré trop grand d'humidité, une chaleur solaire brûlante et prolongée, etc., en détruisent d'innombrables quantités; ces circonstances empêchent souvent une destruction complète des arbres des forêts attaqués par les chenilles. (Ratzeburg, Perris.)

Je ne signalerai point les stations des Lépidoptères sur le globe, cette question se rattache à celle des insectes en général (*voy.* INSECTES), ni les monstruosités qui seront étudiées en cet endroit. Cependant comme il est peu de collections de Lépidoptères qui ne possèdent des individus ayant un côté du corps plus petit que l'autre, atteint de nanisme par rapport à celui du côté opposé, ou bien des individus mâles d'un côté et femelle de l'autre; je vais dire quelques mots sur cette dernière disposition.

On connaît un assez grand nombre de ces Lépidoptères anormaux ou monstrueux. Il s'agit nettement d'individus ayant à la fois les formes et la coloration des deux sexes, par moitié parfaitement égale ou avec prédominance de l'un des deux. Th. Lacordaire désigne cet état sous le nom de Gynandromorphisme, pour le séparer de l'hermaphrodisme vrai et qui est naturel ou normal chez quelques articulés: il y a ainsi des gynandromorphes 1° mixtes, 2° masculins, 3° féminins. Malheureusement les observations anatomiques sur ces Lépidoptères monstrueux sont très-rares, elles font défaut et je regrette pour ma part que tous les Lépidoptères, à la fois mâles d'un côté et femelles de l'autre, soient dans les collections à titre d'objets curieux, au lieu d'être étudiés à l'état frais, pour établir la splanchnologie de ces êtres anormaux, si remarquables.

Classification. La classification des Lépidoptères présente de grandes difficultés à cause de la conformation uniforme de ces articulés. On peut réduire sous trois chefs principaux les essais tentés à cet égard: 1° tantôt les caractères ont été tirés exclusivement de l'insecte parfait; 2° tantôt les caractères ont été pris exclusivement sur les chenilles; 3° enfin les caractères sont fournis par l'insecte parfait, mais à ceux-ci ont été adjoints ceux que présentent les chenilles et les chrysalides. A mon avis, cette dernière est la plus méthodique et celle qui devra rester dans la science. (*Voy.* INSECTES.)

Linné divisait les Lépidoptères en trois grands genres: les Papillons, les Sphinx et les Phalènes. Les auteurs qui vinrent après lui subdivisèrent ces grandes coupes primordiales et Latreille établit les familles des Diurnes, Crépusculaires et Nocturnes correspondant aux genres Linnéens. En France, Godart et Duponchel suivirent en la modifiant la classification de Latreille, basée sur l'insecte parfait. A l'étranger Denis et Schiffermüller, Ochsenheimer, Treitschke, Stephens, Curtis, etc., s'occupèrent plutôt pour leur arrangement du premier état ou des chenilles. Enfin Boisduval modifia profondément la méthode de Latreille, prit en grande considération les caractères fournis par la chenille et partagea les Lépidoptères en deux grandes divisions, dont nous avons déjà parlé, les Rhopalocères (Diurnes) et les Hétérocères (Crépusculaires et Nocturnes). E. Blanchard les divisa particulièrement en Achalinoptères et Chalinoptères. De nos jours une division assez commode, mais peu naturelle, a fait surtout en Allemagne partager les amateurs en ceux qui s'occupent des premières familles de grande taille et ceux qui n'étudient ni ne récoltent que celles d'une taille exiguë; d'où les macrolépidoptères et les microlépidoptères : il est bon de remarquer que certains Crambides placés parmi ces derniers sont de forte taille. Voici un aperçu de division des Lépidoptères, d'après Boisduval, Duponchel, Blanchard et les derniers ouvrages publiés en Allemagne.

1re division. *Hétérocères*. Boisduval (*Diurnes*. Latreille). Antennes en forme de massue, corps peu velu et petit relativement aux ailes, rétréci entre le thorax et l'abdomen. Quatre ailes d'égale consistance, libres, non retenues par un frein se relevant perpendiculairement l'une contre l'autre pendant le repos. Vol diurne. Chenilles à 16 pattes, se métamorphosant à l'air libre sans se renfermer dans une coque (excepté les *Parnassius*, *Zegris* et *Hesperia*). — Familles *Danaïdes*, *Argynnides*, *Vanessides*, *Lybithéides*, *Nymphalides*, *Satyrides*, *Papillonides*, *Parnassides*, *Piérides*, *Rhodocérides*, *Lycénides*, *Erycinides*, *Hespérides*.

2e division. *Hétérocères*. Boisduval.

Groupe 1er. *Crépusculaires*. Latreille. Antennes tantôt renflées au milieu ou prismatiques, tantôt pectinées ou dentées. Corps très-gros relativement aux ailes, sans étranglement entre le thorax et l'abdomen. Ailes étroites, en toit horizontal ou inclinées dans le repos, les supérieures recouvrant alors les inférieures qui sont très-courtes et retenues aux premières par un frein, dans les mâles seulement. Vol crépusculaire exceptionnellement diurne. Chenilles à 16 pattes, glabres ou demi-velues, se métamorphosant dans la terre ou à sa surface, ou dans une coque. Chrysalides non anguleuses, conico-cylindriques. — Familles *Sphingides*, *Sésiides*, *Zygénides*.

Groupe 2e. *Nocturnes*. Latreille. Antennes sétacées, à tige diminuant de grosseur de la base au sommet, abstraction faite des cils, barbes, ou poils, dont elle peut être garnie. Corps tantôt grand, tantôt petit relativement aux ailes, sans étranglement entre le thorax et l'abdomen. Ailes d'égale consistance quand les supérieures ne couvrent pas les inférieures, les unes et les autres retenues ensemble par un frein dans les mâles, ne se relevant jamais perpendiculairement dans le repos, mais horizontales ou en toit ou en fourreau enveloppant le corps. Chenilles ayant de 10 à 16 pattes, glabres ou velues, mais jamais épineuses, se métamorphosant soit dans la terre ou dans l'intérieur des végétaux dans des coques de soie pure ou avec d'autres matières. Chrysalides cylindro-coniques, glabres ou parfois un peu velues. — Familles *Lithosides*, *Chelonides*, *Psychides*, *Liparides*, *Lasiocampides*, *Bombycides*, *Attacides*, *Endromides*, *Hépialides*, *Endagrides*, *Limacodides*, *Platyptérides*, *Dicranurides*, *Notodontides*, *Pygérides*, *Bombycoïdes*, *Noctuo-bombycites*, *Orthosides*, *Gortynides*, *Nonagrides*, *Leucanides*, *Caradrinides*, *Apamides*, *Hadénides*, *Noctuélides*, *Amphipyrides*, *Xylinides*, *Heliothides*, *Calpides*, *Plusides*, *Catocalides*, *Ophiusides*, *Anthophilides*, *Agrophilides*, *Anomalides*, *Phalénoïdes*, *Goniatides*, *Acontides*, *Noctuophalénides*, *Pyralides*, *Phalénides*, *Platyomides*, *Schénobides*, *Crambides*, *Yponomeutides*, *Tinéides*, *Ptérophorides*.

Émile Blanchard a divisé les Lépidoptères en deux grandes sections : 1° *Achalinoptères* (Diurnes des auteurs, Rhopalocères Boisduval). Ailes dépourvues de frein pour les maintenir. Antennes toujours renflées en massues vers l'extrémité. — Familles *Papilionides*, *Nymphalides*, *Erycinides*, *Cydimonides*.

2e section. *Chalinoptères* (Crépusculaires et nocturnes, Hétérocères Boisduval). Ailes presque toujours munies d'un frein pour les retenir ensemble. Antennes renflées en massue, fusiformes ou sétacées, souvent pectinées dans les mâles.— Familles *Sésiides*, *Zygénides*, *Sphingides*, *Bombycides*, *Noctuélides*, *Phalénides*, *Pyralides*.

On s'accorde assez généralement, en Allemagne, à diviser les Lépidoptères en deux grandes sections, *Macrolepidoptera* et *Microlepidoptera*. Voici un aperçu de la classification donnée, d'après Lederer (*Verhandlungen des zoologisch-botanische Vereins in Wien*) par Staundiger et Wocke.

Cette classification ne diffère pas beaucoup, pour les Macrolépidoptères, de celle adoptée par Ochsenheimer, Treitschke et Herrich-Schœffer; pour les Microlépidoptères, elle est empruntée surtout à Herrich-Schœffer, Zeller et Stainton. (Voy. *Catalog der Lepidopteren Europa's*, Bearbeitet von O. Staudinger und M. Wocke, Dresden, 1861.)

Macrolepidoptera. 1. Rhopalocera. *Papilionidæ*, *Pieridæ*, *Lycænidæ*, *Ericynidæ*, *Libytheidæ*, *Apaturidæ*, *Nymphalidæ*, *Danaïdæ*, *Satyridæ*, *Hesperidæ*.

2. Heterocera. — A. Sphinges. *Sphingidæ*, *Sesiidæ*, *Thyrididæ*, *Heterogynidæ*, *Zygenidæ*, *Syntomidæ*. — B. *Bombyces*, *Nycteloïdæ*, *Lithosidæ*, *Euprepiæ*, *Epialidæ*, *Cossidæ*, *Cocliopodæ*, *Psychidæ*, *Liparidæ*, *Bombycidæ*, *Saturnidæ*, *Drepanulidæ*, *Notodontidæ*, *Cymatophoridæ*. — C. Noctuæ. — D. Geometræ.

Microlepidoptera. E. Pyralidina. — F. Crambinæ. — G. Tortricina. — H. Tineina. *Tineidæ*, *Hyponomeutidæ*, *Plutellidæ*, *Gelechidæ*, *Glyphypterygidæ*, *Argyresthidæ*, *Gracilaridæ*, *Coleophoridæ*, *Elachistidæ*, *Lithocolletidæ*, *Lyonetidæ*, *Nepticulidæ*. — I. Pterophorina. — K. Alucitina (Orneodes).

A. Laboulbène.

Bibliographie. — Cette bibliographie ne comprendra pas les indications des traités généraux sur les insectes où il est parlé des Lépidoptères, tels que les Mémoires de Réaumur, de de Géer, et les œuvres de Linné, de Fabricius, d'Olivier, de Latreille, etc., etc. Les Annales et les Recueils où il n'est pas exclusivement question des Lépidoptères ne peuvent figurer ici; les auteurs cités sont ceux qu'on désigne ordinairement sous le nom de lépidoptéristes. A l'article Insectes, on trouvera les ouvrages qui n'ont pas pu avoir en cet endroit spécial leur place naturelle.

Gœdart. *Metamorphosis et historia naturalis Insectorum; Medioburgi*, t. I-III; 1662. — Malpighi. *Dissertatio epistolica de Bombyce*, etc. Londini, 1669. — Swammerdam. *Bybel der Natuure*. Amstelaed, 1737. Coll. académique, t. V. — Merian (Maria-Sybilla). *Metamorphosis Insectorum surinamensium*, etc. Amstelodami, 1705. — Lyonet. *Traité anatomique de la chenille qui ronge le bois de saule*, etc. La Haye, 1762. — Du même. *Recherches sur l'anat. et les métamorphoses de diverses espèces d'insectes*, ouvrage posthume, 1832. — Clerck. *Icones insectorum rariorum cum nominibus eorum trivialibus*. Holmiæ, 1764. — Fuessly. *Verzeichniss der ihm bekannten schweizerischen Insecten*, 1775. — Du même. *Magazin für Entomologie*, 1778. — Du même. *Archiv der Insektengeschichte*, 1781. — Denis et Schiffermüller. *Systematisches Verzeichniss der Schmetterlinge der Wiener Gegend*, 1775. — Esper. *Die Schmetterlinge in Abbildungen nach der Natur*, I-V; 1777-1794. — Herbst und Jablonski. *Natursystem*, etc., *aller bekannten Schmetterlinge*, I-X; 1785-1806. — Cramer. *Papillons exotiques*, 4 tomes. Utrecht, 1775-1782. — Stoll. *Supplementband zu* Cramer, *Papillons exotiques*, 5 cahiers, 1787-1791. — Borkhausen. *Naturgeschichte der europäischen Schmetterlinge*. Frankfurt, 1788-1794. — Du même. *Rheinisches Magazin zur Erweiterung der Naturkunde*, t. I. Giessen, 1793. — Donovan. *Natural History of British Insects*. London, 1792-1816. — Harris. *An Essay wherein are considered the Tendons and Membrane of the Wings of Butterflies*. London, 1767. — Jones. *A new Arrangement of Papilios*. In *Transact. of the Linnean Society*, 1794. — Hubner. *Sammlung europäischer Schmetterlinge*. Augsburg, t. I-VI; 1796-1835. — Du même. *Beiträge zur Geschichte der Schmetterlinge*. Augsburg, 1786-1790. — Du même. *Zuträge zu exotischen Schmetterlingen*, 1806. — Du même. *Verzeichniss bekannter Schmetterlinge*, 1816. — Fabricius. *Species Insectorum*, t. II, 1781, et *Mantissa Insectorum*, t. II, 1787. — Lang. *Verzeichniss Schmetterlinge*, etc. Augsburg, 1781-1792. — Schneider. *Systematische Beschreibung der europäischen Schmetterlinge*, 1 Theil. Halle, 1787. — Du même. *Neuestes Magazin für die Liebhaber der Entomologie*. Stralsund, 1791-1794. — Lewin. *British Butterflies*. London, 1795. — De Pruner (L.). *Lepidoptera pedemontana*, *Augusta Taurinorum*, 1798. — Geoffroy (E. L.). *Histoire abrégée des insectes qui se trouvent aux environs de Paris*, t. I-II, 1762, et 2 tom. en 4 vol., dern. édit., 1799. — Ernst et Engramelle. *Papillons d'Europe d'après nature*, etc., 8 vol. avec 350 pl. coloriées, 1779-1793. — Laspeyres. *Sesiæ Europeæ*. Berolini, 1801. — Smith. *The Natural History of the rarer Lepidopterous Insects of Georgia, collected from the Observations of* John Abbot, etc. London, 2 volumes, 1797. — Haworth. *Lepidoptera Britannica*. London, 1803-1829. — Hofmannsegg. *Alphabetisches Verzeichniss zu Hübners Abbildungen der Papilionen, mit den beigefügten vorzüglichsten Synonymen*. In *Illigers Magazin*, t. III et V, 1804-1806. — Ochsenheimer. *Die Schmetterlinge von Europa*, t. I-IV. Leipzig, 1807-1810. — Keferstein. *Nombreux mémoires sur les Lépidoptères*. Dans le *Magazin de Germar*, et les *Recueils allemands*, 1818 et suiv. — Bonnelli. *Descrizione de nuove specie d'Insetti*. In *Memorie della R. Academia delle scienze di Torino*, t. XXX. — Suckow. *Anatomisch-physiologische Untersuchungen der Insecten*, etc. (*Entwicklung von Bombyx Pini*), Heft I, 1818. — Godart. *Encyclopédie méthodique*, article *Papillons*, t. IX, 1819. — Du même. *Histoire naturelle des Lépidoptères de France*, t. I-V. Paris, 1821-1837. — Fischer de Waldheim. *Entomographie de la Russie*, t. I-II. Moscou, 1820-1823. — Treitschke. *Die Schmetterlinge von Europa* (Fortsetzung des Ochsenheimerschen Werk's), t. V-X. Leipzig, 1825-1835. — Lefebvre (A.). *Système ptérologique des Lépidoptères et divers mémoires*. In *Mag. zool. de Guérin* et *Annales de la Société entomologique de France*, 1827-1858. — De Feisthamel. *Obs. sur les Lépidoptères*. In *Ann. de la Soc. ent. de France*, 1832-1850. — Curtis. *British entomology*. London, 1825-1840. — Duponchel. *Histoire naturelle des Lépidoptères*, etc. (Continuation de l'ouvrage de Godart.) Paris, t. VI à XI, 1826, 1838, et *Supplément*, t. I-IV, 1842. - Frœlich. *Enumeratio Tortricum Regno Wurtembergico indigenarum*. Tubingæ, 1828. — Stephens. *Illustrations of British Entomologie* (*Haustellata*). London, 1827-1835. — Freyer. *Beiträge zur Geschichte europäischer Schmetterlinge*. t. I-III, 1827-1831. — Du même. *Neuere Beiträge zur Schmetterlingskunde*. Augsburg, t. I-VII, 1831-1858. — Boisduval. *Europæorum Lepidopterorum Index methodicus*. Parisiis, 1829. — Du même. *Essai sur une monographie des Zygénides*, 1829. — Du même. *Icones historique des Lépidoptères nouveaux ou peu connus*, t. I-II, 1832-1834. — Du même. *Species général des Lépidoptères*, t. I. Paris, Roret, 1836. — Du même. *Genera et Index methodicus*. Parisiis, 1840. — Pierret (A.). *Descriptions d'espèces nouvelles et observations sur les Lépidoptères*. Dans *Ann. de la Soc. ent. de France*, 1833-1850. — Boheman. *Försök till systematisk uppställning af de i Swerige förekommande Nattjärilar*. — Meigen. *Systematische Bearbeitung der europäischen Schmetterlinge*, t. I-III, 1829-1832. — Wood. *Index methodicus*. London, 1831-1839. — Doubleday (Edward). *The genera of Diurnal Lepidoptera*, etc., t. I-II, 1846-1852, continued by Westwood and Hewitson. — Du même. Autres travaux nombreux, 1842-1849. — Doubleday (Henry). *Lepidoptera new to Britain*, *Zoologist*, 1845, et d'autres mém. Dans l'*Entomologist* et le *Zoologist*, 1841-1868. — Douglas. *Description of new British Moths*. In *Zoologist*, 1845, etc. — Rambur. *Faune entom. de l'Andalousie*, t. I-II, 1838. — Du même. *Catalogue des Lépidoptères de l'Andalousie*, 1858. — Newport (G.). *Anatomy*, etc., *of the Sphinx Ligustri and Metamorphoses*, etc., 1832-1839. — Donzel (H. F.). *Observations sur les Lépid. et descript. d'espèces nouvelles*. In *Ann. Société ent. de France*, 1837-1852. — Ratzeburg. *Die Forstinsecten*, t. II, 1840. — Schlœger. *Lepidopterische Mittheilungen*, etc., 1842-1868. — Lucas (H.). *Histoire naturelle des Lépidoptères d'Europe*, avec 79 planches, 1835. — Du même. *Hist. nat. des Lépidoptères exotiques*, 40 pl. coloriées, 1835. (Il y a de récentes éditions de ces deux ouvrages.) — Menetries. *Catalogue raisonné des objets de zoologie*, etc. Saint-Pétersbourg, 1832. — Bellier de la Chavignerie. *Mém. en notes* en grand nombre. In *Annales de la Société ent. de France*, 1840-1869. — Guenée. *Species général des Lépidoptères* (suite à Boisduval, Noctuélites, t. I-III; Phalénites, t. I-II; Deltoïdes et Pyralides), 1852-1857. — Du même. *Tableaux synoptiques des Lépidoptères d'Europe* (avec de Villiers), t. I, *Diurnes*. Paris, 1835. — Héeger. *Beiträge zur Schmetterlingskunde*. Wien, 1838. — Fischer von Roeslerstamm. *Abbildungen zur Berichtigung und Ergänzung der Schmetterlingskunde*. Leipzig, 1838. — Westwood et Humphrey. *British Butterflies*. London, 1840-1841. — Du même. *British Moths*, 1841-1844. — Bentley. *Ovservations on Species and Varieties* (*Lepidopt.*). In *Entomologist*, 1842. — Nordmann. *Neue Schmetterlinge Russland*. Bull. Moscou, 1851. Herrich-Schœffer. *Systematische Bearbeitung der Schmetterlinge von Europa*, t. I-VI, 1843-1856. — Du même. *Neue Schmetterlinge aus Europa und den angrenzenden Ländern*. Heft I-III, 1856-1861. — Eversmann. *Fauna lepidopterologica Volgo-uralensis*, 1844. — Du même. *Lepidoptera Rossica* (avec F. de Waldheim), t. V, 1851. — Nickérl. *Synopsis der Lepidopteren-Fauna Böhmens*. Prag, 1850. — De Graslin (A.). *Lépidoptères nouveaux des Pyrénées orientales*, et autres travaux. In *Annales entomol. de France*, 1836-1868. — Standfuss. *Lepidopterische Beiträge*, etc., 1846. — De La Harpe. *Phalénides*. Dans *Faune suisse*, *Lépidoptères*, part. IV. Lausanne, 1852. — Bruand d'Uzelles. *Monographie des Psychides*, 1852. — Du même. Autres notices et travaux dans *Mém. de la Soc. d'Emulation du Doubs* et *Ann. de la Société ent. de France*, 1842-1859. — Heydenreich. *Verzeichniss der europäischen Schmetterlinge*, etc., 1851. — Ghiliani. *Delle specie di Lepidotteri riconosciute esistenti negli Stati Sardi*. Torino, 1852. — Wallengren. *Skandinaviens Dagfjärilar*. Malmö, 1853. — Gerhard. *Versuch einer Monographie der europäischen Schmetterlingsarten : Thecla*,

Polyommatus, Lycæna, Nemeobius. Hamburg, 1853. — LEDERER. *Versuch die europäischen Spanner in möglichst natürliche Reihenfolge zu stellen.* Wien, 1853. — DU MÊME. *Die Noctuinen Europa's.* Wien, 1857. — STAINTON. *Insecta Britannica, Lepidoptera, Tineina,* 1854. — DU MÊME. *A Manual of British Butterflies and Moths,* I-II, 1857-1859. — DU MÊME. *Natural History of the Tineina,* t. I-XI, 1855-1869. — STAUNDINGER. *De Sesiis Agri Berolinensis.* Berolini, 1854. — DU MÊME. *Catalog der Lepidopteren Europa's,* etc., mit WOCKE, 1861. — MEYER DÜR. *Verzeichniss der Schmetterlinge der Schweiz,* I. Abtheilung. Burgdorf, 1852. — FREY. *Die Tineen und Pterophoren der Schweiz.* Zürich, 1856. — VON HEINEMANN (H.). *Die Schmetterlinge Deutschlands und der Schweiz,* I. Braunschweig, 1859. — MILLIÈRE. *Iconographie et description de Chenilles et Lépidoptères inédits.* Lyon, 1859-1869. — HOFFMANN (Ottmar). *Ueber die Naturgeschichte der Psychiden.* Erlangen, 1859. — FALLOU (J.). *Description d'espèces nouvelles de Lépidoptères,* etc. In *Ann. ent. de France,* 1859-1869. — WOCKE. *Mittheilungen über Microlepidopteren,* etc., 1848-1869. — ZELLER. *Lepidopterische Beiträge,* etc. In *Isis* und *Stettiner Ent. Zeitung,* 1838-1869. — HEWITSON. *Exotic Butterflies,* 62 livrais. Londres, 1852-1869. — DUBOIS. *Les Lépidoptères d'Europe et leurs chenilles.* 40 livrais. Bruxelles, 1859-1869. — BERCE (E.) *Faune des Lépidoptères de France,* t. I-II. Paris, 1867-1869. — BOISDUVAL. *Lépidoptères de la Californie.* Bruxelles, 1869. — De LORRA, *les Lépidoptères japonais à l'Exposition universelle de* 1867. Paris, 1869. A. L.

LÉPIDOSARCOME, ou tumeur écaillante de la bouche (*squamiformis tumor buccæ interioris*). Marc-Aurèle Séverin a décrit sous ce nom une tumeur qui l'étonna singulièrement par les caractères qu'elle présentait. Il n'est pas possible de rattacher avec quelque certitude l'expression de lépidosarcome à aucun groupe bien défini de tumeurs. L'observation de Séverin reste à cet égard insuffisante.

Observée sur un adulte, la tumeur existait depuis plusieurs années, siégeant à la face interne de la joue; du volume d'une grosse fève, elle rappelait par sa structure l'aspect du thyrse, des fleurs de chou. Il s'agissait peut-être d'un épithélioma, ou d'une tumeur fibroplastique, ou d'un papillome, d'une structure complexe. Le mot lépidosarcome ne mérite d'être reproduit qu'à titre de curiosité historique. Il pourrait servir d'exemple à prouver combien sont restées stériles les dénominations de tumeurs, basées sur un caractère purement extérieur, ou sur une comparaison grossière. A. HÉNOCQUE.

BIBLIOGRAPHIE. — Marci Aurelii Siverini *De recondita abcessum natura.* Libri VIII, 1724. (Cap. XVIII, p. 261.) *Dictionnaire de Nysten,* édit. Littré et Robin. A. H.

L'ÉPINAY (EAU MINÉRALE DE), *protothermale, amétallite, bicarbonatée ferrugineuse faible, carbonique faible.* Dans le département de la Seine-Inférieure, dans l'arrondissement du Havre-de-Grâce, dans le canton et à 3 kilomètres de Fécamp, émerge la source de l'Épinay, dont l'eau claire et limpide laisse déposer une couche rouillée sur les parois inférieures de son bassin de captage. Elle n'a aucune odeur; son goût est très-sensiblement ferrugineux. Sa température est de 15°,3 centigrade; son analyse chimique a été faite par Germain, qui a trouvé, dans 1000 grammes d'eau, les principes suivants :

Carbonate de fer	0,064
— chaux	0,636
— magnésie	0,042
Chlorure de potassium	0,021
— calcium	0,042
Acide silicique	0,042
TOTAL DES MATIÈRES FIXES	0,347

Nous ne donnons cette analyse que comme un renseignement tout à fait insuffisant, car elle ne mentionne ni les sulfates ni les autres sels de soude, qui sont en général contenus dans les eaux minérales.

L'eau de L'Épinay est exclusivement employée en boisson par les populations voisines, qui viennent y chercher la guérison de leurs maladies où les martiaux conviennent.

A. R.

LÉPIOTE (λεπίς, écaille, ou λέπω peler). Ce petit groupe des AGARICINÉES LEUCOSPORES est si distinct que le temps me paraît venu de le séparer du genre AGARICUS qui comprend trop d'espèces; d'ailleurs, il mérite aussi bien cet honneur que le groupe des AMANITES dont il est fort voisin, et dont il se rapproche par son port élégant, par ses formes sveltes, symétriques, par la présence des deux voiles: du *voile universel* qui enveloppe tout le champignon dans sa jeunesse; et du vélum constituant ordinairement la plus grande partie du collier plus ou moins persistant, quelquefois même très-fugace et discernable seulement au moment de l'épanouissement; cependant ce qui rapproche surtout ces deux groupes, c'est que l'hyménophore (c'est-à-dire cette couche de substance spéciale, souvent céracée, tapissant la face inférieure du chapeau et sur laquelle les lames se développent et s'attachent) ne se prolonge pas sur le stipe, mais souvent, et chez toutes les vraies Lépiotes, s'arrêtant tout à coup, forme autour de la tête du stipe un petit bourrelet spécial très-remarquable appelé *collarium* et qui occupe le sillon circulaire (*rainure*) séparant les lames du stipe; par suite de cette conformation, les lames ne sont jamais ni adnées, ni sinuées, mais libres et le plus souvent, leurs terminaisons internes sont éloignées du stipe.

Cette indépendance de l'hyménophore et du stipe qui rapproche les Lépiotes des AMANITES, est ce qui les sépare des ARMILLARIA, petite section des TRICHOLOMA, ayant un collier encore distinct (*voy.* AGARIC), aussi la quatrième section des Lépiotes chez laquelle ce caractère est défaillant, est-elle une section de passage entre ces deux groupes. Enfin, l'indépendance du stipe et de l'hyménophore par le collarium semble s'étendre chez quelques espèces types du genre, au chapeau en entier; car la substance céracée du collarium paraît, surtout dans le jeune âge, passer sur la tête du stipe et le séparer de la chair du chapeau qui ne semble guère se continuer qu'avec les fibrilles aranéeuses du canal médullaire. Il y a sans doute d'autres connexions pour la nutrition, mais elles sont très-faibles et facilement rompues, de sorte que la tête du stipe paraît avoir déprimé le tissu charnu et s'être logée dans un enfoncement central capuliforme de la face inférieure du chapeau (*acetabulum* de Frie), c'est pourquoi il peut en être facilement détaché, nous dirons alors que la tête du stipe est *adnexée* et *énucléable*, mais elle sera dite *adnée* quand on la détache plus difficilement et avec quelques déchirures manifestes, enfin *connée* quand la connexion est si intime qu'il y a rupture et aucune trace de décollement.

D'autre part, ce qui sépare radicalement les AMANITES des LÉPIOTES, c'est l'origine et la fabrication entièrement différentes de leur enveloppe générale ou **voile** universel; car on peut dire que chez les LÉPIOTES ce voile n'est plus un organe spécial et indépendant, mais un faux voile, une simple émanation du **tégument du chapeau** dont les fibres, plus ou moins toisonnées, se prolongent, se continuent sur le **stipe** pendant cette époque de la vie où, ce qui sera la face supérieure du chapeau, plus ou moins enroulé, est encore en rapport immédiat avec la surface du stipe; or, au fur et à mesure du déroulement, puis de l'épanouissement, ces fibres de connexion se trouvent tiraillées, puis rompues, et suivant leur consistance, leur résistance, leur allongement, la forme et le lieu de leur rupture, les teintes dont l'air ou la lumière les colorent; elles déterminent sur le chapeau et sur le stipe des éraillures, des squames, des peluchures, des chinures nombreuses et caractéristiques d'espèces ; mais si ces fibres unissantes restent blanches, si, très-peu résistantes, elles se rompent très-facilement sans allongement ni déchirures, la surface du chapeau comme celle du stipe, restera simplement finement villeuse (LEP. NAUCINA).

Les formes si diverses que le **collier** présente dans ce groupe résultent aussi des détails du développement ; en effet ce collier doit toujours être considéré comme la continuation des fibres du tégument, car quand le chapeau était encore fermé et connivent par son bord autour du stipe, son tégument fibrilleux ou squameux se prolongeait, se continuait sur ce stipe ; alors les fibres, en passant du bord du chapeau sur le stipe, l'embrassent étroitement, puis se *divisent en deux parts* souvent inégales : les unes *descendantes* se dirigent vers le pied, c'est le *voile* (voile universel de Frie), les autres *ascendantes*, vers la rainure, c'est le *velum* : quand le revêtement du stipe qui en résulte est beaucoup plus marqué au-dessous du collier, nous disons que ce *collier* est *descendant* (première et quatrième section). Quand il est plus marqué au-dessus du collier, nous disons qu'il est *ascendant* (troisième section). Quand il paraît se continuer à peu près également au-dessus et au-dessous, nous le disons collier *mixte* comme dans les CLIPEOLARII ; nous ajoutons *mixte ascendant*, si la portion ascendante est plus considérable, et *mixte descendant*, si c'est la division descendante qui l'emporte.

Ces généralités posées, résumons les caractères des LÉPIOTES : les LÉPIOTES constituent un groupe fort naturel des Agaricinées, ayant pour caractère : un hyménophore qui ne se prolonge pas sur le stipe, mais s'arrête souvent tout d'un coup pour former le *collarium* plus ou moins visible au fond de la rainure ; par suite, les extrémités externes des lames toujours libres sont souvent éloignées du stipe, et dans une seule section de passage (la quatrième), elles sont arrondies, presque atteignantes, et plus raremont encore faiblement adnexées, mais jamais sinuées ; un *voile* universel *conné avec tégument du chapeau* et *celui du stipe* ; de là, lors de l'épanouissement, des ruptures, des éraillures, laissant sur le chapeau des squames ou au moins des villosités tomenteuses plus ou moins manifestes et sur le stipe, des squames, des chinures, ou au moins un revêtement fibrilleux ou squameux ; la surface du chapeau n'est donc *jamais délimitée* comme chez les Amanites *par une pellicule, mais par un cutis*, un tégument tomenteux, villeux ou moins drapé. La chair du chapeau plutôt mince, molle, légère, cotonneuse, *hétérogène* avec celle du stipe fibreuse, souvent plus coriace et tenace que charnue; le stipe est presque toujours fistuleux ou fistulo-médulleux, souvent bulbeux ou sous-bulbeux. La forme générale du champignon est bien symétrique, le port svelte et élégant ; les teintes sont généralement ou blanches ou teintées de fulgineux ou d'oranger ocracé ; la plupart sont odorantes ; beaucoup d'espèces sont comestibles; deux ou trois passent pour vénéneuses et ont une odeur forte et désagréable; spores blanches, ou très-faiblement teintées d'ocracé, et, sur les quelques espèces où on les a observées, ovoïdes et lisses. Toutes terrestres.

Nous *diviserons les Lépiotes en* **4 sections** : le *collarium* très-développé dans la première, moindre dans la seconde, inégalement distinct dans la troisième, manque dans la quatrième. Le *collier* est *mobile* et fortement constitué seulement dans la première, plus ou moins fibrilleux, faible et fugace dans la seconde; mais mixte et *plutôt descendant* dans les deux premières sections, il est franchement membraneux et *ascendant* dans la troisième, et seulement *descendant*, squamuleux et caduc dans la quatrième. La surface du chapeau fortement squameuse et même éraillée dans la première section, plus finement squameuse ou au moins fibrilleuse dans la seconde, est lisse et seulement drapée dans la troisième ; elle est encore unie ou finement squamulo-granulée ou unie dans la quatrième ; mais dans toutes ces sections la surface est sèche ; or, Frie en Suède, et Secrétan, en Suisse, ont trouvé des Lépiotes à chapeaux dont le tégument est visqueux ; ces espèces rares constituent une **cinquième** section, mais elles n'ont jamais été signalées en France, et nous ne les décrirons pas.

Ire SECTION. **PROCERI.** Lépiote muni d'un *anneau mobile*, épais, solide et persistant ; chapeau décidément *squameux*, plus ou moins profondément *éraillé* ; le stipe n'est pas guêtré de fibrilles comme dans la *IIe section*, ni de granulations caduques comme dans la IVe ; mais il est souvent orné, au-dessous du collier, de chinures squamuleuses. Le collier, d'abord nettement *descendant*, devient mobile parce que, d'abord en connexion intime avec le pourtour du chapeau fermé, il est entraîné par ce chapeau lui-même vigoureusement poussé en haut par le développement rapide du stipe, et il rompt les attaches inférieures, et dès lors, libre de toute attache, il remonte facilement sur le stipe *atténué* en haut. Le sommet du stipe est entouré d'un *collarium large*, manifeste, par suite, les lames *libres et éloignées*. La tête elle-même, *facilement énucléable*, car le tissu charnu-fibreux très-ferme du stipe est brusquement interrompu à son contact avec le tissu mou, léger du chapeau : de là une séparation nette et facile entre les deux organes.

1. LÉP. PROCERA Bull. et Frie. **Chapeau** charnu, d'abord ovoïde, puis étendu en parasol, mais encore *umboné ;* sa surface, grossièrement et diversement *éraillée, écailleuse* ou enfin presque plane, semée d'*écailles* brunes, *plutôt opprimées*, fugaces, ocracées, plus ou moins foncées ; chair bien blanche, *fixe* (ternie avec le temps), très-molle (diam. 15 à 20 c. ; épaiss. de la chair environ 10 mm.). **Stipe** *très-long* (h. 20 à 30 c., et diam. 18 à 20 mm.), atténué et blanchâtre en haut, où il se termine en tête arrondie, plongée et très-faiblement adnexée dans l'*acetabulum* et par suite très-facilement *énucléable ;* son pied, charnu et *très-bulbeux*, est assez profondément hypogé ; au-dessous du collier, il est *élégamment chiné de squames* fibreuses, *plates*, brunes, concentriques ou en spirales ; à l'intérieur, longuement et largement fistuleux ; il est d'une consistance subcartilagineuse, sa chair fibreuse, d'un blanc teinté de roux vers la surface, est d'abord ruptile et enfin fissile. Le **collier** dans le principe *descendant*, puis libre, mobile, à corps bien modelé, chantourné, *charnu, ferme, subcartilagineux*. **Lames** aussi ou *plus larges* que la chair (l. 10 à 12 mm.), très-atténuées en dedans et éloignées du stipe par un *collarium* large, modelé, céracé ; lames convexes, minces, simples, blanches à la fin, *se maculant de roux* sur la tranche ; odeur *agréable*, saveur douce ; c.c. dans les bois, clairières, prairies montueuses et boisées. Excellent aliment.

NOTA. *Viviani* figure, sous le nom de LÉP. PROMINEA, un type très-voisin de LÉP. PROCERA, qui paraît s'en distinguer seulement par les écailles du chapeau plus fines, ocracées, et un disque plus fortement omboné.

2. LÉP. RACHODES Vitt. **Chapeau** plus charnu, *d'abord globuleux*, puis enfin étalé et à disque, à la fin *méplat ;* tégument d'abord épais, ferme, puis concentriquement fissuré, réticulé en squames épaisses, polygonales, persistantes, élégamment fixées par des fibres *rayonnantes blanches*, tomenteuses, que forme la chair fissurée du chapeau ; le disque reste intact, *lisse, très-glabre, bai-brun* (d. 15 c., ép. ch. 18 mm.). **Stipe** *robuste*, fistuleux, encore atténué en haut (h. 15 à 20 c. ; d. 20 à 25 mm.) *adnexé et énucléable*, terminé en bas en un *bulbe très-développé* (d. 5 à 6 c.), surface du stipe *blanche*, lisse, enfin *soyeuse*, mais sans squames ni même fibrilles (ce qui me paraît paradoxal avec un collier descendant), portant un collier descendant (?) et longtemps adhérent à la marge, enfin mobile ; à pourtour rayonnant, squamulé en dessus. **Lames** plutôt *moins larges* que la chair, *éloignées* du stipe par un collarium proéminent, simples, nombreuses, blanches, quelquefois rougissantes. **Chair** *blanche ;* mais *rompue*, elle se *teinte aussitôt de rose ou de rouge brique*, puis redevient blanche ; *odeur et saveur ingrates ;* à peine comestible, mais non vénéneux. RR. Avec les plâtras humides et ombragés, les thermes et aussi bois et clairières (V. LÉP. SAXOSA, n° 12).

3. **Lép.** EXCORIATA Schaf. **Chapeau** mou, charnu, ovo-globuleux, puis étendu; un peu gibbeux sur le disque, blanchâtre, plus ou moins enfumé; tégument *mince*, tantôt restant *lisse* et *soyeux*, tantôt *fissuré* en petites *squames* (d. 10 à 12 c.; ép. ch. 8 à 10 mm.). **Stipe** *égal* et *seulement* un peu *bulbeux*, et retenant la terre; fistulo-médulleux, élastique, sub-charnu, encore bien énucléable, surface *lisse, glabre*, sans squames ni taches, portant un **anneau** plus mince, plus tenace, moins mobile (descendant?), souvent enfin tombé et disparu (h. 10 à 11 c.; d. 13 mm., et 25 au bulbe. **Lames** aussi larges que la chair, libres, mais *peu éloignées*, blanches. **Chair** molle, *blanc fixe*. Édule. Dans les champs, parmi les gramens isolés, R.

NOTA. Il y a encore de nombreuses formes de ces PROCERII, surtout plus grêles et plus petites, à lames plus larges que la chair, etc. : l'une élevée (15 à 18 c.), à stipe grêle, onduleux, *subbulbeux*, mais à bulbe arrondi en *dessous;* tégument du chapeau mince, finement fissuré en squames *larges*, plates, persistantes, par suite le chapeau blanchâtre, riolé de brunâtre : c'est 4. LÉP. GRACILENTA de Krombh. et de Frie. — Une autre forme moins grande, campanulée, umbonée comme un dôme byzantin, à bulbe *fusiforme aux deux extrémités;* tégument du chapeau couvert de fines squames granuleuses et persistantes : c'est 5. LÉP. MASTOÏDEA de Frie; tous deux, aliment médiocre quoique non vénéneux.

Nous avons trouvé encore d'autres formes qui sont ou des espèces ou des variétés; nous croirions hâtif d'en décider.

IIe SECTION. CLYPEOLARII. Lépiotes munies d'un **collier** *mixte* et dès lors fixe plus souvent *fibrilleux;* le **stipe,** de bonne heure distinct, est vêtu (guêtré) de ces fibrilles plus ou moins fugaces de la portion inférieure du voile universel rompu, tandis que la portion supérieure reste appliquée sur le chapeau. Il n'y a plus d'*acetabulum* recevant la tête du stipe; mais un **collarium** encore manifeste quoique souvent réduit à un mince cordon céracé entourant la tête du stipe (plutôt adné avec le chapeau); par suite, les lames en sont plus *rapprochées*. **Chair** molle et odeur désagréable le plus souvent de rave, de moisi.

* *Lépiotes dont le chapeau est tout couvert et hérissé de nombreuses verrues, de squames tomenteuses ou fibrilleuses.*

6. **Lép.** FRIESII. **Chapeau** convexe, charnu, *tigré d'un rouge brun* par les *verrues pyramidales à sommet mucroné, à base rayonnante* par l'épanouissement de nombreuses fibrilles rouge brun; elles sont très-serrées et très-brunes sur le disque, plus espacées sur la marge où elles se détachent d'un fond clair (d. 6 c.; ép. de la chair, 3 à 4 mm.). **Stipe** droit, égal *solide*, fibro-*charnu*, ruptile, cartonné, assez finement fistulo-araneux; la tête est presque connée avec le chapeau, le pied bulbeux, bien arrondi à sa base, en connexion avec les radicules d'un mycélium blanc. Il porte aux deux tiers supérieurs un **collier** *membrano-araneux*, flasque, débile, mais nettement *mixte-ascendant*, blanchâtre par sa face supérieure, brun sur sa face inférieure, portant une *rangée de verrues* du chapeau; caduques, *brunes*, les mêmes verrues recouvrent de *plusieurs rangs le haut du bulbe;* au-dessous de ce collier le stipe est revêtu de longues peluches fibrilleuses brunes, reste du voile; au-dessus, par les fibres plus claires du vélum (h. 7 à 8 c.; d. 8 mm., et le bulbe 17 mm.). **Lames** larges (plus larges que la chair), nombreuses, minces, libres, mais approchées, arrondies, lamelles tout à coup arrondies ou *connées;* de là les *lames bifurquées*, blanches, à la fin roussâtres. **Odeur** désagréable de clipeolarii; épigée. R.R. Je n'ai rencontré qu'une fois cette jolie et élégante Lépiote, en septembre, dans les bois de chêne de Vascœuil (Seine-Inférieure).

7. **Lép.** ACUTESQUAMOSA Weinm. **Chapeau** convexe, d'abord couvert d'un tégument tomenteux, *ocre ferrugineux rouge brique clair;* bientôt *hérissé de squames floconneuses, dressées, mucronées* qui, *tombant, laissent des aréoles* plus pâles; marge fibrilleuse (d. 10 c.; ép.; ch. 8 à 10 mm.). **Stipe** *solide*, épais, cave et rempli d'une moelle lâche (h. 7 à 8 c.; d. 15 à 30 mm.), élastique, presque égale; blanc, fibro-soyeux, mais vers le pied subbuleux, teinté de ferrugineux par les restes de voile ou fibrilleux ou squamés aréolés et disposés en spirales; il porte un **anneau** ample, mou, fibrilleux, tomenteux, d'abord blanc ocracé, ferrugineux mixte. **Lames** libres, mais rapprochées du stipe, dont les sépare seulement un *collarium étroit*, embrassant la tête du stipe, plutôt larges, simples, nombreuses et blanches. **Chair** blanche, ferme, épaisse. R. Dans les jardins herbeux, gazon, etc.

8. **Lép.** HISPIDA, voisin du précédent, mais plus petit, plus grêle, et à **chapeau** umboné, *enfumé*, voile plus maigre, sec, dans les bois épais; il fait la transition avec les suivants R.R.

** *Chapeau plutôt fibrilleux ou à squames apprimées.*

9. **Lép.** CLYPEOLARIA Bull. **Chapeau** sub-charnu, mou, campanulé, puis étendu et umboné, couvert d'un tégument teinté d'orangé ocracé plus foncé sur le disque, fibrilleux, tomenteux, sec, très-finement floconneux, squameux par les éraillures de l'encroûtement coloré, qui

était d'abord continu et s'écaille par le développement en diamètre du chapeau (d. 5 à 8 c.; ép. ch. 3 à 5 mm.). **Stipe** fibreux cartonné, avec centre médullaire; puis fistuleux aranéeux (h. 6 à 8 c.; d. 6 mm.), égal, seulement *un peu renflé* au pied; la tête adnée au chapeau, portant un **collier** *fibrilleux* peu prononcé, mou, bientôt effacé; *collier mixte et surtout descendant;* de là, un stipe *guêtré d'un revêtement fibrilleux* qui au-dessous du collier, est *piqueté* de squamules ocracées. **Lames** nombreuses, minces, simples, blanches, plus larges que la chair, arrondies, approchées, mais libres; car on retrouve, non sans attention, un reste du collarium. **Odeur** *faible*, plutôt pénible; insipide. C.C. Dans les bois humides, toute l'année.

10. Lép. cristata Fric. Espèce extrêmement voisine, à peine distincte par ses formes. Se rencontre plutôt en automne, dans les bois, les jardins humides, et est surtout, et d'abord, caractérisée par son **odeur** *très-pénétrante, très-pénible*. Cette espèce est généralement plus grêle; le **chapeau** encore moins charnu, les squamules granuleuses, plus nombreuses, mais sèches et glabres, plutôt que tomenteuses ou floconneuses; les **lames** *atténuées en dedans*, enfin *éloignées* d'un stipe encore fibrilleux, mais non squamulé, plus sec, plus grêle, mais peut-être pied *plus bulbeux*. C.C. Son **odeur** désagréable, typique de la section, le fait regarder comme vénéneux.

11. Lép. ermineа Fr. Les auteurs distinguent encore une forme voisine à **chapeau** plus umboné, *gibbeux, lisse, glabre, seulement fibrilleux-soyeux sur la marge* (d. 5 c.). **Stipe** égal, fragile, fistuleux, à peine fibrilleux avec un collier *membraneux*, débile et fugace. (h. 7 c.; d. 5 à 6 mm.). **Lames** libres, mais arrondies, atteignantes, plus larges que la chair, blanches; sans **odeur**, mais d'une **saveur** de rave.

IIIe SECTION. Annulosi. Lépiotes ayant un **collier** ou mieux une collerette *membraneuse*, mince, tombante, fixe et nettement *ascendante*. Le **collarium**, inégalement développé, manque le plus souvent. On voit que dans cette section nous retrouvons le **vélum** et la fabrication du collier propres aux Amanites; mais ce qui doit séparer ce groupe des Amanites, c'est que le voile universel est ici conné avec le tégument du chapeau; que sur ce chapeau on ne retrouve pas, comme dans toutes les Lépiotes, cette pellicule distincte, séparative du voile et de la substance du chapeau, qui caractérise le genre Amanite.

Cependant si ce caractère anatomique est toujours facile à discerner sur les champignons frais, il n'en est pas de même sur des figures, sur échantillons desséchés dans l'herbier : aussi y a-t-il quelques incertitudes sur deux espèces que nous avons cru, malgré l'autorité de Fric, devoir placer avec les Amanites. (*Voy.* art. Amanite : Am. échino-céphala et Am. Vittadini, n°s 21 et 22.)

12. Lép. saxosa (traduction latine de rachodes, V. n° 2). Bertillon. (J'ai recueilli aux environs de Montmorency plusieurs grandes Lépiotes qui, par le port et la forme de quelques-unes de leurs parties, se rapprochent singulièrement de Lep. procera et surtout de Lep. rachodes; mais, comme elles s'en distinguent aussi par des traits d'une importance primordiale : la fabrication du collier, le moindre volume du bulbe, des spores plus petites, etc., il n'est pas douteux que ce ne soit une espèce absolument différente.)

Le **Chapeau** de Lép. saxosa est d'abord hémisphérique puis étalé, avec disque *méplat*, tout couvert de larges écailles à sommet plus large et aplati sur le disque, et *mucroné* sur la marge, à *base large, tomenteuse* et *rayonnante*, par les déchirures de la chair blanche du chapeau, le sommet des *écailles enfumées*, leur *base rayonnante d'un blanc satiné*. La **Chair** épaisse et blanche du chapeau devient d'abord *rose* ou *vineuse* étant rompue et fournit, par expression, un suc qui se teinte de même. (D. 20 c.; ep. ch. 20 à 25 mm.). **Stipe** *solide*, fibro-charnu, un peu atténué en haut, mais *à peine subbulbeux* à la base, sa tête est plongée dans l'acetabulum, et *parfaitement énucléable*; il est longuement fistulo-médulleux *jusque dans le bulbe;* sa surface, au-dessous du collier, est *nue lisse*, un peu brune; le **Collier** membraneux, *étendu* descend d'abord un peu en bas, puis, se repliant sur lui-même, remonte vers la rainure; il est donc *ascendant et engainant le haut du stype;* il est *fixe*, sa **Chair** est *grisâtre incarnat;* (h. 14 à 15 cent.; d. 22 mm.). **Lames** et lamelles blanches, nombreuses, simples, également atténuées aux deux extrémités, se terminant en s'insérant en dedans au *collarium céracé, très-développé* souvent creusé de petites vacuoles qui sont comme les racines des lames. **Odeur** et saveur *agréables*. Excellent comestible. Automne, le long d'un mur ombragé, aux environs de Montmorency, R.

15. Lép. cepestipes Sow. Fr. et Bertillon. **Chapeau** d'abord ovoïde, puis campanulé en *clo-*

chette, à peine charnu, *blanc*, à peine teinté d'un point roussâtre sur le centre du disque ou sur les écailles contuses; marge d'abord un peu infléchie et substriée ou striée; surface semée d'*écailles fines, blanches, fibrilleuses, plates, régulièrement concentriques*, nombreuses, presque imbriquées; chair blanche, molle (rayon du chapeau égale le diamètre de la clochette 3 c; épaiss. de la ch. à peine 2 mm.). Stipe blanc, long, *tortueux*, finement fistuleux, atténué en haut où il se termine par une tête arrondie, *seulement adnexée* au chapeau et *facilement énucléable;* son pied d'abord tuméfié, souvent adné ou adnexé aux pieds voisins et à un *mycélium* abondant; il porte en haut un petit collier blanc, étendu *ascendant*, mais dont le manchon, entier chez les jeunes, se perd bientôt chez l'adulte, sur le stipe dont la surface est bien blanche, unie, onctueuse, finement tomenteuse au-dessous du collier (long. 8 à 10 c.; d. moy. 6 à 7 mm.), lames et lamelles blanches, nombreuses, simples, larges en dehors, atténuées en dedans où elles se terminent assez loin du stipe, sur *un hyménophore, non céracées*, et par suite sans collarium *discernable*, mais laissant pourtant une *large rainure. Odeur et saveur très-faibles.*

J'ai trouvé en septembre, cette jolie espèce qui a le port et la fabrication des coprins, en troupe et en touffe sur un vieux monceau de tan à Caudebec (Seine-Infér.), et *c'est d'après ces échantillons que je l'ai décrite.*

14. Lép. cretacea Bull., pl. 374. Frie le cite comme répondant à son Lep. cepestipes que nous croyons identique à l'espèce décrite ci-dessus; mais la figure de Bull. ne répond en aucune manière ni à la description de Frie, ni à l'espèce ci-dessus décrite sur l'échantillon que nous avons récoltée sur la tannée (à Caudebec), qui, comme celle de Frie a le **chapeau** campanulé et *jamais étalé* comme Lep. cretacea; sans collarium appréciable (Bull. en figure un), toujours parfaitement blanc dans sa jeunesse (Bull. figure et dit le sien d'abord grissale ocracé), et le chapeau régulièrement concentriquement squamulé et non uniformément tomenteux comme Cretacea; le **Stipe** du nôtre est tortueux, celui de Bull. droit; enfin, le nôtre était presque **inodore** et non comme celui de Bull. « Très-agréable au goût et à l'odorat. » Nous croyons donc que ce sont deux espèces différentes, et qu'il y a lieu de laisser à cette place l'espèce de Bull. en attendant qu'on la retrouve et qu'on la décrive plus complétement.

15. Lép. densifolia Bertillon. Sur le même monceau de tan, à Caudebec, j'ai récolté la très-remarquable et nouvelle Lépiote suivante : **Chapeau**, d'abord hémisphérique, est dans le principe recouvert d'un *pruiné blanchâtre* bientôt effacé; il s'étale, et le disque, de bonne heure méplat, est enfin déprimé; entièrement étendu; sa marge s'est profondément fendue, de sorte que le chapeau est souvent *découpé et rayonné en 3 à 5 lobes*, sa *surface est unie, lisse, tannée* (à la fin fendillée et rugueuse) ou *semblable à du cuir tanné très-souple* à l'aspect et au toucher. (Une coupe suivant l'axe montre ce corion dense et brun, *enveloppant tout le champignon*, les deux faces du chapeau et le stipe, à l'intérieur, on trouve une abondante chair blanche médulleuse) (D. 8 c.; ép. ch. médulleuse 3 à 4 mm.). **Stipe**, *d'abord fusiforme*, ventru au milieu, pointu et radicant en bas, et terminé en haut par une tête arrondie, d'abord seulement *adnexée* au chapeau, et *chez les jeunes, facilement énucléable;* mais ensuite adnée et ne se séparant plus qu'avec quelques ruptures. Le stipe est alors long, cylindrique, tordu, égal ou un peu atténué en haut, tanné, *presque lisse*, mais marqué de quelques rangées de chinures squameuses, onduleuses, plus distinctes chez les plus jeunes; en haut, **Collier** membraneux, débile, nettement *ascendant*. Son pied atténué est en connexion avec un mycélium blanc abondant (12 à 14 c.; d. 12 à 15 mm.). Le centre charnu, méduleux, est très-large (7 mm.). Les **Lames** présentent le trait le plus caractéristique du champignon; elles sont *épaisses* et si *nombreuses* que, chez l'adulte, elles sont *pressées les unes contre les autres comme les feuillets d'un livre*, et trop longues, elle sont *souvent ondulées selon leur face;* leur extrémité interne atténuée, entièrement libre, laisse une large rainure, tandis que leur bord libre est lisse et convexe; leur hauteur supérieure à l'épaisseur de la chair est de 5 à 6 mm., **Odeur** très-faible, saveur nulle. En automne sur le vieux tan en touffe à pieds adnexés.

16. Lép. naucina Fr. **Chapeau** *blanc*, d'abord hémisphérique, puis convexe, couvert d'un cutis blanc ou blanchâtre teinté de jaune, *drapé* ou finement tomenteux (D. 6 à 8 c.; ép. ch. 6 à 7 mm.). **Stipe** égal, lisse, *se gonfle peu à peu en massue* vers le pied (au lieu du bulbe marginé ou tout au moins squamulé des Amanites). La tête du stipe arrondie est *annexée*, facilement énucléable; le corps solide, fibro-charnu, fistulo-médulleux; la surface blanche, nacrée-fibreuse; en haut, un petit **collier** blanc plus épais sur ses bords, débile, bientôt flottant et fugace, mais *nettement ascendant*. **Lames** blanches, larges en dehors et dépassées par le cutis œdémateux, en dedans libres, mais approchées, arrondies et insérées par leur pointe terminale au *fin liseret* du collarium. **Odeur** très-faible, rappelant quelque peu celle des Clipeolarii, tandis que la saveur m'a rappelé celle d'Ag. campestris. En automne, sur les pelouses inclinées. R. Comestible.

Diagnose. Cette jolie Lépiote ressemble extrêmement par le port, la couleur et par la construction à la Ag. campestris, qui est une Lépiote à spores noires, mais elle s'en distingue par ses lames toujours blanches. Ce qui est plus grave, elle pourrait encore être confondue par un novice avec Am. phalloide, variété blanche, erreur qui peut coûter la vie; mais la terrible Amanite se distingue par son gros bulbe à bord *marginé* et portant les *débris* de sa volve, par un stipe dont la tête adnée au chapeau ne peut être énucléée, et enfin par son odeur *vireuse*.

17. Lép. holosericea Fr. Chapeau charnu, mou, convexe, planuscule, obtus, *sub-fibrilleux soyeux*, lisse, fragile, blanchâtre ou teinté d'ocracé; le disque *méplat* et *concolore*, marge infléchie chez les jeunes (D. 7 à 8 c.). Stipe *plein*, bulbeux et muni de racines, mou et fragile, soyeux-fibrilleux, blanchâtre, muni d'un anneau ascendant, membraneux, ample, flottant (h. 6 à 10 c.; d. 12 mm.). Lames libres, larges, convexes, nombreuses, d'un blanc jaunâtre, chair blanche et molle. Dans les bois humides. R. Inodore et, selon Fries, édule.

IVe SECTION. Lépiotes dont l'anneau fugace, squamuleux et concolore, est semblable au tégument du chapeau et *descendant*, et par suite *stipe guêtré;* tête du stipe connée avec le chapeau et dès lors jamais énucléable. *Collarium nul* et par suite lames approchées, quelquefois atteignantes et même adfixées, mais jamais sinuées ni décidément adnées, car ce serait une Ag. armillaria.

Dans cette section, on n'a guère décrit jusqu'à ce jour que des espèces très-petites, ocracées, ferrugineuses, etc., qui par leur petite taille échappent aux applications de l'hygiène. Aussi nous les citerons très-succinctement.

18. Lép. furnaceus Lett. C'est sans doute la place d'une Agaricinée représentée (pl. 655), mais non décrite, par le docteur Letellier. Ce serait la plus grande Lépiote de cette section.

19. Lép. granulosæ. Petit groupe réunissant des formes assez nombreuses, mais dont la taille dépasse rarement quelques centimètres (3 à 5); leur nuance varie : rouge-brique, canelle, ocracé, etc. Le chapeau et surtout son pourtour sont semés de granulations squameuses, concolores, caduques, qui, concrétées autour du stipe, *forment son collier et son revêtement inférieur*.

20. Lép. parvulenta Lasch. Chapeau plutôt pruiné et à collier persistant, floconneux, fibrilleux.

21. Lép. mesomorpha Bull., pl. 506, fig. 1. Chapeau ainsi que le collier persistants, dressés, glabres, lisses.

Le mycologue trouvera certainement d'autres espèces qui n'ont été ni décrites ni nommées par les auteurs : nous en avons plusieurs dans notre herbier; mais pour ces êtres si polymorphes, il ne faut pas se hâter d'admettre comme espèces des formes nouvelles. Nous en avons hasardé deux (n°s 12 et 15) qui, par leur taille et leur type, nous ont paru ne pas permettre le doute. D'ailleurs, nous espérons que l'on trouvera facilement la place des espèces nouvelles qui se présenteront.

En résumé, les Lépiotes fournissent par leurs grandes espèces (Lép. procera; — excoriata; — saxosa; — naucina) d'excellents aliments, et Lép. procera, par sa qualité très-supérieure, comme par son abondance se place au premier rang parmi les champignons alimentaires. D'un autre côté, si quelques espèces, par leur odeur forte, pénétrante et désagréable inspirent des doutes légitimes sur leurs qualités alimentaires, aucune preuve expérimentale ni aucune observation ne sont encore venues les confirmer. Bertillon.

LE PLAN (Eau minérale de), *athermale, bicarbonatée ferrugineuse faible, carbonique moyenne*. Dans le département de la Haute-Garonne, dans l'arrondissement et à 42 kilomètres de Muret, émerge la source du Plan. Son eau est limpide et transparente, mais elle laisse déposer une couche épaisse de rouille; elle n'a aucune odeur; sa saveur est franchement ferrugineuse; sa température est de 12°,1 centigrade; sa densité n'est pas connue. M. le professeur Filhol (de Toulouse) a fait connaître, en 1858, son analyse. Ce chimiste a trouvé, dans 1000 grammes d'eau, les matières suivantes :

Bicarbonate de chaux		0,358
— magnésie		0,015
Chlorure de sodium		0,035
— potassium		traces.
Silice		0,008
Oxyde de fer		0,012
— manganèse		0,005
Acide crénique		0,020
Arsenic et iode		traces.
TOTAL DES MATIÈRES FIXES		0,453
Gaz	Acide carbonique libre	61 centimètres cubes.
	Azote	23 —
	Oxygène	2 —
TOTAL DES GAZ		86 centimètres cubes.

Le Plan n'a point encore d'établissement, mais sa source, découverte seulement en 1852, est assez fréquentée déjà pour qu'on puisse prédire un avenir meilleur à ce poste minéral. M. Filhol a constaté que l'eau du Plan était dans d'excellentes conditions pour supporter le transport; il a vu, en effet, qu'elle ne laissait pas déposer, dans les flacons qui la contiennent depuis longtemps, le fer qui la minéralise; aussi ce savant assure-t-il que cette eau est dans les conditions de fixité les plus favorables pour être utilement exportée. A. ROTUREAU.

LE POIS ou **PISO** (**Les**). Famille distinguée de Nancy, et qui a donné trois médecins à la profession.

Le Pois (NICOLAS), naquit en 1527, étudia à Paris, sans cependant y prendre de grades, et alla mourir dans sa ville natale en 1590, après avoir été premier médecin de Charles III de Lorraine, et après avoir publié un ouvrage hippocratique sous ce titre :

De cognoscendis et curandis præcipue internis humani corporis morbis libri tres, ex clarissimorum medicorum, tum veterum, tum recentiorum, monumentis, non ita pridem collecti. Francof., 1580, in-fol.

Le Pois (ANTOINE), frère du précédent, né à Nancy en 1525, mort en 1580, fut aussi médecin du même duc Charles de Lorraine; mais sa passion pour la numismatique lui fit quitter cette charge pour mener à bonne fin un ouvrage qu'il publia sous ce titre :

Discours sur les médalles et graveures antiques. 1579, in-4°.

Le Pois (CHARLES), fils de Nicolas, né à Nancy en 1563, mort à Pont-à-Mousson en 1633, docteur de la Faculté de Paris (14 mai 1598) ; fondateur de l'école de médecine de Pont-à-Mousson, dont il fut le premier professeur; médecin consultant du duc de Lorraine; fort érudit, également habile dans les langues anciennes et modernes, instruit en mathématiques, profondément versé dans la doctrine des anciens médecins de la Grèce. On a de lui :

I. *Caroli III macarismos, seu felicitatis et virtutum egregio Principe dignarum coronæ*. Nancy, 1609, in-4°. — II. *Selectiorum observationum et consiliorum de præteritis hactenus morbis*, etc. Pont-à-Mousson, 1608, in-4°. — III. *Physicum cometæ speculum*. Pont-à-Mousson, 1619, in-8°. — IV. *Discours de la nature, causes et remèdes... des maladies populaires...* Pont-à-Mousson, 1623, in-12. A. C.

LE POULINGUEN (STATION MARINE), dans le département de la Loire-Inférieure, dans l'arrondissement de Savenay et à 53 kilomètres de la ville de ce nom (chemin de fer de Paris à Nantes), est une station marine fréquentée surtout par les baigneurs des environs. Sa plage, large et unie, se prêterait facilement à une installation complète et permettrait aux bains de mer de Le Pouliguen d'acquérir promptement une importance qu'ils n'ont pas aujourd'hui. A. R.

LÈPRE. Nous n'avons point à faire ici l'histoire de la maladie qui a été vulgairement désignée sous le nom de Lèpre depuis le moyen âge, cette question sera traitée à propos des ÉLÉPHANTIASIS. Nous avons seulement à examiner les acceptions diverses que ce mot a reçues aux différentes époques. Disons d'abord que la plupart des grammairiens, à partir de Julius Pollux (*Onomast.*, IV, 25. Amstel. 1706, t. I, p. 466, in-fol.), s'accordent pour faire venir le mot lèpre de λεπίς, écaille. Nous verrons plus bas, en effet, que malgré des dissidences dans les descriptions, tous les auteurs, jusqu'au moyen âge, mentionnent la production d'écailles parmi les symptômes de la lèpre.

Il est question de la lèpre (λέπρη) ou des lèpres (λέπραι) au pluriel, comme si, suivant la remarque de Lorry, l'auteur voulait parler d'un genre de maladies plutôt que d'une maladie en particulier, dans les œuvres hippocratiques. Ainsi, dans les *Aphorismes*, il est dit que *les lèpres* se montrent au printemps (Sect. III, a. 20); qu'elles peuvent faire dépôt ainsi que les desquammations, les alphos, etc. (*Epid.* II, 7.) L'auteur du livre V des *Épidémies* parle d'un individu dont la peau était épaisse au point de ne pouvoir être pincée, et prurigineuse comme dans la lèpre (V, 9). Dans le *Traité des affections* on lit : La lèpre, le prurit, la psore, le lichen, l'alphos, l'alopécie, proviennent du phlegme ; ce sont plutôt des *difformités que des maladies.* (*De affect.* 35.) Dans les *Prorrhétiques*, c'est autre chose ; d'abord, l'auteur fait de la lèpre une maladie du genre atrabilaire : « Les lichens, les lèpres, les leucé, dit-il, chez ceux à qui quelqu'une de ces affections est venue dans la jeunesse ou dans l'enfance, ou sur qui, apparaissant, elle s'accroît peu à peu en beaucoup de temps, il faut regarder cet exanthème non comme une apostase, mais comme une maladie ; ce serait, au contraire, une apostase dans le cas où quelqu'une de ces maladies se produirait en quantité et soudainement. » (*Prorrh.* II, 43, trad. de Littré.) Enfin il est question dans les *Épidémies* d'un homme affecté de lèpre à la vessie. (*Epid.* voy. n° 17.) Tout cela, on le voit, est très-vague, contradictoire, et ne semble nullement se rapporter à la terrible maladie que nous connaissons sous ce nom.

Si maintenant nous passons du père de la médecine au père de l'histoire, à Hérodote, plus âgé qu'Hippocrate d'environ 25 ans, nous verrons que, dans le langage usuel, le mot lèpre était déjà employé, comme il l'a été au moyen âge pour désigner une maladie cutanée des plus graves, réputée contagieuse et qui exige l'isolement de ceux qui en sont affectés. En Perse, dit-il, « si quelque citoyen vient à être affecté de lèpre ou de leucé, il ne lui est pas permis de rester dans la ville, ni d'avoir de relation avec les autres Perses. » (I, 138.) Il me paraît évident que Hérodote, qui avait voyagé en Asie, avait rencontré l'affection endémique dans ces contrées, mentionnée par Moïse sous le nom de *Tsarâth*, si bien décrite par Arétée sous le nom d'*Éléphantiasis*, et qu'il y avait appliqué le nom de Lèpre. (*Voy.* ÉLÉPHANTIASIS.)

Il est donc certain que, dès l'antiquité, le mot qui nous occupe était très-usité et servait aux médecins grecs à désigner une maladie squameuse ; ajoutons que, suivant la remarque de R. Étienne, plusieurs villes en Grèce portaient le nom de Lepræon (Achaïe et Arcadie, Pline IV, 5, 6), parce que, suppose-t-il, ces localités possédaient des eaux minérales favorables au traitement de la lèpre.

Arrivant à l'ère chrétienne, nous remarquerons d'abord que Celse ne mentionne pas ce nom, quoiqu'il décrive manifestement la maladie parmi les variétés de l'impetigo (lib. V, c. 28, n° 17); ce sont toujours les Grecs qui vont nous fournir des documents sans éclairer beaucoup la question.

Archigènes, cité par Aétius, procédant par voie de différence, essaye de nous dire ce que c'est que la lèpre, en la mettant en parallèle avec quelques autres affections de la peau. La lèpre diffère de l'alphos et de la leucé en ce qu'elle est rude au toucher et prurigineuse; en effet, dit-il, dans cette maladie la peau seule est affectée, et si elle vient à s'excorier les parties sous-jacentes apparaissent saines; dans la leucé, au contraire, les tissus sous-cutanés sont transformés et blancs, la surface est lisse, et, frottée, elle rougit surtout si la maladie doit guérir. L'alphos adhère à la surface de la peau et s'y applique comme une écaille. La lèpre diffère de la psore en ce que, dans celle-ci, la peau est couverte de furfures et que dans la première ce sont des écailles semblables à celles des grands poissons. Enfin la psore diffère du lichen sauvage (*agrius*), parce que le lichen s'étend par cercles vers les parties voisines, ce que ne fait pas la lèpre. (Aétius Tetr., IV, *Sermo.* I, c. 133.)

Galien, suivant sa trop fréquente habitude, s'occupe surtout de la théorie de la lèpre qu'il va fixer pour des siècles. Galien déclare que la lèpre est causée par l'atrabile, et désormais quelle que soit la maladie que l'on décrive sous le nom de lèpre, il est entendu qu'elle est de nature atrabilaire. Quant à ce que Galien désigne par le mot lèpre, c'est une affection avec rugosités, écailles et prurit qui modifie la constitution normale de la peau. Si nous joignons à ces auteurs Paul d'Egine, nous verrons qu'il n'ajoute pas grand'chose à ces vagues notions qu'il rend au contraire plus incertaines encore quand il dit, contrairement à Archigènes, que la lèpre ronge plus profondément la peau que la psore et *s'étend par cercles* en rejettant de grandes écailles.

Est-il possible au milieu de ce chaos, de saisir quelque chose de net et de précis? Willan et ses adeptes ont voulu voir dans les descriptions données par les Grecs, la variété particulière du psoriasis qui forme des anneaux squameux, et qu'ils ont appelée *Lepra vulgaris*. Le fait est qu'en raison de la diversité et surtout de la brièveté de ces descriptions, il est impossible d'assigner une place précise à la lèpre dans la nosologie dermatologique, surtout en considérant que ce n'est pas seulement dans le psoriasis, mais encore dans l'eczéma, dans le pemphigus chronique, etc., que l'on observe des écailles et de grandes écailles.

Nous voici arrivés au moyen âge. Ici l'acception du mot change entièrement; il prend le sens que lui donnait Hérodote, et tous les auteurs vont désigner ainsi l'Éléphantiasis, maladie avec laquelle les médecins de l'antiquité n'avaient pas semblé croire qu'on pût confondre la lèpre, puisqu'ils comparent seulement celle-ci à la leucé, mais surtout à la psore et aux lichens, qui sont très-manifestement des dartres. Les traducteurs des Arabes rendent par le mot *Lepra* ce que leurs auteurs disent de l'Éléphantiasis, et Constantin, l'Africain, tout le premier, emploie le même mot comme générique et décrit, sous cette rubrique, les différentes variétés admises par les Grecs entre les différentes formes de la maladie tyrienne. (*De Morb. cognit.*, VII, 17.) Les auteurs les plus célèbres de cette période, Jean Platearius (*Practica brevis, de œgrit. cutis*, c. 2), Gilbert l'Anglais (*Compend.* liv. VII), Bernard de Gordon (partie I, c. 22), Guy de Chauliac (tr. VI, doctr. I, c. 2), etc., etc., suivent les mêmes errements. Nous devons cependant faire une exception pour Jean, dit Actuarius, un Grec du Bas-Empire, il est vrai, qui tient pour les anciennes appellations et adopte les définitions de ses ancêtres scientifiques. (*Meth. med.*, II, 11.) Il établit une sorte de hiérarchie solidaire entre les différentes maladies de la peau. Ainsi, pour lui, la lèpre est moins grave que l'éléphantiasis, la psore moins grave que la lèpre et le lichen moins que la psore ; mais le lichen négligé peut se transformer en psore, puis en lèpre ; il ne va pas au delà ; l'éléphantiasis reste à part.

Pour terminer, disons que ce mot lèpre a été appliqué pour désigner certaines maladies graves de la peau, tel que le mal de la rose (*Voy.* Pellagre) ; l'éléphantiasis des Arabes, etc. Enfin, pour quelques auteurs du seizième siècle, la syphilis n'était qu'une dégénérescence, une modification de la lèpre. (*Voy.* Syphilis.)

Tout ce qui regarde l'historique de la lèpre ou ladrerie, les règlements, les fondations diverses auxquelles cette maladie a donné lieu, la bibliographie, etc. tout cela doit être renvoyé au mot Éléphantiasis. E. Bgd.

LÈPRE KABYLE. Dénomination adoptée par M. le docteur Arnould (*Recueil des mémoires de méd., de chir. et de pharm. milit.*, année 1862, p. 338), pour exprimer la fréquence et la gravité d'une syphilide ulcéreuse maligne, particulière aux populations berbères du Djurdjura et des oasis, et les analogies qui la rapprochent des épidémies de syphilis du moyen âge, confondues, avant Frescator et Fallope, avec la lèpre tuberculeuse des Grecs.

Loin d'établir l'existence de la lèpre en Algérie, le travail de M. le docteur Arnould permet d'attribuer les quelques cas qui en ont été indiqués antérieurement par M. Deleau et M. E. Bertherand soit à la syphilis, soit au Mycosis fungoïde d'Alibert, et d'affirmer que l'affection suffisamment déterminée par les travaux de Boeck et Danielsen n'existe pas en l'Algérie. En effet, la lèpre kabyle a tous les caractères des syphilides : généralité de l'éruption, absence de prurit et de douleur, teinte spéciale, cicatrices indélébiles, coïncidence d'accidents secondaires, efficacité du traitement spécifique. Si elle débute comme la lèpre par des lésions anatomiques communes aux différentes manifestations des maladies cutanées, son processus aboutit toujours à des ulcérations serpigineuses, et jamais aux lésions spéciales de la lèpre : les macules, les tubercules, les tumeurs et les plaques fongoïdes constituées par une matière spéciale. La lèpre kabyle ne présente jamais les modifications de sensibilité tantôt exagérée, tantôt abolie, particulières à la lèpre tuberculeuse.

M. Arnould rapporte la description de la maladie aux deux formes suivantes :

« *Première forme.* L'affection, au début, se présente avec un type assez net et qu'on peut en général rattacher à une classe et même à un genre de la nomenclature dite anatomique. Il apparaît un groupe de petites élevures ou papules ayant, en moyenne, le volume d'une tête d'épingle, à sommet arrondi plutôt qu'acuminé, à bases tellement rapprochées qu'elles donnent à l'aspect du tégument qu'elles occupent un relief total de 1 à 2 millimètres, à surface très-légèrement mamelonnée ou framboisée. Ces saillies paraissent pleines et sont d'un rouge pâle qui, avec le temps, prend successivement des teintes plus foncées. Quelques-unes, plus claires en couleur, ont une transparence analogue à celle de l'ambre et le sommet acuminé ; on dirait presque de l'herpès.

« Le groupe forme toujours une tache circulaire qui, à l'origine, peut ne pas avoir un diamètre plus grand que celui d'une pièce de 20 centimes. La tache est complétement occupée par des élevures ; ou bien, et dans ce cas elle est plus grande que je ne viens de le dire, les élevures forment une petite couronne autour d'un espace sain, très-restreint, qui se retrouvera encore tel, chose bizarre, après que les parties environnantes auront subi les plus affreux ravages.

« Dans d'autres cas, le soulèvement morbide initial de l'épiderme a des proportions plus considérables ; il arrive aux dimensions de l'impétigo : on voit de vraies pustules à contenu liquide encore, ou plus souvent déjà concret, reposant sur une base qui forme une masse solide, légèrement élevée au-dessus du niveau tégumentaire. Mais alors les élevures perdent en nombre ce qu'elles ont acquis en volume. On peut très-bien compter les pustules formant les taches isolées ; elles ne sont pas, quelquefois, plus de huit ou dix, tandis que les saillies papuleuses ou vésiculeuses sont innombrables, même dans une très-petite plaque de lèpre.

« Enfin nous avons eu des malades chez lesquels on ne pouvait saisir la forme initiale qu'à l'état de taches plus ou moins grandes, à saillie parfaitement uniforme et très-légère, à coloration rouge brun, et recouvertes d'une fine desquamation qui leur donnait de la ressemblance avec certains psoriasis.

« La forme du début est extrêmement variable ; mais, ce qu'elle a de spécial, c'est la disposition en cercle des efflorescences, disposition que révèlent les premières manifestations morbides les plus limitées et que l'on retrouve encore lorsque le mal accomplit les plus vastes dégâts...

« Une particularité non moins constante, c'est la coloration rouge violet ou rouge brun...

« Il est des malades chez qui l'altération tégumentaire ne va pas plus loin en profondeur ; elle est entièrement constituée par des taches de toutes dimensions jusqu'à celles de deux ou trois fois la largeur de la main, situées presque exclusivement à la face postérieure du tronc et externe des membres. La couleur rouge y est très-prononcée ; à la surface on reconnaît des squames très-fines au centre, très-larges à la périphérie.

« *Deuxième forme.* La forme ulcéreuse n'apparaît jamais primitivement ; elle ne fait que succéder à la première d'une façon plus ou moins brusque...

« Tantôt l'ulcération apparaît dans un point d'une de ces taches rouges à mince épiderme. Dans d'autres cas, l'ulcération succède à l'apparition de pustules analogues à celles de l'ecthyma...

« L'aspect habituel le plus fréquent de la lèpre kabyle est celui de la syphilide tuberculeuse crustacée. Détachées violemment, les croûtes laissent à nu une surface saignante...

« L'ulcère est rarement profond : il est rosé, bourgeonnant...

« Les cicatrices sont tantôt en creux, anfractueuses, ou en relief de 4 ou 5 millimètres, à surface ondulée.

« C'est principalement à la partie postérieure du tronc, à la face externe des membres que siége la maladie. Le coude, l'épaule, les hanches en sont les lieux d'élection.

« Sa durée est longue et indéterminée. Sans douleur ni prurit, elle s'accompagne presque toujours, quand elle est confirmée, d'un état général fâcheux, d'embarras des voies digestives, d'amaigrissement, de pâleur ou de ces teintes de cachexie qu'on retrouve dans des maladies en apparence plus graves.

« La fréquence de la lèpre kabyle, très-commune dans les oasis du Sud, a été surtout déterminée par les chiffres fournis par l'hôpital de Delly. Sur 423 malades indigènes, M. le docteur Vincent (*Exposé clinique des maladies des Kabyles*, Paris, 1862) a compté 188 cas de syphilis et 66 de syphilides malignes »

Rare chez les gens aisés, le mal pèse surtout sur le pauvre fellah, couvert d'un burnous immonde de malpropreté et de vétusté, et placé dans les plus tristes conditions d'habitation et d'alimentation. Tous les âges en sont également tributaires, excepté les six premiers mois de la vie, pendant lesquels apparaît généralement la syphilis héréditaire. Il est donc logique d'exclure l'hérédité comme point de départ, et d'attribuer le développement du mal, tantôt à une infection par des accidents primitifs dont les traces sont manifestes, tantôt et le plus souvent à la transmission d'accidents secondaires au milieu de populations vivant dans une promiscuité misérable, la dépravation et l'ignorance (*syphilis insontium*).

C'est en effet dans ce milieu de conditions favorables à sa perpétuité que la syphilis constitue en Algérie un foyer endémo-épidémique semblable à ceux qui ont été signalés en Illyrie, sur les côtes de l'Adriatique, dans les provinces occidentales de l'Écosse, dans les pays scandinaves, les côtes occidentales d'Afrique, aux Antilles et dans l'Amérique du Sud. Si le nom de lèpre kabyle doit aller se perdre dans l'histoire de la syphilis, comme ceux de Scherlievo, de Falcadine, de Sibbens, de Radesyge, il pourra figurer à côté du yaws des Antilles et du bouton d'Amboine dans l'étude des modifications que le climat peut imprimer aux formes de la maladie; s'il est destiné à disparaître, le nom de lèpre kabyle suggère pour le moment un rapprochement naturel : les Berbères, commerçants, industriels, horticulteurs, agglomérés dans des villes et des villages, habitant des maisons basses, insalubres, mal aérées, reproduisent par leur vie sociale, leur malpropreté, leurs maladies, les mœurs du moyen âge. Mais, tandis qu'en Europe, le christianisme et le génie patient des peuples du Nord refoulaient dans le passé les grandes épidémies des maladies de la peau, en multipliant à l'infini les léproseries, en introduisant l'usage du linge de corps et le luxe de la propreté; l'invasion arabe immobilisait en Algérie la civilisation berbère, et aggravait le mal en substituant à l'idée chrétienne le dogme de la fatalité et la tolérance pour la dépravation des mœurs. LAVERAN.

LÉPROSERIES. *Voy.* ÉLÉPHANTIASIS.

LE PRESE (EAU MINÉRALE ET CURE DE PETIT-LAIT DE), *athermale, amétallite, carbonique et sulfureuse faible*, en Suisse, dans le canton des Grisons, à 3 kilomètres de Poschiavo sur la rive septentrionale du joli lac de ce nom, alimenté par le ruisseau le Poschiavino et par les cascades qui tombent des glaciers voisins, est au fond d'une vallée circonscrite par une chaîne de montagnes, qui s'étend de la ville de Poschiavo à Le Prese. (Chemin de fer de Paris à Chur (Coire) d'où la nouvelle route de Samaden et de la Bernina conduit à Le Prese. On peut aller aussi par le chemin de fer de Paris à Turin d'où une voiture conduit en vingt-quatre heures à Le Prese.) Le Prese est à 962 mètres au-dessus du niveau de la mer; la chaleur, quoique assez variable, y est cependant beaucoup plus égale et beaucoup plus douce qu'aux autres stations minérales du voisinage (*voy.* SAINT-MORIZ, BORMIO et TARASP); le thermomètre indique, en effet, 17° centigrade, comme température moyenne des mois de la saison, qui commence le 20 juin et finit le 15 septembre. La proximité du lac, des pics recouverts de neige, au lieu de produire de la pluie et des brouillards, comme on aurait pu le craindre, entretient la pureté de l'air qui est rarement humide. Le climat doux et relativement assez chaud fait que l'établissement de Le Prese est fréquenté non-seulement par des buveurs et des baigneurs, mais par presque tous les touristes qui visitent l'Engadine et la Valteline.

La station de Le Prese n'a qu'une source, qui se nomme *la sorgente Caddea* (la source Caddea), son origine est à 50 mètres du bâtiment principal qui sert à l'administration des bains et au logement des malades, et à 40 mètres du mur qui limite au nord le lac de Poschiavo. Son bassin de captage, en granit, est carré. Un conduit de bois vient aboutir au-dessous du niveau de l'eau, et emporte au grand établissement l'eau nécessaire pour l'alimentation des baignoires et des appareils de douches. L'ouverture d'un deuxième tuyau, incomplétement fermée, ne laisse passer que la quantité d'eau convenable pour l'alimentation des deux buvettes.

L'eau minérale, vue en masse, est assez claire et assez limpide pour permettre de distinguer aisément la couleur du sable du fond de son puits, et des corpuscules nombreux, semblables à des mucosités blanchâtres, qui sont suspendues ou surnagent dans le bassin. Ces corps étrangers ont tout à fait l'aspect de la barégine, dont ils n'ont pourtant ni la douceur ni l'onctuosité. Lorsqu'on entre dans le pavillon, l'odorat ne renseigne aucunement sur la qualité de la source, même lorsqu'on a eu la précaution de fermer la porte et de découvrir le puits, afin de mettre l'eau en contact plus direct et plus facile avec l'air atmosphérique. Cette eau, dont la surface n'est qu'à 10 centimètres du bord du bassin, puisée dans un verre est claire, limpide et transparente, elle laisse distinguer cependant les fragments très-petits, qu'elle tient en suspension ; des bulles de gaz peu volumineuses la traversent et mettent dix secondes à gagner sa surface ; elle n'a nulle odeur hépatique, mais sa saveur l'est très-manifestement ; elle est plus prononcée que celle de la plupart des sources sulfureuses et sulfurées. Sa réaction est neutre ; sa température est de 8°,2 centigrade, celle de l'atmosphère du pavillon étant de 14°,2 centigrade ; sa densité est de 1,0003. L'analyse chimique de l'eau de la source Caddea a été faite en 1855, par M. le docteur Wittstein (de Monaco), qui a trouvé sur 1000 grammes les principes suivants :

Sulfate de potasse	0,0738
— soude	0,0250
— ammoniaque	0,0090
— chaux	0,0650
Chlorure de calcium	0,0045
Phosphate de chaux	0,0038
Sous-sulfate de chaux	0,0084
— magnésie	0,0568
Bicarbonate de magnésie	0,0095
— oxyde de fer	0,0065
Acide silicique	0,0260
Matière organique	0,0290
TOTAL DES MATIÈRES FIXES	0,3173

Gaz.	Acide carbonique libre	0,0140 gramme.
	— sulfhydrique	0,0070 —
	TOTAL DES GAZ	0,0210 gramme.

Les moyens balnéothérapiques de la station de Le Prese se composent de deux buvettes et d'une maison de bains.

L'eau de la buvette des payants a les mêmes caractères qu'au griffon, sauf qu'elle contient une moins grande quantité de flocons gris-blanchâtres ; l'eau de la seconde buvette a une odeur désagréable, à peine supportable même, qui a beaucoup d'analogie avec celle des fèces humaines, ce qui prouve certainement la décomposition au contact de l'air du sulfate d'ammoniaque qu'elle tient en dissolution.

L'établissement de Le Prese, de construction récente et parfaitement approprié à sa destination, a onze cabinets de bains non précédés de vestiaires. Les salles éclairées par une fenêtre renferment quinze baignoires de marbre. La pièce qui porte le n° 1 a une baignoire surmontée d'un appareil complet de douches, dont l'eau vient d'un bassin de bois doublé de zinc, fixé à 3 mètres de hauteur. Les pièces n°s 2, 4, 8 et 10, ont des baignoires doubles. Les canaux de bois qui apportent l'eau sulfureuse du griffon sont remplacés, à leur entrée dans les cabinets, par des tuyaux de plomb de 3 centimètres de diamètre ; ils se terminent par un robinet de cuivre, placé au fond des baignoires. Un canal rempli de vapeur, auquel aboutissent deux tuyaux de cuivre qui la descendent au fond de la baignoire, et qui la conduisent autour de ses parois internes, sert au besoin à élever la température des bains, suivant les prescriptions médicales ou le désir des baigneurs.

Mode d'administration et doses. L'eau de la source de Le Prese, se prend à la dose de quatre à six verres de 150 grammes chacun, le matin à jeun et de quart d'heure en quart d'heure. La durée des bains est ordinairement de vingt minutes à une demi-heure, celle des douches est de cinq à quinze minutes.

Il faut avoir soin, au début de la cure par l'eau de Le Prese en boisson, de ne pas donner de trop fortes doses, car elle est très-excitante, et déterminerait un mouvement fébrile et une exaltation générale, qui pourraient forcer d'interrompre le traitement. Les sujets à tempérament irritable font donc bien de n'en boire qu'un demi-verre ou un verre pendant les premiers jours, afin de s'habituer progressivement à l'effet des eaux de la source Caddea ; il est bon même quelquefois de ne pas prendre cette eau pure, et de la couper avec une certaine quantité de lait, d'une infusion émolliente, et de l'édulcorer avec un sirop béchique.

Emploi thérapeutique. L'eau de Le Prese est aisément supportée, lorsque son emploi interne et externe est sagement dirigé ; voici quels sont les effets physiologiques qu'elle produit le plus habituellement. La constipation manque le moins souvent, ce dont les buveurs doivent être prévenus ; on doit les avertir aussi que cet état ne continue pas, et qu'après les cinq ou six premiers jours, les selles redeviennent régulières. L'appétit augmente alors et les digestions se font mieux et plus promptement. L'usage interne des eaux de la source Caddea rend plus fréquents les battements du cœur et du pouls, il active la sécrétion urinaire et il augmente la transpiration cutanée. Les personnes qui sont atteintes d'un catarrhe laryngien ou bronchique expectorent avec beaucoup plus de facilité, et leurs crachats changent de couleur ; de jaunes, ils deviennent verdâtres ; de compactes, ils deviennent opalins ou tout à fait muqueux.

L'administration des bains et des douches n'a pas un résultat très-marqué sur l'homme sain, ainsi que nous l'avons constaté en nous mettant pendant une demi-heure dans l'eau de Le Prese chauffée à 33° centigrade. Nous avions vingt-trois mouvements respiratoires par minute, et soixante-trois pulsations artérielles ; les urines étaient acides et la salive alcaline. Au bout de dix minutes d'immersion, le pouls battait soixante-seize fois, et la respiration était à vingt-quatre par minute ; après un quart d'heure, le pouls était le même, et la respiration était à vingt-deux. Après vingt minutes, le pouls monta à quatre-vingt-huit pulsations, les mouvements respiratoires ne s'étaient pas modifiés. Au bout d'une demi-heure, vingt-deux respirations et quatre-vingt-huit pulsations. L'urine était beaucoup moins acide et la salive était neutre; la peau était douce et onctueuse au toucher.

Les bains avec l'eau de la source Caddea n'ont presque aucune influence sur la respiration, sur la qualité de l'urine et de la salive; mais ils activent sensiblement la circulation sanguine. Ils n'occasionnent presque jamais la poussée; ils agitent presque toujours assez, dans les premiers jours au moins, pour causer de l'insomnie et des rêves pénibles. Après sept à huit jours, il est bien rare que les malades ne jouissent pas, au contraire, d'un bien-être et d'un calme qui ne leur sont pas habituels. Les douches ont les mêmes résultats que les bains; seulement elles activent plus encore la circulation sanguine.

Les eaux de Le Prese sont employées avec succès en boisson, en bains et en douches dans la diathèse scrofuleuse; les eaux sulfureuses et sulfatées ammonicales de Caddea ont, sous ce rapport, une action spéciale plus énergique que les sources sulfurées et sulfureuses qui renferment même une notable proportion de chlorure de sodium, d'iodures et de bromures. Ces eaux, en boisson principalement, sont indiquées dans les catarrhes chroniques des membranes muqueuses, et surtout dans ceux qui siégent dans le larynx ou les bronches; mais elles n'ont jamais donné de résultats favorables dans la phthisie tuberculeuse des voies respiratoires.

Les affections humides de la peau sont plus favorablement traitées par l'usage des eaux de Le Prese en boisson, et surtout par les bains et par les douches; l'herpès, l'eczéma et l'ecthyma sont les maladies cutanées qui cèdent le plus promptement et le plus sûrement. Le psoriasis résiste d'avantage, mais non toujours.

L'anémie et la chlorose cèdent souvent à l'effet excitant et tonique de ces eaux minérales; la situation topographique de l'établissement de la vallée de Poschiavo, l'air pur qu'on y respire, les excursions intéressantes, nombreuses et variées qui sont l'occasion de promenades journalières, favorisent singulièrement l'action du traitement hydrosulfureux, dont l'efficacité n'est cependant mise en doute par personne. Les remarques qui précèdent nous exemptent d'insister d'avantage sur les vertus de ces eaux dans la menstruation irrégulière, difficile ou douloureuse, la leucorrhée, l'aménorrhée, etc., de jeunes filles affectées de chlorose. L'eau de la source de Caddea réussit parfaitement encore dans les empoisonnements métalliques arsenicaux, mercuriels ou saturnins.

Les eaux très-excitantes de Le Prese sont *contre-indiquées* chez les personnes irritables dont le système nerveux a besoin de calme, ou à celles dont la circulation sanguine ne peut être accélérée sans danger.

On peut suivre encore à Le Prese un traitement par le petit-lait de chèvres, d'ânesses ou de vaches. On peut y prendre aussi des bains de décoction de bourgeons de sapin.

La *durée de la cure* est de vingt et un jours.

On *exporte* peu les eaux de Le Prese. A. ROTUREAU.

BIBLIOGRAPHIE. — KILLIAS (docteur). *Brevi cenni sopra le acque solforose di Poschiavo.* Poschiavo. 1858. A. R.

LEPTOCARGA. Nom que donne Dioscoride (II, 444), d'après Mérat et Delens (*Dict.*, IV, 90), au *Corylus Avellana*. (*Voy.* NOISETTIER.) H. BN.

LEPTOMITE (*Leptomitus* Ag.). Genre d'Algues, créé par Agardh, qui l'a rapporté au groupe de ses Confervoïdées ; ce genre a donné son nom à la tribu des *Leptomiteæ* du même auteur (*Syst.*, XXII, part.). Les caractères généraux des Leptomitées sont, d'après lui, les suivants. Ce sont des végétaux représentés par des filaments grêles, presque hyalins, à articulations peu visibles, qui se fixent sur les corps organiques plongés dans les liquides. Ces plantes ont été considérées comme intermédiaires aux Algues proprement dites, aux Hypnacées et aux Fungi-nées. Le genre Leptomite est caractérisé, dans cette tribu, par des filaments articulés, atténués au sommet, rameux, à articles creux, vaginiformes. Leurs spermaties ou sporidies sont latérales, rarement placées dans les interstices, et entourées d'une enveloppe (*epispermium*) transparente. Endlicher (*Gen.*, 4, n. 38) a rapporté à ce genre les suivants, dont plusieurs sont conservés par beaucoup d'auteurs comme distincts : 1° *Saprolegnia* Nees, 2° *Achlya* Nees, 3° *Pythium* Nees, 4° *Hydronema* Car., 5° *Sphærotilus* Kuetz. Il y a six espèces de *Leptomitus* dont l'étude intéresse la médecine ; mais plusieurs d'entre elles sont considérées comme douteuse, ou sont très-incomplétement connues.

1. *Leptomite de Hannover* (*Leptomitus ? Hannoveri* Ch. Rob., *Des végét. qui croissent*, etc., 847, 42 ; *Vég. paras.*, 362, t. II, fig. 11, 12, *a*, *b*). Cette espèce est formée de filaments droits, déliés, tantôt transparents, tantôt remplis d'un contenu muqueux ou grenu. Ces filaments, très-ramifiés d'un côté ou des deux côtés, ont des branches de même calibre, ou à peu près, que le tronc. Les extrémités sont obtuses, ou un peu atténuées, quelquefois, mais rarement un peu renflées. C'est Ad. Hannover qui a découvert en 1842 cette plante, dans une masse en bouillie qui tapissait l'œsophage, lequel présentait des excoriations n'ayant causé aucun symptôme. La même espèce a été retrouvée, dans des cas de typhus, par Hannover, qui l'avait considéré comme constituant une même forme végétale que les filaments du mycelium de l'*Achorion Schœnleinii* Rem., et qui a décrit et représenté les filaments du *Leptomitus*, entremêlés de spores, comme un mélange « de la forme végétale filamenteuse et de la celluleuse. » Le Leptomite fut dès lors regardé par lui comme se multipliant par division, puisqu'il ne possédait point de spores.

2. *L. urophile* (*L. urophilus* Montagne, in *Ann. sc. nat.*, sér. 2, XII, 285). Cette espèce forme de petites touffes, hautes de 2 ou 3 millimètres, hémisphériques, gélatineuses. Les troncs ou filaments principaux semblent naître d'un point central duquel ils s'irradient dans tous les sens ; ils sont hyalins, très-ramifiées dès leur base, et ils ont à peine 0mm,0075 d'épaisseur. Leurs branches sont étalées ; les rameaux de troisième ordre sont ternés ou quaternés, obtus. Plus ils se divisent, et plus leurs ramifications sont ténues. Les articles sont d'une longueur variable, les uns aussi longs que larges, les autres une fois et demie plus longs qu'épais. On n'y a distingué aucune gonidie ; mais Montagne a aperçu au centre un espace orbiculaire transparent qui est peut-être une gouttelette huileuse (?) C'est Rayer qui a trouvé cette végétation, dans une urine morbide, rendue avec des poils. Peut-être n'est-elle qu'un état imparfait, déformé par le milieu dans lequel elle a été observée, de quelque autre plante plus compliquée et susceptible de fructifier dans un milieu approprié.

3. *L. de l'œil* (*L. ? oculi* Küch.). C'est une plante qui, à un grossissement de 250 diamètres, apparut comme ramifiée, déchirée en quatre parties dont les portions consistaient « en cylindres confervoïdes et en séries de spores disposées en chapelet. » Helmbrecht, qui l'a fait connaître, rapporte qu'elle a été découverte

chez un prédicateur âgé de 42 ans, et qui, quelques années avant, avait eu une inflammation rhumatismale des deux yeux, accompagnée d'épiphora. Il lui survint subitement, dans l'œil gauche, la sensation d'un objet trouble, en forme de fleur, avec stries rayonnées ; symptômes qui disparurent sous l'influence d'une médication particulière, mais qui reparurent ultérieurement, sous forme d'images constantes, se mouvant dans différentes directions, le malade pouvant indiquer nettement ces déplacements, suivant les directions diverses qu'il donnait à l'axe visuel. L'œil droit présentait en même temps des images de mouches volantes. Helmbrecht et Klenke pensèrent qu'il s'agissait d'un corps situé au-devant du cristallin et baignant dans l'humeur aqueuse. Les mouvements de cette production singulière devinrent plus libres, après une chute de voiture que fit le malade ; il semblait alors à celui-ci que l'image flottante, autrefois fixée par un point d'attache au côté interne du champ visuel, était devenue totalement libre, et qu'elle s'était déchirée en deux portions, nageant, l'une à droite et l'autre à gauche. La secousse avait sans doute arraché le végétal de son point d'implantation. Helmbrecht eut alors l'idée de ponctionner la cornée et de faire écouler au dehors l'humeur aqueuse, qui entraîna au dehors la production végétale dont nous avons reproduit plus haut les caractères. Le malade fut, dit-on, dès lors guéri. Neuber remarqua alors que ce fait confirme ce qu'il avait dit de la cause des taches et des mouches volantes, savoir qu'elles sont dues à une végétation parasite, analogue aux Algues, aux Conferves, et dont on pourrait débarrasser les malades en pratiquant la paracenthèse de la chambre oculaire antérieure.

4. *L.? de l'épiderme* Ch. Rob., *op. cit.*, 364, t. VI, fig. 1 (*L.? epidermidis* Küch.). On a donné ce nom à des filaments byssoïdes « analogues à ceux du muguet, » que M. Gubler observa sur des boutons déchirés, semblables à des vésicules d'eczéma, qui s'étaient produits sur une plaie de la main par arme à feu, et soumise à l'irrigation continue. Ces filaments, très-longs, plusieurs fois divisés, étaient moins distinctement articulés et moins diaphanes que ceux du muguet. Il y avait toutefois des cloisons, beaucoup plus rapprochées même dans les branches secondaires et sur les extrémités terminales des filaments primitifs. « Les rameaux, ajoute l'auteur, naissent souvent d'un seul côté, et se détachent à angles plus ou moins aigus, en s'incurvant du côté de l'axe qui leur donne naissance. J'ai vu l'un d'eux terminé par un renflement cellulaire qui n'est probablement qu'une fructification naissante. Mais je n'ai pas rencontré de spores arrivées à leur entier développement qui fussent encore fixées sur les filaments byssoïdes. Toutes les sporidies nageaient librement dans l'eau que j'avais ajoutée pour l'examen. Ces sporidies, ellipsoïdes, droites ou légèrement courbes, sont coupées transversalement par une cloison qui les partage ainsi en deux cellules ou cavités. » Entre les éléments épidermiques, il se trouvait encore une matière finement granuleuse et paraissant servir d'humus à la plante.

5. *L.? du mucus utérin* Ch. Rob., *op. cit.*, 367 (*L. ? uteri* Moq. — *L. muci uterini* Küch. — *Lorum uteri* Wilk.). M. Moulinié a donné, dans l'ouvrage du professeur Robin, la traduction d'un travail de Wilkinson, où sont décrits des filaments de nature végétale, mêlés de corpuscules ovoïdes et sphériques avec ou sans noyaux, qui furent observés dans un écoulement, sans globules de pus, mais d'aspect purulent, provenant de l'utérus d'une femme de 70 ans. Ces filaments, au dire de l'auteur, étaient primaires et secondaires. Le diamètre de ces derniers variait de $\frac{1}{4000}$ à $\frac{1}{8000}$ de pouce ; leurs bords étaient pâles ; leur longueur, variable. Ces filaments étaient tous un peu recourbés, jamais enroulés ni

onduleux; l'action de l'acide acétique rendait leur structure plus évidente, et montrait qu'ils étaient formés de cellules allongées, placées à la suite les unes des autres, comme dans certaines Algues d'eau douce. Dans beaucoup de ces filaments, toute trace de structure cellulaire avait disparu, par suite des progrès du développement; d'où leur apparence de fibres simples. Ces filaments secondaires paraissaient, pour la plupart, provenir des filaments primaires par rupture; cependant, dans quelques-uns d'entre eux, l'apparition, vers leurs extrémités, de nouvelles cellules en voie de développement, fait supposer à l'auteur qu'ils pourraient bien avoir une existence distincte des suivants. Les filaments primaires ont un diamètre qui est de deux à six fois celui des filaments secondaires. Les plus larges étaient très-courts, tronqués vers une de leurs extrémités, terminés à l'autre par un faisceau de six ou sept longs filaments secondaires. Les plus étroits offraient une plus grande longueur, et de deux à quatre filaments dans leur faisceau terminal. Vers l'extrémité tronquée des filaments primaires, quelquefois sur un point de leur longueur, on pouvait remarquer des renflements que l'auteur regarde comme destinés à renfermer des spores. Les sporules étaient généralement ovoïdes, quelques-uns sphériques; ceux-ci paraissaient plus petits. L'action de l'acide acétique y faisait souvent apparaître un noyau.

6. *L.? utéricole* (*L. utericola* Moq.— *L.? uteri* Küch., nec Moq.). Cette espèce, d'ailleurs douteuse, pourrait être avec avantage appelée *L.? Lebertianus*, pour éviter des confusions; car, si elle est le *Leptomitus? de l'utérus* du professeur Robin, elle n'est pas le *L. utérin* de Moquin, qui répond au *Leptomitus? du mucus utérin* Rob. C'est M. Lebert qui, en 1850, a observé cette plante dans les circonstances qu'il a indiquées en ces termes : « J'allais fréquemment à l'hôpital de Lourcine où M. Gueneau de Mussy, alors médecin d'une des divisions, enleva sur le col utérin, en ma présence, les altérations dont je désirais examiner la nature intime. Un jour, il enleva quelques granulations du col, et quel ne fut pas mon étonnement, lorsque, en faisant l'examen microscopique, j'y trouvai une algue accolée à la surface de la muqueuse. Je l'avais mise dans un tube propre qui ne pouvait en contenir. Il est très-possible que les spores aient été introduites avec une injection vaginale; en tous cas, le végétal était accolé à la surface du col utérin. » Cette algue, représentée dans l'ouvrage du professeur Ch. Robin (t. V, fig. *a-h*), se composait de tubes pâles, plus étroits, de tubes plus larges, et de spores. Les tubes pâles étaient ramifiés, sans cloisons ni granulations. Les tubes larges étaient articulés, quelquefois ramifiés, et se terminaient par des spores. Celles-ci consistaient en une cellule ovoïde, allongée, granuleuse, ou en une cellule ovoïde ou sphérique, terminée par un prolongement étroit, quelquefois cloisonné, qui d'abord communique avec la cavité de la spore, mais qui souvent ensuite en est séparé par une cloison.

Par les descriptions qui précèdent, on voit que les Leptomites observés chez l'homme sont pour la plupart fort incomplétement connus, et qu'en l'absence totale de leurs organes reproducteurs, on ne peut les rapporter qu'avec doute à ce genre. Probablement, comme nous l'avons déjà indiqué, plusieurs de ces êtres ne sont que des états transitoires d'espèces végétales plus parfaites et mieux connues à leur état complet de développement, et qui, dans un milieu peu approprié, n'ont pu suivre toutes les phases de leur évolution. La plupart viennent du dehors à l'état de germes, soit par l'air, soit avec des liquides introduits dans les cavités naturelles. Ces germes ne prennent aucun accroissement ou ne se développent qu'incomplétement, le sol et les conditions du milieu ambiant n'étant pas favorables à leur évolution normale. Ce n'est pas le végétal parasite, suivant l'opinion de Wilkinson, qui alors détermine une maladie ; mais c'est l'organe malade qui présente des conditions spéciales, favorables au développement de la plante. L'existence de celle-ci peut masquer les accidents dus à la maladie elle-même, elle peut l'aggraver en agissant comme corps étranger ; elle n'en constitue qu'une complication. Souvent encore on ne peut attribuer à la présence du *Leptomitus* lui-même aucun des accidents qui s'observent chez les individus dont le corps leur sert de support. H. Bn.

Agardh, *Syst. Algarum*, Lund., 1824, XXIII. — Biasoletti, *Alg. microscopic.*, t. 13-18. — Endl., *Gen.*, 4, n. 38 (ex parte). — Hannover (Ad.), *Ueber Entophyten auf der Schleimhaut des todten und lebend. menschlich. Kœrp.*, in *Arch. f. Anat. und Physiol. v. Müller*, XV (1842), 280, et in *Repert. f. Anat. und Physiol.* v. Valentin (1843), 84. — Helmbrecht, *Fall ein. conservenart. Afterprod. in der Augenkammer des linken Auges*, etc., in *Wochen. f. gesammt. Heilk.*, v. Casper (1842), 593. — Neuber, *Conservenart. Afterprod.*, etc., in Rec. cit., n. 53. — Robin (Ch.), *Des végét. qui croiss. sur les anim. viv.*, thèse (1847), réimpr. sous le titre de : *Des végét. qui croiss. sur l'homme et les anim. viv.*, avec addit de 3 pl. grav. (1847). — Montagne, in *Mém. de la Soc. de biolog.*, I (1849), 29 ; *Ann. sc. nat.*, sér. 2, XII, 285. — Gubler, *Proc. verb. de la Soc. de biolog.*, 24 janv. 1852. — Wilkinson, *Some rem. upon the developm. of epiphyt., with the descr. of a new veget. form found in conn. with the hum. uter.*, in *the Lancet*, Lond. (1849), 448. — Robin (Ch.). *Hist. des végét. paras., qui croissent sur l'homme et les anim. viv.* (1853), 360, t. II, IV, V, VI.

LEPTOPUS, LEPTUS. *Voy.* Leptus.

LEPTOSPERME, *Leptospermum* (Forster). Arbrisseaux de la famille des Myrtacées, voisins des *Melalenca*, dont ils diffèrent par leurs étamines non soudées en faisceaux. Leurs caractères principaux sont les suivants. Calice à 5 lobes triangulaires, valvaires ; 5 pétales et de nombreuses étamines libres insérés sur le calice ; un ovaire infère ou semi-infère ; un style filiforme terminé par un stigmate capité ; un fruit capsulaire à 3, 4, 5 loges. Les feuilles sont simples, entières et ponctuées.

Les espèces de ce genre croissent dans la Nouvelle-Hollande, la Nouvelle-Zélande et les îles de la même région. Elles contiennent une huile essentielle, qui les rend odorantes et donne à leur infusion des propriétés stimulantes. Ces infusions théiformes des jeunes feuilles et des sommités fleuries, un peu amères et très-aromatiques ont été parfois utiles aux navigateurs pour rétablir les forces de leur équipage, affaibli par le scorbut.

C'est ainsi que Cook a employé avec succès les *Leptospermum scoparium* Forst. de la Nouvelle-Zélande.

Forster. — *Gen.* 36. — D. C. *Prod.* III, 226.

LEPTOTHRIX (de λεπτός, grêle, mince, et θρίξ, cheveu, filament). Genre de plantes parasites, microscopiques, de la classe des Algues, de la sous-classe des Malacophycées et constituant le type de la famille des Leptothricées. Les caractères des Leptothrix sont les suivants : filaments tubuleux, déliés, continus, sans articulations, privés de mouvement, ces filaments ne sont ni rameux, ni engainés, ni cohérents, les cellules propagatrices ne sont pas connues.

En observant les cellules épithéliales et le détritus organique qui se trouve sur la surface de la langue, surtout en arrière, on trouve constamment une grande quantité de petits filaments d'une espèce particulière d'Algue que Charles Robin a nommée *Leptothrix buccalis*. (Ch. Robin, *Des végétaux qui croissent sur les animaux vivants*, grand in-8°, page 42, pl. 1, fig. 1 et 2, 1847.)

Cette algue microscopique se trouve encore dans la matière accumulée dans l'interstice des dents, ou bien dans la cavité des dents cariées; elle a été rencontrée aussi dans des liquides vomis et dans des déjections diarrhéiques. L. Corvisart l'a vue dans l'estomac d'une femme morte d'ictère grave.

Le *Leptothrix buccalis* est formé de filaments roides, droits ou coudés brusquement sous un angle obtus, à bords nets, non moniliformes ou disposés en chapelet, avec les extrémités brusquement arrondies et non effilées. Ces filaments sont larges de 5 dix-millièmes de millimètre, la longueur ordinaire varie de 20 millièmes à 1 centième de millimètre. Ils sont incolores, élastiques, réunis par la base à une gangue amorphe et granuleuse, formant ainsi des touffes ou des espèces de houppes. On voit de ces filaments lisses, mais alors ils ont été détachés de leur support. (*Voy.* Ch. Robin, *Hist. nat. des végétaux parasites*, etc., in-8°, p. 345 et suiv., pl. I, fig. 1 et 2, 1853.) Leurs spores ou corps reproducteurs sont inconnus.

Pour bien observer cette algue, il faut un grossissement considérable; on la trouve facilement au milieu des cellules épithéliales de la langue, dans le mucus buccal avec des vibrions (*Bacterium termo*, *Vibrio lineola* et *bacillus*, etc.). Les personnes d'une bonne santé en offrent tout aussi bien que les malades. Ce végétal se reproduit avec une extrême facilité et du jour au lendemain sur des points où il n'existait pas la veille, par exemple sur les dents brossées et nettoyées avec soin. Les filaments du *Leptothrix buccalis* atteignent une longueur assez considérable et jusqu'à 2 centièmes de millimètre et plus, chez les personnes qui ont laissé accumuler une substance blanche et pulpeuse entre les dents. On voit alors des filaments qui traversent le champ du microscope sous forme de faisceau, ou isolés et qui s'insinuent et passent à travers de petits amas d'épithélium buccal.

Il est probable que ces végétaux nés dans la cavité buccale se détachent et sont entraînés ensuite dans le tube digestif. Les liquides de l'estomac et de l'intestin ne semblent pas favorables au développement du *Leptothrix*, car dans ces milieux les tubes sont généralement courts, isolés, très-rarement implantés sur un support. Les filaments ne paraissent pas se développer d'une manière directe sur les tissus bien vivants, mais plutôt sur un humus formé par des détritus épithéliaux ou alimentaires. Je les ai vus très-abondants sur la couche pultacée des amygdales et du pharynx chez une femme atteinte de scarlatine. (*Recherches sur les affections pseudo-membraneuses*, p. 466, pl. 5, fig. 2, 1861.)

La manière dont se reproduit le *Leptothrix buccalis* n'est pas connue. On voit parfois dans l'intérieur des filaments de petits corps ronds qui sont peut-être des corpuscules reproducteurs, mais rien n'est encore démontré à cet égard.

On connaît d'autres espèces de *Leptothrix* vivant dans le tube digestif de divers insectes et de l'écrevisse commune. Ces végétaux paraissent sans action nuisible pour l'homme ou pour les animaux où on les trouve.

Leeuwenhoek avait découvert les filaments de *Leptothrix* et il les avait décrits en les distinguant des *Vibrio*. Depuis cette époque ils ont été signalés par un grand nombre d'observateurs, Bühlmann, Henle, Bouditsch, Lebert, Vogel, Kœlliker, Wirchow, etc. (*Voy.* Ch. Robin, *loc. cit.*) A. Laboulbène.

LEPTUS. Le Leptus automnal dont on avait fait un genre, qui ne peut être maintenu, n'est qu'une larve de *Thrombidium* (*voy.* Acariens, Arachnides). Il est très-petit et de couleur rouge et connu, dans les campagnes, sous le nom de *Bête d'août*, *Rouget*, *Puceron rouge*. Vivant sur les plantes basses, il s'attaque aux jambes des personnes qui se couchent ou se promènent sur l'herbe, pénètre dans la peau et y détermine de vives démangeaisons. On calme ces démangeaisons par des lotions d'eau vinaigrée ou légèrement ammoniacale. A. Laboulbène.

LEREBOULLET (Dominique-Auguste). Ce savant anatomiste, auquel nous devons le remarquable article, *Anatomie physiologique*, qui figure dans le tome IV de notre Dictionnaire, le dernier écrit, je crois, qui soit sorti de sa plume, était né à Épinal, le 19 septembre 1804. Après avoir terminé ses humanités à Colmar, il alla commencer ses études médicales à Strasbourg, où il se faisait recevoir docteur, le 29 août 1832, et présentait une très-bonne dissertation sur le choléra-morbus qu'il était venu observer à Paris. Tout en exerçant la pratique médicale, Lereboullet consacrait à peu près exclusivement le reste de son temps à des recherches d'anatomie comparée, où le confinèrent plus tard les échecs successifs qu'il éprouva dans ses concours pour l'agrégation. Le célèbre naturaliste Duvernoy, son maître et son collaborateur, ayant été appelé à Paris, Lereboullet, dont les rares connaissances étaient universellement reconnues, se trouva naturellement désigné pour remplir la chaire de zoologie et d'anatomie comparée à la faculté des sciences de Strasbourg. L'un des premiers, il comprit l'importance de l'examen approfondi de cette texture intime des organes, si ardemment cultivée aujourd'hui sous le nom d'histologie. Ses occupations professorales ne l'empêchaient pas de continuer ses travaux, et, en 1845, l'Académie des sciences couronnait son mémoire sur l'anatomie comparée des organes génitaux chez les vertébrés ; six ans après (1851), il obtenait la même récompense à l'Académie de médecine pour son travail sur la question relative à la structure intime du foie et aux altérations pathologiques connues sous le nom de foie gras.

On doit encore à notre auteur d'importantes études d'embryologie comparée, dont il s'occupait assidûment depuis 1849, et qui lui valurent une nouvelle couronne, décernée par l'Académie des sciences en 1863. De ses recherches embryologiques résultaient des vues nouvelles sur la grande question des monstruosités, particulièrement chez les poissons.

Doué de cette activité infatigable qui est l'apanage des hommes d'élite, Lereboullet avait trouvé le moyen de mener de front ses travaux scientifiques, son enseignement, l'administration de l'Académie des sciences dont il était le doyen et la pratique médicale. C'est sans doute à cette multiplicité d'occupations qu'il faut attribuer l'attaque d'apoplexie, ce genre de mort si commun chez les savants, qui l'emporta en quelques heures, le 5 octobre 1865.

Voici l'indication de ses principales publications qui portent généralement l'empreinte de son génie investigateur.

I. *Considérations pratiques sur le choléra-morbus observé à Paris et dans le département de la Meuse pendant l'année* 1832. Th. de Strasb., 1832, n° 1001. — II. *Obs. de phlébite générale et réflexions*, etc. In *Arch. méd. de Strasb.*, t. III, p. 161 ; 1836. — III. *Mélanges de méd. pratique*. Ibid., t. IV, p. 305 ; 1836. — IV. *Entretiens sur la zoologie* (mammifères), dans la coll. Maître Pierre. 1838, in-18, pl. 2. — V. *Tableaux des ordres, des familles et des genres des mammifères, d'après M. Duvernoy*. In *Mém. du muséum d'hist. nat. de Strasb.*, t. II, 1835. — VI. *Anatomie comparée de l'appareil respiratoire dans les animaux vertébrés*. (Th. pour le doctorat ès sciences.) Strasb., 1838, in-4°, pl. 1. — VII. *Essai d'une monographie des organes de la respiration de l'ordre des crustacés isopodes* (avec Duvernoy). In *Compt. rend. de l'Acad. des sc.*, t. XI, p. 581 ; 1840. — VIII. *Inflammation du péritoine observée chez un caïman à lunettes, mort à la suite d'une perforation intestinale*. Ibid., t. XX, p. 350 ; 1845. — IX. *Mém. sur les crustacés de la famille des cloportides qui habitent les environs de Strasbourg*. Ibid., t. XX, p. 345 ; 1845. — X. *Mém. sur la structure intime du foie et sur la nature de l'altération connue sous le nom de foie gras* (Prix de l'Acad, de méd.). In *Mém. de l'Acad. de méd.*, t. XVII, p. 387 ; 1853. — XI. *Recherches d'embryologie comparée sur le développement de la truite*. In *Ann. des sc. nat.*, 4e sér., t. XVI, p. 113 ; 1861. — XII. *Recherches sur les monstruosités du brochet observées dans l'œuf*. Ibid., p. 369, et t. XX, p. 177 ; 1863, 5e sér., t. I, p. 113 ; 1864. — XIII. *Embryologie du lézard*. Ibid., t. XVII, p. 89 ; 1862. — XIV. *Embryologie comparée du Lymnée des étangs*. Ibid., t. XVIII, p. 87 ; 1862. — XV. *Détermination des ressemblances et des différences que présentent dans leur développement les animaux vertébrés et les animaux invertébrés*. Ibid., t. XIX, p. 5, et t. XX, p. 5 ; 1863. — XVI. *Recherches sur la formation des premières cellules embryonnaires*. Ibid., 5e sér., t. II, p. 5 ; 1864, etc. — XVII. Art. *Anatomie physiologique*. In *Dict. encyclop. des sc. méd.*, t. IV ; 1863. — XVIII. Un très-grand nombre d'articles de revues, d'analyses de journaux allemands, in l'*Expérience médicale* et la *Gazette médicale de Paris*. E. Bgd.

LERMINIER (Théodoric-Nélamont), né à Saint-Valery-sur-Somme en 1770, mort à Paris le 8 juin 1836. Lerminier étudia la médecine à Paris et suivit les leçons de Corvisart qui se l'attacha, et comme disciple et comme ami. Après avoir rempli, en 1806, une mission en Bourgogne où régnait une fièvre épidémique causée par un encombrement de prisonniers austro-russes, il revint à Paris et fut nommé médecin de l'Hôtel-Dieu ; en 1808, il était médecin par quartier de la maison de l'empereur, qu'il suivit en Espagne et en Russie. Enfin, en 1815, il passa à la Charité, et il y resta jusqu'à sa mort ; il avait été compris parmi les membres de l'Académie de médecine dès la création de celle-ci. Lerminier n'a rien écrit, il jouissait d'une grande réputation comme praticien, et si son nom a survécu au souvenir de ses contemporains, il le doit à la célèbre *Clinique* de M. Andral son élève, et qui avait recueilli dans le service du médecin de la Charité les observations qui servent de base à son ouvrage. E. Bgd.

LEROUX (?) naquit à Dijon, en 1730. Disciple distingué de Levret, il se livra surtout à la pratique des accouchements dans laquelle il se fit une grande réputation. Il était chirurgien-major de l'hôpital de Dijon, membre correspondant de la Société royale de médecine de Paris. Leroux mourut empoisonné le 23 octobre 1792, pour avoir pris une trop forte dose d'opium destinée à calmer les douleurs que lui causait la gravelle. Ce chirurgien a beaucoup vanté l'utilité du tampon contre les métrorrhagies, il avait aussi reconnu la gravité de celles-ci quand elles sont déterminées par l'implantation du placenta au col de l'utérus.

Voici la liste de ses ouvrages :

I. *Obs. sur les pertes de sang des femmes en couches, et sur les moyens de les guérir*. Dijon, 1776, in-8°, et Dijon et Paris, 1810, in-8°. — II. *Obs. sur la rage, suivies de réflexions sur les spécifiques*, etc. (cour. par l'Acad. de Dijon). Dijon, 1780, in-4°. — III. *Dissert. sur la rage* (cour. par la Soc. de méd. de Paris). In *Mém. de la Soc. de méd. de Paris*, 1783, — IV. *Traitement local de la rage et de la morsure de la vipère*. Édimbourg et Paris, 1785, in-12. E. Bgd.

LEROUX DES TILLETS (Jean-Jacques), né à Sèvres, le 17 avril 1749, il se fit recevoir docteur régent en 1778 ; d'abord attaché à la rédaction du *Journal de médecine*, il composa avec un soin extrême et beaucoup de méthode la table des 65 premiers volumes de cet important recueil. Leroux, en 1789, s'était d'abord jeté dans le grand mouvement politique de cette époque ; mais effrayé des excès auxquels s'étaient laissé entraîner les partis extrêmes, il rentra dans la vie privée. A la création des écoles de santé, il fut nommé professeur de clinique médicale, et en 1810, il succéda à Thouret comme doyen de la Faculté de médecine, place qu'il conserva jusqu'au coup d'État de 1823 qui le rejeta dans la catégorie des professeurs honoraires. Réintégré dans les fonctions de professeur en

1830, il voulut, malgré ses quatre-vingts ans, reprendre ses leçons. Mais les forces trahirent promptement son courage, il fut forcé de se faire suppléer, et deux ans après il succomba à une attaque de choléra pendant la terrible épidémie de 1832. Leroux profitait volontiers des loisirs que lui laissaient ses occupations pour s'adonner à ses goûts littéraires. Ses ouvrages médicaux, bien vieillis aujourd'hui, prouvent cependant un savoir médical solide et un bon jugement.

Nous ne donnons ici que les écrits purement scientifiques de Leroux.

I. *Rapport fait à l'École de médecine de Paris, sur la clinique d'inoculation* (avec Pinel). Paris, 1800, in-8°. — II. *Instruction sur le typhus, fièvre des camps, fièvre des hôpitaux*. Paris, 1814. — III. *Réflexions sur l'établissement d'une Société royale de médecine et de chirurgie*. Paris, 1815, in-4°. — IV. *Mém. et plan d'organisation pour la médecine et la chirurgie*. Paris, 1816, in-4°. — V. *Rapport sur le cimetière de la ville de la Ferté-sous-Jouarre* (avec Desgenettes). Paris, 1820, in-8°. — VI. *Cours sur les généralités de la médecine pratique et sur la philosophie de la médecine* (ouvr. non terminé). Paris, 1825-26, 8 vol. in-8°. — VII. Des *Discours* prononcés aux funérailles de Leclerc, de Baudelocque, de Thouret, de Corvisart, de Hallé. — Divers *Rapports* sur des questions d'administration. Leroux a été longtemps un des rédacteurs du *Journal de médecine et de chirurgie* avec Corvisart et Boyer. E. Bod.

LEROY (**Les**). Plusieurs médecins et chirurgiens de ce nom ont joui d'une réputation qui justifie la place que nous leur donnons ici.

Leroy (Charles), professeur de la Faculté de médecine de Montpellier, membre de la Société royale des sciences de cette ville, de la Société royale de Londres, etc., né à Paris, le 12 janvier 1726, appartenait à une famille de mécaniciens et de mathématiciens distingués : il était fils du célèbre horloger Julien Leroy. Charles avait commencé ses études médicales à Paris, mais la délicatesse de sa santé l'obligea de chercher un climat plus doux, et il alla les terminer à Montpellier où il se fit recevoir docteur. Après un concours brillant, mais dans lequel il avait échoué devant Venel, la première chaire vacante lui fut accordée. Leroy s'était fait à Montpellier une belle position à laquelle, cédant aux vœux de sa famille, il s'arracha en 1777 pour venir à Paris où il mourut, deux ans après, d'un cancer de l'estomac, dans tout l'éclat de sa réputation et de son talent. C'est surtout comme physicien et comme chimiste que Leroy s'était fait remarquer. Sa théorie de la solubilité de l'eau dans l'air pour expliquer la formation des vapeurs a été longtemps admise dans les écoles. On lui doit de bonnes études sur les eaux de Balaruc, sur l'accommodation de l'œil aux distances, dans laquelle il faisait jouer un grand rôle à la dilatabilité de la pupille. Il s'est aussi occupé des fièvres et du pronostic des maladies aiguës.

Ses idées se trouvent exposées dans les ouvrages suivants :

I. *De aquarum mineralium natura et usu*. Montpell., 1758, in-8°. — II. *Questiones chemicæ duodecim pro cathedra vacante*. Ibid., 1759, in-4°. — III. *Diss. de purgantibus*. Ibid., 1759, in-4°. — IV. *Mém. et obs. de méd.* 1re part. contenant deux *Mém. sur les fièvres aiguës et sur le pronostic dans les maladies aiguës*. Ibid., 1766-76, in-8°. — IV. *Mélanges de physique, de chimie et de médecine* (*Mém. sur la rosée, sur les eaux de Balaruc, sur l'accommodation de l'œil aux distances, sur les fièvres aiguës, sur le scorbut*, etc.). Paris, 1771, in-8°.

Leroy (Alphonse-Louis-Vincent). Accoucheur qui a joui parmi ses contemporains d'une réputation que la postérité n'a point sanctionnée. Né à Rouen le 23 août 1742, il commença ses études sous le célèbre Lecat, et vint les terminer à Paris où il se fit recevoir docteur régent en 1778. Une grande facilité d'élocution, une imagination vive, une imperturbable confiance en soi qui sentaient plutôt le Gascon que le Normand, lui attirèrent bientôt une brillante position. C'est là que se placent les discussions qu'il eut à soutenir contre quelques hommes qui lui étaient de beaucoup supérieurs, Baudelocque et Lauverjat entre autres, au sujet de la symphyséotomie imaginée par Sigault et dont il fit en quelque sorte sa propriété par l'ardeur avec laquelle il s'empara de cette découverte. (*Voy.* LAUVERJAT, SIGAULT.) Leroy avait si bien su communiquer aux autres la haute opinion qu'il avait de son mérite que, lors de la réorganisation de la Faculté, il fut nommé professeur d'accouchements. A part ses exagérations. Alph. Leroy, homme au total très-laborieux, n'était cependant pas dépourvu de valeur, mais il lui manquait le jugement et la mesure. Il périt de mort tragique, assassiné dans la nuit du 14 au 15 janvier 1816, par un domestique qu'il avait congédié quelques jours auparavant.

Voici la longue liste de ses ouvrages dans lesquels, au milieu d'idées paradoxales exprimées avec une singulière exaltation de langage, on trouvera quelques préceptes utiles, quelques vues ingénieuses :

I. *Rech. sur les habillements des femmes et des enfants*, ou *Examen*, etc. Paris, 1772, in-12. — II. *Lettre sur la manière dont il faut terminer l'accouchement dans lequel le bras de l'enfant est sorti de la matrice, et examen de l'opinion du docteur Levret à ce sujet.* Paris, 1774, in-12. — III. *La pratique des accouchements.* 1re partie contenant l'*Histoire critique de la doctrine et de la pratique des principaux accoucheurs qui ont paru depuis Hippocrate, pour servir d'introduction*, etc. Paris, 1776, in-8°. — IV. *Alph. Leroy, prof. en méd. à son critique* (Réponse à des attaques de Piet, publiées sous le voile de l'anonyme, contre l'ouvrage précédent). Paris, 1776, in-8°. — V. *Recherches historiques et pratiques sur la section de la symphyse du pubis.* Paris, 1778, in-8°. — VI. *Consultation médico-légale sur la question : L'approche de certaines femmes nuit-elle à la fermentation des liqueurs ?* Paris, 1780, in-12. — VII. *Essai sur l'histoire naturelle de la grossesse et de l'accouchement*, Genève et Paris, 1787, in-8°. — VIII. *Réponse de M. Alph. Leroy à une imputation d'impéritie.* Paris, 1787, in-8°. — IX. *Motifs et plan d'établissement dans l'hôpital de la Salpêtrière d'un séminaire de médecine pour l'enseignement des maladies des femmes, des accouchements et de la conservation des enfants, présentés*, etc. Paris, 1789, in-4°. — X. *L'enfant qui naît à cinq mois peut-il conserver la vie ? Question médico-légale dans laquelle*, etc. Paris, 1790, in-4°. — XI. *De la nutrition et de son influence sur la forme et la fécondité des animaux sauvages et domestiques, avec un mémoire de l'influence de la lumière sur l'économie animale.* Paris, 1798, in-8°. — XII. *Leçons sur les pertes de sang pendant la grossesse, lors et à la suite des accouchements*, etc., publ. par J. F. D. Lobstein. Paris, 1801, in-8°, et ibid., 1803, in-8°. — XIII. *Manuel des goutteux et des rhumatisants, recueil des principaux remèdes rationnels*, etc. Paris, 1803, in-8° ; 2e édit. augmentée de la trad. de l'ouvr. du docteur Tavarès, etc. Paris, 1805, in-8°. — XIV. *La médecine maternelle ou l'art d'élever et de conserver les enfants.* Paris, 1803, in-8°. — XV. *Manuel de la saignée, utilité de celle du pied, danger de celle du bras.* Paris, 1807, in-8°. — XVI. *De la conservation des femmes.* Paris, 1811, in-8°. — XVII. *De la contagion régnant sur l'homme, les vaches, les bœufs*, etc. Paris, 1814, in-8°. — XVIII. Un grand nombre d'articles dans divers recueils scientifiques.

Leroy (JEAN-JACQUES-JOSEPH), dit d'ÉTIOLLES, du nom d'un village près de Corbeil, dans lequel sa famille a longtemps résidé ; il est célèbre surtout pour la part qu'il prit à l'invention de la lithotritie et par l'ardente polémique qu'il soutint à l'occasion de cette découverte. Il était né à Paris le 5 avril 1798 et fut reçu docteur en 1824. Étant encore étudiant, en 1822, il avait soumis au jugement de l'Académie des sciences des instruments propres à broyer la pierre dans la vessie en passant par l'urèthre, ce qu'on avait vainement tenté jusqu'alors. Diverses récompenses, décernées par l'Institut, furent le résultat de cette heureuse invention, dont l'histoire sera d'ailleurs donnée au mot LITHOTRITIE. Leroy d'Étiolles a consacré une partie de son existence au perfectionnement des instruments et des procédés propres au traitement des maladies de l'appareil génito-urinaire, mais sans abandonner pour cela les autres branches de la médecine et de la chirurgie. Et, en effet, Leroy n'était nullement un spécialiste dans le sens étroit de ce mot; un rapide coup d'œil jeté sur ses travaux suffit pour le démontrer. Dans un remarquable mémoire sur l'asphyxie, il a fait voir que l'insufflation pulmonaire peut amener des accidents graves et même la mort, par rupture des cellules pulmonaires, et il a proposé le galvanisme pour rétablir les mouvements respiratoires; le galvanisme a été également conseillé et employé par lui, avec succès, dans les hernies étranglées et les invaginations intestinales. Il a fait de curieuses expériences pour prouver la régénération du cristallin. Toujours préoccupé de l'idée d'appliquer la mécanique à la chirurgie et, comme il me le disait un jour, d'allonger les doigts des chirurgiens, il a imaginé divers instruments pour aller porter des fils au fond de la bouche dans l'opération de la staphyloraphie; dans la fistule vésico-vaginale, il a tenté la cautérisation et l'accollement par larges surfaces à l'aide d'instruments nouveaux; il a décrit un tonsilotome muni d'un crochet qui attire forcément l'amygdale dans l'anneau sécateur. Il a fait diverses expériences pour démontrer que la compression exercée sur une certaine étendue d'une artère, unie à l'acupuncture, peut amener la guérison des anévrysmes..... Nous n'en finirions pas si nous voulions passer en revue toutes les inventions de Leroy d'Étiolles, y compris les bourrelets en réseau élastique pour les petits enfants, un clysoir, les canons se chargeant par la culasse, les bombes éclatant par le choc, etc., etc.

De même que Beaumarchais, Leroy a pu dire : « Ma vie est un combat. » En lutte permanente avec ceux de ses confrères qui s'adonnaient à la spécialité des maladies de l'appareil génito-urinaire, il prit encore à partie les chirurgiens qu'il appelait encyclopédistes et dont quelques-uns semblaient méconnaître, fort injustement d'ailleurs, ses connaissances et ses aptitudes générales. Mais, il faut bien le dire, Leroy se prêtait sans trop de répugnance à ces incessantes polémiques, dans lesquelles se déployaient à l'aise sa verve intarissable et son esprit éminemment sarcastique.

Leroy mourut, à peine âgé de soixante-deux ans, dans le mois d'août 1860, laissant une multitude de traités, de brochures, de mémoires, d'articles de journaux, etc. Nous donnerons seulement les plus importants et ceux dans lesquels il a rassemblé des recherches antérieures.

I. *De la rétent. d'urine dans la vessie par suite du rétrecissement*, etc. Th. de Paris, 1822, n° 3. — II. *Exposé des divers procédés employés jusqu'à ce jour pour guérir de la pierre sans avoir recours à l'opération de la taille*. Paris, 1825, in-8°, pl. 6. — III. *De hydrocele tunicæ vaginalis*. Th. de conc. (agrég. chir.). Paris, 1828, in-4°. — IV. *Tableau historique de la lithotritie*. Paris, 1830, 1 f. in-fol. — V. *Mém. sur la cystotomie épipubienne*. Paris, 1837, in-8°. — VI. *Histoire de la lithotritie, augmentée d'une lettre*, etc. Paris, 1839, in-8°. — VII. *Recueil de lettres et de mémoires adressés à l'Académie des sciences*, etc. (collect. de travaux antérieurs publiés dans divers recueils). Paris, 1844, in-8°, fig. — VIII. *Urologie. Traité des angusties ou rétrécissements de l'urèthre, leur traitement rationnel*. Paris, 1845, in-8°, fig. — IX. *Sur les avantages des bougies tortillées et crochues*, etc. Paris, 1852, in-8°. — X. *De la cautérisation d'avant en arrière, de l'électricité et du cautère électrique dans le traitement des rétrécissements de l'urèthre*. Paris, 1852, in-8°. — XI. *De l'extraction des corps étrangers solides autres que les pierres ou leurs débris*. Bruxelles, 1854, in-8°. — XII. Traduct. d'une part. du *Dict. de chir. de S. Cooper;* une foule de notes et mémoires dans les divers journaux, comptes rendus académiques, etc. E. Bgd.

LES ANDELYS (EAU MINÉRALE DE). *Voy.* ANDELYS.

L'ESCLUSE (CHARLES DE). L'un des botanistes les plus célèbres du seizième siècle, né à Arras le 19 février 1526, mort à Leyde le 4 avril 1609. Il faut que le charme de l'étude des plantes soit bien puissant sur certaines natures, puisque de l'Escluse, malgré la volonté de son père, Michel de l'Escluse, seigneur de Watènes, et celle de sa mère, Guillelmine Quineaut, ne put rester sur les bancs de l'école de droit de Louvain et troqua les Pandectes contre la Flore. Sa vie, du reste, fut assez aventureuse. Dès l'âge de vingt ans, il était à Wittemberg, pour entendre le célèbre Mélanchthon; l'année suivante, on le retrouve à Strasbourg, puis à Montpellier, où il obtint le grade de licencié. En l'année 1560 il est à Arras, poussé là par la guerre entre la France et l'Espagne. En 1562, il visite Paris; en 1564, il est en Allemagne; il visite aussi l'Espagne, le Portugal; dans l'espace compris entre les années 1565 et 1571, il vit tranquille à Arras; mais il fait alors un nouveau voyage à Paris et en Angleterre. De 1573 à 1587, on le voit appelé par l'empereur Maximilien II à remplir la place de directeur du jardin botanique de Vienne. Enfin, las des intrigues de la cour, il quitte l'Autriche, se retire à Francfort-sur-le-Mein, s'y casse le fémur dans une excursion botanique aux environs, se fait porter à Leyde pour y tenir une chaire de botanique et y meurt, comme nous venons de le dire. Son corps fut inhumé dans l'église de Notre-Dame de cette ville. Évrard Vorstius a prononcé son éloge funèbre (1611, in-4°); les poëtes ont pleuré sa mort dans des vers touchants. Je ne sais rien de plus joli que cette épitaphe :

Qui videt hos flores tumuli de vertice nasci,
Hæc cineri tellus ultima dona dedit.
O bene, quod tumulo claudatur Clusius isto!
Qui coluit flores, floribus ille jacet.

Voici la liste des ouvrages de Charles de l'Escluse, dont le nom latinisé, est Clusius :

I. *Histoire des plantes, en laquelle est contenue la description entière des herbes, leurs espèces, formes, noms, tempéraments, vertus et opérations.* Anvers, 1557, in-fol. — II. *Antidotarium Florentinum, sive de exactâ medicamentorum ratione libri tres, ex Græcorum, Arabium, et recentiorum medicorum scriptis, a medicis Florentinis collecti.* Anvers, 1561, in-8°. — III. *Les vies de Hannibal et de Scipion l'Africain, avec les vies des hommes illustres de Plutarque, traduites par Amyot.* Paris, 1565, in-fol. — IV. *Aromatum et simplicium aliquot medicamentorum apud Indos nascentium historia.* Anvers, 1567, in-8°, etc. — V. *Simplicium medicamentorum ex novo orbe delatorum, quorum in medicinâ usus est.* Anvers, 1574, in-8°, etc. — VI. *Rariorum aliquot stirpium per Hispaniam observatorum historia, libris duobus expressa.* Anvers, 1576, in-8°, avec 229 figures. — VII. *Aliquot notæ in Græciæ aromatum historiam, descriptiones nonnullorum stirpium, et aliarum exoticarum rerum quæ a generoso viro Francisco Drake, equite anglo, et his observatæ sunt qui cum in longa illa navigatione, qua proximis annis universum orbem circumivit, comitati sunt, et quarundam peregrinorum fructuum, quos Londini ab amicis accepit.* Anvers, 1582, in-8°. — VIII. *Libri tres, magna medicinæ secreta et varia experimenta continentes.* Leyde, 1601, in-8°. — IX. *Rariorum aliquot stirpium et plantarum per Pannoniam, Austriam, et vicinas quasdam provincias observatorum, historia, quatuor libris expressa.* Anvers, 1583, in-8°, avec 358 planches. — X. *Plurimarum, singularium et memorabilium rerum in Græcia, Asia, Ægypto, Judæa, Arabia, aliisque exteris provinciis ab ipso conspectarum, observationes, tribus libris expressæ.* Anvers, 1589, in-8°. (Trad. d'un ouvrage français de Pierre Belon.) — XI. *Rariarum plantarum historia.* Anvers, 1601, in-fol. — XII. *Exotiquorum libri decem, quibus animalium plantarum, aromatum, aliorumque peregrinorum fructuum, historiæ describuntur.* Anvers, 1601; in-fol. — XIII. *Curæ posteriores, seu plurimarum non ante cognitarum aut descriptarum stirpium, peregrinorumque aliquot animalium novæ descriptiones*, etc. Leyde, 1609, in-8°. A. C.

LES GUIBERTS (EAU MINÉRALE DE), *athermale, bicarbonatée calcique moyenne, carbonique et sulfureuse faible.* Dans le département des Hautes-Alpes, dans l'arrondissement de Briançon, sur le bord de la petite rivière de la Guisanne, émerge la source de Les Guiberts, dont le débit est de 50,000 litres en vingt-quatre heures. Son eau est claire, transparente et limpide, mais elle laisse déposer sur les parois de son bassin des filaments blanchâtres qui ressemblent à de la barégine et à de la sulfuraire; son odeur et sa saveur sont manifestement hépatiques; sa température est de 14°,3 centigrade. M. Niepce a trouvé dans 1,000 grammes de l'eau de la source de Les Guiberts les principes qui suivent :

Carbonate de chaux	0,746
— magnésie	0,058
Sulfate de soude	0,001
— chaux	0,029
— magnésie	0,210
Chlorure de sodium	0,314
— calcium	0,021
— magnésium	0,097
Matières organiques, glairine	traces.
TOTAL DES MATIÈRES FIXES	1,456
Gaz: Acide carbonique	0 litre 08928
Gaz: Sulfhydrique	0 — 01532
Gaz: Azote	0 — 00730
TOTAL DES GAZ	0 litre 11190

L'eau de Les Guiberts n'est employée qu'en boisson et d'une façon peu méthodique par les malades des environs qui ont besoin ou croient avoir besoin des sulfureux.

A. R.

LES ROCHES (EAU MINÉRALE DE), *athermale, chlorurée sodique moyenne et bicarbonatée ferrugineuse faible, carbonique forte.* Dans le département du Puy-de-Dôme, dans l'arrondissement de Clermont-Ferrand, à 1 kilomètre à peine de la ville, dans la commune de Chamalières, sur le territoire des Roches, près du moulin de Beaurepaire, sur la rive droite de la petite rivière de Tiretaine, émerge du terrain tertiaire la source des Roches, connue aussi sous le nom de *source de Beaurepaire*. Elle fait partie du régime de ROYAT (*voy.* ce mot) et la plupart des auteurs la décrivent en parlant de cette station thermale. Nous consacrons un article particulier à cette source, parce que les indications thérapeutiques de son eau, son mode d'administration, ses doses, et l'emploi que l'on fait de son gaz, ne sont pas du tout les mêmes que ceux de la source de Royat.

La source des Roches est régulièrement captée, depuis l'année 1843, dans un puits au sortir duquel elle est reçue dans un réservoir recouvert d'une plaque de métal qui s'oppose au dégagement dans l'air de l'acide carbonique. Ce gaz est conduit par des tuyaux qui le mettent en communication avec des bouteilles remplies de limonades ou d'eau de Seltz artificielles. Son débit est de 30,000 litres en vingt-quatre heures. Cette eau est limpide et incolore, elle n'a d'autre odeur que celle de l'acide carbonique. Sa saveur est à la fois salée, ferrugineuse et piquante. Sa température est de 19°,5 centigrade; sa densité est de 1,0019. Son analyse chimique a été faite en 1857, par M. J. Lefort, qui a trouvé dans 1,000 grammes d'eau les principes suivants :

Chlorure de sodium	1,165
Bicarbonate de chaux	0,822
— magnésie	0,514
— soude	0,428
— potasse	0,312
— fer	0,042
— manganèse	traces.
Sulfate de soude	0,123
A reporter	3,406

Report. . . .	3,406
Phosphate de soude	0,005
Arséniate de soude	traces.
Iodure et bromure de sodium	indices.
Silice	0,089
Alumine	traces.
Matière organique	indices.
TOTAL DES MATIÈRES FIXES	3,500
Gaz acide carbonique libre	0 litre 851

L'eau de cette source est employée à l'intérieur seulement. On a fait construire un élégant pavillon pour abriter les buveurs de la pluie ou du soleil. Quatre robinets, fixés à la partie inférieure de la façade principale, versent à volonté l'eau des Roches, ordinairement prescrite à la dose de quatre à six verres par jour. Cette eau est excitante, tonique et légèrement diurétique. Elle est employée principalement dans les dyspepsies occasionnées par une atonie de l'estomac et de l'intestin ; dans l'anémie ; dans la chlorose et dans les affections de la vessie et des reins où il convient d'augmenter la quantité des urines. C'est assurément l'acide carbonique et le chlorure de sodium qui sont les éléments minéralisateurs capables d'expliquer l'efficacité de l'eau des Roches dans les difficultés de digérer venant d'un défaut de contractilité de l'estomac ou de l'intestin ; le chlorure de sodium et surtout le fer reconstituent le sang des sujets lymphatiques, des convalescents et des chloro-anémiques, tandis que c'est probablement l'acide carbonique et les bicarbonates alcalins qui donnent la clef de la vertu de ces eaux lorsqu'il s'agit de catarrhes, de sables ou de petits graviers des voies uro-poiétiques.

Durée de la cure, de vingt à trente jours.

On *exporte* beaucoup l'eau des Roches à Clermont-Ferrand et aux environs où elle est consommée comme eau médicamenteuse et surtout comme eau d'agrément.

A. ROTUREAU.

BIBLIOGRAPHIE. — BANC (Jean). *La mémoire renouvellée des merveilles des eaux naturelles en faveur de nos nymphes françoises*. Paris, 1605. — CHOMEL (J. F.). *Traité des eaux minérales de Vichy..., de Beaurepaire*, etc. Clermont-Ferrand, 1734. — NIVET (V.). *Dictionnaire des eaux minérales du département du Puy-de-Dôme*. Clermont-Ferrand. 1846, in-8, p. 222-224. — HENRY (Ossian fils) et GONOT. *Etude sur l'eau minérale des Roches*. Paris, 1856, 8 pages. — HENRY (Ossian). *Rapport sur l'eau minérale des Roches près Clermont-Ferrand* (Puy-de-Dôme). In *Bulletin de l'Académie impériale de médecine*, t. XXII, p. 1075. — LEFORT (J.). *Etudes chimiques sur les eaux minérales et thermales de Royat et de Chamalières* (Puy-de-Dôme). In *Annales de la Société d'hydrologie médicale de Paris*, 1856-1857, t. III, p. 130-132. — BASSET (P. L.). *Etudes sur les eaux thermales de Royat* (Puy-de-Dôme). Paris, 1866, in-12, p. 7-8. A. R.

LES SABLES D'OLONNE (STATION MARINE). Dans le département de la Vendée, est un chef-lieu d'arrondissement peuplé de 6,996 habitants, à 5 kilomètres à l'ouest d'Olonne et à 37 kilomètres au sud-ouest de Napoléon-Vendée. La ville est bâtie sur une langue de sable qui s'avance dans la mer (un des embranchements du chemin de fer de l'Ouest conduit aux sables d'Olonne). Le principal commerce de ce petit port de mer consiste dans la vente des sardines que l'on pêche aux environs, et dans l'affrétement de bateaux qui, chaque année, se rendent au banc de Terre-Neuve d'où ils rapportent de la morue fraîchement salée. La plage des Sables d'Olonne a plus de 8 kilomètres de longueur ; elle est constituée par un sable fin et doux, qui a fait donner son nom à la ville. Cette plage, la plus vaste et la plus belle de France, et probablement d'Europe, la vie à bon marché dans cette partie de la Vendée, ont depuis longtemps attiré les baigneurs des contrées voisines et fait des Sables une des stations marines le plus justement renommées, si elle n'est la plus suivie. Les baigneurs et les baigneuses n'y perdent jamais pied à la marée montante, à moins qu'ils ne s'éloignent beaucoup, et qu'ils ne veuillent gagner la pleine mer. La déclivité insensible de la plage est un grand avantage pour les enfants et pour ceux qui ne savent pas nager. Les accidents, en effet, sont impossibles pour ainsi dire, et la surveillance d'autant plus facile que la plage est plus largement découverte.

Nous ne pouvons conseiller avec trop d'insistance le séjour aux Sables d'Olonne aux baigneurs qui cherchent une belle plage et une vie calme et tranquille sans être monotone.

A. R.

LÉSION, *læsio*. *Lædere, blesser*. Changement matériel quelconque, appréciable aux sens, survenu pendant la vie dans une ou plusieurs des conditions physiques, anatomiques ou chimiques normales des parties constituantes du corps.

L'étude des lésions constitue l'objet spécial de l'anatomie pathologique.

La lésion ne doit être confondue ni avec l'affection ni avec la maladie, elle en est souvent inséparable, en est tantôt la cause, tantôt l'effet, les précède ou leur survit, mais n'en constitue jamais que la partie matérielle, visible et tangible. (Voy. MALADIES).

La lésion doit être soigneusement distinguée : 1° des altérations survenant après la mort locale ou générale des organes ; 2° des variétés anatomiques ; 3° des changements temporaires ou définitifs, souvent très-notables qui résultent du développement ou du fonctionnement des organes. Le sang, la lymphe varient à chaque instant dans leur composition chimique, l'acte de la sécrétion modifie singulièrement les parenchymes glandulaires; la replétion ou la vacuité des vaisseaux et des réservoirs, l'érection, la descente du testicule, la disparition du thymus, l'accroissement des mamelles et de l'utérus, la métamorphose du cartilage temporaire en os, etc., ne sont pas des lésions.

Cette séparation entre les lésions vraies d'une part, et d'autre part l'évolution des organes, les oscillations fonctionnelles et les altérations cadavériques est de la plus haute importance, mais elle est parfois très-difficile ; il faut la tracer nettement pour éviter ou rectifier une foule d'erreurs de fait ou de doctrine.

Une confusion trop commune et tout aussi fâcheuse naît de l'emploi du terme *lésions vitales* pris dans le sens de troubles fonctionnels. C'est ainsi qu'on dit à tout propos : lésion de nutrition, de circulation, d'innervation, etc., c'est confondre à plaisir la matière et ses propriétés, l'organisme et ses actes, la statique et la dynamique, enfin l'anatomie avec la physiologie pathologique; à cette dernière seule incombe la tâche d'étudier les prétendues lésions vitales. Admettre qu'une propriété, attribut immatériel d'un corps, est lésée matériellement, est un non-sens qu'il faut bannir aussi bien du langage que de l'esprit.

Les lésions varient à l'infini par leur siége, leurs causes, leur nature intime, leur effet, etc. ; aussi leur a-t-on adjoint une foule de qualificatifs pour les caractériser et les classer. Elles sont dites : matérielles, morbides, anatomiques, organiques, vitales, aiguës, chroniques, simples ou composéees, circonscrites ou *totius substantiæ*, locales ou générales, communes ou spéciales, spontanées ou accidentelles, congénitales ou acquises, idiopathiques ou symptomatiques, primitives ou secondaires, physiques, chimiques, mécaniques, traumatiques, chirurgicales, superficielles ou profondes, visibles ou occultes, externes ou internes par le siége ou la cause, élémentaires, histologiques, inflammatoires, cancéreuses, tuberculeuses;

on dit encore lésions de tissu ou d'organe, de forme, de structure, de texture, de rapport, de continuité ou contiguïté, de couleur, de densité, etc.

On retrouve dans ce chaos : des pléonasmes (lésions matérielles, morbides, organiques) ; — des licences grammaticales (lésions inflammatoires, cancéreuses, etc.; pour lésion de l'inflammation du cancer). — La confusion déjà signalée entre la lésion et la maladie — des termes ambigus, mal définis, et qui ont au moins deux acceptions ; *ex.* : lésions mécaniques, réputées telles par les uns, parce qu'elles succèdent à une cause mécanique (contusion, fractures) et par les autres, parce qu'elles entravent mécaniquement l'exercice des fonctions — des termes vicieux : lésions chirurgicales et médicales, qui tendent à consacrer, entre la médecine et la chirurgie, une séparation qui n'existe pas ; lésions idiopathiques spontanées, qui pourraient faire croire que la matière s'altère d'elle-même et sans causes, etc.

Cette regrettable richesse s'explique par le défaut d'unité introduit dans l'étude de la science médicale par les spécialistes : médecins ou chirurgiens, anatomopathologistes purs et praticiens exclusifs, et surtout par les points de départ très-différents que les auteurs ont adoptés dans leurs classifications. En jetant les yeux sur ces dernières, on voit que les unes sont basées sur la physiologie ou sur la pathologie, les autres sur l'anatomie générale ou sur l'étiologie, souvent même sur toutes ces branches à la fois. En revanche quelques auteurs ont voulu faire, de l'anatomie pathologique, une science à part, indépendante, ayant en propre une méthode d'étude spéciale. Malgré tout le respect que doit inspirer l'autorité des Laennec, des Meckel, des Andral, des Cruveilhier, des Vogel, etc., il est impossible d'accepter en entier les classifications qu'ils ont proposées, tant elles prêtent à la critique et s'éloignent de la méthode naturelle.

Il en résulte pour les modernes soucieux de la clarté, de la précision et de la méthode, un grand embarras et l'alternative de critiquer les maîtres ou de s'engager à leur suite dans une mauvaise voie.

Il faut prendre résolûment le premier parti, mais comme il serait trop long et d'ailleurs inopportun ici d'argumenter une à une et terme à terme les classifications antérieures, je me contenterai d'indiquer comment, à mon sens, on doit coordonner les désordres nombreux dont l'organisme est le siége.

Au préalable, disons de suite que l'antique division des lésions en physiques, organiques et vitales, qu'on retrouve encore dans plusieurs traités récents, doit être définitivement abandonnée. J'ai déjà rejeté le terme de lésions vitales comme inexact et équivoque. En 1818, le Dictionnaire en 60 volumes (t. 27, 485) ne le conservait qu'avec restriction, en revanche il fusionnait déjà les lésions physiques et organiques. « Elles ne forment qu'une seule classe... Toutes sont physiques puisqu'elles s'annoncent par des caractères évidents que l'œil aperçoit et que la main touche... Toutes sont organiques puisqu'elles sont une altération de la manière d'être d'un organe. » MM. Littré et Robin parlent dans le même sens. (Dictionn. de Nysten, 1865.) Partant de ce principe qu'on doit nécessairement rattacher la lésion d'une partie à l'état normal de cette partie et qu'un organe lésé ne diffère d'un organe sain que par un changement dans les conditions matérielles, on est conduit à adopter pour l'anatomie pathologique la méthode qui sert en anatomie normale. Or celle-ci reconnaît aux parties constituantes des corps une série de caractères d'ordre mathématique, physique, chimique et anatomique, savoir : nombre, figure, forme, dimension, densité, consistance, couleur, saveur, odeur, situation, rapports, constitution élémentaire ou structure, arrangement particulier des éléments ou texture, composition chimique, etc. Donc l'anatomo-pathologiste doit tout d'abord classer les lésions en celles du nombre, de la forme, du volume, de la consistance, des rapports, de la structure, de la composition chimique, etc.; admettre en un mot autant de lésions primordiales que la matière organisée compte de caractères fondamentaux.

Plusieurs de ces lésions primordiales, qu'on pourrait avec Cruveilhier appeler *espèces anatomiques morbides*, ont déjà reçu des noms particuliers : difformités, déplacements ou ectopies, hétérotopies, induration, ramollissement, hypertrophie, ou atrophie, etc. On peut laisser aux grammairiens médicaux la tâche utile de compléter le vocabulaire de ces espèces, mais il appartient aux anatomo-pathologistes de les décrire avec assez de précision et de clarté pour qu'on les puisse reconnaître en tous lieux, à tous les degrés, aussi bien à l'état d'isolement qu'à l'état de combinaison. Cette manière de procéder est tout à fait naturelle. Remarquons bien que volontairement ou non l'esprit ne suit pas d'autre marche ; à l'amphithéâtre comme au lit du malade, on s'enquiert avant tout du mode de changement survenu dans l'organe affecté. Est-il plus dur ou plus mou, plus gros ou plus petit, hypérémié ou anémié, occupe-t-il sa place habituelle, contient-il les mêmes éléments anatomiques qu'à l'état normal et dans les mêmes proportions? Comme s'il s'agissait d'anatomie descriptive, on emploie à acquérir ces notions, les sens seuls ou aidés d'instruments de précision. Le toucher apprécie la consistance, l'œil juge de la coloration, du nombre, du volume, des rapports. On appelle à son aide le scalpel, la balance, le microscope, les réactifs chimiques, etc.

J'ajoute que cette marche n'est pas nouvelle. Bichat et ses continuateurs ont étudié et décrit la plupart des lésions primordiales dans les organes, les tissus, les systèmes, à la vérité sans les imposer résolûment comme les seules bases de classification pour l'anatomie pathologique. Ils ont donc pris la bonne route; on peut seulement leur reprocher de n'avoir pas attaqué la série par sa base, en d'autres termes d'avoir pris pour point de départ les lésions de tissus qui sont déjà très-complexes.

Les modernes n'ont pas changé de voie; plus logiques seulement, ils remontent jusqu'aux vraies origines et, à l'exemple des chimistes qui étudient les corps simples avant leurs composés, ils recherchent les lésions dans les éléments anatomiques et les principes immédiats qui sont les corps simples, les parties irréductibles de l'anatomie.

Ils adoptent d'abord comme suffisamment démontrées les propositions suivantes :

1° Les organes constituants du corps ont une composition plus ou moins complexe; la plus simple de nos humeurs renferme plusieurs principes immédiats; le plus simple de nos tissus, plusieurs éléments anatomiques de même espèce ou d'espèces différentes, mais toujours agencés d'une façon particulière et spéciale.

2° Chaque principe immédiat, chaque élément anatomique présente des caractères que déterminent la chimie et l'anatomie. Les principes immédiats ont un siége et une proportion définis, l'albumine ne se trouve point dans la salive, elle existe dans le sang en quantité qui varie, mais dont nous avons la moyenne; de même les éléments anatomiques ont un siége, une distribution, des dimensions, des rapports précis et constants. Chacun d'eux, tube, fibre, cellule, en dépit de son petit volume, est un organe aussi distinct, aussi intéressant que le rein ou le cœur et doit être étudié avec autant de soin et par les mêmes procédés.

3° Tout changement intervenu dans la répartition, la position, la quantité ou la qualité d'un principe immédiat ou d'un élément anatomique constitue une lésion plus ou moins évidente, mais absolument incontestable.

4° Étant reconnue ou soupçonnée une lésion dans un organe quelconque, humeur ou solide, il faut chercher quel principe immédiat, quel élément anatomique, est altéré et quel mode d'altération il a subi.

5° Que la lésion soit circonscrite ou étendue, qu'elle porte sur un système, un appareil, une région, un organe, un tissu, elle doit toujours en définitive être réduite par l'analyse à l'altération d'un ou de plusieurs des principes immédiats ou des éléments anatomiques constituant les parties affectées.

6° Conclusion indiscutable : la vraie base de l'anatomie pathologique réside dans l'étude et la description des lésions élémentaires et des altérations chimiques ou autres des principes immédiats.

7° Cette recherche des infiniment petits anatomiques et chimiques que nos prédécesseurs négligeaient, dédaignaient ou méprisaient, est la gloire de notre époque, sans doute elle n'est pas achevée, présente et présentera longtemps encore des lacunes et des obscurités, mais les résultats qui lui sont dus sont immenses déjà. D'ailleurs, comme elle repose sur des assises inébranlables et part de prémices indéniables, elle conduira avec le temps à la vérité tout entière. Aussi peut-on sans exagération, mais non sans un légitime orgueil considérer comme un grand siècle pour la science médicale celui qui commence par Bichat et finit par l'Ecole histologique moderne.

La connaissance des lésions élémentaires une fois acquise, rien de plus facile que de constituer l'anatomie pathologique spéciale et générale. Ainsi s'élèvera-t-on sans peine de la lésion élémentaire à la lésion de tissu, de celle-ci à la lésion d'organe et successivement de système ou d'appareil et enfin jusqu'à ces altérations *totius substantiæ* qui constituent le substratum matériel des diathèses et des maladies générales et constitutionnelles. On procède ainsi à pas lents, du simple au compliqué, du connu à l'inconnu et, pour ma part, je n'entrevois aucun désordre, si complexe et si multiple qu'il paraisse qui puisse se soustraire à cette méthode rigoureuse et certaine.

Ceux-là donc sont injustes ou ignorants qui accusent les anatomo-pathologistes modernes de se confiner dans les faits de détail et les défient de s'élever jusqu'aux sommets élevés de la synthèse. A la vérité, nous nous préoccupons surtout de combler la lacune laissée par nos prédécesseurs, mais l'avenir montrera bientôt combien le reproche d'exclusivisme est peu fondé.

Tout en adoptant sans arrière-pensée pour les lésions une classification calquée sur celle qui prévaut en anatomie normale, je ne conteste point l'utilité pratique ni même l'attrait d'un autre mode de groupement ayant pour base la notion étiologique.

La lésion constatée, il est naturel et bon d'en chercher l'origine, puis, celle-ci trouvée, on est tenté de s'en servir pour composer des espèces, des genres et des classes. C'est en suivant cet ordre d'idées que nombre d'auteurs ont admis des lésions de cause interne ou de cause externe, des lésions physiques, chimiques, traumatiques, vitales, spontanées, primaires ou idiopathiques, secondaires et symptômatiques, etc. Je ferai seulement remarquer qu'en poursuivant la recherche des causes on sort du terrain de l'anatomie pathologique pure pour entrer sur celui de la pathologie. La connexion entre la cause et la production d'une lésion est étroite et évidente, mais la connaissance de ce rapport constitue la *pathogénie* branche tout à fait distincte de la science médicale et qui suppose connues les lésions matérielles d'une part, et de l'autre l'étiologie proprement dite. La production de la lésion une fois élucidée, étudiez-en les effets et les conséquences, c'est-à-dire les symptômes et l'évolution, et vous avez la pathologie toute entière. A coup sûr il faut bien arriver à rallier les éléments divers de cette dernière, mais il ne faut pas pour cela les confondre, car s'il est indispensable de réunir les anneaux de la chaîne, il convient tout autant de les forger et de les limer isolément.

Au reste, pour montrer comme je comprends la formation de ces groupes si commodes pour l'application, et à ce titre si chers aux praticiens, je prendrai comme spécimen une classe des plus naturelles et des plus universellement admises; je veux parler des lésions traumatiques. Je me contenterai d'en donner la définition et les caractères, laissant à d'autres le soin d'en fournir une description complète. (*Voy.* Blessures, Plaies, Traumatisme, etc.)

Lésions traumatiques (de τραῦμα, blessure). Ce terme de date assez récente tend à remplacer dans la nomenclature moderne les mots blessures, violences extérieures, lésions physiques, mécaniques, chirurgicales, et désigne comme eux les désordres accidentellement produits par des agents vulnérants étrangers à l'économie ou par un acte physiologique exagéré. Cette substitution est légitimée par l'insuffisance des dénominations anciennes dont le sens est trop restreint ou trop étendu.

En adoptant ce néologisme on a négligé d'en donner une définition claire et précise, je vais m'efforcer de réparer cet oubli et cela semble d'autant plus utile que les lésions traumatiques forment une classe très-nombreuse et très-naturelle. Très-nombreuse parce que toutes les parties du corps en peuvent être atteintes et de mille manières différentes; très-naturelles parce que, malgré l'infinie variété qu'elles présentent et les combinaisons multiples qu'elles affectent avec d'autres états pathologiques elles se distinguent nettement des lésions dites physiques, mécaniques ou organiques par une série de caractères constants, faciles à déterminer et tirés de la cause, de la nature de la lésion, des troubles fonctionnels qui en résultent, et de la marche ultérieure de l'accident.

Ces caractères sont au nombre de cinq :

Caractère étiologique. La cause vulnérante agit à l'improviste, pendant un temps habituellement fort court et sans prédisposition nécessaire.

Caractère anatomique. La lésion consiste essentiellement en une diérèse, une séparation violente et instantanée de parties normalement réunies, une solution de continuité ou de contiguïté.

Caractère physiologique. La lésion traumatique a pour conséquence des changements immédiats dans la forme, les rapports, les propriétés, les usages et fonctions de la partie lésée; ces changements temporaires ou définitifs peuvent être calculés à l'avance, car ils dépendent rigoureusement de la nature des organes, tissus ou éléments blessés.

Caractère pathologique. Toute lésion traumatique suscite inévitablement et presque soudainement une irritation locale, qui provoque à son tour une série de processus réparateurs ou destructeurs; cette irritation et ses suites peuvent rester circonscrites au point blessé ou s'étendre au voisinage et même à l'organisme tout entier. Dans ce dernier cas la lésion traumatique la plus insignifiante au début peut devenir grave jusqu'à la mort inclusivement.

Caractère pronostique. Les lésions traumatiques ont une tendance naturelle à la guérison spontanée : lorsqu'elles portent sur des tissus normaux, atteignent un organisme sain, ne lèsent pas un organe trop essentiel à la vie et n'occasionnent pas de trop grands désordres primitifs ; lorsqu'enfin le blessé se trouve dans un milieu salubre. Les conditions opposées neutralisent cette tendance heureuse et engendrent des accidents locaux ou généraux dont la nature et l'art ne triomphent pas toujours.

Ce n'est pas le seul désir d'être méthodique qui me fait énumérer complaisamment sous ces caractères, leur admission a plusieurs avantages, elle nous permet de tracer le cadre complet des lésions traumatiques, d'en éliminer des lésions très-voisines à la vérité, mais dans lesquelles un ou plusieurs de ces caractères manquent, de discuter le synonymie classique, de justifier enfin l'introduction d'un terme générique, sinon nouveau du moins mal défini jusqu'à ce jour.

Dans le cadre des lésions traumatiques se rangent :

1° Toutes les solutions de continuité produites par un agent extérieur mis en conflit avec nos organes : fractures, luxations, contusions, plaies, etc., lésions types sur la classification desquelles tout le monde est d'accord.

2° Les solutions de continuité dans lesquelles on ne trouve comme cause ni agent vulnérant, ni violence extérieure, mais une action mécanique violente et instantanée résultant du jeu même de nos organes. Exemple : les ruptures ou déchirures qui surviennent aux muscles, aux tendons, aux aponévroses, aux vaisseaux, aux canaux et réservoirs sous l'influence d'une contraction musculaire volontaire ou non, ou d'une distension soudaine et exagéré, en un mot d'un effort actif ou passif. Il n'est possible ni en nosographie ni en pratique de séparer la fracture succédant à un choc de celle qu'engendre un violent effort musculaire ; dans les deux cas nous constatons l'instantanéité de la cause, la diérèse brusque, l'abolition subite des fonctions, l'irritation primitive et la réparation consécutive, la tendance naturelle à la guérison; il y a donc identité. C'est pour ces motifs qu'il convient de modifier la définition actuelle qui n'admet pour causes des lésions traumatiques que les violences extérieures. Ces solutions de continuité de cause interne sont beaucoup plus fréquentes qu'on ne le dit ; à la vérité, elles passent souvent inaperçues en raison de leur étendue minime, de leur siége dans l'intimité de nos tissus et des troubles médiocres qu'elles suscitent. Mais elles jouent certainement un rôle essentiel dans les déplacements progressifs : hernies, prolapsus prétendus spontanés et qui supposent cependant une destruction des moyens de fixité; dans les dilatations pathologiques, les insuffisances valvulaires veineuses, les hémorrhagies capillaires, les apoplexies, etc., et aussi dans une foule d'affections du ressort de la pathologie interne auxquelles les anatomo-pathologistes doivent restituer leur véritable origine.

Ces remarques prouvent amplement que les mots *violences extérieures*, *blessure*, que les auteurs du *Compendium* de chirurgie définissent « solution de continuité apparente ou cachée, occasionnée par une violence extérieure (t. I, 305) », ne peuvent désigner l'ensemble des lésions traumatiques. *Lésions externes*, *lésions chirurgicales* sont également insuffisants ; ce dernier, surtout, est impropre, car il doit être réservé aux seules lésions pratiquées par le chirurgien, c'est-à-dire aux opérations ; d'où il suit que toute lésion chirurgicale est traumatique, mais que la réciproque n'est pas vraie.

Si les termes précédents sont trop restreints, en revanche ceux de *lésions physiques*, *lésions mécaniques* adoptés par divers auteurs, Richerand, Vidal, les auteurs du *Compendium*, sont beaucoup trop étendus et englobent, dans leur acception, des lésions essentiellement différentes des lésions traumatiques. J'accorde que ces dernières sont produites par des agents physiques ou mécaniques, agissant physiquement ou mécaniquement. Je veux bien que toute lésion traumatique soit de l'ordre des lésions physiques ou mécaniques, mais je rejette le réciproque. Si en effet on faisait la confusion que je combats, il faudrait ranger à côté des plaies, des ruptures, des luxations, etc., les simples pressions, la compression et toutes ses conséquences y compris, la mortification des tissus qui y sont soumis, l'interruption du cours du sang dans un vaisseau, de l'influx nerveux dans un nerf et tous les effets primitifs ou éloignés que produisent sur l'organisme le froid, le chaud, la lumière, l'électricité; puis comme plusieurs de ces agents dits physiques agissent chimiquement sur nos tissus (lumière, électricité), il faudrait, pour être logique, ranger dans les lésions traumatiques toutes celles qui résultent de l'application des caustiques, enfin si la simple circonstance de cause physique suffisait, ne faudrait-il pas annexer encore toutes les inflammations ou affections organiques consécutives à l'action directe du froid, depuis l'adénite du cou jusqu'au rhumatisme articulaire et à la périostite suppurée. Notre deuxième caractère nous permet de sortir facilement d'embarras; quels que soient sa cause, sa nature et son mode d'action, la lésion ne sera traumatique qu'en cas de production immédiate d'une solution de continuité. Or c'est ce qui manque dans la compression, dans l'action superficielle des agents dits impondérables et dans la réaction chimique que diverses substances exercent sur nos tissus. La diérèse plus ou moins tardive produite par l'action énergique de ces agents physiques, mécaniques ou chimiques, appartient alors à la catégorie des lésions organiques et nécessite l'intervention du processus inflammatoire ulcératif, atrophique, etc.

Je conclus de tout ce débat que le terme de traumatique est nécessaire pour désigner tout un ordre de lésions et j'en propose la définition suivante : *La lésion traumatique est une lésion externe ou interne, apparente ou cachée, accidentelle, locale, issue sans prédisposition nécessaire d'une violence extérieure ou d'une action physiologique exagérée, caractérisée par l'instantanéité de la cause, la production immédiate d'une solution de continuité dans nos tissus, l'apparition subite de modifications morphologiques ou fonctionnelles, le développement très-prochain d'une irritation au point lésé et la tendance naturelle à la réparation spontanée.*

En procédant de la même manière, c'est-à-dire en précisant les caractères spéciaux étiologiques, anatomiques, physiologiques, etc., on arriverait à définir rigoureusement les lésions *mécaniques*, *chimiques*, *organiques*, celles-ci résultant du jeu même des organes augmenté, diminué ou perverti.

Le défaut d'espace m'interdit les développements dans lesquels il faudrait entrer pour établir et limiter ces groupes; le même motif m'empêche de discuter ici plusieurs questions importantes : comment se produisent les lésions anatomiques — comment, une fois produites, se révèlent-elles et donnent-elles naissance à des symptômes — toute lésion se traduit-elle par des signes et engendre-t-elle des troubles fonctionnels latents ou patents — existe-t-il des troubles fonctionnels sans lésion et des affections sans désordre matériel temporaire ou permanent — comment se réparent les lésions et quel est, dans cette réparation, le rôle respectif de la nature et de l'art, etc.; pour être différée, la solution de ces grands problèmes n'en sera pas moins tentée, sinon toujours donnée, dans la suite de ce recueil (*voy*. ÉTIOLOGIE, MALADIE, PATHOGÉNIE, etc.). VERNEUIL.

LES TERNES (EAU MINÉRALE DE), font aujourd'hui partie du XVIIe arrondissement de Paris. Le point d'émergence de la source des Ternes se trouve à gauche et tout près du chemin de fer de Paris à Auteuil, dans une pièce d'eau sur laquelle on se promène en barque, au bas du parc de madame Haincque-Demours qui habite l'hôtel portant le n° 21 de la rue Demours. Nous n'avons pas distingué le bouillonnement indiquant la place du griffon de la source qui alimente la pièce d'eau; mais nous pouvons affirmer que l'on ne peut apprécier, ni par l'odorat ni par le goût, la qualité sulfureuse de son eau. La pièce d'eau est recouverte de la couche irisée particulière à l'eau qui stagne depuis un certain temps. Si nous n'avions pas connu les rudiments d'analyse chimique, que nous croyons inutile de rapporter ici, publiés par M. Ossian Henry sur l'eau *sulfatée calcique sulfureuse* des Ternes, nous ne nous serions jamais douté que nous étions en présence d'une mare d'eau minérale. Comme cette eau n'a pas, et n'a jamais eu d'applications thérapeutiques, nous ne croyons pas devoir nous y arrêter plus longtemps ; nous proposons même de rayer du cadre hydrologique la source des Ternes, dont les auteurs ont parlé, parce qu'ils ne l'ont pas visitée. A. R.

LÉTHARGIE (ληθαργία; λήθαργος, de λήθη, oubli, et ἀργός, oisif, inactif, ou ἀργία, oisiveté; *veternus* ou *veternum* des auteurs latins). Ce terme, après avoir joué un rôle considérable dans le langage médical de l'antiquité, est tombé dans le domaine public, où il est encore d'un usage fréquent; mais ses applications scientifiques sont très-restreintes, et l'on peut dire qu'à notre époque, il n'a plus qu'un intérêt historique.

Rien n'est plus divers et confus que ce qui a été écrit là-dessus, depuis Hippocrate, par les médecins les plus autorisés, et ce désordre s'est perpétué jusqu'au siècle dernier. Ce serait, à notre avis, un travail bien stérile que de pénétrer dans un pareil dédale; l'idée moderne n'ayant que des rapports très-éloignés avec celle des anciens. Voici d'ailleurs un aperçu sommaire de la doctrine que, sur le *lethargus*, professaient les plus classiques.

C'est, disent-ils, une propension excessive au sommeil, avec perte de la mémoire, altération de l'imagination et du raisonnement, fièvre lente et subcontinue.

Les individus atteints de ce mal, qui tient le milieu entre le *coma vigil* et le *carus*, irrésistiblement enclins à dormir, oublient toute chose et délirent. Si, à l'aide d'excitations, on parvient à les réveiller et à leur arracher une réponse, ils retombent tout aussitôt dans l'état de somnolence, d'où on les a momentanément tirés. Il y a une fièvre lente, continue, avec des redoublements vespérins, et pourtant la chaleur n'est ni âcre ni mordicante. Le pouls est intermittent, la respiration faible et ralentie, la faculté motrice languissante. On observe parfois de la toux; le plus souvent les excrétions alvines sont liquides et les urines jumenteuses. Les yeux sont saillants, la face pâle et tuméfiée, la langue est blanche, la sueur copieuse, surtout aux extrémités, qui sont froides. Fréquemment, il y a du hoquet et du tremblement des extrémités.

Le léthargus est une maladie aiguë, presque toujours mortelle, et qui tue en général dans le premier septénaire. Galien estime qu'elle a une gravité plus grande que celle de la péripneumonie. Il peut arriver qu'elle produise l'hémiplégie par le sphacèle d'une partie du cerveau, lorsque le sang pituiteux, venant à se tuméfier, engendre un abcès.

Elle se distingue du carus, dans lequel la fièvre, si elle existe, est primitive; de la catalepsie, parce que les malades y ont les yeux ouverts et restent dans la position où on les met; de l'apoplexie, qui se produit brusquement et dans laquelle les mouvements, la raison et les autres facultés, non-seulement sont affaiblis, mais complétement abolis; du *coma*, qui se manifeste durant un accès de fièvre et finit avec lui; de la *typhomanie*, ou *coma vigil*, parce que le malade, bien que porté à dormir, ne dort pas en réalité ou s'éveille facilement; de l'hystérie, celle-ci étant caractérisée par des convulsions avec absence de fièvre.

La nature de la léthargie avait beaucoup préoccupé les anciens; ils en trouvaient la cause prochaine, dans une pituite visqueuse qui affluait au cerveau et s'y corrompait. D'ailleurs, les avis étaient partagés sur le siége de cette humeur et son mode d'action. Suivant l'opinion la plus commune, elle envahit non-seulement les anfractuosités, mais la substance cérébrale elle-même, qui se gonfle à la manière d'une éponge. Aussi quelques auteurs rangent-ils le léthargus parmi les tumeurs cérébrales, et Avicenne, par exemple, appelle lethargus un aposthème phlegmasique engendré dans les méats de la substance cérébrale. L'opinion de Galien sur ce point d'étiologie mérite, par sa bizarrerie, d'être rapportée : « Le délire, dit-il, guérit le léthargus par la coction de la matière morbide, et, par contre, le délire devient léthargus par l'extinction de la chaleur naturelle du cerveau. »

On imaginerait malaisément un tissu d'erreurs plus inextricable que celui-là. Après avoir pris connaissance de ce thème, le lecteur, j'ose l'espérer, me pardonnera de n'avoir pas donné plus de développement à l'analyse de ce que les médecins de l'antiquité ont écrit sur la léthargie. Pour eux, la fièvre et le coma ou la somnolence se manifestant ensemble, voilà ce qui la constitue. Cela suffit à démontrer combien ce terme était compréhensif; car l'état qu'il représente est un de ceux qui se manifestent le plus souvent, dans l'évolution de certaines pyrexies et des toxémies.

Aujourd'hui, nous sommes bien loin de lui attribuer une signification aussi étendue : voici comment la définit M. Littré : « Un sommeil profond et continuel, dans lequel le malade parle quand on le réveille, mais ne sait ce qu'il dit, oublie ce qu'il a dit et retombe promptement dans son premier état. » Elle est essentiellement apyrétique; et ce qui en fait un état morbide à part, c'est la durée excessive du sommeil, unie à l'absence de tout souvenir. D'ailleurs, on ne constate aucun trouble notable dans la respiration et dans les phénomènes circulatoires, si ce n'est parfois une diminution de fréquence et de force dans les mouvements du thorax et dans les battements du cœur. La peau est fraîche, les membres sont immobiles et dans la résolution. Au réveil, il y a le plus souvent du trouble dans les idées et de la lourdeur de tête.

Certains sommeils léthargiques tiennent en quelque sorte le milieu entre la maladie et l'état physiologique; car on les observe presque toujours à la suite d'un travail excessif et longtemps continué. Tels sont, par exemple, le cas rapporté par Félix Plater, d'un homme qui, excédé de fatigue, dormit trois jours et trois nuits, et le fait cité par Salmuth d'une jeune fille qui, ayant dansé pendant deux jours, dormit quatre jours et quatre nuits.

Les émotions morales brusques et violentes ont parfois provoqué la léthargie. Dans la monographie qu'il lui a consacrée, Pfeudler en rapporte des exemples curieux. On l'a observée chez des individus atteints d'aliénation mentale; mais de toutes les maladies qui peuvent la provoquer, la plus fréquente sans contredit est l'hystérie, et les histoires que l'on trouve reproduites par tous les auteurs qui se sont occupés du sujet, ont trait à des femmes hystériques. Aussi renvoyons-nous à l'article consacré à cette névrose. (*Voy.* Hystérie.)

Il est une confusion contre laquelle nous ne saurions trop nous élever, la rencontrant à chaque instant, dans des écrits d'ailleurs très-recommandables. C'est celle qui consiste à identifier la *léthargie* avec la *mort apparente*. Les considérations qu'entraîne ce point de nosologie, trouveront naturellement leur place dans l'article qui sera consacré à ce dernier terme, mais il nous est impossible de ne pas dire ici brièvement en quoi diffèrent ces deux états. Dans le premier, les mouvements respiratoires et ceux du cœur peuvent être affaiblis et ils le sont habituellement ; mais ils existent et sont toujours perceptibles. Dans le second, au contraire, la vue la plus perçante, le toucher le plus délicat, l'ouïe la plus fine, ne font découvrir aucune manifestation active du côté du cœur et des poumons. (*Voy.* Mort apparente.)

Il est un autre état qu'il faut bien se garder de confondre avec la léthargie, c'est celui dans lequel tombent les animaux hibernants, quand la température extérieure s'abaisse à zéro ou au-dessous. Sous l'influence du froid on les voit s'agiter, leur température s'élève par une suractivité respiratoire, et ils se réveillent ; mais, la cause prolongeant son action, ils ne tardent pas à s'épuiser ; leur respiration se ralentit, ils se refroidissent et tombent dans une torpeur profonde : c'est la *léthargie par le froid*, qui est caractérisée par une suspension totale des fonctions. Plus de sensibilité, même sous l'influence des excitants les plus énergiques ; plus de circulation ; le sang stagne dans les vaisseaux abdominaux et le cœur, qui ne bat plus ; les parois thoraciques sont complétement immobiles. On peut alors impunément plonger les animaux pendant plusieurs heures dans l'eau, dans l'acide carbonique ou des vapeurs arsenicales ; ils n'éprouvent dans ces milieux aucun dommage ; il s'agit, dans ces cas, d'un état très-caractérisé de mort apparente et nullement de léthargie.

Le *causus* et la *phrénitis* formaient autrefois, avec le *léthargus*, un groupe spécial de fièvres pseudo-continues. (*Voy.* Causus et Phrénitis.) J. Parrot.

LÉTHARGUS. *Voy.* Léthargie.

LE TRÉPORT (Station marine), dans le département de la Seine-Inférieure, dans l'arrondissement de Dieppe, est un chef-lieu de canton ayant une population agglomérée de 3,698 habitants. Le Tréport, *Ulterior portus*, est un petit port sur la Manche, à l'embouchure de la Bresle, à 28 kilomètres au nord-est de Dieppe et à 4 kilomètres de la ville d'Eu ; son industrie principale consiste dans la fabrication de la dentelle, dans plusieurs entrepôts de sel, et surtout dans la pêche du hareng. (On s'y rend par les deux lignes de fer du Nord et de l'Ouest, station de Saint-Valery-sur-Somme.)

Les bains de mer du Tréport sont très-rapprochés de Paris, aussi sont-ils très-fréquentés, depuis quelques années surtout, par les personnes qui veulent les commodités de la vie et qui craignent les plaisirs bruyants et fastueux de quelques stations marines environnantes. On a construit l'établissement de bains à l'entrée du port, au centre d'une pelouse de gazon mouillée par les vagues lorsque la mer est haute. Une promenade où l'on a installé des appareils de gymnastique et des jeux champêtres est au voisinage de l'hôtel des bains composé d'une belle salle, d'une grande et vaste galerie et de plusieurs salons pour les bals et les concerts qui se donnent pendant la saison des bains de mer.

Les bains de mer se prennent au Tréport, soit en commun, soit en particulier, sur une partie de la plage exclusivement réservée à l'un ou à l'autre sexe. La plage du Tréport est constituée par un sable plus doux et plus uni que dans beaucoup d'autres points du littoral de la Manche. A. R.

LETTRES (GENS DE). **Hygiène.** On appelle généralement gens de lettres tous ceux dont les travaux produits de l'intelligence s'adressent avant tout à l'intelligence. On peut en faire deux classes : 1° les littérateurs proprement dits : poëtes, romanciers, auteurs dramatiques, etc., chez lesquels l'*imagination* est, je ne dirai pas la folle, mais la maîtresse du logis. Il convient d'y rattacher les musiciens (compositeurs), les peintres, les sculpteurs ; 2° les hommes adonnés aux différentes sciences (mathématiques, physiques, etc.), les historiens, les juristes, les érudits chez lesquels le *raisonnement* est la faculté en exercice. Quant aux commis, aux copistes dont la main est plus occupée que l'esprit, il en sera question au mot ÉCRIVAIN ; ils n'ont de commun avec les gens de lettres que la vie sédentaire. — D'un autre côté, il existe un certain nombre de professions ou de positions sociales, dans lesquelles la méditation, la tension des facultés intellectuelles jouent un très-grand rôle, c'est ce que l'on voit chez les spéculateurs, les négociants qui passent leur vie à calculer les chances bonnes ou mauvaises de leurs entreprises, chez les hommes d'État. On pourra donc appliquer à une foule de cas particuliers ce que nous avons à dire du fonctionnement exagéré du cerveau chez les gens de lettres.

Les conditions qui peuvent altérer la santé des personnes livrées aux travaux de l'esprit sont les suivantes :

1° *Excitation cérébrale.* Si elle est passagère, les effets le sont également ; ainsi, après une méditation profonde et continuée pendant plusieurs heures, on observera de la céphalalgie, ou de la pesanteur à la tête avec chaleur, étourdissements, vertiges, palpitations. L'ébranlement peut même avoir été porté au point d'occasionner des troubles dans les idées, et des conceptions délirantes de peu de durée. Il y a quelquefois, à la suite, un état de faiblesse qui persiste pendant un certain temps.

Lorsque cette action se reproduit d'une manière habituelle, les effets prennent alors une forme en quelque sorte chronique et retentissent sur toute l'économie ; le cerveau devient un centre d'activité aux dépens des autres appareils. Il en résulte, comme le dit Réveillé-Parise, un état permanent d'*intempérie nerveuse* ou de diathèse d'irritabilité qui amène un affaiblissement dans la puissance de réaction ; et, en effet, suivant la remarque judicieuse de Tissot, la méditation épuise, comme le feraient des évacuations excessives. On observe alors une extrême impressionnabilité, qui agit particulièrement sur le caractère, devenu ombrageux et jaloux (*genus irritabile vatum*), une sorte d'abattement avec tristesse maladive, qui porte facilement les gens de lettres et les savants à la mélancolie et à l'hypochondrie, la privation du sommeil, etc., etc. Cette fatigue du centre nerveux explique la fréquence des affections cérébrales chez les personnes dont nous parlons. Les méningites, les congestions au cerveau sont ici très-communes ; mais c'est surtout l'apoplexie qui, de l'aveu de tous les observateurs, est en quelque sorte la maladie spéciale des penseurs ; on sait que Pétrarque, Copernic, Malpighi, Richardson, Linné, Marmontel, Rousseau, Daubenton, Spallanzani, Monge, Cabanis, Corvisart, Walter Scott, etc, etc., ont succombé à des hémorrhagies cérébrales.

Dans la statistique donnée par Esquirol, de la maison de Charenton, relativement à la fréquence de l'aliénation mentale, suivant les professions, on voit que sur 1,264 admissions, pendant les huit années 1826-33, les professions dites libérales, figurent pour 161, c'est-à-dire 12,6 p. 100. Mais l'influence qui nous occupe ressort bien mieux encore du tableau suivant, tiré de la statistique sur l'aliénation mentale publiée, par notre regretté collaborateur Parchappe, dans ce Dictionnaire (t. III, p. 10). On voit là, que les hommes livrés aux travaux de l'esprit occupent le premier rang bien en avant des autres professions, et fournissent 3,10 pour 1000 de la population correspondante donnée par les recensements; tandis que la classe qui donne le plus d'aliénés, après celle dont nous parlons, celle des marins et des militaires, ne présente que le rapport de 1,90 pour 1000, et la plus favorisée, celle des commerçants 0,12.

Cette catégorie des professions libérales, décomposée, nous offre les relations suivantes en regard du nombre correspondant de personnes qui exercent ces professions : artistes, 9,60 pour 1000; juristes, 8,41; ecclésiastiques, 4,13; médecins et pharmaciens, 3,85; professeurs et hommes de lettres, 3,56; fonctionnaires publics et employés, 1,37. En Belgique, mêmes résultats, 4,81 aliénés pour 1000 dans les professions du domaine de l'intelligence; et seulement, 0,92 pour les professions agricoles.

Les forces, que le cerveau semble accaparer au profit de la pensée, laissent les autres appareils dans une sorte de langueur, mais c'est particulièrement le système digestif qui souffre de ces conditions toutes particulières. La remarque en a été faite depuis longtemps : *Familiaris admodum studiosis stomachi imbecillitas est, quæ ipsos plerumque insequitur, ut umbra corpus* (Amatus. Lusit. *Curat. méd. cent.* II, *obs.* 12); et Tissot : « L'homme qui pense le plus est celui qui digère le plus mal. »

2° A cette cause première de maladies qui rentre dans les causes directes ou *intrinsèques*, il s'en joint d'autres résultant du genre de vie des savants (causes *extrinsèques*); en tête nous devons placer la *vie sédentaire* et, sans empiéter sur ce qui sera dit ailleurs à cet égard (*voy.* PROFESSIONS), nous ferons observer que le défaut d'exercice, le séjour dans un air confiné (*voy.* HABITATIONS), la station assise, déterminent des troubles dans la circulation abdominale qui portent particulièrement leur action sur le foie, sur la sécrétion biliaire, et contribuent à augmenter les accidents du côté de la digestion; il se produit aussi une stase du sang dans les dernières ramifications de la veine porte, d'où la production d'hémorrhoïdes encore aggravées par la constipation, celle-ci est très-commune chez les gens de lettres, et ils la provoquent souvent en résistant au besoin d'aller à la selle, afin de ne pas interrompre un travail commencé. Ces différentes causes de stagnation du sang vers les parties déclives de l'abdomen, la rétention trop souvent volontaire des urines, etc., amènent très-fréquemment des affections graves de l'appareil génito-urinaire, les catarrhes de vessie, l'incontinence d'urine, la gravelle, mais surtout la pierre. Civiale a donné une longue liste de savants illustres dont les dernières années ont été empoisonnées par cette cruelle maladie. (*De l'affect. calc.*, p. 649; Paris, 1838, in-8°.)

3° Les *veilles prolongées*, jointes à l'excitation cérébrale, ont très-souvent pour effet un sommeil agité, interrompu, tourmenté de rêves se rapportant d'ordinaire à l'objet des travaux habituels, mais spécialement des insomnies répétées qui fatiguent beaucoup la constitution en même temps qu'elles augmentent la susceptibilité nerveuse.

4° Dans certaines professions (avocats, professeurs, prédicateurs, etc.), l'*exercice forcé de la voix* peut déterminer des phénomènes spéciaux dont nous n'avons pas à nous occuper ici. [*Voy.* VOIX (Hygiène de la).]

5° Un travail trop assidu, mais surtout à une lumière artificielle trop faible ou trop forte; la lecture de caractères trop fins ou mal conformés, comme il arrive pour les manuscrits, les recherches micrographiques, etc., etc., fatiguent excessivement l'*organe visuel* et déterminent soit une sensibilité très-grande de l'œil, qui l'expose aux ophthalmies chroniques, soit même un affaiblissement de la vue qui peut aller jusqu'à la perte totale de cette importante fonction.

Ces conditions fâcheuses se réunissent, se corroborent en quelque sorte les unes les autres, de manière à produire dans la santé générale des désordres dont M. L. Fleury, si bien placé pour les observer, a tracé le résumé suivant : « La contractilité subit des modifications profondes, tandis que les muscles animés par le système cérébro-spinal sont souvent très-excitables, agités de mouvements violents, irréguliers, désordonnés, convulsifs; ceux qu'anime le système ganglionnaire, sont frappés d'atonie, d'inertie; de là des troubles variés dans les différentes fonctions et spécialement de la digestion et de la circulation. Vous savez combien la gastralgie, la dyspepsie, la constipation sont communes parmi les hommes studieux et sédentaires ; le cœur se contracte moins énergiquement, la circulation capillaire languit, le sang abandonne la circonférence pour se concentrer dans les organes profonds ou déclives ; la face est pâle, la peau sèche, les extrémités sont froides ; un cercle vicieux s'établit entre la constipation et la congestion hémorrhoïdale, entre la dyspepsie et la congestion hépatique, entre ces affections et l'anémie, l'asthénie générale. La congestion chronique du foie, que nous avons étudiée et signalée à l'attention des observateurs, se montre très-fréquemment chez les gens de lettres, les artistes; elle est souvent accompagnée de mélancolie, de nosomanie, de nécrophobie. Des palpitations nerveuses, anémiques ; des battements de cœur irréguliers, intermittents; une respiration imparfaite, gênée; une calorification âcre, mordicante, complètent le tableau. » (*Cours d'hyg.*, t. III, p. 155.)

Quelques circonstances particulières doivent encore attirer notre attention. Ainsi, pour l'âge, on a remarqué certains enfants doués d'une précocité exceptionnelle et qui donnent au développement de l'intelligence le temps consacré par la nature au développement du corps. On sait ce que deviennent ces *petits prodiges ;* usés avant le temps, ils ne tardent pas à perdre ces facultés qui avaient excité l'étonnement, ou bien ils succombent, à peine entrés dans la jeunesse, à des maladies d'épuisement et de langueur. En général, il ne faut pas trop exiger des jeunes enfants et les astreindre dès l'âge de huit ou dix ans à des études qu'une sorte d'instinct fait repousser. (*Voy.* ÉDUCATION, INTELLIGENCE.) D'un autre côté, il y a de graves inconvénients à se livrer à des travaux intellectuels nouveaux ou inaccoutumés à un âge déjà avancé; il faut des efforts trop violents de la part du cerveau, et il en résulte des désordres qui peuvent aller jusqu'à la perte de la raison. Tissot a très-judicieusement insisté sur ces considérations.

Si l'on compare les ouvriers de la pensée avec ceux de la main (*Handwerker*, comme disent les Allemands), on verra qu'au point de vue de la santé, l'avantage est tout à fait du côté de ces derniers. Le manouvrier, avec ses dix ou douze heures de fatigue corporelle, conserve ses forces, ses facultés digestives, son insouciance; tandis que l'autre n'a, pour ainsi dire, jamais de repos, il s'épuise, demeure toujours souffrant, hypochondriaque. Comme l'a fait observer le docteur Newnham, cette différence ne tient pas seulement à ce que l'un mène une vie active, l'autre une vie sédentaire, mais à la différence dans l'emploi de l'influx nerveux. Ainsi, tandis que chez le savant les fonctions organiques languissent, chez l'ouvrier proprement dit elles prennent de l'accroissement; aussi les maladies de celui-ci sont-elles plutôt de nature sthénique, tandis que chez celui-là c'est la faiblesse qui domine.

Et cependant si l'on s'en rapporte aux statistiques, la durée de la vie atteindrait un chiffre assez élevé chez les gens de lettres. Benoiston de Châteauneuf a fait le relevé de la durée de la vie chez les membres des trois académies depuis leur fondation, et il a obtenu des documents certains sur 758 membres dont la vie moyenne a été de 68 ans 10 mois, et, en particulier pour l'Académie française, 69 ans 3 mois; pour l'Académie des inscriptions et belles-lettres 69 ans 7 mois; pour l'Académie des sciences 67 ans 11 mois. Sur ces 758 académiciens, 395, c'est-à-dire plus de la moitié, ont dépassé la moyenne et parmi eux 145 l'ont dépassée de beaucoup (124 de 80 à 90 ans, et 21 de 90 à 100). On voit qu'ici il s'agit de têtes choisies, car, d'une part, les académiciens n'ont été admis dans les sociétés savantes qu'à un âge déjà assez avancé, de 40 à 50 ans, et, pour la plupart, dans une certaine position d'aisance. Aussi, B. de Châteauneuf a-t-il cru devoir comparer ces résultats avec ceux donnés par l'examen de 1000 savants, pris au hasard dans la biographie universelle, et appartenant aux différents pays de l'Europe, il a obtenu ainsi une moyenne de 65 ans 10 mois, c'est-à-dire peu au-dessous du chiffre fourni par les académiciens.

Casper, de son côté, dans ses études sur la durée de la vie chez les médecins, a noté que, sur 100 personnes, exerçant les professions suivantes, ont atteint l'âge de 70 ans et au delà : — théologiens, 42 ; — cultivateurs, 40 ; — employés supérieurs, 35; — marchands, artisans, 35; — militaires, 33; — employés subalternes, 32; — avocats, 29; — artistes, 28; — professeurs, 27; — médecins, 24.

Enfin Madden (*The Infirmities of Genius*, etc., Lond., 1833) a donné le tableau suivant de la longévité dans les professions libérales : — naturalistes, 75 ans; — philosophes, 70; — peintres et sculpteurs, 70; — légistes, 69; — médecins, 68; — théologiens, 67; — philologues, 66; — musiciens, 64; — romanciers, 62,5; — auteurs dramatiques et auteurs divers, 62; — poëtes, 57. (Œsterlen, *Handb. der med. Statistik*, p. 210. Tübingen, 1865-68.)

Ainsi, malgré leurs infirmités, les gens de lettres fournissent une assez longue carrière: ce qu'ils doivent certainement à leur sobriété, et à l'aisance, au moins relative, dont ils jouissent. Ce qui confirme ce que nous avons dit ailleurs (*voy.* BOUCHERS) qu'une grande vigueur corporelle n'est nullement un brevet de longévité.

Que convient-il de faire pour neutraliser cet ensemble de causes morbifiques? Le premier soin est d'empêcher la prédominance trop marquée des fonctions intellectuelles sur les autres fonctions de l'économie, et d'établir un équilibre dont la rupture présente de si fâcheuses conséquences : « Parquoy Platon nous admonestoit sagement, dit Plutarque, de ne remuer et n'exercer point le corps sans l'âme, n'y l'âme aussi sans le corps, ains les conduire également tous deux, comme une couple de chevaux attelez à un mesme timon ensemble; attendu que le corps besongne et travaille quant et l'âme, au moyen de quoy il en faut avoir un grand soing et lui rendre le traictement qui luy appartient afin de lui entretenir la belle, bonne et désirable santé. » (Plutarque, *les Règles et préceptes de santé*, trad. d'Amyot, in *Œuvres*.) Ici, le plus difficile n'est pas de tracer les règles que doivent suivre les gens de lettres pour conserver leur santé, mais bien de les leur faire accepter. Les uns par insouciance, les autres par présomption croyant savoir mieux que les médecins ce qui leur convient, repoussent les précautions qu'on leur recommande, quitte à les exagérer ensuite et à tomber dans ces ridicules minuties, ces craintes puériles qui caractérisent la nosomanie.

1° De toutes les précautions à prendre, la plus nécessaire et peut-être la plus difficile à obtenir, c'est la modération dans l'exercice de la pensée. On ne doit pas prolonger au delà de la puissance individuelle, fort variable d'ailleurs, le travail intellectuel. Comme toutes les autres fonctions, celles du cerveau sont intermittentes, il faut donc s'arrêter quand la pesanteur ou la douleur de tête avec sensation de chaleur viennent vous avertir que l'organe est fatigué et demande du repos.

2° Le meilleur moyen de lui accorder ce repos, c'est la promenade au grand air, ou du moins un changement d'occupation. On sait combien sont avantageux pour les savants et les gens de lettres, les divers exercices corporels, l'escrime, la gymnastique, le jardinage, l'équitation si appréciée par Boerhaave, certains jeux actifs tels que le billard, les boules, etc., etc. Ces exercices ne devront pas non plus être portés jusqu'à la fatigue, et il convient de se reposer quelques instants, avant de reprendre son travail.

3° On comprend de quelle importance doit être le régime chez des personnes dont l'estomac est si fréquemment atteint de dyspepsie. Disons d'abord qu'il faut consacrer au repas un temps suffisant, de manière à se livrer à une mastication rigoureuse, condition indispensable de toute bonne digestion. Quant au mode d'alimentation, il doit nécessairement différer suivant les individus, les saisons, les climats et, sans entrer dans des détails oiseux, disons seulement qu'il doit être mixte et réparateur; viandes grillées, poissons légers, légumes verts bien cuits, peu de farineux, éviter les ragoûts épicés, les pâtisseries, les charcuteries, etc.; les boissons aqueuses, c'est-à-dire, suivant la tolérance de l'estomac, vin coupé de préférence à la bière et surtout au cidre, seront mises en usage; ceux dont le système est très-affaibli pourront prendre un peu de vin pur, bordeaux ou vins du Midi. Le café, le thé dont Tissot a blâmé l'abus extravagant qu'on en faisait de son temps, sont réellement très-utiles, mais à la condition d'en user modérément; une petite tasse de café ou une ou deux au plus de thé noir après le repas facilitent la digestion et laissent au cerveau toute sa liberté d'action. Il faut aussi éviter de se livrer à un travail intellectuel actif immédiatement après le principal repas; c'est alors que le repos avec causerie familière, une promenade sans fatigue, préparent très-bien à la méditation qui pourra ensuite avoir lieu sans entraver la digestion.

4° Il n'est pas toujours possible aux littérateurs, aux savants, de résider dans un endroit plutôt que dans un autre. Cependant ils devront, autant qu'ils le pourront, habiter sinon la campagne, du moins un quartier sain, dans une rue large, occuper un étage élevé et bien exposé, plus spécialement au soleil levant. Pour le chauffage on préférera la cheminée au poêle, et pour l'éclairage la bougie ou une bonne lampe, au gaz. Une très-bonne précaution, quand on travaille à une lumière artificielle ou à un jour très-vif, c'est de porter des lunettes teintées.

5° Les personnes dont le cerveau est très-occupé sont habituellement frileuses, il leur faut donc des vêtements chauds. Chacun suivra à cet égard ses impressions particulières. Mais ce qu'il faut surtout éviter, c'est le froid aux pieds qui favorise les congestions du côté du cerveau, et c'est particulièrement au moment du coucher qu'il convient d'y porter remède.

6° La propreté la plus rigoureuse doit être observée. Tissot a judicieusement signalé ici la grande utilité des bains froids, surtout suivis d'une franche réaction : on peut aujourd'hui conseiller les pratiques les plus simples de l'hydrothérapie. Tissot a aussi vanté avec juste raison l'importance des frictions sèches.

7° Enfin on sait combien les veilles sont nuisibles à la santé, un sommeil réparateur de six à sept heures est indispensable, nulle transaction ne peut être acceptée à cet égard.

Quant aux maladies proprement dites, tous les auteurs sont d'accord pour rejeter les moyens débilitants trop énergiques et surtout trop longtemps soutenus; les adoucissants, les toniques doux doivent jouer ici un grand rôle, mais particulièrement dans la convalescence qui est ordinairement longue et exige un régime analeptique, l'air pur de la campagne, les eaux gazeuses, ferrugineuses, etc., etc.

E. Beaugrand.

Bibliographie. — On comprend que les médecins se soient occupé depuis longtemps de la santé des hommes qui se consacrent aux travaux de l'intelligence ; de là une multitude de dissertations dont la bibliographie suivante ne peut donner qu'un spécimen incomplet. Ficino (Marsili). *De studiosorum sanitate tuenda*. In *De Vita* (lib. I), 1489, pet. in-fol. Bonon., 1501, in-4°, etc. Trad. fr. par Beaufils. Paris, 1541, in-8°, etc. — Grataroles (G.). *De litteratorum et eorum qui magistratibus funguntur conservanda præservandaque valetudine*. Basileæ, 1555, in-8°. — Horst (Gr.). *De tuenda sanitate studiosorum et litteratorum*. Giessen, 1615, in-8°. — Eberfeld. *De morbis eruditorum*. Duisbergi, 1693, in-4°. — Hoffmann (Fr.). *De præcipuo studiosorum morbo ejusque genuinis causis*. Halæ, 1699, in-4° et in *Diæt. germ.*, t. IX. Halæ, 1728, in-8°. — Schrœder. *De eruditorum valetudine*. Helmstadii, 1701, in-8°. — Vesti. *De atrophia litteratorum*. Erfordiæ, 1714, in-4°. — Schacher. *De eruditorum morbis* Lipsiæ, 1719, in-4°. — Abel (H. C.). *Leibmedicus der Studenten*. Leipzig, 1720, in-8°. — Alberti. *De antochiria litteratorum*. Halæ, 1727, in-4°. — Stahl (G. Ern.). *De principalioribus litteratorum affectibus*. Erfordiæ, 1730, in-4°. — Cartheuser (J. Fr.). *Progr. de prima ac vera morbi litteratorum origine*. Francof., 1740, in-4°. — Juch. *De constitutione literatorum vel cacochymia pituitosa cachectica*. Lipsiæ, 1740, in-4°. — Sälchow. *De litteratorum et honoratorum sanitate tuenda*. Halæ, 1746, in-4°. — Stock (J. C.). *De tuenda sanitate in meditationum laboribus*. Ienæ, 1751, in-4°. — Pujati (G. A.). *Della preservazione della salute de litterati*. Venezia, 1752, in-8°. — Tissot (S. A. D.). *De valetudine litteratorum*. Lausanne, 1766, in-8°. Trad. fr. sous le titre : *Avis aux gens de lettres sur leur santé*. Paris. 1768, in-12. Traduct. désavouée par Tissot, qui en a donné une lui-même sous le titre suivant : *De la santé des gens de lettres*. In *Œuvres par Hallé*, t. III. Paris, 1809, in-8° et Paris, 1826, in-12 (édit. de Boisseau). C'est encore aujourd'hui, au point de vue pratique, le meilleur ouvrage qui ait été écrit sur cette question. — Bienville. *Der Familienarzt und der Arzt der Gelehrten*. Leipzig, 1776, in-8°. — Ackermann (J. Chr. Gtl.). *Ueber die Krankheiten der Gelehrten*. Nürnberg, 1777, in-8°. — *Von einigen Krankheiten der Gelehrten und deren Kuren*. Kœln, 1783; in-8°. — Verhagen (H.). *De morbis ex nimia litteratura sequi solitis*. Lugd. Batav., 1788, in-4°. — Heerkens (G. Nic.). *De valetudine litteratorum Poema*. Groningæ, 1792, in-8°. — Lidderdale. *De morbis litteratorum*. Edinb. 1800, in-4°. — Brunaud. *De l'hygiène des gens de lettres*, ou *Essai médico-philosophique sur les moyens*, etc. Paris, 1819, in-8°. — Aulagnier. *Essai sur les principales maladies des gens de lettres, et sur l'emploi*, etc. Th. de Strasb., 1827, n° 828. — Bégin (E. A.). *De l'influence des travaux intellectuels sur le système physique de l'homme*. Ibid, 1828, n° 854. — Madden. *The Infirmities of Genius*, etc., London, 1833, in-8°. — Réveillé-Parise. *Physiologie des hommes livrés aux travaux de l'esprit*. Paris, 1834, 2 vol. in-8°. — Lemonnier. *Influence du travail et des impressions littéraires sur le développement des névroses*. Th. de Paris, 1835, n° 286. — Newnham (W.). *Essay on the Diseases, incident to Litterary Men*. Lond., 1836, in-8°. — Benoiston de Chateauneuf. *De la durée de la vie chez les savants et les gens de lettres*. In *Ann. d'hyg.*, 1re sér., t XXV, p. 241; 1841.

E. Bgd.

LETTSOM (John-Coackley), naquit en 1744, dans l'île de Little-van-Dicke, près de Tortola, dans les Indes occidentales, de parents appartenant à la secte des quakers. Il vint très-jeune en Angleterre et fut confié aux soins du savant Fothergill. Ses humanités terminées, il se préparait à l'étude de la médecine par le stage obligé dans une pharmacie, quand la mort de son père le rappela aux colonies pour recueillir sa succession. Là, il donna la liberté à ses esclaves et revint en Angleterre achever ses études; il voyagea ensuite sur le continent, se fit recevoir docteur à Leyde et retourna à Londres exercer la médecine avec un grand succès. Quand il mourut, en 1815, il était membre de la Société royale de Londres du collége des médecins, médecin extraordinaire de l'hôpital de Londres.

Lettsom s'était beaucoup occupé d'histoire naturelle et a écrit un très-grand nombre d'ouvrages dont nous indiquerons seulement les principaux.

I. *Obs. ad historiam theæ pertinentes*. Leyde, 1769, in-4°. — II. *The Natural History of the Tea-Tree; with Observ. on the Medical Qualities*, etc. Lond., 1772, in-4°. Ibid., 1799, in-4°. Trad. franç., Paris, 1773, in-12. — III. *Reflexions on the General Treatment and Cure of Fevers*. Lond., 1772, in-8°. — IV. *Med. Minutes of the General Dispensary in London*, etc. Lond., 1774, in-8°. Trad. fr., Paris, 1787, in-8°. — V. *Improvement of Medicine in London, on the Basis of the Public Good*. Ibid., 1775, in-8°. — VI. *History of the Origin of Medicine*. Ibid., 1778, in-4°. — VII. *Letter to Sir G. Baker... respecting General Inoculation*. Ibid., 1778, in-4°. — VIII. *Considerations on the Propriety of a Plan for inoculation the Poor of London at their own Houses*. Ibid., 1779, in-8°. — IX. *History of some of the Effects of Hard-Drinking*. Ibid., 1789, in-4°. — X. *Hints respecting the Distress of the Poor*. Ibid., 1794, in-8°. — XI. *Hints respecting the Chlorosis of boardings Schools*. Ibid., 1795, in-8°. — XII. *Obs. on the Cow-Pox*. Ibid., 1801, in-8°. — XIII. *An Apology for differing from the Authors of the Monthly and Critical Review*, etc. Lond., 1803, in-8°. — XIV. Un grand nombre de mémoires dans divers recueils, et notamment dans les *Memoirs of Medical Society* (les t. I-VI). E. Bgd.

LEUCANTHÈME (*Leucanthemum* T.). Ce nom qui était, pour les anciens, celui de la Camomille romaine, a été donné à quelques plantes détachées du grand genre Chrysanthème de Linné, et qui en diffèrent notamment en ce que tous les achaines produits par une inflorescence y sont d'une seule sorte et non de deux, et tous coniques, tronqués au sommet, munis de côtes tout autour. Les Leucanthèmes sont des herbes vivaces des pays tempérés, à feuilles alternes et à capitules terminaux. L'espèce type du genre est la Grande marguerite de nos champs (*Leucanthemum vulgare* Lamk, *Fl. fr.*, II, 137. — *Chrysanthemum Leucanthemum* L., *Spec.*, 1251. — *C. montanum* W., *Spec.*, III, 2143. — *C. sylvestre* W., *Enum.*, 60. — *Matricaria Leucanthemum* Desvx, ex Lamk, *Dict.*, III, 2143). Cette plante bien connue sert de légume dans l'Archipel. On mange ses jeunes pousses crues, d'après Belon (*Singul.*, 60). En Sibérie, suivant Rehmann (*Nouv. Journ. méd.*, V, 208), on l'emploie contre la leucorrhée. Lobel l'appelait *Consolida media vulnerarium*, en raison de ses vertus. On la regardait comme apéritique, dépurative, diurétique. Ray admettait même qu'elle guérissait l'asthme, la phthisie. En Bosnie, elle sert d'insecticide. Cazin suppose qu'elle pourrait être employée aux mêmes usages que la Pâquerette; elle est un peu âcre et amère. Les anciens la recherchaient comme « chaude et sèche et bonne à résoudre les strumes; » elle n'est guère usitée de nos jours. H. Bn.

Tourn., *Instit.*, t. 492. — DC. *Prodr.*, VI, 45. — Endl., *Gen.*, n. 2667. — Mér. et Del., *Dict.*, II, 271. — Gren. et Godr., *Fl. de Fr.*, II, 139. — Cazin, *Trait. prat. des pl. médic.*, éd. 3, 735.

LEUCATHON. Nom que Dioscoride, suivant Mérat et Delens (*Dict.*, IV, 94), donne à l'Œnanthe safranée. H. Bn.

LEUCÉ. Comme nous l'avons dit ailleurs (*voy.* Alphos), les Grecs désignaient sous le nom de Leucé une lésion de la peau caractérisée par des taches blanches qui affectaient à la fois l'épiderme et les parties sous-jacentes. A cet égard, il règne une parfaite conformité entre les auteurs. Nous n'avons pas à y revenir. L'auteur du *Prorrhétique* (II, 43) déclare que la leucé appartient aux affections les plus graves, *comme aussi la maladie dite phénicienne* (φοινικίη). Qu'est-ce donc que cette maladie phénicienne? Galien n'hésite pas à y reconnaître l'éléphantiasis, maladie très-commune, dit-il, dans l'Anatolie, c'est-à-dire dans le Levant. (Gloss. p. 597. Lipsiæ, 1780, in-fol.) Ce premier rapprochement est très-remarquable, ajoutons-y ce que dit un écrivain un peu antérieur à Hippocrate, Hérodote, qui nous apprend qu'en Perse tout citoyen atteint de la *lèpre* ou de la *leucé* est renvoyé de la ville et privé du commerce de ses semblables (*Hist.* I, 138); nous en avons parlé au mot Lèpre. (*Voy.* p. 184.) Aristote mentionne aussi la leucé qu'il déclare plus fréquente chez les hommes que chez les femmes et les enfants. (*Probl.*, sect. X, nos 4, 5.) La pathogenèse de la leucé est fixée comme il suit par Galien. L'afflux d'un sang pituiteux et glutineux prolongé dans une partie en rend la chair semblable à celle des crabes et des huîtres. (*De Sympt. causis*, lib. III.) Désormais il n'y a plus qu'à copier cette théorie, y joindre les signes diagnostiques donnés par Celse (piquer avec une aiguille pour voir s'il sort du sang) et l'histoire de la leucé est stéréotypée pour des siècles; seulement les Arabes et quelques arabistes l'appelleront *Al-baras*. La leucé est-elle une maladie à part, n'est-elle pas plutôt la première période de l'éléphantiasis des Grecs, telle que la fait connaître Moïse? (*Lévitiq.*, XIII, XIV.) Cette question sera discutée à propos de l'Éléphantiasis.

E. Bgd.

LEUCÉMIE. *Voy.* Leucocythémie.

LEUCINE (oxyde caséeux, aposépédine). Formule $C^6H^{13}AzO^2$. La leucine est un produit azoté, cristallisé et défini qui se forme d'une manière constante pendant la putréfaction des matières albuminoïdes et des tissus à gélatine. Elle prend encore naissance par la décomposition qu'éprouvent ces corps sous l'influence des alcalis caustiques bouillants ou de l'acide sulfurique. On la rencontre normalement dans le parenchyme de beaucoup d'organes (pancréas, rate, thymus, glandes thyroïde et salivaires, foie, reins, capsules surrénales, cerveau et glandes lymphatiques). Limpricht est arrivé à la produire synthétiquement par une réaction nette.

Le valérylure d'ammonium chauffé avec de l'acide cyanhydrique et de l'acide chlorhydrique se convertit en leucine. (Limpricht, *Ann. der Chem. u. Pharm.*, XCIV, p. 243.) Cette réaction prévue par Gerhardt se formule ainsi :

$$\underset{\text{Hydrure de valéryle.}}{C^5H^{10}O^2} + \underset{\text{Acide cyanhydrique.}}{CAzH} + H^2O = \underset{\text{Leucine.}}{C^6H^{13}AzO^2}.$$

Propriétés. La leucine cristallise dans l'alcool sous forme de paillettes nacrées, douces au toucher, plus légères que l'eau. L'eau froide la dissout peu (1 part. pour 27 p. d'eau). Elle est plus soluble dans l'eau chaude. Elle est soluble dans 1040 p. d'alcool froid et 800 p. d'alcool chaud, insoluble dans l'éther. Impure, telle qu'on la retire des liquides animaux, elle cristallise en boules et semble être plus soluble dans l'eau et l'alcool. Chauffée avec précaution, elle fond à 170° et se sublime à une température plus élevée; chauffée brusquement, elle se décompose, en donnant de l'acide carbonique, de l'ammoniaque et de l'amylamine. Distillée avec un mélange d'acide sulfurique étendu et de peroxyde de manganèse, elle fournit de l'eau, de l'acide carbonique et du cyanure de tétryle.

$$C^6H^{13}AzO^2 + O^2 = CO^2 + H^2O^2 + C^5H^9Az.$$

Ces deux réactions jointes à la synthèse de Limpricht fixent nettement la constitution de ce corps que l'on peut considérer comme de l'acide amylcarbonique.

Lorsqu'on fait passer du bioxyde d'azote dans une dissolution de leucine dans l'acide azotique, il se dégage de l'azote et l'on obtient un acide sirupeux, très-soluble dans l'éther : acide leucique $C^{12}H^{24}O^6$, homologue de l'acide lactique. Le même acide se produit lorsqu'on fait passer du chlore dans une solution de leucine dans la soude diluée.

Si le chlore est en excès, il se produit du chlorure de cyanogène et du cyanure de tétryle.

La leucine forme indifféremment des combinaisons avec les acides et avec les bases. C'est ainsi que l'on peut former directement :

Le chlorhydrate de leucine. . $HCl.C^6H^{13}AzO^2$, cristaux très-solubles.
Le nitrate — — . $AzO^3H,C^6H^{13}AzO^2$, aiguilles incolores.

Les nitrates doubles de leucine et de chaux, de leucine et de magnésie.

Le sulfate de leucine qui cristallise lorsqu'on ajoute de l'alcool absolu à la solution de la leucine dans l'acide sulfurique étendu, et qu'on évapore à consistance de sirop. On connaît des combinaisons cristallines de leucine et d'oxydes de cuivre, de mercure, de plomb, que l'on forme directement en chauffant les oxydes fraîchement précipités dans une solution aqueuse de leucine et en concentrant.

Parmi les solutions métalliques le sous-acétate de plomb est le seul qui précipite la leucine.

La leucine est facilement soluble dans les alcalis et l'ammoniaque, ainsi que dans les acides étendus. Les acides sulfurique et chlorhydrique concentrés la dissolvent sans altération.

Préparation. Le procédé synthétique de Limpricht fournit le plus facilement la leucine pure. On fait bouillir, à cet effet, un mélange d'aldéhyde valérique, d'acide prussique et d'acide chlorhydrique dans une cornue, jusqu'à ce que la couche huileuse ait disparu. On évapore à sec. Le résidu est bouilli avec de l'eau et de l'hydrate de plomb, on filtre et on précipite le plomb par l'hydrogène sulfuré, on évapore et on reprend par l'alcool faible bouillant qui laisse déposer le produit sous forme de paillettes.

On peut aussi faire bouillir pendant vingt-quatre heures 2 parties de copeaux de corne avec 5 parties d'acide sulfurique étendu de 13 parties d'eau, en renouvelant l'eau évaporée. On filtre, on neutralise par la craie. Le liquide filtré est concentré à moitié, l'excès de chaux est précipité par l'acide oxalique et le liquide filtré est concentré jusqu'à cristallisation.

Veut-on extraire la leucine des organes animaux où elle se trouve normalement ou pathologiquement : on épuise avec de l'eau froide l'organe haché, en laissant égoutter et en exprimant. Le liquide acidulé légèrement par l'acide acétique est coagulé par la chaleur, pour éliminer l'albumine ; on précipite par l'acétate de plomb, on filtre et on enlève l'excès de plomb par l'hydrogène sulfuré ; on évapore à sec et l'on épuise par l'alcool bouillant, on filtre et on évapore à consistance sirupeuse. Dans le cas de la présence de la leucine, on verra se former au bout de quelques jours des cristaux, ayant la forme de boules ou de rognons, plus rarement de feuillets nacrés. Les premiers cristaux déposés sont redissous dans l'ammoniaque faible. Le liquide est précipité par l'acétate de plomb. Le dépôt lavé avec peu d'eau est décomposé par l'hydrogène sulfuré et la solution filtrée est concentrée au bain-marie. Cette marche pourra être suivie comme moyen d'analyse et de recherche de la leucine dans un organe.

Les réactions suivantes appliquées aux cristaux obtenus par le procédé précédent permettent de mieux caractériser la leucine. 1° Chauffée sur une lame de platine avec de l'acide nitrique, elle laisse un résidu incolore qui prend une teinte jaune ou jaune brun, lorsqu'on ajoute quelques gouttes de soude; ce résidu chauffé avec de la soude se réunit sous forme d'un globule huileux non adhérent. 2° Chauffée dans un tube d'essai, elle fond et donne à la distillation un liquide huileux et une odeur d'amylamine. 3° La leucine impure dissoute à chaud dans l'acétate de plomb, fournit après refroidissement et addition d'ammoniaque des feuillets cristallins nacrés de la combinaison plombique.

Etat naturel. Nous avons déjà vu que la leucine se rencontre normalement dans l'organisme.

Liebig l'a rencontrée dans le foie de bœuf et Gorup dans le foie de veau. D'après Stædeler et Frerichs, on ne l'observe qu'à l état pathologique dans le foie humain, particulièrement dans l'atrophie jaune, le typhus, le tubercule, le rhumatisme aigu et la variole.

Scherer a démontré sa présence dans la rate, surtout pendant certaines affections, la leuchémie entre autres. Le pus, le cerveau pendant l'atrophie du foie; l'urine dans les cas de typhus, d'atrophie jaune du foie; le sang des leuchémiques est riche en leucine.

D'après les recherches de Neukomm, la leucine ne doit pas être considérée comme un principe spécial à tel ou tel organe; elle n'apparaît que là où l'on observe une régénération abondante et une fusion rapide des parties élémentaires et particulièrement des cellules. P. SCHÜTZENBERGER.

LEUCOCYTE. Nom donné à une espèce d'éléments anatomiques ayant forme de cellule, dont les individus de la variété la plus répandue se distinguent par leur figure sphérique, la production à l'état frais d'expansions sarcodiques qui les déforment, mais surtout par les actions coagulantes et dissolvantes spéciales de l'eau, de l'acide acétique, etc., qui les pâlissent et y font apparaître généralement de 1 à 4 petits amas en forme de noyaux, lorsque leur état finement granuleux n'a pas été remplacé par le dépôt de granulations graisseuses dont ils sont souvent le siége (pl. I, II et III); les moins nombreux de ces éléments, beaucoup plus petits (*globulins*), prennent à l'état cadavérique ou au contact de l'eau, etc., l'aspect d'un noyau sphérique, sans nucléole, légèrement recourbé et contracté par l'acide acétique, et entouré d'un corps ou masse de cellules à peine plus gros que le noyau.

Les leucocytes, ainsi nommés en raison de leur état incolore, ainsi que de la teinte d'un blanc grisâtre ou jaunâtre qu'ils donnent aux tumeurs qui en contiennent beaucoup (de λευκόν, blanc; κύτος, masse, corps, cellule), ont été appelés : *Corpusculi rotundi pituitæ.* (Gorn. Ad. Christ., *De pituita dissertatio inauguralis.* Leipzig, 1718, in-4°, p. 8.) Globules du pus, globules blancs du pus. (Senac, *Traité du cœur*, 1749, t. II, p. 659.) Globules arrondis plus petits que les globules rouges du sang des poissons. (Muys, *Musculorum artificiosa fabrica, observationibus et iconibus illustrata.* Lugduni Batavorum, in-8°, 1751, p. 500, en note.) Globules de la lymphe. (Hewson, *Opera omnia*, 1771-1795, IIIe part., p. 81.) Globules ronds du sang. (Spallanzani, *Dei fenomeni della circolazione osservata nel giro universale dei vasi;* etc. *Dissertazioni quattro.* Modena, 1777, in-8°. Beaucoup de catalogues disent à tort 1773. Trad. franç. par Tourdes. Paris, an VIII (1800), in-8°, p. 173 et 287.) Corps globuleux et globules blancs du pus. (Hunter, *Leçons sur les principes de la chirurgie*, 1786-1787. Œuvres. Trad. franç. Paris, 1845, t. I, p. 471, et *Traité du sang, de l'inflammation*, etc., 1794, 2e partie, ch. V : Du Pus. Trad. franç., *ibid.*, t. III, p. 500.) *Vésicules du sang* plus grosses que les globules rouges qui naissent dans leur intérieur. (Gruithuisen, *Beiträge zur Physiognosie und Eautognosie*. München, 1812, in-8°, § 89, p. 162.) Granules ou corpuscules de la lymphe. (J. Müller, *Handbuch der Physiologie*. Koblentz, 1833, in-8°, p. 149, et *Archiv für Anatomie und Physiologie*. Berlin, in-8°, 1835, p. 214.) Granules ou globules du chyle. (R. Wagner, *Neue wissenschaftliche Annalen*, 1834, t. XXVIII, p. 135.) Globules de pus. (Donné, *Recherches physiologiques et chimico-microscopiques sur les globules du sang, du pus, du mucus, et sur ceux des humeurs de l'œil*. Paris, Thèse, 1831, in-4°, p. 12, 15 et 16.) Globules de mucus. (Donné, *ibid.*) *Globules de chyle* dans le sang. (Mandl, *Sur les globules du sang*, in journal *l'Institut*. Paris, 1837, in-4°, p. 32.) Globules fibrineux *du sang, du pus, du mucus, de la salive, de l'urine*. (Mandl, *Mémoire sur le pus, les mucus et les différents produits des épanchements*, in *Gaz. médicale*. Paris, 1837, in-4°, p. 634.) Globules blancs du sang. Globulins du sang venant de la lymphe et du chyle. (Donné, *Sur la constitution microscopique du sang*, in *Comptes rendus des séances de l'Acad. des sciences de Paris*, 1838, in-4°, t. VI, p. 17.) Globules muqueux. (Mandl, *Mémoire sur les rapports qui existent entre le sang, le mucus et l'épiderme*, in *Gazette médicale*. Paris, 1840, in-4°, p. 417.) Cellules de la lymphe. (Schwann, *Untersuchungen*, 1838, in-8°, p. 75-77.) Cellules du pus et du mucus. (Schwann, *ibid.*, p. 77-78.) Globules d'inflammation ou d'exsudation. (Gluge, *Mikroskopische anatomische Untersuchungen zur allgemeinen und speciellen Pathologie*. Minden, 1838, in-8°, Heft., t. I, p. 12-13.) *Corpuscula granulosa seu granulata*, corpuscules granuleux ou corpuscules d'agrégation, corpuscules de pus très-granuleux. (Gerber, *Allgemeine Anatomie* 1840, p. 9.) Cellules granuleuses ou granulées. (Vogel, article ENTZUNDUNG (*Handwörterbuch der Physiologie*, von R. Wagner. Braunschweig, 1842, p. 348.) Globules granuleux de l'exsudation ou de l'inflammation. (Lebert, *Physiologie pathologique*. Paris, 1845, in-8°, t. I, p. 29.). Globules pyoïdes. (Lebert, *ibid.* Paris, 1845, t. I, p. 46.) Corpuscules incolores du sang. (Henle, *Traité d'anatomie générale*. Paris, traduit par Jourdan, 1843, in-8°, t. I, p. 476-477.) Globules lympathiques. (Mandl, *Manuel d'anatomie générale*. Paris, 1843, in-8°, p. 252, pl. II, fig. 18, *b*.) Vésicules incolores du sang. (Boecker, *Ueber die verschiedenen Arten und die Bedeutung der gewelkten Blutkörperchen*, in *Archiv für physiologische Heilkunde*. 1851, p. 165.) Corpuscules cytoïdes. (Henle, *Handbuch der rationellen Pathologie*. Braunschweig, 1850, in-8. Zweiter Band, p. 685, tab. 1.) Cellules à noyau, cellules élémentaires et cellules primaires claires et granuleuses. (Henle, *ibid.*, p. 694, tab. 2, fig. 25, et p. 695, 696, fig. 27.) Conglomérats ou amas granuleux. (Henle, *ibid.*, p. 698.) Cellules incolores du sang. (Lehmann, *Einige vergleichende Analysen des Blutes der Pfortader und der Lebervenen*, in *Berichte über die Verhandlungen der K. Sächsischen Akademie der Wissenschaften*, 1850, t. III, p. 131.) Pyocytes. (Ch. Robin, *Mémoire sur l'épithélioma du rein et sur les minces filaments granuleux des tubes urinipares expulsés avec les urines*. Paris, 1855, in-8°, p. 22, et *Gazette des hôpitaux de Paris*, 1855, in-folio, p. 186-194 et 202 ; et Robin et Desmarres, *Remarques sur les affections des milieux non-vasculaires de l'œil*, in *Comptes rendus et Mém. de la Soc. de biologie*. Paris, 1855, in-8°, p. 32.) Leucocytes. (Littré et Robin, *Dict. de médecine* dit de Nysten, 10ᵉ édition. Paris, 1865, in-8°, p. 734.)

De la distribution des leucocytes dans l'économie. Cette espèce d'éléments anatomiques est une de celles qu'on trouve dans le plus grand nombre des parties du corps. Son étude est des plus complexes et des plus curieuses en raison du nombre de la facilité avec laquelle ces cellules naissent dans l'organisme et y présentent des modifications de structure selon les nombreuses conditions dans lesquelles elles sont habituellement placées.

Les leucocytes offrent en effet cette particularité, qu'ils ne montrent jamais d'arrangement réciproque déterminé et constant, parce que c'est dans les humeurs de l'économie qu'ils siégent ordinairement; et lorsqu'ils se rencontrent dans l'épaisseur d'un tissu, c'est accidentellement et interposés sans ordre aux éléments fondamentaux de ce dernier.

On trouve à l'état normal ces cellules dans toutes les parties où existent les globules rouges du sang, ainsi que dans la lymphe. Dans les capillaires, dans ceux de deuxième et de troisième ordre surtout, ainsi que dans les petites artères et petites veines, elles sont appliquées contre la face interne du conduit, plutôt qu'en suspension dans le sérum du sang. Cette disposition s'observe, soit pendant la vie, soit pendant la mort de l'animal, tant que le plasma sanguin n'a pas transsudé hors des vaisseaux. Ce n'est que par moment qu'on voit les globules blancs flotter dans le sérum avec les hématies.

Dans le sang coagulé après la mort soit dans une artère liée, soit dans un épanchement apoplectique ou autre, soit dans le caillot de la saignée, les leucocytes se rencontrent surtout vers la jonction de la portion de fibrine qui est incolore avec la masse de celle qui est colorée par interposition des globules rouges. Dans les caillots polypiformes du cœur, dans ceux des veines et des artères, lorsque du liquide rougeâtre ou blanc crémeux, puriforme, se trouve au centre du caillot, presque toujours on y observe une quantité plus ou moins grande de leucocytes. (*Voy.* Robin et Verdeil, *Chimie anatomique*, Paris 1853, t. III, p. 265.)

Dans les veines spléniques, sus-hépatique, porte, rénale, et quelquefois dans les veines pulmonaires, les globules blancs se rencontrent assez souvent au nombre de 1 à 8 ou 10, dans des amas de matière amorphe finement granuleuse. Ce fait a lieu sur l'embryon comme chez l'adulte, et ces amas sont peut-être plus nombreux encore dans le premier que chez le second.

Dans les vaisseaux lymphatiques du cou, du testicule et du pli de l'aine, etc., de l'homme et des animaux, les leucocytes sont très-souvent réunis en amas assez considérables pour être aperçus à l'œil nu, lors de l'écoulement du liquide, sous forme de très-petits grumeaux. Ce fait s'observe particulièrement lorsque, après avoir pratiqué deux ligatures sur des vaisseaux pleins de lymphe dans un faisceau de ces conduits, afin de les enlever du cadavre encore chaud, on fait écouler cette humeur après son refroidissement. On les trouve aussi bien dans les réseaux d'origine des lymphatiques avant les ganglions qu'au delà de ces glandes.

C'est dans ces diverses conditions que ces éléments ont reçu les noms de *globules de la lymphe, du chyle*, et de *globules blancs du sang*.

Ces éléments se rencontrent en outre dans toutes les autres humeurs de l'économie, soit normales, soit accidentelles, dans lesquelles on les a pris longtemps pour des espèces différentes des précédents sous les noms de *globules du mucus, du pus, du colostrum*, etc.

On peut en effet les observer dans le liquide des vésicules séminales, dans le liquide prostatique, dans le sperme éjaculé, dans le premier lait sécrété ou colostrum, dans le lait de la mamelle enflammée ou abcédée.

On les trouve encore dans les liquides allantoïdiens et amniotiques, dans l'*hu-*

meur vitrée ou *hyaloïde*, au moins pendant la vie intra-utérine et dans les premiers mois qui suivent la naissance (pl. III, fig 9); dans le liquide encéphalo-rachidien, la synovie et toutes les autres sérosités ; là ils sont fort peu nombreux à l'état normal, mais ils s'y multiplient facilement lorsque survient quelque inflammation des membranes correspondantes.

Les divers mucus produits dans des conditions tout à fait normales, n'en renferment qu'un très-petit nombre ; mais le plus léger trouble de la circulation des muqueuses suffit pour déterminer à leur surface la production des leucocytes. Aussi les voit-on dans les mucus, y compris celui de la vessie, dans des conditions sinon tout à fait normales, au moins devenues habituelles chez un grand nombre de personnes.

Enfin ils constituent l'élément principal en suspension dans le sérum du pus et dans la sérosité des vésicatoires.

C'est aux leucocytes réunis en quantité plus ou moins considérable que le pus doit sa couleur plus ou moins jaunâtre et en partie sa consistance plus ou moins crémeuse. C'est à leur production dans le mucus, remplissant lui-même alors le rôle de sérum, que ces produits des muqueuses enflammées doivent la teinte jaunâtre, semblable à celle du pus, qu'ils prennent alors, tout en conservant leur nature spéciale, ainsi que la consistance et la viscosité *muqueuses* qu'ils avaient lorsqu'ils ne tenaient en suspension que quelques cellules épithéliales ou un trop petit nombre de leucocytes pour que leur transparence normale fût troublée.

Il n'est pas très-rare de trouver encore des leucocytes au sein de parties solides de l'économie, dans la trame de certains tissus, mais dans des conditions accidentelles surtout. C'est ainsi, par exemple, que le tissu morbide qui forme le *tubercule anatomique* en renferme une assez grande quantité éparse dans sa trame; les tumeurs de la cornée offrent également la même particularité. Diverses variétés de tumeurs d'aspect colloïde ou gélatiniforme du sein et d'autres régions en présentent encore des exemples, ainsi que les épithéliomas de la verge, de la plupart des muqueuses et quelquefois de la peau, qui montrent çà et là des leucocytes interposés aux cellules épithéliales. Enfin dans les excavations ou vacuoles dont se creusent les cellules épithéliales de ces mêmes tumeurs, on trouve des leucocytes offrant là les caractères de forme, de réactions, de structure, qui leur sont habituels (pl. I, fig 9).

De la quantité des leucocytes dans les diverses humeurs. Dans le sang, le nombre des leucocytes est beaucoup moindre que celui des hématies. D'une manière générale on peut dire qu'il y a environ 1 globule blanc pour 300 globules rouges.

Mais pour apprécier un peu plus exactement ce rapport numérique, il importe de se rappeler que sur le vivant une partie des leucocytes adhèrent, bien que faiblement, à la face interne des parois des capillaires, et qu'une partie seulement d'entre eux se trouvent en suspension dans le plasma. Il faut se souvenir également que ces globules mêlés aux hématies et entraînés avec elles par le plasma ont été adhérents aux parois des capillaires et se sont détachés plus ou moins facilement selon les régions et l'espèce de vaisseau rompu.

En outre, le nombre des leucocytes adhérents aux parois des capillaires diffère beaucoup d'une région du corps à l'autre. Ainsi, par exemple, ces éléments sont bien plus nombreux dans les capillaires de la rate, du foie, de la muqueuse intestinale, du poumon, du rein, de la pie-mère cérébrale et de la plupart des glandes que dans ceux de la peau, des muscles, du tissu lamineux, etc. Dans plusieurs des premiers organes que je viens de citer, ils forment par place une couche continue qui laisse çà et là des espaces libres plus ou moins étendus ; tandis que, dans les derniers, ils sont épars et écartés les uns des autres.

Lorsqu'on examine, sur une lame de verre divisée en carrés par des lignes écartées de 1 dixième de millimètre, combien il y a de leucocytes comparativement aux hématies dans le sang de la saignée ou qui s'écoule d'un piqûre faite à la peau, on arrive aux résultats suivants. On observe des différences considérables dans le rapport entre les globules blancs et les globules rouges d'un individu à l'autre et sans qu'il soit possible d'établir à cet égard aucune loi. C'est ainsi que sur des hommes adultes, également bien portants, de même âge à deux ou cinq ans près, on trouve que les leucocytes sont aux hématies comme 1 : 350 chez les uns, 1 : 500 ou environ chez les autres, et même comme 1 : 1000 ou 1200 chez d'autres. Généralement cette proportion est augmentée par tout ce qui active la circulation. Peut-être cela est-il dû à ce que les globules adhérents à la face interne des capillaires se trouvent détachés et entraînés alors en plus grand nombre.

En outre, une simple diarrhée, l'administration d'un purgatif tel que l'eau de Sedlitz, etc., suffisent pour amener une augmentation appréciable dans le nombre des leucocytes qu'on trouve mêlés aux disques rouges.

A partir de l'âge adulte jusqu'à la vieillesse avancée, c'est entre 1 : 300 et 400, qu'oscille le rapport des leucocytes aux hématies. Chez les femmes, les globules blancs semblent un peu plus nombreux, car le rapport varie entre 1 : 250 et 300.

Chez les embryons humains jusqu'au deuxième mois environ, les leucocytes sont plus abondants qu'ils ne le seront plus tard. Ainsi dans le sang des vaisseaux placentaires le rapport est comme 1 : 80 ou 100. Il en est de même chez les carnivores et le porc aux époques correspondantes. Chez les ruminants et les rongeurs le rapport n'est guère que 1 : 170 ou 180. Plus tard ce rapport diminue, et chez le nouveau-né humain on trouve généralement que les globules rouges sont aux globules blancs comme 1 : 100 ou 130 ; au bout d'un an ou deux ce rapport devient 1 : 200 ou environ, et se conserve à peu près tel jusqu'à l'âge de puberté. D'autre part, il est des fœtus abortifs de 4, 5 ou 6 mois dans le sang desquels les globules blancs sont plus nombreux de près du double que ne l'indiquent les rapports signalés plus haut, et cela sans que rien puisse en faire soupçonner la cause.

Il est des conditions morbides nombreuses dans lesquelles on voit les leucocytes augmenter très-notablement de quantité : telles sont les dysenteries, les fièvres puerpérales, les infections purulentes, la diphthérite, etc. Il est commun dans ces circonstances de voir le rapport devenir 1 : 100 ou environ.

Il est d'autres circonstances, morbides également, où le nombre des leucocytes devient le vingtième, le dixième, le cinquième et même le tiers ou le quart de celui des hématies. Le sang reçoit de la présence de ce grand nombre de globules une teinte violacée grisâtre, ou rouge brique tirant au blanc grisâtre, qui l'a fait comparer à du sang qu'on aurait mêlé de pus. C'est là ce qui caractérise l'état anatomique du sang appelé *leucocythémie* (λευκόν, blanc ; κυτος, cellule ; αἷμα, sang. Bennett). Cet état, comme on sait, accompagne un certain nombre d'affections générales dans lesquelles la rate, le foie et les ganglions lymphatiques sont hypertrophiés.

Dans un cas de ce genre observé chez un enfant par MM. Blache, Isambert et moi, le nombre des leucocytes était à celui des hématies comme 2 : 1. Ces éléments offraient cela de remarquable, que les *globulins* ou petits leucocytes l'emportaient de beaucoup en quantité sur les leucocytes complétement développés. Ces derniers n'étaient réellement pas plus nombreux qu'à l'état normal. Ils présentaient leur diamètre habituel de $0^{mm},008$ à $0^{mm},010$. Leurs autres caractères étaient également normaux. Les noyaux libres étaient, au contraire, aux leucocytes de la variété cellule comme 80 : 1. Du reste, ces globulins avaient les caractères qu'ils manifestent dans le sang normal. Leur bord pourtant paraissait un peu plus pâle.

On en trouvait beaucoup qui avaient $0^{mm},006$ et quelques-uns $0^{mm},007$: c'est à la quantité considérable de ces éléments qu'était dû sous le microscope l'aspect tout à fait inusité qu'a présenté le sang de ce malade. Au lieu d'être, comme à l'ordinaire, obligé de chercher les globules blancs et les globulins au milieu des globules rouges, c'était réellement les globules rouges et les leucocytes de la variété cellule qu'on était obligé de chercher au milieu des globulins.

Le sang des veines sus-hépatiques est de toutes les parties du corps celui qui renferme le plus de leucocytes. Chez l'homme, le chien et le chat, j'en ai trouvé par rapport aux globules rouges, tantôt comme 1 : 150, tantôt comme 1 : 100 ou 120 environ, jusqu'à 1 : 20, sans que rien à l'extérieur eût pu faire prévoir ces différences. L'oreillette droite, la veine splénique, la veine mésentérique supérieure, l'oreillette gauche, telles sont les parties dans le sang desquelles on trouve ensuite le plus de leucocytes, mais en progression décroissante.

Dans la lymphe, ils sont plus nombreux en général sur les herbivores que sur les carnivores, et plus nombreux dans les lymphatiques du cordon testiculaire, du cou, etc., que dans le liquide des chylifères.

Les petits leucocytes dits globulins sont plus nombreux dans la lymphe que dans une même quantité de chyle. Le nombre de ces éléments que renferme le sang est fort peu considérable à l'état normal, car on n'en voit guère habituellement que 1 pour 10 ou 20 cellules. Cette proportion reste à peu près la même sur l'embryon. Ils m'ont semblé plus nombreux chez les herbivores que chez les carnivores.

Il y en a, mais en fort petite quantité, dans le liquide qui s'échappe des fistules lymphatiques chez l'homme. Ils offrent les mêmes caractères que les précédents, mais sont généralement un peu plus petits.

Dans le pus, les leucocytes sont l'élément anatomique principal de cette humeur, et sont en suspension dans son sérum. Il est plus ou moins séreux, plus ou moins épais et crémeux, selon leur rareté ou leur abondance. Cette humeur leur doit aussi sa coloration habituelle : c'est, en effet, à la quantité variable de ces cellules qu'est due la teinte plus ou moins foncée du liquide, car sa couleur n'est que la résultante des rayons de lumière réfléchis par les parties solides en suspension.

Du reste, il ne faudrait pas se faire des idées exagérées sur la quantité des leucocytes existant dans le pus. Il résulte de recherches faites par M. Delore (Delore, *Quelques recherches sur le pus*. Paris, 1854, in-4°. Thèse pour le doctorat en médecine, n° 310), que, malgré leur densité plus grande que celle du sérum, les leucocytes n'existent dans le pus que dans la proportion de 25 p. 100 en poids à peu près. Le maximum trouvé a été 38 p. 100 ; mais, en général, ces cellules représentent le quart ou le cinquième du pus dit bien lié. Dans le pus séreux, eur quantité descend à 8 ou 10 p. 100 au plus, et elle n'atteint pas 5 p. 100 dans le pus très-séreux de certains abcès froids ou ossifluents, etc.

Les leucocytes du sang ont à l'état normal, chez les mammifères adultes, un diamètre qui dépasse de 1 à 2 millièmes de millimètre celui des hématies. Ainsi la plupart sont un peu plus gros que ces dernières. Toutefois il y en a, mais en petit nombre, qui ne sont pas plus gros que les globules rouges de volume moyen. J'ai observé cette relation chez tous les mammifères domestiques, et le rat, la souris, le blaireau, la chauve-souris, le hérisson, la taupe, etc.; chez les ovipares, ils ont le diamètre de la largeur des globules rouges ou un diamètre un peu moindre. Ainsi chez l'homme ils ont généralement de 8 à 9 millièmes de millimètre de diamètre, quelques-uns ont 7 millièmes (pl. I, fig. 1). Ce sont là es dimensions observées sur des individus bien portants.

Chez les fœtus, et surtout chez les embryons de moins de quatre mois, on en trouve beaucoup qui ont les dimensions qui viennent d'être indiquées; mais il en existe davantage encore qui ont de 10 à 15 millièmes de millimètre, et d'autres enfin, peu nombreux, atteignent $0^{mm},019$. Nous verrons plus loin qu'avec ces dimensions considérables se rencontrent quelques particularités de structure qui font de ces leucocytes une variété de forme fœtale et parfois aussi morbide chez l'adulte (pl. I, fig. 2, de *a* en *g*).

Dans la lymphe du cheval, de l'homme, du bœuf, etc., la plupart atteignent $0^{mm},010$ à $0^{mm},013$ (pl. I, fig. 6). Nous verrons plus tard que ces éléments varient un peu de diamètre selon qu'ils sont en suspension dans le sérum de telle ou telle humeur, soit normale, soit morbide, tel que celui du sang, de la lymphe, d'un kyste, etc.

Dans les cas dits de leucocythémie, on en voit beaucoup qui offrent les dimensions normales; mais en outre il y en a qui atteignent jusqu'à 12, 13, 15 et 18 millièmes de millimètre, c'est-à-dire qui sont un peu plus de deux fois aussi larges que les globules rouges.

Dans le pus, la plupart des leucocytes offrent un diamètre de 10 millièmes de millimètre (pl. II, fig. 5, *aa*, *mm*, *nn*); mais on en trouve qui ont 8 millièmes et d'autres qui atteignent 11 à 12 millièmes. Lors de leur génèse, ils n'ont encore à peine que la moitié de ces dimensions (fig. 6), et lorsqu'ils ont séjourné longtemps dans une cavité sans être en mouvement, il en est plus ou moins qui atteignent le triple de ces dimensions et même plus (fig. 4 et 5, *s*, *t*, *u*, *v*).

Dans le pus très-fluide provenant des parties malades entourant les os cariés, de certains ulcères, etc., la plupart des leucocytes offrent quelquefois 12, 14 et 16 millièmes de millimètre de diamètre (pl. III, fig. 4). Dans le mucus frais, dans la salive fraîche non altérée par le contact de l'air, dans l'urine non altérée par l'air ou un trop long séjour dans la vessie, les leucocytes sont plus petits que dans les conditions opposées et que dans les liquides signalés précédemment (pl II, fig. 2, de *a* en *i*; fig. 3, de *a* en *f*; pl. III, fig. 3, *a*, *b*).

Ainsi qu'on le voit, ce ne sont pas les dimensions de ces éléments envisagées seules qui pourraient servir à les distinguer des autres espèces d'éléments; aussi les caractères qu'il nous reste à étudier importent plus que ceux-ci.

Caractères physiques des leucocytes. La forme habituelle des leucocytes chez tous les vertébrés, lorsqu'ils sont plongés dans le liquide où ils flottent, est la forme sphérique (pl. I, II et III). Cependant on peut en rencontrer quelques-uns qui sont naturellement ovoïdes (pl. I, fig. 2, *e*) ou même un peu aplatis (*g*, *g*, *j*).

Quelques minutes après la mort de l'animal ou après l'extraction du liquide frais qui les contient, ou encore dans le sang ou la lymphe qui stagnent dans les vaisseaux dont on étudie la circulation, les leucocytes peuvent offrir une forme irrégulière. Elle peut être ovoïde, presque polyédrique ou dentelée ; ou encore ils sont comme hérissés çà et là de petits prolongements (pl. II, fig. 1, 2 et 3, et pl. I, fig. 6) ou expansions. Cette déformation est la conséquence d'une des propriétés de ces éléments qui sera étudiée plus tard. Elle n'est que passagère, car au bout de douze à vingt-quatre heures environ les globules ont repris leur forme sphérique. Dans les préparations placées sous le microscope, la déformation une fois produite peut persister plusieurs heures soit qu'elle reste stationnaire, soit qu'elle augmente ou diminue un peu. Aussi plusieurs auteurs ont-ils figuré ces éléments à l'état de déformation, *Hewson* par exemple.

Parmi les plus gros leucocytes des embryons et quelquefois dans ceux du sang leucocythémique on en trouve qui ont après la mort une forme légèrement polyédrique, ou ovale soit régulière soit irrégulière (pl. , fig. 2, *g*, *e*, *f*). Quelques-uns de ces derniers sont aplatis au point d'être moitié plus minces que longs.

Dans le sang, comme dans le pus, dans le colostrum, etc., on en voit aussi de forme allongée persistante (pl. I, fig. 2, *f*, et pl. II, fig. 5, *v*, *x*); mais toutes ces variétés de figure sont rares à côté du grand nombre de ces éléments qui sont parfaitement sphériques.

Quels que soient du reste leur volume et leur forme, dès que celle-ci est devenue permanente et que le phénomène qui les rend dentelés momentanément, ou irrégulièrement contournés (pl. II, fig. 2, *a*, *f*, et fig. 3, *a*, *c*, *d*) a cessé, il offrent tous un bord net et une surface unie. Par là et par l'observation directe lorsque ces éléments roulent dans le liquide de la préparation, il est facile de voir qu'ils ont une surface lisse et régulière et non mamelonnée, rugueuse ou framboisée.

La consistance des leucocytes n'est pas très-considérable ; leur facile déformation dans les circonstances que je viens de rappeler et les suivantes le prouve. On peut les aplatir en comprimant les lames de verre entre lesquelles ils se trouvent, et lorsqu'ils s'accumulent ils deviennent polyédriques par pression réciproque (pl. II, fig. 2, *n*, et fig. 5, *g*, *g*).

Cette particularité est la même pour toutes les parties du corps dans lesquelles existent ces éléments.

Les leucocytes examinés dans le sang offrent un peu plus de consistance que les hématies. Pourtant ils peuvent être aplatis par la pression des lames de verre, ou devenir polyédriques par pression réciproque. Ils s'allongent aussi pour pénétrer dans des capillaires dont l'orifice a un diamètre plus petit que le leur, mais ils résistent un peu plus que les globules rouges ; parfois, chez les mammifères, ils bouchent pour assez longtemps un capillaire à l'orifice duquel ils s'arrêtent et le sang ne pénètre dans celui-ci qu'après que le leucocyte a été entraîné.

Dans le pus ils sont plus denses que le sérum et se déposent au fond du vase, tandis que le liquide surnage ; dans le mucus ils restent englobés et retenus par le liquide visqueux. Ils ont une densité moindre que celle des hématies et plus grande que celle du sérum sanguin. Dans le sang défibriné on les voit en effet se rassembler, à la surface des globules rouges qui occupent le fond de l'éprouvette.

Cette couche est grisâtre, demi-transparente, moins blanche, moins crémeuse qu'une couche d'égale épaisseur formée par du pus qui se dépose dans une sérosité incolore. Ce fait est dû à des particularités secondaires de structure telles que la présence d'un nombre un peu plus grand de granulations dans les globules; il en sera question plus loin.

Vus à la lumière réfractée sous le microscope, les leucocytes non déformés du sang et de la lymphe offrent un contour net (pl. I, fig. 1, et fig. 6, *b*, *c*, *d*) médiocrement foncé, une surface lisse, incolore, brillante, ayant dans le sérum du sang frais quelque chose de l'argent mat si l'on peut ainsi dire. Cet aspect est très-prononcé lorsqu'on les observe à l'aide de la lumière oblique.

Il est très-remarquable aussi sur les leucocytes examinés par transparence lorsqu'ils sont plongés dans l'urine fraîche. En même temps, leur partie centrale est brillante, tandis que leur périphérie est nette de teinte foncée avec un léger reflet ou cercle plus clair en dehors et ils paraissent alors nettement arrondis. Dans toutes ces circonstances ils sont un peu plus petits, plus resserrés que dans l'urine commençant à s'altérer ou que dans un sérum peu concentré. Si l'on ajoute un peu d'eau à ces liquides, les leucocytes se gonflent et changent notablement d'aspect parce qu'ils deviennent clairs, transparents. Si au contraire on ajoute un peu de solution concentrée de phosphate de soude à un liquide dans lequel ils sont très-transparents et un peu gonflés, comme dans la salive, ils se resserrent sous les yeux de l'observateur et prennent l'aspect que je viens de signaler.

Ainsi vus à la lumière transmise, ces éléments sont de petits corps arrondis grisâtres, plus ou moins foncés ou plus ou moins transparents selon la quantité de granulations qu'ils renferment, et selon qu'ils sont plus ou moins gonflés ou plus ou moins resserrés par le liquide qui les tient en suspension. Dans certaines conditions les granulations qui les rendent foncés sous le microscope peuvent devenir assez abondantes pour les rendre d'un noir jaunâtre ou presque complétement opaques (pl. II, fig. 5, *s*, *u*, *y*, et fig. 4, *t*; pl. III, fig. 1, 7 et 8). Lorsqu'au contraire ces éléments sont accumulés en quantité assez considérable pour former une masse visible à l'œil nu ou lorsqu'ils sont examinés à la lumière réfléchie, ils sont grisâtres ou jaunâtres selon la quantité de granulations qu'ils renferment ; la teinte est d'autant plus jaune qu'ils contiennent davantage de granulations graisseuses qui les rendent plus opaques. C'est à leur couleur propre, dans ces conditions, qu'est due la teinte grisâtre ou jaunâtre des liquides qui les tiennent en suspension, qui par eux-mêmes sont incolores comme tous les sérums et tous les mucus, ou seulement doués d'une légère teinte citrine.

Les leucocytes de toutes les parties du corps peuvent offrir des particularités analogues aux précédentes. Mais partout, à côté de leucocytes qui ont cette disposition, il en est quelques-uns qui, dépourvus de granulations, sont très-pâles, presque incolores (pl. II, fig. 6, *e*, *e*, et fig. 4, *q*, *q*; et pl. III, fig. 4, *h*, *i*, *j*, *h*, fig. 7, *r*, *z*, et fig. 8, *b*, *e*, *f*). Parfois même ceux qui sont dans ce cas l'emportant sur ceux qui sont plus foncés, il en résulte une teinte plus claire pour le pus qui les contient, que cela n'est habituel (pus des synoviales, de la pie-mère quelquefois, des os cariés chez les scrofuleux, etc.).

Les leucocytes du sang et de la lymphe offrent une viscosité de leur surface qu'on ne rencontre pas sur les autres espèces d'éléments du sang. C'est là sans doute une des causes de leur adhérence à la face interne des parois des capillaires. Elle se manifeste aussi par l'adhérence réciproque de ces globules lorsqu'ils viennent à se toucher dans les vaisseaux, contre leurs parois ; ils présentent alors une certaine résistance aux actions qui pourraient les séparer les uns des autres et quelquefois plusieurs partent d'un seul bloc réunis ensemble. Dans les veines où ils sont abondants (veine splénique, veine porte, veines sus-hépatiques, etc.), on en trouve quelquefois d'agglomérés de la sorte. Le plus souvent ils sont réunis non pas seulement ensemble, mais encore à des hématies à l'aide d'une matière amorphe finement granuleuse plus ou moins abondante.

C'est encore cette viscosité de leur surface, plus que leur volume, qui fait qu'ils restent adhérents aux lames de verre sous le miscroscope, pendant que les hématies roulent autour d'eux ; car des corps plus volumineux, qui montrent que sans cette adhérence ils pourraient se mouvoir, se rencontrent souvent dans leur voisinage au sein de la préparation.

Caractères d'ordre chimique des leucocytes. — L'hygrométricité des leucocytes est très-prononcée, son étude conduit du reste directement à celle de l'influence des agents chimiques sur eux et ne peut en être séparée.

L'eau gonfle ces éléments ; elle en augmente rapidement le volume d'un quart ou d'un tiers environ. En même temps elle les rend plus transparents et fait que leurs granulations intérieures se distinguent mieux les unes des autres, paraissent plus nettes (comparez pl. II, fig. 2, *j*, *j* à *a*, *b*, *c*, *d*, fig. 3, *s*, *s* à *a*, *b*, *c*, *d*, e fig. 5, *a*, *a*, *m*, *m* à *g*, *b*, *n*). Presque toujours ces particularités sont plus mani festes au centre qu'à la périphérie des cellules ; sur un certain nombre de ces dernières l'eau se borne à produire les changements précédents, mais sur la plupart elle détermine une sorte de coagulation du contenu ou de cohérence des granulations, sous forme de un, quelquefois deux et plus rarement trois petits amas granuleux, d'abord assez peu nettement limités (pl. I, fig. 4, *e*, *f*, *g*, *h*). Bientôt ces amas deviennent de petits globules sphéroïdaux ou ovoïdes (fig. 1, *o*, *o*, *p*, *p*, fig. 3, *e*, *f*, *g*, *h*, *i*; et pl. II, fig. 2, *g*, *r*, et fig. 3, *s*, *t*, *u*, *v*, *x*, *y*), larges de 2 à 4 millièmes de millimètre, à contour bien limité, peu foncé, semblables à des noyaux, de la production desquels l'observateur peut suivre les phases. Ce phénomène est important à signaler, et il l'est également de savoir que l'acide acétique, en causant un changement analogue, détermine la formation de trois ou quatre petits corpuscules ou noyaux habituellement, au lieu d'un ou deux seulement dont l'influence de l'eau amène la production.

C'est là un phénomène remarquable, dont les autres espèces de cellules n'offrent pas d'exemple et qui mérite d'être pris en considération d'une manière toute spéciale, car il diffère de tous les modes de naissance des noyaux que nous avons pu étudier jusqu'à présent.

L'action prolongée de la salive mixte, celle de l'urine surtout lorsqu'elle commence à répandre une odeur ammoniacale, ressemblent à celle de l'eau (pl. I, fig. 3, *e*, *f*, *g*, *h* et fig. 4), même lorsqu'on examine les leucocytes dans ces liquides au moment de leur sortie de la bouche ou de la vessie. Le séjour prolongé des leucocytes dans le sérum du sang sur le cadavre (pl. I, fig. 1, *k*, *l*, *m*, *n*, et fig. 2, de *a* à *g*, et de *l* à *o*) ou dans celui du pus, produit un effet analogue à l'action de l'eau, ce qui fait que l'on trouve ces cellules avec un aspect un peu différent dans ces conditions de celui qu'elles ont sur le vivant. Sur le cadavre elles sont un peu plus grosses à granulations plus distinctes, et offrent de prime abord les corpuscules ou noyaux (pl. II, fig. 5, *m*, *m*). Toutefois il reste toujours, dans ces circonstances, un certain nombre de leucocytes qui ne changent pas au contact du sérum (pl. I, fin. 2, *a*, *l*, *l*, *m*, *m*).

Dans le liquide blanchâtre qu'on voit parfois au centre des concrétions fibrineuses polypiformes du cœur ou au centre du caillot des veines oblitérées, ils n'offrent pas non plus d'amas en forme de noyau; dans quelques cas, cependant, il en est qui en présentent un seul. Mais tous sont devenus plus transparents, à bords pâles, et leurs granulations sont plus visibles qu'à l'état normal. Les leucocytes du sang qui a séjourné dans les veines dilatées des tumeurs érectiles, dans les dilatations des veines variqueuses et hémorrhoïdales ont leur contour net et foncé et l'intérieur de leur masse plus granuleux, ce qui pourrait faire croire d'abord que leur surface est rugueuse bien qu'il n'en soit rien.

En même temps que les leucocytes se gonflent dans l'eau ou dans la salive, on voit les fines granulations moléculaires qu'ils renferment se prendre d'un mouvement brownien extrêmement vif, auquel participent quelquefois les noyaux de l'élément lorsqu'ils préexistaient cadavériquement à l'addition d'eau, ou après qu'ils se sont produits sous l'influence de cet agent. Que les leucocytes aient été pris dans le pus, dans un mucus ou dans le sang, le phénomène se produit de la même manière. Toutefois il est toujours un certain nombre de leucocytes dans lesquels il ne s'observe pas. Ceux du sang et de la lymphe offrent une plus grande quantité d'entre eux qui sont dans ce cas, et cela particulièrement lorsqu'on les prend dans le sang frais; car si on les examine dans le liquide tiré des vaisseaux d'un cadavre dont on fait l'autopsie, il y en a plus qui manifestent ce mouvement brownien que dans les circonstances précédentes.

Enfin, après que le mouvement a duré un certain temps, l'observateur peut voir quelques-uns des leucocytes éclater brusquement par excès de la distension due à l'eau qui pénètre par endosmose. Leur contenu liquide s'échappe, est lancé avec force au dehors avec les granulations moléculaires (pl. II, fig. 3, *x*) qui continuent à présenter le mouvement brownien avec au moins autant de vivacité que dans l'intérieur de la cellule. Quant à la paroi de celle-ci elle revient sur elle-même, se ratatine, se plisse, devient irrégulière et d'une très-grande transparence, en retenant dans son intérieur quelques granulations dont l'agitation continue.

L'action de l'acide acétique est importante à étudier. Il détermine aussi l'apparition de plusieurs corpuscules nucléiformes, mais de nombre et de volume autres que ne le fait l'eau. Les phénomènes suivants s'opèrent dans l'espace de quatre à dix minutes au plus, selon le degré de concentration de l'acide et selon qu'il a agi plus ou moins directement sur les leucocytes. Je veux dire par là, selon que, pour arriver à eux entre les deux lames de verre, l'acide a rencontré plus ou moins d'hématies, de sérum ou de fibrine qui ont modifié la quantité ou la concentration de celui qui parvient aux éléments qu'on étudie.

Le premier effet de l'acide acétique est de resserrer et rendre plus petits et plus foncés les leucocytes lorsqu'on les examine dans le sang (pl. I, fig. 4, *a*, *b*, *c*). Cet effet dure peu, presque aussitôt l'élément anatomique se gonfle d'un quart ou d'un tiers, pendant qu'on voit son centre devenir plus granuleux qu'à l'état normal, à granulations plus grosses et plus foncées (*d*, *e*, *f*, *g*, *h*, *i*, *j*, *k*); elles forment un seul amas, plus ou moins large, à granulations plus ou moins serrées, placé au centre du globule dont le reste est extrêmement transparent, à contour bientôt tellement pâle qu'il faut beaucoup d'attention pour le voir. Peu à peu les granulations deviennent plus cohérentes et tendent à produire une masse homogène ou à peu près. En même temps cette masse se dispose en demi-cercle ou en fer à cheval (pl. I, fig. 2, *r*, *r*), soit formé d'une seule pièce, soit constitué de deux, trois ou même quatre petits fragments de 2 à 3 millièmes de millimètre de diamètre chacun. Quelquefois c'est un cercle complet que forme ce petit amas ou bien deux demi-cercles dont les ouvertures se regardent. En général cette masse centrale forme un, deux, trois ou quatre corpuscules ayant l'aspect de petits noyaux sphériques ou polyédriques, larges de 3 à 4 millièmes de millimètre, soit superposés les uns aux autres, soit placés sur le même plan à côté les uns des autres (fig. 4, *l*, *m*, *n*, *o*, *p*, *q*, *r*, *s*).

Lorsque l'acide acétique agit sur les leucocytes du sang qui ont déjà subi le contact de l'eau ou l'action prolongée du sérum du cadavre, ordinairement il ne fait que rendre très-transparente la masse de la cellule en dissolvant toutes les granulations et il met en évidence le noyau ou les noyaux déjà apparus sous l'influence de l'eau (pl. I, fig. 1, *o*, *o*, *p*). En même temps il rend les contours de ces noyaux plus nets et plus foncés (fig. 2, *p*, *p*), sur d'autres de ces éléments il fait courber en fer à cheval les noyaux (fig. 2, *s*, *s*). Du reste ceux des leucocytes qui n'avaient éprouvé encore aucune modification de la part du sérum (fig. 2, *a*, *c*, *l*, *m*) sont modifiés par l'acide (*q*, *q*) comme le sont les leucocytes pris dans le sang frais.

L'action de l'acide acétique sur les leucocytes pris dans le pus, dans les muqueuses, est la même que celle que je viens de décrire précédemment. Les particularités qu'elle peut offrir sont tellement secondaires qu'il est presque inutile de les signaler. Elles ne portent guère que sur le volume généralement un peu plus grand des noyaux dont le réactif détermine l'apparition dans les leucocytes du pus et des muqueuses. Mais du reste on voit que les phases de l'action de l'acide acétique sont les mêmes que lorsqu'on peut les suivre sur des leucocytes frais (pl. II, fig. 2, de *g* à *t*, fig. 3, de *g* à *r*, fig. 4, de *h* à *m*, fig. 5, de *h* à *l*, et fig. 6, *h*, *i*, *k*); c'est-à-dire avant que l'influence de l'eau ou le séjour dans un sérum un peu altéré et fétide aient fait apparaître un ou deux noyaux seulement, qu'alors l'acide ne fait que rendre plus évidents (comparez fig. 3, *s*, *u*, *x*, *y* à *t*, *t*, *v*, *z*).

L'acide acétique (*acide acétique du verdet et acide pyroligneux*) employé en grande quantité ou très-concentré détermine l'apparition de noyaux qui sont plus petits et plus irréguliers que lorsqu'on emploie ce réactif un peu étendu ou en petite quantité.

Selon les conditions dans lesquelles se sont produits les noyaux apparus sous l'influence de l'acide acétique, les leucocytes peuvent être incolores, ou légèrement teintés de couleur lie de vin ou au contraire en jaune orange, comme on le voit souvent dans les leucocytes des sérosités, de la synovie, etc. (pl. III, fig. 2, de *l* à *s*). Dans le sang, les petits noyaux qu'on voit se former de la sorte offrent constamment une teinte d'un brun rougeâtre ou vineux, bien différente, du reste, de la teinte jaune rosé que présentent au microscope les hématies.

L'importance de la série des faits précédents ne saurait échapper un instant, car ils montrent que les noyaux depuis si longtemps décrits dans les leucocytes ne préexistent pas à l'influence des altérations cadavérique et chimique proprement dites, qu'ils sont un des résultats de ces actions ; cela est mis particulièrement en relief par ce fait que l'eau ne fait apparaître que un ou deux noyaux sphériques, réguliers, à centre clair, dans les globules où l'acide acétique amène la formation de 2 à 4 corpuscules nucléiformes, plus petits, plus irréguliers, etc. Ils prouvent que ces corps n'appartiennent pas en propre aux leucocytes encore vivants ; et de fait on ne les voit pas pendant la durée de la production des expansions sarcodiques qui les déforment ; en sorte que leur formation marque leur passage à l'état cadavérique, l'époque de leur mort et jusque-là leur contenu n'était qu'une masse homogène visqueuse parsemée de fines granulations grisâtres. Enfin ces faits montrent que les hypothèses d'après lesquelles on a voulu voir dans la multiplicité des noyaux des leucocytes la preuve que ce sont des cellules aptes à une reproduction rapide et en voie de prolification, sont des vues sans aucun fondement.

A mesure que se prolonge l'action de l'acide acétique la masse de la cellule devient de plus en plus pâle, plus transparente, jusqu'à ce que, réduite à être invisible, elle laisse les deux, trois ou quatre noyaux isolés dans le champ du microscope, sans enveloppe apercevable autour d'eux. Ils restent pourtant encore juxtaposés et légèrement adhérents les uns aux autres, mais on peut alors les séparer assez facilement par des mouvements des lames de verre.

Il est des circonstances rares dans lesquelles cette action généralement si constante de l'acide acétique peut manquer pourtant. C'est ce que l'on observe quelquefois sur le pus qui a séjourné longtemps dans l'économie, comme au sein de quelque tumeur, d'un ganglion lymphatique, de la moelle des os, des abcès du foie, dans les kystes et abcès du testicule surtout, soit chez l'homme, soit chez le cheval, dans la plèvre, dans l'œil, etc. Bien que crémeux, verdâtre ou non, ce pus renferme des leucocytes, sur lesquels l'eau ne fait que causer un peu plus de transparence et de gonflement. L'acide acétique les pâlit beaucoup, dissout la plupart de leurs granulations, mais on ne voit apparaître aucune trace de noyaux sous l'influence de ce réactif; un très-petit nombre seulement d'entre eux en offrent un, rarement deux, produits comme il a été dit plus haut, mais de dimensions moindres qu'à l'ordinaire. Tous les autres éléments restent uniformément pâles, transparents, avec quelques granulations moléculaires fort petites et plus rarement avec quelques granulations graisseuses.

L'acide nitrique gonfle d'abord les leucocytes et les rend plus gros d'un quart environ. En même temps il les rend pâles, transparents ou à peine granuleux et détermine assez souvent la production dans leur intérieur de une à trois excavations, pâles, sphériques, tellement claires qu'elles sont difficiles à voir. Peu à peu il dissout les leucocytes, plus rapidement que les hématies. L'acide sulfurique les gonfle et les dissout plus vite encore que l'acide nitrique.

L'acide chlorhydrique concentré rend les leucocytes d'abord un peu grenus et irréguliers, dentelés ou garnis de très-petites saillies pointues, en même temps il les gonfle légèrement. Il détermine ensuite dans leur masse la formation de deux à quatre vacuoles claires sphériques, et enfin il les dissout.

L'ammoniaque produit dans les leucocytes des vacuoles autour desquelles sont rangées de fines granulations moléculaires. Les vacuoles vont en grandissant assez rapidement, et bientôt le globule disparaît presque subitement après avoir à peu près doublé de volume par accroissement rapide des vacuoles.

Le phosphate de soude rapetisse les globules blancs, il les rend quelquefois plus petits que les globules rouges, toute leur surface prend un aspect grenu, leur contour devient net, foncé et un peu jaunâtre en dedans. Le centre au contraire devient blanc, brillant, homogène, ou s'il paraît un peu granuleux, cela tient aux rugosités de la surface. Il agit de même sur les leucocytes que leur séjour dans la salive mixte ou un sérum trop fluide a gonflés et rendus transparents.

Le carbonate de potasse produit à peu près le même effet, toutefois il produit des vacuoles au centre de quelques-uns. La potasse à 40 degrés n'agit guère autrement, mais si on lui ajoute de l'eau elle les gonfle, les rend d'abord un peu granuleux et plus transparents, puis ensuite on voit se manifester la même action qu'après l'emploi de l'ammoniaque.

L'alcool rend les leucocytes un peu plus gros, plus granuleux d'abord, puis amène comme après addition d'eau la formation de un, deux ou quelquefois trois amas ou noyaux, clairs, très-ronds à bords nets, réunis vers le centre du globule dont le reste est transparent. La teinture d'iode colore les leucocytes en brun rougeâtre, les rend plus petits, un peu plus granuleux et moins transparents qu'à l'état normal.

La glycérine pure mise en présence des leucocytes les resserre d'abord, en diminue le diamètre de moitié environ et rend ainsi leur contour plus foncé, leur centre plus brillant, d'aspect moins granuleux. En même temps leur surface devient moins régulière et présente de petits prolongements qui la hérissent. Peu à peu elle les pâlit beaucoup, et sans les dissoudre entièrement les réduit à l'état d'une petite masse pâle et délicate.

Plusieurs des humeurs de l'économie agissent sur ces éléments. Déjà nous avons vu plus haut qu'elle est l'action du sérum du sang après la mort (p. 233).

L'urine fraîche agit sur les globules blancs comme le phospate de soude, mais d'une manière un peu moins tranchée (p. 232-233).

COMPOSITION IMMÉDIATE DES LEUCOCYTES HUMIDES PRIS DANS LE PUS.

Principes de la Ire classe.		Eau pour 100 parties de cellules .	790,00
		Sels environ.	43,50
		Fer faisant partie d'un principe encore indéterminé.	des traces.
Principes de la IIe classe.		Sels à acides d'origine organique (lactates, etc.)	quantité indéterminée.
	Corps gras et leurs analogues au moins 26,50 savoir :	Pyoline (Glénard), séroline du pus de quelques auteurs	3,45
		Cholestérine. . .	3,50
		Lécythine. . . .	7,20
		Graisse rouge unie à un peu de phosphate de chaux.	6,00
		Oléine.	quantité indéterminée.
		Margarine. . . .	id.
		Stéarine.	id.
Principes de la IIIe classe.		Substance organique demi-solide formant principalement la masse de chaque cellule environ . . .	140,00
		Albumine	des traces.

Structure des leucocytes. La structure des leucocytes chez l'adulte à l'état normal est fort simple, ils se distinguent même par là de la plupart des autres espèces de cellules. Mais ce sont surtout leurs réactions, décrites plus haut, qui empêchent de les confondre avec d'autres éléments.

Ils sont composés d'une masse sphérique de substance organisée incolore, un peu plus dense à la surface qu'à son intérieur, bien qu'ils n'offrent pas d'enveloppe nettement distincte et séparable du contenu avant d'avoir séjourné dans le sérum du sang du cadavre, dans la salive, ou subi le contact de l'eau, etc. Cette masse est uniformément parsemée de granulations; leur sphéricité seule fait paraître ces granules plus abondants au centre qu'à la périphérie. Ces granulations sont très-fines, grisâtres, quelquefois un peu plus grosses et alors à centre brillant et jaunâtre (pl. I, fig. 1, *a* à *i*, fig. 3, *a* à *e*, fig. 5, 6 et 7, *a*, *b*; et pl. II, fig. 4, *a*, *b*, *c*, *d*, fig. 5, *a*, *a*, fig. 6, *a*, *b*, *c*). Nous avons vu comment, par suite d'altération du sérum ou de l'action des agents chimiques, elles deviennent cohérentes et forment des amas qui pourraient être pris pour des noyaux proprement dits, erreur encore souvent commise par les observateurs qui n'ont pas constaté leur production artificielle ou accidentelle, dont il est pourtant facile de suivre les diverses phases (p. 373).

Des variétés de structure des leucocytes. Tel est le degré de simplicité dans la structure que présentent généralement les leucocytes à l'état frais ; mais ces éléments vont nous offrir, selon les différentes conditions dans lesquelles ils peuvent se trouver, des modifications en nombre tel qu'il est peu d'autres cellules qui puissent leur être comparées à cet égard.

Dans le sang, surtout celui du fœtus, après la mort, dans la lymphe, et plus rarement dans le pus de la vessie et diverses autres parties du corps (pl. III, fig. 8, *a*, *b*, *c*, *d*, *e*), on trouve des leucocytes qui offrent les particularités suivantes de structure. Ils sont constitués d'une masse extrêmement claire et transparente, tout à fait homogène, sans granulations, qui renferme un et très-rarement deux noyaux, semblables aux leucocytes de la variété noyau libre. Ce noyau est placé souvent près du contour de la masse claire sphérique, plus rarement à son centre. Lorsqu'il y en a deux, ils occupent tout le diamètre du corps de la cellule. L'acide acétique dissout le corps transparent de ces cellules. Il agit sur leur noyau comme sur les leucocytes de la variété noyau libre décrits plus loin. Cette disposition des parties constituantes de ces leucocytes est le résultat de l'action sur eux du sérum altéré cadavériquement, qui les modifie à peu près comme le fait l'eau. Ce dernier liquide détermine en effet des changements semblables sur les leucocytes les plus petits ou *globulins* qui sont granuleux et dont il *gonfle beaucoup* la masse ou corps de la cellule en laissant vers le centre les granulations sur lesquelles cette masse ou corps accumulé était en quelque sorte appliquée.

Dans ces conditions de gonflement, la dissolution concentrée de phosphate de soude contracte rapidement le corps de la cellule et l'applique sur cet amas ou noyau central, de manière que la cellule diminue de volume de près de moitié, et prend le volume d'une hématie ou même devient plus petite ; ce noyau cesse alors de se distinguer facilement du corps de la cellule. Cette solution contracte et resserre aussi les hématies de l'embryon, les rend plus foncées, plus rougeâtres, et alors la teinte de ces éléments tranche sur celle des leucocytes resserrés qui sont grisâtres. Cette particularité doit être notée, parce qu'elle montre que ces leucocytes pâles, sans granulations, ne sauraient être considérés sans erreur comme des hématies embryonnaires à noyau. En outre les premiers sont sphériques, tandis que ces dernières sont aplaties.

L'eau rend cette masse seulement un peu plus pâle mais sans la dissoudre, même après une demi-heure d'action et lorsque tous les globules rouges qui sont autour ont été dissous. Le voisinage des disques rouges donne un reflet rosé très-pâle à la masse transparente. Les leucocytes de cette variété adhèrent aux lames de verre comme les autres, et restent immobiles sans s'aplatir, lors même qu'on presse la lamelle supérieure de la préparation et qu'on fait courir avec violence les globules rouges autour d'eux. Après l'action du phosphate de soude, si on étend la préparation de beaucoup d'eau, ces leucocytes se gonflent et leur masse incolore réapparaît de nouveau. L'action de cet agent est très-importante à constater dans l'étude de cette variété d'éléments, étude qui est souvent une des plus délicates en raison de leur petit nombre.

Production de vacuoles. Si au lieu de prendre les leucocytes dans les conditions précédentes, on les examine dans le sérum du sang ou de la lymphe qui viennent de sortir des vaisseaux (pl. I, fig. 3, de *l* à *p*, fig. 6, de *d* à *k*, fig. 7, *e*, *d*, et fig. 8, *e*, *e*), dans le sérum encore chaud d'un abcès à peine fluctuant (pl. III, fig. 10, *n*, *n*), dans un mucus purulent aussitôt qu'il est retiré de la muqueuse et sans addition d'eau ou d'autres réactifs (pl. II, fig. 1 ; fig. 2, de *a* à *h*, et fig. 3, de *a* à *f*), leur constitution paraît d'abord toute différente. On est d'abord frappé des nombreuses variétés de forme et de volume d'un individu à l'autre, qui sont dues aux expansions sarcodiques et que nous avons déjà signalées ; leur transparence est moindre et les portions de leur périphérie qui n'envoient pas d'expansions sarcodiques ainsi que toute leur masse sont plus foncées. Mais surtout, leurs granulations semblent beaucoup plus rapprochées, presque cohérentes, beaucoup moins distinctes les unes des autres et plus fines que dans toutes les autres conditions. Au bout d'un certain temps d'examen de la préparation, on voit aussi se produire dans un certain nombre de leucocytes de une à trois et même quatre petites vacuoles transparentes, incolores ou légèrement teintées en rose pâle (pl. II, fig. 0, *a*, *b*, *c*, *d*, *f*). Leur contour est net, assez foncé, et on pourrait les prendre pour des corps solides tels que des noyaux, si on ne les voyait peu à peu changer de nombre, de forme, de volume et de situation dans l'épaisseur de l'élément anatomique. On n'y observe pourtant pas de noyau, ni pendant la durée des déformations causées par les mouvements des expansions sarcodiques, ni lorsqu'ils ont repris la forme sphérique après la cessation de ces phénomènes (pl. II, fig. 2, *c*, *d*, *e*). Cependant l'eau les gonfle, les rend sphériques, pâles, et y fait apparaître un ou plusieurs noyaux (fig. 2, *j*, *k*, *n*, *o*, *p*, *a*, *r*). L'acide acétique agit également sur eux comme sur les leucocytes pris dans toutes les autres conditions. (*Voy*. p. 234 et 235).

Si maintenant au lieu de prendre les leucocytes à l'état frais le plus rapproché de l'état vivant, on les considère dans l'état cadavérique qui n'est pas encore à proprement parler l'état de destruction spontanée, ils montrent un grand nombre de particularités qui ne sont pas absolument les mêmes d'une région du corps à l'autre, ou dans la même partie selon les conditions dans lesquelles l'élément s'est produit. Ce sont ces faits qu'il s'agit d'examiner ici.

Dans le sérum du sang, ils ont repris la forme sphérique d'une manière permanente et régulière. On y trouve vers le centre généralement ou à la périphérie le plus souvent un, mais quelquefois de deux à quatre noyaux arrondis ou un peu polyédriques qui se sont formés comme nous l'avons dit plus haut (p. 233). Autour d'eux les granulations sont devenues plus apparentes, plus distinctes, et semblent plus grosses que dans les leucocytes frais ; parfois elles manifestent un mouvement brownien plus ou moins vif qui indique la présence d'une paroi distincte de la cavité.

États fœtal et leucocythémique. Chez les fœtus, jusqu'au cinquième mois et même jusqu'au septième, ainsi que dans beaucoup de cas où le sang offre l'état *leucocythémique*, beaucoup de leucocytes présentent un diamètre qui dépasse 8 millièmes de millimètre et qui s'élève jusqu'à 15 et 18 millièmes. Dans tous, l'état cadavérique amène la production d'un noyau de volume proportionné au leur (pl. I, fig. 2, de *a* à *g* et *n*, *o*). Quelquefois il s'en produit deux (*d*, *d*) et même trois. Le noyau est généralement au centre de la cellule, parfois un peu sur le côté (*b*, *o*). Il est ordinairement sphérique, plus rarement un peu irrégulier (*g*) ou en forme de biscuit. Ces noyaux sont tous finement granuleux, larges de 5 à 7 millièmes de millimètre, mais quelquefois ils atteignent jusqu'à 10 millièmes de millimètre (*f*, *g*, *n*). Néanmoins ils manquent de nucléole ; entre le noyau et la périphérie de ces leucocytes se rencontrent de fines granulations moléculaires comme à l'état normal. Quelques-uns pourtant en offrent d'assez nombreuses et assez foncées pour donner une teinte noirâtre et un aspect grenu à tout le globule. Ces leucocytes que rendent foncés leurs granulations nombreuses et assez grosses, existent en petit nombre d'une manière constante à côté des autres dans le sang et dans la lymphe de tous les vertèbres. Ils y ont été décrits depuis longtemps par divers auteurs (Warthon-Jones, etc.).

L'acide acétique rend rougeâtre le noyau central des globules qui en sont pourvus. Mais ici comme à l'état normal cette teinte rougeâtre est un rouge brun ou vineux qui n'est pas analogue à la teinte propre aux globules rouges. Ces noyaux prennent en même temps sous cette influence un contour plus net, des granulations plus foncées et quelquefois une forme un peu allongée, droite ou légèrement recourbée en demi-cercle (pl. I, fig. 2, *r*, *r*). Quant à ceux qui n'offrent pas de noyaux, ils se comportent comme les globules du sang frais et normal.

Leucocytes sans noyaux. Dans le liquide jaunâtre, limpide, des séreuses, dans les kystes de l'ovaire et autres à liquide séreux, les leucocytes sont pâles, transparents, pourvus la plupart de fines granulations seulement, quelquefois plus nombreuses à la phériphérie que vers le centre (pl. III, fig. 2, *b*, *c*, *d*, *e*). Plus qu'ailleurs peut-être on en voit de volumineux (fig. 2, *a*, *k*, *s*, et fig. 6, *g*, *h*) à côté d'autres de volume ordinaire ou très-petits (*e*, *c*). Dans ces conditions cadavériques et après l'action de l'eau, après celle de l'acide acétique même, la plupart de ces leucocytes manquent de noyau (pl. II, fig. 5, *a*, *a*, *c*, *g*; et pl. III, fig. 2, *b*, *c*, *d*, *e*, *f*, *h*, *k*, fig. 6, *b*, *d*, *e*, *f*, *g*, *h*, *m*, *n*, *o*) ou n'en présentent qu'un seul (pl. II, fig. 5, *b*; et pl. III, fig. 2, *a*, *i*, *j*, fig. 6, *a*) ; ce noyau est souvent très-pâle, régulier, assez large (pl. III, fig. 2, *a*, *a*), mais ne dépasse pas 5 à 6 millièmes de millimètre. L'acide acétique détermine toutefois sur un petit nombre, la production de un, plus rarement deux ou trois noyaux dans des cellules où ni les modifications cadavériques du sérum, ni l'eau n'avaient pu en faire apparaître (pl. III, fig. 2, *l*, *m*, *n*, *o*, *p*, *q*, *r*, *s*). Ce sont ces leucocytes sans noyaux ou à un seul noyau, ceux surtout qui sont pâles, qui ont reçu de Lebert le nom de *globules pyoïdes*. (*Voy.* la *Synonymie*, p. 225.)

Dans le pus des séreuses et des synoviales, dans la sérosité produite par des séreuses enflammées et tenant en suspension des leucocytes qui la rendent plus ou moins trouble, plus ou moins purulente, ces cellules offrent pour la plupart comme ci-dessus les caractères de pâleur, de finesse et de distribution des granulations uniformément ou vers la périphérie, puis enfin l'absence de tout noyau qui viennent d'être décrits (pl. III, fig. 2 et 6, et pl. II, fig. 0, *a*, *a*, *b*, *g*). Pourtant on en trouve plus que dans les sérosités limpides qui ont un ou deux et même trois noyaux (fig. 5, *m*, *m*), visibles surtout après l'action de l'eau ou de l'acide acétique (*h*, *i*, *k*, *l*) qui souvent en déterminant leur production leur donne une teinte jaunâtre. Il est de ces leucocytes qui sont un peu plus foncés parce qu'ils renferment plus de granulations moléculaires (fig. 5, *b*, *b*, *n*, *n*, *g*). Bientôt aussi nous verrons que dans ces conditions-là beaucoup de leucocytes deviennent très-granuleux.

Leucocytes sur les muqueuses. La structure des leucocytes pris à l'état cadavérique, mais non encore en voie de putréfaction, sur les muqueuses, varie assez notablement d'une de ces parties du corps à l'autre.

Ils sont assez généralement sphériques, finement et uniformément granuleux, grisâtres (pl. III, fig. 3, de *a* à *h*), souvent pâles, comme gonflés, turgescents, dans la salive, et alors leurs granulations manifestent un mouvement brownien très-vif avant toute addition de liquide. Avant comme après l'action de l'eau les leucocytes pris dans la salive n'offrent qu'un seul noyau sphérique, à contour net ou quelquefois deux noyaux (*f*), très-rarement trois. Il en est toujours un certain nombre qui restent dans ces conditions sans présenter de noyau (*b*, *d*, *g*), et n'en montrent qu'après l'action de l'acide acétique. (*Voy.* page 235.)

Dans le mucus vésical à l'état normal, ils sont (fig. 5, *e*, *e*) au contraire petits, resserrés, à contour net, à surface brillante et ne montrent de noyau qu'après l'action de l'eau ou après celle de l'acide acétique, ce dernier en fait apparaître trois à quatre, sans gonfler d'une manière notable le corps de la cellule (*g*, *h*, *i*). Lorsqu'ils y naissent abondamment dans des conditions d'inflammation, ils offrent les caractères de ceux du pus en général; c'est-à-dire qu'ils sont plus gros, plus granuleux que les précédents (pl. III, fig. 10, de *i* à *s*), et il s'y forme deux ou trois noyaux (*p* à *s*) après le contact de l'eau, etc. Il est pourtant des conditions dans lesquelles ils présentent dans la vessie un volume considérable ($0^{mm},012$ à $0^{mm},015$); c'est ce qu'on voit lorsque les urines deviennent ammoniacales, alors ils sont comme turgescents, gonflés, finement granuleux. Dans la plupart aussi, il ne se produit qu'un seul noyau sphérique (pl. III, fig. 4, *b*, *e*, *f*, *g*) ou plié en demi-cercle (*a*) et volumineux ($0^{mm},005$ à $0^{mm},007$).

L'état cadavérique, sans putréfaction, des leucocytes des muqueuses nasales, trachéales et de la conjonctive n'offre pas de différences essentielles à signaler qui les distinguent notablement de ceux de la cavité buccale (pl. II, fig. 4, de *l* à *n*, et pl. III, fig. 5). Ceux qui naissent dans les conditions inflammatoires sont plus granuleux, plus foncés et présentent en plus grand nombre trois noyaux. Toutefois dans ceux de la conjonctive, ces noyaux sont plus longs à apparaître avant l'action de l'eau ou de l'acide acétique que sur ceux des autres muqueuses. Cela tient à la viscosité naturelle du mucus conjonctival produit en même temps, car le même phénomène s'observe dans les leucocytes des crachats visqueux du catarrhe bronchique.

Les leucocytes qui pendant la pneumonie se produisent dans les canalicules respirateurs et ceux qui naissent dans l'épaisseur de la trame du poumon offrent des caractères semblables. Souvent ils sont de volume assez variable, un peu irréguliers ou nettement sphériques selon les cas (pl. III, fig. 7). Ils sont généralement assez foncés, à cause du nombre de leurs granulations qui en même temps sont fréquemment moins fines et moins arrondies que dans d'autres conditions (fig. 7, *p*, *o*, *q*). Chez certains sujets, ils n'ont que un ou deux noyaux pour la plupart (*t*, *s*, *p*, *n*, *b*, *q*), chez d'autres presque tous en ont trois (*k*, *l*, *m*, *t*).

Dans l'humeur vitrée on trouve toujours un petit nombre de leucocytes, surtout pendant la vie intra-utérine et pendant les premiers temps de la vie extra-utérine. Or dans ces conditions ils sont assez gros, pâles, sphériques, pourvus ou non d'expansions sarcodiques (pl. III, fig. 10, *g*, *h*). Ils offrent de un à trois noyaux sphériques ou ovales recourbés (*c*, *d*) et de fines granulations moléculaires seulement. Or il est remarquable de voir que dans les conditions d'inflammation telles que celles dues à l'iritis, la choroïdite, ou à la présence de certaines tumeurs, les leucocytes qui se produisent sont plus petits qu'à l'état normal, tous ou presque tous sans noyaux dans l'état cadavérique (pl. II, fig. 4, *a*, *b*, *c*, *d*, et pl. III, fig. 6, *m*, *n*, *o*), et beaucoup n'en montrent pas après l'action de l'eau ni même après celle de l'acide acétique, ou il ne s'en forme que un ou deux. Ces leucocytes sont quelquefois peu réguliers, à bords pâles, et leurs granulations sont très-fines.

Leucocytes des abcès. Les éléments anatomiques appelés globules du pus ne sont que les leucocytes qui naissent dans l'épaisseur des tissus, dans les interstices de leurs éléments, quelles que soient du reste les conditions dans lesquelles se passe le phénomène ; ou bien ce sont encore ceux qui naissent à la surface d'un tissu profond mis à nu, à la surface d'une plaie en un mot, ou enfin ceux dont nous venons de nous occuper qui apparaissent à la surface de la peau, d'une muqueuse ou d'une séreuse, mais dans les conditions dites d'inflammation et en quantité assez considérable pour troubler les mucus ou les sérosités.

Déjà nous avons vu que dans le pus encore chaud, ils offrent des expansions sarcodiques et des contractions qui les déforment plus ou moins, comme des leucocytes de toutes les autres parties du corps. Lorsqu'ils ont cessé de présenter ces déformations ils deviennent sphériques, finement granuleux et sans corpuscules en forme de noyaux (pl. III, fig. 10, *i*, *j*, *k*, *l*, *m*). Bientôt se produisent comme premier effet cadavérique un, deux, trois ou quatre de ces corpuscules dans leur intérieur. Mais ce n'est que de vingt-quatre à quarante-huit heures, au plutôt, après leur sortie d'un abcès ou après la mort que ce fait est entièrement accompli, que ces noyaux sont visibles sur la plupart des cellules (fig. 10, *p*, *q*, *r*, *s*). C'est ainsi que se passent les choses sur les leucocytes des abcès chauds ou des plaies des tissus mous.

Mais sous ce rapport on observe de notables différences entre les leucocytes produits dans un tissu et ceux qui naissent dans un autre, ou entre ceux qui apparaissent dans un même tissu, mais sous l'influence de conditions différentes.

A la surface de la peau, par exemple, dans les pustules de la variole, du vaccin, dans le pus d'un vésicatoire, on trouve toujours un assez grand nombre de leucocytes dans lesquels ne se forme aucun noyau à côté d'autres qui en possèdent de un à trois. Les premiers sont pour la plupart plus petits et plus pâles que les autres (pl. II, fig. 4, *a*, *b*, *c*, *d*).

Dans le pus des abcès ossifluents, dans celui des abcès froids, dans le pus très-séreux dont la production est déterminée par la carie ou la nécrose des os, les leucocytes sont en général pâles, transparents, peu granuleux (pl. III, fig. 4, *j*, *k*); quelquefois même ils sont tellement dépourvus de granulations qu'ils se présentent sous le microscope, sous forme de globules extrêmement pâles, à contour net, à centre incolore et n'offrant de granulations qu'à leur périphérie (*i*, *l*) ou dans un seul point de leur étendue (*h*). On en trouve parfois de semblables dans le pus des synoviales produit pendant la durée d'une affection chronique des articulations. Dans ces circonstances ils ont généralement un assez grand volume (0^{mm},010 à 0^{mm},015), et pas de noyau.

Pourtant les leucocytes du pus des abcès ossifluents et des abcès froids sont fréquemment transparents, uniformément granuleux, à contour très-pâle (pl. III, fig. 4, *k*, *k*), peu régulier quelquefois et ne montrant pas de noyau dans l'intérieur, ni après l'action de l'eau, ni après celle de l'acide acétique. Parmi ceux-ci s'en trouvent plus ou moins qui, un peu plus gros que les autres, sont parsemés de quelques granulations graisseuses jaunâtres, éparses (*l*, *m*, *n*, *o*, *p*), qui leur donnent au premier abord un aspect assez différent des autres.

Les leucocytes qui se produisent dans les kystes de diverses tumeurs du testicule, ou lorsque des tumeurs ou le tissu même de l'organe suppurent, sont généralement petits, à contour assez foncé ; leur masse est peu transparente, parce qu'ils sont remplis de fines granulations moléculaires (pl. III, fig. 2 *f*, *g*, *h*, *i*, *j*). Il est rare qu'un ou deux noyaux s'y forment, même après l'action de l'eau et de l'acide acétique.

Les leucocytes qu'on trouve dans le tissu cérébral atteint de ramollissement, dans le *colostrum*, dans le lait lorsque la mamelle est enflammée, dans les divers kystes de l'ovaire et autres, offrent encore plusieurs particularités de structure curieuses; mais leur description se rattache d'une manière si intime à celle des phases d'évolution et des altérations des leucocytes en général, que j'en parlerai seulement plus tard.

Ainsi on voit d'après ce qui précède que les leucocytes comme toutes les autres espèces d'éléments anatomiques offrent d'une région du corps à l'autre et selon les conditions dans lesquelles ils sont nés de légères différences de volume et de structure. Ces dernières portent particulièrement sur le nombre et le volume des granulations qui se produisent dans leur épaisseur, ainsi que sur le nombre et le volume des noyaux qui se forment vers leur centre dans certaines conditions. Ces différences ne s'étendent jamais assez loin pour faire méconnaître la nature de ces éléments, pour en faire disparaître les caractères spécifiques, pour qui du moins connaît les phases de leur développement. Mais elles sont suffisantes pour permettre que l'observateur qui les a étudiés dans tous les tissus ou les organes où on peut les trouver, puisse déterminer d'après l'examen de leur aspect et de leur structure quelles sont les régions dans lesquelles ils sont nés. (*Voy.* Ch. Robin dans Hervé. *De la cautérisation de la vessie dans les hématuries vésicales.* Thèse. Paris, 1849, in-4°, p. 21.)

Altérations cadavériques de la structure des leucocytes du pus. Les modifications dont il a été question dans les pages précédentes ne tiennent qu'à un léger changement de la constitution du sérum où se trouvent les leucocytes, sérum qui agit alors sur ceux-ci, leur fait perdre quelques-uns des caractères qu'ils avaient étant vivants, mais sans qu'ils soient encore altérés à proprement parler. Or un séjour plus prolongé des leucocytes dans ce sérum, une altération un peu plus avancée de celui-ci sans qu'il y ait encore décomposition putride pourtant, modifie bientôt certains d'entre eux d'une manière particulière ; sans qu'on ait ajouté de l'eau ou quelquefois seulement après cette addition, on voit se produire sur un côté du leucocyte un gonflement vésiculiforme de sa paroi propre, très-mince, incolore, transparent, tout à fait homogène. Tantôt il reste presque appliqué sur le corps de la cellule (pl. II, fig. 2, *o*), tantôt il s'en écarte au point de doubler presque son diamètre (pl. II, fig. 5, *e*, *f*, et pl. III, fig. 6, *m*, *n*, *o*, fig. 12, *e*, *f*, *g*, *h*). Ce gonflement vésiculiforme de la paroi propre du leucocyte peut offrir plusieurs dispositions particulières par rapport à la masse de l'élément. Quelquefois elle est simplement appliquée sur une petite portion de sa surface et fait une légère saillie, à la manière d'un verre de montre (pl. III, fig. 12, *d*, *e*, *g*, *h*), de telle sorte que le contour de la dilatation s'écarte à peine de celui de la masse granuleuse de l'élément. Plus rarement elle se détache de la moitié environ de la circonférence de ce dernier et se dilate au point d'être plus large que lui (fig. 6, *m*, *n*). D'autres fois l'enveloppe transparente entoure presque entièrement le reste du leucocyte qui n'adhère à la première que par une petite portion de sa surface (pl. II, fig. 5, *e*, *f*, et pl, III, fig. 12 *e*, *f*, *g*). Le plus ordinairement le corps granuleux des éléments conserve parfaitement la forme sphérique et la netteté de ses contours (pl. II, fig. 5, *e*, *f*, et pl. III, fig. 6, *m*, *n*, *o*, fig. 11, *d*, *e*, fig. 12, *e*); mais parfois au contraire il est peu régulier, mal limité ; le contenu ressemble à un amas de granulations appliquées contre la face interne de la dilatation vésiculiforme transparente (pl. II, fig. 5, *e*, et pl. III, fig. 12, *f*, *g*). Enfin dans la vésicule même, remplie d'un liquide tout à fait limpide, il n'est pas rare de voir flotter quelques granulations douées d'un mouvement brownien très-vif. Ces granulations se sont manifestement détachées de la surface du contenu granuleux et s'observent même dans les cas où ce contenu est parfaitement limité (pl. I, fig. 5, *e*, *f*).

Les altérations cadavériques des leucocytes peuvent être portées jusqu'à la destruction plus ou moins complète de ces éléments dans le pus qui a séjourné longtemps dans des cavités des os altérés sans pouvoir s'échapper, soit que le pus ait perdu son sérum pour devenir concret, soit qu'il conserve sa fluidité. Des altérations analogues s'observent aussi dans les leucocytes du pus de certaines pneumonies chroniques, dans les cavernes ou dans le détritus de la gangrène pulmonaire, dans les abcès où le pus entre en putréfaction, dans les leucocytes du sang des caillots apoplectiques ou dans ceux de diverses régions du corps dont la fibrine est en voie de résorption ou de putréfaction, etc. Dans les premières de ces conditions les leucocytes sont presque tous devenus irrégulièrement polyédriques, comme flétris, ou bien leur surface est partie sphérique, partie irrégulière ; leur contour est comme dentelé, peu foncé, leur masse est pâle, tantôt peu granuleuse, ou d'autres fois renferme quelques granulations éparses. L'eau les gonfle légèrement, mais ne rend qu'à un petit nombre leur régularité et ne fait pas apparaître de noyau dans leur masse, car la plupart en manquent. L'acide acétique lui-même, qui les pâlit considérablement, ne met en évidence que un ou deux noyaux, rarement trois, petits, irréguliers, ordinairement un peu écartés les uns des autres, et même beaucoup de leucocytes ne montrent plus de noyaux dans ces conditions au contact de cet agent.

Dans les abcès en putréfaction, dans le pus des gangrènes pulmonaires, etc., on voit généralement de un à trois noyaux sur la plupart des leucocytes, mais ils sont irréguliers, bien qu'à contour assez foncé. La masse de la cellule est peu foncée, à contour le plus souvent très-pâle aussi, et comme dentelé ; la cellule est en un mot, à sa surface rugueuse, irrégulièrement polyédrique. Quelques granulations foncées sont éparses dans la masse de la cellule ou adhérentes à sa surface. Ces éléments prennent ainsi des caractères qui les éloignent notablement de leur régularité habituelle, mais qui ne les rapproche d'aucune autre espèce d'élément anatomique. L'observation de cas de ce genre peut seule donner une idée précise des variétés d'aspects et d'irrégularités qu'ils présentent alors et qu'une description ne peut que signaler. L'eau et l'acide acétique sont nécessaires souvent pour fixer l'esprit sur la nature des corps qu'on a sous les yeux.

Leucocyte du pus de divers animaux. Chez les animaux herbivores ruminants, solipèdes ou rongeurs, etc., les leucocytes du sang et de la lymphe ne diffèrent de ceux de l'homme que par un volume un peu moindre (pl. I, fig. 3, *a*), tant qu'ils sont dans le sérum du sang et de la lymphe. Ces derniers se déforment et se gonflent plus rapidement et d'une manière plus prononcée que les autres. Chez les carnassiers ils sont également un peu plus petits, mais la différence est moins sensible et quelquefois à peine notable.

Les leucocytes du pus des abcès et des plaies du cheval sont remarquablement petits ($0^{mm},006$ à $0^{mm},009$), pâles, uniformément granuleux (pl. III, fig. 3, *a*, *b*, *c*), quelquefois à contour un peu irrégulier. Ces mêmes particularités s'observent sur le Chien. Chez ce dernier, ils sont seulement souvent un peu plus gros et presque toujours un peu plus foncés, un peu plus granuleux (fig. 12, *a*, *b*, *c*) sur les uns et sur les autres. Sur le cheval et le chien, ils sont dans le pus à peu près de même diamètre que dans le sérum du sang frais, mais ils sont un peu plus petits que dans la lymphe.

L'état cadavérique amène la production de un ou deux, rarement trois noyaux dans les leucocytes du Cheval, plus tard et sur un moindre nombre de cellules que chez le chien ; chez ce dernier, en outre, sur beaucoup d'entre eux, il se produit trois noyaux. Chez ces deux animaux, chez le Lapin, etc., l'état cadavérique détermine de très-bonne heure et sur un très-grand nombre de leucocytes le gonflement de la paroi propre de ces éléments sous forme d'une goutte claire (fig. 11, *d*, *e*, *f*, *g*, *h*, *i*, et fig. 12, *e*, *f*, *g*), transparente, vésiculeuse, rendant ainsi presque double le diamètre de l'élément. Ce phénomène se produit chez ces animaux bien plus rapidement et sur un bien plus grand nombre de cellules que chez l'homme, ce qui, joint à leur transparence et à leur volume plus petit que chez ce dernier, donne aux préparations qui les renferment un aspect très-différent.

Du reste, l'action de l'eau et celle de l'acide acétique est la même que chez l'homme. Leur structure ne diffère pas essentiellement non plus de ce qu'elle est dans ce dernier. Ils sont aussi le siége de tous les phénomènes et des altérations morbides dont nous parlerons bientôt.

Leucocytes des vertébrés ovipares. Dans le sang des oiseaux les leucocytes sont peu nombreux. Leur volume et leur forme sont à peu près les mêmes que chez l'homme (pl. I, fig. 5). Ils en offrent aussi tous les caractères physico-chimiques, ils sont toutefois un peu moins transparents. L'eau les gonfle et y fait apparaître un ou deux noyaux sphériques, ou bien les rend seulement plus granuleux (pl. I, fig. 5, *c*, *d*). L'acide acétique agit sur eux comme chez l'homme ; seulement presque toujours les granulations sont réunies au centre en un seul amas large ou en demi-cercle mince ; rarement elles se disposent sous forme de deux ou trois noyaux polyédriques teintés de jaune rougeâtre et accompagnés de quelques granulations.

Ils sont formés d'une masse homogène parsemée de granulations dont quelques-unes allongées, brillantes, siégent ordinairement à la périphérie du globule. Les leucocytes du pus des oiseaux ne diffèrent de ceux de leur sang que par un peu plus ou un peu moins de granulations selon les circonstances dans lesquelles ils se sont produits.

Dans le sang et dans la lymphe des reptiles les leucocytes sont plus nombreux que chez les animaux dont il a été question jusqu'à présent. Ils sont sphériques, mais ils se déforment et deviennent polyédriques (pl. I, fig. 6, de *c* à *k*, et fig. 7, *b*, *c*, *d*, *h*, *g*), etc., par production d'expansions analogues à celles dont il sera question plus loin et dont nous avons déjà parlé. Ces expansions sont les unes irrégulières, très-granuleuses et pouvant se séparer de la masse principale de l'élément, de manière à réduire celui-ci en deux ou trois fragments ; phénomène qui peut se manifester encore plusieurs heures après la mort de l'animal. D'autres expansions sont claires, de teinte faiblement rosée, arrondies à leur extrémité et offrent quelquefois une petite excavation ou vacuole sphérique au centre.

Leur diamètre est de $0^{mm},010$ chez les plus petits, de $0^{mm},015$ pour les plus gros avec des intermédiaires nombreux. Tous présentent une certaine mollesse, ils se déforment par pression réciproque, se courbent et s'allongent contre les obstacles.

Beaucoup de ces globules ont une teinte foncée, ce qui est dû au grand nombre de granulations qu'ils renferment ; d'autres moins abondants, sont très-pâles, et transparents (fig. 6, *a*, *b*, *c*, et fig. 7, *a*, *b*, *e*, *f*, *g*, *h*). L'eau gonfle tous ces éléments et en augmente le diamètre d'un quart, elle rend les granulations plus nettes, plus isolées; souvent elle détermine l'accumulation de toutes les granulations d'un seul côté du leucocyte dont le reste de la masse devient en quelque sorte limpide (fig. 7, *l*); sur d'autres elle fait apparaître vers leur milieu ou leur bord un noyau sphérique très-pâle (*i*, *k*, *l*). Quant à ceux qui sont naturellement très-clairs et transparents, elle en augmente beaucoup la pâleur et les dissout tout à fait si la quantité d'eau est abondante, mais lentement. L'acide acétique rend sphériques, pâles et transparents tous ces globules et il les gonfle un peu. Il réduit le contenu à un ou deux noyaux sphériques, finement granuleux, latéraux ou centraux, larges de 4 à 6 millièmes de millimètre, toujours accompagnés d'un nuage de petites granulations. Quelquefois on trouve au contraire qu'il s'est formé trois ou quatre noyaux rangés en demi-cercle ou entassés. Ainsi tous ces globules sont formés d'une masse homogène parsemée de granulations jaunâtres, brillantes au centre à contours foncés dans les uns, grisâtres peu abondantes dans les autres qui offrent alors une bien plus grande transparence que les premiers. Ces cellules pâles ont parfois un noyau central sphérique large de 5 millièmes de millimètre environ; quelques-unes renferment une ou deux granulations moléculaires, brillantes. Il existe donc deux variétés de leucocytes chez ces animaux, les uns granuleux foncés, et les autres pâles transparents peu granuleux. Sur les batraciens on trouve ces deux variétés de globules comme chez les reptiles ; ils sont seulement plus petits, sauf peut-être les globules pâles.

Les leucocytes du pus et des muqueuses de ces animaux ne diffèrent des précédents que par un bord plus foncé, un corps un peu plus pâle dans lequel les granulations moléculaires sont un peu plus grosses, moins cohérentes et plus faciles à distinguer.

Chez les poissons osseux les leucocytes sont assez nombreux, autant ou plus que chez les reptiles. Ils ont généralement 10 millièmes de millimètre de large, mais il en est qui ont 1 ou 2 millièmes en plus ou en moins. Ils sont parfaitement sphériques, mais ils se déforment rapidement et envoient des expansions souvent très-longues. La plupart sont pâles et finement granuleux ; il en est peu d'aussi foncés que ceux qu'on trouve chez les reptiles (pl. I, fig. 8, *a*, *b*, *c*, *d*, *e*). L'eau agit sur eux comme sur ceux de ces derniers, et réunit les granulations sous forme de noyau sphérique, même dans les globules les plus pâles. Il reste aussi des granulations libres élégamment groupées autour ou sur un des côtés de ce noyau. Sur ceux qui sont très-pâles on ne voit pas ces granulations, le noyau existe seul. L'acide acétique les gonfle moins que ne fait l'eau, elle coagule le contenu qui forme de un à trois noyaux généralement situés sur le côté du globule, et disposés soit en demi-cercles, soit sans ordre particulier (pl. I, fig, 8, *f*, *g*, *h*). La structure de ces globules ne diffère pas de celle des éléments correspondants chez les reptiles.

Chez les cyclostomes, les ammocètes en particulier, les leucocytes sont plus nombreux que dans les poissons osseux ; ils ont pourtant le même volume, qui oscille entre 9 et 11 millièmes de millimètres. L'eau les gonfle et ne fait rassembler les granulations en forme de noyau que sur la moitié environ ; mais sur la plupart celles-ci sont douées de mouvement brownien dans le globule, ce qui indique la fluidification de la substance centrale de l'élément à la suite de l'action de l'eau. L'acide acétique y fait apparaître, dans tous ou presque tous, deux et quelquefois trois petits noyaux sphériques à bords nets, généralement séparés les uns des autres, rarement disposés en demi-cercle ou en groupe.

Classification, spécificité et nomenclature des leucocytes. L'analogie et souvent l'identité d'aspect extérieur des leucocytes contenus dans la lymphe, le sang, le pus, etc., l'identité surtout de l'action de l'acide acétique sur eux et sur les globules blancs pris dans le sang, montrent de la manière la plus évidente que ce sont des éléments anatomiques de même espèce. La comparaison directe des uns aux autres ne saurait laisser à cet égard le moindre doute.

L'expression de *globules de pus* est inexacte et devra disparaître, en tant que *dénomination spécifique*, puisque le même élément anatomique se rencontre dans des régions de l'économie où il n'y a manifestement pas de pus, ni les conditions de sa production ; et ce que l'on a attribué aux leucocytes (dits *globules du pus*), comme caractérisant le pus, doit être rapporté au sérum lui-même, de même que c'est à ce liquide et non aux éléments solides qu'il faut attribuer ses propriétés nuisibles.

Les caractères qui font que ces éléments anatomiques représentent une seule et même espèce de cellule, quel que soit le lieu dans lequel ils naissent, sont d'autre part en corrélation avec leurs propriétés, et ici la physiologie confirme en tous points les données de l'anatomie.

On distingue anatomiquement dans les leucocytes deux variétés principales d'après le volume de ces éléments, les uns représentant les globules ou cellules proprement dits, les autres plus petits sont appelés *globulins*. La première à son tour se subdivise parfois en deux autres variétés, selon que l'état cadavérique et l'action de l'eau, etc., y amènent ou non la production d'un ou de plusieurs noyaux, ces derniers étant alors distingués, mais accessoirement, sous le nom de *globules pyoïdes*.

On a ainsi pour ces éléments trois variétés : la *variété cellules à noyaux*, la *variété cellule sans noyaux* et la *variété* dite *des globulins*.

On observe en outre dans les deux premières variétés que les phénomènes du développement peuvent y déterminer des modifications assez nombreuses de volume ou de structure, mais elles sont en corrélation avec les conditions spéciales dans lesquelles ces éléments se trouvent durant leur séjour dans l'économie ; de telle sorte qu'avec telle condition donnée, comme l'inflammation, par exemple, on peut s'attendre à rencontrer telle modification déterminée. Par conséquent en tenant compte de ces conditions, comme on doit le faire dans l'examen de tous les éléments anatomiques, on ne sera point conduit à considérer ces modifications secondaires comme représentant des variétés ou même des espèces diverses ; bien que leurs différences soient assez tranchées, pour qu'avec un peu d'habitude on puisse d'après l'examen de chacune d'elles, déterminer le lieu où est né le leucocyte qui les présente. C'est ainsi que nous avons vu ci-dessus (p. 238, etc.) que selon les régions où se trouvent les leucocytes, que selon les conditions, par conséquent, dans lesquelles ils sont nés, ils offrent des différences qui permettent d'en déterminer la provenance. Mais nous verrons aussi que lorsqu'à la surface de muqueuses différentes l'inflammation apporte des conditions semblables, les leucocytes cessent d'être aussi différents qu'ils l'étaient et prennent les principaux caractères de ceux qui sont nés dans un foyer purulent. Les leucocytes en un mot partagent avec tous les autres éléments la propriété de varier entre certaines limites selon les régions qu'ils occupent, selon les conditions au sein desquelles ils sont nés et se sont développés, mais sans cesser d'être eux-mêmes, sans jamais surtout tendre à prendre les caractères de quelque autre espèce d'élément anatomique que ce soit, ni s'éloigner d'un type abstrait qu'on se représente facilement pour chaque espèce après un certain nombre d'observations.

Description des leucocytes de petit volume dits globulins. Sur les embryons et lorsque le sang devient leucocythémique, les *globulins* sont plus nombreux que chez l'adulte à l'état normal, mais ils sont loin de l'être dans la même proportion que les cellules. Cette petite proportion fait qu'ils passent inaperçus dans beaucoup d'observations, ou que souvent on ne peut les retrouver dans les caillots et dans les régions où le sang est épanché, bien que pourtant les autres variétés s'y rencontrent.

Ces dernières particularités tiennent aussi à leur petit volume ; celui-ci est toujours moindre que celui des globules rouges de un quart ou même de moitié suivant les espèces. Ils ont en général, tant chez l'homme que chez les mammifères domestiques, 4 millièmes de millimètre. Beaucoup n'ont que 3 millièmes ; quelques-uns en atteignent 5 ; chez les herbivores et sur le fœtus humain ils ont presque tous ce dernier diamètre, que fort peu dépassent de un demi-millième au plus. Dans le sang leucocythémique, il en est aussi un certain nombre qui atteignent 5 et 6 millièmes de millimètre.

Les globulins sont tout à fait sphériques, rarement un peu polyédriques. Leur contour et par suite leur surface sont nets, non dentelés, ni rugueux, ce qu'on peut constater lorsqu'ils roulent lentement dans le champ du miscroscope.

Un phénomène physique, particulier à beaucoup de granulations incluses, a fait dire qu'ils sont hérissés à leur surface, etc. Ils sont grisâtres, très-transparents, à bords nets et pâles ; mais les granulations qu'ils renferment, bien que petites, sont foncées et apparaissent comme en relief ; d'où la teinte générale grisâtre du globule et l'aspect rugueux de la surface, aspect d'autant plus prononcé que le grossissement employé est plus faible. Alors en effet la substance pâle homogène interposée aux granulations cesse d'être visible, en quelque sorte, à côté d'elles.

Les globulins sont visqueux à leur surface, en sorte qu'ils adhèrent au verre, bien que d'une manière moins tranchée que les gros globules blancs. Outre ceux qui existent dans les amas de matière amorphe, il en est qui adhèrent ensemble au nombre de dix à trente ou environ et constituent ainsi des amas particuliers, qui reconnaissent pour première cause la viscosité des globules. Ces amas sont rares du reste et se rencontrent plus souvent sur les fœtus d'herbivores, que chez d'autres animaux.

C'est sans doute à leur viscosité ou peut-être à leur petit volume qu'est dû ce fait que chez les animaux sur lesquels on étudie la circulation, ces petits éléments adhèrent aussi à la face interne des parois du capillaire çà et là entre les leucocytes de la variété cellule dont on voit quelquefois une certaine quantité avant de rencontrer un ou deux noyaux, qui s'en distinguent facilement par leur petit volume.

L'acide acétique, en agissant sur les globulins, tantôt les resserre seulement un peu, rend leurs bords plus foncés, tantôt il détermine en eux une modification, qui les amène à ressembler beaucoup aux noyaux qu'il produit dans les leucocytes de la variété cellule (pl. I, fig. 2, *q*, *r*, *s*). Sous l'influence de cet agent on les voit en effet se rétrécir un peu, prendre des bords plus foncés, et devenir comme un peu rougeâtres vers la partie centrale. En même temps quelques-uns d'entre eux offrent une sorte d'incisure vers leur partie médiane, qui les divise incomplétement en deux, ou bien qui les fait paraître comme recourbés en un fer à cheval à branches rapprochées. Il en est sur lesquels cette incisure peut aller jusqu'à les diviser en deux ou en trois parties distinctes, lesquelles toutefois restent agglutinées ensemble, comme les noyaux des leucocytes proprement dits, mais avec un volume moindre toutefois. Dans tous les cas, un examen attentif à l'aide d'un grossissement suffisant permet de reconnaître la substance du corps de la cellule, devenue très-pâle, restée très-petite et comme appliquée sur le noyau ou sur les noyaux précédents, dont elle est bien moins écartée que lorsqu'il s'agit des leucocytes ayant tout leur volume.

Ainsi en général, c'est après l'action de l'acide acétique seulement, que l'on peut constater que certains de ces éléments, qu'on aurait pu prendre d'après leur volume pour des noyaux libres, étaient de petites cellules dans lesquelles l'acide détermine l'apparition d'un ou deux noyaux semblables à ceux des autres leucocytes, et entourés d'un corps de cellule très-petit presque appliqué sur le noyau ou amas central de granulations, tandis que l'eau gonfle au contraire le corps de la cellule.

C'est à cette variété des leucocytes que ressemblent les éléments qui existent en quantité variable d'un vaisseau à l'autre sur un même sujet, dans la cavité de la *gaine périvasculaire* des capillaires cérébro-rachidiens (Ch. Robin, *Journal de la physiologie*, 1859). Toutefois ces éléments qui sont plus petits que les épithéliums nucléaires des ganglions lympathiques ne sont pas attaqués par l'eau et par l'acide acétique comme les globulins. Quoi qu'il en soit, ils se rencontrent aussi abondamment dans ces gaînes sur les suppliciés et chez les animaux domestiques bien portants et tués rapidement que sur l'homme mort de maladie ; ce fait suffit pour démontrer que ces éléments ne sont pas le produit *d'une altération vasculaire* comme l'ont prétendu quelques auteurs d'après des observations faites sur l'homme mort de maladie seulement. (*Voy.* Hayem. Thèse 1868, p. 24.)

Chez les oiseaux, ces petits leucocytes ressemblent beaucoup à ceux de l'homme. Ils ont de 4 à 5 millièmes de millimètre de large. Ils sont peut-être un peu plus uniformément granuleux. Chez eux, chez les pigeons entre autres, on en trouve beaucoup dans la veine porte qui sont réunis en amas, englobant un ou plusieurs de ces éléments de la variété cellule et même des hématies. Le sang de la veine porte renferme ici plus de globulins que celui des autres parties du corps. L'acide acétique agit comme chez l'homme et met en évidence les fines granulations du globule.

Chez les reptiles et les batraciens, ces leucocytes sont un peu plus gros et un peu plus granuleux que dans les oiseaux. Ils ont de $0^{mm},005$ à $0^{mm},007$. On peut constater sur l'animal vivant, à un grossissement de 300 diamètres réels, que les globulins interposés aux globules blancs à la face interne des capillaires ont bien les mêmes caractères que ceux qui sont dans les lymphatiques accompagnant ces vaisseaux sanguins.

Les globulins sont un peu plus nombreux dans le sang des lézards que dans celui des couleuvres.

Chez les poissons, les leucocytes de cette variété ont 4 à 5 millièmes de millimètre. Ils atteignent rarement 6 millièmes. Ils sont par conséquent plus petits que dans les reptiles. A part cela, ils offrent les mêmes particularités de réaction et de structure que chez les animaux dont il a été question précédemment. Sur les cyclostomes, les ammocètes particulièrement, ils offrent les mêmes caractères ; leurs granulations un peu plus nombreuses sont très-nettes et ils sont plus nombreux que sur les autres poissons.

Les petits leucocytes ou globulins sont peu nombreux chez les invertébrés; toutefois on en rencontre sur les arachnides, les crustacés, les mollusques et les annélides. On sait en effet que les globules du sang de ces animaux et des insectes sont uniquement des leucocytes tant sphériques que lenticulaires. Ils sont analogues à ceux du sang et de la lymphe des vertébrés au point de vue de leur aspect, de leurs modifications cadavériques, réactions chimiques, de leur structure, de leurs déformations par production d'expansions sarcodiques, ainsi que l'ont depuis longtemps fait connaître et représenté divers auteurs et particulièrement Warthon-Jones (*The Blood-corpuscle in the animal series.* Philosophical Transactions. London, 1846, in-4°, part. 2, p. 65 et suiv., pl. 1 et 2).

Des diverses espèces d'éléments qui ont été confondues avec les leucocytes. Il est plusieurs espèces d'éléments anatomiques qui ont été considérés comme semblables aux leucocytes et qu'à l'époque actuelle même divers auteurs regardent comme semblables à eux, ne pouvant en être distinguées et formant une seule et même espèce d'éléments, anatomiquement et physiologiquement, devant par conséquent recevoir le même nom.

1° Les *cellules embryonnaires* ou de *la tache embryonnaire*, c'est-à-dire formant par leur réunion les feuillets de la tache embryonnaire du blastoderme sont les premières dont nous ayons à nous occuper ici. Elles ont au premier coup d'œil quelque analogie avec les leucocytes quant à leur aspect extérieur et leur volume. On peut parfois les trouver réunies dans une même préparation des tissus des très-petits embryons, lorsque les leucocytes du sang épanché sont mêlés à des cellules embryonnaires dissociées.

Les caractères qui permettent de distinguer ces deux espèces de cellules sont les suivants :

Les cellules embryonnaires sont un peu plus grosses que les leucocytes. Elles sont polyédriques sur les pièces fraîches et ne donnent jamais des expansions sarcodiques ou auribiformes. Isolées elles deviennent un peu sphéroïdales, mais avec des angles mousses et non régulièrement sphériques; leur contour est plus foncé que celui des leucocytes. Qu'elles soient tout à fait fraîches ou non, elles offrent un et rarement deux noyaux avant l'action de tout réactif, noyaux moins transparents, plus larges et moins réguliers que celui ou que ceux dont l'état cadavérique amène la formation dans les leucocytes.

Les granulations interposées entre le noyau et le contour des cellules embryonnaires sont plus volumineuses et plus foncées que dans ces derniers. Le contact de l'eau ne détermine pas de mouvement brownien de ces granules comme sur ceux des leucocytes, bien qu'il gonfle un peu les premières et les rende assez régulièrement sphériques.

Cet ensemble de caractères établit déjà entre ces deux sortes d'éléments des différences qu'il est facile de constater avec un peu d'habitude de cet ordre d'examen. Enfin, l'action de l'acide acétique établit une différence tranchée entre eux. Il ne fait que pâlir le corps des cellules embryonnaires, sans le dissoudre ni le rendre aussi pâle et aussi peu perceptible que sur les leucocytes; il ne fait que resserrer un peu et rendre plus foncé le noyau des cellules embryonnaires qui, après comme avant l'emploi de cet agent, reste unique dans chaque cellule, ou double s'il y en avait deux. Or, on sait que dans les leucocytes, l'acide acétique resserre, fait se recourber en fer à cheval, ou fait paraître comme incisés les amas nucléiformes qui se sont formés sous l'influence de l'eau ou de l'altération cadavérique, et en fait apparaître de deux à quatre bien plus petits et plus irréguliers que ceux des cellules précédentes, quand les leucocytes n'ont pas encore été ainsi modifiés.

Il n'est pas inutile de bien spécifier qu'il s'agit ici de la distinction de deux espèces d'éléments anatomiques ayant forme de cellules, dont l'un porte le nom de *cellules embryonnaires*, en raison de sa prédominance dans l'organe blastodermique appelé *tache embryonnaire*, mais qu'il ne s'agit pas encore de l'hypothèse dont les fauteurs donnent le nom de *cellules embryonnaires* aux leucocytes, en raison de ce que, suivant eux, les leucocytes du pus comme ceux du sang et de la lymphe pourraient se transformer en toutes sortes d'éléments anatomiques, même en ceux des os, et seraient par conséquent des cellules représentant l'état embryonnaire de ces autres éléments. Cette spécification est importante à faire, non-seulement parce que rien dans les faits ne justifie la supposition précédente, mais parce que ceux qui l'ont émise n'ont jamais comparé entre eux les leucocytes et les cellules formant les feuillets de la tache embryonnaire.

2° Les leucocytes offrent, au premier coup d'œil, de véritables analogies de forme, de volume, et de teinte grisâtre avec les *médullocelles*. Il est des auteurs qui s'en tiennent à ces seuls caractères pour déterminer la nature des éléments anatomiques sans recourir à l'examen de ceux qui, bien plus importants, concernent leur structure propre et leur composition immédiate, que révèlent en partie leurs réactions chimiques. Aussi, ces auteurs ont-ils été amenés à considérer les deux espèces précédentes d'éléments comme n'en constituant qu'une seule, c'est-à-dire les médullocelles et les leucocytes comme identiques, ou en d'autres termes les éléments qu'on trouve dans la moelle des os comme étant des cellules de la nature des corpuscules du pus. (Virchow, 1858.)

Les différences pourtant sont frappantes entre ces deux espèces d'éléments, et d'abord en ce que, à l'état frais, les médullocelles ne donnent pas d'expansions sarcodiques comme les leucocytes. De plus, tandis que dans ces mêmes conditions les médullocelles montrent un ou deux noyaux avec la même netteté que plus tard, les leucocytes n'en possèdent pas, et il ne s'en produit en eux que sous l'influence de l'eau ou des modifications cadavériques qu'ils subissent.

De plus, beaucoup de médullocelles ont une forme un peu polyédrique, que l'eau ne fait pas disparaître. Bien que ce liquide les rende un peu plus transparentes, il ne les gonfle pas et ne détermine pas l'apparition du mouvement brownien de leurs granulations, comme il le fait pour les leucocytes, et cela que les uns ou les autres de ces éléments soient à l'état frais ou non. Enfin, l'acide acétique, dans les unes ou les autres de ces conditions, ne fait jamais apparaître de deux à quatre petits noyaux au sein des médullocelles; aussi son action permet-elle de distinguer les uns des autres ces éléments lorsqu'ils sont mélangés. Ce réactif pâlit en effet le corps de la cellule bien plus lentement qu'il ne pâlit sur les leucocytes, en laissant intact son noyau, ou ses noyaux quand il y en a deux; il les resserre toutefois un peu, et rend leur contour plus net, mais il ne leur donne pas une teinte rougeâtre, et il ne détermine pas sur eux une sorte d'étranglement en forme d'incisure, comme il le fait sur les amas nucléiformes des leucocytes, dont la production a été amenée antérieurement par l'eau ou par l'altération cadavérique.

Notons enfin que dans les tumeurs ayant pour point de départ la moelle des os, qui renferment des médullocelles et dans celles particulièrement qui ont pris l'aspect encéphaloïde, on peut constater l'existence de médullocelles à toutes les phases d'une hypertrophie souvent considérable, avec ou sans production de nucléoles dans les noyaux hypertrophiés, faits dont nul élément, offrant les caractères des leucocytes, n'offre d'exemple en aucune région de l'économie tant à l'état normal qu'à l'état pathologique;

3° Les épithéliums nucléaires des ganglions lymphatiques, ceux de la rate, du thymus et de la thyréoïde ont quelques analogies avec les leucocytes, sous le rapport de l'aspect extérieur résultant de leur forme, de leur volume, de leur couleur, et de leur état finement et uniformément grenu. Un certain nombre aussi de ces épithéliums présente, après qu'on les a isolés, un corps ou masse de cellule très-petit, qui est comme appliqué sur le noyau, et qui s'en écarte un peu en se gonflant par altération cadavérique ou après l'action de l'eau.

Aussi ces éléments ont-ils été considérés comme n'étant pas des épithéliums, mais bien des cellules de même nature que les leucocytes de la lymphe, du sang, du pus, etc., comme étant de même espèce qu'eux et les glandes lymphatiques, etc., ont été regardées comme étant les organes formateurs ou sécréteurs de ces éléments; au fur et à mesure qu'a lieu leur production ceux-ci tomberaient dans les lymphatiques ou dans les veines.

Il est pourtant difficile de comprendre qu'une pareille confusion ait pu être faite en présence des différences si tranchées et si faciles à constater qui séparent ces deux espèces d'éléments. Indépendamment de ce que ces épithéliums ont un volume assez uniformément le même et plus petit de 2 à 4 millièmes de millimètre que celui des leucocytes, ils se distinguent aisément de ces derniers à l'état frais, en ce qu'ils ne présentent jamais de déformations ni d'expansions sarcodiques. L'état cadavérique et l'eau ne les modifient pas. Ils ne font que gonfler un peu le corps de cellule très-pâle appliqué sur quelques-uns de ces noyaux, quand toutefois le fait existe, car il n'est pas très-commun dans les ganglions sains; mais il ne fait jamais apparaître le mouvement brownien de granulations moléculaires incluses dans l'élément anatomique.

Les faits précédents et les suivants sont d'autant plus importants à signaler, que les rapports des capillaires lymphatiques avec les épithéliums nucléaires réunis en groupes ou amas dans la trame réticulée de la portion centrale des ganglions sont tels, qu'il n'est pas impossible que, dans certaines conditions morbides, la mince paroi vasculaire se rompant, il ne tombe de ces noyaux d'épithélium dans la lymphe. Entraînés dès lors avec ce liquide, ils peuvent, si ce fait a lieu, être retrouvés dans le sang et circuler avec ses autres éléments. Mais avant que ce fait fût admis comme fréquent, sinon comme habituel, il serait nécessaire de voir si ces noyaux se trouvent mêlés aux leucocytes dans le réservoir de Pecquet ou dans le canal thoracique, et cela en particulier sur les individus morts leucocythémiques avec hypertrophie ganglionnaire ou non; ordre de recherches qui n'a pas encore été fait.

L'acide acétique resserre un peu ces noyaux, rend leurs contours plus nets, plus foncés, moins réguliers, quelquefois comme un peu incisés sur un ou deux points, et il rend leur centre un peu plus clair qu'il n'était. Jamais il ne rend la masse de l'élément pâle et plus grosse qu'elle n'était, pas plus qu'il n'y fait apparaître de deux à quatre noyaux ou amas nucléiformes.

Ces diverses actions permettent aussi de distinguer sans grande peine les leucocytes de ces épithéliums nucléaires lorsqu'ils sont mélangés dans les cas d'adénites, etc. Ces actions montrent en toutes circonstances qu'ils ont les caractères de difficile altérabilité, et autres, propres aux noyaux en général, aux épithéliums nucléaires en particulier, et aucun des caractères que possèdent les leucocytes, lors même qu'il s'agit des leucocytes très-petits, comme ceux de la vessie ou de ceux qui, en voie de se former sur une plaie récente, etc., n'ont pas encore leurs dimensions habituelles. Enfin, sur aucun de ces noyaux, ces réactifs ne font apparaître des modifications telles qu'il soit possible de les considérer comme présentant certains caractères des épithéliums, unis à certains de ceux des leucocytes, comme étant des noyaux d'épithéliums surpris au milieu de quelqu'une des phases de leur passage à l'état de leucocytes.

Les faits qui précèdent s'appliquent du reste en tous points aux cas dans lesquels des noyaux uniques ou multiples hypertrophiées ou non dans des cellules plus ou moins modifiées de l'épithélium des muqueuses ou des séreuses enflammées, ont été considérés comme des leucocytes du pus en voie de formation endogène par scission continue et métamorphose du noyaux de ces cellules.

Pour achever d'exposer les différences qui existent entre les leucocytes et les épithéliums nucléaires, différences qui infirment formellement l'hypothèse de l'identité ou même des analogies de ces deux espèces d'éléments, il importe de noter encore les faits qui suivent. D'une part, on voit, dans un grand nombre de lésions, des glandes lymphatiques [*adénies*, etc., *voy.* LYMPHATIQUES (Maladies)] thyréoïde et splénique, leurs épithéliums nucléaires dépasser graduellement par hypertrophie leur volume normal ($0^{mm},006$), pour arriver à des dimensions doubles et triples, en même temps qu'ils deviennent moins grenus, et qu'un ou plusieurs nucléoles brillants, plus ou moins gros, se produisent en eux. Et ces modifications qui sont les mêmes que celles qu'on voit survenir aussi sur les épithéliums, nucléaires ou non, de diverses autres glandes ne sont jamais présentées par les leucocytes dans quelque condition que ce soit.

D'autre part enfin, comme bien d'autres épithéliums nucléaires, ceux des glandes lymphatiques passent souvent dans des conditions accidentelles à l'état d'épithéliums cellulaires polyédriques, par production entre eux de matière amorphe et segmentation de celle-ci autour de ces noyaux comme centre, avec ou sans hypertrophie de ces derniers. Or les leucocytes ne montrent jamais quoi que ce soit de semblable.

Les données qui précèdent montrent nettement l'importance qu'il est nécessaire d'attacher à la comparaison des faits accidentels ou morbides aux faits normaux, toutes les fois qu'il s'agit de déterminer la nature réelle des éléments anatomiques et de juger les questions de relations de similitude ou de succession que certains peuvent offrir eu égard aux autres.

Le mode d'individualisation des cellules épithéliales, les phases de leur évolution, les caractères physiques et chimiques du noyau ou des noyaux de chacune d'elles à l'état normal ou dans les cas d'inflammation, ceux du corps de la cellule qui entoure celui-ci, montrent de la manière la plus nette combien sont grandes les différences qui séparent les épithéliums des leucocytes, à quelque période de leur développement que ce soit. Ils montrent par suite que ces derniers, à la surface des muqueuses, etc., (*corpuscules muqueux*, *globules de pus*, etc.), ne sont nullement une provenance des noyaux, et qu'ils ne sont pas non plus de jeunes cellules épithéliales détachées des couches profondes, contrairement à une opinion erronée encore fort répandue parmi ceux qui jugent de la nature des éléments anatomiques et qui les nomment d'après des idées préconçues et non d'après la connaissance de leur origine et de leur constitution.

Préparation des leucocytes. Pour observer ces éléments dans le sang et dans la lymphe, il suffit de placer une goutte de ces liquides entre deux lames de verre ; sans addition d'eau si l'on veut en constater les caractères réels. Peu nombreux dans l'un et l'autre de ces liquides, il faut souvent les chercher dans telle partie de la préparation plutôt que dans telle autre. Ce que nous avons appris de l'action de l'eau sur les leucocytes et des modifications que leur fait subir l'état cadavérique suffit pour faire sentir dans quelles conditions il faut se placer pour étudier ces éléments, non-seulement dans les humeurs précédentes, mais encore dans les mucus, dans les sérosités purulentes ou non, dans le pus, etc. Autrement on les voit déjà modifiés par l'influence des sérums, quelque peu altérés que soient ceux-ci. (Comparez les fig. 1, 2 et 3 de la pl. II aux fig. 4 et 5.)

Les leucocytes des tissus se préparent comme les éléments de ces tissus eux-mêmes, ou mieux c'est en cherchant à isoler ces derniers et à les observer qu'on sépare les leucocytes et qu'on en constate l'existence. Il faut souvent alors, pour les distinguer, donner une grande attention à l'examen de la préparation, parce que leur petit nombre fait qu'ils sont en quelque sorte perdus au milieu des éléments fondamentaux du tissu. Comme les préparations de ces tissus se font dans l'eau, c'est toujours tels qu'ils sont après l'action de ce liquide qu'on y voit les leucocytes.

Dans le pus concret il faut dissocier les leucocytes agglomérés en délayant la substance dans l'eau. Comme ils sont déformés par pression réciproque, etc., le léger gonflement que leur fait éprouver ce liquide tend à les rendre plus facilement reconnaissables.

Une fois placés entre les deux lames de verre et suffisamment observés, il suffit, pour étudier l'action des réactifs sur eux, de faire glisser entre les deux lamelles l'eau, l'acide acétique, la glycérine, etc., dont on a placé une goutte près des bords de la lame mince.

Physiologie des leucocytes. De la naissance des leucocytes. Les leucocytes naissent dans toutes les régions de l'économie où nous avons vu qu'on les rencontre normalement, savoir : dans les capillaires, dans le corps vitré, à la surface de toutes les membranes muqueuses et cutanées, de toutes les séreuses, dans les conduits excréteurs de diverses glandes, etc. Ils apparaissent aussi dans un grand nombre de circonstances morbides, comme par exemple dans toutes les cavités accidentelles, telles que les kystes et dans l'épaisseur de tous les tissus mous, surtout vasculaires ; mais il en naît aussi dans ceux qui ne le sont pas, tels que l'épaisseur de la cornée sans qu'elle soit devenue vasculaire, les culs-de-sac glandulaires tels que ceux de la mamelle, etc.

On voit que les conditions générales de la naissance de cette espèce de cellules sont, non pas très-nombreuses, mais se rencontrent à un degré plus ou moins prononcé dans des régions très-variées et de dispositions anatomiques très-différentes, que ces éléments naissent et se développent rapidement.

Il n'est point nécessaire qu'il y ait inflammation pour que naissent ces éléments. Il est vrai que, dans le cas où le phénomène a lieu, ils apparaissent en quantité considérable et rapidement ; qu'alors par conséquent les conditions nécessaires à la production du blastème qui fournit les matériaux de leur production sont plus favorables que toute autre circonstance ; mais le fait est que l'inflammation n'est pas la condition indispensable de la naissance des leucocytes du pus. (*Voy.* Blastème.) La seule énumération des régions de l'économie où se rencontre cette espèce d'éléments anatomiques suffit pour démontrer le fait précédent, puisque dans la plupart de celles où on en voit nul phénomène inflammatoire n'existe, puisqu'on les trouve normalement dans le sang, etc. ; puisque ceux qu'on rencontre à la surface des muqueuses normales sont semblables à ceux qui existent dans le pus de ces mêmes membranes, sauf des différences insignifiantes. Si donc les phénomènes de l'inflammation sont une des conditions les plus favorables à la naissance de ces éléments anatomiques, ils n'en sont point la seule ; les leucocytes ne doivent par conséquent pas être considérés en eux-mêmes comme un *produit de l'inflammation*.

On ignore encore quelle est la substance organique du sang, de la lymphe ou des blastèmes qui, par catalyse isomérique passe à l'état de substance organique fondamentale des leucocytes.

L'existence des leucocytes dans le sang de l'embryon à une époque où les lymphatiques manquent encore, leur présence dans le sang des invertébrés dépourvus de système lymphatique montre qu'il en naît dans les vaisseaux sanguins, et que chez l'embryon les articulés et les mollusques, du moins, ceux du sang ne proviennent pas nécessairement de la lymphe.

Leur présence dans le canal thoracique à tous les âges montre qu'il en naît pendant toute la vie dans les lymphatiques, puisque ceux de ces derniers arrivent dans le sang avec la lymphe. Comme on trouve des leucocytes dans les réseaux et les conduits lymphatiques, du pied, du testicule (Ch. Robin dans Atlee. *Lectures on the Blood*. Philadelphia, 1854, in-12, p. 174 et 176, Kœlliker, 1855), etc., avant leur arrivée aux ganglions correspondants, il est manifeste aussi que ce ne sont pas ces derniers organes qui seraient spécialement chargés de les former, et qu'ils naissent dans le liquide même qui les charrie, dans toutes les parties du système lymphatique probablement. C'est du reste d'après une hypothèse contredite par les faits les plus élémentaires que celle qui a pu faire admettre que produire cette espèce d'élément anatomique était l'usage, le rôle que tel ou tel organe pourrait être appelé à remplir.

Leur naissance dans des conditions qu'on peut dire normales et incessamment renouvelées dans la cavité des vaisseaux comme à la surface des muqueuses, leur présence dans le corps vitré, au moins des jeunes sujets, leur production accidentelle à la surface des séreuses, de la peau dénudée, dans les interstices des fibres ou des cellules des tissus, sont autant de faits qui, avec les précédents, prouvent que ces éléments anatomiques naissent d'après le mode dit de *genèse ;* qu'ils peuvent naître au même titre que les éléments anatomiques des tissus, et qu'ils ne sont pas produits et fabriqués en quelque sorte par tel ou tel organe spécial, comme les glandes lymphatiques par exemple.

Dans les régions où naissent naturellement les leucocytes peuvent se trouver parfois des conditions qui en amènent l'hypergenèse. De même que pour les éléments des tissus on voit souvent dans des parties du corps où n'existent pas normalement ces cellules se montrer les conditions de leur génération, de même cette aberration dans la genèse des leucocytes est fréquente dans la profondeur de tous les tissus, et ce sont les leucocytes nés dans ces conditions anormales qui ont reçu le nom de *globules de pus*.

Ainsi cette espèce de cellules ne fait pas exception aux faits généraux d'hypergenèse et d'erreur de lieu dans de phénomènes de naissance. (*Voy.* ÉLÉMENTS ANATOMIQUES.)

Dans le sang et dans la lymphe les conditions spéciales de l'hypergenèse des leucocytes sont mal déterminées. Le résultat de celle-ci est la multiplication de ces derniers qui peut aller jusqu'à déterminer l'état dit *leucocythémique* du sang. C'est ce que l'on observe dans plusieurs maladies diathésiques, dans divers états de cachexie tels que ceux causés par les fièvres intermittentes ou autres, ordinairement avec hypertrophie de la rate ou des ganglions lymphatiques, mais pouvant exister sans cela. L'hypergenèse des leucocytes s'observe aussi dans les fièvres typhoïdes, les dysenteries, dans les cas dits d'infection purulente, de fièvre puerpérale et autres affections analogues, mais atteint rarement assez d'intensité pour arriver jusqu'à produire la leucocythémie.

A la surface des muqueuses et des séreuses les conditions indirectes de l'hypergenèse des leucocytes sont la congestion ou l'inflammation de ces membranes; les conditions directes sont la production d'un blastème dont la nature intime est encore inconnue. Le résultat de ce phénomène est la multiplication des leucocytes, pouvant ou non aller jusqu'à colorer le mucus ou la sérosité produite par ces membranes ou par leurs glandes.

A la surface de la peau et dans l'épaisseur des tissus les conditions indirectes de la genèse des leucocytes sont souvent, mais non toujours, ce trouble de la circulation des capillaires appelé inflammation, et les conditions directes sont la production d'un blastème dont le *sérum* du pus représente en quelque sorte l'excédant. Le résultat est la naissance de leucocytes en quantité parfois assez considérable pour produire des tumeurs liquides, au même titre que l'aberration dans la genèse des autres espèces d'éléments amène la formation de tumeurs solides.

Ainsi les leucocytes comme les autres espèces d'éléments anatomiques peuvent naître en des points de l'économie où ils manquent normalement, tels que l'épaisseur des solides et cela dans des conditions qui se produisent facilement. Ce fait est l'origine de la production des tumeurs liquides connues sous le nom d'abcès, comme l'hypergenèse et la genèse avec erreur de lieu des éléments propres aux tissus de l'économie sont le point de départ des tumeurs solides. Ces éléments partagent aussi avec tous les autres les propriétés de *ronger* et d'*envahir* les tissus voisins, c'est-à-dire que lorsqu'ils se multiplient considérablement en un point de l'économie où ils n'existaient pas dans l'épaisseur d'un organe, ils en écartent, en distendent, puis en compriment les fibres, etc., déterminent l'atrophie de celles-ci et en prennent peu à peu la place. C'est ainsi que s'opèrent la formation du foyer de l'abcès, sa migration parfois et peu à peu son ouverture dans une cavité naturelle ou au dehors. Cet envahissement par le pus des tissus qui l'avoisinent ne diffère pas essentiellement du phénomène analogue offert par les tumeurs solides; il s'opère d'après les mêmes lois, seulement il s'accomplit plus rapidement, comme aussi la genèse et le développement des leucocytes sont plus rapides que ceux des espèces d'éléments qui entrent dans la constitution de ces tumeurs.

Les conditions nécessaires à la genèse des leucocytes se rencontrent encore dans l'épaisseur de certains solides, avec cette particularité qu'ils naissent sans qu'il y ait en même temps production d'une grande quantité du fluide appelé *sérum* du pus, qui entre communément pour 75 p. 100 dans la composition du liquide des abcès. Ils sont alors interposés directement aux éléments des tissus dont il s'agit (voy. p. 227) ou, selon les cas, plongés dans la matière amorphe qui fait partie de ces tumeurs. C'est ce dont offrent des exemples certaines tumeurs demi-transparentes de la cornée, les *tubercules anatomiques*, quelques tumeurs, molles, rougeâtres, vasculaires, qui se produisent à l'extrémité de la racine des dents cariées, beaucoup d'épithéliomas, etc.

En outre on peut voir au sein des épithéliomas des mâchoires, de la peau, du rectum, du gland, du col de l'utérus, etc., les leucocytes naître dans le liquide qui remplit les cavités des cellules épithéliales qui se sont creusées d'excavations ou vacuoles (*voy.* pl. I, fig. 9) au même titre qu'il en naît dans les interstices même des éléments de quelque tissu que ce soit, les conditions étant là ni plus ni moins favorables dans les cavités de ces cellules qu'au dehors. Ces leucocytes restent généralement un peu plus petits que ceux qui sont libres dans les mêmes tumeurs et un peu moins réguliers, surtout lorsqu'ils sont entassés les uns sur les autres (*l*, *m*); mais ils réagissent de la même manière au contact de l'acide acétique (*e*, *f*); ils peuvent naître en quantité assez considérable pour combler la cavité qui s'est produite dans le corps des cellules épithéliales (*l*, *m*, *o*), comme aussi ils peuvent ne la remplir qu'en partie (*a*, *b*, *c*, *d* et *h*, *i*, *j*, *k*). C'est généralement dans les plus grandes cellules que le fait s'observe non-seulement chez l'homme, mais encore sur le bœuf, le chien, etc.

On en constate aussi la présence dans quelques cellules épithéliales devenues deux à trois fois plus grandes que les autres, sphéroïdales, vésiculeuses, soit dans les pustules vaccinales et varioliques, soit dans les séreuses enflammées, etc. C'est dans des circonstances de ce genre qu'on a considéré les leucocytes comme provenant du noyau de ces cellules épithéliales par division prolifiante de ce dernier, et transformation de ces noyaux en cellules du pus. Mais ici, on constate souvent la présence d'un noyau, hypertrophié ou non, dans la substance de cellules dont une ou plusieurs vacuoles sont pleines de leucocytes dont l'acide acétique permet de déterminer nettement la nature; car il n'est pas rare de voir sur des muqueuses et des séreuses enflammées et dans la muqueuse utérine de la femme, des lapines ou autres rongeurs, pendant la grossesse, des cellules épithéliales qui, au lieu de leucocytes, contiennent deux noyaux ou un plus grand nombre de noyaux, sphériques ou non, que leurs réactions montrent bien ne pas être des leucocytes malgré qu'ils en aient quelquefois la forme et le volume. D'autre part enfin, comme dans tous les cas où l'on a admis la formation des leucocytes attaquables par l'eau et par l'acide acétique aux dépens de noyaux inattaquables par ces agents plusieurs données manquent pour qu'on puisse admettre cette hypothèse. Il reste encore à démontrer: 1° le fait même de la division du noyau en plusieurs corpuscules successivement, ou de ceux-ci en leurs semblables dans la cellule épithéliale; 2° il reste réellement à donner la preuve, par la description d'essais faits dans ce but sur ces cellules épithéliales, de la production gemmipare ou fissipare de cellules que l'eau et l'acide acétique attaqueraient à l'aide et aux dépens d'un noyau que ces agents ne modifient pas; car jusqu'à présent, ces expériences n'ont pas été faites, tandis que toutes les observations connues et faciles à répéter mettent en évidence les différences existant entre ces éléments dès leur apparition. Quant à la transformation directe (soit lente, soit aussi rapide qu'elle devrait être ici) des noyaux épithéliaux inattaquables par l'acide acétique, etc., en cellules solubles dans ce réactif, aucun fait expérimental connu ne la prouve, et tous la contredisent.

Les seules régions de l'économie dans lesquelles on ait pu suivre les phénomènes de la naissance des leucocytes sont la surface dénudée de la peau et la surface des plaies.

Ces phénomènes sont les suivants. Lorsqu'à la surface du derme dénudé ou d'une plaie récente on observe successivement les petites gouttes transparentes ou à peine troublées par des hématies venant d'un peu de sang épanché, on aperçoit d'abord seulement un liquide ou blastème hyalin parsemé de fines granulations éparses (pl. II, fig. 6, *e*, *e*). Une heure au plus, mais souvent une demi-heure ou un quart d'heure suffisent pour qu'on y aperçoive des globules pâles transparents, larges de 3 à 4 millièmes de millimètre, tantôt sans granulations ou à peine granuleux, d'autres fois un peu plus foncés, parce qu'ils renferment quelques granulations très-fines (a).

Dès l'instant de leur apparition ils offrent une grande facilité à se déformer par production d'expansions sarcodiques et par pression réciproque ou contre les lames de verre ; ils sont mous, comme glutineux, ils adhèrent les uns aux autres ou aux corps qui les touchent. Dès ce moment aussi l'eau les gonfle un peu, les rend plus pâles, mais n'y fait pas apparaître de noyau. Pourtant l'acide acétique qui rend le corps de chaque cellule très-pâle et le gonfle y fait apparaître dès l'origine de un à deux noyaux, et quelquefois trois. Du reste ces amas ou noyaux sont petits, larges de 1 à 2 millièmes de millimètre, proportionnés en un mot au diamètre des cellules naissantes. Il ne reste aucunes granulations entre eux et le contour de la cellule après l'action de l'acide acétique.

Ainsi, c'est par le mode dit de *genèse* que naissent les leucocytes, et leur multiplication, quand il en existe en un point déterminé de l'économie, résulte de la répétition de ce même phénomène. Leur reproduction, leur multiplication par segmentation ou scission n'a en fait pas encore été observée.

Aujourd'hui, on sait en outre, d'après ce qu'ont montré les expériences souvent répétées par M. Onimus, qu'en introduisant sous la peau d'un lapin des petits sacs remplis par de la sérosité de vésicatoires convenablement filtrée en baudruche, on trouve, au bout de douze heures, la sérosité encore transparente, quoiqu'elle ait perdu sa couleur citrine primitive. On y remarque déjà quelques leucocytes et des granulations. Les granulations sont assez rares, et les leucocytes sont en général assez petits, à contours nets et présentant les expansions et les déformations sarcodiques.

Au bout de vingt-quatre heures, la sérosité est trouble et renferme un grand nombre de leucocytes et de granulations.

Au bout de trente-six heures, la sérosité est blanche, laiteuse en raison du grand nombre de leucocytes et de granulations qu'elle contient.

Lorsqu'on examine immédiatement ces leucocytes, après avoir retiré la baudruche de l'animal où elle était maintenue, ils présentent les expansions et les déformations sarcodiques qu'on voit sur les leucocytes du sang et de la conjonctive enflammée. De plus, ils ont également les autres caractères des leucocytes qui se forment dans l'organisme : action gonflante de l'eau, mouvement brownien des granules, rupture, puis plissement de la paroi, etc. L'ammoniaque les gonflé d'abord et les dissout ensuite. L'acide acétique ne détermine pas la formation de noyaux sur tous ces éléments, ce qui démontre qu'il en est qui sont de la variété pyoïde, fait qui s'observe aussi dans le pus des vésicatoires. Mais il en est un certain nombre qui présentent de deux à quatre noyaux sous l'influence de cet agent, et un ou deux seulement au contact de l'eau, comme s'il s'agissait du pus d'un abcès.

Ces expériences ont de plus montré que cette genèse des éléments anatomiques du pus, dans un blastème représenté par une sérosité filtrée, homogène, entièrement dépourvue de granules et d'éléments en suspension, a pour condition indispensable d'accomplissement les phénomènes d'endosmose et d'exosmose. Les leucocytes naissent d'autant plus vite dans ce blastème hyalin, homogène, que les phénomènes d'endosmose et d'exosmose sont plus rapides. La chaleur et la composition des solides et des liquides environnants ont une influence marquée sur la genèse des leucocytes, car il ne se forme ni leucocytes ni aucune espèce d'éléments anatomiques dans une sérosité dont la fibrine a été coagulée. En outre, fait important, la présence de leucocytes ajoutés artificiellement à la sérosité ne détermine pas le passage à l'état purulent de ce liquide quand sa fibrine a été coagulée. (Onimus, *Expériences sur la genèse des leucocytes*. In *Journal de l'anatomie et de la physiologie*. Paris, 1867, in-8°, p. 50 et suivantes.)

Développement régulier et anormal des leucocytes. Les phénomènes de développement consécutifs à leur naissance sont très-simples dans les conditions habituelles ; ils sont au contraire très-variés dans un grand nombre de circonstances accidentelles.

Ces phénomènes consistent d'abord en une simple augmentation de volume, avec production de très-fines granulations moléculaires (pl. II, fig. 6, *b*, *c*, *c*, *g*, *g*). Lorsqu'ils ont atteint 6 à 7 millièmes de millimètre, l'eau les gonfle un peu et y fait apparaître un à deux noyaux (*d*, *d*). L'acide acétique agit sur eux comme à l'ordinaire et détermine la formation de un à quatre noyaux comme à la période de développement complet, mais déjà quelquefois il reste autour des noyaux quelques granulations jaunâtres, graisseuses ou grisâtres insolubles dans l'acide (*i*, *k*). Les noyaux qui se produisent restent encore pâles et petits (fig. 5, *d*). Il est des régions, comme la surface des plaies profondes, où de très-bonne heure les leucocytes deviennent plus granuleux (fig. 4, *a*, *b*, *c*, *d*) qu'à la surface des séreuses, de la peau, et que dans le sang ou les lymphatiques. Mais ces granulations sont fines et uniformément distribuées dans l'élément anatomique.

Bientôt enfin ces éléments acquièrent le volume et les autres caractères qui leur sont habituels et que nous connaissons déjà.

Hypertrophie des leucocytes. Sans changer notablement de structure ou en conservant entièrement celle qui leur est propre, les leucocytes peuvent *s'hypertrophier* plus ou moins. On ne voit généralement qu'un petit nombre de ces cellules qui soient dans ce cas-là. Cette hypertrophie va jusqu'à leur faire prendre le double de leur volume ou un peu au delà, mais ne dépasse que fort rarement ces limites (pl. II. fig. 4, *q*, *r*, *s*, *v*, *x*, *n*; fig. 5, *q*, *q*, *r*, *r*, *t*, *t*, *x*; et pl. III, fig. 1, *i*, *n*, *n*, et fig. 6, *h*).

C'est particulièrement dans les parties du corps où ils séjournent longtemps que les leucocytes deviennent le siége de ces modifications. Nous verrons bientôt qu'indépendamment de cette hypertrophie simple, ces éléments offrent souvent une augmentation de volume plus considérable encore, mais qui n'est que la conséquence d'autres altérations plus importantes.

Il est remarquable de voir que la plupart des leucocytes qui se trouvent dans des conditions telles qu'ils séjournent longtemps immobiles en un même endroit au lieu d'être soumis à un mouvement fréquent, sinon continu, comme dans les plasmas de la lymphe et du sang à l'état normal, augmentent beaucoup de volume et deviennent le plus souvent très-granuleux. C'est ce qu'on voit sur les leucocytes de la lymphe et du sang lorsqu'ils viennent à rester stationnaires dans quelque dilatation variqueuse des lymphatiques, des veines du scrotum, d'une tumeur érectile, etc., où du sang séjourne (pl. I, fig. 2, *h*, *j*, *k*). Les leucocytes du colostrum dans les conduits excréteurs de la mamelle, les mucus qui séjournent dans une cavité normale ou accidentelle, en offrent de fréquents exemples (pl. III, fig. 1). Il en est de même des leucocytes des séreuses enflammées ou non (pl. II, fig. 5) et de quelques-uns de ceux du pus des abcès lorsque la fluctuation y est devenue manifeste.

Mais les conditions dans lesquelles on voit le plus de leucocytes devenir granuleux et atteindre le degré d'hypertrophie le plus considérable sont les suivantes. Lorsqu'ils se sont produits dans les interstices des fibres ou des tubes d'un tissu, de telle façon qu'ils ne soient pas en suspension dans un liquide naturel ou accidentel, il n'est pas rare de les trouver presque tous granuleux. C'est ce dont offrent des exemples les leucocytes interposés aux tubes nerveux, brisés ou non, dans le tissu encéphalo-rachidien affecté de ramollissement (pl. III, fig. 8 et 9); ceux qui naissent dans beaucoup de tumeurs épithéliales ou d'origine glandulaire des fosses nasales et buccales, des ganglions lymphatiques, du gland, de l'anus, etc. ; ceux qui se rencontrent dans le parenchyme même du poumon affecté de pneumonie suppurée (pl. II, fig. 4, de *o* à *z*), etc.

C'est dans ces conditions-là qu'on voit marcher de front l'hypertrophie, quelquefois la déformation et toujours des modifications de structure de ces éléments, comme conséquence des phénomènes de développement dont ils sont le siége. C'est dans ces conditions-là qu'il faut s'attendre à trouver à côté des leucocytes offrant les caractères de structure et autres décrits plus haut, ceux qui présentent l'état dit *granuleux* qui en change notablement l'aspect extérieur. Ces changements sont tels que si on ne s'en tenait qu'à l'examen des caractères d'ordre physique et mathématique, on prendrait les cellules arrivées au plus haut degré de ces modifications pour des éléments d'espèce particulière. (*Voy.* la synonymie page 225.)

Mais si au lieu de cela on se préoccupe davantage de suivre toutes les phases d'évolution normale et morbide de ces éléments comme de tous les autres, on observe bientôt des leucocytes encore manifestement reconnaissables par tous les caractères que nous avons étudiés jusqu'ici, mais contenant déjà des granulations graisseuses; puis à côté d'eux on en voit nombre d'autres offrant toutes les phases d'altération qui séparent l'état normal de ces cellules du degré de lésion le plus avancé.

Passage des leucocytes à l'état granuleux. Dans les dilatations veineuses où séjourne du sang, dans les kystes sanguins et synoviaux, etc., le dépôt de granulations est tantôt uniforme, tantôt plus abondant sur un des côtés de la cellule que sur les autres (pl. I, fig. 2, *j*, *j*, *h*, *h*). Généralement les leucocytes devenus granuleux ont doublé de volume (*j*, *j*, *k*, *k*) ou à peu près. Le noyau ou les noyaux, lorsqu'ils se sont produits durant les phases de la lésion ou lorsqu'étant formés ils ne sont pas masqués par de trop nombreuses granulations, sont devenus plus volumineux du tiers au double environ. Dans les caillots et dans les kystes veineux, il est commun de voir les granulations des leucocytes rougeâtres au lieu d'être jaunes comme celles qu'on voit dans les autres éléments (*h*, *j*, *k*).

Dans le pus des abcès ou des fistules ossifluentes, dans les liquides non purulents des hydropisies, dans certains kystes, on peut rencontrer la plupart ou un grand nombre des leucocytes seulement parsemés de quelques granulations graisseuses jaunâtres, qui ne changent pas notablement le volume ni les autres caractères de chacun d'eux (pl. III, fig. 4, *l*, *m*, *n*, *o*, *p*, *q*, et fig. 6, *b*, *c*, *d*, *e*, *f*). L'aspect général de la préparation est seul modifié par ces particularités de structure lorsqu'elle renferme beaucoup de ces leucocytes.

Dans toutes les espèces de pus, dans le tissu du poumon enflammé, dans les tumeurs, etc., on trouve des leucocytes en plus ou moins grand nombre arrivés à ce premier degré de modification (pl. II, fig. 5, *b*, *b*, *g*, *n*, *n*, *n*), et les granulations y sont tantôt uniformément distribuées, tantôt plus nombreuses d'un côté de l'élément que de l'autre. Mais en même temps on en rencontre qui, devenus plus gros du quart, de la moitié ou du double qu'à l'état normal, renferment un plus grand nombre de granulations soit éparses (fig. 5, *n*, *t*, *q*, et fig. 4, *v*, *r*, *r*), soit aussi plus abondantes d'un côté de la cellule que de l'autre (fig, 4, *s*, *s*).

Enfin ceux de ces éléments qui frappent le plus et qui parfois sont plus nombreux que les leucocytes n'ayant encore parcouru que les phases précédentes, sont ceux qui sont devenus entièrement granuleux. Ces leucocytes sont sphériques, quelquefois ovoïdes (fig. 5, *v*, *n*), larges en général de 2 millièmes de millimètre, mais peuvent atteindre près du double, et plus rarement un diamètre plus grand encore. Ils sont de teinte foncée, jaunâtres, peu transparents, d'aspect granuleux ; c'est particulièrement le centre de chaque granulation qui est jaunâtre, qui réfracte fortement la lumière, tandis que le contour de celle-ci est foncé noirâtre. Le contour de la cellule reste généralement régulier, mais il n'est pas rare de voir les granulations qui la remplissent faire saillie à sa surface, et par suite rendre cette dernière comme rugueuse ou mamelonnée (fig. 5, *g*) et, alors la périphérie paraît un peu irrégulière.

L'eau les gonfle légèrement, mais bien moins que les cellules non granuleuses ; son action ou le séjour prolongé dans le sérum du pus déterminent sur quelques-uns de ces éléments la distension et le gonflement vésiculiforme de leur paroi (pl. II, fig. 5, *f*, *f*) comme sur ceux qui ont conservé l'état normal, mais plus rarement.

L'acide acétique les gonfle plus que l'eau, ramollit leur substance, et si après son action l'on fait glisser les lames de verre l'une sur l'autre en les comprimant on peut écraser les leucocytes granuleux et en dissocier les granulations dans le champ du microscope. Arrivés à cette phase de leur altération granuleuse, ils se montrent comme composés de granulations accumulées les unes contre les autres et maintenues agglutinées par une substance homogène interposée à celles-ci, tantôt facilement apercevable (*x*, *x*), tantôt ne pouvant être reconnue qu'après l'action des réactifs ou même difficile à voir, tellement les granulations sont contiguës et pressées les unes contre les autres (*s*, *s*). Dans ce dernier cas, qui est commun, il ne se forme point d'amas en forme de noyaux dans ces leucocytes, ni avant ni après l'action des réactifs, soit parce qu'il ne s'en produit pas, soit parce qu'ils sont entourés et masqués par les granulations. Il n'est pourtant pas rare de trouver des leucocytes devenus plus ou moins granuleux et hypertrophiés, dans lesquels se sont produits de 1 à 3 de ces noyaux (fig 4, *s*, *r*, *z*, *y*, et fig. 5, *q*, *r*, *t*, *z*). Ces derniers peuvent être deux et même trois fois plus gros que dans les autres leucocytes. Tantôt ils sont rapprochés les uns des autres au centre des leucocytes comme à l'ordinaire (fig. 4, *r*, *s*, *v*. *y*, et fig. 5, *q*, *r*), d'autres fois ils sont diversement disposés plus ou moins près de leur surface (fig. 3, *t*, *t*, *z*, *r*). Dans quelques leucocytes on voit un, deux, ou la totalité de ces noyaux qui sont ovoïdes au lieu d'être sphériques (fig. 4, *r*, *s*, *y*, et fig. 5, *q*, *t*, *z*).

On peut trouver, bien qu'en petit nombre et assez rarement, dans divers pus, tels que celui de séreuses et des ganglions lymphatiques, des leucocytes granuleux qui renferment 4, 5 et jusqu'à 10 noyaux tantôt bien visibles, larges de 3 à 5 millièmes de millimètre (fig. 5, *p*), tantôt en partie masqués par les granulations; ils sont alors difficiles à bien délimiter, mais paraissent plus larges qu'ils ne sont réellement (*v*, *v*), surtout lorsqu'ils sont placés au centre de la cellule.

Parmi les autres particularités de structure que peuvent offrir les leucocytes granuleux du pus, il faut signaler la production, assez rare du reste, d'une ou de plusieurs gouttes d'huile dans leur épaisseur (pl. II, fig. 5, *u*). La coloration de ces gouttes peut être plus ou moins foncée, et lorsqu'il y en a plusieurs leur présence change notablement l'aspect des leucocytes.

Le volume des granulations produites dans les leucocytes peut ne pas être le même, soit d'un leucocyte devenu granuleux à l'autre dans une même région, soit d'une partie du corps à l'autre. Il en est, comme parfois dans le pus des ganglions lymphatiques, etc., où les granulations sont volumineuses (fig. 5, *j*, *y*, *z*) et donnent aux leucocytes un aspect très-différent de celui que présentent ceux de ces éléments qui ne renferment que des granulations très-fines (*s*, *f*, *u*, etc.). Cet aspect varie en outre selon que ces granulations sont écartées les unes des autres ou nombreuses et rapprochées. (Comparez les figures *y*, *z*.)

Il est une autre particularité de structure importante à signaler, bien que plus rare que les précédentes. Elle s'observe tantôt dans le pus concret ou demi-concret du parenchyme même des poumons (fig. 4, *u*, *r*, *y*), tantôt dans les leucocytes de quelques tumeurs, et plus rarement dans ceux du pus liquide. Elle consiste en ce que les granulations sont accumulées et rapprochées seulement vers le centre de la cellule où elles forment un amas foncé qui se trouve entouré d'une zone incolore ne contenant que les fines granulations propres à tous les leucocytes; la transparence de cette zone qui tranche à côté de la teinte foncée granuleuse est due à cette disposition, qui donne à ces leucocytes un aspect différent des autres.

Il est quelques régions de l'économie où les leucocytes deviennent granuleux d'une manière tellement constante que ceux qui se sont ainsi modifiés sont plus nombreux que les autres et doivent être mentionnés spécialement en raison de particularités de structure qui s'y rencontrent presque constamment.

Les leucocytes qui naissent dans l'épaisseur du tissu cérébral enflammé sont ordinairement petits, tantôt pâles, le plus souvent assez granuleux et foncés (pl. III, fig. 8, *g*, *h*, *i*), généralement sans noyaux, quelquefois en possédant un (*n*, *n*). Il n'est pas rare de les voir rendus moins transparents par les granulations qui se produisent dans leur épaisseur. Ces granulations sont quelquefois éparses dans le corps de l'élément, qu'il soit ou non hypertrophié (fig. 9, de *n* à *z*); mais dans ces conditions plus fréquemment que dans toute autre on voit des leucocytes restés très-petits, non hypertrophiés, devenus opaques et tout à fait granuleux, offrant tous les caractères de l'*état granuleux* décrit plus haut sauf le volume qui est demeuré ce qu'il est normalement (pl. III, fig. 9, *a*, *a*, *b*, *d*).

La plupart pourtant ont subi un certain degré d'hypertrophie (de *c* à *m*) et il n'est pas rare d'en trouver en même temps un certain nombre qui sont déformés (*y*, *m*, *y*); plus souvent aussi que dans d'autres régions les granulations sont très-rapprochées les unes des autres, peu volumineuses et rendent ces éléments très-opaques (fig. 9, de *l* à *m*, et fig. 8, *l*, *m*).

Certains des leucocytes qui naissent et se développent dans l'épaisseur du tissu des tumeurs, entre leurs fibres et leurs cellules et qui concourent accessoirement à former leur tissu deviennent aussi granuleux et deux à trois fois plus larges qu'à l'ordinaire. Dans les tumeurs d'origine glandulaire de la pituitaire, etc., ils sont parfois assez nombreux pour donner à quelques parties du tissu une coloration jaunâtre. Cette couleur tient à la fois à leurs granulations graisseuses qui réfléchissent la lumière en lui communiquant cette teinte et à leur accumulation en quantité assez considérable pour former des amas apercevables à l'œil nu.

Dans le colostrum normal et dans le lait, lorque la mamelle est enflammée, les leucocytes devenus granuleux et hypertrophiés, déformés ou non (pl. III, fig. 1), sont toujours plus nombreux que ceux qui ont conservé leurs caractères habituels (fig. 1, de *a* à *k*). Si pour obtenir le liquide on a comprimé la glande, on peut trouver là comme dans toute autre partie du corps des leucocytes aux diverses phases de leur altération, c'est-à-dire granuleuse, depuis le degré où ils ne renferment encore que quelques granulations (*i*, *j*, *k*, *l*, *y*), jusqu'à celui où ils offrent l'état granuleux qui les rend opaques, jaunâtres, d'aspect grenu, etc. (de *o* à *v*).

Les granulations des leucocytes arrivés à ce degré d'altération sont généralement petites, très-rapprochées les unes des autres, comprimées réciproquement en quelque sorte et comme un peu allongées plutôt qu'arrondies; elles rendent les leucocytes presque tout à fait opaques, parce qu'en raison de leur petit volume et de leur superposition, leur centre brillant ne se voit plus étant masqué par le contour des autres granules (*o*, *o*). Cependant, chez certains sujets, on voit un grand nombre de leucocytes dont presque toutes les granulations sont grosses, c'est-à-dire larges de 2 à 4 millièmes de millimètre (*u*) et montrent leur centre brillant, ce qui fait paraître moins foncés les éléments qui les renferment. Ces granulations sont généralement un peu irrégulières, polyédriques. Qu'elles soient petites ou volumineuses, de volume égal ou non, elles sont habituellement distribuées d'une manière uniforme dans toute la masse de la cellule (*i*, *l*, *n*, *o*) ; mais on trouve un petit nombre de celles-ci dans lesquelles les granules sont accumulés d'un seul côté du leucocyte, tandis que le reste de son étendue n'est pas plus granuleux qu'à l'état normal (*m*, *y*).

Lorsque les leucocytes naissent dans les conduits mammaires, il en est qui englobent dans leur substance des gouttes butyreuses du lait (*a*, *b*, *c*, *d*, *e*, *f*, *g*, *k*, *x*). Or ces leucocytes peuvent devenir granuleux comme les précédents. Ils offrent alors un et quelquefois plusieurs globules de lait dans leur épaisseur. Ceux-ci tranchent par leur volume, leur centre large, brillant, d'aspect homogène et par leur teinte plus claire, sur les petites dimensions et sur la teinte jaunâtre foncée des granulations habituelles des leucocytes. Tantôt ces globules de lait sont placés vers le milieu même du leucocyte, granuleux ou non (*l*, *s*, *x*), tantôt ils sont contigus à leur surface (*l*, *u*, *v*, *v*) ; d'autres fois ils sont manifestement en partie saillants hors de la cellule, en partie enclavés dans son épaisseur (*r*).

Lorsque des leucocytes englobent plusieurs corpuscules du lait (pl. III, fig. 1, *d*, *f*, *g*), des granulations graisseuses viennent à se produire (*k*, *l*), si ces dernières sont toutes ou en partie d'un volume assez considérable (*p*, *p*, *q*, *r*), il n'est pas toujours possible de les distinguer avec certitude des globules de lait qu'elles entourent. Les plus grosses de ces granulations (*u*) ont en effet le volume des plus petits globules de lait (*p*, *p*, *q*, *r*), pourtant on remarque avec un peu d'habitude que ceux-ci sont plus pâles, à centre plus large et plus clair, à contour plus net et moins foncé que les granulations graisseuses de production accidentelle.

Déformation et autres altérations des leucocytes. Il n'est pas rare de trouver des leucocytes *déformés* d'une manière permanente. Ce sont surtout ceux qui sont à la fois hypertrophiés et devenus granuleux qui offrent cette altération. Tantôt ils sont devenus ovoïdes (pl. III, fig. 1, *m*, *t*, *y*), tantôt ils tendent à prendre une forme irrégulière ou sont resserrés vers le milieu (*v*, *v*) ; d'autres présentent une sorte de prolongement ou d'expansion latérale conique ou d'une autre forme, granuleuse ou non (pl. III, fig. 9, *j*, et pl. II, fig. 5, *o*, *p*, *q*). Ces déformations permanentes peuvent du reste être observées sur des leucocytes qui ne sont pas granuleux (pl. III, fig. 6, *q*, et pl. II, fig, 4, *x*, *x*) ou qui ne le sont que dans une petite partie de leur étendue (*s*, *s*).

On remarque enfin une autre altération des leucocytes qui bien que fort rare mérite d'être signalée. Elle consiste en une production de vacuoles ou excavations pleines d'un liquide clair et limpide, le plus souvent sans granulations moléculaires (pl. III, fig. 6, *i*, *j*, *k*, *l*, *s*, *t*). C'est surtout dans le liquide non purulent de kystes ovariens, ou dans la sérosité du péritoine produite depuis longtemps que s'observe cette lésion. Elle n'est pas rare dans les leucocytes du corps vitré chez les adultes tant à l'état normal que dans le glaucome. Les éléments qui la présentent n'offrent habituellement pas de noyau et restent finement granuleux. D'autres ne montrent qu'une excavation ou vacuole centrale, qui selon qu'elle est plus ou moins grande détermine une augmentation de volume du leucocyte pouvant aller du quart au quadruple de ses dimensions ordinaires (*l*, *i*, *k*). Dans ces dernières circonstances la substance du leucocyte est réduite à une mince enveloppe finement granuleuse ou non, épaisse de 1 à 3 millièmes de millimètre (pl. III, fig. 6, *k*, et pl. II, fig. 4, *q*, *q*). On trouve d'autres leucocytes creusés de 2 à 5 vacuoles arrondies, séparées par une mince épaisseur de la substance de l'élément anatomique (pl. III, fig. 6, *j*, *s*, *t*), et quelquefois un peu déformées par pression réciproque (*t*). Ces vacuoles transparentes déterminent un changement tel dans le volume et dans l'aspect extérieur des leucocytes, qu'il serait impossible de les reconnaître sans l'emploi de l'acide acétique et si on ne trouvait tous les degrés intermédiaires entre l'état normal et les phases les plus avancées de l'altération (*p*, *q*, *r*, *l*, *s*, *j*, *i*, *k*). Il est remarquable aussi de voir que très-souvent ces éléments adhèrent les uns aux autres tant qu'on les examine dans le liquide où ils se sont développés, dans l'humeur vitrée par exemple ; mais une fois placés dans l'eau ils se séparent, comme le font habituellement ces éléments.

De la fin des leucocytes. Une fois nés, les leucocytes présentent une existence dont la durée varie d'une région à l'autre de l'économie. Ceux de la lymphe en disparaissent par leur passage dans le sang. On ne sait encore ce que deviennent ceux qui existent dans le sang. La fréquence et la facilité avec laquelle se montrent les conditions nécessaires à leur hypergenèse portent à soupçonner qu'ils sont susceptibles de s'atrophier jusqu'à disparition complète avec aussi peu de difficulté ; car le retour de ces éléments à leur nombre normal est aussi prompt dans certaines circonstances que leur multiplication. On ne saurait nier cette atrophie jusqu'à disparition complète dans les cas, par exemple, où le sang après en avoir présenté plus qu'à l'état sain, comme on le voit manifestement dans les cas de *fièvre puerpérale*, etc., revient à l'état normal. Seulement les phases de ce phénomène sont complétement inconnues.

Les leucocytes ont été considérés comme disparaissant par métamorphose en hématies. Mais le fait n'est aucunement prouvé ; ni les phases de l'évolution de l'une et de l'autre espèce de ces éléments, ni le mode de naissance des hématies ne sont en faveur de cette hypothèse. Les hématies, bien qu'à peu près incolores à l'époque de leur apparition première chez l'embryon, ne ressemblent en rien aux leucocytes ; d'abord elles naissent avant ces derniers dans le plasma des vaisseaux de l'embryon, et de plus lors de leur naissance elles n'offrent ni leurs granulations, ni leurs expansions. Enfin leur noyau ne présente rien de semblable à ce que nous ont montré les amas nucléiformes des leucocytes (page 234). Cette supposition n'est du reste qu'une manière illusoire de reculer une difficulté, car il faudrait toujours déterminer le mode et les conditions de la naissance des leucocytes. Or les conditions de la naissance des hématies dans le sérum du sang conservent des analogies avec les conditions de la naissance des leucocytes dans les réseaux lymphatiques ; ou en d'autres termes, il n'y a rien de plus étonnant sous le rapport des conditions de la genèse des éléments anatomiques, de voir naitre des hématies dans le plasma sanguin, que de voir apparaître les leucocytes dans le plasma de la lymphe, ou encore les éléments divers qui naissent successivement de toutes pièces dans les tissus de l'embryon, dans ceux de l'adulte lors d'une cicatrisation, de la production d'une tumeur, etc.

Il est manifeste que cette hypothèse et nombre d'autres de ce genre n'ont été suscitées que par l'impossibilité de se rendre compte des phénomènes de la genèse des leucocytes, faute de connaître l'ensemble des faits relatifs à la naissance des éléments anatomiques en général. (*Voy.* Élément.) Il est probable aussi qu'elle n'eût pas été émise si les leucocytes avaient préalablement été étudiés sous les trois points de vue de leurs états embryonnaire, adulte et pathologique ; si la similitude spécifique des leucocytes du sang, des séreuses, des muqueuses et du pus eût été connue ou appréciée à sa véritable valeur.

Les faits relatifs à l'atrophie jusqu'à disparition complète des leucocytes sont malheureusement encore trop peu connus pour qu'on puisse rien dire de précis sur la durée et sur le mode de fin de ces éléments dans les cavités séreuses, dans l'épaisseur des tissus solides, tels que le tissu cérébral, certaines tumeurs, etc. Rien n'en prouve l'impossibilité, seulement les conditions de cette atrophie semblent se rencontrer rarement, et être plus difficiles à obtenir que celles de leur multiplication.

Les leucocytes des muqueuses et des conduits des parenchymes glandulaires et autres séjournent peu de temps dans l'économie après leur naissance et sont expulsés avec les mucus, etc. Ceux du pus et des liquides purulents disparaissent de l'économie lorsque ces liquides sont évacués naturellement ou chirurgicalement pour se détruire au dehors par putréfaction. Mais il est des observations pathologiques qui prouvent que du pus peut disparaître complétement, que des collections purulentes peuvent être résorbées plus ou moins rapidement. Il est certain que dans ces conditions les leucocytes s'atrophient peu à peu jusqu'à disparition complète, seulement les phases du phénomène sont inconnues. Toutefois les faits que nous avons signalés plus haut (page 244) touchant les leucocytes du pus concret des os marquent peut-être certaines de ces périodes.

Les phénomènes particuliers de la nutrition des leucocytes sont peu connus. Quels sont les principes qui pénètrent dans leur substance, quels sont ceux qui se forment pas assimilation ou désassimilation, et quels sont ceux de ces derniers qui en sortent pendant leur rénovation moléculaire nutritive? On ne saurait le dire à l'époque actuelle d'une manière un peu exacte, faute de connaissances assez précises sur leur composition immédiate.

De leur étude ressort pourtant à cet égard un fait important et qui le deviendra beaucoup plus encore s'il est reconnu comme s'appliquant à tous les éléments anatomiques, ce que tout porte à croire. C'est que, lorsqu'ils deviennent granuleux, les corpuscules graisseux qui modifient leur structure se produisent bien dans leur épaisseur, à l'aide des principes qu'ils empruntent aux blastèmes par endosmose assimilatrice, et ne résultent point d'un passage à l'état graisseux par changement d'état spécifique des principes mêmes albuminoïdes ou autres qui composent leur substance à l'état normal.

Nous avons vu en effet, qu'à mesure que les granulations augmentent de nombre dans les leucocytes, ceux-ci augmentent de volume, sont en quelque sorte distendus par les granulations qui se forment dans leur épaisseur, et cela au point que souvent les granulations soulèvent la surface de la cellule, la rendent mamelonnée, framboisée, en faisant saillie au dehors (pl. II, fig. 5, *g*). Du reste on observe l'hypertrophie sans production de granulations graisseuses (pl. II, fig. 5, *r*, *r*, et fig. 4, *x*, *v*), et la production de granulations graisseuses sans hypertrophie (pl. III, fig. 1, *j*, et fig. 6, *a*, *d*, *p*, *q*, *v*, *u*) ; mais celle-ci est plus fréquente que celle-là ; en outre l'état granuleux se complique si habituellement d'hypertrophie qu'on ne saurait s'empêcher de voir dans cette dernière une conséquence habituelle aussi de l'altération granuleuse, plutôt que de regarder l'état granuleux comme une complication de l'hypertrophie par passage à l'état graisseux de la matière de l'élément hypertrophié.

La présence constante des leucocytes contre la face interne des vaisseaux capillaires, où ils forment souvent des couches d'une certaine étendue, porte à croire qu'ils jouent un rôle relatif soit à quelque modification des principes qui arrivent au plasma et qui les traversent lorsqu'ils sont appliqués contre les parois, soit à quelque changement dans la nature de ceux qui sortent du plasma pour être assimilés ou pour servir aux sécrétions. Mais on ne peut encore à cet égard que faire des hypothèses.

Hypothèses sur l'origine des leucocytes. Il est peu d'éléments à l'histoire desquels se rattache l'examen d'un plus grand nombre de questions d'anatomie et de physiologie qu'à celle des leucocytes. Il en est ainsi du reste, comme on le comprend facilement, de tous les éléments anatomiques remplissant un rôle spécial qui demeure encore mal déterminé. Ils deviennent alors le point d'appui de toutes les hypothèses de ceux encore si nombreux qui, dans les sciences, confondant les explications basées sur des vues subjectives avec les démonstrations objectives et inductives, ne se lassent jamais de multiplier les premières. En lisant l'énoncé de toutes les hypothèses qui ont été émises concernant l'origine des leucocytes d'une part et ce qu'ils deviennent ensuite d'autre part, il sera facile en effet de voir que l'admission de chacune de ces suppositions explique bien chacune des difficultés pour la solution de laquelle elle a été faite, mais ne démontre rien.

1° La plus ancienne des vues émises sur l'origine et la fin des leucocytes est celle de M. Donné (*Comptes rendus de l'Ac. des sciences*, 1842, t. XIV, p. 366, et *Cours de microscopie*, Paris, 1844, in-8°, p. 87), déjà ébauchée du reste par Nasse et par Schultze en 1836, qui, sans se préoccuper du mode de production des *globulins*, consiste à les considérer comme les premiers rudiments des globules blancs, ceux-ci comme intermédiaires aux globulins et aux globules rouges, en lesquels se transformeraient normalement les globules blancs, sous l'influence élaboratrice de la *rate;* glande dont les capillaires contiennent plus de globules blancs à tous les degrés de formation et de développement que toutes les autres parties, et qui est l'*organe véritable de cette importante fonction, le laboratoire où s'opère cette transmutation* (Donné, p. 98 et 100); d'où la surabondance des globules blancs dans le sang des individus cachectiques comme résultat naturel d'un arrêt de développement dans ces particules transitoires. (Donné, p. 136.)

Dans l'hypothèse précédente, la question du mode de génération des *globulins* destinés à se transformer en globules blancs complets n'est pas résolue, et à cet égard la difficulté n'est que reculée. Quant à l'hypothèse de la transmutation de ces derniers en globules rouges opérée par la rate, elle est en contradiction formelle avec les données de l'observation anatomique et de la physiologie normale et pathologique.

D'une part les hématies naissent dans l'aire vasculaire de l'embryon des vertébrés avant les leucocytes, et en naissant ces éléments offrent dès l'origine un ou deux noyaux visibles avant l'action de l'eau et de l'acide acétique, et ne pouvant être confondus avec ceux que l'eau et l'acide acétique font apparaître dans les leucocytes. A cet égard, on ne peut trouver ni dans l'aire vasculaire, ni dans la rate, des transitions entre les leucocytes et les hématies embryonnaires à un ou deux noyaux qui se rencontrent chez tous les mammifères pendant le premier tiers de la vie intra-utérine. D'autre part les leucocytes, aussi bien que les hématies, existent abondamment dans le sang des embryons pendant une période relativement assez longue de l'évolution, avant qu'ait lieu la première apparition de l'organe splénique. Enfin les cyclostomes, poissons dont le sang est le plus riche en globules rouges, qui même sont circulaires et biconcaves comme chez l'homme, etc., restent dépourvus de rate pendant toute leur vie sans que leurs leucocytes soient sensiblement ni plus ni moins nombreux que dans les autres poissons. Il n'est pas inutile d'ajouter que chez l'homme et les chiens auxquels on a enlevé la rate les globules rouges et les globules blancs continuent à exister dans les mêmes proportions qu'avant cette opération, ainsi que je m'en suis assuré par un examen direct sur un chien.

Ce qui précède montre nettement qu'on ne saurait à aucun titre considérer les leucocytes comme disparaissant dans la rate par transmutation en hématies, puisque ces éléments apparaissent l'un et l'autre et continuent à exister dans les mêmes proportions, quelle que soit celle des conditions normales ou accidentelles dans lesquelles on voit des animaux vivre sans cet organe.

2° Il est aisé de voir que ces données anatomiques et physiologiques infirment avec tout autant de rigueur l'hypothèse d'après laquelle la rate aurait pour *fonction physiologique* non plus la transmutation des globules blancs en globules rouges, mais de *donner naissance aux globules blancs*. (Kölliker, *Histologie*, Paris, 1856, p. 505.) Ici j'ajoute encore cette particularité que les mollusques et les articulés qui n'ont pour éléments anatomiques en suspension dans leur sang que des leucocytes sont dépourvus de rate comme les poissons cyclostomes.

3° A côté des hypothèses précédentes vient se placer celle de Virchow, Brücke, Donders, Bennet, Kœlliker et autres auteurs, qui admettent que la *principale fonction des glandes lymphatiques consiste à former la grande majorité des corpuscules du chyle et de la lymphe.* (Kölliker, *loc. cit.*, p. 635.) Ici encore il faut noter que les leucocytes existent dans le sang des embryons avant que des ganglions lymphatiques soient formés, indépendamment de ce qu'on en trouve tant dans la lymphe que dans le sang des oiseaux, des reptiles, des batraciens et des poissons, qui pourtant sont dépourvus de tout ganglion lymphatique. Ce fait doit être rapproché de cet autre que des leucocytes de dimensions diverses, mais présentant tous des expansions sarcodiques, etc., existent déjà aussi abondamment dans la lymphe des conduits qui n'ont pas encore atteint les ganglions que dans les vaisseaux efférents de ces derniers. C'est ce dont il est facile de s'assurer en comparant le liquide recueilli dans les lymphatiques du cordon testiculaire des chevaux qui viennent d'être tués à celui des lymphatiques du bassin. On peut le constater nettement aussi dans les cas de fistule lymphatique du pied, de la jambe et de la cuisse, ainsi que j'ai eu occasion de le faire à plusieurs reprises.

Quelques auteurs admettent implicitement ou explicitement que les leucocytes que l'on dit tomber tout formés de la trame de la glande dans les conduits lymphatiques, ne sont autres que les épithéliums de cette trame, ou si l'on veut que les globules de cette trame, qui cependant ont tous les caractères des épithéliums, ne seraient autres que des leucocytes. Mais nous savons déjà que les réactions chimiques et les manières de se modifier normalement ou accidentellement propres à ces divers éléments ne permettent pas de prendre les épithéliums nucléaires du parenchyme ganglionnaire ni du parenchyme splénique pour des leucocytes, malgré quelques analogies dans l'aspect extérieur. Or, comme indépendamment de ces faits les fauteurs de ces hypothèses ne s'expliquent pas sur la manière dont les glandes lymphatiques ou la rate forment ces épithéliums nucléaires, ces suppositions ne sont manifestement qu'un moyen de reculer la difficulté d'une manière illusoire, c'est-à-dire sans la résoudre.

4° Les leucocytes du mucus et du pus ont aussi été considérés par quelques auteurs comme des *cellules épithéliales à un état anormal particulier de développement* (Henle et autres anatomistes), comme des *cellules épithéliales d'un âge différent* de celui des autres cellules (Virchow, 1847-1858, etc.), et par plusieurs médecins comme une provenance du noyau des cellules épithéliales venant à proliférer par scission continue.

Il est inutile de revenir ici sur les faits mentionnés plus haut (p. 252) qui infirment de la manière la plus formelle cette hypothèse quant à la transformation des noyaux d'épithélium (et aussi des cellules) en leucocytes. Mais il ne le sera pas de rappeler les différences qui, à la surface des muqueuses, des séreuses et de la peau séparent les modes de naissance des cellules épithéliales et des leucocytes. Lors de la naissance des cellules épithéliales, le noyau apparaît le premier, large de 4 à 5 millièmes de millimètre, pâle, homogène, à peine grenu à l'état frais et devenant finement granuleux dans l'état cadavérique. C'est ensuite, lorsque s'est produite entre ces noyaux une certaine quantité de substance amorphe homogène, finement grenue, que celle-ci se divise entre les noyaux par formation de plans de scission qui se rencontrent sous des angles divers; elle se trouve ainsi partagée en autant de cellules ayant un noyau central qu'il y a de noyaux, sauf le cas où la segmentation embrasse plusieurs noyaux comme centre dans une seule cellule. Chacune de ces cellules étant ainsi individualisée, le noyau qu'elle renferme grandit ensuite, soit en conservant la forme cellulaire polyédrique originelle, soit en prenant les formes lamellaires ou prismatiques. Lors de la génération des leucocytes, au contraire, à la surface de la peau, des muqueuses, des séreuses, comme dans l'épaisseur des tissus, le corps de la cellule lui-même est, au moment de son apparition, plus petit que le noyau naissant des cellules épithéliales. Large de 3 à 4 millièmes de millimètre, il est dès cette époque attaquable par l'acide acétique comme plus tard, alors que les noyaux d'épithélium ne le sont pas, ni au moment où ils apparaissent ni plus tard. Comme pour les leucocytes, de quelque provenance et de quelque degré de développement que ce soit, étudiés avant leurs modifications cadavériques, le noyau ou les noyaux qu'ils présentent ne sont que le résultat de l'action des réactifs, et leur nombre varie selon qu'on emploie l'eau ou l'acide acétique. (Voyez ci-dessus p. 235 et

Ch. Robin, *Sur l'anatomie et la physiologie des leucocytes*. In *Journal de la physiologie*, Paris, 1859, in-8°, p. 56.)

6° L'examen direct des phénomènes de la genèse des leucocytes, de leurs réactions, du mode de formation de leurs noyaux, ne permet pas non plus d'admettre que dans l'épaisseur des tissus enflammés les globules du pus puissent naître par une *division prolifiante* des noyaux embryo-plastiques (dits corpuscules du tissu conjonctif ou cellulaire), amenant la production de *cellules rondes*, d'abord à un seul noyau, puis à plusieurs noyaux (Virchow, 1855), de même que de ces mêmes noyaux du tissu cellulaire proviendraient dans d'autres conditions d'*irritation formatrice*, soit les noyaux des tubercules, soit des épithéliums des tumeurs. Déjà nous avons vu, du reste (*voy.* Lamineux [*tissu*], p. 257), que dans les cas où la scission des noyaux de cette espèce a réellement lieu, ce sont toujours des noyaux de même espèce et bientôt semblables à leurs antécédents, qui résultent de ce phénomène. Là on rencontre des noyaux qui ont été surpris en quelque sorte à telle ou telle des phases de leur division et qui en montrent ainsi toutes les périodes. Or, indépendamment des différences de forme, de teinte et d'état granuleux qui permettent déjà de distinguer les leucocytes des noyaux embryo-plastiques de même volume récemment nés, on peut constater aisément que jamais ces derniers noyaux, attenant encore à leurs antécédents ou en étant déjà séparés, ne présentent au contact de l'eau et de l'acide acétique l'une quelconque des modifications que ces agents font subir aux leucocytes, quelque petits qu'ils soient. Ils ne cessent au contraire d'offrir la résistance à leur action, qui est un de leurs caractères essentiels à toutes les périodes de leur existence; en sorte qu'il est impossible de saisir une période de transition métamorphique quelconque des noyaux embryo-plastiques naissant ou déjà individualisés passant à l'état de cellules sphériques, douées de mouvements sarcodiques, gonflées et rendues transparentes par l'acide acétique avec production de noyaux, différents selon que l'on use de tel ou tel de ces deux réactifs.

Ces données infirment aussi nécessairement l'hypothèse d'après laquelle les globules du pus dans l'épaisseur des tissus seraient formés par suite d'une multiplication des noyaux de la tunique adventice ou lamineuse des capillaires dans les cas d'inflammation; par suite d'une scission avec métamorphose du noyau des cellules épithéliales des séreuses ou des muqueuses enflammées, etc.

7° A la suite des hypothèses précédentes qui sont, ou contradictoires les unes par rapport aux autres, ou qui, si on les admet toutes partiellement, attribuent à un seul élément une paternité tellement multiple qu'elle n'offre plus rien de légitime, il faut encore ranger les suivantes :

On sait que Home, MM. Gendrin, Andral et autres savants avaient admis que, dans l'inflammation, les globules rouges du sang sortant des vaisseaux, soit par des pores, soit par rupture, se transformaient en globules du pus. A côté de ces vues que contredit l'observation, il faut ranger celles de Conheim; placé à un autre point de vue que celui qui nous occupe, et par suite, en dehors de toutes considérations sur le mode de formation première des globules blancs du sang, il considère ceux du pus comme n'étant autres que ces derniers, sortis des vaisseaux et s'accumulant graduellement. Il est en effet parfaitement vrai que, ainsi que l'a vu cet observateur et d'autres après lui, on peut, dans certaines conditions expérimentales voir soit des globules blancs, soit des globules rouges du sang (Stricker, Prussac) sortir de la cavité des capillaires les plus petits des grenouilles, en traversant leur paroi, sans qu'il y ait rupture de celle-ci sur toute sa circonférence, ni sur une grande longueur. Mais rien n'autorise à conclure de là que c'est directement du sang que viennent de la sorte les leucocytes du pus des abcès, des sérosités purulentes, des pustules varioliques ou autres, etc.

En effet, quoi qu'en aient dit quelques auteurs tels que Conheim, Keber et autres, les capillaires ne sont nullement percés de ces pores ou ostioles qui laisseraient ainsi sortir les leucocytes plus gros que les globules rouges, à l'exclusion de ceux-ci, et cela dans certaines conditions seulement, telles que l'inflammation ainsi qu'on le suppose, et quelques conditions expérimentales. Il est parfaitement vrai qu'au niveau des angles de réunion des cellules, dans certains endroits éloignés les uns des autres, sur la couche épithéliale des séreuses, de l'endocarde, des gros vaisseaux, etc., on voit ces cellules écartées par suite de la forme arrondie de ces glandes, de manière à limiter un espace ou orifice stomatique. Mais indépendamment de ce que ce fait ne s'observe pas sur les plus petits capillaires, il importe de faire remarquer qu'il ne se voit jamais sur les lambeaux d'épithélium frais, des séreuses, de l'endocarde, etc., tandis qu'il apparait, sur ces mêmes lambeaux après qu'ils ont séjourné dans la solution étendue d'azotate d'argent. Du reste, il est facile de voir que ces dispositions sont trop peu répandues sur les couches épithéliales examinées, quelles qu'elles soient, pour que, dans le cas même où elles ne seraient pas le résultat de l'influence des réactifs, il fût possible de les considérer comme pouvant remplir le rôle qu'on leur fait jouer, de manière à rendre compte des phénomènes qu'on cherche à expliquer à leur aide.

A ces faits dont l'importance ne saurait être niée, il faut ajouter qu'il est manifeste que ce n'est pas d'une issue de ce genre que proviennent les leucocytes des abcès de la cornée, non plus que ceux du pus des pustules varioliques, vaccinales et autres qui, logés dans un dédoublement épidermique, restent séparées du derme par une couche relativement épaisse d'épiderme. Enfin, il est évident que si telle était l'origine des leucocytes du pus en général, c'est-à-dire que s'ils provenaient de ceux du sang qui sortiraient tout formés par des orifices préexistants, et cela dans les points enflammés seulement, bien que ces orifices soient regardés comme existant partout, il est évident, dis-je, que ces éléments seraient tous, ou du moins presque tous, d'égales dimensions; ou du moins les leucocytes de petit volume ne seraient pas plus nombreux que les globulins du sang. Or il est aisé de constater qu'il n'en est pas ainsi, et que le pus qui commence à se former dans la profondeur des tissus, à la surface de la peau ou d'une autre plaie, contient beaucoup plus de leucocytes encore très-petits que quelques heures ou quelques jours plus tard, époque à laquelle on observe l'inverse.

Hypothèses sur le rôle rempli par les leucocytes. Nous savons que chacune des espèces des éléments anatomiques qui ne sont pas doués de propriétés de la vie animale, remplit pourtant aussi un rôle spécial dans l'économie par suite d'un certain degré de développement, en excès par rapport aux autres espèces d'éléments anatomiques, de quelqu'une de leurs propriétés; et cela soit de leurs propriétés physiques comme la ténacité (fibres tendineuses, os, cartilages, etc.), ou l'élasticité (fibres élastiques), soit de leurs propriétés d'ordre organique végétatives, comme par exemple un excès dans la propriété d'assimiler, ou au contraire de désassimiler tel principe immédiat à l'exclusion de certains autres; c'est de cette manière qu'elles sont appelées à jouer un rôle dans les actes d'absorption ou de sécrétion, dans la nutrition ou l'évolution générale de l'économie organique, etc. Or, ce rôle particulier qui est déterminé pour quelques espèces d'éléments anatomiques ayant forme de cellules, tels que les épithéliums, les globules rouges du sang, etc., ne l'est pas encore nettement pour les leucocytes. Aussi, voit-on ce fait, commun en pareille circonstance, que les hypothèses émises sur la nature du rôle physiologique rempli par les leucocytes, pour être moins nombreuses que celles qui concernent leur origine, ne sont pas moins singulières.

Nous n'avons pas à revenir sur la plus ancienne de ces hypothèses, dans laquelle les leucocytes étaient considérés comme des globules rouges du sang en voie de développement, ou du moins susceptibles de se transformer en éléments de cette dernière espèce, dans les vertébrés seulement, et encore dans le système circulatoire sanguin seul, avec ou sans l'intermédiaire de la rate, mais non dans le pus, les mucus, les sérosités, etc. Il suffit de rappeler cette hypothèse, qui aujourd'hui n'est plus admise, pour faire comprendre d'avance quelle peut être la valeur de celles qu'on lui a substituées.

Dans ces nouvelles hypothèses, en effet, le rôle des leucocytes au sein des humeurs précédentes ou même dans le sang, ne se trouve pas indiqué pour ce qui touche les conditions habituelles de leur existence, ou ils sont regardés comme des *cellules destinées à un développement ultérieur,* mais restant *indifférentes* jusqu'à ce qu'ait lieu ce développement; et ce dernier offre cela de singulier, qu'il n'a lieu qu'en cas d'accident, bien que les éléments existent normalement d'une manière permanente.

Le passage suivant de Billroth résume du reste très-bien la nature des vues admises en Allemagne, concurremment ou non avec celles qui ont été exposées dans ce qui précède.

« Il n'en est pas moins avéré, dit-il, que les cellules blanches viennent du système lymphatique, et que là, elles naissent en partie des ganglions, et en partie du tissu conjonctif; ce sont des cellules dont la plupart dérivent assez directement des cellules de tissu conjonctif. La preuve qu'elles portent en elles le *germe d'un développement ultérieur*, c'est que *leurs noyaux se partagent* pendant que les cellules sont entraînées dans le torrent de la circulation, car il n'est pas rare de trouver des *cellules incolores à deux, à trois et à quatre noyaux*. Cette scission des noyaux peut bien, dans des conditions physiologiques, préparer la désagrégation de la cellule; mais si le sang vient à s'arrêter avec ces cellules, et si le caillot se trouve dans des conditions favorables à la nutrition, les corpuscules incolores du sang subissent *une transformation ultérieure*, dans le cas présent en *cellules fusiformes*, et la *fibrine devient de la substance conjonctive fibreuse*. » (Billroth. *Éléments de pathologie chirurgicale générale*, Paris, 1868, in-8°, trad. française, p. 134-135.)

Or, déjà nous avons vu que nul des éléments anatomiques qui commencent par l'état de cellules et offrent des phénomènes réguliers de développement ultérieur, comme les fibres élastiques, les fibres lamineuses, les vésicules adipeuses, etc., ne commencent à avoir des caractères qui permettent de les laisser prendre pour des leucocytes. Nous savons aussi que la présence de deux à quatre noyaux dans les leucocytes est ou le fait d'une altération cadavérique ou le résultat de l'influence de divers réactifs, et que, par conséquent, elle n'indique ni la désagrégation physiologique de ces éléments, ni leur prolification active comme le supposent au contraire quelques auteurs. Mais le mode de génération des fibres lamineuses tant sur l'embryon que dans la régénération de divers tissus, leur passage par l'état de corps fibro-plastiques, fusiformes ou étoilés, précédant l'apparition des fibres ou filaments représentant l'élément anatomique complétement développé, sont autant de faits qui ne permettent jamais d'admettre que précisément dans le cas de coagulation du sang, ce sont des éléments de celui-ci, les leucocytes, qui se transformeraient ainsi en éléments qui normalement naissent et se développent d'une manière tout autre.

Rien de plus aisé à constater que, ni durant la formation des cicatrices pas plus que pendant la production du tissu lamineux normal, les corps fibro-plastiques fusiformes ne ressemblent aux leucocytes en quoi que ce soit et à quel moment de leur évolution que ce soit, tant au point de vue de leurs caractères extérieurs que sous celui de leurs réactions. Il en est de même aussi des leucocytes par rapport aux corps fibro-plastiques. Il en est, à plus forte raison, ainsi en ce qui concerne sous ce rapport les transitions métamorphiques qu'on a supposées se produire dans ces mêmes caillots, de ces mêmes leucocytes qui se métamorphoseraient non plus en corps fusiformes, mais en vaisseaux capillaires et passeraient ainsi de l'état de *contenu* à celui de *contenant*. Il est vraiment difficile de comprendre quel ordre de données objectives a pu conduire à de telles suppositions. (*Voy.* LAMINEUX.)

La continuité des fibres du tissu lamineux (*substance conjonctive fibreuse de divers auteurs*) avec les corps fibro-plastiques est du reste tellement manifeste dans quelque condition que ce soit de la génération et du développement du tissu lamineux, qu'il n'y a pas lieu de discuter l'hypothèse qui, dans cette prétendue organisation des caillots, donne à ces fibres une origine indépendante de celle des corps fibro-plastiques pour les faire provenir directement de la fibrine.

Enfin, en présence des faits qui viennent d'être exposés et en rapprochant ce qu'offrent d'hétérogène et de contradictoire l'une par rapport à l'autre toutes ces hypothèses, soit sur la *fin*, soit sur l'origine des leucocytes, leur multiplicité même montre leur peu de valeur à côté des faits, quelque peu nombreux qu'ils semblent être, qui montrent que ces éléments apparaissent par genèse et subissent une succession de phases évolutives tant normales que morbides qui ne les conduisent aucunement à se changer en élément de quelque autre espèce.

De la contractilité dans les leucocytes. Lorsqu'on examine une goutte de sang fraîchement tirée du doigt, du pus récemment formé, encore dense, mêlé de sang, dans un foyer encore petit, ou du mucus purulent non refroidi, les leucocytes manifestent de la manière suivante la propriété de contractilité dont ils jouissent et à laquelle est due la déformation qu'ils présentent lorsqu'ils sont arrêtés entre les deux lames de verres de la préparation.

D'un point de la circonférence des globules s'avance une expansion plus transparente que le reste de l'élément anatomique. Celui-ci devient ainsi ovoïde, prismatique à angles arrondis, ou irrégulier, suivant la forme de l'expansion qui emporte ou non avec elle un ou plusieurs granules de l'intérieur de l'élément. Quelquefois les choses en restent là et un globule peut demeurer déformé pendant plusieurs heures. Mais en général bientôt après il se montre sur un autre point une nouvelle expansion qui détermine une nouvelle forme de globule, soit que l'expansion première rentre dans la masse de celui-ci, soit qu'elle reste étalée au dehors. D'autres expansions continuant à se produire en même temps que des retraits s'opèrent sur divers points de la circonférence du globule, donnent incessamment à ce corpuscule un aspect nouveau et différent des précédents. Ces expansions et ces retraits se produisent avec une grande lenteur ; il faut beaucoup d'attention pour en suivre les diverses phases et souvent on ne prend garde à elles qu'alors qu'elles sont produites et ont changé la forme de l'élément étudié. Ces expansions et les changements qui en résultent sont plus rapidement formés et lus considérables dans les lymphatiques que dans le sérum du sang ; dans la lymphe fraîche des fistules lymphatiques de l'homme ils le sont peut être plus encore que dans toute autre condition.

Pendant que s'opèrent ces expansions et rétractions de la substance du leucocyte, on voit apparaître dans l'intérieur une ou deux petites vacuoles se présentant sous forme de points sphériques, clairs à bords nets, pâles, quelquefois légèrement rosés. Ces vacuoles persistent autant que dure le phénomène des expansions et rétractions, mais elles peuvent grandir, changer de place et passer du centre à la périphérie du globule. Chaque expansion ne reste saillante au dehors du globule que quelques secondes ou deux ou trois minutes et se contracte aussitôt après. J'ai parfaitement vérifié l'exactitude de l'assertion de M. Davaine qui a bien décrit ces phénomènes, lorsqu'il dit qu'en une demi-heure on observe une vingtaine de changements de forme (Davaine, *Recherches sur les globules blancs du sang*, in *Comptes rendus et Mémoires de la Société de biologie*, Paris, 1830, in-8°, p. 102-103. Voy. aussi Lebert et Ch. Robin, *Kurze Notiz über allgemeine vergleichenden Anatomie niederer Thiere*, in *Archiv für Anatomie und Physiologie*, von J. Müller, 1846, p. 121-122), et que toutes les fois qu'une forme a persisté plus de cinq minutes sans se rétracter, le leucocyte n'en montre plus d'autre. Une fois le dernier changement de forme opéré, il peut persister un temps qui n'a pas encore été déterminé; mais on sait que sur le sang des cadavres les globules ont repris leur forme sphérique. Pourtant chez les reptiles et les batraciens morts depuis plusieurs heures ces éléments restent souvent irréguliers, polyédriques à angles arrondis, mais ce ne sont pas des expansions qui leur donnent cette figure.

L'addition d'un peu d'eau dans le sérum fait cesser les expansions et leurs retraits. Elles disparaissent brusquement sur les globules qui en offraient, et ceux-ci reprennent leur forme sphérique.

Ces expansions se présentent avec une grande longueur et déterminent de nombreux et très-variés changements de forme sur les leucocytes pris dans la lymphe; elles peuvent même être observées vingt-quatre heures après la mort de l'animal, lorqu'on a eu soin de conserver la lymphe entre deux ligatures dans les vaisseaux eux-mêmes. Elles précèdent la modification causée par le sérum qui amène une apparition de deux ou trois noyaux au centre du leucocyte et parfois coexistent avec cette apparition graduelle.

La production de ces expansions est très-énergique, et celles-ci acquièrent une très-grande longueur dans les leucocytes des muqueuses enflammées ou non et du pus frais. (*Voy*. Ch. Robin, *Sur l'anatomie et la physiologie des leucocytes*, in *Journal de la physiologie*, Paris, 1859, in-8°, p. 43, 46; et Littré et Robin, *Dictionn. de médecine*, Paris, in-8°, 10e édition, 1855. art. Pus, p. 1041 et art. Leucocyte 11e édit. suiv.).

Les mouvements de ces expansions et les déformations qui en résultent pour les leucocytes se retrouvent chez tous les animaux vertébrés et invertébrés qui en possèdent; c'est ce qu'a très-bien figuré et décrit Warthon Jones (*loc. cit.*, 1846) pour les divers degrés des changements de forme que présentent en se contractant et en poussant au dehors çà et là des prolongements les globules blancs de l'homme et d'autres mammifères, des grenouilles, des insectes, des arachnides, des crustacés, des insectes, des annélides et des mollusques.

Chez ces divers invertébrés le globule devient quelquefois un peu irrégulier à sa circonférence, puis ensuite, ou immédiatement, d'un point de celle-ci une expansion plus claire que le reste des globules s'avance lentement, à la manière d'un liquide qui coule. Tantôt l'expansion est aussi large à sa base qu'à son extrémité, tantôt elle se termine en pointe très-effilée; quelquefois, vers sa base, elle est entourée par une ligne irrégulière très-fine; ce fait, qu'on observe aussi chez les vertébrés, indique une rupture de la partie superficielle, plus dense, du globule, pour laisser sortir l'expansion formée par la partie centrale de sa substance qui est plus molle. Le plus souvent, bien qu'il n'en soit pas toujours ainsi, il y a expansion directe de la partie superficielle même du globule. Cette expansion rentre et ressort plusieurs fois, toujours très-lentement, ou reste plus ou moins longtemps immobile. Avant ou pendant son retrait s'en montrent une ou plusieurs autres dont les sorties et retraits successifs donnent au globule un aspect un peu différent pendant vingt à quarante minutes que dure le phénomène. Les mêmes faits s'observent sur les leucocytes des vertébrés, même de l'homme, et parfois un globule entier peut être déplacé par une expansion qui, fixée à quelques corps étranger, attire l'élément à elle, empêchée qu'elle est de rentrer dans sa masse. Si quelque obstacle s'oppose trop énergiquement à la fois au retrait de l'expansion ou au mouvement en sens inverse du leucocyte, l'expansion se brise quelquefois et sa substance forme un petit globule indépendant, hyalin.

Ces expansions et leurs mouvements ont été observés et décrits par un grand nombre d'auteurs dans diverses conditions de température et de composition du liquide au sein duquel ils plongent. Souvent ils amènent une véritable reptation de l'élément à la surface de la lame de verre et entre les autres éléments qui les accompagnent, tels que les hématies, etc. Parfois il y a comme un étalement de la substance du globule sous forme de plaque plus ou moins irrégulièrement triangulaire ou étoilée, qui change trop souvent de grandeur et de largeur pour qu'on puisse en décrire et en figurer les dispositions. Ces globules étalés se séparent dans certains cas en deux plaques distinctes qui, en revenant sur elles-mêmes spontanément ou après addition d'eau forment deux globules distincts. Cependant quelles que soient ces déformations pendant la durée desquelles on voit souvent se former un noyau dans la substance de l'élément, ce dernier reprend toujours rapidement sa forme sphérique et devient immobile au contact de l'eau en même temps qu'il se gonfle, qu'il s'y forme un ou deux noyaux; puis bientôt ses granulations moléculaires montrent le mouvement brownien qu'elles ne manifestaient pas jusque-là.

L'acide acétique agit aussi sur ces éléments comme sur ceux qui ont déjà repris la régularité de leurs formes. Toutefois comme son action est plus énergique et plus rapide que celle de l'eau, il surprend en quelque sorte un certain nombre des globules ainsi déformés, les pâlit et fait apparaître en eux de deux à quatre petits noyaux avant qu'ils aient recouvré la régularité habituelle de leur forme sphérique, et ils restent dans cet état. Des faits de ce genre s'observent aussi bien sur les invertébrés que sur les mammifères, etc.

Différentes circonstances importantes à rappeler font cesser ces mouvements. Cette cessation qui a pour conséquence le retour de ces éléments à l'état sphérique, au moins lorsqu'ils ont subi un léger gonflement, est la conséquence du contact de l'eau et des autres réactifs, ainsi que celle du séjour des leucocytes dans le sérum non circulant du pus et dans celui du sang après le dédoublement de la plasmine et la coagulation cadavérique de la fibrine. Ce retour à l'état globuleux et cette immobilité des leucocytes caractérisent en quelque sorte leur propre état cadavérique. On constate en outre que les leucocytes qui sont arrivés à l'état dit de *globules granuleux* dans le pus réuni en foyer ou infiltré ne présentent plus d'expansions sarcodiques ou amibiformes; mais il n'en est pas ainsi des globules normaux rendus un peu plus granuleux que les autres par des granules à contour foncé et à centre brillant qu'on trouve dans les leucocytes du sang vivant et qui ont été bien étudiés par Warthon Jones.

On peut constater parfois l'existence de ces mouvements sur les leucocytes du sang arrêté contre la face interne des capillaires des batraciens pendant la durée de la circulation du liquide, ainsi que M. Davaine l'a signalé le premier. Mais on ne saurait conclure de ce fait dont il n'est pas difficile de vérifier l'exactitude que ces expansions se produisent naturellement d'une manière incessante dans les liquides réellement normaux et que leur production joue un rôle important dans l'existence de ces éléments ou dans les modifications accidentelles dont ils sont le siége. Il est certain en effet qu'on ne les observe que sur un très-petit nombre des leucocytes, soit du sang, soit de la lymphe en voie de circulation. Il est certain aussi que dans les vaisseaux des membranes disposées pour y étudier la circulation les globules immobiles ne se trouvent pas dans des conditions naturelles au point de vue de la rénovation moléculaire régulière des principes nutritifs, tant en ce qui touche le plasma lui-même à cet égard, qu'en ce qui regarde l'élément anatomique. Il en est à plus forte raison de même lorsqu'ils sont hors des vaisseaux dans un mucus, dans le sérum du sang ou autre, qu'il soit ou non maintenu sous le microscope à une température convenable. Or l'énergie et les variétés que montre la production de ces expansions hors des vaisseaux, comparativement à ce qu'on voit quand on la rencontre dans les capillaires mêmes, prouvent qu'on ne saurait regarder ce phénomène comme autre chose qu'un excès dans la manifestation d'une propriété normale de ces éléments, excès déterminé par l'état normal dans lequel ils se trouvent.

Ce phénomène est donc la manifestation d'une propriété que possède la substance des éléments anatomiques de beaucoup de vers, d'acalèphes et surtout d'infusoires, lors même qu'elle s'est réunie en globules après avoir été séparée du corps de l'animal où elle s'est formée, et dont elle faisait partie. Ces *globules*, de formes et de volume variés, se creusent de vacuoles, et présentent des mouvements dus à des resserrements et expansions de leur substance; substance que M. Dujardin a appelée *sarcode;* d'où les expressions de *mouvements* et *expansions sarcodiques* employées ci-dessus. Il est des circonstances dans lesquelles les expansions sarcodiques qu'à décrites M. Dujardin (*Recherches sur les organismes inférieurs et sur une substance appelée sarcode*, in *Annales des sc. nat.*, Paris, 1835, t. IV, p. 364) finissent par se séparer complétement de l'animal sous forme de globules, dont les resserrements et les dilatations continuent encore quelque temps après leur sépartion; elles ne se montrent que lorsque l'animal se trouve dans un milieu devenu peu à peu défavorable aux actes de l'animal, actes de respiration ou autres. On peut, sur les planaires ou les gros infusoires, en hâter l'apparition par addition d'un peu d'ammoniaque ou autre alcali en faible quantité. Elles se montrent lorsque le milieu est évidemment modifié; elles sont, dans l'animal, le signe indiquant anatomiquement des modifications correspondantes dans la substance de ses élements anatomiques, par suite de l'échange continu qui a lieu entre toute partie de la substance organisée, et le milieu dans lequel elle se trouve. Il faut du reste bien spécifier ici que la description de Dujardin comprend deux ordres de faits distincts, qu'il importe de ne pas confondre. Ce sont d'une part la production des *expansions sarcodiques ou amibiformes*, telles que celles dont les leucocytes sont le siége, et de l'autre celle des *exsuda-*

tions de gouttes hyalines susceptibles de se déformer et de se creuser de vacuoles, se produisant ordinairement lorsque déjà se ralentissent les formations des expansions et se continuant encore lorsqu'elle a tout à fait cessé. Telles sont les exsudations dont sont le siége au début de leur altération cadavérique, certaines cellules épithéliales, les corps ou cellules fibro-plastiques fusiformes (*voy.* LAMINEUX), les cellules de la corde dorsale (*voy.* NOTOCORDE) et autres.

Les expansions des leucocytes des vertébrés et des invertébrés ont tant de ressemblance avec les expansions sarcodiques proprement dites, soit quant à la nature du mouvement, soit quant à l'aspect des prolongements de substance organisée, sauf le volume, qu'on ne saurait mettre en doute leur analogie de nature dans l'un et l'autre cas. Comme il est bien évident que le sérum placé sous le microscope dans lequel sont les globules blancs du sang n'est pas dans des conditions normales ; comme les expansions n'apparaissent pas immédiatement après que le sang est tiré, mais quelque temps après, lorsque le sérum a pris une température différente de celle qu'il avait, ou lorsqu'il a perdu un peu d'eau : il reste donc bien évident, pour quiconque a étudié le phénomène, que les expansions ne se montrent qu'autant que le milieu est modifié, soit quant à sa température, soit quant à la proportion d'eau, etc. Les expansions sont, je le répète, dans l'élément anatomique, un signe indiquant des modifications dans la substance organisée, correspondantes à celles qu'a éprouvées le milieu, par suite de l'échange continu qui a lieu entre toute partie de la substance organisée, et le milieu dans lequel il se trouve.

Reste maintenant à déterminer la question de savoir si cette propriété de la substance organisée de certains éléments anatomiques, tels que les leucocytes, etc., de divers infusoires ou des fragments qui en proviennent, doit être rapprochée de la propriété de contractilité et en particulier de la contractilité des fibres musculaires de la vie végétative ; ou si au contraire elle ne se rapproche pas des actes d'ordre organique observés sur les filaments muqueux des champignons myxomycètes, sur le contenu des algues appelées psorospermies, de la même manière que sur les amibes et autres infusoires, sur le vitellus de l'ovule de beaucoup d'animaux, etc. ; phénomènes qui eux-mêmes ont leurs analogues dans les actes et les mouvements de la segmentation et de la gemmation du vitellus. (*Voy.* Ch. Robin, *Anatomie et physiologie comparée des éléments anatomiques*, Paris, 1868, in-8°, p. 90.)

Quoi qu'il en soit de ces questions, dont la solution ne saurait être poursuivie ici en raison des emprunts à toute l'anatomie comparée qu'elle exige pour qu'il soit possible de la donner, il demeure évident que ce n'est pas dans les manifestations de la propriété précédente que doit être recherché quel est le rôle spécial rempli par cette espèce d'élément anatomique.

Leur distribution dans les capillaires sanguins et lymphatiques des vertébrés, leur présence en quantité relativement considérable à l'exclusion de toute autre espèce d'éléments dans le sang des invertébrés qui sont pourvus d'un appareil circulatoire, leur multiplication en excès dans presque toutes les affections nutritives profondes de l'économie, portent à penser que leur rôle se rattache particulièrement à quelque acte d'assimilation ou de désassimilation.

On sait en effet que pour la plupart des espèces d'éléments qui ne possèdent d'autres propriétés d'ordre vital que les propriétés végétatives, le rôle spécial que remplit chacune d'elles tient à ce que l'une ou l'autre de leurs qualités élémentaires s'y manifeste sous quelque rapport remarquable, soit d'une manière absolue, soit comparativement aux autres espèces d'éléments qui l'accompagnent dans un tissu ou dans une humeur. Plusieurs espèces, par exemple, remplissent un rôle spécial par suite des particularités qu'elles présentent relativement à la nutrition, soit parce que, par suite de leur composition propre, elles assimilent certains principes immédiats à l'exclusion des autres, ou, au contraire, parce que une fois formés dans l'épaisseur de ces éléments, certains principes, sont désassimilés aussitôt, ou du moins en proportion considérable comparativement à ce qui a lieu dans les autres espèces d'éléments. Il en résulte que, indépendamment de leur nutrition propre, ces éléments remplissent un rôle particulier qui a cette dernière pour condition d'existence et qui se rapporte, à la nutrition générale du tissu ou de l'humeur dont ils font partie.

Bien que quelques autres éléments anatomiques, tels que le vitellus dans l'ovule, les cellules des cartilages incluses dans les chondroplastes et les fibres lamineuses encore à l'état de corps fibro-plastiques offrent des déformations lentes sous les yeux de l'observateur par suite de resserrement et d'expansions alternatifs en des points divers de leur superficie, ces mouvements sont loin d'être aussi prononcés que ceux des leucocytes et de les faire ressembler à ces éléments, quoiqu'ils soient dus certainement à des propriétés analogues de la matière organisée.

Aussi les particularités dont il vient d'être question, relatives aux mouvements sarcodiques ou amibiformes et aux réactions propres aux leucocytes, constituent pour les éléments de cette espèce un ensemble d'attributs caractéristiques des plus nettement tranchés, quelles que soient les régions de l'économie dans lesquelles on les observe et les conditions dans lesquelles sont nés ces éléments.

Lorsque les expansions amibiformes des leucocytes viennent à adhérer à quelque corpuscule mobile, elles les font rentrer avec elles en se rétractant dans la masse de l'élément, ainsi que Virchow l'a indiqué le premier et que le fait est facile à vérifier. La manière dont ils attirent et englobent ainsi parfois sous les yeux de l'observateur des gouttelettes graisseuses des granules colorés ou autres ajoutés au liquide sanguin de la préparation portent à penser que c'est ainsi que ces éléments englobent dans le colostrum les globules de lait que renferment souvent quelques-uns des leucocytes de cette humeur.

Des faits précédents quelques auteurs ont conclu que c'est par ce même mécanisme déjà observé souvent sur les amibes et autres infusoires que se produit le passage des globules à l'état granuleux dans les abcès et dans les infiltrations purulentes. On sait de plus que dans les épanchements sanguins des poumons, de la rate, du foie, des muscles, etc., beaucoup de leucocytes sont rendus plus ou moins granuleux, par des grains d'hématosine, fait qui s'observe dans les leucocytes du sang même, pendant la durée de certaines maladies avec altération du sang (*mélanémie*, etc.). Des leucocytes du mucus, du larynx et de la trachée sont également rendus granuleux par des granules de noir de fumée qui les colorent alors en noir et non en rouge brun foncé comme dans les cas précédents. Mais comme dans ces circonstances les cellules épithéliales isolées ou en plaques qui se rencontrent avec les leucocytes, et les corps fibro-plastiques fusiformes et étoilés, s'il s'agit de l'épaisseur des tissus, sont au moins aussi remplis de granules que les leucocytes; on ne saurait considérer le passage à l'état granuleux de ceux-ci comme dû exclusivement et régulièrement à l'introduction successive de ces divers granules par les expansions sarcodiques. Il se passe là certainement des phénomènes de *pénétration* directe des leucocytes comme des autres cellules et des fibres par ces granules, comme le fait s'observe toutes les fois que des éléments anatomiques se trouvent au contact de quelque particule plus dure que ne l'est leur propre substance. (*Voy.* Ch. Robin, *Comptes rendus et Mémoires de la Société de biologie*, Paris, 1852, p. 181, et *Hist. naturelle des végétaux parasites*, Paris, 1853, in-8°, p. 285).

Quant aux leucocytes passés à l'état dit de *globules granuleux* : 1° l'uniformité de l'aspect deleurs granules graisseux, quelles que soient les conditions dans lesquelles on les observe; 2° leur présence dans les liquides où ne se trouvent pas des granulations graisseuses semblables, montrent que c'est à des actes moléculaires intimes qu'est due leur formation dans les leucocytes; formation amenant par sa continuation l'hypertrophie souvent considérable de ceux-ci; au contraire l'absence de toute expansion dans les leucocytes, même encore peu hypertrophiés qui sont à cet *état granuleux* accidentel si distinct des autres, ne permet pas d'admettre que ce soit par une intussusception mécanique de grains formés hors des leucocytes que se produit ce passage à l'état granuleux. Ch. Robin.

Bibliographie. — Voyez les auteurs cités dans la *synonymie* au commencement de cet article, ceux qui ont été cités dans le corps de l'article et les suivants. — Böcker. *Ueber die verschiedenen Arten und Bedeutung der gewölten Blutkörperchen.* In *Archiv. für physiol. Heilkunde*, 1851, p. 565. — Moleschott. *Ueber das Verhältniss der farbigen Körperchen zu den unfarbigen.* In *Wiener Wochenschrift*, 1854. — Kölliker. *Ueber das Vorkommen von Lymphkörperchen in den Anfangen der Lymphgefässe.* In *Zeits. für Wiss. Zool.*, 1855, vol. 7, p. 182. — Sur le même sujet voyez aussi Ch. Robin dans Atlee. *On the blood.* Philadelphia, 1854, in-12, p. 176. — Hirt. *De copia relativa corpusculorum sanguinis alborum.* Leipzig, 1855. — Lobanger. *Quomodo ratio cellularum sanguinis albarum et rubrorum mutetur ciborum advectione*, etc. Regiomont. 1856. — Markfels. *Ueber das Verhältniss der farblosen Blutkörperchen.* In *Moleschott's Untersuchungen*, 1857, t, I, p. 61. — Hammond. *Sur les globules blancs du sang.* In *American Journal*, 1859, p. 348. — Beale. *The colourless corpuscles of the blood quaterly summary of the improv. an discover. in the medic. sciences.* London, 1864, p. 504. — Davaine. *Recherches sur les globules blancs du sang.* In *Comptes rendus et mém. de la Société de biologie.* Paris, 1850, p. 103, et 1855, p. 56. — Recklingshausen. *Ueber Eiter*, etc. In *Virchow's Archiv*, 1863, t. XXVIII. — Virchow. *Ueber bewegliche thierische Zellen.* Ibid. — Preyer. *Ueber amœboide Blutkörperchen.* Ibid., 1864, t. XXX. — Hayem et Henocque. *Sur les mouvements dits amiboïdes observés particulièrement dans le sang.* In *Archives génér. de médecine.* Paris, 1866, in-8°, t. VII, p. 64, et t. VIII, p. 61. — Ch. Bernard. *Rapport sur les progrès de la physiologie*, Paris, 1867, in-8, p. 62 et 103. Ch. Robin.

Explication des planches. Planche I. Leucocytes du sang. Fig. 1. *a* à *j*. Divers aspect et forme des leucocytes chez l'adulte dans le sang fraîchement extrait de la veine.

k à *p*. Aspect que présentent les mêmes éléments dans le caillot sur le cadavre, ou dans les préparations faites avec du sang frais, après que les expansions sarcodiques ont cessé, au bout d'un certain nombre de minutes ou d'heures, selon le soin avec lequel la préparation a été faite ou conservée.

mnp. Globules dans lesquels les granulations se sont réunies, en prenant l'aspect de noyaux, sous les yeux de l'observateur quelquefois.

oo. Les mêmes leucocytes traités par l'eau, devenus pâles et montrant les granulations rassemblées, cohérentes sous forme de noyau. Quelquefois l'eau fait apparaître deux masses nucléiformes au lieu d'une, ou des amas grenus moins nettement limités.

Fig 2. *a* à *g*. Leucocytes d'un embryon de six mois. On a figuré surtout ceux dans lesquels l'état cadavérique avait déjà amené la formation de noyaux.

abc. Leucocytes offrant l'aspect qu'ils ont chez l'adulte, quelques-uns (*b* et *c*) sont assez foncés et granuleux.

ddd. Leucocytes à deux noyaux.

ee, *ff*. Leucocytes singuliers par leur forme et leur volume ou ceux de leur noyau.

g, *g*. Quelques-uns des leucocytes sont aplatis, quels que soient du reste leur forme ou leur volume; *g* représente un même leucocyte vu de face et de côté.

Fig. 2. *l* à *s*. Leucocytes pris dans le sang d'un individu adulte atteint de leucocythémie.

llm. Leucocytes ayant conservé les caractères qu'ils offrent chez l'adulte à l'état normal.

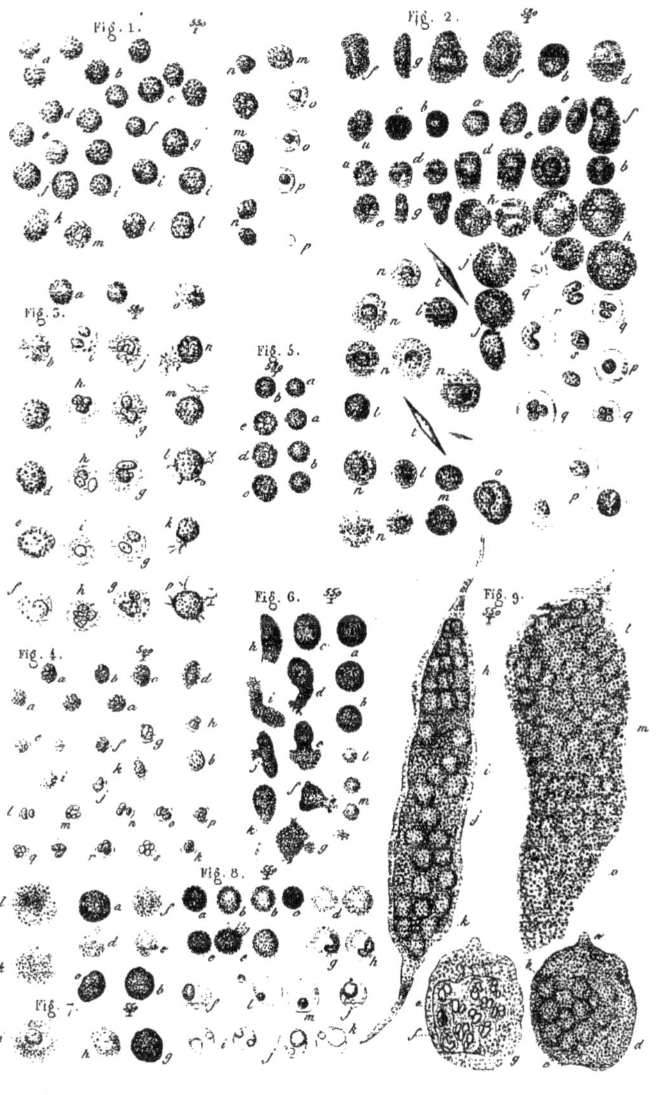

Ch. Robin et P. Lackerbauer ad nat. del. Imp. Salmon Lebrun sc.

Leucocytes du sang.

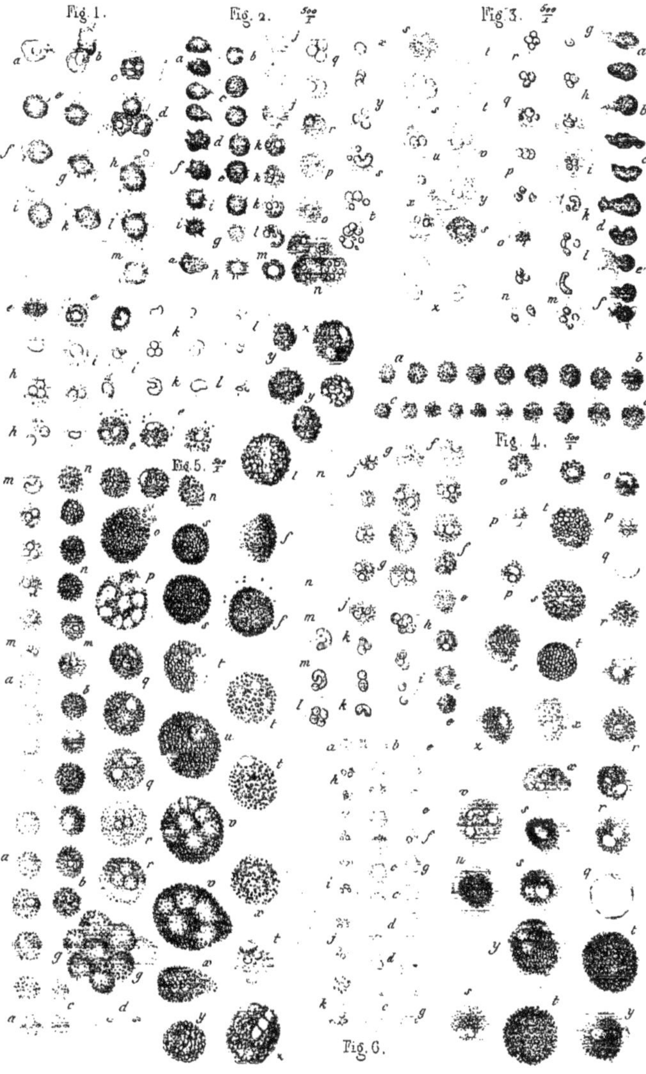

Ch. Robin ad nat. del. Imp. Salmon Oudet sc.

Leucocytes du pus.

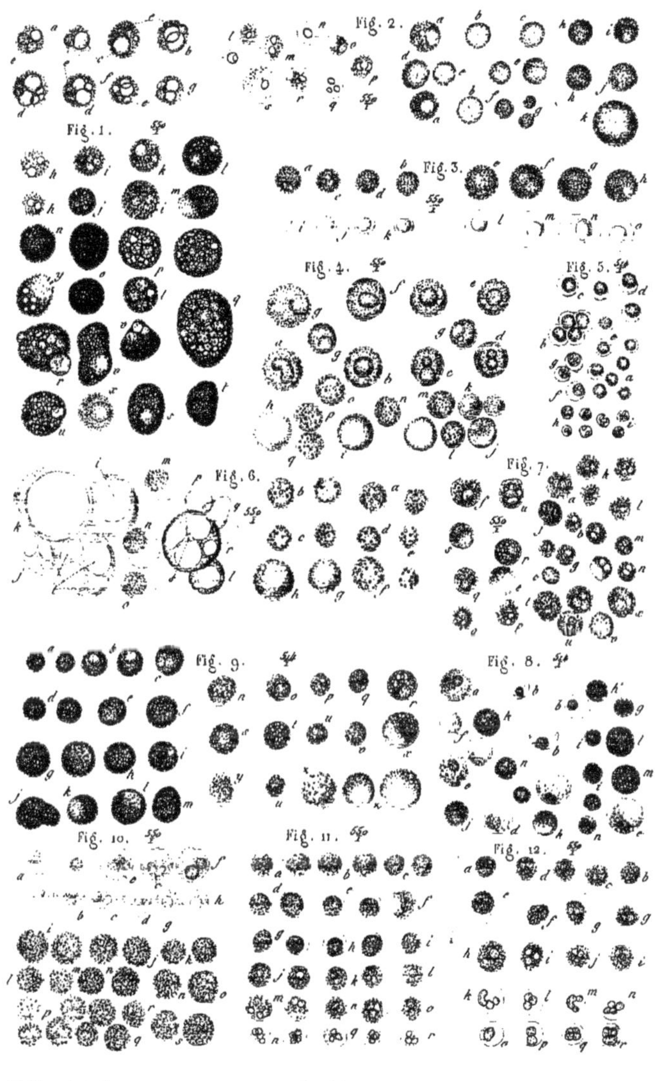

Ch. Robin ad nat. del.   Imp. Salmon   Lebrun sc.

Leucocytes.

no. Leucocytes ayant pris les caractères qu'ils offrent chez l'embryon et le fœtus; ceux offrant deux noyaux étaient fort rares dans ce cas.

p,q,r. État de ces leucocytes après l'action de l'acide acétique. Chez tous le noyau, finement granuleux, sans nucléole, a pris une teinte légèrement vineuse.

p,p. Globules à un seul noyau.

qq. Leucocyte sans noyaux dans lequel l'acide acétique a rassemblé le contenu en deux, trois ou quatre petites masses de même teinte que les noyaux véritables.

r,r. Leucocytes dont le noyau offrait une courbure qui n'est pas rare avant l'action de l'acide, mais que celle-ci exagère ou même peut faire apparaître lorsqu'elle n'existe pas.

s. Noyaux devenus libres par dissolution complète de la masse périphérique par suite d'action prolongée de l'acide.

tt. Cristaux losangiques aplatis, assez nombreux après la mort dans le sang de ce malade.

Fig. 2. *h* à *k*. Leucocytes pris dans des dilatations veineuses, kystiformes d'une tumeur érectile du scrotum. Ils sont devenus plus gros et plus granuleux. Il s'est formé de là trois noyaux dans leur intérieur. Les granulations qui entourent les noyaux sont toutes rougeâtres, tantôt nombreuses, accumulées, tantôt éparses.

hh. Leucocytes devenus granuleux offrant un ou deux noyaux.

kk. Leucocytes granuleux et volumineux contenant trois noyaux.

jj. Leucocytes à un seul noyau, à granulations plus épaisses d'un côté que de l'autre et un peu aplatis.

Fig. 3. Leucocytes du veau et du cheval.

a. Leucocytes pris dans le sang d'un veau d'un mois.

bcd. Leucocytes pris dans les lymphatiques de la région du cou chez le cheval. Le sang en contenait de pareils.

ef. Globules pris dans les mêmes vaisseaux plusieurs heures après le refroidissement du corps de l'animal.

gg. Leucocytes des mêmes vaisseaux traités par l'eau.

hhij. Leucocytes traités par l'acide acétique; les amas du centre prennent aussi une teinte vineuse.

k,l,m,nop. Diverses formes et phases des expansions sarcodiques offertes par les leucocytes retirés nouvellement des vaisseaux lymphatiques, même plusieurs heures après la mort.

o. Forme irrégulière qu'ils conservent souvent lorsque les expansions sarcodiques cessent de se montrer.

Fig. 4. Elle montre les diverses phases de l'action de l'acide acétique, rendant d'abord les leucocytes plus foncés, plus granuleux (*a*), les déformant quelquefois un peu (*b*); faisant réunir les granulations en un seul amas granuleux, foncé, placé au centre de l'élément dont la périphérie devient transparente *cdef*, tandis que peu à peu l'amas central prend une teinte vineuse (*k*) et se partage en petits corpuscules au nombre de deux à quatre (*l*), disposés en demi-cercle (*m*) ou en cercle (*cl*), ou séparés (*k*), ou groupés plus ou moins régulièrement (*rs*).

Fig. 5. Leucocytes du pigeon.

aa. Aspect le plus ordinaire; ils sont semblables à peu près à ceux de l'homme (fig. 1).

b. Autres leucocytes mêlés aux précédents offrant à leur surface des granulations allongées, brillantes; cet état est très-commun.

cd. Modifications apportées par l'action de l'eau; celle de l'acide acétique est la même que chez l'homme.

Fig. 6. Leucocytes du *Caïman* ou *Alligator à museau de Brochet* (*Alligator lucius*, Merrem.).

ab. Leucocytes tels qu'ils se présentent pendant quelques secondes dans le sang tout à fait frais.

c. Commencement de déformation.

defg. Diverses formes d'expansions sarcodiques déformant ces éléments.

hijk. Autres modes de déformations et d'expansions sarcodiques.

lm. Leucocytes de la variété, noyau libre. L'eau et les réactifs agissent sur eux comme sur ceux des serpents (fig. 7).

Fig. 7. Leucocytes de la *Couleuvre à collier* (*Coluber natrix* L.).

abc. Leucocytes de la variété granuleuse foncée.

def. Leucocytes de la variété pâle dont un renferme un noyau (*f*), comme on le voit quelquefois.

g. Leucocytes granuleux foncés de la Couleuvre.

h. Leucocytes clairs peu granuleux du même animal.

ikl. Leucocytes foncés traités par l'eau qui fait apparaître un noyau foncé avec des granulations en quantité plus ou moins grande dans la masse.

Fig. 8. Leucocytes de la Carpe (*Cyprinus carpio* L.). L'eau agit sur eux comme chez les reptiles.

abc. Leucocytes de la variété foncée granuleuse.

dd. Idem, de la variété claire, peu foncée.

ee. Idem, avec expansions sarcodiques.

f. Idem, traités par l'acide acétique avec production d'un seul noyau.

g. Idem, avec production de deux noyaux ou d'une masse à demi-cercle.

h. Leucocytes très-pâles, offrant un petit noyau finement granuleux, qu'on trouve en petite quantité au milieu des cellules rouges et des leucocytes chez les poissons.

i,k. Cellules de même variété présentant chacune de une à deux gouttes d'huile; rougeâtres, sphériques, ordinairement placées près de la circonférence qu'elles touchent.

Fig. 9. Cellules épithéliales prises dans des tumeurs de la joue, du rectum et du col de l'utérus, offrant chacune une cavité pleine ou à peu près pleine de leucocytes qui sont nés dans la cavité ou excavation qui se produit dans le corps de quelques cellules de beaucoup de ces tumeurs. (V. *Journal de la physiologie*, 1859, p. 54.)

a à *g.* Cellule prise dans une tumeur du col de l'utérus.

abcd. La cellule sans addition de réactifs; on voit douze leucocytes dans sa cavité qui n'est pas entièrement remplie par eux.

efg. Leucocytes dans la cavité de la même cellule, modifiés par l'acide acétique qui a fait apparaître dans chacune d'eux un à trois noyaux, à contour foncé et un peu irréguliers. Il laisse dans le corps de la cellule quelques granulations moléculaires autour des noyaux.

De *h* à *k.* Cellule allongée prise dans une tumeur du rectum et dont la cavité est presque pleine de leucocytes. On voit en *j* et dans le voisinage la cavité accidentelle imparfaitement remplie par les leucocytes, mais contenant un liquide parsemé d'un grand nombre de fines granulations moléculaires.

De *l* à *o.* Cellule épithéliale prise dans une tumeur de la mâchoire et dont la cavité est presque pleine de leucocytes. Elle offre un noyau volumineux (*n*) à peine apercevable près de l'extrémité de la cellule. Ces leucocytes sont un peu plus petits que ceux des cellules précédentes, mais ils sont plus granuleux, ce qui est fréquent dans les cas de ce genre. La cavité qui les renferme est mal limitée, n'offre pas un bord distinct indiquant aussi nettement que dans les cellules voisines la face interne de la cavité.

Dans ces tumeurs on voyait un grand nombre de leucocytes, larges de 8 à 12 millimètres, analogues à ceux contenus dans les cellules, qui étaient interposés aux cellules épithéliales.

Planche II. Leucocytes du pus. Fig. 1. Leucocytes pris dans du pus s'échappant de l'extrémité du méat urinaire dans un cas de blennorrhagie très-intense.

abcd. Leucocytes déformés spontanément et offrant des expansions sarcodiques de forme et dimensions diverses. Dans tous se sont produites un, deux ou trois petites vacuoles transparentes, pleines d'un liquide clair légèrement rosé.

De *e* à *m.* Autres leucocytes, un peu déformés, offrant des expansions sarcodiques sur un ou deux points de leur surface ou sur toute leur périphérie (*gkl*).

Fig. 2. Leucocytes pris dans le pus frais d'une conjonctive dans un cas de conjonctivite simple.

a,a. Leucocytes devenus ovoïdes allongés par déformation spontanée.

bc. Leucocytes restés sphériques, mais ayant laissé échapper sur un (*a*) ou plusieurs points (*b*) de leur périphérie une expansion sarcodique extrêmement pâle et cylindrique.

def. Leucocytes déformés ou non, présentant de courtes expansions sarcodiques sur plusieurs points de leur périphérie.

ghi. Leucocytes sphériques hérissés sur toute leur surface de courtes expansions sarcodiques.

klmn. Leucocytes de la même préparation, mais faite depuis plusieurs heures; ils sont devenus sphériques ou légèrement polyédriques par pression réciproque (*n*). Ils renferment tous une, deux ou plus grand nombre de granulations graisseuses que leur fort pouvoir réfringent et leur coloration jaune distinguent facilement des noyaux produits dans les leucocytes par l'action de l'eau ou par celle de l'acide acétique.

jj. Leucocyte de la même préparation gonflés par l'eau qui n'a pas fait apparaître de noyau.

o. Leucocyte dans lequel l'eau a fait apparaître un noyau central, et une expansion sarcodique pâle, vésiculeuse, recouvrant une des moitiés de l'élément.

p. Leucocyte pourvu d'expansions sarcodiques, comme *b, c,* traités par l'eau, qui les a rendues très-pâles, mais régulières et renflées en massue.

qr. Leucocytes de la même préparation dans lesquels l'eau a fait apparaître un, deux ou trois noyaux sphériques réguliers, très-finement granuleux.

st. Leucocytes traités par l'acide acétique montrant sur les côtés des noyaux que cet agent y a fait apparaître les mêmes granulations graisseuses dont il a été question plus haut (voy. *klmn*), non attaquées par l'acide. Ces leucocytes montrent deux ou trois noyaux (*t*) plus petits mais à contours plus foncés qu'après l'action de l'eau, ou un seul recourbé en fer à cheval (*s*).

xy. Leucocytes de la même préparation traités par l'acide acétique après avoir été traités par l'eau. Ils deviennent alors plus pâles que dans le cas précédent et à noyaux plus petits.

Fig. 3. Leucocytes pris dans du pus frais s'écoulant du nez après un arrachement de polype.

acd. Leucocytes allongés et déformés spontanément sans expansions sarcodiques.

bef. Leucocytes présentant des expansions sarcodiques sur un ou plusieurs points de leur périphérie.

ghiklmnopqr. Formes et dispositions diverses des noyaux ou amas granuleux que fait apparaître l'acide acétique dans ces leucocytes.

sss. Leucocytes de la salive sans noyaux ou n'en présentant qu'un seul petit latéral, au lieu de deux qu'on y voit habituellement.

tuvy. Les mêmes, après l'action de l'eau qui les gonfle, les pâlit, fait apparaître un ou deux noyaux et détermine un mouvement brownien très-vif de tous les granulations.

x. Leucocytes ayant éclaté sous l'influence de l'eau qui les gonfle par endosmose et laissant échapper leur contenu granuleux.

z. Leucocytes traités par l'acide acétique, qui les a rendus beaucoup plus pâles et a dissout leurs granulations moléculaires.

Fig. 4. Leucocytes pris dans diverses sortes de pus.

De *a* à *n*. Leucocytes pris dans du pus d'un vésicatoire du bras.

abcd. Leucocytes pris dans la sérosité de ce vésicatoire au moment de son issue lors de la rupture de la vésicule épidermique. Ils sont tous finement granuleux sans noyau.

ee ff gg. Leucocytes pris à la surface de la plaie exposée à l'air depuis une heure environ. Il s'est produit un ou deux noyaux dans plusieurs d'entre eux, même des plus petits.

jj. Leucocytes de la préparation dessinée en *ab*, mais traités par l'eau qui a fait apparaître de là trois petits noyaux.

hiklm. Leucocytes pris à la surface du vésicatoire deux heures environ après l'ablation de l'épiderme soulevé, mais traités par l'acide acétique, qui y a fait apparaître de un à quatre noyaux ou amas en forme de noyaux arrondis ou en fer à cheval (*k*,*m*) isolés (*i*) ou entassés (*h*, *l*).

nn. Leucocytes de la même préparation que l'acide n'a fait que rendre transparents sans y produire d'amas en forme de noyau.

De *o* à *z*. Leucocytes pris dans l'épaisseur du parenchyme pulmonaire chez un sujet mort de pneumonie suppurée.

op. Leucocytes pâles, finement granuleux, dans lesquels se sont produits un ou deux noyaux.

qq,*r*. Leucocytes très-pâles, sans granulations, à bords nets, tels qu'on en trouve en petite quantité dans le pus du poumon et de quelques autres organes.

rr. Leucocytes un peu plus gros que les autres, plus granuleux, ainsi qu'ils le sont pour la plupart et dans lesquels se sont produits un ou deux noyaux.

xx. Leucocytes offrant l'aspect général habituel, mais plus gros et un peu plus irréguliers, pourvus de un ou deux noyaux ovoïdes.

ss. Leucocytes, un peu plus gros qu'à l'ordinaire et parfois un peu plus granuleux, montrant un ou deux noyaux ovoïdes ou arrondis.

yyz. Leucocytes, beaucoup plus gros qu'à l'ordinaire, devenus granuleux à leur partie centrale seulement, mais dans lesquels se sont encore produits un ou deux noyaux qui restent visibles.

tt. Leucocytes, entièrement granuleux et hypertrophiés, dans lesquels on ne voit pas de noyau.

u. Leucocyte hypertrophié sans noyau; granuleux au centre seulement.

v. Leucocyte hypertrophié sans granulations graisseuses, mais présentant deux noyaux sphériques et un troisième recourbé en fer à cheval.

Fig. 5. Leucocytes pris dans le pus d'une pleurésie suppurée, après la mort.

aaa. Leucocytes pâles finement granuleux, tels que sont ceux qui prédominent dans le pus des séreuses. Dans quelques-uns il s'est produit un noyau.

bb. Autres leucocytes, mêlés aux premiers, un peu plus granuleux, tels qu'ils sont souvent.

gg. Leucocytes semblables aux précédents, devenus un peu polyédriques par pression réciproque.

c. Leucocytes mêlés aux précédents, mais beaucoup plus petits et plus pâles, moins granuleux.

d. Les mêmes, traités par l'acide acétique.

m,*m*,*m*. Leucocytes de même volume que la plupart des précédents, peu granuleux dans lesquels se sont produits de un à trois noyaux sphériques ou contournés en fer à cheval. Ils sont peu nombreux dans le pus des séreuses et beaucoup plus dans celui des abcès.

n,n. Leucocytes de volume ordinaire peu ou pas hypertrophiés mais déjà devenus notablement granuleux, mêlés en petit nombre aux précédents et montrant ou ne montrant pas de noyaux.

q,q,r,r,t,t. Leucocytes peu ou pas granuleux, mais très-hypertrophiés et montrant de un à trois noyaux.

s,s. Leucocytes hypertrophiés devenus entièrement granuleux et opaques.

u. Leucocyte hypertrophié, plus volumineux, encore très-granuleux, contenant une goutte d'huile au milieu des granulations.

p. Leucocyte hypertrophié, peu granuleux, dans lequel se sont produits des noyaux nombreux.

vv. Autres leucocytes, hypertrophiés, granuleux, montrant plusieurs noyaux volumineux, en partie recouverts par les granulations qui masquent leur contour et les font ainsi paraître sous le microscope plus larges qu'ils ne sont réellement.

o. Leucocyte hypertrophié granuleux, pourvu d'une expansion latérale transparente sans granulations.

x. Autre leucocyte hypertrophié et de forme irrégulière.

yz. Leucocytes hypertrophiés renfermant ou non des noyaux pourvu de granulations rapprochées ou éparses, mais volumineuses.

eee. Leucocytes de la préparation précédente traitée par l'eau. Ce liquide a gonflé leur paroi sous forme de vésicule transparente et l'a écartée de la masse de la cellule qui reste adhérente à un point de l'élément. Quelques granulations douées du mouvement brownien flottent dans la vésicule gonflée.

ff. Leucocytes hypertrophiés et granuleux sur lesquels l'eau a produit le même effet que sur les précédents.

hik. Leucocytes traités par l'acide acétique qui y a fait apparaître de un à trois noyaux.

ll. Leucocytes traités par l'acide acétique après avoir été traités par l'eau.

Fig. 6. Leucocytes en voie d'évolution pris à la surface d'une plaie récente du derme; représentés à un grossissement de 550 diamètres.

a. Leucocytes tels qu'ils sont au moment où ils viennent d'apparaître.

b,c,c,c. Leucocytes un peu plus avancés dans leur développement, mais encore très-pâles, peu granuleux.

ddefg. Les mêmes leucocytes traités par l'eau qui les a un peu gonflés et qui a fait apparaître un ou deux noyaux dans leur épaisseur.

hijk. Leucocytes d'une autre préparation faite en même temps que la première et traités par l'acide acétique; il fait apparaître à cette première période de leur développement de un à quatre noyaux dans leur épaisseur comme dans les leucocytes complétement développés.

Planche III. Leucocytes de diverses régions du corps. Fig. 1. Leucocytes pris dans le *colostrum* d'une femme âgée de vingt ans morte en couches.

De *a* à *g*. Leucocytes contenant un ou deux globules de lait (*bcp*) à côté des noyaux (*e,e*), propres à la plupart des leucocytes pris sur le cadavre.

hh. Leucocytes granuleux comme à l'ordinaire et montrant deux noyaux.

ik. Leucocytes déjà un peu hypertrophiés à peine un peu plus granuleux qu'à l'ordinaire.

j. Leucocyte de volume ordinaire, mais devenu opaque par suite de dépôt granuleux dans son intérieur.

llmnop. Leucocytes à divers degrés d'hypertrophie devenus opaques en partie (*m*) ou en totalité par suite du dépôt de granulations graisseuses dans leur épaisseur. Quelques-uns (*lp*) laissent voir des globules de lait au milieu des granulations.

q. Leucocyte très-hypertrophié devenu ovoïde, très-granuleux, avec plusieurs globules de lait dans son épaisseur.

r. Leucocyte granuleux montrant un globule de lait à moitié inclus dans la masse du leucocyte et à moitié libre.

s,t,u,vv. Leucocytes granuleux hypertrophiés et diversement déformés.

x. Leucocyte un peu hypertrophié, non granuleux, montrant un globule de lait dans son épaisseur.

Fig. 2. Leucocytes pris dans le léger dépôt floconneux de la sérosité limpide obtenue par ponction d'une ascite.

aa. Leucocytes de volume ordinaire dans lesquels s'est produit un noyau sphérique, pâle, sans granulations.

bcde. Leucocytes sans noyaux plus granuleux à la périphérie qu'au centre.

fg. Leucocytes très-petits, moyennement granuleux, se comportant comme les autres au contact de l'acide acétique (*l*).

hh. Leucocytes un peu plus granuleux sans noyau.

ij. Leucocytes semblables dans lesquels s'est produit un noyau.

k. Leucocyte hypertrophié non granuleux.

l,m,n,o,p,q,r,s. Modifications apportées par l'acide acétique à la structure de ces leucocytes; dans tous, le noyau produit par l'action de l'acide offre une teinte d'un jaune orangé pâle.

Fig. 3. Leucocytes pris dans l'épaisseur du tissu d'une tumeur de la cornée.

abcdefgh. Leucocytes finement granuleux de différentes dimensions avec ou sans noyau.

ijklmno. Leucocytes pâles, transparents, sans granulations, dans chacun desquels s'était produit un noyau également homogène sans granulations. Ils étaient beaucoup moins nombreux que les précédents.

Fig. 4. De *a* à *g*. Leucocytes pris dans le mucus purulent d'une urine, d'odeur ammoniacale. Tous sont volumineux, gonflés, et offrent un ou deux noyaux volumineux, sphériques, ovoïdes, ou recourbés en fer à cheval (*a*).

h,i.j,k,l,m,n,o,p,q. Leucocytes pris dans le pus d'une synoviale dans un cas de rhumatisme suppuré.

h,i,j,k. Leucocytes à peine granuleux, tels que sont la plupart d'entre eux.

mnopq. Leucocytes un peu plus petits que les précédents et un peu plus granuleux, tels qu'on en trouve de mêlés à eux et tels qu'ils sont tous quelquefois.

Fig. 5. Leucocytes très-petits, tels qu'on les trouve fréquemment dans l'urine normale.

a. Leucocytes finement granuleux tels que sont la plupart.

b. Leucocytes entourés d'une expansion vésiculaire pâle, transparente, très-délicate, offrant quelquefois un reflet légèrement rosé sous le microscope, et devenus légèrement polyédriques par pression réciproque.

cde. Autres leucocytes, isolés, entourés complétement ou sur une partie seulement de leur étendue par une expansion vésiculaire pâle transparente.

fg. Les mêmes, traités par l'acide acétique qui a fait apparaître dans leur épaisseur trois petits noyaux, sans détruire l'expansion vésiculaire.

h,i. Leucocytes sans expansion vésiculaire, dans lesquels l'acide acétique a fait apparaître deux à trois petits noyaux un peu irréguliers.

Fig. 6. *abcdefgh*. Leucocytes pâles, peu granuleux, renfermant quelques rares granulations graisseuses, éparses, pris dans un abcès froid ossifluent.

mno. Leucocytes pris dans le pus d'un hypopyon, tous pourvus d'une expansion vésiculiforme pâle transparente et tous finement granuleux sans noyau.

ijkt. Quatre leucocytes pris dans le liquide séreux retiré par ponction d'un kyste de l'ovaire qui contenait en même temps un certain nombre d'autres leucocytes semblables à ceux de la figure 2. Ces leucocytes sont devenus très-volumineux par suite de la production dans leur centre de une à cinq grandes excavations vésiculiformes claires, pleines d'un liquide limpide sans granulations. L'action de l'acide acétique a montré que c'étaient des leucocytes et non des cellules épithéliales.

l,s. Deux leucocytes semblables aux précédents, pris dans le corps vitré d'un enfant. Ils sont pourvus de une (*l*) à quatre (*s*) excavations vésiculiformes pleines d'un liquide limpide. L'un d'eux (*s*) offrait en un point de sa circonférence trois expansions sarcodiques claires (*pqr*), arrondies et pyriformes, telles qu'en présentent souvent les leucocytes habituels de l'humeur vitrée (fig. 10 *gh*).

Fig. 7. Leucocytes un peu irréguliers et assez granuleux, tels qu'ils sont habituellement dans le tissu du poumon enflammé et dont ils proviennent.

ab. Leucocytes moyennement granuleux, à deux noyaux.

c. Leucocyte de petit volume sans noyau.

e. Leucocyte sans noyau granuleux dans une partie de son étendue seulement.

v. Leucocyte sans noyau granuleux à sa périphérie seulement. Les autres leucocytes renferment de un à quatre noyaux et sont tous plus ou moins granuleux surtout autour des noyaux.

Fig. 8. Leucocytes pris dans un ramollissement des lobes optiques dont le tissu était d'un jaune rosé et comme infiltré de sérosité citrine.

abcde. Leucocytes, les uns moyennement granuleux, les autres presque sans granulations (*b*) sphériques, tous pourvus d'un seul noyau, tels qu'on les voyait en assez grand nombre dans le tissu ramolli et surtout dans la sérosité qu'on en exprimait.

f. Leucocytes sans noyaux, à peine granuleux.

ghijkn. Leucocytes très-petits, foncés, granuleux, avec ou sans noyaux assez abondants.

l,m. Leucocytes très-granuleux, opaques, sans noyau visible, tels qu'ils sont le plus souvent dans le ramollissement du cerveau et de la moelle.

Fig. 9. Leucocytes pris dans un ramollissement blanc des circonvolutions cérébrales chez un homme de vingt ans.

a. Leucocytes petits, sans noyau, déjà très-granuleux, opaques, par suite de l'accumulation des granulations graisseuses.

bc. Leucocytes un peu plus gros, assez granuleux, mais montrant un ou deux noyaux.

d,e,fghi. Leucocytes de volume ordinaire ou hypertrophiés, tous très-granuleux, opaques, comme ils sont ordinairement.

j. Leucocyte déformé, très-granuleux et très-opaque.

kt. Leucocytes granuleux dans une partie seulement de leur étendue.

m. Leucocyte ovoïde très-granuleux.

De *n* à *z*. Leucocytes pris dans un ramollissement de la moelle où ils étaient accompagnés d'un assez grand nombre d'autres, granuleux et opaques comme les précédents. La plupart sont peu granuleux; quelques-uns offrent un noyau (*o,r*), d'autres sont ovoïdes plutôt que sphériques (*y,u*). Il en est d'à peine granuleux (*z*).

Fig. 10. De *a* à *h*. Leucocytes pris dans l'humeur vitrée de l'œil d'un nouveau-né.

ab. Leucocytes pâles, peu granuleux, à un ou deux noyaux sphériques.

cd. Leucocytes à un ou deux noyaux recourbés en fer à cheval.

ef. Leucocytes à deux ou trois noyaux sphériques.

gh. Leucocytes présentant une ou deux expansions sarcodiques pâles transparentes.

De *i* à *s*. Leucocytes pris dans un abcès phlegmoneux de la peau après son ouverture.

ijklm. Leucocytes finement granuleux dans lesquels ne sont pas encore produits des noyaux, ni des expansions sarcodiques.

nn. Leucocytes autour desquels se produisent de pâles expansions sarcodiques.

o. Leucocyte un peu déformé spontanément.

p,q,r,s. Leucocytes de la même préparation dessinés quelques heures plus tard et dans lesquels sont apparus de un à trois noyaux sphériques encore pâles.

Fig. 11. Leucocytes du pus produits par la plaie d'un séton chez le cheval.

abc. Leucocytes réguliers, uniformément granuleux et sans noyaux.

defghi. Leucocytes dont la paroi propre s'est séparée sous forme d'expansion vésiculiforme transparente entourant le reste de l'élément.

jkl. Leucocytes peu nombreux pourvus de un à trois noyaux et mêlés aux précédents.

mno. Leucocytes de cette préparation traités par l'eau qui les gonfle, fait apparaître de un à trois noyaux et détermine l'apparition du mouvement brownien sur les granulations qu'ils renferment.

pqr. Leucocytes de la même origine traités par l'acide acétique qui les rend très-pâles et y fait apparaître de trois à cinq noyaux.

Fig. 12. Leucocytes d'une plaie chez le chien.

abcd. Leucocytes finement granuleux, réguliers, dans quelques-uns desquels (*cd*) se sont produits deux ou trois noyaux.

efg. Leucocytes généralement très-nombreux dans le pus des chiens, remarquables en ce que la paroi propre est gonflée et détachée du contenu sous forme d'expansion vésiculiforme transparente. Le contenu, mal limité, avec ou sans noyaux est appliqué sur un des côtés de la paroi distendue.

hij. Leucocytes de la même préparation traités par l'eau qui les a gonflés et a déterminé un vif mouvement brownien des granulations.

klmnopqr. Leucocytes de même origine que les précédents, traités par l'acide acétique, qui les a rendus très-pâles, transparents, et y a fait apparaître de un à quatre noyaux, parfois plus gros que ceux qui se forment seuls.

LEUCOCYTHÉMIE ou **LEUCÉMIE**. *Définitions, synonymie, divisions.* Sous le nom de Leucocythémie, nous désignons un état morbide caractérisé par une *altération du sang*, consistant dans le développement anormal des leucocytes, ou corpuscules blancs du sang, dont l'effet est de changer considérablement la proportion relative de ces éléments et des globules rouges ou hématies, au point de faire que le nombre des premiers peut l'emporter sur celui des seconds. Cette altération du sang coïncide ordinairement avec une hypertrophie notable de la rate, du foie, ou des glandes lymphatiques, et constitue alors une cachexie spéciale et progressive dont la terminaison paraît presque constamment fatale, ou avec un certain nombre de maladies générales d'un caractère plus ou moins grave.

Le nom de leucocythémie (de λευκός, blanc; κύτος, cavité, cellule, et αἷμα, sang) proposé par Bennett, a été adopté, en général, en France, de préférence à celui de *leucémie*, ou *leukœmie* (de λευκός, blanc, et αἷμα, sang), qui a été donné par Virchow au même état morbide. Ce dernier nom prête en effet à l'équivoque : on pourrait confondre la leukémie avec les observations de *sang blanc laiteux* ou *chyleux* qui ont été depuis longtemps rapportées par bien des auteurs et qui se rapportent à un état physiologique du sang[1] chargé temporairement d'un excès de matières grasses. La leucocythémie au contraire doit toujours être considérée comme un état pathologique[2]. Malgré la présence des leucocytes, le sang, tant qu'il est fluide, conserve sa couleur rouge plus ou moins altérée, mais la couleur blanche ne s'observe que sur des caillots ou sur des concrétions sanguines, qui manquent d'ailleurs dans bon nombre d'observations et ne peuvent par conséquent servir à caractériser la maladie.

Virchow repousse au contraire cette dénomination avec une certaine vivacité, qu'explique d'ailleurs l'ardeur assez légitime, selon nous, qu'il apporte dans sa revendication de priorité contre Bennett (*voy.* plus bas l'HISTORIQUE); et maintient le nom de leukémie par des raisons que nous reproduirons rapidement. Selon lui, l'expression de leucocythémie représenterait mal l'état morbide qui nous occupe, car le sang contient toujours à l'état normal un certain nombre de corpuscules incolores, dont le nombre augmente dans les états physiologiques, tels que la digestion, ou la grossesse, et dans la plupart des maladies inflammatoires et typhiques. De telles variations ne peuvent être désignées par le mot de leucocythémie, il faudrait au moins dire *Polyleucocythémie*, et l'on pourrait rapprocher cet état du sang de l'hypérinose, qui n'est pas non plus par elle-même une maladie ; toutes deux peuvent coïncider avec la conservation de la santé et ne sont que des états

[1] Haller (*Elementa physiolog.*, t. II, p. 15 et p. 65) avait bien étudié ces faits déjà signalés par Lower, Thomas Schwenke, J. Bohn, J. G. de Berger, Walœus et Olaus Borrichius, et reconnu dans ses vivisections que le sérum du sang devenait *laiteux* ou *chyleux*, c'est-à-dire trouble, opaque, blanchâtre, pendant le travail de la digestion et qu'il se couvre alors d'une couche blanche tout à fait analogue à la crème. Buchanan (*London med. gaz.*, t. XXXV, p. 11, et *Gaz. méd.*, 1845, p. 442) a démontré le même fait par deux expériences directes sur l'homme, et M. J. Béclard l'a constaté plusieurs fois sur des animaux (*Rech. expér. sur les fonctions de la rate*, p. 32, Paris, 1848). Enfin M. Cl. Bernard (*Leçons de physiol. expérimentale*, t. I, p. 157 et suivantes, Paris, 1855) a montré que cette matière chyleuse se produit chez les animaux même nourris exclusivement de matières féculentes et sucrées, quand on les saigne pendant le cours de la digestion. Voyez aussi sur cette question Robin et Verdeil (*Traité des principes immédiats*, Paris, 1853, t. III, p. 12), et P. Bérard (*Cours de physiologie*, Paris, 1851, tome III, p. 119 à 125).

[2] Il est assez difficile cependant de ne pas considérer comme pathologiques les cas bien authentiques où le sang est sorti de la veine blanc comme du lait. Telles sont, sans parler des cas anciens rapportés par Haller (*El. phys.*, t. II, p. 15), l'observation du docteur Fion (*Arch. génér. de médec.*, 2e série, t. VIII, p. 218, et *Journ. de pharmacie*, 1835 ; l'analyse du sang a été faite par M. Lecanu, qui y a trouvé 117 millièmes de matières grasses); l'observation de G. L. Zaccarelli (*Annali universali di medicina*, t. XXIV, p. 144, 1835, et *Arch. génér. de médec.*, 2e série, t. VIII, p. 218), où le sang présenta le même caractère pendant quatre saignées consécutives; celle du docteur J. Mareska (*Soc. de méd. de Gand*, et *Gaz. méd. de Paris*, 1835, p. 510), où l'on trouva 42 millièmes de matières grasses ; l'observation de MM. Ch. Chatin et Sandras (*Gaz. des hôp.*, 1849, n° 72, p. 289), qui ont aussi constaté l'accumulation des matières grasses. Ces malades avaient présenté en général des troubles respiratoires plus ou moins considérables, et se rétablirent assez promptement. Le cas de M. Caventou (*Arch. génér. de méd.*, t. XVIII, p. 603, et *Ann. de chimie et de physique*, t. XXXIX, p. 288) paraîtrait se rapprocher davantage de notre leucocythémie, l'auteur ayant noté la diminution des globules rouges, et expliqué la coloration blanche par la présence d'une matière albuminoïde spéciale. M. Raspail (*Nouv. syst. de chim. org.*, 2e éd., t. III, p. 187) l'a expliquée par la précipitation de l'albumine, et M. Mareska a recueilli sur un filtre de linge des grumeaux qui ont présenté tous les caractères chimiques de l'albumine. Ne s'agissait-il pas plutôt dans ce cas de cette fibrine grumeleuse rencontrée plus tard par Isambert et Robin ? (Voyez ci-après.)

purement *transitoires* du sang, aussi différents d'un véritable état pathologique que l'élévation de température qui suit la digestion l'est de la chaleur fébrile. L'augmentation, même pathologique, des leucocytes ne suffirait pas à caractériser un groupe de maladies. Ce qu'il a appelé leukémie, est entièrement différent de la polyleucocythémie inflammatoire, typhique ou septique, comme le chlorose diffère de l'anémie des sujets cancéreux ou épuisés par des hémorrhagies. La leukémie n'est pas seulement une notion anatomique, c'est réellement aussi une entité pathologique caractérisée, non-seulement par le simple fait de l'augmentation des corpuscules incolores du sang, mais en même temps par le manque des corpuscules rouges, ou bien par le changement dans la formation et la constitution du sang, sous la dépendance de certains organes. « Leukémie doit signifier, dit-il enfin, qu'à la place des parties du sang, qui normalement doivent être colorés, il s'en présente d'incolores, qui, au stade le plus élevé de cette altération, rendent le sang plus ou moins blanc, et non pas que, dans un sang constitué par ses parties normales, il s'est mêlé des parties étrangères blanches, comme dans la dyscrasie graisseuse. Il s'agit d'une décoloration du sang, d'une *leucopathie*, d'un *albinisme* du sang : au lieu de cellules colorées, pigmentées, il arrive des parties incolores, mais bien constitutives dans le torrent de la circulation. » (*Gesammelte Abhandlungen zur wissenschaftlichen Medicin*, Francfort-sur-Mein, 1856, p. 192.)

Nous avons tenu à laisser la parole au père de la leukémie, définissant lui même le mot qu'il avait créé. Nos lecteurs apprécieront, si le nom de leucocythémie n'exprime pas tout ce que l'auteur vient d'indiquer au moins aussi bien que celui de leukémie ; si ce dernier nom, et surtout ceux de leucopathie et d'albinisme du sang, ne prêteraient pas davantage à la confusion que nous avons signalée au début, et contre laquelle Virchow lui-même a soin de nous mettre en garde en séparant bien la maladie qu'il a décrite, des états transitoires, physiologiques, et notamment de la dyscrasie graisseuse (lipæmie). Le nom de leucocythémie nous paraît au contraire mieux exprimer la réalité des choses, puisqu'il nous indique quel est l'élément du sang qui arrive à prédominer sur les globules rouges, à les remplacer, si l'on veut, mais pas autant que l'indique Virchow, puisque, sur le vivant du moins, le sang, quoi qu'il en dise, ne devient jamais *plus ou moins blanc*, et que cette apparence blanche appartient au contraire à la dyscrasie graisseuse.

Au reste, en fait de dénominations nouvelles, il suffit que l'on s'entende sur la valeur de celle que l'on adopte ; que l'on dise leukémie, ou leucocythémie, on ne risque plus, croyons-nous, après ces explications, de tomber dans la confusion que nous avons signalée.

Nous attacherions, pour nous, une plus grande valeur au mot de *leucocytose*, que Virchow a créé plus tard, pour désigner ces états temporaires du sang, soit physiologiques, soit pathologiques, où la proportion des leucocytes se trouve augmentée dans une proportion variable ; outre les circonstances physiologiques indiquées, il s'agit ici des causes pathologiques les plus diverses, et non plus de cette dyscrasie permanente, qui, par une marche progressive et régulière, conduit presque toujours le malade à la mort. A des faits différents, il faut en effet appliquer des noms différents. Virchow a insisté avec raison sur cette distinction (*Pathologie cellulaire*, trad. Picard, Paris 1861, p. 159 et suiv. et p. 156-161), et montrait que la leucocytose se produisait dans tous les cas d'irritation ganglionnaire, auxquels il rattache, à côté de certains états physiologiques, les maladies des ganglions proprement dits, des glandes intestinales, de la rate, certaines formes de pneumonie et des états généraux, tels que la pyohémie, la fièvre typhoïde, la fièvre puerpérale, le choléra.

Cette distinction devait aussi nous occuper dès à présent, au point de vue des divisions que nous devions apporter à cet article. Toutefois, au lieu d'établir tout d'abord des divisions dogmatiques dans un sujet encore si récemment introduit dans la science, nous préférons les ajourner, et les faire ressortir de l'étude même des matériaux que nous présentons à nos lecteurs. Nous agiterons plus loin la question de savoir s'il existe une leucocythémie *aiguë* et une leucocythémie *chronique*, ou mieux une leucocythémie *essentielle* et une leucocythémie *symptomatique*, répondant à la leukémie et à la leucocytose de Virchow. Nous aurons même à discuter, si la leucocythémie doit être considérée comme une entité morbide particulière, ou si elle n'est qu'une cachexie consécutive à des affections de nature très-différente.

Nous ajournerons également les divisions qu'on a voulu établir entre les formes cliniques de cet état pathologique et certaines variétés des lésions anatomiques qu'on y rencontre pour décrire tout d'abord le fait le plus général, à savoir, l'altération caractéristique du sang et les lésions viscérales qui s'y rattachent le plus souvent.

Nous commencerons donc par exposer les notions que nous fournit l'anatomie pathologique, puis la symptomatologie, la marche, la durée, la terminaison de la maladie, puis ses variétés, son étiologie, son diagnostic, son pronostic, son traitement; nous terminerons par la physiologie pathologique et les théories qu'on a données de la leucocythémie, pour arriver à déterminer, s'il se peut, la nature de la maladie, et le rang qu'il convient de lui attribuer. Nous terminerons par l'historique et la bibliographie.

I. **Anatomie pathologique.** 1° ÉTUDE DU SANG LEUCOCYTHÉMIQUE. Les caractères du sang doivent être étudiés dans deux circonstances différentes : d'abord sur le sang extrait du malade encore vivant, ensuite sur le sang trouvé à l'autopsie dans les cavités cardiaques et dans les gros vaisseaux. Les premiers faits n'ont été observés que dans cette dernière circonstance : depuis qu'on sait diagnostiquer la leucocythémie pendant la vie, on devra toujours constater l'état du sang. Il importe toutefois, dans l'intérêt du malade, de ne pratiquer que de très-petites saignées, soit par la phlébotomie, soit par l'application d'une ventouse, car nous verrons que la leucocythémie prédispose essentiellement aux hémorrhagies.

1° *Caractères physiques.* Au début, lorsque les symptômes, sur lesquels nous aurons à revenir, font soupçonner la leucocythémie, lorsque le microscope pourrait déjà accuser la dyscrasie caractéristique du sang, les propriétés physiques du fluide nutritif ne présentent pas encore, pendant un temps assez long, de changement bien manifeste. A mesure que la maladie fait des progrès, que la cachexie se prononce davantage, à mesure surtout que les hémorrhagies multiples se produisent, le sang présente des altérations considérables, déjà fort appréciables sans l'usage du microscope.

La *coloration* du sang est un des premiers caractères qui attirera notre attention. Le sang perd sa coloration normale; le rouge rutilant du sang artériel, la rutilance que l'on observe, même sur le sang tiré de la veine aussitôt qu'il subit l'influence de l'air, se perd de plus en plus pour faire place à des nuances violettes, puis violettes foncées analogues à la couleur de la lie de vin, à celle de la boue splénique ; dans d'autres cas, c'est une coloration chocolat clair, ou une coloration rouge brique ou brune de plus en plus foncée, à mesure que l'on s'approche de la terminaison funeste. En même temps, à ces couleurs sombres, salies, comme on dirait en termes de peinture, s'ajoutent des teintes grisâtres, opalines plus ou moins prononcées, et appréciables, surtout lorsque l'on regarde obliquement la surface du sang, étendu en couche mince, et qui couvre les plaques de verre d'une sorte de voile opaque, un peu irisé. Dans quelques cas (observ. de Robertson; observ. Blache, Isambert et Robin), le sang reprend assez vite à l'air une couleur rutilante, mais alors nuancée d'une teinte violette, due au mélange du rouge et de la nuance opaline. C'est à cette nuance, à ce reflet opalin, en couche mince que nous paraît se borner l'apparence blanchâtre du sang dans la leucocythémie, tant que le sang est fluide, bien que Virchow déclare (*Pathol. cellul.*, trad. Picard, p. 140), que, même pendant la vie, on voit le sang qui s'échappe de la veine présenter des stries blanchâtres. C'est, en tous cas, après la coagulation que ce phénomène devient surtout apparent.

La *densité* du sang sur laquelle nous manquons de renseignements bien circonstanciés, et d'observations suffisamment nombreuses, doit être dès lors manifestement changée ; voici quelques chiffres que nous relevons çà et là dans les auteurs : 1036, 1041.5, 1043.5, 1044.0, 1049.5 (tableau relevé par H. Bennett, *On leucocythemia*). En admettant que le chiffre normal est pour l'homme de 1060 et pour la femme de 1057.5 (selon Becquerel et Rodier), ou seulement de 1052 (Lecanu). On voit que la densité du sang subit dans la leucocythémie une diminution assez considérable. La densité du sérum reste à peu près la même qu'à l'état normal ; en prenant pour terme de comparaison, le chiffre de 1029,9, nous trouvons dans le même document de Bennett sur cinq observations, les chiffres de 1 029,1029, 1027, 1026.5, et 1023. Toutefois ce sujet mériterait encore des recherches nouvelles.

La *viscosité* du sang a été notée par un grand nombre d'observateurs : ce liquide donne aux mains qu'il imprègne, aux viscères que l'on manie, une sensation de substance *poisseuse*. La plupart des auteurs sont d'accord pour attribuer cette propriété nouvelle aux globules blancs eux-mêmes auxquels elle appartient en effet. [(Nasse, Virchow, Robin). (*Voy.* l'article LEUCOCYTE).] On a même édifié sur cette propriété une explication du ralentissement du cours des globules blancs, et de leur agglomération pour former les concrétions blanches que nous allons mentionner tout à l'heure. On peut toutefois penser que la viscosité du sang est souvent due en partie à l'augmentation des globules graisseux qui a été reconnue dans plusieurs cas.

La *coagulation* du sang nous offre enfin des changements extrêmement importants. Dans un certain nombre de cas, le sang tiré de la veine se coagule comme à l'état normal (observ. de Vogel). Il est probable qu'il en est ainsi dans les premiers temps, lorsque l'altération du sang n'a pas atteint son maximum. Plus tard, le sang présente en se coagulant un caillot couvert d'une couenne molle analogue à celle que l'on observe chez les sujets anémiques, et un examen attentif permet quelquefois de reconnaître trois couches : à la superficie, une couche fibrineuse, blanc pâle, et peu consistante; au-dessous de celle-ci, une seconde couche, encore blanchâtre, ou blanc rosée, ou rose, d'un aspect caséeux présentant des amas de grumeaux, inégaux, mammelonnés ou noueux, d'une couleur opaline, grise ou gris rouge, et n'ayant entre eux aucune cohérence ; le microscope nous apprendra que c'est la couche des globules blancs, souvent entremêlée dans les vacuoles de la couche fibrineuse. Enfin, au-dessous, vient le cruor, d'une couleur rouge plus ou moins foncé, et plus ou moins consistant.

Lorsqu'on agite le sang avec des baguettes, ou lorsqu'on le filtre pour en séparer la fibrine, il ne tarde pas à se séparer également en trois couches : la plus inférieure formée par les globules rouges entraînés les premiers par leur pesanteur spécifique, la seconde, formée par les globules blancs, plus ou moins régulièrement stratifiés au-dessus de la couche rouge; enfin à la superficie, le sérum, qui paraît trouble, légèrement opalin, surmonté quelquefois d'une très-légère couche crémeuse, que nous verrons être due à l'accumulation des matières grasses, lesquelles flottent à la surface, pendant que les globules se précipitent au fond du vase. (Virchow, *Path. cellul.*, trad. par Picard, p. 140.—*Gesammelte Abhandlungen*, etc. p., 184.)

La hauteur relative de chaque couche mesurée dans une éprouvette graduée indique approximativement les quantités relatives des globules. Cette méthode de séparation des globules par le repos, après défibrination du sang, indiquée par M. Donné (*Cours de microsc. complém. des études méd.*, p. 84) dès 1844, donne déjà des résultats approximatifs assez satisfaisants et comparables entre eux. Elle a été suivie depuis par le docteur Vogel (*Virchow's Arch.*, t. III, p. 570), par Robertson (cité par Bennett, *Monthly Journ.* 1851), par MM. Vidal et Luys (*Soc. anatom.* 1857, p. 338). Virchow a vu le sang extrait par une ventouse se séparer spontanément en trois couches comme dans les cas où on l'a défibriné, et présenter d'une part le sérum, presque entièrement privé de globules blancs; d'autre part enfin, les globules rouges ayant une grande tendance à former des colonnettes. (*Würzburg's Verhandlungen*, t. VII, obs. IIe de Bamberger, anal. du sang, par Virchow.)

A une période plus avancée, ou dans certains cas plus graves, le sang perd entièrement sa coagulabilité; au lieu de caillots véritables, on n'a plus qu'une sorte de masse diffluente analogue à de la gelée de groseille, (observ. d'Andral), qui à une époque plus rapprochée de la mort devient de plus en plus lie de vin, semblable à la boue splénique, ou à une sanie de mauvaise nature. Nous verrons plus loin que dans ces cas la fibrine a presque entièrement disparu, ou qu'elle a subi une altération particulière.

Sur le cadavre, on trouvera, dans les cavités du cœur, dans les gros vaisseaux, le sang en masses diffluentes, très-analogues par leur couleur, leur consistance, leur viscosité, à ce que nous venons de décrire sur le sang extrait pendant la vie.

Dans un grand nombre de cas, on a constaté, de plus, des concrétions blanches, ou blanchâtres, ou jaunâtres, formant tantôt des caillots de consistance variable, ordinairement ternes, granuleux, friables, tantôt des concrétions molles, diffluentes, parfois même presque liquides, puriformes, puisque dans un cas de Virchow, un assistant put s'écrier au moment de l'ouverture du ventricule droit : « Ah ! c'est un abcès. » Les premières observations, celle de Craigie, celle de Bennett, celle de Virchow, qui ont amené la découverte de la leucocythémie, ont porté exclusivement sur des cas de ce genre, et les premières discussions ont été de savoir si l'on avait eu ou non affaire à du pus. Mais, les observations se multipliant, on a vu que ces concrétions blanches étaient loin de se produire dans tous les cas où l'on observe le développement normal des leucocytes dans le sang; que, dans bon nombre de cas, les concrétions blanchâtres se bornent à des grumeaux blanchâtres, gris rosé, ou violets d'un volume assez variable, depuis celui d'un gros-pois, jusqu'à celui d'un grain de semoule; enfin, bien souvent, il n'y a plus que des corpuscules presque imperceptibles, et les verres grossissants sont nécessaires pour les distinguer.

Ces concrétions blanchâtres se trouvent ordinairement dans les cavités droites du cœur, dans l'aorte, dans les gros troncs veineux. Nous verrons en parlant des lésions viscérales, qu'on les a retrouvées dans des vaisseaux de très-petite dimension.

2° *Examen microscopique du sang.* Cet examen permet de reconnaître la leucocythémie du vivant du malade, bien avant que les caractères physiques si tranchés, que nous venons de décrire, soient encore appréciables. Car le microscope permet de reconnaître les globules blancs, d'en évaluer le nombre, et d'observer le changement de proportion qui s'opère dans leur nombre comparé à celui des globules rouges. Cette recherche peut être répétée fréquemment dans le courant de la maladie, puisqu'il suffit d'une piqûre d'aiguille, pour se procurer la quantité suffisante pour un examen microscopique, sans avoir à craindre d'affaiblir le sujet.

M. le professeur Robin a singulièrement allégé notre tâche, en traçant avec une grande autorité dans l'article qui précède (*voy.* LEUCOCYTES) les caractères distinctifs des leucocytes, leur aspect sous le champ du microscope, la manière dont ils se comportent avec les réactifs, leur nombre à l'état normal, leurs dimensions et leurs variétés principales, à savoir *les globules blancs,* ou cellules, et les *globulins,* ou noyaux libres. Nous n'avons pas à revenir sur un sujet traité aussi complétement, et nous nous bornerons à rappeler les modifications qui constituent un état pathologique à savoir : 1° l'augmentation du chiffre proportionnel des globules blancs, 2° l'altération de ces globules eux-mêmes.

Le chiffre normal des globules blancs (*voy.* à l'article indiqué les variations physiologiques ou individuelles) étant en moyenne à celui des globules rouges comme 1 : 300, nous voyons dans la leucocythémie ce chiffre s'élever à la proportion de 1 : 20, puis 1 : 10, puis en 1 : 5, 1 : 4, 1 : 3, ou même 2 : 3 ; enfin dans les cas les plus graves on trouve les rapports 1 : 1, ou même, mais rarement, une prédominance des éléments blancs sur les éléments rouges. C'est là la condition constitutive de l'état morbide qui nous occupe : sans cette augmentation de proportion, il n'y a plus de leucocythémie. Nous verrons cependant plus loin, que dans un grand nombre de cas, où la leucocythémie apparaît comme un symptôme accessoire de maladies très-diverses (leucocythémie symptomatique, temporaire, leucocytose de Virchow), la proportion des globules blancs ne s'élève pas autant, elle est en moyenne 1 : 100, c'est-à-dire trois à quatre fois plus considérable qu'à l'état normal. Dans quelques auteurs, on trouve ces chiffres exprimés d'une autre manière ; il est dit que le nombre des globules blancs, par exemple, est de 25, de 30 à 100 globules rouges. Il est facile de ramener par le calcul ces chiffres à une évaluation commune.

Les globules présentent de plus une altération consistant surtout dans une augmentation de volume (déjà signalée par Bennett, 1845, par Charcot et Robin, 1853) et quelquefois dans leur configuration. (*Voy.* l'article LEUCOCYTES où ces variations sont décrites par M. Robin.) On a noté aussi leur passage à l'état gras par l'infiltration de granulations, à bords réfringents, ne se dissolvant pas dans l'acide acétique. (*Voy.* Observations de Charcot et Vulpian, *Gaz. hebdom.* 1860, p. 756.)

Les *globulins* ou noyaux libres prennent souvent un développement considérable et constituent une des variétés de la leucocythémie. Ce sont bien ceux que Virchow décrit en parlant de « globules blancs beaucoup plus petits ou les noyaux simples, sont en comparaison volumineux, généralement à contours nets, foncés et un peu granuleux, dont la membrane est si rapprochée du noyau qu'on peut à peine distinguer un espace intermédiaire. » (*Pathol. cell.*, trad. Picard, p. 142.) Il les fait provenir particulièrement des glandes lymphatiques, et les rattache à une forme clinique de la maladie, la leukémie lymphatique, où le sang serait moins riche en cellules développées, mais où l'on trouve des corpuscules partie cellules, partie noyaux, qui ne diffèrent en rien des éléments trouvés dans les glandes lymphatiques. Virchow insiste beaucoup sur cette distinction dès l'année 1847 (Virchow, *Archiv.*, t. I, p. 567 — t. V. p. 58 — *Würzburg's Verhandl.*, t. II, p. 325, et *Gesammelte Abhandlungen*, p. 197.)

L'augmentation des globulins est également notée par MM. Charcot et Robin (*Soc. de biologie*, 1853, p. 48) : « Ils existent en bien plus grande quantité qu'à l'état normal, on en rencontre de 10 à 25 dans le champ du microscope, tandis qu'à l'état normal, on en rencontre tout au plus 1 ou 2. Ils ont d'ailleurs tous les caractères qu'ils présentent dans le sang normal. »

Nous avons nous-même observé, en 1855, avec MM. Blache et Robin (*Bulletin de l'Académie de médecine*, 29 janvier 1856, et *Comptes rendus de la Société de biologie*, 8 décembre 1855) un cas où ce développement des globulins semble porté au maximum. Ici il n'y avait pas « partie cellules, partie noyaux, » comme dit Virchow, il y avait prédominance énorme des globulins, tandis que les globules proprement dits n'étaient réellement pas plus nombreux qu'à l'état normal. « Les globulins étaient, aux globules blancs complets comme 80 : 1. Au lieu d'être comme à l'ordinaire, obligé de chercher les globules blancs et les globulins au milieu des globules rouges, c'étaient réellement les globules rouges et les globules blancs qu'on était obligé de chercher au milieu des globulins. » Dans ce cas, comme dans les autres observations, les globulins semblaient d'ailleurs conserver leurs caractères ordinaires.

Les recherches microscopiques faites sur le sang recueilli sur le cadavre, donnent les mêmes résultats si l'autopsie est faite dans le laps de temps convenable.

C'est dans ces cas que l'on a étudié les *concrétions blanches* dont nous avons déjà décrit les caractères physiques, et qui se forment spontanément dans les derniers temps de la vie. L'examen microscopique montre que ces concrétions sont principalement composées de globules blancs, absolument comme la couche blanchâtre subjacente à la couche fibrineuse de la saignée, ou à la couche blanchâtre intermédiaire au sérum et au cruor dans le sang défibriné. Les auteurs qui ont étudié les caillots blancs de la leucocythémie, apportent à ce sujet un témoignage trop concordant pour qu'on puisse se refuser à y voir le fait général. Il y a cependant des variations assez grandes dans la composition de ces concrétions blanches pour qu'il n'y ait pas quelques réserves à faire. En effet, la consistance de ces caillots est, nous l'avons dit, des plus variables : quelquefois ce sont des caillots figurés, moulés sur les cavités du cœur ou des gros vaisseaux, offrant encore une certaine cohésion : il est difficile d'admettre qu'il puisse en être ainsi sans que les corpuscules blancs et arrondis soient reliés entre eux par l'agent nécessaire de la coagulation, c'est-à-dire par la fibrine. C'est du reste ce que Bennett indique dans sa première observation (1845). Mais ces mêmes caillots sont friables, ils laissent par la pression échapper une bouillie crémeuse ; souvent enfin il n'y a plus de caillots formés, mais seulement des masses diffluentes et presque liquides : c'est dans ces cas qu'on trouvera presque exclusivement des globules blancs; il est évident pour nous que ces variations proviennent de la quantité plus ou moins grande de la fibrine dans ces concrétions blanches, et sans doute aussi d'un élément dont on ne s'est pas encore assez préoccupé, la proportion des substances graisseuses dans le sang leucocythémique. (*Voy. Bull. et mém. de la Soc. médic. des hôpitaux de Paris*, 1867, 2e sér.; tome IV, p. 275 — Observ. de M. Bourdon, et la discussion qui s'en est suivie, p. 278-280.) Nous reviendrons tout à l'heure sur la question de la fibrine et sur une altération particulière qu'elle nous a présentée.

Globules rouges. La plupart des auteurs se sont bornés à dire que les globules rouges étaient dans une proportion moindre que les globules blancs, mais ils n'ont pas recherchés si les premiers présentaient quelque modification particulière. MM. Charcot et Vulpian (*Gaz. hebdomad*, 1860, p. 756) ont trouvé dans une observation les globules rouges, non-seulement diminués de nombre, mais de dimensions manifestement au-dessous des dimensions normales. « La réduction de volume de ces globules était d'autant plus manifeste que les dimensions des globules blancs étaient généralement accrues, et ce fait concorde peu avec l'hypothèse qui voudrait faire provenir les premiers des seconds. C'est encore un sujet de recherche à signaler pour l'avenir. »

3° *Composition chimique du sang*. Nous ne possédons pas un nombre assez grand d'analyses chimiques du sang leucocythémique, et c'est là une lacune regrettable: on se contente, le plus ordinairement, de constater au microscope l'augmentation proportionnelle des globules blancs, et l'on ne se préoccupe pas assez des autres éléments. Nous allons montrer qu'il y aurait à cet égard encore bien des *desiderata* à satisfaire.

Les résultats de neuf analyses complètes, d'après J. Vogel, Parkes, Robertson, Drummond, ont été résumés par Bennett dans le tableau suivant (*Monthly journ. of med. sciences*, 1851, t. XII et t. XIII):

NUMÉRO DE L'OBSERVATION	POIDS spécifique du sang	POIDS spécifique du sérum	FIBRINE	MATÉRIAUX solides du sérum	GLOBULES	TOTAL des solides	EAU
II (Drummond)	1041,5	1026,5	6,0	72,0	67,5	145,5	854,5
III	1056,0	1023,0	2,3	67,0	49,7	119,0	881,0
XXXII	..	..	2,45	93,20	100,75	196,47	801,32
IX	1049,5	1029,0	5,0	95,0	80,0	180,0	820,0
VIII	....	....	7,08	75,22	101,63	185,95	816,07
VIII (analyse ultérieure)	....	....	4,75	77,52	97	180,2	819,8
XXX (Vogel et Strecker)	....	...	4,46	82,35	97,39	184,2	815,8
XXXVI	1045,5	1027,0	3,2	80,7	82,3	66,2	833,8
XXXVII (Robertson)	1041,0	....	4,2	....	....	....	....
XIX	1049,5	1029,0	5,00	95	80	180	820

Dans l'observation III, il s'agissait d'une forme hémorrhagique, et d'après cela le chiffre 2.3 de la fibrine serait plutôt élevé.

Dans l'observation XXXII, on n'a analysé que le sang d'un cadavre : l'analyse est nécessairement imparfaite.

Dans l'observation VIII, l'élévation du chiffre de la fibrine tient sans doute à ce que celle-ci n'a pu être séparée entièrement des leucocytes (*voy.* plus loin *Fibrine*), le chiffre 75.22 des matériaux solides du sérum se décomposait ainsi : matière organique coagulable 63.03 — matière organique incoagulable 3.08 — sels solubles 8.63 — sels insolubles 0.48.

Dans l'observation XXXVII, Roberston croit avoir parfaitement recueilli la fibrine; on voit qu'elle est un peu au-dessus du chiffre normal. Le sang s'est ensuite séparé en trois couches, dont le cruor rouge représentait les 4/7e, la couche blanche 2/7e et le sérum, rougeâtre, presque transparent 1/7e. La couche moyenne, agitée avec l'éther sulfurique, a donné à l'analyse une proportion considérable de matières grasses.

Prenant pour base la composition du sang normal donnée par M. Lecanu, et comparant les chiffres de cet observateur avec les chiffres moyens fournis par le tableau précédent, M. Robertson établit, pour la leucocythémie, les relations suivantes :

POUR 1000 PARTIES DE SANG :	EN SANTÉ	DANS LA LEUCOCYTHÉMIE
Densité du sang	1052	1045
Id. du sérum	1029	1026,4
Total des solides, est à l'eau	:: 1 : 3,762	:: 1 : 4,9
Id. des matériaux solides du sérum, est à l'eau	:: 1 : 9,675	:: 1 : 10,33
Id. des matériaux solides du sérum, est au total des solides	:: 1 : 2,625	:: 1 : 2,11
Globules, sont au total de l'eau	:: 1 : 6,220	— 9,81
Id. sont au total des solides	:: 1 : 1,653	— 2,0
Id. sont aux solides du sérum	:: 1 : 0,630	— 0,940
Fibrine est à l'eau	:: 1 : 263,00	— 189,6
Id. est au total des solides	:: 1 : 70,00	— 38,7
Id. est aux solides du sérum	:: 1 : 26,66	— 18,35
Id. est aux globules	:: 1 : 42,33	— 19,36

Nous avons nous-mêmes trouvé, en 1855 (observ. Blache, Isambert et Robin) les chiffres suivants :

Eau	858,99
Fibrine	1,40
Matériaux solides du sérum	70,41
Globules	69,22

et dans une seconde analyse ;

Eau	823,351
Matériaux solides desséchés (fibrine, albumine, globules et sels)	169,420
Matières grasses	7,229
	1,000,000

Becquerel (*Soc. méd. des hôp.* 1856, p. 52), donne le tableau suivant :

Densité du sang défibriné	1018,50
Globules	70,5
Fibrine	2,9

et sur 1,000 parties de sérum :

Albumine	40,50
Matières extractives, matières grasses et sels	12,50
Densité du sérum	1018,50

Dans une autre observation (*ibidem*, p. 195), il donne le tableau suivant :

Eau	839,39
Total des parties solides	160,68
Globules rouges et blancs	70,84
Fibrine	4,05
Parties solides du sérum	85,70
	1000,00

pour 100 grammes de sérum :

Quantité d'eau	909,76
Somme des parties solides	92,24
Albumine	75,85
Mat. extractives, salines et grasses	16,39
	1000,00

La méthode de M. Donné (séparation par le repos du sang défibriné), avait donné :

Hauteur du sérum	6/12
— des globules blancs	1/12
— des globules rouges	5/12

Enfin, M. Regnault a trouvé dans une observation de M. Vidal (*Soc. anatom.*, 1852, p. 340) les chiffres suivants :

Eau et principes volatils	832,35
Globules	90,38
Albumine et principes fixes du sérum	74,59
Fibrine	2,66
	1000,00

La méthode de séparation de M. Donné donnait dans ce cas à la couche des globules blancs, une hauteur deux fois moindre que celle des globules rouges.

Le résultat général des analyses du sang leucocythémique donne en résumé le résultat suivant :

Diminution considérable des globules, qui peut aller jusqu'à près de moitié.

Diminution de l'albumine (partie principale des matériaux solides du sérum) pouvant être de près de moitié.

Augmentation de l'eau, constante.

Augmentation ou diminution de la fibrine.

Diminution du fer, constatée par Strecker et Drummond (observ. XXX et obs. II du tableau précédent).

Augmentation des matières grasses. (Robertson, Isambert et Robin.)

C'est donc une sorte de cachexie séreuse, avec changement de proportion considérable de certains éléments.

Nous demanderons la permission d'insister encore sur quelques-uns des points principaux de cette question.

Fibrine. On a vu par les chiffres précédemment cités que les auteurs sont loin d'être d'accord sur la proportion de la fibrine. Virchow déclare que, dans les premiers cas de leucémie qu'il lui fut donné d'observer, un fait le frappa : « C'est que la quantité de fibrine contenue dans le sang n'avait pas sensiblement varié. » Depuis, on a vu la fibrine être augmentée, ou diminuée, enfin rester en proportion normale (*Pathol. cell.* p. 139). Bennett (tableau ci-dessus) trouve l'augmentation de la fibrine dans 7 analyses sur 9. Les deux cas de diminution étaient : 1° un cas de purpura (leucocythémie hémorrhagique) ; 2° un cas où le sang avait été recueilli après la mort. La note ajoutée à l'observation VIII du tableau prouve que le chiffre élevé de la fibrine lui inspire des doutes : elle a pu être confondue avec une certaine quantité de globules blancs. Il conclut du reste qu'il n'y a aucune relation entre l'excès de la fibrine et la diminution des globules, car, dans l'observation III, où la fibrine est au minimum 2.3, les globules tombent à 49.7, et dans l'observation VIII où elle est au maximum 7.08, les globules ne montent qu'à 101.63.

Il faut, pour se rendre compte de ces variations, se préoccuper d'une considération dont les auteurs que nous avons cités ont fait un peu trop abstraction, je veux dire des circonstances cliniques et des symptômes que le malade a présentés au moment de l'analyse du sang. Dans les premières observations de Bennett, nous voyons en effet mentionner plusieurs fois l'état fébrile du malade, soit qu'il s'agisse de la fièvre qui s'allume *in extremis*, soit de quelque complication intercurrente. Il est certain que, dans ce cas, la quantité de fibrine pourra varier : elle ne sera probablement pas la même non plus dans les cas où le malade succombe à une cachexie progressive, et dans ceux où il meurt épuisé par des hémorrhagies multiples, ou sidéré par des hémorrhagies internes. Bennett a déjà remarqué que la fibrine présentait son minimum dans un cas hémorrhagique. M. Huss, note aussi la diminution de la Fibrine. (*Arch. gén. de méd.* 1858, t. II, p. 315.) Nous avons nous-même, dans un cas hémorrhagique des plus remarquables (observ. citée, 1855), trouvé un chiffre encore plus bas que le sien, dans une première analyse (1,40 sur 1000 de sang).

Mais ce n'est pas seulement l'abaissement du chiffre de la fibrine que nous avons rencontré dans cette observation, c'est une altération moléculaire complète de cette substance, dont nous rendions compte dans les termes suivants : « L'agitation n'a pu réunir la fibrine en masse filamenteuse comme dans les cas ordinaires. En filtrant ce sang à travers un linge fin, la filtration était extrêmement lente, et on n'obtenait sur le linge que quelques grumeaux fibrineux, gras au toucher, qu'il a été impossible de recueillir assez exactement pour les peser. » — Nous avons cherché à les réunir par une autre méthode : « Ordinairement, quand on malaxe un caillot sous un courant d'eau dans un nouet de linge, on obtient rapidement une diminution notable de ce caillot, et le lavage ne laisse bientôt plus que de la fibrine blanche, filamenteuse, bien agrégée. Ici, au contraire, après avoir malaxé longtemps, le volume du caillot paraissait à peine diminué ; lorsqu'on pressait plus fort, on déterminait dans le linge des éraillures, qui laissaient passer à la fois les globules et de la fibrine en grumeaux très-fins. L'examen microscopique a montré la structure fibrillaire de la fibrine, toutefois la séparation de celle-ci en filaments était beaucoup moins manifeste qu'à l'état normal; en outre, on observait dans l'épaisseur des magmas fibrillaires qu'elle constituait une grande quantité de fines granulations graisseuses, semblables à celles que nous avons décrites dans le sérum. La fibrine avait également englobé une assez grande quantité de globulins. — Cette expérience recommencée deux ou trois jours après sur une masse d'environ 200 grammes de caillots recueillis sur le cadavre a donné les mêmes résultats et n'a fourni qu'une très-faible quantité de fibrine en grumeaux. (*Soc. de biologie*, 1855; *Gaz. médic.*, 1856.)

Nous faisions remarquer, dans ce même cas, les modifications profondes qu'une telle altération de la fibrine devait apporter à la coagulabilité de ce fluide, et surtout les incertitudes qu'elle apportait à l'analyse quantitative du sang. En effet, on ne pouvait déterminer exactement le chiffre de la fibrine, puisqu'il était impossible de la réunir en masse, et surtout de la séparer des globules rouges et blancs. La détermination du chiffre de ceux-ci devenait également incertaine, puisque l'espèce de filtration (nous dirions presque de collage), par lequel la fibrine emprisonne habituellement les globules pour les séparer du sérum ne pouvait plus se faire, et que celui-ci restait trouble et rempli de globules. Nous insistons sur cette difficulté, parce qu'elle a dû certainement se présenter à d'autres observateurs, et parce qu'elle explique la grande divergence des chiffres mis en avant, tant pour la fibrine que pour les autres éléments du sang.

Cette altération spéciale, cette précipitation de la fibrine grumeleuse n'a pas été vue que dans ce cas (1855). En 1858, nous la constations de nouveau sur un autre sujet : environ 300 grammes de sang coagulé furent recueillis sur le cadavre et malaxés dans un nouet de linge sous un courant d'eau : cette quantité ne laissa pas de fibrine à longs filaments élastiques, mais seulement de très-petits grumeaux blancs, gras au toucher, dans lesquels cependant le microscope faisait reconnaître la structure fibrillaire de la fibrine. « Il serait intéressant, ajoutions-nous, de rechercher si cette altération de la fibrine est un fait fréquent dans les cas de leucocythémie, et à quelle époque elle survient dans le cours de cette maladie; si ce n'est pas un fait général, il est singulier qu'il se soit rencontré deux fois de suite entre les mains du même observateur. » (*Sur un nouveau cas de leucocythémie, compte rendu de la Soc. de biologie*, 1858.) Dans la première observation de Bennett (*Edinburgh Med. and Surg. Journ.*, oct. 1845, p. 418), on trouve en effet la mention d'un état analogue de la fibrine. « Là où le caillot jaune était plus mou que d'habitude, les corpuscules de pus (leucocytes) étaient plus nombreux, et la fibrine était désagrégée (*braken down*) en une masse diffluente, en partie moléculaire et granuleuse, et en partie de débris et filaments brisés en morceaux de longueurs différentes. » Nous n'avons pas trouvé de mention plus explicite sur l'altération qui nous occupe, dans les observations qui ont précédé les nôtres; M. Robin trouva à la même époque un aspect analogue de la fibrine chez le malade (obs. II) de M. Vigla. (*Voy.* Vidal, ouvr. cité, p. 25.) Enfin, Becquerel (*Soc. méd. des hôp.* 1856, p. 196) mentionne aussi la fibrine granuleuse que le battage ne peut réunir. Nous ne voyons pas que d'autres auteurs l'aient signalée depuis dans la leucocytémie.

Globules. Les globules ont été très-bien étudiés au microscope, mais au point de vue chimique, nous devons insister sur l'incertitude que présente la détermination quantitative de ces éléments dans les cas où le sang présente cette dissolution, qui permet à peine la formation d'un caillot, et rend la séparation complète des globules et du sérum à peu près impossible. Il est assez probable que le chiffre en a été trouvé plus faible qu'il n'était en réalité, par suite de cette perte, bien que la diminution considérable du total des globules soit un fait incontestable.

Albumine. L'incertitude est au moins aussi grande au sujet du chiffre de l'albumine, qui se dose habituellement d'une manière indirecte, par différence; i est probable qu'ici l'erreur est en sens inverse, le chiffre des matériaux solides du sérum (qui fournit celui de l'albumine après qu'on en a déduit celui des sels et des matières grasses) se trouvant légèrement augmenté par la présence des globules blancs qu'il est si difficile d'en séparer, puisque dans la majorité des cas le sérum est resté trouble et laiteux. Dans les analyses ci-dessus, Becquerel donne les chiffres de 75,85 et de 40,50 pour l'albumine. M. Ducom a trouvé seulement 37 sur 1,000. (Obs. II de M. Vigla. Voyez Vidal, ouvr. cité, p. 24.)

Corps gras. Il est bien entendu, après les longues explications dans lesquelles nous sommes entrés au début de cet article, que nous ne confondons pas la leucocythémie avec les cas de sang chyleux, laiteux (lipœmie) où la prédominance des corps gras est si considérable. Nous trouvons dans la leucocythémie véritable la mention d'une augmentation numérique des corps gras dans l'observation de Robertson. (*Voy.* n° XXXVII du tableau de Bennett, ci-dessus reproduit.) Nous l'avons nous-même constatée et mesurée dans notre observation de 1855, puisque nous avons trouvé le chiffre de 7,229 sur 1000 de sang. Le sang filtré laissait former par le repos une couche d'un blanc laiteux très-opaque qui venait surnager les globules rouges. Cette couche s'attachait aux parois du vase. Elle était composée presque entièrement de granulations graisseuses. Il est probable que le passage d'un certain nombre de globules blancs à l'état graisseux était pour quelque chose dans cette augmentation des matières grasses.

Becquerel (*Soc. méd. des hôp.* 1856 p. 196) trouve 5,014 de matières grasses pour 1,000. MM. R. Mattei et Cappezuoli de Florence ont trouvé 5,7 de matière grasse sur 100 de caillot desséché dans leur observation. (*La Sperimentale*, mars 1858.)

Nous sommes étonné qu'un nombre plus grand d'observateurs ne se soit pas occupé de cette question. A peine voyons-nous qu'on se soit enquis de la détermination quantitative des matières grasses. Quant à l'analyse qualitative et à la détermination des différentes substances grasses, dont l'ensemble constitue un chiffre aussi considérable, nous sommes dans l'ignorance la plus complète, et nous manquons entièrement de renseignements.

Sels. Nous ne voyons pas non plus que l'on se soit occupé de la détermination des sels du sérum et des variations qu'ils auraient pu subir dans leur quantité. Nous sommes toutefois autorisés à croire que ces variations ne doivent pas être importantes, puisque la densité du sérum varie très-peu dans cet état pathologique. Mais il faudrait faire à ce sujet des expériences directes.

Fer. Le fer a été dosé quantitativement par Strecker (observation de Vogel), qui a trouvé 3,42, et par Drummond (obs. II du tableau de Bennett), qui a trouvé 2,06 pour 100 parties de cendres après calcination des solides du sang. C'est une diminution de la quantité normale.

Substances organiques diverses. Scherer a trouvé dans deux cas de sang de leucémique que lui avait fournis Virchow, l'hypoxanthine, la leucine, les acides urique, lactique, acétique et formique. (*Würzb. Verhandl.*, t. II, p. 321, et t. VII, p. 123.) Un foie, que Virchow avait abandonné quelque temps, se recouvrit spontanément de grains de tyrosine ; dans une autre observation, le contenu de l'intestin fournit des cristaux très-abondants de leucine et de tyrosine. Bref, tout démontre une augmentation dans l'activité de la rate qui contient ces substances. (*Path. cell.*, p. 142 et 143.) Toutes ces substances ont été retrouvées par M. Folwarczny dans une observation du professeur Oppolzer. (*Wiener Allgem. med. Zeitung*, 1858, n° 29-32 et *Arch. gén. de méd.*, 1856, t. I, p. 614.) Virchow regrette avec raison que ces recherches n'aient pas été poursuivies. Il importerait en effet de bien déterminer les circonstances où se produisent ces substances. On avait cru un instant que l'analyse chimique des produits de sécrétion et du sang pourrait, en accusant l'augmentation de ces substances et particulièrement de l'hypoxanthine, caractériser la leucocythémie splénique et la différencier de la variété dite lymphatique. M. F. Mosler a montré récemment (Virch. *Arch.*, 1866, t. XXXVII) qu'on ne peut pas compter sur ce caractère.

MM. Charcot et Vulpian ont décrit avec beaucoup de soin (*Gazette hebdom.*, 1860, p. 755) des cristaux qu'ils ont trouvés en grand nombre dans le sang d'un sujet leucémique, et qui, peu apparents le premier jour, ont augmenté à mesure que le temps s'écoulait, et étaient devenus très-nombreux dans le sang conservé le vingt-cinquième jour après l'autopsie. Ces cristaux ont été trouvés aussi dans le foie surtout et dans la rate. Les auteurs ont dessiné les formes géométriques de ces cristaux qui sont des octaèdres diversement groupés entre eux, et indiqué les principales réactions chimiques qui les caractérisent, sans pouvoir les identifier, tant sous ce rapport que sous celui des formes cristallines, avec les divers cristaux organiques que l'on connaît. La circonstance de leur formation tardive, et plusieurs de leurs caractères chimiques les rapprochent de la tyrosine, mentionnée ci-dessus par Scherer : comme elle, ils sont peu solubles dans l'eau (à 60° ou 70° centigrades seulement), complétement insolubles dans l'alcool, dans l'éther, solubles dans les alcalis et dans les acides en général; mais ils en diffèrent en ce que celle-ci n'étant pas soluble dans l'acide acétique, eux au contraire le sont très-bien, mais sont en revanche très-réfractaires à l'action des acides chromique et azotique qui, loin de les attaquer, leur ôtent définitivement la faculté qui leur appartenait auparavant de se dissoudre dans l'acide acétique et les alcalis. Les auteurs croient ces cristaux identiques avec ceux que l'un d'eux avait constatés antérieurement dans une observation prise avec M. Robin. (*Comptes rendus de la Soc. de biologie*, 1853. — *Obs. de leucocythémie*, par Charcot et Robin.) Tout récemment, dans une observation de M. Desnos (*Bull. et mém. de la Soc. méd. des hôpitaux*, 1867, t. IV), des cristaux analogues ont été retrouvés par M. Hayem.

On voit que le champ est encore largement ouvert aux investigations nouvelles sur la composition du sang des leucocythémiques.

2° Lésions viscérales. Une altération aussi complète du fluide nourricier doit répondre, on s'y attend bien, à des lésions viscérales très-nombreuses et très-diverses. Il n'est pas à vrai dire d'organe qui paraisse y être soustrait d'une manière absolue. Nous distinguerons cependant les lésions qui se trouvent répandues dans toute l'économie, d'une manière plus ou moins régulière, la plupart accidentelles : ce sont surtout des hémorrhagies interstitielles, des infarctus disséminés çà et là; et d'autres lésions, qui, par leur fréquence, leur constance même, sont en connexion évidente avec la dyscrasie sanguine, telles sont les hypertrophies de la rate, du foie, de la plupart des organes glanduleux. C'est à vrai dire la démonstration de ce rapport entre ces lésions viscérales, et les altérations du sang, déjà plusieurs fois entrevues, qui a constitué la découverte de la leucocythémie. L'étude de ces lésions forme donc le second élément constitutif de l'état pathologique, et nous lui devons à ce titre toute notre attention. Nous aurons plutôt à écarter, qu'à relever en passant, les lésions viscérales diverses qui n'apparaissent qu'à l'état de complications dans la leucémie. Commençons donc notre revue par celles de ces lésions que l'on a rencontrées le plus constamment dans les autopsies. Nous nous servirons pour les données numériques qui vont suivre, du relevé de M. Vidal (*De la leucocythémie splénique*, Paris, 1856, p. 57) portant sur 32 cas observés de 1845 à 1850, et d'un relevé que nous avons fait récemment de 41 cas nouveaux postérieurs à ceux qu'a analysé M. Vidal, en tout 73 cas bien observés.

Rate. « La lésion splénique domine tout le tableau pathologique, » dit avec raison Virchow. (*Path. cellul.* trad. Picard, p. 141.) Toutes les statistiques sont d'accord pour le démontrer. On la trouve 19 fois sur 20 (Bennett, *Soc. de biologie*, 1851) ou dans 25 cas sur 32 (relevé de M. Vital). Dans un relevé de 41 observations nouvelles, nous la notons 36 fois, en tout 61 fois sur 73 cas. Cette hypertrophie atteint souvent des limites énormes : à l'ouverture de l'abdomen, la rate occupe quelquefois la plus grande partie de la moitié gauche de la cavité abdominale ; elle s'étend depuis le niveau de la sixième côte, jusqu'à l'ombilic, ou même jusqu'au pubis (observ. de M. Barth). Elle mesure alors 32 centimètres de longueur, 19 centimètres de large, et 8 centimètres d'épaisseur. Son poids est d'environ 3 kilogrammes. (Craigie, Bennett donnent à peu de chose près les mêmes chiffres.) Le volume le plus considérable noté dans le relevé de M. Vidal (*De la leucocythémie splénique*, Paris, 1856, p. 57), portant sur trente-deux observations, est de 41 centimètres de hauteur sur 20 centimètres de largeur et 7 d'épaisseur. Le volume le plus fréquent varie entre 30 et 32 centimètres de hauteur, sur 16 à 18 de largeur. Le poids le plus considérable est de 3^{kil},5, le moins considérable de 1 kil. C'est douze ou quinze fois le poids normal. M. Becquerel a même trouvé le poids de 4^{kil},400, (*Soc. méd. des hôp.* 1856, p. 195.) Du reste, cette hypertrophie énorme peut ne pas altérer la forme primitive de la rate ; la concavité du hile paraît un peu exagérée par l'amplification des lobes qui le limitent : quelquefois on observe le long de son bord interne deux échancrures produites par l'exagération des deux scissures qui, à l'état normal, indiquent les trois lobes correspondant aux divisions de l'artère splénique. Dans onze cas, sur trente-deux observations relevées par M. Vidal, la rate adhérait au diaphragme et au péritoine pariétal, ou à l'épiploon par des exsudations plastiques plus ou moins étendues. La capsule présente parfois des plaques laiteuses à la surface, ou des cicatrices demi-cartilagineuses. Cette membrane, souvent encore assez fine malgré l'énormité de l'hypertrophie, est ordinairement plus épaisse et plus opaque que sur une rate saine.

La couleur de la rate est d'un rouge violacé à l'extérieur, présentant souvent des reflets opalins, légèrement irisés comme ceux que nous avons notés à la surface du sang pris en couche mince. Ce reflet se retrouve aussi sur la coupe du parenchyme, qui offre l'aspect d'une surface lisse, nette, luisante, relativement sèche, dont la couleur ordinairement un peu plus claire qu'à l'état normal, varie depuis le rose violet ou le rose jaunâtre jusqu'au rouge brun ; quelques-uns la comparent à l'acajou ou au jambon. Nous l'avons vue présenter une couleur rose pâle, devenant plus vive au contact de l'air (obs. citée, 1855 ; obs. de Bourdon, 1867). Sa consistance est ferme, dense, et offre l'apparence d'un tissu comme carnifié, au milieu duquel les trabécules fibro-celluleux de la capsule apparaissent en tractus blancs manifestement hypertrophiés. Toutefois ce tissu est plus ou moins résistant, souvent il est cassant et friable. Les gros vaisseaux, la plupart élargis, présentent seuls des ouvertures béantes. Les follicules sont ordinairement petits, mal limités, et doivent être cherchés avec une certaine attention. On les distingue à leur couleur blanche, qui se détache sur la pulpe rouge. Virchow insiste sur l'importance de ces points blancs, qui ne sont autres que les *corps blancs de Malpighi*, « une des parties constituantes de la rate, qui chez les divers sujets se trouvent répandus dans le parenchyme de la rate en quantité tout aussi variable que les follicules solitaires et les plaques de Peyer dans l'intestin. La structure de ces follicules ressemble exactement à celle des follicules des ganglions lymphatiques. » (*Pathol. cellul.*, p. 160.) L'auteur en conclut, conformément à sa théorie anatomo-physiologique de la leucémie, que ce sont justement ces corps blancs dont la tuméfaction contribue surtout à accumuler les globules blancs dans le sang. Mais le changement se borne rarement à cela : ordinairement on trouve des masses plus serrées, d'un rouge plus intense, pénétrant en forme de coin dans l'intérieur de la glande, et ressemblant de plus en plus à des infarctus hémorrhagiques. Plus tard, ces taches deviennent plus claires, blanchâtres, semblables à des produits caséeux ou tuberculeux (Virchow, *Gesamm. Abhandl.*, p. 206).

Au microscope, le tissu de la rate présente tout d'abord les caractères d'une hypertrophie simple, beaucoup plus analogue à l'hypertrophie de la fièvre intermittente qu'à l'infiltration inflammatoire qu'on observe dans les affections typhoïdes : cette dernière se voit quelquefois à la période terminale, mais au début on constate seulement une hyperplasie avec induration des éléments normaux de la rate, et qui porte sur la trame fibreuse et les glomérules de Malpighi. M. Luys a aussi insisté (*Soc. anat.* 1858, p. 351, et *Soc. de biol.*, 1859, p. 159), sur le développement anormal de ces glomérules. C'est l'hypertrophie de ceux-ci qui donne à la coupe l'aspect marbré que l'on observe quelquefois, avec des îlots jaunes blanchâtres, variant du volume d'une lentille à celui d'un œuf de pigeon. Ces glomérules hypertrophiés ou fondus ensemble sont constitués par un tissu adénoïde, qui ne présente en aucune façon les réactions de la matière amyloïde. (Ollivier et Ranvier, observ. nouvelles, *Arch. de phys. et de path.* de Brown-Séquard, etc., Paris, 1869, p. 412, 419.) La dégénérescence amyloïde est au contraire signalée par M. Bœttchers. (Virchow, *Archiv*, t. XIV, et *Arch. gén. de méd.*, 1860, t. II, p. 767.)

Après durcissement dans l'acide chromique sur des coupes minces, on constate que des corpuscules lymphatiques s'échappent avec facilité et laissent à découvert un stroma réticulé très-manifeste. (Ollivier et Ranvier, *Soc. de biol.* 1866, p. 252.)

D'autres fois, on constate de véritables infarctus blanchâtres dus presque entièrement à des amas de globules blancs (obs. Bourdon, *Soc. méd. des hôp.* 1867). Autour, les éléments normaux de la rate sont ratatinés et en voie de régression. Les capillaires sont dilatés et contiennent une grande quantité de globules blancs. Cette distension des vaisseaux sanguins par du sang leucocythémique s'observe en effet particulièrement dans la veine splénique où l'on a trouvé souvent des caillots tout à fait blancs et décolorés (notamment, observ. Charcot et Vulpian, *Gaz. hebdom.* 1860, p. 756). M. Robin a constaté aussi dans le sang de la veine splénique la présence de corps fusiformes, recourbés sur eux-mêmes, à noyau latéral, telles que sont indiquées les fibres musculaires de la vie organique dans le tissu de la rate. On retrouve du reste ces éléments même dans des préparations faites sur la rate normale (obs. citée, *Soc. de biol.*, 1855).

Rappelons enfin que l'on a constaté dans le sang de la rate des cristaux brillants, les uns qui paraissent avoir été de la cholestérine (obs. Goupil, *Soc. méd. des hôp.*, novembre 1858), et les autres, ces cristaux signalés par MM. Charcot et Vulpian (obs. citée, 1860), dont nous avons parlé plus haut.

Foie. Après la rate, le foie est l'organe qui a présenté les lésions les plus constantes. Son hypertrophie est notée douze fois sur vingt (Bennett, *Soc. de biol.*, 1852), quatorze sur vingt autopsies (relevé de M. Vidal) et enfin trente-deux fois sur quarante-une (relevé personnel). Dans onze cas sur douze, cette hypertrophie coïncidait avec celle de la rate, et une fois sur douze seulement avec des engorgements lymphatiques. (Bennett, *Soc. de biol.* 1852.) Dans quelques cas, cette hypertrophie atteignait le triple du volume normal, le poids s'élevant à 12 ou 13 livres. Nous l'avons trouvé de 8 kilog.; son diamètre antéro-postérieur était de 32 centimètres pour le lobe droit, de 20 centimètres pour le lobe gauche ; son diamètre transversal de 38 centimètres; son épaisseur ou sa hauteur, prise en arrière, était de 11 centimètres. Il descendait depuis l'hypochondre gauche jusqu'à la région hypogastrique; son lobe gauche énormément hypertrophié cachait l'estomac (obs. citée, *Soc. de biolog.* 1858). MM. Ollivier et Ranvier (obs. citée, 1866) trouvent 44 de diamètre transversal, 27 de hauteur (diamètre antéro-postérieur), 8 d'épaisseur; poids 3250; et, une autre fois (nouv. observ., *Arch.* de Brown-Séquard, etc., 1869, p. 419): diamètre transversal, 30; diamètre antéro-postérieur, lobe droit, 26; id. lobe gauche, 21; diamètre vertical, 9.

Dans plusieurs de ces observations, on note des adhérences du foie avec la face inférieure du diaphragme, les parois abdominales, ou le péritoine intestinal.

La coloration du foie reste souvent normale; quelquefois il présente une coloration rouge sale, tirant sur le gris (obs. Ollivier et Ranvier, 1866), ou un aspect un peu cirrhotique (obs. Bourdon, 1867), ou une teinte violacée, analogue à celle de la rate, mais plus brune (obs. Isambert, 1858) ou une couleur chocolat (obs. Charcot et Vulpian, 1860).

Le tissu hépatique, tel qu'on le voit sur une coupe fraîche, est le plus souvent plus ferme, plus résistant qu'à l'état normal, et ne présente aucune altération apparente : c'est de l'hypertrophie simple. D'autres fois il est plus friable, nous l'avons vu (obs. Isambert et Robin, 1855), plus mou, et se laissant réduire facilement soit par l'écrasement, soit par le raclage, en une sorte de pulpe analogue à la boue splénique. « Il était facile de voir que ces caractères tenaient à une distension vraiment énorme des capillaires par des globulins, distension portée à un degré tel que la masse des globulins contenus dans ces capillaires distendus était réellement plus considérable que la masse représentée par les cellules hépatiques. » Cette disposition des capillaires a été retrouvée depuis par plusieurs observateurs (cas de Bourdon, 1867). Elle donne naissance à des infarctus blanchâtres, qui ont été trouvés par Virchow (*Gesamm. Abhandl.*, p. 207) gros comme des grains de millet, ou comme des grains glanduleux du foie, quelquefois gros comme des pois, et qui laissaient échapper à la coupe un liquide blanchâtre, dans lequel le microscope faisait reconnaître des noyaux semblables à ceux des glandes sanguines ou lymphatiques. Ces petits corpuscules se laissaient facilement énucléer du parenchyme, et présentaient au microscope le même aspect que les follicules de la rate : une enveloppe presque amorphe et une masse serrée de petits noyaux glanduleux. (Virchow, *Archiv*, t. I, p. 569). Dans un autre cas, le foie présentait un aspect marbré, de trois substances différentes, un parenchyme jaune grisâtre, avec des taches d'un jaune intense, et enfin de grandes places gris rouge, légèrement transparentes. La première était composée des cellules du foie remplies d'un peu de graisse, les taches jaunes d'une infiltration de la matière colorante, et enfin les taches gris rouge transparentes étaient formées de cellules et de noyaux à enveloppe membraneuse très-mince, semblables à ceux qu'on trouvait dans le sang du cœur. Cette infiltration de noyaux paraissait partir de la veine porte et de ses divisions ; on en trouvait aussi dans les conduits biliaires. Ces éléments étaient réunis par monceaux, ou par groupe de noyaux, qui étaient entourés extérieurement d'une membrane amorphe. (Virchow, *Archiv*, t. V, p. 58.) Ces infarctus ont été récemment étudiés à nouveau par MM. Ollivier et Ranvier (obs. 1866), qui exposent les résultats de leur examen dans les termes suivants : « Les lobules du foie paraissent partout délimités par des îlots irréguliers, obscurs à un grossissement de 50 diamètres. Ces îlots, dans quelques points ont 2 ou 3 dixièmes de millimètres d'étendue : ils avancent du côté du centre du lobule en donnant des figures dentelées. A des grossissements de 250 à 500 diamètres, on voit que ces îlots sont formés par une accumulation de globules blancs, et qu'ils s'abouchent à plein canal avec les capillaires dilatés qui sont remplis eux-mêmes de globules blancs, et qui sillonnent le parenchyme hépatique suivant la disposition vasculaire habituelle de l'organe. Dans certains points on peut même voir des capillaires tangents à ces accumulations de globules blancs, et au niveau de la jonction, on ne distingue aucune ligne de démarcation, et par conséquent, aucune membrane de capillaire tandis que celle-ci peut se reconnaître assez distinctement en deçà et au delà. » Les auteurs concluent de leur description que les amas de globules sont dus à une rupture vasculaire, à une véritable hémorrhagie capillaire, et non à une hyperplasie du tissu conjonctif interstitiel du parenchyme hépatique comme le veulent Virchow, Waldeyer et Bœttcher. M. Damaschino (*Soc. anatom.* de Paris, janvier 1868) se rallie à cette manière de voir. Cette disposition s'est montrée encore plus marquée dans deux observations récentes de MM. Ollivier et Ranvier (nouv. obs., *Arch. de phys. et de path.* de Brown-Sequard, etc., 1869, p. 411 et p. 419). Entre les cellules hépatiques, contenant un grand nombre de granulations graisseuses fines, on trouvait des mailles capillaires vides, d'un diamètre supérieur à celui des cellules hépatiques, et dans quelques points les capillaires dilatés formaient un véritable système caverneux rempli de globules blancs, et enfin des îlots d'un dixième de millimètre exclusivement formés de globules blancs. La dilatation des capillaires, et la diffusion des leucocytes avaient amené l'atrophie des cellules hépatiques correspondantes.

M. Bœttcher (obs. citée) a trouvé dans le foie la dégénérescence amyloïde.

Il est à peine nécessaire d'ajouter que la veine porte est un des gros troncs veineux où l'on a trouvé le plus manifestement le sang boueux, lie de vin, ou d'un brun grisâtre.

C'est enfin dans le foie que MM. Charcot et Vulpian ont trouvé le plus grand nombre de ces cristaux octaédriques solubles dans l'acide acétique qu'ils ont décrits (obs. citée, *Gaz. hebdom.* 1860), et sur le foie que Virchow a vu se former tant de cristaux de tyrosine. (*Path. cellul.*, p. 142.)

Reins. Les reins sont beaucoup moins souvent hypertrophiés que la rate et le foie. On n'en trouve qu'un cas mentionné dans les premières observations de Virchow et dans le relevé de M. Vidal. « Les deux reins étaient très-augmentés de volume, et pesaient ensemble 1 livre et demie. Ils étaient très-flasques, très-humides, et marbrés. A côté de grandes surfaces de substance médullaire blanche, on en voyait déjà à la surface d'autres places d'un gris rouge, et enfin d'autres gris jaunâtre, comme celles de l'état normal. A la coupe, on trouvait la même disposition qu'à la surface, notamment une infiltration médullaire particulaire répondant aux places médullaires. Le microscope montra là aussi des noyaux si serrés, qu'à certains endroits on ne pouvait plus voir autre chose. (Virchow, *Archiv*, t. V, p. 58, et *Gesamm. Abhandl.* p. 207.)

Nous avons trouvé chez un enfant de 13 ans, les dimensions suivantes :

	REIN DROIT.	REIN GAUCHE.
Diamètre vertical.	0,142.	0,140
Diamètre transversal.	0,084.	0,084
Épaisseur.	0,024.	0,027
Poids absolu.	188 grammes..	197 grammes.

Pour des reins d'enfant, c'était une hypertrophie considérable (obs. citée, 1855). Dans les dernières observations de MM. Ollivier et Ranvier (*Arch.* de Brown-Séquard, 1869, p. 414) nous trouvons pour des reins d'adultes les dimensions de 15 centimètres seulement de hauteur sur 7 de largeur pour le rein droit, et de 11 et de 8 centimètres pour le rein gauche, et sur un autre sujet, 14 centimètres de haut, 8 de large, 4,5 d'épaisseur pour le rein droit, et 12 centimètres de haut, 7 de large et 3,5 d'épaisseur pour le rein gauche.

Au reste, si les reins n'ont pas paru souvent avoir de dimensions très-considérables, les premiers observateurs y avaient noté cependant des lésions particulières. Dans l'observation qui est la première en date pour la leucocythémie bien constatée, celle de Craigie, il n'y a pas d'hypertrophie, mais on note de petites taches grisâtres de forme circulaire à la surface, lesquelles ne pénètrent pas profondément dans le rein. C'est l'analogue de ce que Virchow a décrit quelques années plus tard. Dans notre relevé personnel nous trouvons 17 fois sur 41 cas l'indication d'une lésion des reins.

Dans notre première observation (1855) nous trouvions, avec l'hypertrophie considérable que l'on a vue, les reins entourés d'un tissu cellulaire fortement ecchymosé ; de larges ecchymoses dans la substance corticale, et des épanchements sanguins assez considérables sous la muqueuse du calice et des bassinets (entre la muqueuse et le parenchyme rénal) ; la muqueuse de la vessie présentait ces mêmes marbrures ecchymotiques, sur une large surface, en arrière, et surtout près du col, où elle présentait une coloration lie de vin presque uniforme; le sujet était mort d'hémorrhagies multiples.

M. Bœttcher (obs. citée 1858) a vu dans les reins des dépôts grisâtres dans la substance corticale et à la base des pyramides ; les dépôts présentaient à la coupe l'aspect de la cire, et donnaient une coloration violette par l'iode et l'acide sulfurique : c'était donc de la dégénérescence amyloïde.

MM. Ollivier et Ranvier ont étudié avec beaucoup de soin les altérations du parenchyme rénal. Dans leur première observation (*Soc. de biologie*, 1866), ils ont vu, sur des coupes à l'état frais, que les glomérules de Malpighi étaient plus sombres que le reste du parenchyme normal, contrairement à ce qui existe ordinairement, ce qui tenait à ce que les vaisseaux qui entrent dans leur composition étaient remplis de globules blancs ; sur des coupes, après durcissement dans l'acide chronique, ils ont constaté des infarctus, formés d'une agglomération de globules blancs, provenant de petites hémorrhagies capillaires analogues à celles qu'ils ont décrites dans le foie (*voy.* ci-dessus), les tubuli étaient en outre séparés les uns des autres par des capillaires gorgés de globules blancs. Il leur paraît impossible de voir là une hyperplasie du tissu connectif. Dans leurs nouvelles observations (*Arch.* de Brown-Séquard, 1869, p. 415 et p. 420), ils constatent des ecchymoses miliaires à la surface des reins et dans leur épaisseur, principalement autour des calices, et des pyramides de Malpighi. Les glomérules sont plus opaques qu'à l'état normal, et cette opacité est due à l'accumulation de globules blancs dans les anses capillaires, on n'y constate cependant pas de ruptures de vaisseaux et d'épanchements interstitiels. Les tubuli contournés de la substance corticale, sont écartés les uns des autres et semblent plongés dans un tissu interstitiel formé entièrement par des globules blancs. L'épithélium des tubuli a subi la dégénérescence granulo-graisseuse, et dans quelques-uns on observe des cylindres colloïdes. En quelques points autour des foyers blanchâtres, les tubuli sont atrophiés, et détruits. Dans un cas, ces auteurs notent aussi des ecchymoses dans la muqueuse vésicale. En somme, nous trouvons 16 fois sur 41 cas (relevé personnel) mention d'une lésion des reins.

Dans 1 cas sur 32 (relevé de M. Vidal) les capsules surrénales avaient subi une dégénérescence graisseuse. Leur hypertrophie a été signalée aussi par le Dr Barclay. (*The Lancet*, 1863, p. 117.)

Ganglions lymphatiques, tumeurs lymphatiques. Ces lésions ont été signalées par Bennett (première observation 1845) et par Virchow (*Archiv*, t. I, p. 567; t. V, p. 53), et depuis eux, par un grand nombre d'observateurs. Les glandes que l'on a le plus souvent trouvées hypertrophiées dans la leucocythémie sont : les ganglions mésentériques (10 fois sur 32, relevé de M. Vidal), les ganglions bronchiques (1 fois), les ganglions lymphatiques du cou (5 fois sur 32), de l'aisselle et du pli de l'aine (3 sur 32). Nous trouvons pour notre part 24 fois sur 41 cas (relevé personnel) des hypertrophies ganglionnaires. En tout, 32 fois sur 73 cas.

Ces ganglions sont augmentés de volume, parfois un peu ramollis, parfois ils offrent une sorte de fluctuation ; leur surface est glissante, souvent un peu brillante, et d'une coloration pâle, blanchâtre, jaunâtre ou grisâtre. A la coupe, ils laissent échapper un suc blanchâtre, parfois un peu rosé, dans lequel le microscope retrouve une grande quantité de globules blancs et de globulins. Ici, comme pour la rate, dit Virchow, il s'agit d'une hypertrophie numérique, d'une *hyperplasie* de leurs parties constituantes, et notamment des cellules glanduleuses (noyaux glanduleux, noyaux enchymeux). Plus tard, on peut rencontrer un développement hypertrophique du tissu conjonctif, et comme dans la rate, des infarctus hémorrhagiques, qui, dans leurs transformations ultérieures, peuvent produire des coins et des cicatrices colorés. Dans ce cas, on peut attribuer au processus un caractère inflammatoire, et l'observation clinique le démontre, tandis qu'habituellement, on ne trouve absolument aucune raison d'admettre une inflammation véritable. » (*Gesamm. Abhandl.* p. 202.)

Quant à la structure de la glande, on reconnaît sur une coupe que l'enveloppe glanduleuse propre est très-épaissie, et en même temps que le tissu conjonctif du hile est plus élargi et caverneux. Dans l'enveloppe on reconnaît à peine la division normale des follicules isolés ; elle paraît plus homogène, grise ou gris rouge, presque médullaire (c'est-à-dire d'aspect encéphaloïde), très-tendre, très-fragile, et laisse écouler à la pression un liquide aqueux, trouble ; le grattage peut en extraire une masse plus caséeuse dans laquelle on trouve des cellules, des noyaux, des nucléoles, semblables à ceux des glandes normales, mais un peu plus grands. En somme, il y a une grande analogie avec l'infiltration médullaire de la fièvre typhoïde, et, comme dans celle-ci, le changement, loin de se limiter à la glande, s'étend si loin qu'on trouve du parenchyme glanduleux, là où sans cela on ne trouve absolument aucune glande. C'est ainsi que Virchow a vu tout le petit bassin matelassé de substance glandulaire, et le canal thoracique, depuis son entrée dans la poitrine, jusqu'à son embouchure, tellement empaqueté dans ce parenchyme glandulaire, qu'on ne pouvait plus le limiter, ni le diviser en tumeurs isolées. (Virchow, *Archiv*, t. V. p. 57 et *Gesamm. Abhand.*, p. 204.) C'est ce que Virchow désigne sous le nom d'*Hétérotopie* des tissus normaux. Il est très-rare au contraire que les ganglions arrivent à suppurer et à s'ouvrir au dehors.

Dans les ganglions bronchiques, on observe souvent une coloration noirâtre constituée par un dépôt pigmentaire. (Bennett, Ire observation.)

Les observations qui ont suivi semblent avoir peu ajouté aux descriptions ci-dessus extraites de Virchow. Dans quelques cas, on y a signalé des infarctus hémorrhagiques, des vaisseaux remplis de globules rougeâtres (observ. de M. Bourdon, 1867). Voici, en quels termes s'expliquent les auteurs de la publication la plus récente, très-versés dans les méthodes mises aujourd'hui en usage dans l'examen du tissu lymphatique : « On trouve dans ces ganglions des follicules de la substance corticale très-hypertrophiés, un réticulum avec des nœuds fertiles gonflés et contenant un noyau, enfin des cellules lymphatiques qui, sur les pièces fraîches, présentent dans tous les ganglions les signes d'une multiplication très-active. Ces cellules diffèrent un peu suivant qu'on les étudie dans les ganglions qui ont l'aspect splénique et dans ceux qui sont puriformes. Dans le premier cas, elles sont sphériques, et contiennent presque toutes du pigment sanguin sous forme de granulations ; dans le second, elles sont un peu plus volumineuses et leur contour est irrégulier. » (Ollivier et Ranvier, nouvelles observ. *Archives* de Brown-Séquard, etc., 1869, p. 416.)

Appareil digestif, glandes intestinales. La coexistence de lésions des glandes intestinales a été signalée de bonne heure, puisqu'on la trouve mentionnée dans l'obs. de Craigie, la première en date. Virchow y est revenu dans ses mémoires subséquents en partant de la leucémie lymphatique (1847), et, plus tard, cette lésion a été mise complétement en lumière par la belle observation de Schreiber. (*De Leukœmia*, thèse inaug., Kœnigsberg 1854, citée par Virchow, *Gesam. Abhand.* p. 200.) Elle démontrait que les follicules intestinaux, et en particulier les glandes de Peyer, présentaient dans la leucocythémie le même changement que celui qu'on avait observé sur les ganglions lymphatiques extérieurs. Des observations antérieures l'avaient démontré avec certitude pour les glandes épigastriques et mésentériques. Les caractères anatomiques de ces hypertrophies glandulaires, soit qu'elles portent sur les follicules clos, soit sur les plaques de Peyer, sont complétement analogues aux descriptions qui ont été données ci-dessus des ganglions lymphatiques en général.

Dans ces derniers temps, MM. Ollivier et Ranvier ont décrit des tumeurs intestinales qui semblent constituées par un autre élément de la muqueuse, par les glandes en tube.

« Ces tumeurs sont au nombre de dix ou douze, dans l'intestin grêle. Leur consistance est très-variable, ainsi que leur volume, qui peut atteindre celui d'un pois. Ces petites tumeurs sont aplaties, elles présentent à leur centre une portion déprimée en ombilic ; sur des sections perpendiculaires à leur surface, on voit qu'elles résultent d'un épaississement de la muqueuse qui est devenue blanchâtre et semble comme infiltrée d'un suc qu'on peut extraire par le raclage. Examiné au microscope, ce suc paraît constitué en grande partie par des cellules arrondies sans membranes, de 8 à 12 millièmes de millimètre de diamètre. Traité par l'iode et l'acide sulfurique, le tissu qui constitue ces petites tumeurs ne donne pas la réaction caractéristique de la matière amyloïde. Après durcissement dans l'acide chromique ou l'alcool, et sur des coupes traitées au pinceau, on retrouve les glandes tubuleuses remplies d'un détritus granuleux; c'est à peine si l'on peut encore distinguer dans leur intérieur quelques cellules déformées. Entre ces glandes et au-dessous d'elles, on remarque un tissu connectif réticulé à mailles larges et irrégulières contenant encore quelques cellules lymphatiques. Les fibrilles du stroma réticulé sont épaissies; elles mesurent de 1 à 3 millièmes de millimètre; leurs points de jonction sont généralement dépourvus de noyaux. On peut cependant en distinguer quelques-uns, surtout après avoir fait usage de la coloration par le carmin. »

« Il existe aussi dans le gros intestin et à un centimètre de la valvule iléo-cæcale une tumeur semblable aux précédentes, mais beaucoup plus étendue. Ici le point central déprimé, que nous avions remarqué sur les petites tumeurs de l'intestin grêle correspond à une surface irrégulière, excavée, légèrement villeuse, limitée par un bord sinueux, mamelonné, rappelant par sa forme les circonvolutions cérébrales. La structure de cette tumeur est semblable à celle que nous avons déjà décrite : transformation granuleuse des glandes en tubes, qui restent comprises dans la masse morbide, transformation du stroma, de la muqueuse en tissu connectif réticulé à larges mailles, remplies de corpuscules de lymphe. Au niveau de la dépression centrale, et sur des coupes pratiquées après durcissement, on ne retrouve plus la structure glandulaire, mais une sorte de substance caséuse dans laquelle il est difficile de reconnaître des éléments bien définis. Les différents vaisseaux sanguins qui sillonnent le tissu connectif réticulé de ces productions lymphatiques de l'intestin sont dilatés par place et remplis de globules blancs. » (Ollivier et Ranvier, observ. de 1866, *Soc. de Biologie*.)

M. le professeur Béhier dans une observation très-remarquable, encore inédite, bien que communiquée verbalement en 1868 au congrès médical de Norwich a enfin décrit la muqueuse intestinale dans les termes suivants : « Toute la surface est d'une couleur grise, d'une apparence granuleuse, laquelle, après inspection résulte d'un dépôt de pigment au sommet des villosités. Les plaques de Peyer sont plus proéminentes qu'à l'état normal, et semblent non-seulement plus épaisses mais plus larges qu'à l'ordinaire; leur surface ne présente aucune ulcération. Elle fait un relief d'environ 3 millimètres au-dessus de la muqueuse, qui est gonflée et offre une apparence réticulée. Les plaques de Peyer présentent de plus, lorsqu'on regarde l'intestin par transparence, une opacité qui tranche avec la translucidité du reste de l'intestin, lequel est anémié et semble aminci. Les glandes solitaires sont proéminentes à la fois dans l'intestin grêle, et dans le gros intestin. Elles sont d'une couleur blanc sale, et du volume d'un grain de millet, également opaques quand on regarde l'intestin par transparence. L'examen histologique après durcissement dans l'alcool, a montré que les tuniques séreuses et musculaires, étaient saines. La tunique cellulaire est un peu épaissie, elle est doublée d'une couche blanchâtre, opaque, de près de 3 millimètres d'épaisseur, après laquelle vient la muqueuse, dont les villosités sont normales à la surface muqueuse, tandis que celles qui correspondent à la couche opaque ci-dessus, sont considérablement altérées. Examinées à un grossissement de 20 diamètres, ces parties malades, présentent 1° des villosités hypertrophiées, beaucoup plus longues et moins transparentes qu'à l'état normal ; 2° au-dessous de ces villosités, on observe une série de lacunes circulaires, à circonférence irrégulière, disposées en lignes qui courent parallèlement à la surface. Ces lacunes sont produites par le manque de glandes intestinales, qui sont sorties de leur place au moment de la préparation de la pièce, mais on en trouve un certain nombre qui sont restées dans le tissu intestinal. En traitant les plaques de Peyer au pinceau, par le carmin dissous dans l'ammoniaque, et touchant ensuite avec l'acide acétique, on trouve que leur partie épaissie est formée par un dépôt lymphatique de *lymphoma*. En réalité, il existe un réticulum formé de fibres déliées, qui s'anastomosent entre elles, et présentent de petites nodosités aux points de jonctions, et les trabécules adhèrent aux parois d'une quantité de vaisseaux capillaires. Les mailles du réticulum sont remplies d'un grand nombre de petites cellules rondes, contenant un noyau qui occupe presque toute leur cavité. Au milieu de ce dépôt lymphatique sont situées les glandes vésiculaires, dont la réunion forme la plaque de Peyer. Les lacunes déjà mentionnées, montrent, au point où ce follicule s'est échappé, le réticulum, ainsi que les vaisseaux capillaires brisés, preuve de la connexion étroite qui existait entre ce follicule et le dépôt lymphatique qui l'entourait. La glande elle-même présentait une opacité plus grande de sa membrane; mais le tissu lui-même n'a pas subi de dégénérescence graisseuse, ni toute autre altération morbide. Ses éléments sont seulement augmentés de nombre, et leur multiplication a seule causé l'accroissement du follicule. Le dépôt lymphatique semble avoir envahi toute la largeur de la muqueuse, qui ne présente plus de vestige des glandes tubulaires. Les villosités contiennent beaucoup d'éléments cellulaires, mais les granulations et les vésicules graisseuses, qui remplissent le tissu lui-même ne permettent pas d'affirmer que l'hypertrophie des villosités est due aussi au dépôt lymphatique, bien que ce soit très-probable. Les follicules isolés présentaient des altérations entièrement semblables.

Cette description rappelle la description donnée par M. Potain dans un cas d'adénie. (*Soc. anat.*, 1860.) Elle rappelle surtout ce que nous avons rapporté ci-dessus d'après Virchow du revêtement complet du bassin et du canal thoracique par le parenchyme glandulaire. Mais ce cas de M. Béhier est d'autant plus remarquable que la lésion intestinale ne coïncidait avec aucune hypertrophie, soit des glandes lymphatiques, soit de la rate ou du foie. Nous verrons plus loin que, selon M. Béhier, on pourrait en faire une forme particulière de la maladie au point de vue clinique.

Les autres lésions de l'intestin qui ont été signalées peuvent être considérées comme purement accidentelles, ce sont des ulcérations légères des arborisations vasculaires, plus souvent même de petites ecchymoses qu'on retrouve, soit à la face interne de l'intestin, soit à sa surface péritonéale, dans les cas où la maladie se termine par des hémorrhagies multiples.

On peut en dire autant du petit nombre de lésions qui ont été signalées dans l'estomac (7 fois sur 41, relevé personnel).

L'*estomac* offre en effet une muqueuse tantôt anémiée, tantôt parsemée d'ecchymoses, de petites hémorrhagies interstitielles, faisant quelquefois une légère saillie, tantôt épaissie, avec de nombreuses arborisations vasculaires. En outre, la membrane est quelquefois irrégulièrement bosselée, sans qu'on puisse cependant y rencontrer de véritables productions lymphatiques. (Ollivier et Ranvier, Nouv. observ., 1869, p. 419.) M. Friedreich y a décrit de petites tumeurs blanchâtres composées d'éléments incolores, noyaux et cellules de nouvelle formation et d'amas de graisse (Virch., *Arch.*, t. XX, p. 38.)

Le *péritoine*, outre l'ascite qui remplit souvent sa cavité, présente sous ses feuillets pariétal et viscéral, et dans ses différents replis, le mésentère entre autres, des hémorrhagies sous-séreuses quelquefois abondantes (observ. Blache, Isambert et Robin, 1855). Dans un cas de M. Vidal (*Soc. anat.* 1857, p. 345), il existait dans le tissu cellulaire sous-péritonéal entre les lombes, la vessie et le pubis, un vaste épanchement de plus d'un litre de sang qui remplissait le bassin, et fusait vers la grande lèvre gauche, et vers la région fessière. D'autres fois, on y a constaté une ascite plus ou moins considérable, des dépôts pseudo-membraneux, des adhérences solides, ou même de fines granulations tuberculeuses miliaires (obs. Ollivier et Ranvier, 1869). Ce ne sont là évidemment que des complications, qui n'ont pas de lien direct avec la leucocythémie elle-même.

Pour en finir avec l'appareil digestif et ses annexes, ajoutons que le *pancréas* nous a présenté une hypertrophie très-remarquable (observ. citée 1858) ; sa longueur était de 22 centimètres, et sa largeur en proportion. La plupart des observateurs ne mentionnent pas cette glande, une ou deux fois seulement il est dit qu'elle a été trouvée saine (obs. Barth., obs. Vidal, 1857). M. Lancereaux (obs. 1860) l'a cependant trouvée pigmentée. Si cependant l'hypertrophie du pancréas était démontrée, elle prouverait qu'un nouvel ordre de glandes, dont il n'a pas été fait mention parmi les glandes hématopoiétiques, c'est-à-dire les glandes en grappe, peuvent également jouer un rôle dans la leucocythémie.

Les *amygdales* ont été trouvées hypertrophiées 2 fois sur 41 (relevé personnel).

Les *follicules clos de la base de la langue*, en arrière du V, ont été trouvés, par MM. Ollivier et Ranvier (nouv. observ. *Arch.* de Brown-Séquard, etc., 1869, p. 410), gros comme des graines de maïs et constitués par une simple hyperplasie du tissu adénoïde, dont les fibrilles étaient épaissies et dont les nœuds fertiles contenaient des noyaux bien accusés.

Les *gencives* ont offert dans la même observation une hypertrophie considérable : elles formaient un bourrelet saillant en avant des dents, bourrelet qui n'était nullement saignant, ni fongueux : le raclage en faisait sortir un suc lactescent qui contenait un certain nombre de globules blancs. Après durcissement dans l'alcool, on n'y a trouvé que des vaisseaux dilatés et remplis de globules blancs.

Organes thoraciques. Les *plèvres* sont peu atteintes dans la leucocythémie : dans quelques cas (2 sur 32, relevé de M. Vidal et 8 fois sur 41, relevé personnel), on y a trouvé un épanchement séreux ou séro-sanguinolent ; dans 7 cas sur 32 (M. Vidal) et dans 5 cas sur 41 (relevé personnel), il y avait des adhérences pseudo-membraneuses ; sous la plèvre pulmonaire, on a noté des ecchymoses. Enfin nous avons vu (observ. citée 1855) le tissu cellulaire du médiastin antérieur présenter une infiltration sanguine assez considérable.

Tous ces faits doivent être considérés, soit comme des lésions accessoires provenant des hémorrhagies multiples, qui accompagnent si souvent la maladie, soit comme une trace d'accidents inflammatoires survenus *in extremis*, soit enfin comme de véritables complications, de date plus ou moins ancienne, mais certainement étrangères à la leucocythémie.

Les *poumons* pourront nous inspirer les mêmes réflexions. On y a trouvé la congestion pulmonaire, principalement aux parties déclives, phénomène ultime d'une maladie qui se termine si souvent par l'adynamie, et même par l'asphyxie ; on y a trouvé des infarctus hémorrhagiques, et des ecchymoses, comme on en a trouvés dans tous les viscères ; on y a trouvé des tubercules à différents degrés de leur évolution, et quelquefois des infiltrations de tubercules miliaires (obs. Bourdon, 1867), ou de véritables pneumonies (Bennett — 3 fois sur 25 et 3 fois sur 41, rel. pers.). Ce sont là des complications ou des phénomènes ultimes.

Nous y avons constaté avec M. Robin (observ. citée 1853) une lésion en rapport plus direct avec la leucocythémie. « Les capillaires du poumon étaient distendus par une énorme quantité de globulins analogues à ceux du sang des saignées. Ces globulins se trouvaient accumulés dans les petits vaisseaux et serrés les uns contre les autres à un point très-remarquable. Cette lésion des plus frappantes et des plus singulières sous le microscope donnait au tissu pulmonaire une grande résistance à la déchirure, et une coloration rose, violacée, opaline, analogue à celle de la rate. »

MM. Ollivier et Ranvier (nouv. observ., 1869) ont aussi trouvé dans un cas les travées qui séparent les alvéoles pulmonaires occupées par des vaisseaux dilatés, gorgés de globules blancs, et qui, par suite, faisaient dans l'intérieur des alvéoles une saillie bien plus prononcée qu'à l'ordinaire. Le même sujet présentait dans le poumon des infarctus hémorrhagiques assez nombreux, et de petites ecchymoses sous-pleurales d'un rouge vif.

La muqueuse des bronches et de la trachée présente aussi des taches ecchymotiques et quelques saillies rougeâtres, que l'on a trouvées aussi à la face postérieure de l'épiglotte. (Ollivier et Ranvier.)

Les *ganglions bronchiques* ont été signalés plus haut, au nombre des glandes lymphatiques, qui sont le plus souvent hypertrophiées dans la leucocythémie. Leur lésion est particulièrement grave en ce qu'elle détermine la dyspnée, par compression des bronches, ou des rameaux du nerf pneumogastrique.

Le *thymus* est aussi hypertrophié, dans quelques cas, malgré l'âge des sujets, et l'on y remarque une congestion ou une infiltration sanguine plus au moins forte. Nous l'avons trouvé nous-même (observ. citée 1855), développé comme si la glande était revenue à l'état fœtal.

Le *corps thyroïde* est hypertrophié dans l'observation de Boettcher (Virchow, *Arch.*, t. XIV) et dans celle de M. Lancereaux (*Atlas d'anatomie pathologique*, Paris, 1869).

Le *cœur* et les *gros vaisseaux* présentent dans la plupart des cas une distension notable, et dans leur cavité des caillots considérables que nous avons décrits trop longuement pour avoir besoin d'y revenir. Le cœur lui-même a présenté à MM. Ollivier et Ranvier un nombre considérable de petites taches ecchymotiques de dimensions variables et tout à fait semblables aux taches de purpura notées sur le tégument externe. Il y avait de plus un peu de surcharge graisseuse du muscle cardiaque (observ., 1866). Dans un autre cas, les ecchymoses étaient accompagnées de petites saillies blanchâtres, donnant au doigt une légère sensation de relief, et constituant par leur réunion des îlots qu'au microscope on a reconnu comme résultant d'une dilatation du réseau capillaire et d'une hémorrhagie diffuse déjà ancienne, dans laquelle les globules rouges avaient subi une destruction plus ou moins complète. Dans le voisinage, les fibres musculaires du cœur avaient éprouvé déjà la dégénérescence graisseuse (observ. nouvelles, 1869, p. 414). M. Huss avait déjà signalé cette dégénérescence. (*Arch. gén. de méd.*, 1857, p. 310.) Les valvules sont le plus souvent saines, ainsi que les orifices. Mais l'hypertrophie simple a été notée 7 fois sur 41 cas, et la dilatation avec amincissement une fois. Des caillots blancs y ont été trouvés 10 fois sur 41 cas (relevé personnel).

Le *péricarde* a quelquefois présenté un léger épanchement séreux ou séro-sanguinolent (5 fois sur 41 cas, obs. Blache, obs. Béhier, etc.) ; M. Huss y a trouvé des exsudats pseudo-membraneux (*loco citato*).

Parmi les gros vaisseaux que l'on trouve distendus par des caillots blancs ou par du sang lie de vin caractéristique, il faut citer l'artère pulmonaire et l'aorte, avec les deux veines caves, les troncs veineux bracchio-céphaliques, et ceux que nous avons déjà mentionnés dans l'abdomen.

Cavité crânienne et rachidienne. Les méninges ne présentent que rarement (obs. Page et Ogle) des produits inflammatoires, ou exsudats fibrineux, mais les veines et les sinus de la dure-mère ont présenté (7 fois sur 32, dans le relevé de M. Vidal) des concrétions sanguines, semi-coagulées, de couleur tantôt chocolat, tantôt lie de vin, tantôt blanchâtre, moulées sur le calibre des vaisseaux, mais n'adhérant pas aux parois restées saines. Dans quelques cas, il y a eu des épanchements séreux, ou séro-sanguinolents dans le tissu sous-arachnoïdien, ou dans les ventricules. Dans un cas (relevé de M. Vidal) une hémorrhagie cérébrale véritable, une large déchirure d'un hémisphère. L'apoplexie cérébrale à grand foyer est aussi notée 2 fois sur 41 (relevé personnel).

Nous avons nous-même (observ. citée 1855) trouvé des épanchements sanguinolents fort abondants dans les espaces sous-arachnoïdiens et dans les ventricules cérébraux ; la pie-mère cérébrale présentait une forte infiltration sanguine, et de légers caillots rouges sur les espaces perforés antérieurs et postérieurs. La coupe des lobes cérébraux ne présentait rien à noter que la teinte rose légèrement opaline qu'elle devait à la sérosité du sang. La lésion la plus remarquable était constituée par la présence de caillots allongés dans les deux ventricules latéraux, caillots mous, diffluents, offrant tous les caractères du sang déjà décrit, et se prolongeant en avant dans le ventricule médian par les trous de Monro très-dilatés, et en arrière, dans l'étage inférieur et sur l'ergot de Morand. Par l'aqueduc de Sylvius, les caillots se prolongeaient dans le quatrième ventricule jusqu'à la pointe du *calamus scriptorius*.

La pulpe cérébrale elle-même offrait aussi une infiltration assez notable autour des ventricules, et deux foyers d'apoplexie capillaire, dans le corps strié à gauche et dans la paroi droite du ventricule médian ; le reste était sain.

On trouvait enfin dans la cavité rachidienne, depuis la troisième vertèbre dorsale jusqu'au sacrum, une hémorrhagie méningée et des caillots siégeant entre la dure-mère et les arcs vertébraux. La moelle elle-même était saine.

MM. Ollivier et Ranvier (obs. 1860) ont noté plusieurs foyers hémorrhagiques de diverses grandeurs dans l'encéphale d'un même sujet, les uns dans les hémisphères, les autres dans le cervelet. Le sang était de couleur chocolat et rempli de globules blancs.

Il ne faut voir dans des lésions aussi multipliées que des phénomènes ultimes d'une diathèse hémorrhagique des plus prononcées et où les caractères physiques et histologiques du sang avaient seuls une physionomie particulière. Mais différents auteurs ont cité des lésions plus anciennes et plus en rapport avec ce que nous avons trouvé dans d'autres viscères. Craigie a vu les veines cérébrales remplies de concrétions blanchâtres, qui, en quelques endroits, ressemblaient à du pus. Les veines de Galien étaient pleines d'une lymphe grise et ferme. Bennett note aussi des caillots jaunâtres à la base du crâne. (*On leucocythemia*, obs. de Craigie et de Bennett, n° 1 et 2.)

M. Lancereaux a vu à la surface du cerveau une admirable injection de tous les vaisseaux veineux de la pie-mère. On aurait dit une injection mercurielle, ou mieux une injection purulente. Ces amas de matière blanche qui formaient l'injection capillaire étaient composés presque entièrement de globules blancs. (*Atlas d'An. path.* 1869 — et Trousseau, *Clin. de l'H.-D.*, 2e éd., t. III, p. 549.)

Enfin MM. Ollivier et Ranvier (nouv. obs., 1869, p. 410) signalent dans les méninges la présence de néo-membranes assez épaisses, se détachant avec facilité; les vaisseaux capillaires qu'elles contenaient étaient remplis de globules blancs. On trouvait un caillot blanchâtre, formé de fibrine et de globules blancs avec quelques globules rouges dans le sinus longitudinal supérieur.

Pour les *organes des sens*, nous trouvons une lésion oculaire mentionnée dans une observation de Grisolle et de M. Hemey (*Gaz. des hôp.*, Paris, 1864, p. 162). « Les rétines étaient toutes deux altérées, à droite les vaisseaux gorgés de sang se voyaient fort bien émanant de la pupille et sur leur trajet, le plus souvent, se trouvent de petites taches rouges ecchymotiques. A gauche, il existait une teinte opaline et laiteuse qui ne laissait voir les vaisseaux, surtout au niveau de la papille qu'à travers d'une couche nuageuse; les petites taches rouges s'y rencontraient également. »

Nous ne connaissons aucune recherche anatomique faite sur l'oreille interne, bien que la surdité ait été notée assez souvent chez les sujets leucocythémiques.

En résumé, lésions constantes ou presque constantes de la rate, du foie, des glandes lymphatiques et intestinales, des reins; produits pathologiques accidentels ou consécutifs, hémorrhagies disséminées dans les autres organes, tel est l'ensemble des lésions viscérales que l'on rencontre dans la leucocythémie.

II. **Symptomatologie.** L'histoire clinique de la leucocythémie est loin de nous donner des renseignements aussi précis et aussi circonstanciés que ceux qui nous sont fournis par l'anatomie pathologique. La faute en est-elle aux observateurs, qui se sont principalement occupés des recherches histologiques, chimiques, ou des théories physiologiques et pathologiques de la maladie, et ont moins insisté sur la recherche des causes et des variétés nosologiques? N'en est-elle pas surtout à la date récente de ces recherches, au petit nombre relatif des observations que nous possédons, à l'histoire assez uniforme et monotone d'une cachexie progressive que rien n'a pu arrêter jusqu'à présent, et qui ne présente pas de ces faits tranchés d'où l'on peut déduire des vues pathologiques larges, générales et à la fois suffisamment précises? Nous inclinons plutôt vers cette dernière manière de voir, et, loin d'incriminer personne, nous rendons justice aux efforts qui ont été faits par tous les observateurs qui ont étudié cet état morbide, encore assez rare à rencontrer dans la pratique.

Tableau général. Nous tracerons d'abord à grands traits le tableau général de la maladie, en prenant pour type la leucocythémie splénique de Virchow et de Bennett, celle que nous nommerons volontiers la *leucocythémie idiopathique*, ou *progressive*.

Chez un sujet ordinairement bien portant, ou présentant les antécédents pathologiques très-divers, et en général assez éloignés, apparaît progressivement, sans cause connue, sans que le malade puisse préciser l'époque du début, un affaiblissement particulier, avec perte de forces, découragement, aspect cachectique inexpliqué, quelquefois douleurs spontanées dans certaines régions, sous l'hypochondre gauche, aux aines, dans les aisselles, et le malade reste souvent longtemps sans s'en plaindre, de même que le médecin peut longtemps en méconnaître la nature. Les premiers signes positifs sont fournis par le développement d'hypertrophies viscérales, ou par l'apparition des tumeurs ganglionnaires périphériques. L'hypertrophie de la rate est ordinairement celle que l'on constate la première, dès que la présence d'une tumeur volumineuse dans l'hypochondre gauche est signalée par des douleurs locales, le gonflement du ventre, et surtout par les phénomènes d'anhélation qu'elle détermine. A cette époque, tout médecin instruit devra déjà soupçonner la leucocythémie et s'enquérir de l'état du sang. S'il constate la lésion caractéristique, il n'a plus qu'à suivre le développement de la maladie, avec son aggravation progressive; s'il ne trouve pas tout d'abord l'altération du sang, mais si l'hypertrophie de la rate, du foie, ou celle des ganglions lymphatiques persiste et se développe davantage, en s'accompagnant d'une cachexie de plus en plus prononcée, il ne devra pas négliger de revenir de temps à autre à cet examen qui, un jour ou l'autre, permettra de constater la dyscrasie caractéristique du sang.

A mesure que la maladie se développe, l'hypertrophie de la rate, du foie, ou des ganglions périphériques augmente; la cachexie se prononce davantage, la faiblesse est plus grande, le malade doit bientôt renoncer à tout travail et prendre le lit. On note divers accidents du côté des voies digestives, un peu d'ascite, de la diarrhée chronique, assez rarement des nausées et des vomissements; pourtant l'appétit persiste ordinairement jusqu'à une période très-avancée. Puis on observe de la dyspnée, des menaces d'étouffement, et enfin, vers la fin, de la fièvre hectique. Le malade succombe, épuisé par les progrès de la cachexie. Très-souvent la terminaison fatale est hâtée par l'apparition d'épistaxis incoercibles, d'hémorrhagies multiples, soit sous le tégument externe, soit à l'intérieur des principaux viscères.

Reprenons ces divers symptômes pour préciser les conditions de leur développement et leur signification.

Les données numériques que nous mentionnerons seront tirées, comme précédemment, du relevé de M. Vidal, portant sur 32 observations antérieures à 1856, et sur notre relevé personnel de 41 observations recueillies et publiées depuis cette époque.

Aspect cachectique. Perte des forces. L'aspect cachectique, la perte des forces sont ordinairement des phénomènes du début, si l'on peut employer le mot de début dans un état morbide toujours consécutif, qui ne se traduit par aucun phénomène d'invasion propre à attirer l'attention du malade. Quand celui-ci s'adresse au médecin, il l'entretient, dans la grande majorité des cas, des troubles divers remontant au moins à plusieurs mois : c'est un affaiblissement lentement progressif, du découragement, l'impossibilité de se livrer aux travaux habituels; puis, la pâleur de la face, l'amaigrissement, qui ont été remarqués par le malade lui-même ou par ses proches. Souvent, à ce moment, l'altération du sang ne serait pas encore appréciable, si l'on cherchait à la constater, ce qu'on ne fait pas ordinairement à cette époque.

L'aspect cachectique des sujets leucocythémiques n'a rien de caractéristique, et c'est plutôt par des caractères négatifs que par des traits positifs qu'on peut le décrire. Le malade est pâle, anémique, et cette pâleur ne présente ordinairement ni la teinte jaune paille du cancer, ni la teinte terreuse des cachexies palustres, ni la teinte blanc mat des albuminuries. La face n'est pas bouffie, si ce n'est vers la fin, ni les paupières infiltrées, comme dans cette dernière maladie, elle n'est pas amaigrie comme chez les phthisiques et ne présente pas le facies hippocratique : tout reste dans des termes moyens, pâleur anémique de la peau et des muqueuses sans teinte spéciale, sans amaigrissement exagéré. On a cependant noté dans quelques cas une teinte grise, ou jaune de la peau. Il est bien entendu que ces caractères de coloration spéciale, d'amaigrissement, de bouffissure pourront se rencontrer à certains moments, et surtout à l'approche de la terminaison fatale, si le malade présente à titre de complication quelques-unes des maladies que nous venons de mentionner, cancer, tubercules, anasarque, etc.

L'*amaigrissement* n'est pas excessif au début, et rappellerait par exemple celui des malades atteints de cirrhose, en ce que, se montrant notamment aux parties supérieures du tronc et aux membres, il contraste, le plus souvent, avec la tuméfaction de la région abdominale, puisque les tumeurs de la rate et du foie coexistent dans la majorité des cas. Quand le malade doit périr par les progrès de la cachexie et de la diarrhée, cet amaigrissement devient très-considérable, peut-être autant que dans les autres cachexies. La rapidité avec laquelle il se produit est une circonstance éminemment défavorable pour le pronostic. (*Voy.* Vigla, obs. nº III. *Soc. méd. des hôp.*, 1856, p. 38.)

Douleurs, phénomènes nerveux divers. Certaines douleurs locales se font également sentir au début. Dans l'observation de Craigie, le malade se plaint d'une douleur intense au côté gauche, douleur intermittente, comparable à une crampe et qui s'est montrée quelques semaines avant l'arrivée du malade à l'hôpital. Cette douleur coïncidait probablement avec le développement de la rate. Dans la première observation de Bennett, dans la première de Virchow, on note aussi des douleurs dans le ventre, mais apparaissant un peu plus tard, quand la tuméfaction du ventre est déjà reconnue. Ces douleurs paraissent tenir en effet à des exacerbations aiguës dans les viscères abdominaux ; et particulièrement, comme le dit Magnus Huss, dans les cas où il se fait des adhérences entre ces viscères et la paroi abdominale. On retrouve aussi ces douleurs avec ce caractère d'acuïté dans les tumeurs ganglionnaires périphériques, lorsque celles-ci s'accroissent brusquement et comme par poussées successives (obs. de Rinecker, de Mohr, de Vogel; *voy.* Virchow, *Ges. Abhand.*, p. 203). A une époque plus avancée, les douleurs sont ordinairement moins aiguës, ce sont surtout des phénomènes de compression, de gêne locale.

D'autres douleurs, mais plus générales, plus vagues, dans les membres, dans le tronc, dans la face. Ce sont des phénomènes de névropathie liés à l'anémie. Les malades accusent souvent des bourdonnements d'oreilles, des étourdissements, de la céphalalgie, continue ou intermittente ; un malade a éprouvé des accès de névralgie sus-orbitaire (obs. Woillez et Hervey de Chégoin, recueillie par Bonfils, *Gaz. des hôp.*, décembre 1855, et *Bull. de la Soc. méd. des hôp.*, 1855). Magnus Huss note une névralgie persistante de la jambe droite, mais elle paraît due à la compression des nerfs par les tumeurs ganglionnaires.

Hypertrophie de la rate. Nous arrivons à un phénomène plus positif que les précédents, et qui ne peut manquer d'attirer tôt ou tard l'attention du malade et du médecin. Il est difficile de savoir à quelle époque la rate a commencé à s'accroître, mais comme Virchow lui-même le reconnaît, cette lésion précède toujours d'assez longtemps la dyscrasie caractéristique du sang, à moins qu'il ne s'agisse d'une leucocythémie lymphatique. (*Voy.* ci-dessous, FORMES de la maladie.) Dans la grande majorité des cas, la rate présente une hypertrophie considérable, qui se traduit pour le malade, par une pesanteur dans l'hypochondre droit, par une gêne considérable, surtout après les repas, par de la dyspnée, par la nécessité d'élargir les vêtements, et pour le médecin, par les signes physiques les plus évidents. L'*inspection* seule fait reconnaître un élargissement notable, un soulèvement de l'hypochondre gauche, et quelquefois une saillie visible jusque vers l'ombilic : La *palpation* confirme immédiatement cette première notion ; la main appliquée sur le ventre, plus ou moins distendu, constate facilement une tumeur énorme, qui commence à l'hypochondre gauche, atteint et dépasse la ligne blanche pour s'étendre à droite, ou descend vers la fosse iliaque gauche et vers le pubis. Cette énorme tumeur est ordinairement peu mobile; l'on peut cependant lui imprimer quelques petits déplacements, en refoulant les téguments pour la soulever. L'extrémité et le bord droit sont mousses, arrondis, faciles à circonscrire; le bord gauche et l'extrémité supérieure ne peuvent être bien limités que par la *percussion*, qui donnera, sur toute l'étendue de la tumeur, une matité absolue. Chez quelques malades, la palpation et la percussion provoquent des douleurs. La matité splénique se réunit souvent à droite avec la matité hépatique, quand le foie est également hypertrophié. Ajoutons que cette hypertrophie de la rate n'est en rien modifiée par le quinquina et la quinine à haute dose, qui font diminuer ordinairement les hypertrophies d'origine palustre. On a vu dans quelques cas le volume de la rate diminuer rapidement à la période ultime, sous l'influence de quelque complication, notamment d'hémorrhagies considérables. Ainsi, dans une observation de M. Vidal (1858) la rate diminue *in extremis* et l'on trouve un énorme foyer hémorrhagique dans le péritoine. D'autres fois, au contraire, la rate augmente rapidement dans les derniers jours. Dans une observation de Vogel (Virchow, *Archiv*, t. III, p. 571), le développement de la rate semble alterner avec celui des tumeurs ganglionnaires périphériques.

Hypertrophie du foie. Elle marche la plupart du temps avec celle de la rate, bien qu'elle soit un peu plus tardive et moins constante que la première (21 fois sur 32, relevé de M. Vidal; 32 fois sur 41, relevé personnel). Nous avons donné, à l'anatomie pathologique, des chiffres qui expriment l'augmentation de volume et de poids que le foie est susceptible de présenter. D'assez bonne heure, on pourra constater par la percussion et par la palpation que le foie déborde les fausses côtes, qu'il remonte en haut vers le mamelon, qu'il s'étend à gauche vers la rate. Plus tard, l'*inspection* fait reconnaître l'élargissement de l'hypochondre droit, qui, s'ajoutant à celui de l'hypochondre gauche par la rate, donne à la base de la poitrine une forme évasée très-remarquable. En même temps, le bord inférieur descend de plus en plus vers la fosse iliaque, et le lobe gauche se réunit à la rate.

C'est quelquefois seulement, à la fin de la maladie, que le foie prend rapidement, en quelques jours, un développement aussi considérable. (Obs. de Uhle, Virchow, *Archiv*, t. V, p. 383, et *Ges. Abhandl.*, p. 208; obs. Blache, Isambert et Robin, *Bull. de l'Ac. de méd.*, 29 janvier 1856, et *Arch. gén. de médec.*, 1856, t. I, p. 305.)

Les douleurs spontanées du foie paraissent plus rares que celles de la rate.

L'ictère n'est noté que 3 fois sur 32 (relevé de M. Vidal) et 2 fois sur 41 dans notre relevé personnel; chez l'un des malades, il y avait des calculs dans la vésicule. Dans d'autres cas (1 fois M. Vidal et 1 fois rel. pers.), le foie était cirrhosé.

Hypertrophies glandulaires diverses. Les diverses hypertrophies ganglionnaires que nous avons signalées, en étudiant l'anatomie pathologique, ne sont pas toutes appréciables extérieurement : celles des ganglions mésentériques, des glandes intestinales, ne se constatent que sur le cadavre. Celles des ganglions bronchiques pourraient toutefois être soupçonnées par l'apparition de phénomènes de dyspnée très-intenses, très-menaçants. Les hypertrophies des ganglions périphériques sont au contraire appréciables de bonne heure, aux ganglions lymphatiques du cou, de l'aine, ou de l'aisselle. Elles peuvent apparaître dans deux circonstances différentes, tantôt primitivement, avant l'hypertrophie splénique, c'est alors la *leucémie lymphatique* de Virchow, sur laquelle nous reviendrons un peu plus loin, tantôt elles viennent plus tardivement après l'hypertrophie de la rate, du foie, ce sont les cas mixtes. Les glandes longtemps indolentes présentent parfois dès le début des douleurs vives, quelquefois des exacerbations aiguës, avec rougeur, chaleur, à la suite desquelles leur volume augmente ordinairement, mais qui aboutissent rarement à la suppuration.

Hydropisies, anasarque, œdème partiel. On ne doit pas s'étonner de rencontrer des hydropisies locales ou généralisées dans une maladie qui affecte d'une manière aussi profonde la constitution du fluide nourricier et qui s'accompagne de tumeurs énormes capables d'entraver la circulation veineuse. Ainsi l'ascite est mentionnée 9 fois sur 32 (relevé de M. Vidal) et 13 fois sur 41 (relevé personnel), et l'œdème des membres inférieurs 14 fois sur 32. Dans deux de ces cas, il était limité au membre inférieur gauche. (Vidal.) Nous l'avons noté 7 fois sur 41 (relevé pers.). L'anasarque s'est montrée 4 fois sur 32 (M. Vidal) et 15 fois sur 41 (rel. pers.) ; l'œdème pulmonaire, 2 fois sur 32 et 1 fois sur 41 ; l'épanchement dans la plèvre, 2 fois sur 32 (Vidal) et 8 fois sur 41 (relevé personnel). L'ascite n'est pas en général aussi considérable que l'on pourrait le croire.

Ces diverses hydropisies se manifestent à des époques assez variables : M. Vigla constate l'ascite au début (observ. II, *Soc. méd. des hôp.*, 1856, p. 38), mais il est assez difficile de dire le moment qui peut être considéré comme le début de cette maladie. Plus ordinairement, les hydropisies surviennent à une époque avancée de la maladie, elles peuvent apparaître et disparaître plusieurs fois jusqu'à ce qu'elles deviennent définitives. Nous avons vu une ascite considérable (avec sensation de flot liquide) disparaître, au contraire, les derniers jours et être remplacée par de la tympanite (observ. citée, 1858). Nous avons vu de même l'anasarque apparaître subitement et se dissiper rapidement dans les jours qui ont précédé la mort d'un autre malade (obs. Blache, Isambert et Robin, 1855). L'œdème pulmonaire et l'épanchement pleural ont semblé ne paraître qu'à titre de complication ultime.

Sécrétion urinaire. Les urines restent ordinairement normales dans les premiers temps.

L'*albuminurie*, avec maladie de Bright, a été notée 3 fois sur 32 (relevé de M. Vidal) et 4 fois sur 41 (relevé personnel). Nous l'avons vu apparaître, à la dernière période, et disparaître quelques jours avant la mort (obs. Blache, etc., 1855). Il y aurait à rechercher si cette complication joue un rôle constant dans la diminution de l'albumine du sang (obs. citée, 1855) ou si cette diminution se produit par l'effet de la leucocythémie sans albuminurie. Dans une analyse de Becquerel (obs. 1856, *Soc. méd. des hôp.*, p. 193), l'albumine du sang est presque au chiffre normal, 75 millièmes, au lieu de 80, et l'urine contient une faible quantité d'albumine.

MM. Ollivier et Ranvier (obs. nouv., *Arch. de Br. séq.*, 1869, p. 409) ont constaté qu'une urine, bien que légèrement albumineuse, ne contenait pas de moules de tubes urinifères.

L'urine peut se montrer quelquefois sanguinolente, dans les cas d'hémorrhagies multiples à la fin de la maladie. Il ne faut pas confondre ces cas, avec l'albuminurie véritable. Nous notons de véritables hématuries 2 fois sur 41 (relevé personnel).

Parmi les autres altérations possibles de la sécrétion urinaire, nous voyons citer l'augmentation de l'acide urique et des urates (obs. Uhle, citée par Virchow, *Ges.*

Abhand., p. 205). M. Vigla (obs. IIIe, *Soc. méd. des hôp.* 1856, p. 38) mentionne des urines acides, jumenteuses, sans albumine, ni sucre. Le malade avait présenté une fièvre assez intense. M. Huss (obs. 1857) signale aussi une augmentation considérable de l'acide urique, tandis que l'acide phosphorique, sulfurique, et le chlore de l'urine normale, le dernier surtout, sont très-amoindris. L'excrétion de l'acide urique et des urates, encore peu étudiée dans l'état morbide qui nous occupe, paraît cependant peu importante, et semble tenir le plus souvent aux complications aiguës.

La glycosurie n'a jamais été observée.

Enfin MM. Thierfelder et Uhlé ont trouvé dans un cas (obs. 1858) une augmentation considérable de la quantité d'urine excrétée.

Troubles digestifs. En général l'appétit est conservé jusqu'à la fin; troublé quelquefois cependant par des nausées et des vomissements bilieux. (Ollivier et Ranvier, les 2 obs.)

Soif. La soif est mentionnée par presque tous les observateurs, elle est généralement très-marquée surtout vers les derniers temps, ce symptôme augmentant naturellement avec la diarrhée, et les hémorrhagies terminales. « Dans 9 cas sur 32, les malades se montrèrent très-altérés et le besoin de boire se répétait fréquemment, même en l'absence de tout mouvement fébrile » (relevé de M. Vidal).

La langue reste normale; dans la plupart de ces observations, son état n'est pas noté; cependant on l'a trouvée recouverte tantôt d'un enduit saburral, tantôt d'un enduit grisâtre. La sécheresse se produit surtout dans les cas de fièvre intense, ou dans ceux où il y a stomatorrhagie. (Ollivier et Ranvier, nouvelles obs. I et II, 1869.) La langue est alors couverte d'un enduit grisâtre et de fuligosités sanguines.

Les gencives ont été trouvées fongueuses et saignantes dans 3 observations sur 32, et ulcérées dans un cas (relevé de M. Vidal). Nous notons 5 fois sur 41 cas (relevé personnel) des hémorrhagies gingivales. Dans une observation de MM. Ollivier et Ranvier (nouv. observ. *Arch.* de Brown-Séquard, etc. 1869, p. 409), les gencives ont présenté une hypertrophie singulière. Blanchâtres, résistantes au toucher, non douloureuses, elles formaient un bourrelet de 5 millimètres d'épaisseur, sur leur bord libre dont les festons ressortaient d'une façon remarquable; en aucun point, elles n'étaient ni fongueuses, ni saignantes. » Nous avons donné ci-dessus (ANAT. PATHOL.) le résultat de l'examen microscopique de cette lésion.

Les nausées et les vomissements apparaissent à des époques variables. Chez 3 malades sur 32 (M. Vidal), ils sont notés à la période de début. Chez un quatrième, ces accidents n'ont paru qu'au bout de quelques mois (relevé de M. Vidal). Quelques jours avant la mort, ils deviennent continuels, et le malade vomit à peu près tout ce qu'on lui donne, dans une observation de MM. Ollivier et Ranvier (obs. citée, 1869). Des vomissements *in extremis*, avec état comateux, peuvent être le signe d'une hémorrhagie dans les méninges, ou dans les ventricules du cerveau (obs. Blache, 1855), nous les trouvons en tout 9 fois sur 41 (rel. pers.). Enfin la dyspepsie, l'inappétence sans vomissements sont notées dans quelques cas (obs. Huss, obs. Béhier).

La diarrhée est notée par tous les observateurs comme un des accidents les plus constants (12 cas sur 25, relevé de M. Vigla; 17 sur 41, relevé personnel). Toutefois l'époque de son apparition varie beaucoup. Pendant les premiers mois, on observe des alternatives de constipation et de diarrhée : chez 10 malades sur 32, une constipation opiniâtre, chez 7, diarrhée plus ou moins fréquente (relevé Vidal). Comme accident des dernières semaines, et comme symptôme ultime, la diarrhée est notée 16 fois sur 22 cas suivis de mort.

L'*hémorrhagie intestinale* se montre aussi vers la fin soit liée à la diarrhée terminale, soit concomitante avec des hémorrhagies multiples (8 fois sur 32, relevé de M. Vidal ; 8 fois sur 41, relevé personnel).

La constipation avec *tympanite* a été notée à la période ultime (obs. Isambert, 1858). En tout 4 fois sur 41, relevé personnel.

Aphonie. La voix était faible et rauque dans 4 cas sur 32 (obs. Vigla, I, II et III, et obs. Leudet) et 3 fois sur 34 (rel. pers.). Elle peut tenir soit à l'épuisement du sujet à la période terminale, soit à la compression des bronches et de la trachée par des masses ganglionnaires hypertrophiées.

Dyspnée. C'est un des symptômes les plus constants (21 fois sur 32 cas, relevé de M. Vidal, et 19 sur 41, relevé personnel). Elle peut se montrer dès le début de la maladie, et présenter des degrés fort divers d'intensité. Chez les uns, ce n'est qu'un sentiment de gêne, s'augmentant par la marche et par le mouvement, ou par l'ingestion des aliments, surtout après le repas du soir ; d'autres fois, il y a une anxiété extrême, et de véritables accès de suffocation (observ. Bourdon ; obs. Chaillou, 1863 ; obs. Nicaise, 1866 ; obs. Isambert, 1869). Il est probable dans ce second cas que la dyspnée est due à la compression directe des bronches par les ganglions thoraciques ; dans le premier cas au contraire, elle tient le plus souvent à la gêne qu'apporte au mécanisme de l'inspiration la présence des tumeurs volumineuses de la rate et du foie, ou l'ascite plus ou moins développée ; elle peut être alors portée jusqu'à l'orthopnée ; d'autres fois encore elle est due à de véritables complications pulmonaires, ou pleurales : épanchements dans la plèvre, bronchites, congestion ou œdème des vésicules pulmonaires, ou infiltration tuberculeuse du poumon. Il importe donc d'ausculter et de percuter la poitrine, pour reconnaître si la dyspnée est due à quelques-unes de ces complications intercurrentes qui manquent rarement de se produire à une époque plus ou moins avancée de la maladie.

« Dans 13 cas sur 32, la dyspnée s'est accompagnée de toux, généralement peu fréquente, courte et sèche. 8 fois seulement on a noté l'expectoration ; muqueuse, filante et peu abondante dans 4 cas, elle a été purulente dans 2 cas, et sanguinolente dans 2 autres. » (Vidal, *ouvr. cité*, p. 48.)

Appareil vasculaire. Les troubles de l'appareil vasculaire n'ont pas été examinés avec beaucoup de soin par les premiers observateurs. On signale bien l'état anémique, mais on ne parle guère de l'auscultation du cœur et des gros vaisseaux. Sur 8 observations recueillies en France, on constata dans 4 des bruits de souffle anémique au cœur et dans les carotides, bruits dont l'intensité et l'étendue offraient des variations en rapport avec les progrès de l'anémie. (Vidal, *ouvr. cité*, p. 49.) Nous notons aussi ce souffle 5 fois sur 41 (relevé personnel).

Des lésions dans les orifices du cœur peuvent bien se montrer à titre de complication, mais elles ne paraissent avoir aucune relation directe avec la leucocythémie. Cependant un état aussi considérable d'anémie ne peut exister sans des palpitations, et des troubles dynamiques assez graves du côté du cœur, tels que la lipothymie. Nous croyons que cet organe doit avoir sa part dans la dyspnée qui survient si souvent : en tous cas, il est pour beaucoup dans les phénomènes terminaux, alors que des hémorrhagies répétées disposent le malade à la syncope, ou lorsque des caillots semblables à ceux que révèle l'anatomie pathologique se forment *in extremis*.

Le *pouls*, ordinairement faible et dépressible, n'augmente pas de fréquence dans les premiers temps, sauf apparition d'une complication aiguë.

La *fièvre*, de forme *pseudo-intermittente*, ou plutôt la *fièvre hectique* proprement dite, ne s'allume ordinairement que dans les derniers temps de la maladie. Nous la notons 19 fois sur 41 cas (relevé personnel).

Les accès intermittents apparaissent sans périodicité régulière, et, bien qu'ils puissent débuter par un frisson et s'accompagner de sueurs, c'est évidemment forcer les analogies que de vouloir les rattacher uniquement à la cause palustre. Les différentes poussées inflammatoires, ou simplement congestives vers la rate, vers le foie, vers les poumons, exacerbations qui se multiplient dans les derniers temps en rendent suffisamment compte ; et à la fin, la fièvre peut devenir continue, ou rémittente avec exacerbation le soir, absolument comme dans la fièvre hectique des phthisiques. La quinine n'a pas d'action sur cette fièvre. Le pouls ne s'élève pas du reste au-dessus de 110 à 120 pulsations ; la chaleur fébrile n'est pas non plus bien considérable, mais nous manquons de données numériques à cet égard. Les sueurs sont surtout abondantes la nuit. Des sueurs profuses, obligeant le malade à changer de linge, sont notées 8 fois sur 32 (relevé de M. Vidal).

Appareil nerveux. Les fonctions cérébrales, l'intelligence restent ordinairement intactes jusqu'à la fin. Mais le caractère change, comme dans tous les cas d'anémie, ou de maladie chronique, dans lesquels les malades conservent une juste appréciation de leur triste situation. Ils deviennent impressionnables, tristes et moroses. Le malade de M. Charcot a présenté une lypémanie avec hallucinations et a fini par un suicide. Vogel cite un cas semblable (1847). Le délire est rare, sauf à la période ultime.

Le sommeil se conserve ordinairement jusqu'à une époque avancée ; à moins que la dyspnée ne le rende impossible ; l'insomnie et les rêvasseries se montrent dans les derniers jours par suite de l'affaiblissement général.

Les troubles des sens sont généralement liés à l'anémie, bourdonnements d'oreilles, obnubilations de la vue, etc.

Des troubles sérieux de la vue sont assez rarement notés dans les observations cliniques (2 obs. Bamberger ; 1 obs. d'Oppolzer ; 1 de Grisolle et Hemey ; en tout : 4 fois sur 41 cas (relevé personnel). Cependant M. Liebreich décrit une *rétinite leucémique* qui est caractérisée à l'ophthalmoscope par la dilatation des veines avec coloration rose pâle ; les artères contractées sont d'une teinte orange brillante ; les vaisseaux de la choroïde sont d'un jaune pâle. Les épanchements de sang présentent la même couleur rose pâle. (*Med. Times*, avril 1862 et *Gaz. hebdomad.*, 1862, p. 319.)

Dans 3 faits sur 32 (relevé de M. Vidal), on a constaté la dureté de l'ouïe, et même de la surdité à une époque plus ou moins avancée. Nous l'avons également vue notée dans 4 cas sur 41 (relevé personnel ; obs. Blache, 1855 ; Bamberger, 1856, Mulder, 1860). Nous ignorons si cette surdité tient à quelque lésion anatomique spéciale ou seulement à la faiblesse générale.

6 malades sur 32 ont accusé de la céphalalgie, presque continue chez les uns, revenant à intervalles irréguliers chez les autres ; chez 4, elle s'est montrée comme un des symptômes du début (relevé de M. Vidal). Nous trouvons aussi la céphalalgie 2 fois sur 41 (relevé personnel). Dans plusieurs cas (2 fois sur 41) l'intelligence est lente, le malade répond lentement aux questions qu'on lui

adresse. D'autres fois il est en proie à une somnolence assez prononcée (1 fois sur 41). Quelquefois par contre (2 fois sur 41), le sommeil est perdu, mais dans la grande majorité des cas, le sommeil reste bon jusqu'à l'époque la plus avancée.

Enfin, à la période ultime, survient un délire tranquille, tenant probablement à l'intensité de la dyscrasie sanguine (3 fois sur 32, relevé de M. Vidal, et 1 fois sur 41, relevé personnel). Enfin, en cas d'hémorrhagie cérébrale (obs. Bennett, 1 cas sur 17, 3 cas sur 41, relevé personnel), coma, résolution des membres; nous avons noté dans un cas d'hémorrhagie intraventriculaire et méningée un coma profond accompagné de vomissements bilieux (obs. citée, 1855).

Les *fonctions génésiques* sont naturellement influencées dans une pareille cachexie. La perte de l'appétit vénérien chez les hommes est mentionnée par MM. Ollivier et Ranvier et par M. Béhier. Nous manquons de renseignements pour les fonctions menstruelles chez la femme.

Des *hémorrhagies* se montrent fréquemment à la période ultime de la maladie (19 fois sur 32, relevé de M. Vidal, et 24 fois sur 41, relevé personnel; en tout 43 fois sur 73 cas). Ces accidents hâtent le terme fatal soit par l'épuisement général dans lequel ils plongent le malade, soit par l'importance de l'organe qu'ils frappent, comme quand il s'agit des centres nerveux. L'hémorrhagie peut être unique, et c'est l'épistaxis qui se montre le plus souvent; mais souvent aussi (7 fois sur 19, relevé de M. Vidal, et 11 fois sur 41, relevé personnel), il s'agit d'hémorrhagies multiples se produisant à peu près sur tous les points du corps. Quant à la fréquence relative de ces diverses hémorrhagies, nous pouvons en dresser le tableau suivant :

	RELEVÉ de M. Vidal sur 32 cas	RELEVÉ PERSONNEL sur 41 cas
Épistaxis	10 fois	16 fois
Hémorrhagie cérébrale	1 —	3 —
Hémorrhagie méningée spinale	»	1 —
Hémorrhagie gingivale ou dentaire	5 —	5 —
Hématémèse	1 —	2 —
Hémoptysie	1 —	1 —
Hémorrhagie intestinale	8 —	8 —
Hématurie	»	2 —
Métrorrhagie	1 —	»
Taches de purpura hemorrhagica	»	9 —
Hémorrhagies sous-cutanées (Thrombus)	2 —	2 —
Hémorrhagie sous-péritonéale	»	1 —

Les taches de purpura hemorrhagica sont donc bien plus fréquentes que le relevé de M. Vidal ne l'aurait fait penser. On les trouve déjà mentionnées dans l'observation III de Bennett, et dans l'observation II de M. Vigla, où l'hémorrhagie sous-cutanée et même sous-musculaire donna naissance à une tumeur sanguine considérable de la région axillaire, qui se reproduisit à plusieurs reprises. MM. Charcot et Vulpian (1860) ont trouvé des foyers hémorrhagiques autour de l'épaule et près d'un sein. Dans l'observation de MM. Bouillaud et Duroziez (1858), une tumeur sanguine de l'aisselle était due à une thrombose veineuse, mais sans rupture du vaisseau. Nous avons vu (obs. Blache, Isambert et Robin, 1855), avec des taches de purpura sur tout le corps, des ecchymoses considérables se faire à plusieurs reprises dans les paupières et prendre une teinte bleu-noir qui défigurait entièrement le malade, comme s'il avait reçu de violentes contusions dans cette région. La conjonctive était également le siége d'ecchymoses d'un rouge vif. MM. Ollivier et Ranvier (1860) ont aussi vu des ecchymoses de la conjonctive. Les taches purpurines se sont accompagnées aussi de bulles, de phlyctènes remplies de sérosité sanguinolente (obs. de Magnus Huss, 1857).

Pour 6 malades sur 32, il est fait mention d'hémorrhoïdes soit avant, soit depuis l'hypertrophie de la rate (relevé de M. Vidal), mais les hémorrhoïdes ne paraissent jouer aucun rôle dans la maladie.

Du côté du *tégument externe*, on a noté, en dehors des taches purpurines, et, comme phénomènes ultimes rares, du prurigo (obs. Nicaise), des éruptions furonculeuses (dans 2 cas sur 32, M. Vidal) accompagnées, dans un cas, de formation d'eschares au sacrum développées sur le siége des furoncles (M. Vigla, obs. III), et dans l'autre, d'éruptions pemphigoïdes de la main suivies de phlegmon et d'abcès (obs. Ire de Virchow). Magnus Huss a noté une éruption bulleuse contenant un liquide d'abord séro-sanguinolent, puis séro-purulent, faisant place à des ulcérations ou à des croûtes comme le pemphigus. MM. Ollivier et Ranvier (observ. nouv., etc., n° 1) ont noté des pustules d'ecchyma et de petits abcès sous-cutanés.

Enfin, une *parotide* s'est développée trente-six heures avant la mort dans un cas de M. Vigla. (Obs. II. *Bull. de la soc. méd. des hôp.*, 1856, p. 38.)

Complications. Les principales complications notées dans la leucocythémie ont été soit des accidents aigus survenant dans le cours de la maladie, tels que des épanchements pleurétiques (2 fois sur 32, Vidal ; — 8 fois sur 41, relevé personnel), des œdèmes ou des congestions pulmonaires (5 fois sur 32, Vidal ; — 10 fois sur 41, relevé personnel), ou même de véritables broncho-pneumonies (3 fois sur 41, relevé personnel), soit des maladies chroniques qui pouvaient être le résultat de la cachexie générale, mais qui pouvaient être aussi le résultat d'une diathèse antérieure ; telles sont surtout l'*infiltration tuberculeuse* des poumons, notée 3 fois sur 32 par M. Vidal, et 5 fois sur 41 (relevé personnel), l'infiltration tuberculeuse disséminée du péritoine (obs. Ollivier et Ranvier, 1869). Ehrlich aurait noté la tuberculose 12 fois sur 98 cas (thèse citée par Bœttcher.).

Le *cancer* s'est aussi montré assez fréquemment, 3 fois sur 17 dans les observations de Bennet. M. Becquerel a trouvé aussi le cancer de l'estomac (obs. II, 1856, *Soc. méd. des hôp.*, p. 196). Dans la même observation, on trouve de la pneumonie chronique.

La *cirrhose du foie* est mentionnée par M. Leudet. (*Soc. de biol.*, 1858.)

La *maladie de Bright* est notée 3 fois sur 32 (M. Vidal), et 3 fois sur 41 (relevé personnel ; — obs. Bamberger, Bourdon et Gubler) ; mais on peut se demander, dans le dernier cas surtout, si la leucocythémie n'est pas ici, comme dans le cancer, la complication de la maladie chronique, plutôt que celle-ci n'est la complication de la leucocythémie.

Becquerel note (obs. 1856) un calcul vésical, M. Chaillou un kyste urineux, et M. Vidal (1 fois sur 32) des calculs biliaires ; ce sont de pures coïncidences.

Enfin nous trouvons, 3 fois sur 41, l'érysipèle, dont un de la face, et un érysipèle phlegmoneux des membres. Becquerel a observé dans un cas une dysenterie aiguë à la fin (obs. II, 1856) n'était-ce pas plutôt une diarrhée avec hémorrhagie intestinale ?

III. **Marche, durée, terminaison et formes de la leucocythémie.** Nous avons vu plus haut, en traçant le tableau général des symptômes de la leucocythémie, l'ordre dans lequel ils apparaissent d'une manière générale. Les reprenant ensuite un à un, nous avons indiqué les particularités que ces divers phénomènes présentent selon les époques où on les rencontre : de toute cette étude est ressortie l'image d'une cachexie à marche plus ou moins lente, mais progressive et fatale, dans laquelle il nous semble impossible de reconnaître des périodes tranchées. M. Vigla (*Soc. méd. des hôp.*, 1856, p. 79) et M. Vidal (*ouvr. cité*, p. 52) ont cependant tenté d'établir une division en trois périodes : la première serait marquée par le commencement du gonflement de la rate, l'affaiblissement, l'amaigrissement, les douleurs vagues, des désordres peu graves dans la digestion, et des mouvements fébriles irréguliers; la deuxième verrait l'augmentation des hypertrophies glandulaires, de la dyscrasie sanguine, de la dyspnée, de la diarrhée, des sueurs, des hémorrhagies, la fièvre y serait exceptionnelle; la troisième période serait constituée par les mêmes symptômes portés au suprême degré, par la fièvre hectique, par la constance de la diarrhée, les hémorrhagies multiples, les sueurs profuses, l'orthopnée, etc. Le professeur Magnus Huss, de Stockholm (mém. cit., p. 313), a déjà fait une critique très-judicieuse de cette division. « Il faudrait, pour qu'elle fût générale, que les symptômes sur lesquels elle se fonde fussent constants. Il faudrait que l'on pût suivre le développement successif de la rate parallèlement avec l'altération du sang et tenir compte de la succession des autres signes les plus constants, tels que l'amaigrissement, l'épuisement des forces, le gonflement du foie et des ganglions lymphatiques, l'aspect cachectique, l'anémie, la fièvre hectique, les hémorrhagies, la sueur et la diarrhée. » On peut y opposer les cas où l'hypertrophie de la rate (obs. XXXVI de Bennett), ou celle des ganglions lymphatiques (*voy.* ci-dessous) ont précédé de beaucoup la dyscrasie sanguine.

Nous partageons entièrement cette manière de voir, et la division en trois périodes nous semble aussi purement artificielle. Il y a, suivant les cas, des époques où la maladie s'accélère. Nous avons déjà noté des exacerbations aiguës pour les hypertrophies viscérales ou glandulaires; on observe aussi, dans quelques cas des oscillations brusques dans la dyscrasie sanguine (obs. de Thierfelder et Uhle, 1858). Dans d'autres moments, la maladie semble stationnaire, mais c'est là le caractère de toutes les maladies chroniques, et pour établir des périodes véritables, il faudrait deux éléments qui font ici défaut, c'est-à-dire : 1° des périodes *de temps* comprenant des époques à peu près fixes ou des retours réguliers, 2° des phénomènes symptomatiques bien tranchés, des *changements de tableau* comme on en voit dans les fièvres éruptives, par exemple, et qui fussent constants; or, il n'en est pas ainsi, même de la fièvre hectique et des hémorrhagies multiples. Il n'y a de réel que l'approche de l'agonie, et encore celle-ci n'existe souvent pas : le malade s'éteint doucement par les progrès de l'épuisement. La leucocythémie idiopathique est donc une affection essentiellement *progressive*, et nous emploierons volontiers ce terme pour la désigner, et surtout pour la différencier de la leucocythémie temporaire ou symptomatique.

La *durée* d'une telle maladie est fort difficile à déterminer, parce qu'il est à peu près impossible d'en préciser le début. Le plus souvent, les malades ne se présentent au médecin que lorsque la cachexie est avancée, et il faut alors s'en rapporter à leurs souvenirs pour calculer l'époque probable à laquelle la dyscrasie sanguine a commencé de se produire. D'autres fois, le malade s'est aperçu de l'apparition des tumeurs lymphatiques, ou de l'hypertrophie de la rate, mais le médecin ne songe pas à vérifier au microscope l'état du sang, ou bien l'examen le plus attentif de ce fluide ne montre pas encore la prédominance des leucocytes, comme dans les cas de leucocythémie retardée. Dans deux observations de M. Gubler (1858), la dyscrasie sanguine ne se produit même que les derniers jours de la vie, presque d'une manière aiguë. On voit combien de difficultés s'opposent à la détermination exacte du début; la dernière circonstance surtout est celle qui oppose l'obstacle le plus invincible, puisque, après tout, il n'y a leucocythémie que quand le sang présente une quantité anormale de leucocytes, et que les autres symptômes ne suffisent pas à en établir l'existence. Il faudrait donc ne compter la durée de la leucocythémie qu'à partir de l'époque où la dyscrasie sanguine a été reconnue, et c'est ce qu'on ne fait pas en général; les cas sont rares où le médecin a pu, comme dans l'observation XXXVI de Bennett, saisir à peu près l'instant où le sang s'est modifié, alors qu'on suivait déjà depuis longtemps les progrès d'une cachexie accompagnée d'hypertrophie splénique ou ganglionnaire. On se borne ordinairement à évaluer approximativement, d'après les renseignements fournis par le malade, l'époque où sa santé a présenté une altération qui paraît avoir persisté jusqu'au moment où l'on commence à l'observer régulièrement. C'est seulement dans cette limite qu'il faut accepter les chiffres qui ont été donnés par les différents auteurs.

Sur 17 observations où l'on a pu calculer la durée de la maladie, depuis l'apparition de la tumeur splénique jusqu'à la mort, M. Vidal trouve :

Durée de 3 mois à 6 mois.	3 fois.
— de 6 mois à 1 an.	5 fois.
— de 1 an à 1 an 1/2.	5 fois.
— de 2 ans.	2 fois.
— de 2 ans 1/2.	1 fois.
— de 4 ans.	1 fois.

La moyenne aurait d'après cela été de 13 à 14 mois, le minimum de 3 mois, et le maximum de 4 ans. Les chiffres publiés depuis cette époque ne s'écartent pas beaucoup de ces données. Cependant nous avons trouvé une telle incertitude dans l'évaluation de la durée des observations nouvelles que nous avons analysées, que nous avons renoncé à établir une moyenne. Dans notre relevé, de 41 observations, nous pouvons à peine dans 25 cas évaluer la durée de la maladie et cette durée est de 6 semaines à 6 mois dans 13 cas; de 10 mois à 2 ans dans 7 cas; les autres chiffres donnent trois ans de durée, 3 fois, et deux chiffres incertains de 4 à 5 et même 8 ans.

Terminaison. Dans toutes les observations de leucocythémie idiopathique, soit splénique, soit lymphatique, la mort a été la terminaison constante de la dyscrasie sanguine. Si quelques malades (et Virchow n'en cite qu'un, M. le docteur Farre en cite un autre) ont paru échapper à cette cachexie fatale, il est probable que c'est qu'ils ont été perdus de vue pendant quelque temps, et que le dénoûment fatal se sera produit loin des premiers observateurs ou bien qu'il s'agirait seulement d'une leucocythémie symptomatique. Nous ne voulons pas dire que la guérison soit impossible, la nature a des ressources infinies, mais nous nous bornons à énoncer un fait, c'est qu'elle n'a pas encore été observée d'une manière authentique, c'est qu'on ne cite pas de sujets actuellement vivants et bien portants, après avoir été atteints d'une leucocythémie progressive bien constatée. Il est fort à craindre, du reste, qu'il n'en soit bien longtemps ainsi, quand on se reporte aux troubles profonds que cette maladie apporte aux forces vives de l'économie.

La mort survient donc, plus ou moins vite, plus ou moins tard, et les circonstances dans lesquelles elle se produit n'offrent pas une grande variété. Le malade perd ses forces de plus en plus, l'amaigrissement est extrême, la dyspnée augmente, des sueurs profuses ou une diarrhée colliquative achèvent d'épuiser le malade. La fièvre hectique et quelquefois un délire tranquille marquent ses derniers instants. Quelquefois même, il s'éteint paisiblement sans présenter des symptômes aussi accusés. Dans deux cas cependant il y a eu délire lypémaniaque et suicide. La syncope doit être dans le plus grand nombre des cas la cause prochaine de la mort. Aussi a-t-on observé plusieurs fois la mort subite (1 fois sur 32, M. Vidal; 2 fois sur 41, relevé personnel; obs. Bouillaud, 1858; Ollivier et Ranvier, 1869, obs. nouv., n° 2). C'est là ce qu'on peut appeler la *forme cachectique progressive*. Une autre forme bien tranchée au point de vue de la terminaison, c'est la *forme hémorrhagique*. A un moment donné, quelquefois avant que la cachexie soit très-prononcée, surviennent les hémorrhagies que nous avons décrites, épistaxis, hémorrhagie intestinale, très-souvent hémorrhagies multiples, internes ou externes. La terminaison est alors accélérée; soit parce que les pertes de sang répétées achèvent en quelques jours d'épuiser le malade, soit parce qu'une hémorrhagie interne a frappé les organes essentiels, comme dans les cas d'hémorrhagie cérébrale.

La mort par suffocation rapide s'est également produite 4 fois sur 41 (relevé personnel). 2 fois sur 41, des vomissements intenses, incoercibles ont paru accélérer le dénoûment. Des accidents convulsifs sont aussi notés 2 fois sur 41 dans cette période extrême.

Enfin, comme dans toutes les maladies chroniques, le malade peut être emporté par quelque complication aiguë. Nous en avons plus haut cité quelques-unes, auxquelles nous pouvons ajouter un cas de rétention d'urine avec fièvre intense (obs. Boettcher).

Toutefois, l'on peut dire qu'au point de vue de la terminaison, la leucocythémie confirmée ne reconnaît que deux formes, la forme cachectique progressive, et la forme hémorrhagique. Nous ne confondons pas les *formes*, c'est-à-dire les ensembles symptomatiques qui conduisent à la terminaison, avec les *variétés* ou les *espèces* qui répondent à un point de vue plus général, et qui comportent des différences dans la nature même de la maladie. Avant d'établir ces variétés ou ces espèces, il nous reste à invoquer un autre ordre de considérations indispensable à la solution du problème, nous voulons parler des causes de l'état morbide qui nous occupe.

IV. **Étiologie.** Plusieurs causes physiologiques produisent l'augmentation relative des leucocytes, la digestion, la grossesse ; M. Robin a, dans l'article précédent, indiqué les différences individuelles, et les causes fortuites qui amènent la leucocythémie temporaire, telles que la diarrhée, un purgatif, etc. Un certain nombre de causes morbides plus graves déterminent des leucocythémies temporaires plus ou moins prononcées ; ce sont surtout les maladies infectieuses, la fièvre typhoïde, la dysenterie, le choléra, la diphthérie, la fièvre puerpérale, l'infection purulente. Nous reviendrons plus loin sur ce groupe important de leucocythémies. Pour le moment, bornons-nous à rechercher les causes de la leucocythémie permanente, chronique, de la leucocythémie confirmée ou progressive, celle de Virchow et de Bennett, que nous avons jusqu'à présent prise pour type de nos descriptions. Cette étiologie est, il faut le reconnaître, assez obscure et nous allons passer en revue les diverses causes individuelles, banales ou pathologiques que l'on a tour à tour invoquées.

Sexe. Les hommes paraissent prédisposés plus que les femmes à la leucocythémie. Sur 25 faits de Bennett, on compte 16 hommes et 9 femmes. Sur 32 faits relevés par M. Vidal, 22 hommes et 10 femmes. Sur 39 cas nouveaux (relevé personnel) nous trouvons seulement 11 femmes et 28 hommes. En tout, sur 71 cas, 46 hommes et 19 femmes. La différence serait donc de plus du double.

Age. La leucocythémie est surtout une maladie de l'âge adulte. Voici les chiffres que nous relevons sur 71 cas :

	RELEVÉ DE M. VIDAL SUR 32 CAS	RELEVÉ PERSONNEL SUR 39 CAS NOUVEAUX
Au-dessous de 2 ans.	»	1 (15 mois)
Au-dessous de 15 ans.	1 (13 1/2)	1 (13 ans)
De 15 à 20.	2 (17 ans)	4
De 20 à 30.	8	8
De 30 à 40.	8	13
De 40 à 50.	9 (dont 5 à 45 ans)	2
De 50 à 60.	3	7
De 60 à 70.	1	»
De 70 à 80.	»	3 (dont 2 à 73 ans)

Il faut donc prendre pour limite 73 ans (obs. Potain, 1861 ; obs. Desnos, 1867) et du côté de l'enfance, 13 ans (obs. Blache et obs. Goupil), et même 1 enfant de 15 mois (obs. de Trousseau). Lœschner (1859) et Golitzinski (1861) ont cité plusieurs cas observés chez les enfants. Si l'on parlait de leucocythémies aiguës, les chiffres augmenteraient encore.

La *profession* ne nous donne que des renseignements de peu de valeur. M. Vidal cite 5 laboureurs, 3 marchands de vin, 2 marins, 2 blanchisseurs ; les autres professions ne donnent qu'un chiffre unique. Nous voyons mentionner, d'autre part, dans notre relevé de 41 cas, sur 31 où la profession est indiquée : 6 cordonniers, 2 menuisiers, 3 servantes, 1 soldat, 1 cocher, 3 journaliers ou terrassiers, 1 meunier, 1 paysanne, 1 nourrisseur, 1 ancien colon de l'Algérie, etc.

Ce qui paraît le plus clair, c'est que les professions qui exposent le plus à l'humidité, à la vie sédentaire et confinée, à la misère, aux fatigues excessives sont celles qui ont fourni la plupart des observations. Mais tous ces faits ont été recueillis dans les hôpitaux, et il est peu de sujets, parmi cette clientèle malheureuse de l'assistance publique, pour lesquels on n'en puisse dire autant.

La *grossesse* paraît avoir été dans 4 cas sur 10 (M. Vidal) le point de départ de la maladie. Ce que nous savons de l'influence physiologique de la grossesse sur le chiffre des leucocytes explique en effet qu'il puisse y avoir ici prédisposition particulière. Sur 11 femmes (relevé personnel) nous ne trouvons cependant pas un seul fait où la maladie soit liée d'une manière évidente avec les fonctions génésiques de la femme.

Parmi les conditions hygiéniques, et en dehors de tout ce qui concerne les habitudes débilitantes, des excès alcooliques antérieurs ont été mentionnés 3 fois sur 32 dans le relevé de M. Vidal. Cette cause n'est signalée que 3 fois sur 41 (relevé personnel), en tout 6 fois sur 73 cas. On sait toutefois combien il est difficile d'obtenir des aveux à cet égard, quand le malade n'est pas sous le coup d'accidents provenant directement de l'alcoolisme. La faiblesse même du chiffre fait présumer qu'il n'est pas exact.

D'autres ont invoqué des fatigues excessives, de grands efforts musculaires (obs. Béhier), d'autres des refroidissements; la plupart, des privations, quelquefois, de violents chagrins. Tout cela ne sort pas des causes banales.

L'influence possible de l'*infection palustre* et les antécédents de fièvre intermittente ont dû naturellement préoccuper les premiers observateurs d'une cachexie liée dans la grande majorité des cas à une hypertrophie de la rate. Pourtant les premières séries d'observation ont semblé exonérer cette cause. On insistait beaucoup sur cette circonstance pour prouver l'essentialité de la leucémie. Sur 20 observations, Bennett ne retrouvait que 3 cas où l'on eût noté des antécédents de fièvre intermittente, et il y opposait 3 observations d'hypertrophie de la rate d'origine palustre, où la leucocythémie n'existait pas. (*Soc. de Biologie*, 1851, p. 45.) Cependant, on cita bientôt des observations très-complètes, où les antécédents palustres étaient indubitables (obs. Goupil, obs. Woillez). Dans son relevé de 32 cas, antérieur à 1856, M. Vidal trouve 5 observations où des antécédents de fièvre intermittente ont été retrouvés. « Un malade les avait eus sous le type tierce, dix-sept ans avant le début des accidents de leucocythémie; un autre, huit avant, et également avec le type tierce. Chez un autre, après avoir duré pendant six ans, elles disparurent trois ans avant le début de la nouvelle maladie (obs. Woillez). Chez le quatrième, il y eut quelques accès de fièvre quotidienne douteuse quatre mois avant le début. Dans le cinquième (obs. Goupil), nous voyons la maladie succéder sans transition à des accès fébriles intermittents bien caractérisés. De ces cinq malades, trois habitaient des pays où la fièvre intermittente règne endémiquement. Un autre malade habitait un pays marécageux, mais n'avait jamais eu de fièvre intermittente. » Dans notre relevé de 41 cas nouveaux, nous trouvons 11 fois des antécédents palustres, lesquels sont plus ou moins rapprochés, dans 6 cas (obs. Blache, Huss, Bœttcher, Nicaise, Gubler, Oppolzer); des antécédents palustres certains, mais éloignés de 20 à 25 ans dans 2 cas (Becquerel, observ. II, 1856, et Vidal, obs. 1858), et enfin des antécédents douteux dans 3 cas. En tout, il est fait mention, plus ou moins certaine, de l'influence palustre dans 16 cas sur 73, sur lesquels dans 2 cas seulement (observ. Goupil, observ. Gubler) la leucocythémie a succédé immédiatement à la fièvre palustre.

On peut donc conclure de ce qui précède, et du grand nombre d'observations que l'on pourrait citer, où l'hypertrophie splénique d'origine palustre ne s'accompagne pas de leucocythémie, que le miasme des marais n'est certainement pas la cause directe de la leucocythémie, mais qu'on aurait tort de nier l'influence qu'il peut avoir comme cause prédisposante. On sait qu'un grand nombre de sujets ont habité des pays marécageux, et n'ont souffert en apparence aucun accès de fièvre intermittente, chez lesquels plus tard, à l'occasion d'une maladie quelconque, on peut reconnaître l'influence délétère que l'intoxication palustre avait exercée sur eux en réalité. Dans beaucoup de cas de leucocythémie, il peut en avoir été ainsi, bien que ce soit tomber dans une erreur évidente que d'attribuer uniquement au paludisme (comme le voulaient F. Barthez, Cahen, etc., *Soc. méd. des hôp.*, 1864, p. 42, 57, 59, etc.) l'état morbide qui nous occupe. Mais quand ce ne serait que comme antécédent pathologique essentiellement débilitant, l'influence palustre joue un rôle dans la leucocythémie.

Du reste, c'est encore une lacune regrettable dans l'histoire clinique de la leucocythémie, que le manque de renseignements précis sur les antécédents pathologiques des malades : il serait très-important, en présence d'une étiologie aussi incomplète, de rechercher toujours, et de noter avec soin toutes les maladies antérieures, toutes les conditions héréditaires et diathésiques, qui ont pu les prédisposer à cette cachexie. Or, en fait de maladies antérieures, notre bagage est fort léger.

M. Vidal signale, sur 52 cas, 2 malades atteints de rhumatisme aigu peu de temps avant les premiers accidents ; un autre avait éprouvé des douleurs rhumatismales. La fièvre typhoïde est mentionnée 1 fois (obs. de Goupil, rel. de M. Vidal, 1858) et 3 fois sur 41 cas (relevé personnel).

La syphilis est signalée 2 fois sur 41 (relevé personnel) ; la scrofule, 3 fois ; la blennorrhagie, 2 fois ; le scorbut, 1 fois ; le choléra, 1 fois ; l'albuminurie aiguë, 1 fois ; la maladie de Bright, 1 fois ; l'intoxication mercurielle, 1 fois ; la pneumonie, 1 fois ; l'emphysème avec maladie du cœur, 1 fois ; les bronchites, 2 fois ; la phthisie héréditaire, 2 fois ; des hémorrhagies antérieures, 4 fois ; l'érysipèle, 1 fois ; les abcès multiples, 1 fois ; le goître, 1 fois. Cette recherche mérite, selon nous, de fixer l'attention des observateurs à venir.

V. **Divisions, espèces, variétés.** Nous possédons maintenant les éléments nécessaires pour établir dans les cas de leucocythémie des divisions, qui ne reposent pas sur une idée théorique préconçue, mais sur l'examen des faits. La division que nous adopterons ici est toute pratique, toute clinique, telle qu'on peut la concevoir pour un état morbide dont la connaissance est encore récente, et qui ne prêterait pas sans danger à des divisions dogmatiques. Sans rien préjuger sur l'essentialité, sur la nature même de cet état morbide, nous distinguerons d'abord deux grands groupes, dont la notion, indiquée dès le début de cet article, résulte de l'examen des faits auquel nous nous sommes livré. D'une part, il existe une *leucocythémie permanente, progressive, idiopathique*, si l'on veut nous permettre ce mot ; c'est la cachexie spéciale qui nous a servi de type jusqu'à présent. D'autre part, il existe des *leucocythémies passagères, variables, symptomatiques* d'affections diverses, qui pourraient peut-être constituer plusieurs espèces. Ces deux groupes sont aussi différents, par exemple, que l'albuminurie, symptôme transitoire, l'est de la maladie de Bright, ou que l'épilepsie essentielle, *morbus sacer*, l'est des attaques épileptiques qu'on rencontre dans l'alcoolisme, dans l'intoxication saturnine, dans la syphilis, etc. Cette distinction et la comparaison que nous venons de faire ne nous appartiennent pas d'ailleurs ; elle a déjà été faite presque à l'origine, notamment par Virchow (voy. *Définition*, au début de cet article), par la Société médicale des hôpitaux de Paris (*Bull. de la Soc. méd. des hôp.*, 1856, p. 61, p. 80), par la plupart des cliniciens qui se sont préoccupés du rang nosologique qu'il fallait attribuer à cet état morbide. Elle a été accentuée davantage par Virchow, quand il a créé le nom de *leucocytose* pour désigner la leucocythémie temporaire. Enfin M. Gubler (*Exposé des titres scientif.*, Paris, 1868) proposait d'appliquer le nom de *leucocythémie* (comme celui d'albuminurie) à l'altération du sang en général, quelle que fût sa cause, et le nom de *leucémie* pour la cachexie progressive et fatale de Virchow et Bennett. Nous n'adopterons pas cette dénomination, parce que pour nous, comme pour la majorité des médecins français, les noms de leucocythémie et de leucémie sont devenus entièrement synonymes, et que des épithètes caractérisent bien mieux que des substantifs les divisions d'un fait général dont on ne veut pas rompre l'unité. Nous dirons un peu plus loin pourquoi nous repoussons aussi le nom de *leucocytose*.

Reprenons donc, pour les mieux caractériser, les grandes divisions que nous venons d'établir, et examinons pour chacune d'elles les *espèces* ou *variétés* qu'il peut avoir lieu d'y établir.

1° LEUCOCYTHÉMIE IDIOPATHIQUE OU PROGRESSIVE. Nous avons peu de chose à ajouter sur ce premier groupe. C'est lui qui a servi de type à la description que nous avons donnée précédemment des altérations du sang, des lésions viscérales, et des symptômes. Virchow l'a depuis longtemps divisé en deux *variétés*, plutôt peut-être au point de vue des lésions anatomiques que des symptômes, ce sont la *leucocythémie splénique* et la *leucocythémie lymphatique*.

1° *Leucocythémie splénique*. C'est la plus fréquemment observée, puisqu'elle figure pour 64 fois sur 73 observations. C'est elle qui affecte de la manière la plus nette la marche progressive sur laquelle nous avons insisté, c'est elle qui sera toujours considérée comme le type le plus parfait de la leucocythémie idiopathique, de la leucocythémie essentielle, si cet état morbide est admis à prendre place dans les entités morbides spéciales. Elle est caractérisée anatomiquement selon Virchow par le développement considérable des leucocytes variété globule, tandis que les globulins restent à peu près à l'état normal, et par l'hypertrophie de la rate, du foie, des reins, sans développement relatif des ganglions périphériques. On y trouve d'ailleurs, au point de vue de la marche et de la terminaison, les deux formes symptomatiques que nous avons admises ci-dessus, c'est-à-dire, la *forme cachectique progressive*, et la *forme hémorrhagique* dans laquelle le dénoûment est un peu accéléré.

2° *Leucocythémie lymphatique ou adénoïde*. C'est en 1847 que Virchow rencontra pour la première fois (Virchow, *Archiv*, t. I, p. 567) un cas de leucocythémie avec tumeurs des glandes lymphatiques, dans lequel le sang était chargé « d'éléments blancs, partie noyaux, partie cellules et qui différaient des éléments trouvés dans les glandes lymphatiques, seulement, en ce que sur un nombre donné on trouvait plus de cellules réelles. » Plus tard (Virch., *Archiv*, t. V. p. 58, et *Gesam. Abhandl.* p. 197), un second cas semblable présenta un nombre infini « de noyaux ronds, granuleux, habituellement munis d'un nucléole, et de la grosseur des noyaux des glandes lymphatiques, avec quelques cellules çà et là qui contenaient un noyau semblable, enveloppé d'une membrane relativement étroite. » Bennett avait déjà vu quelque chose de semblable, mais dans une observation moins nette puisqu'il s'agissait d'un cancer. L'esprit ingénieux et généralisateur de Virchow entrevit là une loi, qu'il formula immédiatement (*Würzburg's Verh.*, t. II, p. 325) dans ces termes : il existe deux formes de leukémie, l'une *splénique* ou *liénale*, l'autre *lymphatique*, la première apportant dans le sang des éléments (globules blancs) semblables aux parties constituantes de la pulpe de la rate ; la seconde, des éléments semblables aux noyaux du parenchyme des glandes lymphatiques (globulins). Plus la maladie des glandes lymphatiques est étendue, plus nombreux sont dans le sang les éléments lymphatiques, et la coïncidence d'une maladie de la rate ne suffit pas pour effacer ce caractère propre qu'acquiert le mélange du sang provenant des glandes lymphatiques. Réciproquement, avec des maladies très-prononcées de la rate, nous voyons coïncider des hypertrophies ganglionnaires, portant surtout sur les ganglions voisins, mais ici encore c'est le caractère liénal (splénique) qui domine, car, jusqu'à présent du moins, on n'a pas trouvé, dans ces cas, d'éléments lymphatiques. (Virchow, *Arch.*, t. V, p. 84 et *Gesamm. Abhandl.*, p. 298.)

Certes voilà une loi nettement exprimée, et qui répond, nous n'en doutons pas, à la majorité des faits, puisque la plupart des observateurs qui ont rencontré des cas de leucocythémie lymphatique ont noté l'altération correspondante du sang. Nous pouvons cependant prémunir nos lecteurs contre ce qu'elle a de trop absolu par un exemple bien frappant. Dans une observation remarquable que nous avons déjà citée plus d'une fois (obs. Blache, Isambert et Robin, 1855), nous avons rencontré l'altération du sang par des globulins, poussée aussi loin, si ce n'est plus loin que dans aucune autre observation; « les globulins étaient aux globules blancs comme 80 : 1. Au lieu d'être comme à l'ordinaire obligé de chercher les globules blancs et les globulins au milieu des globules rouges, c'étaient réellement les globules rouges et les globules blancs qu'on était obligé de chercher au milieu des globulins. » Eh bien, avec cette altération du sang si spéciale, nous trouvions, de par les symptômes cliniques, et de par les autres lésions anatomiques, la forme splénique la mieux caractérisée, hypertrophie énorme de la rate, du foie, des reins, et rien du côté des ganglions lymphatiques de l'aine, de l'aisselle, du cou, ni même des ganglions bronchiques ou mésentériques : A peine aurait-on pu invoquer un léger développement des glandes de Peyer, tel qu'on le rencontre dans quelques formes de fièvres typhoïdes bénignes, quand le malade a succombé autrement que par l'intestin ou chez les enfants tuberculeux : le thymus avait été trouvé assez développé, mais ces deux lésions, plaque de Peyer et thymus, suffisent-elles pour faire inscrire notre observation parmi les cas de leucocythémie lymphatique en présence de l'hypertrophie énorme de la rate et du foie? Nous ne pensons pas qu'on soit autorisé à classer ce fait parmi ceux dont parle Virchow, où la coïncidence d'une maladie de la rate ne suffit pas pour effacer ce caractère propre qu'acquiert le mélange du sang provenant des glandes lymphatiques (*voy.* ci-dessus), puisqu'ici les glandes lymphatiques ne sont pas malades, et qu'il s'agit bien d'une leucocythémie splénique, et non d'un cas mixte. Ainsi, la production des globulins ne dépend pas exclusivement de la forme adénoïde, et la division de Virchow n'a rien d'absolu.

Si d'ailleurs, on analyse en détail les diverses observations de leucocythémie lymphatique qui ont été rapportées, il faut reconnaître que parmi celles-ci, les *cas mixtes* sont de beaucoup les plus nombreux. Dans notre relevé de 41 cas nouveaux, nous trouvons, sur 20 cas où les lymphatiques ont été hypertrophiés, 8 cas seulement où ces glandes ont réellement la prédominance (relevé personnel); parmi ceux-ci, il n'en est que deux (obs. Mulder, 1860; obs. Vigier, 1864) dans lesquels la rate n'ait pas été en même temps plus ou moins malade. Cette intégrité de la rate se trouve d'ailleurs dans des cas où les ganglions lymphatiques n'étaient pas hypertrophiés (obs. Bennett, ob. Béhier, obs. Gubler, 1859). Virchow lui-même, quelques années plus tard (*Path. cellul.*, p. 141), ne dit plus que la rate n'est pas malade, mais qu'elle est *peu malade*. En même temps, les descriptions des micrographes, en ce qui touche l'altération du sang, sont de plus en plus vagues : au lieu de dire nettement globules blancs ou globulins, cellules ou noyaux libres, on dit : jeunes cellules, cellules à enveloppes peu marquées, cellules se rapprochant de la variété lymphatique, etc. Il en résulte à nos yeux que la division théorique de Virchow sur les deux variétés de dyscrasie sanguine tend à s'affaiblir et que les faits démontreront, quand on les précisera davantage, qu'elle ne présente rien d'absolu, rien de fixe, et indique seulement une coïncidence observée dans la majorité des cas. L'auteur, lui-même, ne renonce-t-il pas implicitement à cette distinction, lorsque généralisant sa théorie, il arrive à distinguer l'élément de la rate qui est malade, c'est-à-dire le glomérule de Malpighi, et à rechercher dans tous les organes malades l'hyperplasie du tissu lymphatique lui-même? Avec cette tendance, il arrivera forcément à ne plus reconnaître qu'une leucémie, la leucémie lymphatique.

Quoi qu'il en soit d'ailleurs de ce point de vue théorique, de la réalité d'une différence essentielle dans les deux variétés de dyscrasie sanguine, dont nous ne connaissons sans doute pas suffisamment la cause prochaine, nous devons étudier la variété lymphatique au point de vue clinique, et nous laisserons encore la parole à Virchow :

« L'hypertrophie des glandes lymphatiques se produit ordinairement lentement, mais par saccades, sans qu'on puisse remarquer un désordre particulier dans les parties dont elles reçoivent leurs vaisseaux lymphatiques. Tantôt de bonne heure, tantôt plus tard viennent des attaques aiguës, sous l'influence desquelles la tumeur augmente rapidement. » (Virchow, *Gesamm. Abhandl.*, p. 202.) Dans l'observation de Schreiber, citée par Virchow (ibid.), on voit, chez une jeune fille chlorotique, souffrant de dysmenorrhée avec accidents multiples, des tumeurs ganglionnaires se développer au cou, puis aux aisselles, aux aines, puis la rate se prendre, et la malade mourir rapidement avec la fièvre, des pétéchiés, et une grande prostration. Dans le cas de Rinecker (Virchow, *Archiv*, t. V, p. 4), on voit aussi des tumeurs ganglionnaires présenter deux périodes brusques de développement. Dans l'observation de Mohr (*ibid.*, p. 51) les tumeurs ganglionnaires éclatent brusquement dans un voyage, et s'accompagnent de vives douleurs locales. Dans celui de Vogel (Virchow, *Arch.*, t. III, p. 571), une tumeur du cou apparaît et disparaît, semblant alterner avec le développement du ventre.

D'autres fois, le développement des tumeurs est lent et continu (2 observations de Virchow, *Arch.*, t. I, p. 567, et *Arch.*, t. V, p. 56). Il dure plusieurs années et progresse sans interruption, comme sans douleurs prononcées ; et ce n'est que tardivement que se produisent l'affaissement général et des accidents aigus. Il y a une grande analogie entre ces faits, et ceux qui ont été décrits en France sous le nom d'adénie par Trousseau, et en Angleterre sous le nom d'anémie lymphatique par J. Wilks. (*Guy's Hospital Reports*, 3e série, t. II, p. 856, analysé par M. Cornil, dans *Arch. gén. de méd.*, 1865, t. II, p. 208.) Les symptômes sont les mêmes, hypertrophies ganglionnaires considérables, surtout marquées aux ganglions sous-maxillaires ou cervicaux, anémie progressive, dyspnée, diarrhée, etc. ; le microscope seul montre qu'il n'y a pas de globules blancs dans le sang. Dans ces cas, d'ailleurs, comme dans la leucocythémie splénique, on trouve très-souvent des cas mixtes dans lesquels la rate et le foie sont hypertrophiés en même temps. M. J. Wilks admet alors qu'il y a coïncidence de deux maladies, l'anémie lymphatique et la leucocythémie splénique, la dyscrasie sanguine étant due à l'engorgement de la rate. (*The Lancet*, 1861, vol. II, p. 9.)

Cette dernière assertion est fort difficile à justifier, puisque nous voyons dans quelques cas, rares, il est vrai, l'hypertrophie glandulaire seule donner naissance à l'altération caractéristique du sang.

Nous reviendrons sur cette question, à propos du diagnostic. Qu'il nous suffise pour le moment de reconnaître, au point de vue clinique, une variété de cachexie spéciale, avec leucocythémie prononcée et avec développement souvent considérable des glandes lymphatiques de l'aine, de l'aisselle, du cou, coïncidant ou non avec l'hypertrophie de la rate et du foie et des ganglions bronchiques, mésentériques et des glandes intestinales. Les cas où l'on observe ces coïncidences, les *cas mixtes*, sont de beaucoup les plus nombreux, et ceux où l'on a trouvé la rate normale concurremment avec des hypertrophies ganglionnaires, sont beaucoup plus rares.

C'est également à ces hypertrophies ganglionnaires qu'il faut rapporter les cas assez rares d'hypertrophie du thymus (obs. Blache, Isambert et Robin, 1855.) et d'hypertrophie du corps thyroïde (obs. Bœttcher, 1858; obs. Lancereaux, 1860) où l'on a trouvé en même temps la leucocythémie. Pour le corps thyroïde, la coïncidence paraît fort peu fréquente, car le goître, si répandu dans quelques pays, ne paraît pas avoir fourni d'observations de leucocythémie. Selon Golitzinski, la variété ganglionnaire serait prédominante chez les enfants (31 fois sur 35).

Nous trouvons dans la leucocythémie lymphatique le même cortége de symptômes que dans la leucocythémie splénique : la marche de la maladie est peut-être moins régulièrement progressive; elle prend plus souvent, suivant la remarque de Virchow, une marche paroxystique. Cependant, la terminaison lente, par cachexie, n'y est pas rare. Elle paraît aussi prêter moins aux hémorrhagies terminales que la forme splénique. Sur 8 cas où la forme lymphatique est réellement prédominante, nous notons les hémorrhagies 2 fois seulement (relevé personnel); elles manquent absolument dans les 2 cas où la rate n'est pas malade. Dans les cas mixtes, les hémorrhagies se retrouvent. En revanche, la terminaison par suffocation brusque ou par asphyxie paraît plus fréquente (4 cas sur 9) que dans la forme splénique, ce qui s'explique sans doute par la compression que les ganglions cervicaux ou bronchiques exercent sur les voies aériennes.

3° Sous le nom de *leucocythémie intestinale*, M. le professeur Béhier voudrait enfin établir une troisième variété dans laquelle il n'y aurait ni hypertrophie de la rate, ni du foie, ni hypertrophie des glandes lymphatiques périphériques, de l'aine, de l'aisselle, du cou, ni même des ganglions mésentériques, mais seulement cette lésion curieuse des glandes intestinales, glandes de Peyer et glandes isolées, que nous avons décrite plus haut d'après l'observation qu'il en a rapportée. Avec cette prolifération extraordinaire du tissu lymphoïde limité aux seules glandes de l'intestin, on trouvait une dyscrasie sanguine très-considérable, consistant dans une diminution considérable des globules rouges, avec développement en nombre au moins égal à celui des globules rouges, de cellules blanches de petites dimensions, appartenant évidemment à la variété lymphatique de la maladie. Cette variété pourrait être rapprochée de la leucocythémie *temporaire* que l'on observe dans la fièvre typhoïde, s'il ne s'agissait pas d'une leucocythémie permanente et d'une maladie tout à fait chronique. Les symptômes de cette maladie ont été, dans l'observation de M. Béhier (obs. inédite en France, imprimée en anglais et distribuée aux membres du Congrès médical de Norwich, 1868), pour la plupart négatifs : perte des forces, pâleur, cachexie progressive, perte d'appétit, perte des fonctions génésiques, mais ni hémorrhagies, ni diarrhée, ni vomissements, ni complications thoraciques, ni albuminurie, ni fièvre; le malade succomba, au bout de 3 ou 4 mois, aux progrès d'un affaiblissement dont rien ne donnait l'explication en dehors de l'analyse du sang; la fin parut accélérée par des sueurs excessives, provoquées par les chaleurs intenses de l'été. Une certaine analogie existe entre cette observation et celle de M. Laveran (*Gaz. hebd. de méd.*, 1857, p. 621; et *Arch. gén. de méd.*, 1857, t. II, p. 470, hémophilie avec leucocythémie, etc.) dans laquelle on trouve l'indication d'une lésion intestinale assez semblable, aspect blanc lavé de la muqueuse, avec peu de saillie des glandes intestinales, mais où l'examen microscopique fait défaut, et dans laquelle la rate étant à peine plus développée qu'à l'état normal, les autres glandes sont indemnes. Les symptômes ont ici consisté principalement dans des épistaxis répétées, qui ont épuisé le malade et déterminé la mort. Il y a là d'ailleurs, avec le cas de M. Béhier, des différences notables qui empêchent de les assimiler complétement. Nous avons d'autre part, à la partie anatomo-pathologique, montré l'analogie de la lésion décrite par M. Béhier, avec quelques faits décrits par Virchow, mais sur lesquels nous manquons de renseignements cliniques.

Il y a également une grande analogie entre la lésion de M. Béhier et celle qu'a décrite M. Potain (*Bull. de la Soc. anat.*, 1861, p. 217) dans un cas d'adénie qui peut être une leucocythémie lymphatique, mais dans ce cas, il y avait aussi hypertrophie de la rate et des ganglions périphériques.

En résumé, le fait de M. Béhier est très-intéressant et appelle de nouvelles recherches, mais une observation unique ne suffit pas encore pour établir une variété nouvelle de leucocythémie. Virchow admettrait même qu'elle rentre entièrement dans sa leucémie lymphatique, d'abord à cause de la nature de la dyscrasie sanguine (prédominance des globulins), puis, par cette considération à laquelle incline visiblement cet auteur, que ce n'est pas l'hypertrophie de telle ou telle glande qu'il faut envisager, mais la prolifération du tissu lymphoïde, dans une région quelconque, qu'il faut envisager. Il est vrai que la leucémie splénique elle-même cesserait en ce cas d'être une variété réelle, puisque c'est surtout aux corpuscules de Malpighi que Virchow attribue la leucémie.

II. Leucocythémie symptomatique, leucocythémie temporaire, leucocythémie aiguë, *leucocytose* de Virchow.

Nous allons maintenant passer en revue les différentes circonstances où l'on peut, en dehors de la cachexie spéciale que nous avons décrite jusqu'à présent, rencontrer l'altération du sang par le changement de proportion des globules blancs.

Nous avons vu, au commencement de cet article, la distinction que Virchow a cherché à établir entre la leukœmie, maladie spéciale, progressive, fatale, et la leucocytose, qui n'est qu'une polyleucocythémie temporaire, souvent même physiologique. Une plus grande quantité de leucocytes s'ajouterait seulement à un sang, qui présenterait d'ailleurs tous ses éléments normaux. On peut admettre cette vue de l'esprit pour les cas physiologiques qu'il met en avant, le travail de la digestion, l'état de grossesse qui ne changent pas, en réalité, la constitution normale du sang. Peut-on dire qu'il en soit de même dans les cas pathologiques qu'il énumère à la suite, et que le sang soit encore normal, sauf addition de parties blanches étrangères? C'est ce qu'il serait au moins fort difficile de démontrer puisque les maladies où nous allons recontrer l'augmentation des globules blancs présentent, pour la plupart, des différences notables dans la composition du sang.

Entraîné par des considérations théoriques, M. Virchow doit d'abord pouvoir poser cette loi : « *Toutes les fois que l'augmentation de la fibrine est sensible, on remarque simultanément l'augmentation des globules blancs*... toute irritation locale d'un organe riche en lympathiques et lié à de nombreux ganglions provoque l'apport d'une plus grande quantité de globules blancs (corpuscules lymphatiques) dans le sang. » (*Pathol. cell.*, tr. Picard, p. 138.) Ce sont donc surtout les maladies qui portent sur des organes riches en lympathiques qui produisent un résultat semblable. » « Comparez, continue Virchow, l'action d'une inflammation érysipélateuse, ou d'un phlegmon diffus avec celle qu'exerce sur le sang une inflammation superficielle de la peau, comme on le voit dans le cours de fièvres exanthématiques ordinaires aiguës, ou après des actions chimiques ou mécaniques, et vous verrez combien les différences sont tranchées. L'inflammation érysipélateuse et le phlegmon diffus simple de la peau ont la propriété d'affecter, dès le début, les vaisseaux lympathiques et de provoquer la tuméfaction des ganglions lymphatiques. Dans ces cas, soyez assurés que les globules blancs du sang sont augmentés. De plus, certains processus pathologiques augmentent simultanément la fibrine et les globules blancs, d'autres, au contraire, ne provoquent que l'augmentation de ces derniers. Dans cette catégorie je rangerai les éruptions cutanées simples, parce qu'il se forme très-peu de fibrine dans les points affectés. Comptons aussi dans cette classe, cette série de processus que l'on a nommés hypinotiques, eu égard à la quantité de fibrine : c'est la série des affections typhoïdes, entraînant divers modes de tuméfactions ganglionnaires notables, mais ne provoquant jamais l'exsudation fibrineuse locale. La fièvre n'exerce pas seulement son action sur la rate, mais sur les ganglions mésentériques. » Ainsi après avoir posé une loi, l'auteur est obligé de reconnaître immédiatement qu'elle ne représente pas la généralité des faits : s'il est vrai que l'hypérinose amène toujours la leucocytose (loi très-contestable, car nous n'avons vu nulle part signaler l'augmentation des globules blancs dans le rhumatisme articulaire aigu, où l'hypérinose est si considérable), il faut avouer tout de suite que la réciproque n'est pas vraie et que dans les maladies où il y a hypinose (diminution de la fibrine), on trouve fréquemment l'augmentation des globules blancs. Il serait plus exact de dire que ces maladies sont de beaucoup les plus nombreuses, puisque avec les fièvres exanthématiques, avec les fièvres typhoïdes, on cite encore la diphthérie, la fièvre puerpérale, la pyémie, le choléra, dans lesquels on a constaté cette augmentation. Que devient aussi un des caractères par lesquels Virchow (*ibid.*, p. 139) cherche à différencier, la leucocytose de la leukœmie, à savoir que dans celle-ci la quantité de fibrine n'avait pas sensiblement varié; nous avons vu déjà (*voy.* plus haut, *Anatomie pathologique*) combien on était peu d'accord sur la proportion de la fibrine dans le sang leucocythémique, mais en ce moment l'auteur lui-même nous fournit la preuve que, même pour la leucocytose, il n'est pas de relation fixe entre le développement normal de la fibrine et celui des leucocytes. Il n'est sans doute pas plus exact de dire que la leucocytose soit en relation constante avec des maladies frappant particulièrement sur le système lymphatique, bien que Virchow cherche à sauver son système, en mettant en avant la fièvre typhoïde, ou l'on trouve en effet une tuméfaction de la rate et des glandes intestinales et mésentériques.

Pour nous, qui n'avons à défendre ici aucune idée théorique préconçue, nous devons nous borner à passer en revue les différentes maladies ou l'on a signalé l'augmentation des leucocytes dans le sang.

La *pyohémie* a été, dès le début, rapprochée de la leucocythémie; les premiers observateurs qui ont décrit ce dernier état morbide (Bennett, Craigie) avaient cru rencontrer du pus. « Cette conclusion, dit Virchow (*Pathol. cell.*, trad. Picard, p. 157), n'était certainement pas originale. Elle se basait sur l'*hœmitis* de Piarry, qui croyait à une inflammation propre du sang, lequel suppurait; c'est là ce que l'école de Vienne a nommé la pyémie spontanée. » Nous savons aujourd'hui que dans les cas d'infection purulente les mieux constatés, dans ceux même que l'on produit artificiellement chez les animaux par des injections de pus dans les veines, on ne peut démontrer la présence du pus dans le sang, mais on y signale un nombre de leucocytes plus considérable qu'à l'état normal. Cette différence de proportion varie dans les chiffres de deux à trois fois la quantité ordinaire de leucocytes. (*Voy.* ci-dessus article LEUCOCYTES.) Il est bien naturel que ces leucocytes aient été primitivement pris pour des corpuscules de pus. Mais nous savons aujourd'hui que le pus ne consiste pas seulement dans ses corpuscules figurés, que ceux-ci sont impossibles à distinguer des leucocytes, et que notamment les propriétés toxiques du pus paraissent résider dans son sérum.

La *fièvre puerpérale*, qui présente d'assez nombreuses connexions avec la pyohémie, est une des maladies où l'on a signalé l'augmentation des globules blancs, et quelques médecins ont vu dans ce fait la preuve qu'il y avait infection purulente dans la fièvre puerpérale. « La démonstration, dit Virchow (*ibidem*, p. 156), semble aussi convaincante que possible. On part de l'idée que le pus a pénétré dans le sang; on examine le sang, on y trouve des éléments ressemblant réellement à des corpuscules de pus, et ces éléments sont en quantité considérable. Ceux-là mêmes dont l'opinion est que les corpuscules purulents ressemblent aux globules blancs (et le cas est arrivé souvent dans l'histoire de la pyohémie), ceux-là mêmes sont tentés de se laisser séduire par l'idée que ce sont des globules purulents, parce que leur nombre est trop considérable pour qu'il soit possible de les considérer comme des globules blancs du sang. Il y a plusieurs années, Bouchut prit des observations analogues, relatives à une épidémie de fièvre puerpérale, pour une pyohémie; récemment, il attribuait les mêmes lésions à une leucémie aiguë. » Après cette critique acerbe, et cette pointe d'ironie appliquée à une expression (*leucémie aiguë*) qui ne mérite pas autant de dédain, il va sans dire que M. Virchow n'est nullement embarrassé de tout expliquer par sa théorie des glandes lymphatiques. L'irritation ganglionnaire a pour effet d'augmenter les globules blancs du sang (*ibidem*, p. 156 à 158); or les granules graisseux du chyle sont un irritant physiologique pour les ganglions mésentériques; ces granules s'y arrêtent un certain temps, comme les grains de cinabre vont se loger dans les ganglions lympathiques des gens qui se soumettent au tatouage. Dans la grossesse, les lympathiques de l'utérus se dilatent, la nutrition utérine augmente avec le développement du fœtus, les ganglions inguinaux et lombaires augmentent de volume au point d'être pris, en temps ordinaire, pour des ganglions enflammés (?). Aussi, au moment de l'accouchement, vous trouverez toujours une leucocytose; de sorte qu'on aurait le droit de dire que la femme est pyohémique avant même que tout symptôme pyohémique se soit manifesté, mais ce n'est qu'une leucocytose physiologique. Certes, nous admirons autant que qui que ce soit les éminentes qualités de M. Virchow, et la découverte de la leucocythémie est, à nos yeux, un de ses titres de gloire les plus légitimes (voy. *Historique*), mais nous sommes médiocrement séduits par toute cette iatromécanique où il se laisse entraîner par son désir de tout expliquer. Les accoucheurs les plus autorisés admettront-ils, par exemple, que, chez les femmes, bien portantes d'ailleurs, exemptes de scrofule ou de syphilis, les ganglions inguinaux augmentent ordinairement de volume pendant la gestation au point d'être pris pour des tumeurs enflammées? En dehors de l'action hypothétique des glandes lymphatiques, il faut reconnaître que la grossesse détermine une expansion générale des fonctions nutritives d'où résulte l'augmentation des leucocytes : certes ce n'est pas là la pyohémie, c'est un fait physiologique, mais qui constitue après l'accouchement, suivant une heureuse expression de Monneret, une *imminence morbide*, une prédisposition particulière, un développement des accidents les plus graves. Vienne la fièvre puerpérale, et l'on observera une augmentation notable des globules blancs, une véritable leucocythémie symptomatique.

M. Bouchut avait, dès 1844, avant les premières recherches de Virchow et de Bennett (*Gaz. médic.*, 1844, p. 85. *Étude sur la fièvre puerpérale*), signalé la décoloration du sang, sa liquéfaction, et le petit nombre des caillots. (*Ibid.*, p. 90.) Il notait plus loin la présence d'un grand nombre de globules blancs volumineux, qu'il prit pour du pus, à cause de leur nombre considérable, tout en rappelant l'opinion de Haen, de Home, de Gendrin, selon lequel le pus n'est qu'un globule de sang transformé. Plusieurs années après, le même auteur, éclairé par les travaux modernes, reconnaissait qu'il y avait là seulement une *leucocythémie aiguë*, expression dont Virchow s'est raillé, mais qui vaut bien, après tout, celle de leucocytose[1]. Quoi qu'il en soit, la fièvre puerpérale est en effet une des maladies où l'on observe le plus souvent la leucocythémie symptomatique. La proportion des globules blancs aux globules rouges est, en moyenne ::1:100, c'est au moins trois fois la proportion normale.

La *syphilis* fournira à Virchow un exemple de plus en faveur de sa théorie. Il signale en effet (Virchow, *Archiv*, t. XV, p. 319 et *Pathol. des tumeurs*, trad. par Aronssohn, Paris, 1869, t. II, p. 415) la syphilis constitutionnelle comme produisant la leucocytose, tant que dure le stade de prolifération ou d'hyperplasie lymphatique. Mais si les éléments s'accumulent, s'ils rétrécissent par leur pression les vaisseaux qui les parcourent, si la glande présente un aspect plus sec, plus dense, et si les métamorphoses graisseuses finissent par en être la conséquence, l'afflux du sang diminue, et il se développe alors cette espèce d'olighémie qu'on a désignée sous le nom de chlorose syphilitique. L'auteur néglige de rapporter les observations cliniques sur lesquels il base cette assertion.

La *scrofule* avec son cortége d'hypertrophies ganglionnaires est embarrassante pour la théorie, car on n'y observe pas ordinairement la leucocythémie. Mais l'esprit ingénieux de notre auteur sait en trouver l'explication : « Les ganglions peuvent, si la maladie est grave, être détruits, soit par ulcération, soit par épaississement caséeux, transformation crayeuse, etc., il ne peut y avoir augmentation des éléments du sang qu'autant que le ganglion irrité est encore susceptible

[1] Nous résistons pour notre part à cette tendance exagérée qui entraîne l'école allemande à créer à tout moment des néologismes. Sans parler de l'euphonie trop souvent outragée, ce qui est bien quelque chose pourtant, les expressions qui cherchent à s'imposer tous les jours sont-elles conformes à une bonne linguistique, et surtout à une nomenclature scientifique régulière? Ici, par exemple, pourquoi ce nom de leucocytose? La terminaison *ose* est ordinairement employée à désigner des états pathologiques, chroniques, souvent avec destruction des tissus, chlorose, exostose, nécrose, tuberculose ; ici on la voit appliquée à un état le plus souvent physiologique, ou rencontré temporairement dans des maladies aiguës. Et puis, pourquoi deux mots différents pour exprimer deux variétés si rapprochées d'un même fait? Ne vaudrait-il pas mieux, comme les botanistes, comme nos nosographes, employer ici des épithètes, et dire, par exemple, leucocythémie physiologique, symptomatique, idiopathique, manière très-rationelle d'indiquer les variétés d'une espèce, tout en conservant l'idée générale qui la constitue.

d'exercer sa fonction, et qu'il existe ; dès que le ganglion est détruit, dès qu'il n'existe plus, la formation des cellules lymphatiques s'arrête, et avec elle la leucocytose. » (*Pathol. cell.*, p. 159.) Mais, si la maladie n'est pas grave, si les glandes ne sont pas détruites, si elles restent longtemps hypertrophiées et indolentes, comme on le voit si souvent, comment expliquera-t-on, dans ces cas, l'absence de leucocythémie? On pourra toujours demander, comme pour l'hypotherphie de la rate sans leucocythémie, pourquoi l'altération d'un même organe amène-t-elle, dans un cas la dyscrasie sanguine? pourquoi ne l'amène-t-elle pas dans d'autres? c'est ce que l'histologie n'a pas encore pu nous apprendre.

La *fièvre typhoïde*, ou plutôt les affections typhoïdes en général, sont, d'un commun accord, une des affections où l'on rencontre la leucocythémie; Alex. Thompson (d'Édimbourg) l'a constaté sur une douzaine de malades (*voy.* Cormack, *Natural History of the Epidemic Fever.* Londres, 1843, p. 113, cité par Virchow); on peut sans doute rattacher à cette maladie l'observation de Friedreich (Virchow, *Archiv*, t. XII, p. 38, 1857), bien que les détails cliniques nous manquent sur cette observation, et que son auteur l'ait considérée comme un cas de leucocythémie aiguë. Ici la théorie triomphe, car elle peut invoquer, non-seulement la tuméfaction de la rate, mais celle des follicules de l'intestin, des plaques de Peyer (qui ne sont autre chose que des ganglions lymphatiques, étalés), des ganglions mésentériques et même les tonsilles et les follicules de la base de la langue.

Le *choléra*, à cause de son éruption spéciale, permet aussi d'invoquer l'influence des glandes intestinales, pour expliquer comment il présente, dès le début, une notable augmentation des globules blancs.

La *dysenterie*, qui présente aussi la leucocythémie symptomatique, n'échappera pas davantage à la théorie.

Les *fièvres exanthématiques*, l'érysipèle malin, permettront d'invoquer les glandules de la peau, où le réseau lymphatique, car dans quel organe, hors le cerveau, ne trouvera-t-on pas des glandules disséminées où des vaisseaux lymphatiques?

On a signalé la leucocythémie temporaire dans quelques *pneumonies*. Selon Virchow, ils sont augmentés dans les pneumonies s'accompagnant du gonflement des ganglions bronchiques, tandis que les leucocytes ne varient pas dans les pneumonies, sans lésions ganglionnaires. Nous voudrions voir ces assertions justifiées par des observations cliniques bien prises; nous demandons aussi comment on peut, autrement que par l'autopsie, distinguer les pneumonies qui s'accompagnent d'hyperplasie ganglionnaire, et celles qui n'en sont pas accompagnées, à moins qu'il ne s'agisse de la pneumonie dite caséeuse, c'est-à-dire de la phthisie, et particulièrement de la phthisie bronchique?

La *diphthérie* a été signalée par M. Bouchut (*Traité des maladies des nouveau-nés*. 5e édition, 1868, p. 892) comme une cause de leucocythémie aiguë. Le même auteur a cité récemment deux observations nouvelles (*Comptes rendus de la société de biologie*, 7 juin 1868, et *Gaz. médicale*, 1868, p. 357) de croup compliqué de broncho-pneumonie et d'albuminurie, où la leucocythémie a été constatée du vivant des malades, et sur le sang des cadavres. La leucocythémie indiquerait toujours un état grave dans le croup, mais compliquée d'albuminurie, elle indiquerait un cas désespéré. L'auteur explique le développement de la leucocythémie aiguë par la résorption diphthérique analogue à la résorption purulente et à la fièvre puerpérale.

Virchow note aussi la leucocytose chez les cancéreux « lorsque l'irritation des ganglions se manifeste» c'est-à-dire lorsque le *cancer* se généralise. Les cas de cancer généralisé ont dû être plus d'une fois confondus avec les cas de leucocythémie lymphatique et d'adénie.

Enfin nous avons nous-même trouvé récemment une augmentation notable des globules blancs dans un cas de cirrhose du foie avec ascite, sans hypertrophie glandulaire appréciable.

En résumé, la leucocythémie symptomatique, la leucocythémie aiguë, la leucocytose de Virchow se montrent, dans des cas pathologiques très-divers, indiquant ordinairement une atteinte profonde de l'économie, tantôt des cachexies profondes qui épuisent le sujet, tantôt dans des maladies infectieuses à marche rapide, à terminaison souvent fatale, et accompagnées de déterminations morbides multiples et très-variées. Vouloir chercher dans tous ces faits les glandes lympathiques, nous paraît un point de vue systématique et étroit. Notre ignorance au sujet de l'évolution des grandes pyrexies est trop grande encore pour que nous puissions incriminer tel élément aux dépens de tel autre d'une manière absolue : ce serait compromettre une vue de l'esprit, juste en elle-même d'une manière générale, que de lui attribuer une influence exclusive. Il faut, en pareille matière, se garder des conclusions prématurées. Bornons-nous donc à reconnaître que la leucocythémie symptomatique, ou temporaire, se rencontre dans un grand nombre d'affections, qui ont pour caractère commun d'apporter un trouble considérable à la nutrition générale, et que la nutrition comprend un ensemble trop complexe pour admettre, quant à présent, des interprétations théoriques aussi précises.

VI. **Diagnostic.** Le diagnostic de la leucocythémie repose avant tout sur l'examen microscopique du sang. Quelle que soit en effet la manière dont on envisage cet état pathologique, soit que l'on veuille y voir une maladie toujours idiopathique et primitive, soit une maladie secondaire, soit seulement une altération du sang, commune à plusieurs affections, quelle que soit en un mot l'idée théorique que l'on ait adoptée à ce sujet, il est indispensable, pour établir qu'on a bien affaire à un cas de leucocythémie, de constater tout d'abord le fait matériel de l'augmentation proportionnelle des leucocytes dans le sang, tout comme il est impossible de parler d'albuminurie sans avoir constaté la présence de l'albumine dans l'urine : or ce fait matériel ne peut être constaté que par le microscope. Ainsi l'hypertrophie de la rate ou du foie, la présence de tumeurs lymphatiques, les hémorrhagies sous-cutanées, les hydropisies, l'état cachectique ou tout autre symptôme sont insuffisants pour établir le diagnostic, puisque ces symptômes se rencontrent dans beaucoup d'états morbides où le sang ne présente pas l'altération spéciale qui nous occupe. L'examen superficiel du sang lui-même est encore insuffisant, la coloration livide, la diffluence, l'aspect laiteux du sérum, la présence de caillots décolorés, tout cela, comme les symptômes cliniques que nous venons de rappeler, ne constitue pas autre chose qu'une présomption qu'il peut y avoir leucocythémie, mais on ne pourra prononcer ce mot avec certitude que lorsque le microscope aura démontré que les leucocytes (globules blancs ou globulins) ont augmenté de proportion d'une manière notable ; il faut donc tout d'abord nous reporter à ce que nous avons dit précédemment des caractères du sang, de la quantité proportionnelle des éléments blancs et des globules rouges, et des modifications de volume que peuvent présenter ces globules. Ajoutons que dans l'état actuel de la science, il n'est plus permis d'attendre la mort du malade pour constater l'altération du sang dans une nécropsie, mais que le médecin devra toujours, dès qu'il aura des présomptions de leucocythémie, examiner ou faire examiner directement le sang du malade, puisqu'il suffit d'une gouttelette de sang obtenue par une piqûre d'aiguille pour obtenir un renseignement suffisant sur l'état du fluide nourricier. C'est d'ailleurs un examen facile, et que tout médecin doit être en état de pratiquer, tout comme il sait procéder à celui d'une urine qu'il suppose chargée d'albumine ou de glycose.

Parmi les diverses espèces de leucocythémie que nous avons énumérées, il en est d'abord un groupe tout entier, où la présence des globules blancs en excès sera le seul fait à constater, par exemple dans les cas de fièvre puerpérale, d'infection purulente, de diphthérie, de fièvre typhoïde, en un mot dans les cas de leucocythémie symptomatique, ou passagère (leucocytose) où l'altération du sang n'est qu'un épiphénomène, après tout assez secondaire, au milieu d'un ensemble pathologique marqué de traits bien autrement importants. La présence des globules blancs en excès n'a d'importance qu'au point de vue d'un pronostic assez éloigné, tandis que d'autres éléments bien plus directs vont décider du salut du malade.

Il n'en est pas de même dans les cas de cachexie chronique, surtout dans celles qui s'accompagnent d'hypertrophie de la rate ou du foie, ou de tumeurs lymphatiques. Ici il importe au plus haut point de reconnaître si l'on a affaire à un simple état d'appauvrissement du sang consécutif à une cause quelconque d'épuisement, ou à cette altération spéciale, qui va devenir elle-même une cause d'aggravation dans les symptômes du malade, une cause d'accidents nouveaux (hémorrhagies multiples, etc.), et déterminer un pronostic jusqu'à présent fatal.

Il importe donc de rappeler les maladies qui se rapprochent le plus de la leucocythémie idiopathique, et de marquer les différences qui peuvent les distinguer de celle-ci, en dehors de l'examen microscopique, qui, nous ne saurions trop le répéter, sera toujours la condition indispensable d'un diagnostic précis.

En première ligne, nous placerons l'hypertrophie de la rate. Les premiers auteurs, qui, de nos jours, ont étudié la leucocythémie, se sont attachés à distinguer de cet état morbide, les cas d'hypertrophie de la rate où le sang ne présentait pas l'altération caractéristique: de bonne heure, on a reconnu que la séparation, qu'on avait cru pouvoir établir entre les hypertrophies spléniques de cause palustre et la leucocythémie n'avait pas assez de fondement. Les cas sont aujourd'hui nombreux dans la science, où l'on a constaté avec précision des antécédents palustres, une rate hypertrophiée et l'état leucocythémique du sang. Le microscope peut seul résoudre la question, les symptômes cliniques ne le pourraient, car la science ne peut encore dire pourquoi certaines hypertrophies spléniques amènent la leucocythémie, et pourquoi d'autres ne l'amènent pas. Il faut à toutes les époques de la maladie, rechercher au moyen de cet instrument, s'il n'y a pas accumulation de leucocytes dans le sang, puisqu'on a vu souvent cette accumulation se produire tardivement dans des cas, où, dans les premiers temps, le sang avait présenté sa constitution normale.

L'*adénie*, décrite par Trousseau (*Clinique de l'Hôtel-Dieu*, 2ᵉ édit., t. III, p. 578 et suivantes), c'est-à-dire l'*hypertrophie ganglionnaire généralisée sans leucocythémie*, ou l'*anémie lymphatique* des Anglais, présente une telle ressemblance avec la leucocythémie lymphatique que les caractères cliniques ne peuvent suffire à les séparer nettement sans l'examen microscopique du sang. On peut dire que l'adénie est caractérisée cliniquement par le développement d'une tumeur ganglionnaire, apparaissant le plus ordinairement à la région sous-maxillaire; que cette tumeur est souvent (4 fois sur 12, selon Trousseau), consécutive à une tumeur lacrymale, un coryza chronique et une otorrhée, siégeant du même côté; que l'adénie généralisée survient consécutivement dans un délai plus ou moins rapide sous l'influence d'une diathèse spéciale; que les tumeurs ganglionnaires du cou, et celles des ganglions bronchiques sont peut-être plus prononcées que dans la leucocythémie lymphatique, et, par suite, l'asphyxie par compression des voies aériennes, plus fréquente. En se reportant aux observations que Virchow a données de la leucocythémie lymphatique, à ce qu'il dit de sa marche par explosions successives, on voit combien il y a d'analogie entre les deux maladies. L'examen microscopique du sang peut seul décider. Si l'on se rappelle l'étiologie fort obscure des deux maladies, le caractère progressif et fatal qu'elles présentent toutes les deux, les tumeurs de la rate, les hémorrhagies qui apparaissent dans l'une comme dans l'autre, l'analogie devient encore plus grande; et, si l'on réfléchit que dans un grand nombre d'observations d'adénie le sang n'a pas été examiné dans les derniers temps, on peut se demander s'il y a une différence réelle entre les deux cachexies, et si l'adénie n'est pas seulement une leucocythémie lymphatique dans laquelle la lésion du sang tarde à se produire, comme on le voit par exemple dans l'observation de Virchow (*Arch.*, t. V, p. 590, et *Gesam. Abhandl.*, p. 199), où les tumeurs ganglionnaires ont existé plusieurs années avant qu'on eût constaté la dyscrasie sanguine? Nous avons vu récemment à l'hôpital de la Pitié un malade chez lequel nous avions sans hésiter porté le diagnostic : adénie, car avec des tumeurs ganglionnaires énormes au cou, aux aisselles, aux aines, avec une rate qui à la percussion ne paraissait pas hypertrophiée, avec des accès de dyspnée et des menaces de suffocation, le microscope avait fait voir que le sang ne contenait pas de leucocytes en nombre anormal. Pendant quelques semaines, le diagnostic sembla confirmé; puis survinrent des hémorrhagies multiples, et le sang, examiné de nouveau par M. Robin, présenta cette fois 3 fois plus de globules blancs qu'à l'état normal. Le malade mourut quelques jours après. N'est-il pas clair que, si un accès de suffocation causé par la compression des bronches l'avait enlevé deux semaines plus tôt, le cas aurait passé pour un des types les mieux caractérisés de l'adénie, tandis qu'aujourd'hui nous sommes obligés de l'inscrire au compte de la leucocythémie lymphatique? (*Soc. méd. des hôp.*, juin 1869.) Nous croyons donc que dans l'état actuel de la science la lumière est loin d'être faite sur cette question; que de nouvelles études cliniques doivent être poursuivies pour décider si les deux cachexies, leucocythémie et adénie, doivent être définitivement séparées ou réunies, et qu'en ce moment le diagnostic différentiel de ces deux états morbides se borne à la constatation d'un fait brut : l'augmentation des leucocytes, ou leur nombre normal.

Il est à peine nécessaire d'établir le diagnostic entre la leucocythémie lymphatique et la *scrofule*. La première ne présente que des tumeurs ganglionnaires, ordinairement indolentes, sauf au moment de leur développement par saccades, et qui n'arrivent pas à suppuration. La scrofule présente de véritables adénites suppurantes, donnant lieu à des abcès, à des fistules, sans parler du cortége sans nombre des manifestations cutanées ou osseuses, qui l'accompagnent et ne se retrouvent pas dans la leucocythémie. Ajoutons que la scrofule est une diathèse de l'enfance, qui a ordinairement épuisé son action sur les glandes lymphatiques à l'époque où apparaît en général la leucocythémie lymphatique. D'ailleurs, l'examen du sang tranchera la question, si elle était douteuse.

Y a-t-il lieu d'établir le diagnostic différentiel entre la leucocythémie et les cas de *sang blanc* des anciens auteurs? En nous reportant à ce que nous avons dit au commencement de cet article, il est évident tout d'abord qu'il n'y a aucune assimilation possible entre l'état morbide qui nous occupe et les cas où le sang devient laiteux d'une manière physiologique pendant le travail de la digestion : il ne s'agit là que d'un fait essentiellement transitoire et tout à fait normal. On ne peut être aussi affirmatif en ce qui concerne les cas où le sang d'une saignée est sorti blanc de la veine, et où le malade présentait différents troubles de la santé, et particulièrement de l'appareil respiratoire. (*Voy.* la note 2, p. 285.) Tout ce qu'on peut dire, c'est que ces cas paraissent avoir été de très-courte durée, s'être ordinairement terminés par une prompte guérison, et qu'ils n'ont aucune analogie tout au moins avec la cachexie lymphatique, ou les tumeurs viscérales qui accompagnent presque constamment la leucocythémie de Virchow et de Bennett. Il est vrai de dire que ces cas de sang blanc restent encore à l'état de *curiosités scientifiques*, sur lesquelles nous manquons de renseignements suffisants. Dans la plupart d'entre eux, la cause de l'état laiteux du sang a bien paru tenir à la présence d'une quantité anormale de matières graisseuses dans le sang (lipœmie), mais nous ne pourrions affirmer qu'il n'y ait pas eu en même temps augmentation des leucocytes, puisqu'ils n'ont pas été cherchés avec le microscope, et que nous savons d'autre part que dans des cas de leucocythémie bien constatée, le sérum a présenté aussi un état blanchâtre, et une proportion considérable de graisse (obs. Blache, Isambert et Robin, 1855). On peut penser, en effet, que les deux altérations ont coïncidé plusieurs fois, notamment dans le cas de M. Caventou que Virchow n'hésite pas à ranger parmi les cas de leucémie, et dans celui de Mareska qui a recueilli sur un filtre de linge des grumeaux albumineux, lesquels sont peut-être identiques avec la fibrine granuleuse que nous avons notée nous-mêmes (obs. d'Isambert et Robin, 1855 et 1858).

Quoi qu'il en soit, c'est encore l'examen microscopique et chimique du sang qui décidera la question. Dans le sang chyleux (lipœmie), le sérum est blanchâtre, mais c'est par suite du mélange avec une certaine quantité de graisse. « Si l'on défibrine le sang chyleux, il ne se forme pas un sédiment blanchâtre, mais une couche crémeuse à la surface. » (Virchow, *Path. cellul.*, traduct. Picard, p. 440.) Dans la leucémie, les globules blancs se précipitent et forment une couche blanchâtre au-dessus de la couche des globules rouges.

Le diagnostic de la leucocythémie ne consiste pas seulement à distinguer cet état morbide de ceux qui pourraient lui ressembler : il faut aussi, la dyscrasie sanguine étant constatée, préciser l'espèce ou variété à laquelle on a affaire. En se reportant à ce qui précède, on voit que la question n'est pas ordinairement difficile à résoudre. La leucocythémie idiopathique est caractérisée par sa marche chronique et progressive, par l'absence de toute grande pyrexie ou maladie infectieuse pouvant donner naissance à la leucocythémie temporaire; les deux variétés splénique et lymphatique se distinguent suffisamment, comme leur nom l'indique, d'une part par la prédominance des tumeurs viscérales, de la rate et du foie; et d'autre part, par celle des tumeurs ganglionnaires externes; cependant, comme les cas mixtes sont beaucoup plus nombreux que les cas de leucocythémie lymphatique toute pure, la dénomination de variété lymphatique sera quelquefois difficile à établir dans la pratique. La différence de la dyscrasie sanguine, prédominance des globules blancs dans la première, et des globulins dans la seconde, aidera jusqu'à un certain point à juger la question; mais nous avons vu plus haut qu'il n'y avait pas là de caractère différentiel absolu, et nous maintenous les réserves que nous avons posées à cet égard. Quant aux formes symptômatiques, forme cachectique progressive, ou forme hémorrhagique, elles appartiennent à l'une et à l'autre variété, et la marche seule de la maladie pourra l'indiquer; les hémorrhagies pouvant d'ailleurs apparaître à la fin de ce qui semblait une forme cachectique bien déterminée.

La variété intestinale que M. Béhier veut établir (*voy.* ci-dessus) serait beaucoup plus difficile à diagnostiquer, et, même en admettant que la dyscrasie sanguine soit déjà reconnue du vivant du malade, il serait très-difficile en l'absence de tant de symptômes négatifs, d'affirmer une lésion intestinale de nature lymphoïde, et de la distinguer d'une cachexie liée à quelque lésion profonde, cancéreuse ou tuberculeuse ou à la cirrhose du foie, puisque ces maladies s'accompagnent quelquefois de leucocythémie.

Quant à la leucocythémie symptomatique et temporaire, et aux espèces différentes qu'on pourrait être tenté d'établir dans ce groupe, ce n'est pas évidemment la leucocythémie qu'il faut envisager, mais bien la maladie qui lui donne naissance. C'est la fièvre puerpérale, la pyohémie, la dysenterie, la fièvre typhoïde qu'il s'agira de reconnaître bien plus que la leucocythémie; il est inutile d'insister davantage sur ce point. Une question beaucoup plus difficile à résoudre dans quelques cas serait celle de savoir si l'on a réellement affaire à une leucocythémie symptomatique, ou bien à une leucocythémie compliquée d'une autre maladie. Trois observations de notre relevé nous présentaient cette difficulté et nous laissent encore dans l'indécision. Dans l'une d'elles (obs. de Bauer, 1859, *Gaz. hebdom.*, 1860, p. 171), on voit la leucocythémie survenir après un érysipèle suivi d'une néphrite albumineuse aiguë, et pendant le cours d'une série d'accidents graves qui se déclarent après celle-ci, tels qu'une arthrite suppurée, des abcès profonds de la cuisse qui se répètent et mettent le malade dans l'état le plus grave. Ne s'agit-il pas là d'une leucocythémie symptomatique de l'infection purulente? on peut le soutenir, et cependant la proportion des globules blancs dépasse de beaucoup celle que l'on rencontre habituellement dans les leucocythémies symptomatiques : au lieu d'atteindre seulement 3 ou 4 fois leur chiffre normal, les globules blancs, et les globules rouges sont dans un rapport inverse du rapport normal; de plus, l'altération du sang persiste jusqu'à la mort, sans que les globules blancs cessent de représenter au moins 50 pour 100 des globules blancs.

Dans une autre observation (obs. II de M. Gubler, *Soc. méd. des hôp.*, 1859, p. 314), on voit aussi la dyscrasie sanguine survenir à la suite d'une albuminurie, mais cette fois, c'est une maladie de Bright véritable avec complication de vomissements bilieux, puis d'épistaxis, d'hématémèses et d'hémoptysies, et l'altération du sang, cherchée plusieurs fois inutilement, apparaît brusquement, en quarante-huit heures, dans la période ultime de la maladie. Ne s'agit-il pas là d'une leucocythémie symptomatique de la maladie de Bright?

Dans un autre cas du même auteur (obs. I, *Soc. méd. des hôp.* 1858, p. 311), on voit la leucocythémie survenir à la fin d'une cachexie palustre consécutive à des fièvres intermittentes contractées en Afrique, et qui se reproduisent encore sans intermission; il y a aussi hypertrophie considérable de la rate. L'altération du sang se montre comme dans le cas précédent, à la période ultime, et brusquement en quelques jours, la proportion des globules atteint un chiffre considérable (5 à 6 fois plus qu'à l'état normal). Nest-ce pas encore là une leucocythémie symptomatique, d'une fièvre palustre? les circonstances de son développement répondraient : oui ; mais en considérant le chiffre élevé des globules blancs et en se rappelant le nombre assez considérable de cas où la cachexie palustre a préparé de longue date la leucocythémie splénique, on peut aussi répondre non.

On voit qu'il y a des cas, et ce ne sont pas les seuls que nous pourrions citer, où la question du diagnostic des espèces dans la leucocythémie présente des difficultés très-sérieuses.

Peut-être faudrait-il s'en tenir à la constatation des faits cliniques, et dire que nous ne savons pas encore bien jusqu'à quel chiffre la proportion des globules blancs peut être portée dans les leucocythémies symptomatiques, et que celles-ci peuvent être sujettes à des exacerbations brusques, comme on en a constaté souvent dans les cas de leucocythémie idiopathique les mieux caractérisés.

Les questions que nous venons d'agiter pourront paraître bien subtiles, et l'on peut tout d'abord se demander quelle utilité il peut y avoir à les poser? Nous allons voir cependant qu'elles ne sont pas sans importance au point de vue du pronostic.

VII. **Pronostic.** D'après ce que nous avons dit de la terminaison de la leucocythémie idiopathique ou à forme progressive, le diagnostic de cette maladie entraîne un pronostic presque fatal. Nous disons *presque*, parce que nous ne voulons pas désespérer de l'avenir de la thérapeutique et des ressources infinies de la nature, mais si l'on s'en tient aux faits observés, la leucocythémie progressive étant une fois reconnue, qu'elle qu'en soit d'ailleurs la variété ou la forme, il faut attendre la mort dans un délai plus ou moins prochain. Il en est tout autrement des leucocythémies symptomatiques : elles sont temporaires, elles sont guérissables si la maladie qui les a occasionnées est elle-même guérissable. L'érysipèle, la fièvre typhoïde, la dysenterie, la diphthérie, le choléra lui-même offrent un chiffre considérable de guérisons. Ici c'est avant tout la mortalité de la maladie principale qu'il faut envisager. Toutefois l'apparition de la leucocythémie dans le cours d'une maladie générale, apporte toujours un pronostic grave. Nous avons déjà rapporté l'opinion de M. Bouchut relativement à la leucocythémie qui se montre dans les angines diphthériques : la dyscrasie sanguine indique la résorption du poison morbide, et la généralisation de l'affection. Selon M. Bouchut, s'il y a leucocythémie sans albuminurie, le pronostic est grave, mais il est désespéré s'il y a à la fois leucocythémie et albuminurie.

Nous avions donc tout à l'heure un intérêt très-réel à rechercher s'il s'agissait bien toujours d'une leucocythémie progressive, splénique ou lymphatique, qui serait fatale, au lieu d'une leucocythémie symptomatique qui serait susceptible de guérison. Dans l'observation de M. Bauer que nous citions tout à l'heure par exemple, l'albuminurie aiguë, l'érysipèle étant déjà guéries, n'aurait-on pas pu, si le traitement chirurgical avait pu tarir cette suppuration prolongée de la cuisse, espérer qu'on guérirait aussi la leucocythémie? Il est vrai que le chiffre élevé des globules blancs, plus de 50 pour 100, était une circonstance très-aggravante. Mais dans le seconde observation de M. Gubler où nous voyons la leucocythémie survenir brusquement, à une période avancée d'une cachexie palustre, qui présentait encore des accès de fièvre, ne pouvait-on espérer la guérison? C'est sans doute un cas de cette nature, qui est rapporté par le docteur Farre, et qui fut observé à *San Bartholomew's Hospital*. (*The Lancet*, 1861, vol. II, p. 10.) On reconnut une leucocythémie avec une hypertrophie de la rate consécutive à une intoxication palustre, le malade fut traité par le fer et le quinquina, et l'on vit disparaître complétement sa tumeur et la leucocythémie. Evidemment, il ne s'agit là que d'une leucocythémie symptomatique, car on s'accorde à reconnaître que dans la leucocythémie splénique on n'obtient pas la diminution de volume de la rate par le quinquina administré avec la plus grande persévérance.

Toutefois, comme il y a là un point de diagnostic et de pathogénie toujours douteux, on peut concevoir un pronostic moins désespéré dans les cas de leucocythémie splénique, où l'on retrouve avec certitude une origine palustre. Le chiffre proportionnel des globules blancs donnera assez bien la mesure du degré d'espérance que l'on peut conserver, une proportion considérable indiquant une cachexie très-grave que la thérapeutique sera le plus souvent impuissante à modifier.

Enfin, la leucocythémie progressive et fatale étant reconnue, il sera toujours important de prévoir à peu près le temps pendant lequel pourra se prolonger la vie du malade. C'est ce que l'on pourra apprécier avec le tact ordinaire du médecin par l'aggravation, et surtout par la continuité des principaux symptômes de la cachexie, de la diarrhée, des vomissements, de la dyspnée, ou des différentes complications viscérales qui se produisent. Il suffit, pour cela, de se reporter à ce que nous avons dit de la marche, du mode de terminaison et des différentes formes ou variétés de la maladie. La forme hémorrhagique indique un danger plus immédiat, une terminaison plus rapide que la forme cachectique. Dans la variété lymphatique, on peut, en dehors de toutes les autres causes de mort, craindre particulièrement la suffocation par compression des voies respiratoires. Enfin, dans toutes les formes et dans toutes les variétés, il faut toujours réserver son pronostic et craindre une terminaison rapide par l'arrivée d'une de ces exacerbations, dont nous avons parlé, et même la mort subite par syncope.

VIII. **Traitement.** Les traitements les plus divers ont été appliqués sans succès à la leucocythémie progressive; on n'a pas encore trouvé de traitement curatif de la leucocythémie elle-même, on se borne à faire la médecine des symptômes. Le champ reste donc ouvert à toutes les tentatives thérapeutiques; toutefois, il y a une indication qui doit dominer tous les essais que l'on pourra faire à cet égard, c'est que la médication doit être avant tout tonique et reconstituante.

Les *émissions sanguines* ont été employées quelquefois au début, les premiers cas que l'on a rencontrés (obs. de Craigie, 1842) ayant présenté un état fébrile assez marqué. D'autres médecins ont encore employé la saignée locale, espérant résoudre de cette façon les tumeurs viscérales, celle du foie notamment (observ. Oppolzer, 1859), ou les tumeurs lymphatiques enflammées et douloureuses. Mais il a fallu bien vite renoncer à cette médication en présence de l'état cachectique des malades, et des hémorrhagies multiples qui tendent à se produire. On peut dire aujourd'hui que cette méthode doit être proscrite avec énergie, et qu'il faut être véritablement avare du sang de son malade.

Les médicaments alcalins, et surtout l'iodure de potassium, ont été employés au début, dans l'espérance d'obtenir la résolution des hypertrophies de la rate et du foie. Cahen a eu raison de critiquer avec une certaine véhémence (*Bull. de la Soc. méd. des hôp.*, t. III, 1856, p. 71) le traitement antirationnel qui avait été infligé à un des malades de l'hôpital de la Charité de Berlin (obs. du nommé Hans, Virch., *Arch.*, t. II, p. 587). Notre confrère des bords de la Sprée avait, en effet, prodigué sans mesure les applications de sangsues, l'iodure de potassium poussé jusqu'à produire la saturation alcaline, les onctions avec l'onguent napolitain, les diurétiques, tous les moyens qui étaient de nature à exagérer la dyscrasie sanguine, à débiliter le malade et à provoquer les hémorrhagies. Il n'avait vu en effet qu'un point à obtenir, la résolution des tumeurs, mais il était difficile d'instituer une thérapeutique qui méconnût à ce point les indications les plus formelles : n'allait-on pas jusqu'à appliquer des sangsues dans les narines pour combattre un simple symptôme, la céphalalgie, chez un malade qui avait auparavant présenté des épistaxis si graves qu'il avait fallu recourir au tamponnement?

Bennett et Craigie s'étaient montrés meilleurs cliniciens dès leurs premières observations; s'ils avaient employé l'iode dans l'espérance de résoudre les tumeurs, c'était au moins l'iodure de fer qu'ils avaient prescrit. Ce médicament paraît en effet la seule préparation iodée que l'on puisse se permettre. Encore faut-il y mettre une grande prudence, et en borner les indications. Ce que nous savons des lésions de la rate et du foie doit nous laisser peu d'espérance de les modifier par le traitement ioduré. Les tumeurs lymphatiques sont celles qui paraissent indiquer le mieux les préparations d'iode, mais il résulte des faits observés jusqu'à ce jour, que l'on n'obtient ordinairement aucun résultat favorable, et que si, dans quelques cas, on a vu diminuer les tumeurs lymphatiques, on a vu en même temps, ou s'aggraver l'état général, ou apparaître des accidents viscéraux (obs. Grisolle et Hémey; obs. Vigier). Dans un cas récent (obs. 1869) où nous avions diagnostiqué une adénie, et non pas une leucocythémie (l'examen du sang avait été fait), nous avions cru pouvoir prescrire une petite quantité d'iodure de potassium. Quelques jours après, des épistaxis avaient lieu, on constatait l'apparition de la dyscrasie sanguine, et nous nous hâtions d'abandonner une médication qui pouvait être funeste. On voit combien il faut être sobre de la médication iodurée, même dans les cas où elle paraîtrait indiquée par les tumeurs ganglionnaires, et comment il ne faut jamais perdre de vue l'état général du malade pour sacrifier à quelque idée systématique. Le bromure de potassium a été employé une fois sans succès (relevé de M. Vidal).

Le mercure a été donné à l'intérieur, jusqu'à salivation, à trois malades (même relevé). On l'a employé également en onctions externes, toujours dans l'espérance de faire fondre les tumeurs. Ce médicament présente des inconvénients analogues à ceux de l'iodure de potassium et des alcalins.

Le traitement par le quinquina, et le sulfate de quinine, semblait indiqué tout naturellement dans la leucocythémie splénique par l'hypertrophie de la rate et du foie. Ce traitement a été employé avec une grande persévérance par un grand nombre d'observateurs; 9 fois sur 32 (relevé de M. Vidal) on l'a donné sans succès, même à haute dose.

M. Vigla notamment (obs. II, donnée *in extenso* par M. Vidal, *ouvr. cité*, p. 25), a donné le sulfate de quinine à la dose énorme de 2 grammes, 2gr,50 pendant quinze jours, et, ni lui, ni les autres n'ont vu diminuer la rate ou le foie, comme on le voit dans l'intoxication palustre. Ce traitement est également resté sans action sur les autres symptômes et sur la marche de la maladie. Ce n'est donc pas le sulfate de quinine, ce n'est pas le médicament antipériodique, antipalustre, c'est le quinquina en nature, le médicament tonique qu'il faut employer. Le quinquina, sous toutes ses formes, vin, extrait, poudre, présentera toujours la plus grande utilité. Il soutiendra les forces du malade, maintiendra les fonctions digestives et, enfin dans le cas où la maladie reconnaîtrait une origine palustre, il combattra utilement ce qui pourrait rester de l'ancienne intoxication. Nous avons mentionné ci-dessus l'observation du docteur Farre, où le traitement a réduit la tumeur splénique et guéri la leucocythémie. Il s'agissait ici sans doute d'une leucocythémie symptomatique, mais on peut souvent espérer qu'il en est ainsi, et l'on ne court aucun risque en appliquant à la cachexie leucocythémique le traitement de la cachexie paludéenne.

Le *fer* est certainement indiqué dans la leucocythémie par ses propriétés toniques, et par l'action que nous lui voyons exercer sur la crase du sang dans la chlorose. Un médicament qui semble, comme celui-là, exercer une action réelle sur la formation des globules rouges, ne saurait être négligé dans une maladie où ceux-ci tendent à disparaître. Le fer a donc été donné 6 fois sur 32 (relevé de M. Vidal), et depuis par plusieurs observateurs. Il n'a pas guéri la maladie, mais il a paru plusieurs fois produire de bons effets, soutenir les forces du malade, diminuer l'aspect cachectique (obs. de Trousseau, etc.). Les préparations de fer que l'on devra préférer sont celles qui sont d'une assimilation facile, et ne déterminent pas de troubles digestifs, comme le citrate, le phosphate de fer, le tartrate ferrico-potassique. Enfin le perchlorure de fer est indiqué formellement dans les formes hémorrhagiques, et doit être donné, à l'intérieur, à la dose de 15 à 20 gouttes dans une potion gommeuse, et à l'extérieur en applications topiques sur les points où les hémorrhagies se produisent.

L'*arsenic* a été employé comme tonique. Oppolzer administrait la liqueur de Fowler. Récemment M. Bourdon donnait l'eau de la Bourboule. Cette médication a échoué comme les autres.

Grisolle semble s'être loué des bains salés, des bains sulfureux, et des douches froides : celles-ci notamment ont paru faire diminuer les engorgements ganglionnaires. On pourrait, dans cet ordre d'idées, et quand la cachexie n'est pas encore trop grande, conseiller les eaux salines naturelles de Creuznach, de Nauheim, de Salins (Jura), les eaux salines et sulfureuses d'Uriage, les bains de mer, ou l'hydrothérapie méthodique.

Tous les symptômes de la maladie devront être combattus pied à pied à mesure qu'ils paraîtront. Les hémorrhagies seront combattues énergiquement par le perchlorure de fer, le seigle ergoté, les applications froides, le tamponnement. La diarrhée colliquative par le bismuth, les astringents, le tannin, la ratanhia, les opiacés.

L'anorexie sera combattue par les amers. Les vomissements par les boissons glacées, les applications narcotiques sur l'épigastre, ou les vésicatoires volants, au besoin par l'ipécacuanha, si le malade présentait des signes d'embarras gastrique ou d'ictère.

La constipation ne devra être combattue qu'avec précaution, et seulement par des lavements ou des purgatifs très-doux, car on doit toujours craindre de provoquer une diarrhée que l'on ne pourrait plus arrêter. Aussi sera-t-on fort embarrassé par les hydropisies, par l'ascite notamment ou l'œdème des extrémités. On ne peut guère espérer de voir disparaître, sous l'influence des purgatifs hydragogues, des épanchements qui sont occasionnés par la compression directe qu'exercent sur les veines abdominales des tumeurs volumineuses, ainsi que par la gêne de la circulation cardiaque compliquée d'une dyscrasie sanguine, dont l'un des éléments principaux est la diminution de l'albumine. Les diurétiques, le nitrate de potasse notamment ont des inconvénients analogues à ceux des alcalins. Les bains de vapeur, les fumigations sèches auraient là une application utile.

Les accidents thoraciques ne pourront pas être combattus sans ménagements par le tartre stibié. La digitale, l'alcool, les vésicatoires volants devront leur être préférés. Enfin Mosler a pratiqué avec succès la transfusion du sang chez deux malades épuisés par des hémorrhagies.

En un mot, il faut traiter tous les symptômes graves, toutes les complications suivant les règles ordinaires d'une médecine rationnelle, sans perdre de vue un instant l'état général du malade qui exige avant tout les toniques et les reconstituants.

L'hygiène, une habitation bien sèche et bien éclairée, des vêtements chauds, une alimentation substantielle et réparative, des vins généreux ont une importance au moins égale au traitement pharmaceutique. Ce point est si évident, et les indications qui en découlent sont si claires, qu'il est inutile d'insister à cet égard.

En somme, faire très-attentivement la médecine des symptômes, insister surtout sur la médication tonique, sur le fer, sur le quinquina, sur les bains salés, alimenter le malade, le soutenir par des vins généreux, du café, le mettre dans les conditions hygiéniques les meilleures, telle est la méthode générale à employer dans les cas de leucocythémie idiopathique ou progressive. On ne guérira pas le malade, mais on le soutiendra et on le consolera.

Quant aux leucocythémies symptomatiques, c'est avant tout la maladie principale qu'il faut traiter. Mais la leucocythémie, qui s'ajoute à une affection le plus ordinairement grave, est par elle-même une indication formelle de préférer les médications toniques à toute autre méthode.

IX. **Théories de la leucocythémie, physiologie pathologique ou pathogénie.** Les premiers médecins qui ont rencontré des faits de leucocythémie n'ont pas songé à faire de théorie; ils les ont signalés comme des raretés, ils ont tout au plus cherché une explication applicable au cas particulier qu'ils envisageaient, mais ils n'ont pas cherché une loi générale. Nous parlons bien entendu des cas de leucocythémie véritable telle que nous la connaissons aujourd'hui, et non pas des cas de sang blanc, ou chyleux pour lesquels, depuis Haller, on avait au contraire cherché une interprétation physiologique. (*Voy.* la note 2 de la page 285).

Craigie est le premier qui cherche à faire une théorie; mais pour lui les concrétions blanchâtres sont du pus: il combat l'idée de phlébite généralisée, mais il croit à une infection purulente ultime: c'est la pénétration du pus mêlé de lymphe dans le sang qui a déterminé la fièvre et la mort. D'où vient ce pus? à peine peut-on signaler quelque point enflammé du côté de la veine mésaraïque. Mais la rate est le siége d'une inflammation chronique, et c'est elle que Craigie croit pouvoir mettre en cause. Pourtant il n'y avait pas d'abcès de la rate; et dans d'autres cas où il y avait suppuration de cette glande, on n'a pas vu le pus se mêler au sang. Ici survient une théorie. L'auteur invoque le rôle physiologique de la rate, c'est un organe érectile, où se produisent des congestions physiologiques revenant périodiquement; organe très-riche en réseaux veineux dont les orifices béants sont aptes à entraîner les produits pathologiques. La suppuration de la rate est très-rare, peut-être parce que le pus est rapidement emporté après sa formation, et promptement détruit. Dans le cas présent, il s'est produit tant de pus qu'il y a eu accumulation dans la veine, et qu'il n'y a pas eu de dépuration. (*Edinb. med. and. surg. journ.*, 1845, t. LXIV, p. 400 et suiv.) Il y a là un fait important, c'est la relation établie entre la maladie de la rate et l'altération du sang, mais on voit combien l'auteur est embarrassé pour expliquer la production, et surtout l'accumulation de ce qu'il croit être du pus.

Bennett, dans la même publication (son observation et celle de Craigie ont paru en même temps), croit aussi à l'infection purulente, mais il n'est guère moins embarrassé pour l'expliquer. Il ne reconnaît pas d'inflammation récente, pas d'abcès locaux, mais il croit que du pus peut se produire dans la masse du sang, qu'il peut se former dans un blastème du *liquor sanguinis*. Il cite Bichat, Ribes, Gendrin, Andral, Bouillaud, Carswell, comme ayant affirmé la présence possible de matière purulente dans le sang indépendamment de toute inflammation locale ou de tout abcès. Il est vrai qu'on n'avait pas vérifié la nature réelle de cette matière purulente. Gulliver a le premier décrit ces concrétions blanches comme de la fibrine ramollie. D'autre part, les leucocytes du sang ressemblent étroitement à du pus, d'où quelques auteurs récents ont conclu que les corpuscules du pus étaient tout simplement un élément normal, et que les collections intravasculaires trouvées après la mort, de matière en apparence purulente ne sont que des caillots ramollis et sans couleur. Mais dans son observation, il s'agit de véritable pus (*voy.* Historique); il n'a pas, il est vrai, examiné le sang pendant la vie, mais c'est le passage du pus dans le sang qui a déterminé la fièvre ; il ne peut dire où il s'est formé, car il n'y a pas d'inflammation, d'autre part il ne croit pas à l'hémite de M. Piorry, mais il croit à une transformation de blastème dans tout le système et invoque les théories chimiques qui ont été émises avant lui sur la fièvre et les maladies infectieuses. (*Edinb. med. and surg. journ.* 1845, t. LXIV, p. 415 et suivantes, remarques sur les observations citées.) Il est difficile de voir dans toutes ces idées une théorie, l'auteur se débat pour expliquer des faits en dehors de tout ce qui est connu, mais il n'a la conception d'aucune loi précise.

M. Donné, dès l'année 1844, est beaucoup plus près de la vérité et entrevoit une théorie véritable : l'altération du sang consiste dans une augmentation des globules blancs normaux, et cette augmentation morbide est la conséquence d'un trouble dans la genèse des globules rouges, dans un arrêt de développement, qui empêche la transformation de ces globules blancs en globules rouges. Il ne met pas directement la rate en cause, mais cette influence résulte complétement de ses recherches antérieures sur la physiologie de la rate ; en revanche, il considère l'augmentation des globules blancs d'une manière plus générale que Virchow ne le fera ensuite, il l'attribue à un trouble de toute l'économie, portant surtout sur la nutrition et l'assimilation, idée plus conforme à celle qui tend de plus en plus à s'établir, au moins parmi nous. On verra plus loin (*voy.* Historique) comment M. Donné serait bien plus fondé que MM. Bennett et Craigie à revendiquer la priorité de la découverte.

Virchow, dès son premier travail, met la rate en cause (*voy.* Historique) et établit une liaison directe entre les fonctions physiologiques, hématopoétiques de cet organe et la maladie spéciale dont il entrevoit l'existence. Ses mémoires, qui se succèdent rapidement, forment bientôt une doctrine, une théorie anatomo-physiologique, qui subsiste encore aujourd'hui et réunit encore le plus grand nombre d'adhérents, sauf à en retrancher quelques exagérations, et à en élargir le cadre. Il n'a pas de peine à réfuter, et à rejeter dans l'ombre la prétendue pyohémie qu'ont cru voir Craigie, Bennett et Rokitansky. Rappelant les travaux de Nasse, de Remak, de Henle, de M. Donné, il établit que l'augmentation des globules blancs se produit d'abord dans un grand nombre de circonstances physiologiques (grossesse et abstinence) ou pathologiques (fièvre typhoïde, inflammations, pertes de sang, fièvre palustre, hydropisies, phthisie pulmonaire), mais que la rate est l'organe qui préside plus particulièrement à l'élaboration des corpuscules du sang ; cependant son avulsion ne produit pas la leucémie. Il combat d'abord l'idée de Giesker, que dans la rate ce sont les corpuscules de Malpighi, qui sont plus particulièrement reliés au réseau lymphatique. Virchow compare la circulation de la rate à celle du placenta. Dans celui-ci, il existe deux systèmes vasculaires, celui de la mère et celui du fœtus, sans communication directe, et cependant l'échange de l'hématose se fait entre eux à travers les membranes perméables. Dans la rate, les corpuscules de Malpighi, capsules closes, reçoivent de même une partie du sang par endosmose, et rendent à leur tour au sang des produits nouveaux (noyaux endogènes et cellules). On peut en dire autant de toutes les glandes agglomérées, qui paraissent avoir de l'influence sur le développement des globules blancs et leur changement en globules rouges. Le liquide qui en sort est-il de quelque importance pour le développement du sang; par exemple, pour la transformation des corpuscules incolores en globules rouges? il s'ensuivrait que les maladies qui amènent un changement réel dans ces relations de diffusion, doivent être aussi d'une grande importance pour la formation du sang. (Virchow, *Pr. Ver. medic. Zeitung*; *Weissblut und Milztumor*, 1846, reproduit dans *Gesamm. Abhandl.*, 2e mémoire.) Cette idée est encore spéculative, mais on pourrait invoquer les cas de Bennett, de Rokitansky, et d'Oppolzer où des altérations des glandes lymphatiques ont coïncidé avec celle de la rate et du foie.

Du reste, dans son troisième mémoire (1847), Virchow va être beaucoup plus affirmatif à cet égard.

La distinction des deux formes de leukémie lymphatique et splénique a fourni à Virchow des arguments pour étendre et généraliser sa théorie. Cette distinction montrait en effet que la dyscrasie sanguine était sous la dépendance de la lésion de certains organes déterminés. Elle apportait à la physiologie du sang, cette notion importante, que le rôle de la rate et des glandes lymphatiques dans l'hématose, rôle énoncé si souvent d'une manière hypothétique, était positivement confirmé. (Virchow, *Archiv.*, t. I, p. 571, et *Gesamm. Abhandl.*, p. 198.) Car comment expliquer autrement que par une relation de cause à effet, ces observations où l'altération du sang, chargé d'éléments tantôt spléniques tantôt lymphatiques, coïncidait dans chaque cas avec des lésions de la rate ou des glandes lymphatiques. Griesinger était, il est vrai, arrivé à la conclusion que la tumeur de la rate était consécutive à la leucémie, et qu'elle se produisait par l'accumulation des cellules incolores dans la rate; mais il n'avait là-dessus à invoquer que ses propres observations, qui n'auraient pas dû certainement le conduire à une différence d'interprétation aussi importante. La nature consécutive du changement dyscrasique du sang devait au contraire ressortir indubitablement de la possibilité de suivre, par une observation directe pendant la vie, les progrès de la dyscrasie sanguine à partir du début de la lésion viscérale. Eh bien! cette preuve a pu être donnée. Déjà Bennett (*On Leucocythemia*, p. 128) avait communiqué un fait, dans lequel un homme de 20 ans, atteint depuis plus de quatre ans d'hypertrophie de la rate et du foie, ne présentait à son entrée à l'hôpital aucune altération morphologique du sang, et chez lequel on vit le nombre des corpuscules blancs augmenter de plus en plus pendant son séjour à l'hôpital. Virchow a observé de même pendant longtemps à partir de 1852 un sujet de 51 ans, atteint de tumeurs énormes des ganglions cervicaux, jugulaires, axillaires et inguinaux, tumeurs molles, indolentes, qui se développèrent lentement, progressivement en plusieurs années sans que l'examen du sang révélât aucune altération de ce liquide. Deux ans après, on commença à trouver une augmentation des éléments blancs, et surtout des globulins. Il mourut dans l'été de 1854, sans qu'on put faire l'autopsie, les glandes s'étant accrues progressivement jusqu'à rendre les mouvements très-difficiles et à produire la suffocation. (Virchow, *Archiv*, t. V, p. 390 et *Gesamm. Abhandl.*, p. 193.)

Il est donc certain, pour la leucémie splénique aussi bien que pour la forme lymphatique, que les lésions de la rate et des glandes lymphatiques préexistent, qu'elles peuvent exister des mois et des années avant que l'altération du sang se produise et la nature de cette dernière dépend de celle des organes affectés. D'autre part, il ne faut pas contester que l'importance de la lésion organique n'est pas en rapport constant avec celle de la dyscrasie. Car il y a des tumeurs très-considérables de la rate et des glandes lymphatiques sans leucémie, et, réciproquement, il y a des leucémies très-caractérisées dans lesquelles ces lésions locales sont très-peu développées. C'est ce qu'on peut voir très-manifestement dans une première observation de Heschl. (Virchow, *Archiv*, t. VIII, p. 355, et *Gesamm. Abhandl.*, p. 199.)

Dès ce travail, la théorie de Virchow est définitivement fondée, la rate d'une part, les glandes lymphatiques d'autre part sont les agents de l'hématopoèse, et ce sont eux qui déterminent l'augmentation des globules blancs. Il entre même dans des considérations de détail sur la stagnation des globules blancs, sur leur accumulation dans le cœur droit, les gros vaisseaux, et, dès le mémoire précédent, il a émis l'idée que cette obstruction des vasculaires du cerveau, de l'intestin et du poumon peut être la cause de plusieurs symptômes de la maladie, mais il ne le démontre pas. (*Gesam. Abhandl.* p. 189.)

Le mémoire de Bennett, qui parut en 1851, ne fait que développer la même théorie. L'auteur a raison de revendiquer, pour les physiologistes anglais Traill, Christian et Gulliver, et notamment Goodsir (*Phil. Transact.*, 1848), la part qu'ils ont prise à la connaissance de la loi de formation des corpuscules sanguins et l'histoire des glandes dans la vie embryonnaire, mais il est moins heureux quand il tente de réclamer pour lui-même l'application de ces notions à la détermination de la maladie nouvelle. Cette application, il l'a faite tardivement (*voy.* HISTORIQUE), et n'a pas eu tout d'abord, comme Virchow, l'intuition d'une maladie spéciale.

La théorie de Bennett (1851) invoque du reste l'action de la rate, du thymus, du corps thyroïde et des glandes mésentériques, qui sont analogues aux premières par leur structure, pour former les noyaux qui entrent dans le sang par les vaisseaux lymphatiques. L'hypertrophie de ces divers organes peut amener une plus grande quantité de ces cellules à noyaux dans le sang, et la formation des globules colorés peut être entravée en proportion de la plus grande abondance des globules blancs, lesquels se développent aux dépens du blastème qui, dans d'autres circonstances, aurait formé les globules rouges. On peut aussi supposer que le développement normal du sang est troublé par une *cause inconnue*, et que ces globules blancs ne sont autre chose qu'un état antérieur de développement, un arrêt de développement des globules rouges.

La théorie de Bennett est donc à peu près celle de Virchow ; l'auteur anglais est cependant moins affirmatif, moins tranchant que le médecin allemand ; ses idées ont un caractère plus général, plus vague peut-être, et se rapprochent davantage de celles de M. Donné.

C'est du reste par erreur qu'on a représenté, dans quelques articles de critique et d'histoire, la théorie de Bennett et la théorie de Virchow comme deux théories contradictoires, invoquant, l'une la suractivité des glandes qui forment les globules blancs, l'autre la suractivité de la rate qui détruirait les globules rouges. En se reportant au texte de Virchow (*Gesamm. Abhandl.*, 3ᵉ mémoire), il est facile de voir qu'il n'a jamais formulé une telle théorie, et encore moins qu'il ait voulu y attacher son nom. Il admet, il est vrai, une action semblable de la part de la rate, action que Kölliker et M. Béclard ont cherché à établir. La présence en excès des corpuscules blancs dans le sang de la veine splénique peut en effet reconnaître cette cause, « mais il serait vraiment aussi possible qu'une augmentation absolue des corpuscules incolores eût lieu dans la rate, indépendamment de cela » ; plus loin il ajoute : « aucun fait ne prouve que les globules sanguins puissent se transformer en corps blancs. Toutes les transformations des globules rouges, quand ils se décolorent, sont de nature régressive, et ordinairement liées avec la formation d'un pigment... On n'a pas plus de preuves que les globules blancs puissent se former par une épigénèse dans le sang stagnant, car on n'a jamais pu saisir des produits intermédiaires de ce développement, produits de nouvelle formation que l'on devrait nécessairement trouver. » (*Gesamm. Abhandl.*, p. 194.) Ainsi Virchow ne paraît pas avoir jamais mis en première ligne l'action destructive exercée par la rate sur les globules rouges, il cite même un cas de leucémie où la rate était atrophiée. En tout cas, cette idée ne reparaît jamais dans ses publications ultérieures. C'est au contraire l'excès d'action des glandes lymphatiques, c'est leur irritation physiologique, presque mécanique, qui détermine la leucocytose, et qui, à l'état pathologique, va jusqu'à produire la leukémie. Que cette action soit entravée, que la glande soit détruite par l'inflammation, et cette leukémie cesse de se produire. La rate elle-même n'agit que par ses éléments lymphoïdes, par les corpuscules de Malpighi. Nous avons été obligés précédemment (*voy.* LEUCOCYTHÉMIE SYMPTOMATIQUE) de combattre ce que cette théorie a d'exclusif. Ce qui caractérise essentiellement l'école de Virchow, c'est la prédominance donnée à l'action des solides et la négation des altérations primitives des liquides.

Cette idée est déjà developpée longuement dans son quatrième mémoire (*Gesamm. Abhandl.*, p. 212). Là où se forment en général les corpuscules blancs, là doit aussi être l'origine de ceux qui se forment en si grande masse dans la leukémie. Dans la pyohémie et la leukémie, les corpuscules blancs sont les mêmes ; il n'y a de différent que l'hétérologie de leur formation. Tout consiste à bien établir les lieux de formation. Trois hypothèses sont en présence : ou bien les globules blancs prennent naissance dans le sang, ou bien ils y pénètrent avec le chyle et la lymphe, ou bien ils se détachent de la paroi des vaisseaux. De ces trois hypothèses, la seconde n'a jamais fait de doute, car avec le suc du canal thoracique, il est certain que des masses de cellules, de corpuscules du chyle et de la lymphe doivent pénétrer constamment dans le sang. On n'a donc qu'à se demander si c'est là l'origine unique, ou s'il en existe d'autres, soit dans le sang lui-même, soit dans les vaisseaux. La libre formation de cellules dans le chyle et dans la lymphe ne pourrait guère avoir qu'un seul mode de formation : la segmentation des corpuscules préexistants. Cette segmentation a été vue, et elle commence par les noyaux avant d'arriver à la segmentation des cellules.

La troisième hypothèse, celle de la formation des globules aux dépens de la paroi vasculaire, par une sorte de desquammation épithéliale de la paroi, a été défendue par Tigri, par Schrantz, Wahlgren et Donders. (Virchow, *Arch.*, t. V, p. 146.) Virchow la repousse comme fait général, tout en admettant qu'elle peut se produire dans quelques cas particuliers.

Le chyle et la lymphe doivent donc être considérés comme la source régulière des corps blancs, et l'auteur insiste surtout sur cette idée fondamentale qu'il faut considérer bien moins les sucs, les liquides de l'économie, que les organes qui les élaborent, et parmi ceux-ci, on doit compter non-seulement la rate, mais aussi tout le système lymphatique, et mieux encore, tout le tissu lymphoïde en quelque lieu qu'il puisse se produire par *hétérotopie*. Les formations lymphoïdes pathologiques sont en maint endroit déterminées par une hypertrophie rapide des corpuscules du tissu conjonctif, et on peut invoquer ce fait comme un nouveau motif de croire à la liaison de ce tissu avec les lymphatiques. « Les sucs lymphatiques apportent dans le sang les deux parties consécutives les plus importantes, la fibrine et les corpuscules. Mais de même qu'il y a un *état antérieur* de la fibrine, de même il y a un état antérieur des corpuscules, comme le prouvent les expériences où l'on voit ces corpuscules, ou les glandes elles-mêmes, rougir au contact de l'air, ou prendre une coloration plus foncée : cette coloration est surtout visible dans les ganglions bronchiques et dans la pulpe splénique ; seulement *tous les corps incolores ne sont pas capables de changer leur couleur et de devenir des corpuscules rouges*, et c'est précisément ce fait que Virchow considère comme une acquisition réelle due à ses travaux. Il a montré d'abord que les corps incolores du sang peuvent aussi présenter au milieu du sang la transformation par laquelle les cellules subissent leur régression régulière, notamment la métamorphose graisseuse. (*Abhandl.*, p. 151, 165, et *Arch.*, t. I, p. 144 ; t. II, p. 593.) Une *certaine partie* se détruit donc dans le cours du sang, et se dissout en particules graisseuses. Une grande partie commence, presque aussitôt après son entrée dans le sang, à présenter des segmentations de noyaux, et, chez plusieurs, les noyaux disparaissent entièrement à mesure qu'ils deviennent de plus en plus petits, de sorte que les cellules se montrent analogues aux cellules atrophiques du pus (cellules pyoïdes, corpuscules d'exsudation). Plus tard, vraisemblablement, celles-ci se dissolvent aussi, de sorte qu'il n'est pas nécessaire d'admettre, comme Tigri et Griesinger le font pour la rate, une stagnation particulière des corpuscules blancs. Les corpuscules incolores, ajoute-t-il, que l'on trouve circulant dans le sang *sont des cellules simples, non spécifiques, dont la transformation en corpuscules rouges n'a pas lieu*, et qui montrent ainsi, dans une partie constitutive du sang, *une sorte d'excédant*, ou de *déchet* (*Abfall*). La transformation des corpuscules lymphatiques en corpuscules rouges a eu lieu déjà plus ou moins tôt, et il paraît que si une cellule à l'époque où elle arrive dans le sang, est développée au delà d'un certain degré, sa métamorphose spécifique, *colorée*, devient impossible. Elle circule alors quelque temps et enfin elle se détruit par métamorphose régressive. On comprend dès lors facilement que, plus il y a de corpuscules blancs dans le sang, moins on en trouve de rouges, et le renversement des rapports entre la quantité des corpuscules sanguins et de la fibrine, s'explique parce qu'avec la fibrine les corpuscules incolores sont également augmentés, et qu'ainsi le sang possède surtout une nature plus lymphatique. »

Telle est en résumé la théorie que Virchow a formulé d'une façon définitive en 1856, et qu'il n'a fait que confirmer depuis dans ses publications ultérieures : action exagérée des glandes hématopoétiques, production de corpuscules blancs moins aptes à se transformer en hématies. On a vu dans l'article LEUCOCYTES les objections qui peuvent être faites à cette théorie au point de vue anatomo-physiologique. Nous avons nous-même montré les difficultés qu'elle soulève au point de vue clinique (*voy.* ESPÈCES ET VARIÉTÉS), surtout quand il s'agit des leucocythémies symptomatiques. Il est juste, toutefois, de reconnaître qu'en ce qui concerne la leucocythémie progressive, la théorie de Virchow est celle qui répond le mieux à la généralité des faits, à la condition de ne pas lui donner un sens trop absolu.

A partir des travaux de Virchow, la question reste à peu près stationnaire. Ce n'est plus seulement la rate et le foie qu'on étudie, c'est surtout l'hyperplasie des éléments lymphoïdes que ces glandes contiennent, ce sont aussi les hétérotopies de la substance adénoïde, de sorte que la leucocythémie lymphatique tend de plus en plus à dominer la scène. Friedreich et Bœttcher notamment approfondissent les détails relatifs aux tumeurs des poumons et de l'intestin. Bœttcher insiste sur l'influence que la destruction des poumons par des lymphomes peut exercer sur la transformation des leucocytes en empêchant leur oxygénation. Si les lésions de la phthisie n'amènent pas la leucémie, c'est que dans cette maladie les glandes lymphatiques sont atteintes et produisent déjà moins de leucocytes.

MM. Ollivier et Ranvier (*Arch. de Brown-Séquard*, etc., 1869, livr. de juillet) se sont beaucoup occupés dans ces derniers temps de la pathogénie des principaux symptômes que présente la leucocythémie. Se ralliant d'une manière générale à la théorie de Virchow, en ce qui concerne la liaison existant entre la dyscrasie sanguine, et les hypertrophies glandulaires, soit des glandes elles-mêmes, rate, foie, ganglions lymphatiques, ou autres organes lymphoïdes, soit de ces tumeurs, désignées sous le nom de *lymphomes* ou de *lymphadénomes* qui peuvent se développer au milieu d'organes, ne contenant pas normalement de tissu adénoïde ; ils s'efforcent cependant de distinguer de ces tumeurs d'autres productions morbides, qui n'ont plus la structure du tissu lymphoïde, et qui, loin d'être la cause de l'augmentation des globules blancs, n'en sont que les effets : tels sont les infarctus, les accumulations de globules blancs dans les lymphatiques, que nous avons décrits d'après eux. L'obstruction des vaisseaux, leur rupture par distension forcée, explique, selon ces auteurs, un bon nombre des phénomènes principaux de la leucémie, que l'on attribuait trop facilement et sans preuves à la seule diffluence du sang. Ainsi l'obstruction des capillaires cérébraux déterminerait d'abord les phénomènes d'une anémie relative, céphalalgie, bourdonnements d'oreilles, obnubilations, etc., souvent, plus tard, de la somnolence et un véritable coma. Enfin l'excès de tension amenant la rupture des vaisseaux serait la cause prochaine des hémorrhagies cérébrales ou méningées.

La dyspnée trouve peut-être aussi une explication directe dans l'accumulation des globules blancs dans le système capillaire et dans les hémorrhagies miliaires (*voy.* observ. Blache, Isambert et Robin, 1855, et obs. I de Ollivier et Ranvier, 1869) plutôt que par le refoulement du poumon exercé par la rate et le foie hypertrophié, comme le voulait Trousseau. En effet, à volume égal de la rate, la dyspnée serait, selon nos auteurs, plus considérable dans les cas de leucocythémie que dans les cas de cachexie palustre. Dans d'autres cas, la dyspnée peut tenir au développement de lymphadénomes dans le tissu pulmonaire : ces lymphadénomes ont été pris souvent pour des tubercules ; il est probable qu'il en est ainsi sur plusieurs des 12 cas de tubercules (sur 98 observ.) mentionnés par Ehrlich (*Inaug. Dissert.*, Dorpat, 1862) et que Boettcher (Virchow, *Arch.*, 1866, t. XXXVII, p. 163) a considéré comme le résultat d'une prolifération du tissu conjonctif de la muqueuse. A côté de cette pseudo-tuberculose leucémique, il faut cependant reconnaître des tubercules véritables. La faiblesse du pouls, selon nos auteurs, s'explique aussi, non-seulement par la gène de la circulation capillaire, conformément aux expériences de M. Marey, mais aussi à l'altération graisseuse du muscle cardiaque, et aux hémorrhagies interstitielles qu'on y rencontre.

L'obstruction des capillaires explique aussi l'hypertrophie des gencives et des follicules de la langue que ces auteurs ont décrits (v. ci-dessus) et que Mosler (1868) a décrit à tort comme une stomatite et une pharyngite leucémique, car il n'y a là ni inflammation, ni ulcération, ni suppuration.

Le lymphadénome ulcéré peut être aussi la cause des hématémèses et des hémorrhagies intestinales, à moins que celles-ci ne résultent de la tension des vaisseaux et de leur rupture.

L'ascite trouve également une cause directe dans l'oblitération des capillaires du foie; c'est une sorte de cirrhose leucocythémique. Pourquoi l'ascite n'est-elle pas plus fréquente et en général pas très-intense? C'est, selon nos auteurs, parce que la gêne de la circulation capillaire ne porte pas seulement sur les terminaisons hépatiques de la veine porte, mais encore sur ses racines gastro-intestinales; il se fait alors une sorte de compensation, ou d'équilibre qui n'a pas lieu dans la cirrhose ordinaire, où les rameaux du foie sont seuls malades.

Les lésions des reins, que l'on a souvent décrites comme maladie de Bright dans la leucocythémie, ne sont peut-être bien souvent que des thromboses capillaires, et des infarctus blancs, tels que ceux que ces auteurs ont décrits (*voy.* ANAT. PATHOLOG.); on n'y trouve pas de signes de néphrite ; mais les lésions décrites et les altérations épithéliales qu'ils ont constatées suffisent à expliquer l'albuminurie, et même l'hématurie que l'on observe quelquefois. Peut-être faudrait-il y joindre la diminution de la sécrétion urinaire, signalée par Mosler (1866).

Enfin les hémorrhagies en général, ou les gangrènes, peuvent trouver aussi leur explication dans ces thromboses capillaires leucémiques.

Tout cela est ingénieux, trop ingénieux peut-être, car il faut nécessairement de nouvelles recherches pour voir ce qu'il y a de vrai dans ces explications mécaniques, dont on trouve déjà un exemple dans le travail de Magnus Huss.

Les auteurs nous paraissent tomber dans un excès contraire à celui qu'ils reprochent à leurs prédécesseurs; si ceux-ci donnaient trop aux altérations du liquide, eux donnent trop sans doute aux lésions du solide. Le temps et des expériences nouvelles indiqueront certainement le juste milieu qu'il convient de garder.

X. **Nature, rang nosologique de la leucocythémie.** Il nous reste pour terminer cette étude à rechercher, en dehors des théories anatomo-physiologiques que nous venons de passer en revue, quelle est la nature de la leucocythémie au point de vue de la pathologie générale, et quel rang il convient de lui assigner dans la nosologie. La leucocythémie est-elle une entité morbide? Y a-t-il, du moins, à côté des leucocythémies physiologiques que nous avons décrites, une leucocythémie véritablement essentielle, ou bien cette altération du sang, même avec ses lésions viscérales les plus caractéristiques, avec son cortége de symptômes et sa marche progressive, ne doit-elle être considérée en définitive que comme un résultat, comme une cachexie terminale dont la cause doit être cherchée autre part? Chose remarquable! voici une maladie que le microscope nous a fait connaître, une altération du sang qui ne pouvait être soupçonnée sans cet instrument; l'histologie nous explique en détail la nature anatomique de la dyscrasie sanguine; elle va plus loin, elle pénètre dans les lésions viscérales les plus intimes, elle nous signale non-seulement l'analogie de tous les organes glanduleux que l'on rencontre presque constamment en connexion intime avec l'état spécial du sang, et cependant, elle nous laisse dans l'incertitude au moment de conclure, et c'est en définitive à la clinique, à la pathologie générale, à la philosophie médicale qu'appartiendra le dernier mot, ce n'est pas au microscope! Les physiologistes, les micrographes ont admirablement préparé le terrain; le plus hardi, le plus original peut-être entre tous, a dégagé de ces connaissances la notion d'une maladie spéciale bien caractérisée, il l'a définie, il l'a séparée avec soin de la leucocytose, c'est-à-dire des états physiologiques et pathologiques les plus analogues; il en a donné une loi pathogénique, qui représente pour la majorité des cas, la réalité des choses dans la leucocythémie progressive, et cependant la réponse à notre question préalable, l'essentialité, l'entité de la leucémie, ne sort pas de ses travaux. C'est aux cliniciens, c'est aux médecins, préoccupés des questions de pathologie générale que nous devons la demander.

Nous nous sommes attachés depuis le début de cet article à maintenir au nom de leucocythémie son acception la plus générale, celui d'une altération particulière du sang caractérisée par le développement insolite d'un de ses éléments normaux. Nous nous sommes bornés, au point de vue pratique, et pour ne pas rompre l'unité de cette conception, à n'en marquer les divisions et les variétés que par des épithètes, et c'est pour cela que nous avons rejeté le mot de *leucocytose*, pour reconnaître qu'il existait une leucocythémie physiologique, et des leucocythémies pathologiques, mais temporaires et symptomatiques d'un assez grand nombre d'affections. Pour toutes celles-là, la question de l'entité morbide ne saurait exister : la crase sanguine n'en est qu'un épiphénomène. La question d'entité ne se pose que pour la leucémie de Virchow, pour la leucocythémie chronique, progressive, la seule qui puisse peut-être mériter le nom d'idiopathique. Il s'agit maintenant de voir jusqu'à quel point elle mérite ce nom.

Une comparaison fort juste, que nous avons déjà mentionnée, a été faite par MM. Barth, Vigla, etc., à la société médicale des hôpitaux (*Bull. de la soc. méd. des hôp.*, 1856, p. 60). Le nom de leucocythémie est comme celui d'albuminurie : il indique un trouble fonctionnel, un état morbide, communs à beaucoup de maladies ; il y a des albuminuries rhumatismales, scarlatineuses, diphthériques, puerpérales ; mais il y a une albuminurie chronique et progressive, la maladie de Bright. Il y a des asthmes, il y a des épilepsies symptomatiques, mais il y a un asthme essentiel, une épilepsie essentielle ; il y a des ataxies diverses du mouvement, mais il y a une ataxie locomotrice progressive ; enfin, pour ne pas sortir des altérations du sang, il y a des anémies diverses, anémie par pertes de sang, anémie des mineurs, anémie saturnine, anémie des tuberculeux, mais il y a la chlorose, sorte d'anémie essentielle.

Qu'est-ce donc que cette leucocythémie, progressive, spéciale ? Est-ce une maladie générale, est-ce une maladie spécifique, est-ce une maladie primitive, n'est-ce pas plutôt une maladie consécutive, n'est-ce pas une cachexie terminale, liée peut-être à quelque diathèse inconnue ?

La leucocythémie paraît bien être une maladie générale, une maladie *totius substantiæ*, non-seulement parce que la dyscrasie sanguine une fois produite, la plupart des organes subissent les conséquences de l'état du sang, mais aussi parce qu'il est le plus souvent impossible de limiter à un seul organe l'origine de cette dyscrasie sanguine. Si, dans quelques cas, la rate seule semble être prise au début, il est bien peu d'observations, dans lesquelles l'évolution de la maladie, ou tout au moins la nécropsie, ne nous montrera pas la lésion d'autres organes que leur peu de développement a pu soustraire pendant la vie à nos méthodes de diagnostic, mais à l'origine desquelles il serait fort difficile d'assigner une époque précise. Du reste, la connaissance des leucocythémies symptomatiques et physiologiques nous engage tout d'abord à attribuer à la maladie un caractère de généralité, et à dire qu'elle intéresse dès le début, sinon tous les organes, au moins tout un système d'organes, le système lymphatique, tel qu'on le comprend aujourd'hui.

La leucocythémie est-elle une maladie spécifique? on peut répondre non, sans hésiter; elle ne reconnaît aucune cause spécifique connue, aucun poison morbide auquel on puisse la rattacher; elle n'est ni contagieuse, ni épidémique, ni endémique; elle ne paraît pas héréditaire : elle manque en un mot du caractère fondamental des maladies spécifiques, l'unité de cause. Elle n'a pas d'ailleurs ni incubation, ni période d'invasion, ni période aiguë; elle ne reconnaît pas davantage de traitement spécifique.

Pour les mêmes motifs, nous pouvons déjà penser que la leucocythémie n'est pas une maladie primitive : elle n'a pas de période aiguë, elle n'a pas même de début que l'on puisse affirmer d'une manière positive. Elle n'a pas non plus de cause cosmique, ou hygiénique, à laquelle on puisse se rattacher avec certitude, comme par exemple le scorbut, avec lequel elle a pourtant plus d'un rapport. Dans la grande majorité des observations, elle a été précédée d'une maladie plus ou moins éloignée ; quand on ne reconnaît pas d'antécédents pathologiques, c'est qu'on manque de renseignements exacts ; enfin quand apparaissent les premières hypertrophies viscérales, ou ganglionnaires qui la déterminent, la dyscrasie sanguine n'existe pas encore, on a beaucoup de peine à saisir l'instant où elle apparaîtra, et, dans les cas de leucocythémie retardée, l'altération du sang n'apparaît que tout à fait à la fin. Concluons donc que la leucocythémie est toujours une maladie consécutive. C'est du reste ainsi que Virchow l'envisage. Quelles sont les maladies auxquelles la leucocythémie peut succéder ? C'est ce qui est encore mal déterminé, comme on l'a vu dans notre paragraphe étiologie ; rappelons seulement qu'on a invoqué les maladies les plus diverses, la fièvre typhoïde, la puerpéralité, le cancer, la cirrhose, la maladie de Brigth, la syphilis, la scrofule, les fièvres palustres, et enfin l'alcoolisme, l'hypertrophie splénique et les hypertrophies ganglionnaires.

La leucocythémie progressive ne nous apparaît pas seulement comme une maladie consécutive, mais aussi comme une cachexie fatale, et c'est bien dans le groupe des cachexies qu'il faut la ranger avec Cahen, avec Legroux, avec M. E. Barthez. Or, qu'est-ce qu'une cachexie?

C'est une altération profonde de la nutrition, avec teinte pâle, appauvrissement du sang, langueur de toutes les fonctions, c'est l'épuisement de la constitution, c'est un résultat d'une affection morbide antérieure ou de lésions qui compromettent la texture des principaux organes. C'est une déchéance de toutes les forces vitales, une dégénérescence de l'organisme tout entier; mais, si c'est la résultante de lésions diverses, ce n'est pas une cause pathologique, ce n'est pas une entité véritable.

C'est bien avec ce caractère général que nous apparaît la leucocythémie progressive, mais si c'est une cachexie, c'est une cachexie spéciale. Le temps n'est plus où l'on pourrait tenter encore, comme Cahen et Fr. Barthez (*Soc. méd. des hôp.*, 1856, p. 55-59), de la faire rentrer dans la cachexie palustre. On peut également répondre, par la négation la plus absolue, à la question que posait alors M. Woillez, et à laquelle M. Ernest Barthez semblait bien près de se ranger (*Ibid.*, p. 77) ; la leucocythémie appartient-elle à toutes les cachexies? On sait parfaitement aujourd'hui que l'altération spéciale du sang peut survenir à la suite de plusieurs maladies très-différentes, se terminant par des états cachectiques, mais que ces cachexies diverses existent dans la grande majorité des cas sans leucocythémie. M. Ern. Barthez établit très-bien que « chacune des cachexies que nous connaissons est une maladie bien déterminée et bien distincte, conséquence d'une diathèse unique ; autrement dit : à une diathèse déterminée correspond une cachexie aussi bien déterminée. Ainsi la cachexie tuberculeuse est la conséquence de la diathèse du même nom ; de même pour la cachexie cancéreuse, ou bien encore les intoxications paludéenne et saturnine, dont la nature est bien déterminée, peuvent être suivies de cachexies paludéenne et saturnine tout aussi bien déterminées qu'elles. En effet, chacune de ces cachexies a ses caractères qui lui sont propres, et ne se confondent pas avec ceux des cachexies les plus voisines. A tel point qu'un praticien un peu habitué reconnaît souvent, au premier coup d'œil, quelle est la cachexie qu'il a sous les yeux. » (*Ibid.*, p. 76.) M. Ern. Barthez ne reconnaissait pas, à cette époque, de caractère spécial à la cachexie leucocythémique. Mais on peut être plus affirmatif aujourd'hui. La leucocythémie n'est pas seulement un état cachectique, comme le serait la simple dyscrasie sanguine, c'est une cachexie d'ensemble, avec lésions multiples, lésions viscérales, lésions ganglionnaires, lésions lymphoïdes généralisées, en relation constante avec la dyscrasie sanguine, qui devient elle-même le point de départ de lésions nouvelles (infarctus, hémorrhagies interstitielles, etc.).

Mais, suivant la remarque très-judicieuse du professeur Magnus Huss, de Stockholm (*Arch. gén. de méd.*, 1857, t. II, p. 320), s'il y a quelque chose de spécial, ce n'est pas la crase du sang, c'est la lésion organique qui lui donne naissance : ce n'est pas au sang que le nom générique devrait appartenir, c'est à la rate et au système lymphatique ; au lieu de dire leucocythémie splénique ou lymphatique, il faudrait dire, *splénopathie leucocythémique*, ou *lymphopathie leucocythémique*.

Maintenant quelle est, en elle-même, cette splénopathie ou cette lymphopathie ? Y a-t-il là les éléments d'une maladie spéciale ?

Faisons encore une comparaison : une lésion mécanique se produit à l'un des orifices du cœur, à l'orifice mitral si l'on veut. De là découle une série, en quelque sorte nécessaire, de symptômes et de lésions : entraves apportées à la circulation du sang, hypertrophie compensatrice du cœur, puis, congestions viscérales diverses, des poumons, du foie, productions d'hydropisies, altération consécutive du fluide sanguin lui-même, etc., enfin tout cet ensemble que Beau a décrit sous le nom d'*asystolie*, mais qu'à cause de la relation étroite entre une lésion déterminée et le cortége symptomatique, on est fondé à appeler maladie organique du cœur, insuffisance de l'orifice mitral. De même dans le rein, une lésion spéciale se produit, la lésion de Bright, et à la suite se montre l'albuminurie permanente, les hydropisies, etc., ici encore ce n'est pas seulement une cachexie consécutive, nous avons le droit de dire : maladie de Bright. En est-il de même de la lymphopathie leucocythémique ?

« Il ne faut pas oublier, dit Magnus Huss, que le stade qui précède l'augmentation du volume de la rate (ou des glandes lymphatiques), et qui, même lorsque cet agrandissement s'est opéré, précède encore le moment où le sang va subir l'altération décisive est encore à connaître. » (*Ibid*, p. 319.) Et en effet, Virchow et son école ont beau préciser les lésions et en généraliser l'interprétation, ils ont beau arriver à montrer, non plus l'hypertrophie de la rate ou des ganglions, mais l'hyperplasie, et quelquefois l'hétérotopie du tissu lymphoïde, on ne peut pas dire encore qu'ils aient montré la lésion spéciale qui produit à coup sûr la leucocythémie.

L'histologie n'a pas encore dit en quoi l'hypertrophie simple de la rate, ou l'hypertrophie palustre, lesquelles ne déterminent pas la leucocythémie, diffèrent de la splénopathie qui la détermine ; en quoi les glandes lymphatiques, qui sont hypertrophiées dans la scrofule, et surtout dans l'adénie, diffèrent de celles dont l'hyperplasie détermine la leucocythémie. On a fait quelques hypothèses, on a cru voir que dans l'hypertrophie simple le stroma de la glande, son tissu conjonctif sont surtout développés, tandis que dans la leucocythémie, ce serait surtout le tissu adénoïde ; mais nous pouvons dire qu'il n'y a pas encore là une démonstration acquise, ni un fait suffisamment élucidé et accepté de tous.

Voilà ce qui manque, selon nous, pour élever la leucocythémie au rang de maladie, pour lui faire prendre place à côté de la maladie de Bright, de la cirrhose du foie; mais, dira-t-on peut-être, il est bien des maladies dont on ignore la lésion véritable et la cause prochaine : l'épilepsie, la chorée, l'hystérie; sans doute, mais ce sont alors des maladies primitives, ayant une physionomie propre, un début fixe. Elles n'ont pas ce caractère de déchéance générale de l'organisme, de résultante ultime et fatale, qui distingue les cachexies, et la leucocythémie progressive en particulier. En attendant de nouveaux progrès de la science, nous ne dirons donc pas : la leucocythémie est une maladie spéciale, nous dirons : c'est une cachexie spéciale. Maintenant quelle est la cause première de cette cachexie?

Les circonstances étiologiques ne nous apprennent rien. Qu'y trouvons-nous! des causes banales, des antécédents morbides variés, qui n'ont qu'un seul point commun, l'influence déprimante ou débilitante. Ici encore il faudra peut-être admettre une prédisposition particulière, peut être une *diathèse* spéciale? mais rien ne nous dit encore ce qu'elle peut être. Il lui manque un des caractères appartenant fréquemment aux diathèses, l'hérédité. De plus, les diathèses, avant leur période ultime, cachectique, se sont signalées par des manifestations primitives, souvent par des produits pathologiques déjà déposés (tubercule, cancer); ici, nous ne savons rien de semblable; la tumeur lymphoïde, si l'on adopte entièrement la théorie de Virchow, peut bien précéder la cachexie, mais nous n'avons aucun moyen de le dire à l'avance, de préciser son point de départ. La diathèse est cependant encore l'idée de pathologie générale à laquelle nous nous rallierions le plus volontiers.

En résumé, et pour conclure : La leucocythémie, en tant qu'altération du sang, n'est qu'un symptôme : symptôme transitoire, dans les leucocythémies temporaires ou symptomatiques, symptôme permanent dans la leucocythémie progressive. Celle-ci, en tant qu'état morbide caractérisé par des lésions viscérales constantes et un ensemble de symptômes propres, est une cachexie spéciale, tenant probablement à une diathèse encore inconnue, frappant spécialement sur le système lymphatique. Mais son existence comme *maladie idiopathique*, ou comme *diathèse*, est encore à démontrer.

XI. **Historique.** La leucocythémie est une découverte moderne, contemporaine même. Elle ne pouvait être connue avant les progrès que la physiologie du sang et les recherches microscopiques appliquées à l'anatomie pathologique ont fait faire aux sciences médicales. Il n'est guère douteux pour nous d'ailleurs que cet état morbide, comme toutes les cachexies, a dû exister de tout temps et est aussi ancien que la nature humaine. Virchow rappelait dès son premier travail qu'Hippocrate avait déjà signalé une relation entre les maladies de la rate et la production des hémorrhagies, et que ces hémorrhagies avaient dû dans bien des cas être liées à la dyscrasie sanguine que nous étudions. Il serait sans doute bien facile, en cherchant dans les anciens auteurs, de retrouver des observations de cachexie splénique, ou lymphatique, de diathèse hémorrhagique ou d'altérations du sang, que l'on pourrait rapporter à la leucocythémie.

Nous sommes, pour notre part, fort peu séduits par ce genre de recherches dans le cas qui nous occupe, parce que les observations que l'on pourrait ainsi recueillir ne seraient jamais que des hypothèses plus ou moins probables, et que la leucocythémie ne peut jamais être affirmée sans l'examen microscopique du sang. C'est à peine si nous suivrons Bennett et Virchow dans les recherches rétrospectives qu'ils ont faites à cet égard ; nous avons vérifié la plupart de ces citations : toutes, elles tombent sous le coup de l'objection préalable que nous leur adressions. Ces observations peuvent être rangées, comme l'a fait M. Vidal, en deux catégories différentes : 1° les cas d'hypertrophie de la rate, sans fièvres intermittentes antérieures et compliqués d'hémorrhagies, de diarrhée, d'état cachectique et déterminant la mort. Tels sont les faits tirés d'Hippocrate, de Celse, de Galien, de Rhazès, de Bartholin, de Blaës, de Blancard, de Schenke, de Morgagni, de Lieutaud, de Bree, de Mead, de Grottanelli, d'Helwig Schmidt, d'Assolant, d'Audouard, de Reynaud, de Hodgkin, de Naumann, de Nivet, de Durand (de Lunel) et de M. Linas. Pour toutes ces citations, empruntées pour la plupart à Bennett, à Virchow, à M. Vidal, à M. Leudet, on trouvera plus loin (*voy.* BIBLIOGRAPHIE) l'indication de celles que nous avons vérifiées, et dans lesquelles, il faut bien le dire, nous n'avons trouvé ni un grand intérêt, ni des éléments de certitude bien suffisants. 2° Une seconde catégorie de faits rétrospectifs, touchant plus directement à notre sujet, comprend les cas où l'on a mentionné une altération particulière du sang, analogue, au moins quant aux caractères physiques, à celle que nous avons décrite, qu'il soit fait ou non mention d'une hypertrophie de la rate, du foie, ou des glandes lymphatiques. Parmi ces observations on peut citer surtout celles de Morgagni, de Bichat (1801), de Harless (1816), de Velpeau (1827 et 1828), de Caventou (1828), de Hodgkin (1832), de Legroux (1833), de M. Duplay (1834), Nivet (1838), de Livois (1838), de M. Andral (1839), d'Oppolzer et Liehmann (1840), de Froriep (1841), d'Allen Thompson (1853), de Bricheteau (1844), de M. Bouchut (1844), de Bessières (1845), de M. Piorry (1845-46). Nous renvoyons aussi à notre bibliographie pour la désignation précise de ces différentes citations.

Il y aurait une troisième catégorie d'auteurs à établir, ce serait celle des physiologistes et des micrographes, qui par leurs recherches sur les globules blancs du sang ont préparé la découverte de la leucocythémie, comme Harless, Henle, Remak, Goodsir, Gulliver, etc.; mais cette indication doit être laissée à notre collaborateur chargé d'envisager les leucocytes et le sang au point de vue anatomo-physiologique. Nous nous bornerons à signaler ici ceux de ces auteurs qui ont entrevu une relation entre la proportion des globules blancs du sang et certains états pathologiques, comme dans les faits que nous appelons aujourd'hui des leucocythémies symptomatiques, et nous citerons parmi ceux-ci Giesker (1835), Nasse (1839), Gulliver (1840), Froriep et Gluge (1841), Remak (1841), Emmert (1842), Allen Thompson (1843), Henle (1844), et enfin M. Donné (*voy.* BIBLIOGRAPHIE). Il nous tardait d'arriver à ce nom, car avec lui commence véritablement l'histoire de la leucocythémie.

M. Donné a dès 1844 aperçu et décrit le véritable état du sang dans la leucocythémie, avec une précision qui nous autorise à le placer immédiatement avant Bennett et Virchow parmi les premiers observateurs de la leucocythémie.

Cherchant à résoudre la question de la présence du pus dans le sang (*Cours de microscopie*, page 132), il dit en effet : « Dans certains cas, où l'on présumait que du pus circulait avec le sang, soit par suite d'une résorption, soit par suite de l'inflammation des vaisseaux, le sang m'a offert une si grande quantité de *globules blancs*, c'est-à-dire de globules sphériques, granuleux, incolores, se comportant avec les réactifs comme les globules purulents, que je croyais avoir affaire à du véritable pus, et être en droit d'affirmer que le microscope pouvait réellement servir à reconnaître la présence du pus dans le sang; mais en comparant de nouveau ces nombreux globules avec les globules blancs naturellement contenus dans le sang normal, je me retrouve dans de nouvelles incertitudes en retrouvant les mêmes caractères physiques et chimiques aux uns et aux autres..... ne s'agissait-il donc alors que d'une simple augmentation dans la quantité des globules blancs naturels par des causes que nous examinerons tout à l'heure et non d'une altération par le mélange du pus? C'est ce qui reste douteux pour moi. » Et plus loin (*ibid.* p. 135, *de l'altération des globules blancs*), « Il y a donc des cas dans lesquels les globules blancs paraissent en excès dans le sang; j'ai vérifié ce fait un trop grand nombre de fois, il est trop évident chez certains malades pour que je puisse concevoir le moindre doute à cet égard. » Chez un malade du service de M. Rayer à l'hôpital de la Charité, lequel était atteint d'une artérite qui affectait spécialement les vaisseaux des membres inférieurs avec ecchymoses, phlyctènes gangréneuses, etc., « le sang présentait une telle quantité de globules blancs qu'en raison même de la nature de son affection, j'étais porté à croire que le sang était réellement mêlé de pus ; mais en définitive, il ne me fut pas possible de constater une différence tranchée entre ces globules et les globules blancs. Je suis plus porté à croire aujourd'hui que l'excès des globules blancs tient plutôt au défaut de transformation de ces globules en globules rouges, à une sorte d'arrêt dans l'évolution du sang, qu'à la présence de globules d'une nature étrangère comme ceux du pus. C'est en effet chez les malades affectés de lésions profondes, affaiblis, détériorés par un travail morbide prolongé qui jette le trouble dans toute l'économie, mais surtout dans la nutrition et l'assimilation, que l'on rencontre ces globules blancs en excès. La surabondance des globules blancs n'aurait rien que de naturel en pareille circonstance; ce ne serait, encore une fois, que le résultat d'un arrêt de développement dans ces particules transitoires. » Un peu plus haut (*Ibid.*, p. 99), il avait attribué à la rate la fonction de transformer les globules blancs en globules rouges.

Virchow a plus tard (*Gesamm. abhandl.*, p. 181) rendu justice aux travaux de Donné. En lisant en effet le passage que nous venons de transcrire, on peut se demander ce qu'il a manqué à M. Donné pour être proclamé auteur de la découverte de la leucocythémie? C'est de n'avoir pas signalé la relation de l'altération sanguine qu'il décrivait avec des lésions viscérales déterminées, c'est d'avoir laissé de côté le point de vue clinique. Et cependant, dès 1839, il avait observé avec M. Barth un cas de leucocythémie parfaitement net avec hypertrophie de la rate, du foie, et des concrétions sanguines caractéristiques, dans lesquelles il avait au microscope reconnu les globules blancs en proportion très-exagérée. Malheureusement M. Barth ne vit là qu'un fait extraordinaire, et n'eût pas la conception d'une maladie nouvelle. Il négligea de publier cette observation, ainsi que la note que M. Donné lui avait remise, et ce ne fut que beaucoup plus tard que cette observation parfaitement caractérisée fut citée d'abord par M. Leudet en 1853, puis publiée *in extenso*. (*Soc. méd. des hôp.*, 1856, p. 39.) C'est ainsi que les deux médecins français laissèrent échapper une découverte qu'ils tenaient entre leurs mains, l'un pour n'avoir pas su la relier avec des observations cliniques bien déterminées, l'autre pour n'avoir pas attaché assez d'importance à l'altération humorale, que M. Donné lui signalait dans un fait clinique parfaitement observé d'ailleurs. Mais en fait de priorité scientifique la publication seule fait foi; M. Donné ne serait fondé à réclamer que la priorité d'une appréciation exacte de la dyscrasie sanguine, qu'il a décrite en 1844 dans son *Cours de microscopie*, et du rôle de la rate pour former les globules rouges. (*Ibid.*, p. 99.)

La connaissance de la leucocythémie ne date en réalité que de l'année 1845 et des travaux de Bennett et de Virchow; comme une discussion assez vive de priorité a eu lieu pendant plusieurs années entre les deux professeurs, il faut ici préciser les faits.

A ne considérer que les dates, la priorité serait au médecin anglais. C'est en octobre 1845 que Bennett publie dans le *Edinburgh medical and surgical Journal* (vol. LXIV, p. 400) son observation, qui a été recueillie du 27 février au 15 mars 1845, et celle de David Craigie, qui remonte à février 1841, mais qui n'a pas été publiée encore. C'est seulement en novembre 1845 que Virchow insère dans les *Froriep's Notizen* (nº 780) sa première observation recueillie du 1er mars au 31 juillet. Mais en matière de découverte médicale, il ne faut pas considérer seulement la rencontre fortuite d'un fait, ni même la description exacte des lésions, ou des données cliniques, il faut surtout envisager l'interprétation qui en a été donnée, la relation exactement établie entre les lésions anatomiques et les symptômes, et surtout la conception nettement exprimée d'une maladie nouvelle, différant de ce que l'on connaissait auparavant, en un mot la notion d'une entité morbide nouvelle devant prendre son rang dans la nosographie, et non plus celle d'un cas rare exceptionnel qui se trouve en dehors des faits connus de la pathologie. Voyons qui de Bennett ou de Virchow a le mieux rempli ces conditions.

Le titre des deux observations est déjà un indice. Bennet intitule son travail : Deux cas de *maladie et d'hypertrophie de la rate* où la mort est survenue par suite de *matière purulente*. Virchow intitule le sien : *Sang blanc* (*Weisses Blut*). Bennett et Craigie décrivent exactement l'altération du sang, et donnent les caractères physiques de ce fluide et des concrétions blanches, et même les caractères microscopiques des corpuscules blancs du sang, ils reconnaissent la relation de l'altération du sang avec la lésion de la rate, mais pour eux les corpuscules blancs trouvés dans le sang sont du pus, et ils s'évertuent en vain à en trouver l'origine. Craigie croit qu'il provient d'une inflammation chronique de la rate, Bennett croit qu'il a pu se former dans la masse du sang; mais c'est bien du véritable pus. « On ne peut douter de l'existence du véritable pus (*the existence of true pus*), formé dans l'intérieur du système vasculaire, indépendamment de toute collection purulente locale dont il aurait pu dériver; » et plus loin : « On ne pourrait le confondre qu'avec les corpuscules blancs du sang, mais je ne sais aucun cas où ceux-ci aient été trouvés en masse pareille ou avec cet aspect. » Il invoque aussi la réaction que ces corpuscules donnent avec l'acide acétique, et leurs caractères microscopiques, pour les distinguer des corpuscules blancs du sang, de la lymphe pyoïde de Lebert (on a vu, article LEUCOCYTES, ce qu'on doit penser de ces réactions), et il conclut que rien, dans le système vasculaire, ne ressemble aux globules blancs observés, et qu'ils sont par conséquent du pus. Ainsi Craigie et Bennett ont bien décrit les caractères physiques et microscopiques du sang, ils ont vu la relation de cette altération avec la maladie de la rate, mais ils ont erré sur l'interprétation, ils ont cru à du pus, et ils n'ont pas du tout cherché à établir une entité morbide nouvelle.

Virchow, commentant sa première observation (*Froriep's Notiz.*, 1845, p. 780), tient un tout autre langage. Comme les deux médecins anglais, il décrit exactement les caractères physiques et microscopiques du sang, il saisit la relation qui existe entre l'altération du sang et l'état de la rate, il y rattache les épistaxis qui ont été signalés depuis Hippocrate dans les cas de tumeurs de la rate. Mais à l'inverse de Bennett, il ne prend pas le sang blanc pour du pus. Ce qu'il a vu et décrit, ce sont bien les corpuscules blancs du sang, ce sont les corpuscules lymphatiques, et il prononce explicitement leur nom. Il se préoccupe de la formation insolite de ces corpuscules, qui lui semble difficile à expliquer par un afflux plus grand de ceux que pourraient apporter les chylifères; en effet, la maladie a présenté une diarrhée grave, et l'on ne peut supposer que les chylifères soient, dans cette circonstance, plus riches qu'à l'état normal. Mais ce qu'il affirme bien nettement, c'est qu'il ne s'agit pas de pus. Il discute les résultats d'une autopsie faite, la même année, par Rokitansky (*Zeitsch. der K. K. Gesell. der Aertze zu Wien*, 1845, t. II, p. 488), intitulée pyœmie, et déclare que la présence du pus ne lui est pas démontrée, bien que l'infiltration purulente de quelques parties semble parler en ce sens. La complète identité des corpuscules incolores du sang et des corpuscules purulents rendrait tout jugement direct impossible, à supposer même qu'il y ait eu examen microscopique; mais la constitution habituelle du sang dans la pyœmie est toute autre, et caractérisée, non pas par la présence du pus dans le sang, mais par la liquéfaction et la destruction de ses parties constitutives (*Verflussigung und Zersetzung der Blutbestandtheile*), et par la tendance aux exsudats de nature purulente. Ainsi l'auteur indique très-bien cette doctrine, si bien mise en lumière depuis, que ce n'est pas la présence des globules blancs, mais bien un ensemble de lésions et de symptômes qui caractérise l'infection purulente, et que cet ensemble ne s'est pas rencontré dans le cas qu'il rapporte, ni dans celui de Rokitansky, où l'on manque d'ailleurs entièrement de renseignements cliniques, bien qu'on y trouve une tumeur splénique et une coloration blanche du sang. Quant à la relation de la crase sanguine avec la rate, Virchow rappelle que des observateurs récents, et il cite M. Donné, ont attribué à la rate une influence particulière sur la transformation des corpuscules incolores en corpuscules colorés. Mais les pertes de la rate, qu'on a observées même chez l'homme, n'ont pas donné lieu à l'excès des globules blancs. La rate malade pourrait-elle exercer une influence de cette nature? Les épistaxis signalées depuis Hippocrate dans les affections de la rate, devaient-elles leur existence à une semblable crase du sang? Virchow appelle l'attention des observateurs sur ces questions, et « s'estimerait heureux d'avoir contribué à introduire dans la science un fait nouveau, lequel, selon lui, ne manque pas d'importance. »

Ainsi dès la première observation, Virchow a donné les premières notions de la leucocythémie, telle que nous l'entendons aujourd'hui ; il a reconnu les globules blancs du sang, il a repoussé l'idée de l'infection purulente, il a reconnu le rôle de la rate en rappelant le rôle physiologique qui lui est attribué pour la transformation des globules blancs en globules rouges, il a mis en avant l'idée qu'un état pathologique de cette glande pouvait exagérer la quantité des globules blancs normaux du sang (et non pas, comme Craigie, que la rate enflammée versait du pus dans le sang), il a indiqué l'influence que la crase du sang pouvait avoir sur l'un des symptômes principaux de la maladie, les hémorrhagies ; enfin il signale un état pathologique nouveau, digne de fixer l'attention des observateurs. Nous reconnaissons dans cet exposé tous les éléments de priorité que nous réclamions plus haut et que Bennett et Craigie n'ont pas pu nous fournir. Les extraits que nous venons de rapporter de leurs observations sont très-explicites à cet égard. Plus tard, il est vrai, Bennett a pu dire que les globules de pus et les globules blancs du sang étaient identiques, et que celui qui les avait décrits devait avoir la priorité ; mais, au moment de sa première publication, il était loin d'être de cet avis ; bien moins avancé encore que M. Donné l'était déjà en 1844, il affirmait que les corpuscules blancs n'étaient pas les globules blancs normaux du sang, il cherchait à les différencier par des caractères microscopiques et chimiques, il alléguait surtout leur quantité insolite, argument déjà présenté par M. Bouchut en 1844, et il concluait à la présence de pus véritable, cherchant en vain une explication satisfaisante de la formation de celui-ci. Pour nous, la question est donc jugée en faveur de Virchow, comme elle l'a été très-judicieusement en 1851 par M. Leudet (*Gaz. hebdomad. de méd. et de chir.* Paris, 1851, p. 554) ; du reste, la presse anglaise elle-même a fini par reconnaître le bon droit du médecin allemand. (*Medical Times and Gazette*, 1861, p. 350).

La suite de cet historique va d'ailleurs nous montrer le développement que Virchow sut donner à ses idées. En 1845, Bessières avait donné dans le *Journal de Médecine de Toulouse*, une observation qui manquait d'analyse microscopique. En 1846, John Fuller rapporte une nouvelle observation (*The lancet*, 1846, t. II, p. 43) ; il note également l'hypertrophie de la rate, et l'altération du sang qui a été examiné à trois époques différentes.

J. Vogel rapporte dans le *Canstatt's Jahresbericht* une observation où le diagnostic a pu être porté pendant la vie.

La même année (août et septembre), Virchow reprend la question dans un article de la *Preussen-Verein's Medical-Zeitung* (1846, nos 34 et 36, et 1847, janvier, nos 3 et 4), dans un travail intitulé : *Weissblut und Milztumoren* (sang blanc et tumeurs de la rate). Discutant les observations de Craigie, de Bennett, de Fuller et la sienne, il démontre de nouveau qu'il n'y a pas dans ces faits de pus, ni d'hémite. Puis il signale des faits déjà connus dans la science et qui lui paraissent être des cas de leucocythémie, ceux de Bichat (1801), de Velpeau (1827), d'Oppolzer et Liehmann, de Rokitansky (1845), de Caventou (1828), de Wintrich (d'Erlangen), de Harless, de M. Andral et de Bricheteau. (*Voy.* BIBLIOGRAPHIE.) Il développe sa théorie des globules blancs, et, l'appuyant sur les recherches antérieures de H. Nasse, de Henle et de M. Donné, il indique les différentes circonstances physiologiques ou pathologiques où se produit l'augmentation des globules blancs (grossesse, diète, pertes de sang, pyrexies, maladies épuisantes). Dans la dernière partie de son mémoire, il fait ressortir la constance de l'hypertrophie splénique, et établit l'influence qu'elle exerce sur la crase du sang.

En 1847, Virchow fonde avec Reinhard le recueil intitulé : *Archiv für pathologische Anatomie*, qu'il continuera seul après la mort de son collaborateur. Dans le premier volume, il consacre à la maladie un nouveau travail, où il lui donne le nom de *leukœmie* (t. I, p. 563), et fait pour la première fois la distinction entre la leukémie splénique et la leukémie lymphatique. Les *Archives* de Virchow vont recevoir désormais presque tous les travaux qui paraîtront sur la leukémie. Meckel (H.) publie cependant un fait nouveau dans le *Zeitschrift für Psychiatrie*. Les *Archives* de Virchow nous présentent encore, en 1849, un nouveau travail de Virchow (t. II, p. 587) ; en 1849, une observation de Vogel

(t. III, p. 570) avec examen microscopique du sang avant et après la mort et avec analyse chimique; en 1854 (t. V, p. 43), un nouveau mémoire de Virchow où l'auteur formule de plus en plus nettement la théorie de la maladie nouvelle. Ce même volume contient les travaux de Uhle (p. 576), une observation très-détaillée avec recherches microscopiques et chimiques, et le tableau de 26 observations publiées jusqu'alors, ainsi qu'un article de Griesinger (p. 591), intitulé : *Leukémie et pyémie*, où l'auteur combat quelques idées théoriques de Virchow.

Cependant la question est reprise en Angleterre en 1848 par une seconde observation du docteur Fuller, en 1850 par Parkes, qui présente une nouvelle observation, et critique le nom de leukémie donné par Virchow, comme prêtant à la confusion. À la fin de la même année, Bennett présente à la Société médico-chirurgicale d'Édimbourg (*Edinb. med. chir. Society*, séance du 18 décembre 1850) un mémoire qui devient l'objet d'une courte discussion. (Voy. *Monthly Journ.*, t. XII, p. 19.) Le mémoire de Bennett, intitulé *On leucocythemia or blood containing an unusual number of coulourless corpuscles* (de la Leucocythémie, ou du sang contenant un nombre inusité de corpuscules incolores), paraît dès le commencement de l'année 1851 dans le *Monthly Journal of Medical Sciences*, t. XII, et se poursuit dans les deux volumes suivants. (*Voy.* BIBLIOGRAPHIE.) L'auteur, après avoir, comme Parkes, critiqué le nom de leukémie, et proposé celui de leucocythémie, réunit toutes les observations publiées jusqu'à ce jour, auxquelles il ajoute un certain nombre d'observations nouvelles, qui lui ont été communiquées par différents auteurs, les docteurs Chambers, Quain, Hislop, Gairdner, Wallace, Drummond. Il trace un historique où il indique aussi un grand nombre de cas pathologiques, dus à d'anciens auteurs, lesquels cas sont très-probablement des faits de leucocythémie, bien que le manque d'examen microscopique ne permette pas de l'affirmer. Il oppose à ces observations les faits où la rate a été trouvée hypertrophiée sans leucocythémie. Enfin, dans un mémoire consécutif, publié dans le tome XIV (1852), il étudie les fonctions de la rate et des autres glandes lymphatiques en tant qu'organes sécréteurs du sang. Dans l'exposé de sa théorie nouvelle, il n'est plus question de globules purulents, ni de suppuration, il a adopté les mêmes idées que Virchow, et l'on ne voit pas de différence sensible entre les deux théories. (*Voy.* ci-dessus.) Tous ces travaux sont réunis en mars 1852 dans une monographie (*On leucocythemia*) assez étendue. Dans un voyage à Paris, fait en 1851, le professeur Bennett avait déjà exposé ses idées dans une communication à la Société de biologie. (*Compt. rend. de la Soc. de biol.*, 1851, 1re série, t. III, 1re partie, p. 46.)

Virchow répond à Bennett dans ses *Archives*, t. VI, et t. VII avec une grande vivacité au sujet de la question de priorité.

En 1852, l'Amérique fournit à la question l'observation du docteur Addinel Hewson. (*American journal*, octobre 1852.) Le malade aurait guéri par l'usage des toniques, mais le fait est douteux.

Ce n'est qu'en 1852 que la France apporte enfin son contingent à la maladie nouvelle, et c'est la Société de biologie de Paris qui va pendant plusieurs années recevoir les principaux travaux. Le docteur Leudet, le premier, présente en 1859 à la Société anatomique de Paris (*Bull. de la soc. anat.*, 1852, p. 226) les pièces anatomopathologiques d'un sujet mort de leucocythémie, et dès les premiers jours de l'année 1853, il fait de ce même cas l'objet d'une communication importante à la Société de biologie. (*Soc. de biol.*, 1853, t. V, 2e partie, p. 3.) Son travail comprend une observation recueillie avec beaucoup de soins, et un historique très-bien fait de la question. La même année, MM. Charcot et Robin présentent à la même société une nouvelle observation, très-circonstanciée, accompagnée aussi d'un relevé des observations antérieures.

L'année 1854 voit paraître en Allemagne les observations de M. de Pury, de Heschl, la thèse inaugurale de Schreiber et l'article du professeur Vogel dans son *Handbuch des speciellen Pathologie und Therapie.*

En 1855, M. Leudet écrit dans la *Gazette hebdomadaire* un excellent article de critique sur la leucémie, et MM. Isambert et Robin présentent à la Société de biologie (8 décembre 1855) les études microscopiques et chimiques du sang d'un enfant observé dans le service de M. Blache.

Au même moment, la question leucocythémie est portée devant la Société médicale des hôpitaux de Paris, par M. Vigla (12 décemb. 1855), qui présente trois observations et l'exposé de ce qu'on sait sur cette maladie nouvelle. Cette communication devient l'occasion d'une discussion qui va durer six séances et à laquelle plusieurs membres apportent leur contingent d'observations. M. Barth donne enfin *in extenso* cette observation recueillie en 1839, dont le sang avait été étudié avec tant de précision par M. Donné, et qu'il s'était borné à citer dans son cours d'anatomie pathologique sans la faire imprimer. M. Woillez, Goupil (Ernest), Becquerel, y apportent des observations nouvelles. Le nouveau livre de Virchow (*Gesammelte Abhandlungen*), qui vient de paraître à Francfort et qui donne le dernier mot des idées de Virchow, éclaire cette discussion.

Toutefois la leucocythémie devant la Société des hôpitaux est envisagée d'un point de vue assez différent de ceux où l'ont placée jusqu'à ce jour les médecins allemands et anglais. Les médecins des hôpitaux de Paris s'occupent beaucoup moins des détails histologiques et des théories physiologiques plus ou moins hypothétiques qui règnent à ce sujet, que de son histoire clinique ; ils cherchent surtout à préciser son étiologie, ses symptômes, sa marche, sa thérapeutique, et enfin, ils se préoccupent les premiers du rang qu'il convient d'accorder en pathologie générale à la nouvelle maladie : est-ce une entité morbide, est-ce une cachexie commune à bien des maladies diverses? on cherche les cas de leucocythémie symptomatique. En un mot, l'idée clinique et philosophique domine. Si quelques résistances peu justifiées s'y font jour, en revanche les excellentes remarques de M. Barthez (Ernest), de M. Barth et le résumé de M. Vigla font faire un pas notable à la question.

Pendant que cette discussion se poursuit, M. Blache présente à l'Académie de médecine (26 janvier 1856) l'observation d'un enfant dont le sang a été étudié par MM. Isambert et Robin, observation qui devient devant cette assemblée, peu préparée à la recevoir, l'occasion d'une discussion confuse, qui sera relevée quelque temps après, en termes assez peu respectueux par Bennett. (*Edinb. Med. Journal*, 1856, to the editor, etc.) Le cas de M. Blache avait été pris en effet, par plusieurs membres appartenant aux sections de chimie et de pharmacie, pour un de ces cas de sang laiteux ou chyleux, dont nous avons parlé au début, et cette confusion n'est redressée que par quelques académiciens, qui sont en même temps membres de la Société des hôpitaux.

Malgré cet incident, on peut dire que dès l'année 1856, la leucocythémie a pris droit de cité en France ; la monographie de M. Vidal, et un article critique de M. Schnepp (*Gaz. médic.* de Paris, 1856, p. 199) achèvent d'éclairer notre public médical, et bientôt les observations se multiplient en France, comme ailleurs (obs. de Bossu et Tessier de Lyon, 1856, obs. de Thierfelder et Uhle, 1856). Signalons vers la même époque, un bon article inséré dans les actes de la Société de Würzbourg, et intitulé *Fragments pour servir à l'histoire de la leucémie*, lequel a pour collaborateurs : Bamberger pour la partie clinique, Virchow pour la partie microscopique, et Scherer pour la partie chimique, ainsi que le travail du professeur Magnus Huss (de Stockholm), qui se préoccupe aussi beaucoup du point de vue clinique. (*Arch. de méd.*, 1857, t. II, p. 291.)

Le caractère des travaux publiés à cette époque est surtout de préciser davantage les questions de détail, de chercher à pénétrer de plus en plus dans la pathogénie et la physiologie de la maladie. Tels sont les écrits de Friedreich (1857), de Bœttcher (1858), de M. Leudet (observ. 2ᵉ, *Soc. de biol.*, 1858, p. 79, et études des lésions viscérales de la leucémie, *Gaz. méd.*, 1858, p. 743), du professeur Oppolzer (1858) et de MM. Vidal et Luys (*Bul. de la soc. anat.*, 1857, p. 335) et notre observation de 1858. (*Soc. de biol.*, p. 183.)

L'Italie fournit enfin son contingent par les observations des docteurs de Martini (1857), et R. Mattei (1858), et l'Amérique une observation du docteur de Bauer (1859).

En 1859, M. Gubler signalait des faits cliniques curieux au point de vue de la place qui doit leur être attribuée en nosologie (*voy.* ci-dessus, DIAGNOSTIC) et au point de vue de l'apparition rapide de la leucocythémie, dans des cas où elle paraît symptomatique.

Cependant, depuis 1856, les travaux de S. Wilks sur l'anémie lymphatique avaient montré un côté nouveau de la question, qui est développé plus tard par Pavy (1859), et qui aboutit enfin aux leçons de Trousseau sur l'*adénie*. (*Clin. de l'Hôt.-Dieu*, 1865.) Une nouvelle maladie, en tout semblable à la leucocythémie lymphatique de Virchow, sauf la présence des globules blancs, va désormais préoccuper les médecins, et on discutera sur la relation plus ou moins étroite qu'elles peuvent présenter entre elles (obs. de M. Potain (1861), de MM. Hérard et Cornil (1865), de M. Nicaise (1866), de Wunderlich (1866).

Nous touchons à une époque tout à fait contemporaine, nous ne chercherons pas à mentionner toutes les observations qui ont pu se produire. En Angleterre, nous pouvons citer Page et Ogle (1859), Shearer, Addison, Page, Johnson (1860), Morris (1861), Farre (1861), Barclay (1863) ; en France, MM. Charcot et Vulpian (1860), M. Chambard (1861), M. Corlieu (1861), M. Chaillou (1863), MM. Grisolle et Hemey (1864), M. Vigier et M. Cornil (1864). En Amérique, le docteur Damon publie une monographie (1865). En Allemagne, nous avons une thèse considérable de Ehrlich (1862). Virchow lui-même reprend dans ses publications successives (*Pathologie cellulaire*, *Syphilis constitutionnelle*, *Traité des tumeurs*), les idées qu'il a déjà émises et généralise de plus en plus sa théorie du tissu lymphoïde. Lœschner (1859) et Golitzinski (1861) étudient la leucocythémie chez les enfants.

Fœrster (1865), Mosler (1866, 1867 et 1868), Bœttcher (1866), Lucke (1866), étudient des points particuliers et surtout les relations de la leucémie avec les hypertrophies ou les hétérotopies du tissu glanduleux. MM. Bourdon et Desnos (1867) fournissent de nouveaux faits cliniques; M. Lancereaux (1869) donne des descriptions anatomo-pathologiques, et enfin MM. Ollivier et Ranvier complètent par un important travail, en cours de publication (1869), les notions d'anatomie et de pathogénie que nous avaient fournies déjà leurs observations de 1866.

BIBLIOGRAPHIE. — Nous avons dans le cours de cet article rapproché autant que possible de chaque fait le nom des auteurs qui l'avaient signalé ; auprès du nom de chaque auteur, nous avons mis le renvoi du livre et de la page, enfin, dans notre historique, nous avons, par ordre de dates, indiqué la part que chacun avait pris à l'étude de la leucocythémie. Pour la plus grande commodité de recherches, c'est par ordre alphabétique que nous rangerons les indications bibliographiques, où toutes les œuvres d'un même auteur se trouveront ainsi réunies.

ADDISON. *The Lancet*. 1860, t. I, p. 10. *Une observation de leucocythémie splénique, soulagement par traitement tonique*. — ALLEN THOMPSON, dans Cormak, *Natur. History of the Epidem. Fever*, London, 1843, p. 115, signale les glob. de pus dans la fièvre d'Edinburgh. — ANDRAL. *Clinique médicale*, 4e édit., 1839, t. I, p. 95, et 4e édit., t. I, p. 95, observ. XVII. Fièvre typh. ataxo-adyn.; caillot de la saignée, mou, semblable à de la gelée de groseille, après la mort couleur lie de vin comme sanieuse, rate très-molle. — *Archives génér. de médecine*, 1856, 5e série, t. VII, p. 129-143. *De la leucémie*, par le docteur R. Virchow (extrait des *Gesamm. Abhandl. zur wissensch. Med.*, 1856). Ibid., p. 481. Analyse de la première observ. de Virchow et de la première de Bennett. Ibid., p. 365. Reproduction de l'observ. Blache, Isambert et Robin. — Ibid., t. VIII, p. 233. Anal. de deux observ. de Samuel Wilks, extraites de *Guy's Hospital reports*, 1855. — ASSOLANT. Thèse de Paris, an X, *Recherches sur la rate*, cité par Craigie. — AUDOUARD. *Des congestions sanguines de la rate*; in-8°. Paris, 1818. — BAMBERGER. *Verhandlungen der phys.-med. Gesellsch. zu Würzburg*, t. VII, p. 110. Deux observations, dans un travail intitulé : *Fragments pour servir à l'histoire de la leucémie*, *a*, partie clinique, par BAMBERGER, analyse sommaire dans *Gaz. méd. de Paris*, 1858, p. 69. — BARCLAY. *The Lancet*, 1863, p. 117. Observ. hypertr. de la rate, du foie et des *capsules surrénales* : légère coloration bronzée de la peau, leucocythémie, épistaxis. — BARTH (anal. par M. Donné). *Soc. méd. des hôpit.*, 1855, p. 39. Observat. datant de 1839, mais citée seulement en 1853 par M. Leudet, et publiée *in extenso* en 1856 dans le mém. de M. Vidal (de la leucocythémie splénique) et dans *Gaz. hebdom. de médec.*, 1856. — BAUER (Dr L.). *American Medic. Monthly*, oct. 1859, et *Gaz. hebdom.*, 1860, p. 170. Observat. de leucémie dans le cours de néphrite albumineuse, avec urémie, abcès articul., suppurat. de la cuisse. — BECQUEREL. *Bull. de la Soc. méd. des hôp.*, 1855, 26 déc., t. III, p 50. Obs. de leucoc. à la suite d'un cancer de l'estomac; analyse du sang. — Ibid., p. 72. Bonnes remarques sur la leucocyth. symptomat. Elle n'existe pas même avec cachexie splénique prononcée et cancer de l'ovaire. — Ibid., p. 193. Obs. nouvelle (27 avril 1856); discussion sur ce fait, p. 189. — BENNETT (Prof. John Hughes). *Edinburgh Med. and Surg. Journal*, vol. LXIV, octobre 1845, p. 400 : *Two Cases of Disease and Enlargement of the Spleen, in which Death took Place from the Presence of Purulent Matter in the Blood*, c'est-à-dire : Deux cas de maladie et d'hypertrophie de la rate où la mort est survenue par suite de matière purulente dans le sang. De ces deux observations publiées simultanément, la première, celle de David Craigie, remonte à février 1841, la deuxième, celle de Bennett, remonte à mars 1845. Analyse dans *Arch. générales de méd.*, 1856. vol. I, p 482. — DU MÊME. *Monthly journal of med. sciences*, 1851, t. XII, p. 17-38 (janvier, p. 312-326). *On leucocythemia or blood containing an unusual number of colourless corpuscles*. (De la leucocythémie, ou du sang contenant un nombre inusité de corpuscules incolores.) Critique le nom de leukémie. Mémoire divisé en trois parties : 1° cas indubitables où l'examen microscop. a prouvé la leucocyth. (19 observat.); 2° cas probables de leucocyth. où le sang n'a pas été soumis à cet examen; 3° cas d'hypertrophie de la rate sans leucocythémie (3 observ.). Ce mémoire se continue dans le t. XIII, p. 97 et p. 317, et se termine dans le t. XIV (1852), p. 331.—Ibid., p. 200-213, dernière partie : *On the Function of the Spleen and other Lymphatic Glands as Secretor of the Blood*. Ces travaux ont été réunis par Bennett dans une monographie : *On Leucocythemia*, mars 1852. — DU MÊME. Communication directe à la Soc. de biol. de Paris (1851). *Compte rendu de la Soc. de biol.*, 1re sér., t. III, 1851, 1re partie, p. 46 : De la leucocythémie ou du sang à globules blancs. — Dans *Monthly Journ.*, t. XII, p. 197. Séance du 18 déc. 1850 de la *Edinb. medic. chir. Society* : Courte discussion après la commun. du mémoire de Bennett (Dr Keiller, Gairdner, Goodsir, Christison). — DU MÊME. *Edinb. med. Journ.*, 1856. Lettre relative à la discussion de l'obs. Blache devant l'Académie de médecine. Bennett croit à tort que M. Blache a confondu un cas de sang chyleux avec la leucocythémie, mais ce n'est pas M. Blache, ce sont les membres de l'académie (section de chimie) qui ont fait la confusion. — DU MÊME. *Brit. Med. Journ*, 1861, févr. Obs. de leuc. avec peau bronzée. — BESSIÈRE. *Journ. de méd. et de chir. de Toulouse*, oct. 1845, cité dans *Canstatt's Jahresbericht*, 1845, t. I, p. 26, et par Bennett, *On Leucocythemia*. Obs. d'hypertrophie de la rate, du foie et des reins; mort subite, caillots blanchâtres dans le cœur et les gros vaisseaux ; analyse chimique du sang, mais pas d'anal. microscopique. — BICHAT. *Anat. gén.* Paris, 1801, t. I, p. LXX (page soixante-dixième des considérations générales). Obs. de caillots blancs avec véritable sanie grisâtre dans la veine splénique, la veine porte et toutes ses divisions. « Certainement, cette sanie n'était pas un effet cadavérique, et le sang avait circulé, sinon aussi altéré, au moins bien différent de son état naturel, et réci-

lement décomposé. — BICRMER. *Virch. Arch.*, t. XX, p. 552. Observ. — BILLROTH. *Beiträge z. p. Histologie.* Berlin, 1858, p. 106. Sur les globules blancs. etc. — BLACHE, ISAMBERT et ROBIN. *Bull. académie de médecine*, 1856, t. XXI, p. 398. Séance du 29 janvier, et *Gaz. hebdomad.*, 1856, p. 76, ou *Arch. génér. de médec.*, 5ᵉ série, t. VII, p. 365. Observation de leucoémie splénique à forme hémorrhagique. Voy. aussi *Comptes rend. et mém. de la Soc. de biologie*, 1856, 2ᵉ série, t. III, 2ᵉ partie, p. 71, et *Gaz. méd. de Paris*, 1856, p. 679, pour l'étude microscopique et chimique du sang de ce malade, par Isambert et Robin. — BŒTTCHER. *Arch. de Virchow*, t. XIV, p. 483, et *Arch. de méd.*, 1860, décembre, p. 765. Observat. leucocyth. lymph. et splénique; cas mixte (globulins et dégénér. amyloïde). — DU MÊME. *Virchow's Archiv* 1866, t. XXXVII, p. 165. *Zur pathol. Anat. der Lungen und des Darms bei Leukæmie* (anat. pathol. des poumons et de l'intestin dans la leukémie; observation nouvelle, tumeurs lymphoïdes simulant le tubercule). — BOOGAARD. *Nederland. Weekbl.*, 1854, p 535. Observ. — BOSSU et TEISSIER (de Lyon). *Gazette méd. de Lyon* et *Moniteur des hôpit.*, 1856, p 618. Observation. — BOUCHUT. *Gaz. méd.*, 1844, nº 6, p. 85. *Etude sur la fièvre puerpérale.* A la page 90, il signale les corpuscules blancs dans le sang, mais il ajoute : « Le nombre considérable de ces globules empêche de croire que ce sont des globules blancs qui se trouvent isolés dans le corps de l'homme sain. — DU MÊME. *Gaz. des hôpit.*, 1856, nº 17, 32 et 33. De la leucoc., etc. — DU MÊME. *Traité des maladies des nouveau-nés*, 5ᵉ édit., 1868, p. 892. Leucocythémie aiguë. — DU MÊME. In *Gazette médicale*, 1868, et *Comptes rendus de la Soc. de biol.*, 6 juin 1868. Note sur la leucocythémie aiguë dans la résorption diphthérique. 2 observations. — BOUILLAUD et DUROZIER. *Gaz. des hôpit.*, 1858, p. 601. Un cas de leucocyth. splénique. — BOURDON. *Bull. de la Soc. méd. des hôpit.*, 1856, t. III, p. 67. 4 cas de leucocythémie *symptomatique*. — DU MÊME. *Bulletins et mém. de la Société médicale des hôpitaux*, 2ᵉ série, tome IV, p. 275 et suiv., et *Union médicale*, 1867, 7 novembre, p. 237 et p. 305, t. IV, 3ᵉ série. Observat. de leucocythémie splénique. Voy. aussi la discussion qui a suivi sur la compos. des caillots, par MM. Peter, Dumont-Pallier. Paul, Blachez, Isambert. — BRICHETEAU. *L'Expérience*, 1844, nº 364, p. 309. Cité par Virchow (*Gesamm. Abhandl.*). Observ. de concrét. blanches recueillies sur un cadavre; pas d'altération des organes; le rein gauche seul présentait quelques petits abcès (pièces présentées à l'Académie des sciences le 10 juin 1844). — CASTELNEAU. *Mon. des sciences*, 1862, p. 144 et suiv. Remarques de path. générale, etc. — CAVENTOU. *Revue médicale*, 1828, t. IV, p. 567, et *Acad. des sciences*, 15 novembre 1828. Note sur un sang d'une nature particulière. — CELSE. *De medicina*, liv. II, cap. 7, *præsagia quædam miscua : « Quibus sæpe naribus fluit sanguis, his aut lienis tumet, aut capitis dolores sunt... aut quibus magni lienes sunt, his gingivæ malæ sunt et os olet, aut sanguis aliqua parte prorumpit*, etc. » Édition Milligan. Edinburgi, 1831, p. 49. — CHAILLOU et PORAIN. *Bull. de la Société anatom. de Paris*, 1865, p. 506. Obs. de leucocyth. ganglionnaire; peu de choses à la rate et au foie; ganglions et glandes intestinales, hyperplasie du tissu lymphoïde. — CHAMBARD. *Gaz. méd. de Lyon*, 1863, et *Gaz. des hôpit.*, 1863, p. 334. Obs. de leucocyth. splénique; douteuse, pas d'examen microscopique du sang; rate, foie, pas de gl. lymph., hémorrhagies, épistaxis métrorrh. — CHARCOT et ROBIN. *Comptes rendus de la Soc. de biologie*, 1853, 1ʳᵉ série, t. V, p. 44 et 49. Observation très-détaillée; lésions du sang (globulins et glob. blancs); cristaux; hypertr. splénique; lypémanie, suicide; recherches historiques. — CHARCOT et VULPIAN. *Gazette hebdomad.*, 1860, p. 755. Note sur des cristaux particuliers trouvés dans le sang et dans certains viscères d'un sujet leucémique, etc. — CHRISTISON. *Sur le sang blanc ou chyleux.* Cité par Bennett, *Monthly Journ.*, 1851, t. XII, p. 67-78. — CORLIEU. *Gaz. des hôp.*, 1861, nº 27, p. 106. Observat. de leucocyth. — CORNIL. Voy. HÉRARD, voy. VIGIER. — CRAIGIE (David). *Edinburgh med. and surg. Journ.*, 1845, vol. 64, p. 400. Observ. recueillie en 1841, mais publiée seulement avec celle de Bennett en 1845, intit. : *Cas de maladie de la rate où la mort est survenue par suite de la présence de matière purulente dans le sang.* — CROSKERY. *Dublin Quart. Journ.*, 1867, p. 104. Observ. — DAMON. Leucocythemia. Mémoire couronné à l'université de Boston, 1863 (Massachusetts). — DAMASCHINO. *Bulletin de la Société anatomique de Paris*, janvier 1868. Hémorrhagies multiples dans la leucocythémie. — DEITERS. *Deutsche Klinik*, 1861. Observ. — DESNOS. *Bulletins et mém. de la Soc. méd. des hôpitaux*, 2ᵉ série, t. IV, p. 202 et suiv., et *Union méd.*, 1868, t. V, 3ᵉ série, p. 279. Obs. de *leucocythémie* splénique chez un vieillard de 73 ans, examen microscopique par M. Hayem. — DONNÉ. *Cours de microscopie complémentaire des études médicales.* 1844, Paris, p. 132, passage très-explicite sur les globules blancs du sang que l'on pouvait prendre pour du pus; ibid., p. 96 à 100, passage relatif à l'action de la rate sur la métamorphose des globules blancs en globules rouges. — DUPLAY. *Arch. génér. de méd.*, 1834, t. VI, p. 223. Hypertr. splénique, hépatique et mésentérique, cachexie prise pour une phthisie; à l'autopsie, masses sanguines d'apparence purulente. Tessier a étayé sur ce fait sa théorie de la fièvre purulente spontanée. — DURAND (de Lunel). *Bull. de l'Acad. de méd. de Paris*, 1851, 20 mai, et *Gaz. méd.*, 1861, p. 328. — EDDOWES,

Brit. Med. Journal, mars 1866, et *Canstatt's Jahr.*, 1866, t. II, p. 256. Observ. — *Edinburgh Medic. Chir. Society*, séance du 18 décembre 1850. Dans *Monthly Journal*, t. XII. Présentation d'un mémoire de Bennett *on leucocythemia*, et discussion à la suite (Keiller, Gairdner, Goodsir, Bennett, Christison). — ECKARD. *These*. Berlin, 1858. Structure des gl. lymph. — EHRLICH. *Dissertation inaugurale*. Dorpat, 1862. Cité par Bœttcher, 1866. — EMMERT. *Beiträge zur Pathol. und Therapie*, 1842, Heft I, p. 49. Cité par *Virch. Abhandl.*, p. 183. Etudie les glob. blancs, leur densité (qu'il croit moindre que celle des glob rouges) et nie leur viscosité, qui est un fait. — FARRE (Dr). *The Lancet*, 1861, vol. II, p. 10. Une observation de leucocythémie splénique consécutive à une intoxication palustre ; guérison. — FELTZ. *Gaz. méd. de Strasbourg*, 1865. Mém. sur la leuc. — FŒRSTER. *Handbuch der path. Anatomie*, 1865, t. I, p. 456. Tumeurs lymphatiques dues à la multiplic., à l'hyperplasie des éléments d'un tissu conjonctif. — DU MÊME. *Virch. Arch.*, t. XX, p. 359. Obs. de leuc. lymphat. — FOLWARCZNY. *Zeitschr. der Wiener Aerzte*, 1858, n° 32. Recherches chimiques. — FRIEDREICH (de Würzburg). *Virchow's Archiv für path. An.*, t. XII, p. 38. Anal. in *Gaz. méd.*, 1858, p 854. Leucémie. — FRIEDRICH. *Deutsche Klin.*, n° 20 et 22. Tumeurs de la rate chez les enfants. — FRORIEP et GLUGE. *Anat.-microsk. Untersuchungen*, 1841, Heft 2, p. 176. Signalent corp. de *pus* dans les inflammations, pneumonies, f. typhoïdes, et surtout dans la f. puerpérale. — FULLER (John). *The Lancet*, 1846, t. II, p. 43. Analyse in *Archives générales de médecine*, série IV, t. XIII, p. 241. Observation communiquée à la Société roy. de méd. et de chirurgie dans la séance du 23 juin. — DU MÊME. *The Lancet*, juillet 1848, 1re observ. — 2e observation dans *Report of Proceding of the Pathological Society of London*, IVe sér., p. 224-225 ; 1850. — GIESKER. *Untersuchungen über die Milz*, 1835, p. 154. Cité par Virchow, *Ges. Abh*, p. 188. Reprend l'idée de Malpighi que les corpuscules de la rate sont le commencement de nombreux vaisseaux lymphatiques. — GOLITZINSKY. *Jahrb. der Kinderheilk.*, 1861, t. IV, H. 2. Analyse dans *Canstatt's Jahresb.*, 1861, IV, 381. Leucoc. lymph. chez les enfants à la mamelle. — GORDON JACKSON. *Medical Times and Gazette*, 1861. Obs. de leucoc. splénique. — GOUPIL (Ernest). *Bull. Soc. méd. des hôp.*, 1855, 26 décembre, t. III, p. 46. Une observation reproduite par M. Vidal dans sa monographie. — GRETZEL. *Berlin. klin. Wochenschr.*, 1866, p. 212. Observ. d'enfant. — GRIESINGER. *Virch. Arch.*, t. V, p. 391. *Leukæmie und Pyæmie*. Cité par *Virch. Abhandl.*, p. 193. — GRISOLLE et HÉMEY. *Gaz. des hôpitaux*, 1864, p. 168. Obs. de leucocyth. splénique et lymph. montrant bien les lésions de la rétine. Début par tum. lymphatiques sous-maxill. — GROTTANELLI. *Animadversiones ad varias acutæ et chronicæ splenitidis*, etc. Florence, 1821. Cité avec éloge par Craigie. — GUBLER. *Union médicale*, t. III, p. 5 et 15, et *Bull. de la Soc. méd. des hôp.*, 1859, p. 310. Augmentation subite des globules blancs du sang dans la période ultime des cachexies. — GULLIVER. *The Veterinarian*, 1839, p. 42. *Obs. de corpuscules purulents dans les maladies chroniques et épuisantes*. Cité par Bennet et Virchow. — HABERSTHON. *Lancet*, 1861, t. II, p. 9. Observ. — HAFNER. *Deutsche Klinik*, 1866, p. 385. Obs. — HARLESS. *Heidelberger klin. Annalen*, 1831, t. VII, p. 26. *Die Blutentziehung in ihren nothwendigen Schranken*. Obs. remontant à 1816. — HARWEY B. HOLL. *Medic. Times*, 1852, p. 369. Obs. — HAYDEN. *Dublin Quart. Journ.*, 1865. Obs. — HENLE. *Zeitsch. für rationnelle Medizin*, 1844, p. 214. Signale la leuc. à la suite des grandes pertes du sang. — HENOCH. *Klin. der Unterleibskrankh.* Berlin, 1854. — HERARD et CORNIL. *Union médicale*, 1865, nos 90 et 91. Adénie, observation et leçon clinique. — HESCHL. *Virchow's Arch. für path. Anat.*, t. VIII, p. 353. Observ. de leucémie lymphatique. Cité par Virchow, *Gesamm. Abhandl.* — HEWSON (Addinel). *American Journal*, oct. 1852. Observ. Ce malade aurait guéri par le quinquina, le fer et le mercure ; l'auteur avoue cependant que l'altération du sang n'avait pas disparu entièrement. Cité par Leudet, *Gaz. hebd.*, 1855, p. 554 — HIPPOCRATE. *Trad. Littré*, t. V, p. 654 et 655 (20 et 21) : « Les hémorrhagies à contre-sens sont mauvaises, par exemple une épistaxis de la narine droite et un cas de grosse rate. » Même volume : épistaxis gauche avec grosse rate, p. 87, § 6 ; p. 95, § 23 ; p. 147, § 7. — T. IX, p. 67, § 36 : « Les gencives sont mauvaises et la bouche fétide chez ceux qui ont la rate grosse. Ceux qui ont la rate grosse sans qu'ils éprouvent des hémorrhagies et sans que la bouche soit fétide, offrent des ulcérations mauvaises aux jambes et des cicatrices noires. » — T. VI, p. 131 : éruptions rouges chez les gens qui ont la rate volumineuse. — HODGKIN. *Médico-Chirurg. Transactions*, t. XVII, p. 68 et p. 107. *On some Morbid Appearences of the Absorbent Glands and Spleen.* 7 observations. Cité par Craigie. — HOOGEWEG. *Pr. Ver.-Med.-Zeit.*, 1857, n° 8. Obs. — HUSS (Magnus, le prof. de Stockholm), in *Arch. génér. de médecine*, 1857, t. II, p. 291, et *Zeitschr. f klin. Med.*, t. IX, p. 130. Leucocythémie splénique. Une observation et examen des faits et doctrines régnantes. — ISAMBERT. Obs. 1855 avec MM. Blache et Robin (*voy.* BLACHE). — DU MÊME. *Soc. de biologie*, 1858, p. 183. Sur un nouveau cas de leucocythémie. Fibrine grumeleuse, hypertr. du pancréas. — DU MÊME. *Soc. méd. des hôpit.*, 1869, juin. Observ. de leucocythémie adénoïde. — DU MÊME. Relevé personnel. Nous désignons souvent sous ce nom, dans le cours de cet article, un relevé que nous avons fait tout récemment de 41 observ. nouvelles. Il importe de donner les noms des auteurs de ces observations. Ce sont MM. Blache (1855), Becquerel (1855, 1856), Huss (1856), Page et Ogle (1856), Bamberger (1856), Friedreich (1857), Laveran (1857), de Martini (1857), Isambert (1858-1869), de Mattei (1858), Bouillaud et Duroziez (1858), Bœttcher (1858), Vidal (1858), Oppolzer (1858), Thierfelder et Uhle (1858), Leudet (1858), Bauer (1859), Gubler (1859, 2 obs.), Pavy (1859), Charcot et Vulpian (1860), Shearer (1860), Mulder (1860), Potain (1861), Chaillou (1863), Vigier (1864), Grisolle et Hémey (1864), Trousseau (1865), Lancereaux (1865-1869), Ollivier et Ranvier (1866, et 2 obs. 1869), Nicaise (1866), Bourdon (1867), Desnos (1867), Béhier (1868), Damaschino (1868). — JACUBASCH. *Virch. Archiv*, p. a, t. XLIII, p. 196. Analyse de l'urine dans la leukémie. — JOHNSON. *The Lancet*, 1860, t. I. p. 10. Deux observations. — KERSTEIN. *Thèse*. Berlin, 1863. — KLOB. *Wien. med. Wochensch.*, 1862, 35 et 36. Sur les tumeurs dites leukém. — KRAUSE. *Thèse*. Berlin, 1863. — KRIBBEN. *Thèse*. Berlin, 1857. — LAMBL. *Kinderhosp. in Prag*, 1861, et *Canstatt's Jahrb.*, 1861, IV, p. 214. Croit à l'épigénèse des globules dans les vaisseaux. — LANCASTER. *Lancet*, 1853, t. I, p. 119. *On white Blood*. — LANCEREAUX. *Atlas d'anatomie pathol.* Paris, 1869. Obs. de leucémie avec thrombose des vaisseaux cérébraux; splénadome et tuberculose pulmonaire. Citée déjà par Trousseau, *Clinique de l'Hôtel-Dieu*, 2e édit., t. III, p. 548. Publiée *in extenso*, dans *Atlas d'anatomie pathologique*. Paris, 1869. — DU MÊME. Observ. nouvelle. Leucocythémie avec hypertrophie du corps thyroïde, *Atlas d'anatomie path.* — LORANGE. *Thèse*. Kœnigsberg, 1856. — *The Lancet*, 1860, vol. I, p. 9. 3 observations de MM. Page, Addison et Johnson. — LASÈGUE. Voy. *Arch. gén. de méd.* et *Soc. méd. des hôp.*, 1856, t. III, p 62. — LAVERAN. *Gaz. hebdom.*, 1857, p. 621, et *Arch. génér. de méd.*, 1857, t. II, p. 470. Hémophilie avec leucocythémie et altération de la rate. — LEGROUX. *Soc. méd. des hôpit.*, 1856, p. 72. Deux cas rétrospectifs : 1° 1833, rate énorme, mort subite, sang à l'autopsie lie de vin, grumeaux blancs; 2° cas de Dance (1830), beaucoup plus douteux, mort subite. — LEUDET. *Bullet. de la Soc. anatomique*, 1852, p. 226 et *Compte rendu de la Soc. de biologie*. 1853, 1re série, t. V, 2e partie, p. 5. Observ., avec historique de la question très-complet. — DU MÊME. *Gaz. hebdom. de médecine et de chir.*, 1855, p. 552. *De la leucémie*, etc., article de critique très-bien fait. — DU MÊME. *Mém. de la Soc. de biol.*, p. 79. Leucocyth. peu prononcée; globulins; foie cirrhosé; veine cave infér.; gangl. abdomin. — DU MÊME. *Gaz. méd.*, 1858, p. 743. Etude des lésions viscérales de la leucémie. — LIEBREICH. *Medic. Times and Gaz.*, 1862, avril, et *Gaz. hebd. de méd.*, 1862, p. 310 Rétinite leucémique. — LINAS. *Bull. de l'Acad. de méd.*, 1855, 16 octobre, et *Gaz. hebdom. de méd.*, 1855, p. 867. Obs. d'hypertr. de la rate, sans fièvre palustre, avec hémorrhagies mortelles. — LIVOIS. *Bull. de la Soc. anatom. de Paris*, 1838, t. XIII, p. 289. — LŒSCHNER. *Jahrb. für Kinderkrankheiten*, 1859, et *Canstatt's Jahresb.*, 1859, t. II, p. 300. 4 obs. de leuk. chez les enfants. — LUCKE (de Berne). *Virchow's Archiv*, t. XXXV, p. 524, et *Arch. génér. de méd.*, 1866, t. II, p. 619. Lympho-sarcôme des ganglions axillaires; tumeurs emboliques des poumons; leucémie générale. — LUYS. *Soc. de biologie*, 1859, p. 159, et *Gaz. méd.*, 1859, p. 741. Lésions de la rate dans la leucocythémie. Dans obs. de Vidal, *Soc. anatom.*, 1857, p. 347. Cité aussi par Trousseau, *Clin. de l'Hôtel-Dieu*, t. III, p. 548. — MARTINI (Dr DE). *Il filiatre sebezio*, fasc. 318, juin, 1857, et *Gaz. hebdom.*, 1857, p. 540. Obs. de leucocythémie. — MATTEI (R., de Florence). *La sperimentale*, 1858, marzo, n° 3, *Firenze*, p. 197, et *Gaz. hebdom. de méd.*, 1858, p. 609. Une observation de leucocythémie. M. Vidal a transcrit deux fois cette observation dans la *Gaz. hebdomad.*, sans s'apercevoir que c'était la même; en réalité il n'y a qu'un fait. — MECKEL (H.). *Zeitschr. für Psychiatr.*, 1847, t. IV. Une obs. de leukémie terminée par la démence. — *Medical Times and Gazette*, 1861, p. 350. Polémique entre Bennett et Virchow, jugée définitivement au profit de ce dernier. — MERBACH. *Canstatt's Jahr.*, 1863, p. 116. Observ. — MOHR (Prof.). *Virchow's Arch.*, 1852. Obs. de leuc. lymphat. Citée par Virchow, *Gesamm. Abhandl.* — MORGAGNI. *De sed. et causis morborum*, lettre XXXVI, n° 11. Cas peu détaillé de leucocythémie probable (hypertr. splénique, sang lie de vin et concrétions). — MORRIS (J.). *The Lancet*, 1861, vol. II, p. 591. Obs. de leucocythémie avec antécédents palustres, hypertrophie de la rate, diarrhée très-abondante. — MOSLER et KŒRNER. *Virch. Arch.*, t. XXV. Analyse du sang et de l'urine. — MOSLER. *Berlin. med. Woch.*, 1854, p. 341. 3 obs. — DU MÊME. *Virchow's Arch.*, t. XXXVII, 1866, p. 43, et *Gaz. hebd.*, 1867, p. 32. Sur le diagnostic de la leucémie liénale par l'analyse chimique des produits de sécrétion et de transsudation. — DU MÊME. *Berlin. med. Wochenschr.*, 1867. Intermitt. et Leucémie. — DU MÊME. *Transfusion dans la leucémie*. Berlin, 1867. — DU MÊME. *Virch. Arch.*, 1868. t. XLIV, p. 444. De la pharyngite et de la stomatite leucémique. — MULDER. *Nederlandsch Tidschrift voor Geneeskunde*, 1856, *Zeitschrift für klin. Med.*, t. IX, p. 395, et *Gaz. hebdomad.*, 1860, p. 171. Cas de leucocythémie lymph. ou d'adénie (?). L'altération du sang n'a été reconnue qu'après la mort. Glandes sous-maxillaires surtout, amygdales augmentent rapid. dans les derniers temps. — MUSHET. *Med. Times*, 1867, p. 275. Obs. — NASSE (H.). *Untersuchungen zur Phys. und Path.*, 1839, t. II, p. 150. Cité par Virchow, *Gesamm. Abhandl.*, p. 181.

A bien étudié les glob. blancs et les trouve augmentés chez les femmes enceintes, dans les hydropisies, etc.; signale l'influence de la diète et des saignées sur leur quantité. — NAUMANN. *Handbuch der med. Klinik*, t. VII. Berlin, 1835. — NEUMANN. *Schultze's Archiv*, t. II, p. 507. Cristaux dans le sang. — NICAISE (Édouard). *Gaz. méd. de Paris*, 1866. Note sur la leucocythémie, l'adénie et les tumeurs lymphatiques. Obs.; cas mixte, hypertr. splénique, hépatique et ganglionn.; considérations théoriques. — NIVET. *Arch. gén. de méd.*, 1838, t. I, p. 310. Recherches sur l'engorgement et l'hypertrophie de la rate. Deux observ. d'hypertr. splén. et hépatique; sang noir avec caillots jaunâtres dans les grosses veines. — OLLIVIER et RANVIER. *Comptes rendus des séances et mém. de la Soc. de biologie*, 1866, Paris Obs. pour servir à l'histoire de la leucocythémie, etc. Ibid., 1867. Obs. pour servir à l'histoire de l'*adénie*. — DES MÊMES. *Arch. de physiol. et de pathol. de Brown-Séquard, Charcot et Vulpian*. Paris, 1869, p. 407 à 421, mai, juin, juillet et août (suite). Nouvelles observations pour servir à la leucocythémie. — OPPOLZER. *Wiener allgem. mediz. Zeitung*, 1858, n° 29 et 32, et *Arch. génér. de médecine*, 1869, t. I, p. 613 (analyse). Foie, rate et tumeurs lymph., glob. et globulins Anal. chim. par M. Folwarczny, acide formique, lactique, urique, tyrosine et leucine. — OPPOLZER et LIEHMANN. Obs. citée par Kiwisch de Rotterau, dans *Die Krankheiten der Wöchnerinnen*. Prag, 1840, t. I, p. 109. *Spontane Phlebitis und Lymphangitis*. Hypertroph. du foie et de la rate, des glandes lymphatiques, diarrhées, hémorrhagies, sang avec caillots purulents à l'autopsie. — PAGE (D^r). *Brit. Med. Journal*, 1857, n° 20. Observation. — DU MÊME. *The Lancet*, 1860, vol. I, p. 9. Observation de leuc. splénique. — PAGE et OGLE. *British medical Journal*, 1859, n° 20, et *Archives générales de médecine*, 1860, t. II, p. 765. — PARKES. *Medical Times and Gazette*, 6 juin 1850. Observation de leucocyth., citée par Bennett, *Monthly Journ.*, 1851, t. XII, p. 17-32. Parkes critique la dénomination de leukémie. Femme de 69 ans; leucoc. avec hypertrophie de la rate, diagnostiquée pendant la vie avec examen microscopique et deux analyses du sang à deux mois d'intervalle. — PAVY. *The Lancet*, 1859, t. II, p. 213. Anémie lymphatique. Hypertr. des gangl. lymphat. avec cachexie mortelle; excès de globules blancs, pas la moindre quantité de glob. rouges; rate hyper. — PETERS. *Thèse*. Berlin, 1862. Obs. — PIORRY. *Gaz. des hôpitaux*, 1845, n° 42, et 1846, n° 101. Sur l'hémite. — POTAIN. *Bull. Soc. anatom.*, 1861, p. 217. Altér. des glandes intestinales et de la rate surtout. Le sang, examiné seulement après la mort, a montré beaucoup de *globulins*. L'auteur n'ose pas dire qu'il s'agit d'une leucocythémie. — DE PURY. *Virchow's Archiv für pathol. Anat.*, t. VIII, p. 289. Deux observations. — QUAIN. *Med. Times*, 1852, t. II, p. 551. Cité par Bennett. — RANVIER. Voy. OLLIVIER. — RECKLINGHAUSEN. *Virch. Archiv*, t. XXX. Observat. — REES. *Lancet*, 1862, t. II, p. 9. Observ. — REMAK. *Med. Zeit. des Ver. für Heilkunde in Prag*, 1841, n° 27. Cité par Virchow, *Ges. Abh.*, p. 182. Signale l'accroissement des leucocytes à la suite des pertes du sang. — REYNAUD. *Journ. hebdom. de médec.*, 1829. juillet, t. IV, p. 152. Cité par Bennett.. — ROBIN. Voy. BLACHE, voy. CHARCOT. — ROKITANSKY. *Zeitschr. der k. k. Gesellsch. der Aerzte zu Wien*, 1845, t. II, p. 488. Rapport de Lautner sur les faits observés dans l'établissement anatom.-pathol. placé sous la direction du prof. Rokitansky à l'hôpit. génér. de Vienne. *Pyohémie générale*. Coagul. jaunes verdâtres dans le cœur et les gros vaisseaux, hypertr. de la rate et du foie. Critiqué par Virchow et cité par Bennett. — DU MÊME. *Allg. pathol. Anatomie*, 3e édit., p. 526 et 527. Traité d'anat. générale. Croit à des accumulations de noyaux purulents et de cellules purulentes formant dans le sang de petits amas tuberculeux, mêlés avec les corpuscules du sang. Critiqué par Virchow, *Ges. Abhand.*, p. 184. — SARTER. *Thèse*. Berlin, 1862. — SCHERER. *Würzb. Verh.*, t. II, p. 341, et t. VII, p. 123. Anal. du sang — SCHMIDT (Helwig). *Thèse*. Gœttingue, 1816. De pathol. lienis. Cité par Craigie. — SCHNEFF (son véritable nom était SCHNEPP, il l'a reconnu plus tard). *Gaz. médicale de Paris*, 1856, p. 199, 221, 235, 299, 313, 327. Des globules incolores du sang, de leur valeur physiologique et pathologique (leucocythémie), du sang blanc (leukémie). Art. de critique très-étendu. — SCHREIBER. *De leukœmia*. Thèse inaugurale. Regiomont. (Kœnigsberg, 1854). Cité par Virchow, *Ges. Abhandl.* — SCHRŒDER. *Thèse*. Rostock, 1857. 2 obs. — SCHÜTZENBERGER. *Gaz. méd. de Strasbourg*, 1867, n° 18. Observ. — SCHWARTZ. *Thèse inaug.* Berlin, 1863. — SEITZ. *Deutsche Klin.*, 1866, p. 135. 3 observ. — SHEARER (Dr G.). *Edinburgh Med. Journal*, juillet 1860. Anal. dans *Arch. gén. de méd.*, 1860, t. II, p. 763. — SIMON. *Thèse inaug.* Paris, 1861. De la leucocyth. — Soc. MÉD. DES HÔPITAUX. *Bulletins*, t. III, 1855-1856, p. 45, 55, 62, 67, 75, 189-193. Discussion importante sur la leucocythémie. — SONTHEIMER. *Thèse*, 1860. — TERRIER. *Revue de thérapeut.*, 1856. Art. de critique. — THIERFELDER et UHLE. *Arch. für physiol. Heilkunde*, de Vierordt, t. VIII, 1856 (obs. très-détaillée), et *Gaz. médicale de Paris*, 1858, p. 87 (anal. très-sommaire). Une observation. — TRAILL. *Sur le sang chyleux*. Cité par Bennett, *Monthly J.*, 1851, t. XII, p. 17-32. — TROUSSEAU. *Clinique de l'Hôtel-Dieu*, 2e édit., p. 543. Leçon sur leucocythémie (2 obs. sont de lui); id. sur adénie, p. 555, et *Gaz. des hôp.*, 1858, p. 557. — UHLE. *Virchow's Archiv für pathol. Anat.*, t. V, p. 376; 1854. — VELPEAU. *Revue médicale*, 1827, t. II, p. 218. Sur la résorption du pus et sur l'altération du sang dans les maladies. Obs. I, hypertr. de la rate, du foie, sang en bouillie épaisse, couleur lie de vin et comme mêlé de pus louable (pièces présentées à l'Acad. de méd. en mars 1825). Velpeau admet que l'altération est indépendante des lésions des solides, et même que ces dernières sont consécutives à l'altération du sang. — *Verhandlungen der phys.-medizin. Gesellschaft zu Würzburg*, t. VII, et *Gaz. médicale de Paris*, p. 69; 1858. Matériaux pour servir à l'histoire de la leucémie, par MM. Bamberger, Virchow et Scherer. — VALENTINER. *Deutsche Klin.*, 1868, n° 21. Observ. — VIDAL. *De la leucocythémie splénique*, in-8°. Paris, 1856, Victor Masson. Avait paru en détails dans la *Gazette hebdomadaire*, 1856, p. 99, 166, 201, 235, 252 — LE MÊME. *Bullet. de la Soc. anatomique*, 1857, p. 335, et *Gaz. hebdomad.*, p. 588, Observ. de leucocythémie splénique. — VIGLA et CORNIL. *Bull. de la Soc. anat. de Paris*, 1864, p. 47. Obs. de leucocythémie lymph. Gangl. avec corpusc. blancs sembl. aux glom. de Malpighi de la rate; globulins dans le sang (Cornil). — VIGLA. *Bull. de la Soc. méd. des hôp.*, 1855, 12 décembre, t. III, p. 57 : 3 observations originales (reproduites dans la monographie de M. Vidal); p. 60, discussion; p. 63, analyse des travaux de Bennett; p. 78, résumé de la discussion; p. 189, discussion. — VIRCHOW. *Froriep's Notizen*, 1845, novembre, n° 780. *Weisses Blut* (reproduit textuellement dans *Gesamm. Abhandl.*). Première observation (*Marie Straide*, du 1er mai au 31 juill.). Premier aperçu bien net des corpuscules blancs du sang constituant une maladie nouvelle. — DU MÊME. *Weissblut und Milztumoren*. 1° *Preuss. medizin. Vereins-Zeitung*, 1846, août et septembre, nos 34-36, et (2e article) 1847, janvier, nos 3 et 4. (Articles reproduits textuellement dans *Schmidt's Jahrbücher*, t. LVII, p. 182, et plus tard dans *Gesamm. Abhandlungen zur wissenschaftlichen Medizin*). 2° *Die Leukæmie. Arch. für pathol. Anat.*, 1847, t. I, p. 563 (première mention de la leuc. lymphat.). 3° Puis *Arch.*, 1849, t. II, p. 587. 4° *Arch.*, 1853, t. V, p. 43, 5° Ibid., 1854, t. VI, p. 427. 6° Ibid., 1854, t. VII, p. 174 (*Professor Bennett und Leukæmia*. p. 505). — DU MÊME. *Gesamm. Abhandl. zur wissensch. Medizin*. Frankfurt a. M., 1856. *Ueber farblose Blutkörperchen und Leukæmie*. Quatre mémoires consécutifs (les deux premiers sont la reproduction textuelle de ses premiers travaux). Analyse dans *Gaz. hebd.*, 1856, p. 93, et dans *Arch. gén. de méd.*, 1856, p. 129, t. VII, 5e série. Cité dans *Würzburger Verhandlungen*, t. II, p. 325. — DU MÊME. *Würzb. Verh.*, t. VII (fragm. pour servir à l'hist. de la leuc., *b*, partie anatom. et physiolog.). — DU MÊME. *Cellularpathologie in ihrer Begründung auf physiol. und pathol. Gewebelehre*, Berlin, 1859, ou *Pathologie cellulaire* (trad. Picard, Paris, 1861, p. 159); p. 159 et suivante, leucocytose et leucémie; p. 155, pyohémie et leucocytose. — DU MÊME. *Traité des tumeurs*, t. I, 20e leçon, p. 413. Leucocytose dans la syphilis. — DU MÊME. *Syphilis constitutionnelle*. Traduite par Picard. Paris, 1860, p. 108. Leucocytose dans la syphilis (mêmes termes que dans l'autre ouvrage). — VOGEL (J.). *Canstatt's Jahresbericht für* 1846. Un cas reconnu pendant la vie. — DU MÊME. *Arch. für pathol. Anat.*, t. III, p. 570; 1840. — DU MÊME. *Handbuch der speziellen Pathol. und Therapie*. Erlangen, 1854. Cité aussi par Virchow, *Gesamm. Abh.*, p. 190, 203, etc. — VULPIAN. Voy. CHARCOT. — WALLACE. *Glasgow med. Journ.*, 1855. — WARD (Ogier). *Med. Times*, 1852, p. 245. Obs. — WEIDENBAUM. *Virch. Arch.*, t. XVII, p. 494. Observ. — WILKS (S.). *Guy's Hospital Reports*, 1855, p. 361. 2 observ. Anal. dans *Arch. gén. de médec.*, 1865, t. VIII, p. 225. — *Guy's hospital Reports*, 3e série, t. II, 1856, p. 117. Obs. 40. Hypertrophie des glandes lymphatiques combinée avec une maladie particulière de la rate. Pas de leucémie. Analyse par Cornil, *Archives gén. de méd.*, 1865, t. II, p. 208. — DU MÊME. *Lancet*, 1850, t. II, p. 558. Obs. — DU MÊME. *The Lancet*, 1861, t. II, p. 9. Observation d'un cas type de leucoc. splénique. — DU MÊME. *Lancet*, 1862, t. I, p. 516. *Anæmia lymphatica*. Obs. — WILLSHIRE. *Lancet*, 1861, t. II, p. 8. *Anæmia lymph.* — WINTRICH (d'Erlangen). *Pr. Vereins mediz. Zeitung*, 1847, 3, et *Schmidt's Jahrbücher*, t. LIX, p. 182. Cité aussi par Virchow, *Gesamm. Abhandl.*, p. 177. A dû publier son observation ailleurs, dit Virchow. Obs. de tumeurs de la rate et du foie avec sang blanc examiné par Virchow. — WOILLEZ. *Bull. de la Soc. méd. des hôp.*, 1855, 26 novembre, t. III, p. 45. Une observ. reproduite par M. Vidal dans sa monographie. — WUNDERLICH. *Archiv der Heilkunde*, 6e Heft, 1866, p. 531, et *Gaz. hebd. de méd.*, 1867, p. 61. *Pseudo-Leukæmie*, ou *maladie de Hodgkin*, ou *lymphadénome multiple sans leucémie*, c'est ce qu'en France on appelle l'*adénie*. 3 obs. L'iodure de potassium paraît faire du bien. Considér. anatom. et physiol. — ZENKER. *Canstatt's Jahr.*, 1858, p. 241. — ZIMMERMANN. *Virch. Arch.*, t. XVIII, p. 221 (1860). *Zur Blutkörperchenfrage*.

E. ISAMBERT.

LEUCOGRAPHIS. Pline appelle ainsi le Chardon-Marie. (*Voy.* CNICUS.)

LEUCOIUM. *Voy.* NIVÉOLE. Le *L. luteum* des anciennes pharmacopées est la giroflée jaune (*Cheiranthus cheiri* L.).

H. BN.

LEUCOME. *Voy.* Cornée.

LEUCOPATHIE. *Voy.* Albinisme.

LEUCOPHLEGMASIE. *Voy.* Anasarque.

LEUCORRHÉE. Flux pathologique produit par l'augmentation et l'altération des sécrétions normales de l'appareil génital de la femme. Sous ce nom qui signifie littéralement écoulement blanc (λευκὸς blanc, ῥεῖν couler), d'où les synonymes de *pertes blanches, flueurs blanches, weisse Fluss*, le vulgaire désigne généralement l'écoulement de tout liquide autre que le sang par les parties génitales de la femme. On voit par là que ces pertes, loin d'être toujours blanches, doivent présenter souvent des couleurs différentes; qu'elles peuvent tenir à des maladies de diverse nature; enfin qu'elles proviennent suivant les cas de tels ou tels organes. Aussi a-t-il régné dans la science, jusqu'à ces derniers temps, beaucoup de vague et de dissidences sur la manière dont on doit entendre ce mot. On en a abusé étrangement, tant qu'on a négligé de remonter à la cause de l'écoulement, et qu'on a regardé comme une maladie spéciale ce symptôme commun à plusieurs maladies. Il faut avouer que sous ce rapport la pudeur mal entendue des femmes a longtemps retardé les progrès de la médecine; car, outre qu'un grand nombre négligeait d'appeler l'attention du médecin sur ce phénomène, un grand nombre d'autres supposait qu'il suffisait de lui en faire part, sans se soumettre à un examen direct, pour l'éclairer sur la nature et la cause de leur maladie. Or il y a autant de différence entre les diverses sortes de flueurs blanches, qu'il y en a entre les diverses espèces de crachats, par exemple, ou les divers écoulements qui peuvent se produire sur une muqueuse quelconque.

D'abord la leucorrhée proprement dite doit être distinguée de la fausse leucorrhée. A cet égard, il nous semble qu'on doit entendre sous le nom générique et trop vague de *pertes blanches*, les liquides de nature et d'origine très-diverses qui sortent par les parties génitales de la femme, tandis qu'on doit réserver celui plus spécial de *leucorrhée* aux liquides qui sont produits directement par ces organes, sous l'influence d'un état pathologique bien caractérisé.

I. Fausse leucorrhée. Les pertes dont les femmes se plaignent peuvent venir d'organes très-différents, elles peuvent être déterminées par la présence de corps étrangers ou par le développement de lésions organiques plus ou moins graves. Dans aucun de ces cas, nous ne les désignerons sous le nom de leucorrhée. Il n'est pas jusqu'à l'évacuation d'un kyste ovarique par la trompe qui ne puisse donner naissance à un écoulement qu'on peut confondre sinon avec la leucorrhée, du moins avec l'hydrorrhée ou l'hydropisie utérine. Des môles hydatiformes ou charnues, des polypes, des tumeurs fibreuses, produisent des écoulements résultant de l'irritation que leur seule présence détermine sur la muqueuse utérine et particulièrement sur ses glandes. L'hypertrophie locale et générale, les granulations, les fongosités produisent de pareils écoulements, non plus en agissant comme les précédentes lésions à la manière de corps étrangers, mais en altérant le tissu et la vitalité même de l'organe. Ces pertes sont très-variables suivant la période de la maladie, le volume des tumeurs, le degré de réaction qu'elles excitent dans l'utérus; quelquefois il y a un simple écoulement muqueux, quelquefois un écoulement sanguinolent, sanieux, purulent, etc.; la tuméfaction de l'utérus, les douleurs contractiles, les hémorrhagies et plusieurs autres symptômes facilitent le diagnostic différentiel.

inflammatoire, caractérisé par l'hypersécrétion des muqueuses génitales. Nul doute que cette hypersécrétion ne suppose un certain degré d'irritation ou de congestion de la muqueuse; mais elle est favorisée par la faiblesse plutôt que par la force de vitalité de cette membrane, et il est souvent difficile, pour ne pas dire impossible, de la rattacher à l'inflammation par les causes qui l'engendrent, pas plus que par les symptômes qui l'accompagnent, ni par le traitement qui lui convient.

Je vois avec plaisir ces idées partagées par la nouvelle génération médicale. Il y a des cas, et ils sont nombreux, disent MM. Racle et Lorain (Valleix, *Guide du médecin praticien*, t. V, p. 32, Paris, 1861), où la leucorrhée est toute la maladie, c'est-à-dire où elle ne se rattache à aucune lésion anatomique permanente. Une comparaison, ajoutent-ils, fera comprendre notre pensée. Qu'un individu lymphatique à constitution faible et molle, soit sujet à un flux sudoral excessif et habituel, dira-t-on que ce flux est le symptôme de la débilité générale de l'économie? Non, certainement; il en sera l'effet, le résultat, non le symptôme. La faiblesse générale n'est qu'une imperfection relative de l'organisation et des principales fonctions, mais ce n'est pas une maladie; le flux sudoral sera, au contraire, la maladie tout entière, et, qui plus est, une maladie essentielle, car il n'aura pas son point de départ dans une altération anatomique de la peau. C'est de cette manière que l'on doit, à notre sens, entendre la leucorrhée constitutionnelle, que nous persistons, avec beaucoup d'auteurs, à considérer comme une maladie réelle et essentielle.

Il est juste, en effet, de dire que les femmes à tempérament lymphatique, à constitution molle, faible et délicate, sont plus sujettes que les autres à la leucorrhée, indépendamment de toute altération organique. Il est juste de reconnaître qu'une perversion de circulation ou d'innervation, une fluxion utérine légère, un peu de congestion, un éréthisme ou une excitation particulière du tissu peuvent être nécessaires pour causer la leucorrhée. Mais la leucorrhée doit-elle pour cela être considérée comme étant nécessairement symptomatique de ces altérations de la vie locale ou de l'état de débilité générale des malades qui en sont atteintes? Non, assurément; car cette perversion de nutrition et d'innervation, cette faiblesse originelle ou acquise de l'organisme auraient pu se traduire par une autre manifestation ou donner naissance à un autre état morbide. En disposant la malade aux flux, en localisant ces flux dans l'utérus, par suite de l'augmentation de sécrétion qu'elles ont amenée dans les glandes utérines, elles ont été les causes prédisposantes et déterminantes de la leucorrhée; mais celle-ci seule est la maladie et toute la maladie. L'état de débilité générale et l'altération fonctionnelle locale qui en ont favorisé le développement ne présentent, ni l'une ni l'autre, comme la leucorrhée, les caractères d'un état morbide déterminé.

La leucorrhée idiopathique est donc un *flux anormal* des muqueuses génitales, plus particulièrement de la membrane interne de l'utérus, flux muqueux ou muco-purulent, *favorisé par une atonie générale et par une prédisposition locale, et déterminé enfin par une irritation légère de la membrane sécrétante ou par une imperfection fonctionnelle, telle que la chlorose.*

Elle constitue un état morbide spécial ou une maladie essentielle, au même titre que tout autre flux, tel que diarrhée, bronchorrhée, blennorrhée uréthrale, sialorrhée, sudation exagérée, etc.

Parmi les conditions d'atonie générale qui prédisposent à la leucorrhée, on peut citer l'âge, le tempérament, la constitution, le climat, l'habitation, l'alimentation habituelle, etc. Mais il est difficile d'apprécier à sa juste valeur l'influence de ces diverses causes, interprétée contradictoirement par ceux-là même qui ont entrepris des recherches propres à l'éclairer.

Ainsi il est admis que les constitutions faibles, les tempéraments lymphatiques sont sujets à la leucorrhée, et je suis de cet avis, malgré l'assertion contraire de quelques pathologistes qui ont probablement observé simultanément des blennorrhagies, des vaginites et quelques leucorrhées proprement dites chez des filles publiques, et qui en ont fait la base de leur statistique. L'âge de la première période des fonctions sexuelles m'a paru disposer à la leucorrhée ; je l'ai observée chez les jeunes filles avant l'apparition des règles ou pendant les premières années de la menstruation, et chez les jeunes femmes plus souvent que chez les femmes âgées. — Les climats froids et humides y prédisposent aussi. On a bien dit théoriquement que les contrées chaudes relâchent les vaisseaux et préparent les flux comme les hémorrhagies ; mais il est avéré que les contrées humides, telles que la Belgique, la Hollande et les districts marécageux de l'Angleterre, y disposent bien plus positivement. (Graily Hewitz, ouv. cit., p. 89.) D'après une statistique reposant sur des faits observés à Paris par Marc Despine, et à Marseille par M. Girard, le tiers des femmes seulement seraient exemptes de flueurs blanches à Paris, tandis que les trois quarts en seraient exemptes à Marseille. (Marc Despine, *Recherches anatomiques sur quelques points de l'histoire de la leucorrhée;* dans les *Archives générales de médecine*, 2e série, t. X, p. 165, Paris, 1836.) Le séjour des villes est universellement regardé comme favorable à la production de la leucorrhée, et cette opinion est confirmée par les recherches de M. Brierre de Boismont (*de la Menstruation considérée dans ses rapports physiologiques et pathologiques*, ch. XIII. *Des flueurs blanches*, p. 259, Paris, 1842). — Enfin le régime débilitant est une des plus puissantes causes prédisposantes; c'est à ce titre que l'usage du café au lait a été singulièrement incriminé. A en croire Lagneau (*Dict. de méd.* 30 vol., art. *Leucorrhée*, t. XVIII, p. 25. Paris, 1838), Lisfranc (*Clinique chirurgicale de la Pitié*, art. *Leucorrhée*, t. II, p. 300. Paris, 1842), et M. Nonat (*Traité pratique des maladies de l'utérus*, p. 634), l'influence du café au lait est si certaine qu'on peut guérir ou ramener à volonté les pertes blanches, chez les femmes, en suspendant ou reprenant l'usage de cet aliment, et, chose remarquable ! l'ingestion isolée du lait et du café ne produit pas sur l'utérus le même effet que le mélange de ces deux liquides ; observation singulière qui inspire à Lisfranc des réflexions sur l'importance de l'association des médicaments, trop négligée de nos jours, et à M. Nonat, la pensée que le café au lait pourrait bien exercer sur la muqueuse de l'utérus une action élective semblable à celle de la digitale sur le cœur, de la belladone sur l'iris, etc... Je n'ajouterai qu'une réflexion. C'est que les femmes qui font usage de café au lait à Paris se nourrissent fort mal, et remplacent par cet aliment, habituellement frelaté et insuffisant, un bon repas, où elles auraient mangé de la viande et d'autres aliments plus toniques; j'ai vu et je vois journellement des femmes qui prennent de bon café au lait, sans omettre pour cela un seul de leurs trois repas, et qui n'ont jamais de leucorrhée. M. Mascarel (*Gaz. méd. de Paris*, 1857, p. 7), cite l'exemple d'une grande manufacture de l'État, située presqu'au centre de la France où l'usage du café au lait est, dit-il, passionnément répandu chez les femmes et leurs enfants, sans que cette alimentation exerce la plus légère influence sur la production des maladies du col de l'utérus ni sur la leucorrhée.

On peut rapprocher de ces causes débilitantes générales des causes plus spé-

ciales qui agissent dans le même sens : l'allaitement prolongé chez les nourrices faibles, les maladies du cœur, les maladies chroniques du poumon, l'emphysème, la disposition à la phthisie, et la phthisie elle-même, enfin les diverses diathèses dont la leucorrhée n'est pas toujours symptomatique, mais qui préparent l'organisme, par la débilitation dans laquelle ils le jettent, à l'établissement de flux vagino-utérins, muqueux ou purulents.

Je crois qu'il faut ajouter souvent à cette prédisposition générale, consistant dans l'atonie originelle ou acquise de l'économie entière, une prédisposition locale consistant dans l'atonie particulière de l'appareil génital ou de quelqu'un de ses organes. J'ai souvent remarqué chez les femmes leucorrhéiques, la pâleur, la mollesse, l'extensibilité de la muqueuse vulvo-vaginale, les orifices folliculaires ou glandulaires béants, des symptômes d'hyperémie passive, l'abaissement ou l'inclinaison de l'utérus, le relâchement de ses ligaments, l'excrétion fréquente, involontaire et fort incommode de l'urine sous l'influence des efforts, ou des éclats de rire, quelquefois même l'incontinence d'urine nocturne.

Chez les femmes qui présentent ces prédispositions, la leucorrhée peut être déterminée par deux causes d'ordre différent, qu'il s'agit de diagnostiquer pour saisir les indications du traitement.

Tantôt une simple irritation locale légère suffit pour faire éclore l'écoulement, qui s'entretient ensuite d'autant plus aisément que la malade y était en quelque sorte mieux préparée. Les excitations des organes génitaux chez les petites filles, l'abus du coït chez les jeunes époux, la menstruation, la grossesse, l'avortement, l'accouchement, sont les causes les plus ordinaires. Ces mêmes causes agissant avec énergie et continuité peuvent produire l'inflammation même de la vulve, du vagin ou de l'utérus. Mais que de fois leur action plus modérée se borne à déterminer l'apparition de la leucorrhée ! Les approches de l'établissement des règles et la modification qu'elles apportent à la circulation de l'utérus et de ses annexes, l'excitation légère qui précède et qui suit pendant quelques jours chaque période menstruelle, sont souvent marquées par des flueurs blanches. La grossesse n'entraîne pas assurément l'inflammation de l'utérus ; mais sous l'influence de la fluxion et de la congestion qu'elle entretient sur la muqueuse génitale, elle développe une leucorrhée vaginale. La simple congestion qu'elle laisse dans les organes, plus difficile à se dissiper chez certaines femmes que chez d'autres, la lenteur de l'évolution rétrograde de l'utérus, sont souvent le point de départ d'un flux leucorrhéique, qui n'a rien d'inflammatoire et qui peut se prolonger indéfiniment.

Tantôt une imperfection fonctionnelle de l'utérus ou le retententissement que cet organe peut recevoir du trouble fonctionnel d'un autre organe, préside à l'établissement de la leucorrhée. Chez les filles chlorotiques et aménorrhéiques, il semble que, par suite de l'altération du sang, de l'affaiblissement général ou de l'atonie des vaisseaux sanguins de l'utérus, la fluxion périodique de cet organe soit insuffisante pour arriver jusqu'à l'hémorrhagie ; elle aboutit à un simple flux muqueux, séro-muqueux, muco-sanguinolent ou muco-purulent, qui lui donne satisfaction. Ce flux ne paraît qu'à l'époque des règles, ou bien il se répète dans la période intermenstruelle. Il peut même être continu pendant toute cette période, mais en s'augmentant habituellement aux moments qui correspondent aux époques menstruelles, pour décroître pendant les périodes intercalaires. J'ai observé maintes fois ces diverses variétés ; j'ai observé aussi les différences de l'écoulement à ces divers moments et chez diverses malades. Il est certain que cet écoulement renferme quelquefois des globules de pus, indices d'une irritation légère de la surface de la muqueuse ou de ses follicules; qu'il contient d'autres fois des globules de sang qui semblent signaler une disposition à l'accomplissement de l'hémorrhagie naturelle ou au retour des conditions normales de la fonction; qu'il est souvent séro-muqueux, comme si du sérum exsudé des vaisseaux se mêlait au mucus hypersécrété sous l'influence de la fluxion dont les follicules sont l'aboutissant avec tout le reste du système utérin. — Le retentissement que l'utérus éprouve du trouble fonctionnel d'un autre organe peut aussi engendrer une leucorrhée utérine. L'absence de l'allaitement, la suppression d'une fonction physiologique ou pathologique, de la sueur, de l'expectoration, de la diarrhée, des hémorrhoïdes, d'un exutoire, etc., peuvent lui donner naissance, comme la suppression de la menstruation elle-même. On a caractérisé cette espèce de leucorrhée par les noms de métastatique ou de supplémentaire. Mais il est encore plus difficile dans ces circonstances que dans le cas d'aménorrhée, de dévoiler la véritable pathogénie de la leucorrhée, et de décider si elle est véritablement supplémentaire des flux dont la suppression coïncide avec son apparition, ou si elle est, comme ces flux eux-mêmes, symptomatique d'un état général commun dont ils relèvent tous les deux.

IV. Leucorrhée symptomatique. Le plus souvent, il faut le reconnaître, la leucorrhée n'est qu'un symptôme. Les maladies qui lui donnent naissance sont elles-mêmes de nature diverse, et occupent des siéges différents.

Relativement à leur nature, les maladies qui engendrent la leucorrhée peuvent être aiguës ou chroniques, générales ou locales, diathésiques ou non diathésiques. Parmi les causes générales ou diathésiques de la leucorrhée, il faut signaler les affections dartreuses, rhumatismales, scrofuleuses; parmi les causes locales, les irritations sexuelles, l'inflammation des organes génitaux et surtout de leurs muqueuses, le catarrhe particulièrement pour l'utérus, enfin la blennorrhagie, qui peut atteindre la vulve, le vagin, l'utérus, s'étendre même jusqu'à l'ovaire, et qui se distingue par son caractère essentiellement contagieux. Quant aux leucorrhées symptomatiques d'altérations locales du tissu de l'organe, telles que les ulcérations du col, les granulations, les fongosités, les polypes, etc., il ne doit pas en être question dans cet article.

Relativement au siége, la leucorrhée peut être limitée à la vulve, plus souvent au vagin ou seulement à l'utérus. Elle peut envahir simultanément les muqueuses de ces trois organes; elle peut même s'étendre aux trompes et jusqu'aux ovaires, dont elle détermine l'inflammation. (*Voy.* Ovaire.)

Pour ne pas nous laisser entraîner à des répétitions inutiles, nous exposerons les caractères de la leucorrhée d'après le siége, et à mesure que nous décrirons la leucorrhée vulvaire, vaginale et utérine, nous signalerons les maladies de nature différente qui peuvent déterminer le plus fréquemment l'apparition de la leucorrhée sur ces divers points. Nous devons dire seulement, avant d'aborder ces divisions, que certaines maladies ont plus de tendance que d'autres à déterminer l'apparition de la leucorrhée simultanément ou successivement sur toutes les muqueuses de l'appareil génital, au lieu de la limiter à l'une d'elles. Ainsi les *leucorrhées herpétiques* ou *dartreuses*, d'ailleurs assez fréquentes, ont de la tendance à envahir alternativement plusieurs parties, ou à porter successivement leur intensité sur les divers points de la muqueuse utéro-vulvaire et même des organes voisins. Tantôt la leucorrhée utérine diminue, la vaginale augmente; tantôt celle-ci s'améliore, la vulve se prend, les grandes lèvres, la face interne des cuisses, l'anus se couvrent de vésicules d'eczéma ou d'herpès, de pustules d'impétigo, ou tout au moins sont envahis par un érythème ou un intertrigo sécrétant ; et réciproquement, lorsque ces derniers organes commencent à se dépouiller, les muqueuses vaginale ou utérine se prennent de nouveau. J'ai fait des observations pareilles chez l'homme : j'ai vu des maladies dartreuses envahir successivement et alternativement le scrotum, le prépuce, le gland, l'urèthre, le col de la vessie, la vessie, un urétère, un rein; se déplacer tantôt dans un sens, tantôt dans un autre, pour se porter sur tel ou tel point. Je ne puis douter qu'il n'en soit de même chez la femme.

Les mêmes remarques sont applicables à la *leucorrhée blennorrhagique, virulente* ou *contagieuse*. (*Voy.* l'article BLENNORRHAGIE GÉNITALE chez la femme.)

V. LEUCORRHÉE VULVAIRE. La leucorrhée vulvaire est fréquente chez les enfants, surtout chez les petites filles scrofuleuses ou dartreuses ; elle coexiste ou elle alterne avec des croûtes à la tête, de l'impétigo, de l'eczéma, de l'herpès. Elle se complique quelquefois d'ulcération superficielle, d'engorgement des ganglions inguinaux, d'inflammation et de suppuration de ces organes. Elle est évidemment due à un excès de sécrétion, à une éruption dartreuse, à un travail superficiel d'ulcération causé et entretenu par le vice scrofuleux, comme le sont habituellement à cet âge les maladies suppuratives des autres muqueuses, notamment les maladies des muqueuses qui avoisinent les orifices, et en particulier les orifices des organes des sens, la muqueuse des lèvres, la membrane de Schneider, la conjonctive, le conduit auditif externe. Elle s'étend rarement au vagin ; je l'ai vue pourtant aller au delà, et je me rappelle avoir trouvé chez une petite fille de douze ans, dont je fis l'autopsie, l'utérus et la moitié externe des trompes farcis et distendus par des débris épithéliaux formant une masse d'apparence caséeuse. — Elle est souvent causée par l'irritation due à la dentition chez les jeunes enfants, par les mauvaises habitudes chez les petites filles, par la grossesse chez les femmes adultes. Elle est souvent aussi entretenue par la malpropreté ou par l'âcreté d sécrétions, chez les femmes à poils noirs ou rouges, fortement pigmentées, notamment par l'âcreté de la sécrétion sébacée et par l'acné vulvaire, avec ou sans rétention du produit sécrété dans ses propres follicules. Le mélange des deux maladies et des deux hypersécrétions qui les caractérisent, donne souvent à leur produit mixte semi-fluide une odeur aigre, caséeuse, rappelant celle du suif rance ou du lait fermenté, assez caractéristique. La malade se sent mouillée d'une manière continue. La chaleur, le gonflement des petites et des grandes lèvres, le prurit vulvaire, la sensibilité exaltée par le frottement sur les parties enflammées ou dénudées, l'érythème des parties voisines, notamment de la partie supérieure, de la face interne des cuisses, du périnée, de l'anus, rendent la marche difficile et douloureuse. Mais, par contre, il n'y a ni douleur, ni chaleur, ni sentiment de gêne ou plénitude dans l'hypogastre ; il n'y a pas non plus de coliques ou de tranchées utérines. Le linge est semé de taches allongées plutôt qu'arrondies, qui lui communiquent, par la dessiccation, une certaine roideur, mais sans limites très-précises, et dont la coloration grisâtre est souvent mélangée de jaune, par l'effet de la présence du pus ; car la leucorrhée vulvaire n'est pas un peu intense sans être en même temps purulente.

Il faut se rappeler que le mucus vulvaire est sécrété surtout par la glande vulvo-vaginale, et en partie par les follicules vestibulaires et uréthraux; lesquels sont beaucoup moins nombreux qu'on ne serait porté à le présumer (Martin et

Léger, *Mémoire sur les organes sécréteurs de la vulve,* dans les *Archiv. gén. de médecine*, 1842); que ce liquide est normalement transparent, filant ou visqueux, à odeur et à réaction acides, à épithélium nucléaire, et qu'il renferme habituellement des globules de pus dans les cas de leucorrhée vulvaire. (*Voy.* VULVE.)

VI. LEUCORRHÉE VAGINALE. La *leucorrhée vaginale* se voit rarement chez les enfants; elle est très-fréquente chez les femmes, par suite d'excitations génitales, d'excès vénériens, de blennorrhagies, de vaginite même, ou par l'effet de la grossesse. Ordinairement, il n'y a ni gonflement, ni chaleur à la vulve; mais cela peut arriver, le liquide en sortant peut irriter la muqueuse des grandes lèvres au point d'y provoquer l'apparition d'un érythème; pour le moins, il y excite un prurit incommode et quelquefois douloureux.

La sortie du liquide est à peu près continue, surtout chez les femmes enceintes. Lorsque la membrane hymen existe ou que l'anneau vulvaire n'a pas été dilaté par la fréquence des rapprochements conjugaux, le liquide leucorrhéique peut s'accumuler quelque temps dans le vagin avant d'en sortir, et alors sa sortie peut paraître intermittente. Souvent il est exclusivement laiteux, et justifie bien sa dénomination de *perte blanche*. Quelquefois il est très-fluide, d'autres fois un peu consistant, à cause des éléments épithéliaux qu'il tient en suspension; mais il n'est jamais visqueux à proprement parler, et surtout ni gluant, ni glutineux.

Lorsqu'il y a vaginite ou blennorrhagie, ou exulcération, due à toute autre cause, par exemple à une éruption dartreuse, il devient jaune verdâtre par le mélange du pus; il est alors beaucoup plus irritant pour la vulve. Son excrétion s'accompagne de tension et d'endolorissement dans le bassin, de douleurs vaginales, retentissant même sur l'utérus et sur les organes voisins, le rectum, la vessie; enfin de douleurs, de ténesme et souvent d'écoulement uréthral; de prurit, de douleurs, d'écoulement et même d'excoriations à la vulve. Les taches faites au linge sont larges, rondes, à peu près incolores, dans le cas de leucorrhée simple, modérément empesées; mais elles sont bien plus grandes, allongées, irrégulières, jaunes ou verdâtres, parfois même sanguinolentes, dans les cas de leucorrhée purulente, surtout lorsque la vulve et le vagin sont atteints simultanément. On peut même dire, en général, qu'une leucorrhée abondante doit provenir de la totalité du vagin, ou à la fois de la vulve, du vagin et de l'utérus, c'est-à-dire d'une surface muqueuse étendue; une leucorrhée peu abondante, au contraire, ne provient guère que de la cavité utérine.

Le liquide vaginal, pesque nul à l'état de santé parfaite, est un fluide clair, séreux, n'ayant aucune viscosité, répandant une odeur aigre spéciale, assez forte. Il est rarement perçu dans cet état d'isolement; car il semble n'être que l'excipient ou le véhicule des innombrables et larges corpuscules lamelliformes qui se détachent sans cesse par exfoliation et en quantité plus ou moins considérable, de la surface de la muqueuse, et qui donnent à l'ensemble du produit excrété l'aspect blanchâtre, opaque, caséeux, qui le distingue. Ces cellules d'épithélium pavimenteux ont de 0,04 à 0,05 de millimètre de diamètre.

Il est étrange qu'on ne soit pas encore d'accord sur l'origine de ce produit, et que la question de savoir s'il y a ou s'il n'y a pas des glandes dans le vagin divise les anatomistes de notre époque. Nous donnerons un aperçu de ces dissidences sur lesquelles pourra se prononcer le collaborateur chargé de la description du *vagin*, mais qu'il est impossible de ne pas mentionner ici. (*Voy.* VAGIN.)

Voici d'abord des anatomistes qui admettent des glandes dans le vagin :

D'après Huschke (*Splanchnol.*, p. 465. Paris, 1845), le vagin possède un très-grand nombre de glandes mucipares qui s'ouvrent entre les rugosités, principalement dans la partie supérieure et la plus lisse de sa membrane muqueuse. En examinant des pièces injectées, dit-il, j'ai trouvé que les ouvertures de ces glandes avaient sur ce point 1/3 de millimètre de long sur 1/6 de millimètre de large, et que leur distance était de 1/3 de millimètre. Cependant quelques-unes ont 1/4 et 1/3 de ligne. Les glandes sécrètent un mucus acide qui devient surtout abondant pendant le coït et l'accouchement.

Tandis que, d'après Huschke, les follicules seraient abondants dans la partie supérieure du vagin, M. Giraldès (*Arch. de méd.*, juillet, août 1844) assure qu'il n'a pu en découvrir dans ce point, et M. Deville cite cette opinion à l'appui de la difficulté d'interprétation des petites proéminences rouges de la vaginite granuleuse. Mais dans la partie inférieure du vagin, d'après M. Paul Dubois (*Accouch.*, p. 198. Paris, 1849), la présence des follicules n'est pas plus douteuse que ne l'est en ce point le produit abondant de leur sécrétion.

Jarjavay (*Anat. chir.*, t. I, p. 314. Paris, 1852) admet la présence des follicules dans la muqueuse vaginale. « On comprend, dit-il, qu'ils peuvent devenir le point de départ de kystes, comme les follicules des autres régions du corps. J'en ai observé un dans l'épaisseur de la paroi antérieure, en 1845, à l'hôpital de la Charité; la matière contenue était visqueuse, épaisse et rougeâtre. Lisfranc a vu une tumeur analogue occupant la paroi postérieure. A. Bérard a publié, dans la *Gazette médicale*, l'histoire d'une tumeur analogue renfermant du mucus, une substance semblable à une solution de gomme arabique. Ce chirurgien attribue toutes ces tumeurs à un follicule dont le goulot a été oblitéré. Dans un cas publié par M. Voilet, le développement de la maladie paraît aussi devoir être attribué à cette cause : c'était du sang pur que contenait une tumeur de ce genre observée par Récamier. »

Selon Jamain (*Traité élément. d'anat. descript.*, p. 606. Paris 1853), la muqueuse vaginale, à épithélium très-épais et très-adhérent, est pourvue de papilles très-développées et d'un grand nombre de follicules muqueux. — D'après M. Richet (*Anat. méd.-chir.*, p. 710. Paris, 1855), on y trouve des follicules nombreux qui peuvent, comme partout ailleurs, devenir le siége des kystes muqueux, dont les exemples se multiplient depuis que l'attention des chirurgiens a été appelée sur ce sujet. Becquerel (*Maladies de l'utérus*, t. I, p. 484. Paris, 1859), comme il ressort de son *Anatomie pathologique* de la vaginite granuleuse et de l'interprétation qu'il donne des granulations rouges dont le vagin est alors parsemé et qu'il regarde comme une hypertrophie inflammatoire des follicules muqueux, ne met pas en doute l'existence de follicules dans l'épaisseur de la muqueuse vaginale. Le même auteur en revenant, à l'occasion de la leucorrhée (t. II, p. 70) sur l'écoulement opalin, précédemment décrit (t. I, p. 172), le regarde comme le produit de l'exagération de sécrétion des follicules muqueux du vagin.

La muqueuse vaginale, dit M. Fano, renferme deux ordres de follicules : les uns superficiels sont contenus dans l'intérieur du derme, ou immédiatement au-dessous; ils s'ouvrent à la surface libre de la muqueuse par un simple orifice ou par un petit conduit : les autres profonds sont contenus dans la tunique cellulo-musculaire du vagin, et représentent des follicules clos. Les kystes muqueux peuvent prendre leur point de départ dans l'un ou l'autre de ces deux ordres de follicules, d'après les observations d'Huguier (*Des kystes de la matrice et du vagin*, in *Mém. de la Société de chirurgie*, t. I, p. 241, Paris, 1847). Les superficiels se rencontrent plus souvent à l'orifice inférieur du vagin ou à 1 centimètre, 1 centimètre et demi au-dessus, sur la paroi antérieure ou latérale. Les profonds se développent vers sa partie supérieure, près du col de l'utérus, plus fréquemment sur la paroi antérieure que sur la paroi postérieure. (Fano, dans la 5e édition de la *Pathologie externe* de Vidal (de Cassis), t. V, p. 340. Paris, 1861.)

La membrane muqueuse du vagin, disent les auteurs d'un ouvrage récent très-estimable, contient dans son épaisseur de nombreux follicules mucipares qui s'ouvrent à sa surface et qui sécrètent un mucus acide, ne contenant normalement que des cellules d'épithélium pavimenteux, mais souvent des globules de pus et des animalcules (trichomonas de Donné), ainsi que quelques cryptogames (leptothrix de Robin). (*Nouveau Dictionnaire lexicographique et descriptif des sciences médicales*, par Raige-Delorme, etc., p. 1412. Paris, 1863.)

Il suffit de dire que le vagin est doublé à sa face interne d'une membrane muqueuse, dit M. A. Guérin (*Maladies des organes génitaux externes de la femme*, p. 276. Paris, 1846), pour que l'on s'attende à y trouver des glandules et des follicules mucipares... Je crois que les glandules mucipares sont incontestables. M. Cruveilhier disait déjà en 1834 : « Les follicules muqueux y sont faciles à démontrer. » S'ils n'existaient pas, cette particularité anatomique serait en désaccord avec la loi qui a présidé à l'hystogénie des membranes muqueuses, et nous aurions peine à comprendre comment se produisent les mucosités si abondantes de la vaginite et de la leucorrhée vaginale.

Voici maintenant d'autres anatomistes, d'après lesquels le vagin n'a pas de glandes.

M. Robin (*Dictionnaire de Nysten*, p. 1317, 10e édition, 1855) dit que la muqueuse vaginale ne renferme pas de glandes, ni d'orifices folliculaires ou autres.

M. Tyler-Smith (*the Pathology and Treatment of Leucorrhea*, p. 6. London, 1855) dit que la muqueuse du vagin se rapproche de la peau : elle est couverte d'une couche épaisse d'épithélium pavimenteux et ne renferme dans une grande étendue de sa surface que peu ou point de follicules muqueux. Aussi appelle-t-il *plasma* plutôt que mucus le liquide qui se produit parfois à sa surface.

D'après Scanzoni (*Traité pratique des maladies des organes sexuels de la femme*, traduction française, p. 449. Paris, 1858), les travaux de Mandl et de Kœlliker ont démontré que la muqueuse vaginale ne renferme que peu de follicules; et dans la forme particulière d'inflammation décrite par Deville (*Arch.*, 1844) sous le nom de vaginite granuleuse, les petites proéminences rouges prises à tort pour des follicules tuméfiés ne seraient dues qu'à l'hyperémie et au gonflement des papilles du derme.

Quelques auteurs, dit M. Sappey (*Anatomie descriptive*, t. III, p. 681. Paris, 1864), et particulièrement M. Huschke, disent la muqueuse vaginale riche en glandes mucipares; malgré de longues et attentives recherches, il ne m'a pas été donné d'en observer le moindre vestige.

A mon tour, j'ai souvent cherché dans le vagin des organes sécréteurs, glandes ou follicules, et je n'en ai pas trouvé. J'ai tâché pourtant de me mettre dans les conditions les plus favorables à leur découverte. Chez des femmes atteintes de leucorrhée, surtout de leucorrhée purulente avec vaginite, après avoir déployé le vagin avec le spéculum, essuyé sa muqueuse et cherché les points sur lesquels la sécrétion paraissait être le plus abondante, ou semblait sourdre d'un orifice apparent, ceux où le volume ou la rougeur des granulations pouvaient faire supposer que quelques-unes de ces éminences étaient formées par des follicules, j'ai excisé dans ces mêmes points une petite portion de la muqueuse vaginale, que j'ai portée aussitôt soit dans l'eau, soit dans un liquide coloré, pouvant pénétrer les canaux excréteurs qui se trouvaient dans l'épaisseur de ce fragment, que j'ai examiné ensuite à la loupe et au microscope ; je n'y ai jamais trouvé de traces de follicules ni de glandes. Après avoir dépassé l'anneau vulvaire ou l'insertion circulaire de l'hymen, qui est la limite des appareils glandulaires de la vulve, il faut sans doute arriver jusqu'à la surface vaginale du col utérin pour retrouver dans ses follicules de nouveaux organes sécréteurs.

La muqueuse vaginale ne paraît donc pas avoir de glandes. Elle est sèche dans l'état normal, ou seulement humectée par les sécrétions vulvaire et utérine. Mais si elle n'a pas de sécrétion proprement dite, elle est probablement le siége d'une exhalation liquide ou de la perspiration, entre les cellules de son revêtement épithélial, d'un fluide habituellement très-rare, pouvant devenir abondant, surtout lorsqu'il y a irritation et desquammation partielle de la muqueuse, et donnant alors naissance à la leucorrhée vaginale.

Si l'on veut bien comprendre le mode de production de ce liquide et l'exfoliation parfois très-considérable de l'épithélium vaginal, il est bon de ne pas borner l'observation aux produits de la leucorrhée, mais de l'étendre aux autres modifications que peut présenter cette couche superficielle de la muqueuse vaginale.

Du reste, il est fort curieux d'étudier les diverses altérations que subit le revêtement épithélial de cette muqueuse et les modifications qui se produisent dans l'exhalation du plasma propre à son organisation, dans le développement de ses cellules, dans leur multiplication, dans leur persistance ou leur accumulation, dans leur exfoliation et leur chute, etc. Probablement sous l'influence d'affections générales diverses, localisées sur cette muqueuse, de la persistance de ces états morbides et de la tendance particulière de l'épithélium vaginal à subir, suivant le cas, des accroissements, des hypertrophies, ou des desquammations considérables, on observe le même phénomène, la multiplication anormale des éléments épithéliaux donnant naissance, suivant sa direction, aux résultats les plus différents.

Ainsi sous l'influence d'un état diathésique, de la syphilis notamment, il arrive de voir se former sur le vagin, et plus particulièrement sur le col de l'utérus, des épaississements épithéliaux, très-circonscrits, circulaires, nummulaires, offrant l'aspect d'une gouttelette de cire tombée d'une bougie et figée sur place, et tranchant, par leur couleur blanc mat, avec la couleur rose ou rouge des parties voisines. Ce sont des espèces de plaques de psoriasis, qui s'entourent quelquefois d'un cercle rouge, qui s'ulcèrent, qui cèdent à l'action des topiques spécifiques, mais qui peuvent rester longtemps sous la même forme, sans présenter aucun changement.

D'autres fois, ces plaques épidermiques augmentent d'épaisseur et de consistance et produisent, soit des plaques muqueuses, soit de petits corps assez durs, analogues à des verrues, dont on peut aisément faire l'excision.

Au lieu d'être limité à un point ou à quelques points, l'épaississement épithélial peut envahir toute l'étendue de la muqueuse vaginale, paraissant plus considérable ou du moins étant plus saillant au niveau des papilles et des rides du vagin, empêchant tout suintement liquide de se produire à la surface de la membrane, et déterminant sur celle-ci une sécheresse telle que, lorsqu'elle n'est humectée par aucune sécrétion utérine ni vulvaire, il est difficile de la parcourir avec l'indicateur dans toute son étendue. On dirait que toutes les papilles sont hérissées ou enfermées dans un étui de corne, et l'on croirait passer le doigt sur la langue d'un chat ou sur une peau de chagrin. Les lotions avec une faible solution de sublimé, employées en même temps qu'un traitement général antisyphilitique, parviennent habituellement en quelques semaines à modifier cet état anatomique, qui m'a paru être le plus souvent un des accidents secondaires de la syphilis.

Cette multiplication épithéliale se concentre-t-elle sur un point, se produit-elle avec rapidité, en conservant des relations directes avec les éléments anatomiques sous-jacents et en restant douée dans ses propres éléments, ou dans les cellules qui la constituent, de mollesse, de tendreté, de perméabilité, de faculté de bourgeonnement, il en résulte ces excroissances quelquefois considérables, molles, vasculaires, à base plus ou moins large, connues sous le nom de végétations. En étudiant leur structure à l'aide de divers grossissements, on reconnaît que ces productions sont formées exclusivement de cellules et sont de vrais bourgeonnements de la couche épithéliale. Seulement ici les cellules épidermiques, au lieu de s'aplatir, de se tasser, de se dessécher successivement les unes au-dessous des autres, et de former des excroissances dures, restent arrondies, humides, imbibées de sucs, douées d'une grande activité de végétation, et forment un tissu pathologique nouveau, ayant une grande tendance à augmenter toujours de volume, s'il n'est arrêté dans son évolution par un traitement particulier. Cette tendance à l'accroissement est quelquefois telle qu'on voit le vagin, comme la vulve, envahi, encombré par la masse et le nombre de ces végétations. J'ai vu des femmes chez lesquelles il était presque impossible d'introduire un spéculum du plus petit diamètre.

Les productions épithéliales sont toujours vasculaires, plus ou moins, suivant leur activité de végétation. On distingue bien, au centre de chaque groupe, une artériole presque capillaire, prolongement d'une artériole du derme se divisant comme les branches d'un arbre ou les ramifications d'une grappe. Ces divisions sont entourées de petits amas de cellules qui n'y sont pas seulement appendues comme des feuilles aux branches de l'arbre ou des grains de raisin aux ramifications de la grappe, mais qui leur forment une sorte d'étui de plusieurs rangs de cellules, dont la nutrition, pour n'être pas en contact immédiat avec les vaisseaux, ne se fait pas avec moins d'activité, puisque les cellules de la surface bourgeonnent toujours. En même temps que les cellules se multiplient, les divisions vasculaires se prolongent d'elles-mêmes au centre de ces masses cellules, de sorte que ce tissu pathologique s'accroît peu à peu et avec assez de rapidité, à peu près de la même manière que s'accroissent, au moment du développement, les premiers organes de l'embryon. Je n'ai pas besoin de dire comment des cautérisations répétées, coïncidant avec un traitement général antidiathésique, amènent graduellement la destruction de ces végétations même des plus considérables.

Le caractère commun de toutes ces productions épithéliales, c'est de persister, de faire corps avec la membrane muqueuse elle-même, et d'en constituer de véritables excroissances, depuis la plus petite, la plus dure et la plus sèche, jusqu'à la plus grande, la plus molle, la plus vasculaire, la plus végétante.

D'autres fois, les éléments épithéliaux, au lieu de persister, de tenir les uns aux autres et d'adhérer ensemble à la muqueuse, se détachent de celle-ci à mesure qu'ils se produisent, et leur multiplication anormale est suivie d'une desquammation anormale.

Cette multiplication et cette desquammation anormales peuvent s'opérer l'une et l'autre, à un faible degré, par suite d'une irritation légère de la muqueuse. Il en résulte une humidité vaginale plus grande que d'habitude et l'apparition à la vulve d'un peu de liquide blanc laiteux. L'examen au spéculum permet de constater dans tout le vagin la présence de ce liquide, ressemblant à du lait ou à une émulsion refoulée, par l'introduction de l'instrument, entre les rides de la muqueuse vaginale, dans les sillons qui séparent ces rides, ou circulairement au bout du spéculum, et peu à peu de proche en proche, vers les culs-de-sac vagino-utérins. En essuyant la muqueuse avec un tampon de coton, on reconnaît quelquefois qu'elle est un peu plus rouge que d'habitude, mais ce n'est pas constant, et ce faible degré de leucorrhée peut exister sans une rougeur ni une irritation sensible de la membrane.

Si l'irritation est plus forte, si la multiplication et la desquammation anormales de l'épiderme vaginal sont plus considérables, il peut arriver que, dans cette sorte d'excrétion, l'élément solide ou l'élément liquide prédomine :

La prédominance de l'élément solide est généralement l'indice d'un moindre degré d'irritation de la muqueuse. La multiplication des cellules épithéliales est très-considérable, mais ces cellules s'organisent, s'aplatissent, se dessèchent en partie, et quoiqu'elles se détachent en aussi grand nombre et avec autant de rapidité qu'elles se produisent, il n'y a que la couche superficielle qui tombe, la couche profonde reste en place et le derme de la muqueuse n'est guère mis à nu; s'il l'est, c'est rarement, sur quelques points seulement, ou d'une manière exceptionnelle. Déjà pourtant l'irritation de la muqueuse paraît généralement plus forte que dans le cas précédent, et l'on voit, par-ci, par-là, surtout après l'avoir essuyée superficiellement, quelques points rouges correspondant aux papilles hypertrophiées, dominer le reste de la surface blanchi par la couche des débris épithéliaux qui le tapisse, ou trancher par la vivacité de leur couleur sur le rouge moins foncé de la muqueuse qui les environne, et former un degré inférieur ou, en quelque sorte, une ébauche de la forme morbide connue sous le nom de vaginite granuleuse. Le spéculum refoule encore entre les rides du vagin une matière blanche; mais cette matière, au lieu d'être liquide comme du lait ou une émulsion, est mêlée de liquide et de solide, caillebottée, plus ou moins épaisse, comme du fromage, se détachant par petites lames légèrement adhérentes à la surface sous-jacente, ou par petites masses qui s'accumulent dans les anfractuosités du canal.

La prédominance de l'élément liquide est la preuve d'un degré plus grand d'irritation, et quelquefois d'une véritable inflammation de la muqueuse. Il y a alors non-seulement surabondance, exagération de la production épithéliale, mais altération de la sécrétion ou de l'exhalation du plasma qui doit servir à cette production; de sorte que, soit par excès, soit par altération du liquide plastique, une grande partie de celui-ci reste sous la forme fluide, au lieu de s'organiser en cellules. Il y a, par suite, suintement d'un liquide par toute la surface de la muqueuse, écoulement vaginal plus ou moins opaque, en un mot *leucorrhée vaginale* proprement dite.

Ce liquide peut être plus ou moins abondant. Il peut être mêlé à une quantité considérable de débris épithéliaux ou de cellules qui continuent à se multiplier avec excès et qui lui donnent un aspect laiteux ou caillebotté. Il peut être plus clair par la prédominance plus considérable encore de l'élément liquide sur l'élément solide. Mais il est rare qu'alors l'irritation de la muqueuse n'ait pas pris un autre caractère, ou que l'inflammation ne se soit pas emparée de cette membrane, et que la suppuration ne mêle pas ses produits à ceux de l'hyperexhalation, de l'hypersécrétion ou de la desquamation épithéliale. Le liquide est alors composé de sérum, de cellules et de débris d'épithélium et de pus. Il est moins homogène, sa couleur blanche est mélangée d'une teinte jaune, purulente ou verdâtre plus ou moins foncée.

En même temps, la surface sous-jacente offre de la rougeur, une sensibilité beaucoup plus vive et tous les signes d'un véritable état inflammatoire. Tantôt les papilles sont rouges, tuméfiées, très-saillantes, douloureuses même, comme celles de la langue dans les cas d'inflammation de certaines parties de l'appareil digestif, et cet état peut être aigu ou prendre la forme chronique; c'est cette dernière qui a été décrite sous le nom de *vaginite granuleuse*. Tantôt la muqueuse elle-même est privée de son épithélium sur certains points et même dans une grande étendue, quelquefois dans sa totalité; le derme est mis à nu, par plaques circonscrites, ou sur de grandes surfaces, ou sur toute l'étendue du vagin, comme à la suite de l'application d'un vésicatoire; le contact de tout corps étranger est très-douloureux; la douleur spontanée, par le fait même de la maladie, est quelquefois excessive; la sérosité est exhalée en quantité considérable, le pus est sécrété avec abondance, du sang se mêle quelquefois à la sérosité et au pus. Il y a alors une véritable *inflammation:* toute l'épaisseur de la muqueuse, tout le vagin sont envahis, la vaginite s'accompagne de gonflement, souvent d'engorgement ganglionnaire, des ganglions inguinaux si la maladie siége sur la paroi vaginale antérieure, des ganglions pelviens si elle siége surtout sur la paroi postérieure. On peut observer aisément un état analogue à celui-ci, mais limité à une faible étendue; c'est celui qui est produit artificiellement par l'application du vésicatoire sur le col, surtout lorsque l'imperfection du tamponnement ou l'indocilité des malades a permis au vésicatoire de se déplacer et d'atteindre la muqueuse vaginale proprement dite. On voit alors tous les symptômes d'une vaginite circonscrite avec leucorrhée purulente et sanieuse.

VII. Leucorrhée utérine. La leucorrhée utérine, très-rare chez les enfants, est fréquente chez les jeunes filles chlorotiques et chez les femmes soit avant, soit après la grossesse; chez plusieurs elle est abondante avant et après la menstruation. Elle peut être provoquée par les excès vénériens, mais le plus souvent elle est causée et entretenue par une vraie maladie utérine, d'ordinaire par un catarrhe, quelquefois même par une inflammation ou par une affection rhumatismale, dartreuse, blennorrhagique, syphilitique, localisée sur la matrice, ou par la présence d'un polype, de tumeurs fibreuses, de simples granulations, d'un ulcère, etc. La plupart du temps il n'y a ni chaleur, ni douleur, ni aucun autre symptôme de maladie à la vulve, au vagin ou aux parties voisines. Mais il y a fréquemment sentiment de pesanteur dans le bassin, dès douleurs lombaires et hypogastriques presque aussi fréquemment, et des douleurs particulières, des coliques, des tranchées utérines, surtout chez les jeunes filles, correspondant aux contractions par lesquelles l'utérus chasse le flot de liquide qui constitue la perte; c'est dire que la sortie du liquide est intermittente au lieu d'être continue. Alors même que l'orifice utérin est très-large et que le liquide sort sans être chassé par une contraction de la matrice accompagnée de douleurs, le mucus ou le muco-pus est retenu par sa viscosité, et ne se détache de la muqueuse, à laquelle il adhère, que lorsque la masse en est assez forte pour être entraînée par l'effet de son propre poids. Il s'échappe donc de temps en temps de l'utérus, et par suite du vagin, un flot de liquide que la malade sent tomber sur la vulve ou en dehors, si elle n'a déjà senti la douleur expulsive qui a pu en précéder la sortie. Les malades s'observent assez à cet égard pour que l'on puisse obtenir d'elles-mêmes des renseignements utiles sur l'aspect et la consistance de la perte; et en demandant si la matière expulsée est comparable à de la glaire ou à du blanc d'œuf, aux glaires stomacales rendues par le vomissement, au mucus nasal épais et jaune mouché pendant un coryza, aux crachats filants ou épais, blancs, jaunes ou verdâtres expectorés à la suite d'un rhume ou d'un catarrhe bronchique, on provoque ordinairement des réponses qui donnent une idée assez juste de l'abondance, de la viscosité, de la ténacité, de la transparence, de l'opacité ou de la coloration de l'écoulement. Généralement celui-ci est visqueux, gluant, à proprement parler albumineux ou ressemblant à du blanc d'œuf; il peut être même très-cohérent, très-tenace. Il est tantôt transparent, limpide, tantôt trouble, tantôt blanchâtre, et tantôt mélangé de matière jaune ou même verdâtre, suivant qu'il est formé par du mucus pur ou par un mélange de mucus et de pus à proportions variables.

Enfin, il empèse très-fortement le linge et fait des taches plus ou moins rondes, peu larges, très-nettement circonscrites, qui donnent au linge une roideur et une épaisseur considérables, en même temps qu'elles peuvent lui laisser son aspect naturel ou le colorer en jaune ou en vert. Ce dernier cas est assez rare; ce qui est plus rare encore, mais ce qui arrive quelquefois, c'est que le liquide perd de plus en plus sa viscosité et que le mucus, mélangé au pus d'une manière tout à fait intime, constitue une perte homogène, peu persistante, se rapprochant légèrement, par ses caractères physiques, de celle de la vulve ou du vagin. Le docteur Reclam (*Neue Zeitung für Medicin und Medicinareform*, Nordhausen, novembre 1848; Valleix, ouvr. cit., t. V, p. 44) a déjà étudié, il y a quelques années, comparativement, les taches produites sur le linge par le mucus vaginal et par le mucus utérin, et les résultats de ses recherches, fort justes, sont conformes aux résultats plus précis que l'exactitude des études faites dans ces dernières années permet d'obtenir sur ce sujet. Il faut d'ailleurs se rappeler que ces signes caractéristiques cessent de pouvoir être appréciés avec quelque exactitude dans le cas où la malade se livre à un exercice considérable, dans celui où le linge que l'on examine a été porté pendant plus d'un jour ou deux, etc.

Le mucus du col et celui du corps de l'utérus sont tous les deux alcalins et ont une odeur fade spéciale. Celui du col est gluant, tenace, demi-solide plutôt que liquide; l'hypersécrétion en est fréquente. Pendant la grossesse, il est produit en quantité considérable, il est glutineux, plus tenace encore que dans l'état de vacuité, et il oblitère le col de l'utérus. Il ne tient souvent aucun élément anatomique en suspension, sauf quelques cellules prismastiques ciliées; il est entièrement homogène. Celui du corps est visqueux, filant, moins tenace, il contient de nombreux globules épithéliaux, nucléaires, ovoïdes, venant des follicules flexueux de la muqueuse, des cellules épithéliales cylindriques ou prismatiques et vibratiles de la surface même de cette muqueuse, des corps granuleux, etc. Le nombre relativement considérable de ces éléments solides, mêlé au liquide sécrété, en altère quelquefois la transparence et lui donne un aspect grisâtre.

Cette distinction est d'autant plus importante que souvent la leucorrhée utérine est bornée à la muqueuse cervicale.

La maladie qui donne le plus souvent naissance à la leucorrhée utérine est le catarrhe de l'utérus. Nous la décrirons donc ici, en la détachant des affections dont il sera traité à l'article Utérus. (*Voy.* ce mot.)

Catarrhe de l'utérus. Confondu de nos jours avec l'inflammation de la muqueuse utérine et décrit sous le nom de métrite interne ou métrite muqueuse, il s'observe quelquefois à l'état aigu, souvent à l'état chronique; il peut se compliquer d'inflammation, d'érosion, d'ulcération même de la muqueuse, comme il arrive pour les vieux catarrhes bronchiques ou intestinaux. Mais il ne doit pas être pour cela confondu avec ces divers états morbides ou regardé comme en étant uniquement le symptôme ; car il a des caractères distinctifs qui permettent d'établir toujours entre eux et lui un diagnostic différentiel. Ce qui le caractérise, c'est la particularité de sa manifestation, les causes qui le produisent, son mode de développement, l'analogie des complications, la spécialité du traitement.

La particularité de sa manifestation, c'est l'écoulement lui-même ou le flux. Que de fois la muqueuse utérine est enflammée, rouge, douloureuse, même suppurante, comme la muqueuse vaginale, sans fournir pour cela un véritable flux ! Que de fois, au contraire, ce flux existe seul, abondant, rarement purulent, mais souvent muco-purulent ou simplement muqueux, témoignant par son augmentation de l'hypersécrétion glandulaire, fatiguant les malades par sa quantité et par sa persistance, finissant par amener, par l'hypertrophie même des follicules, le gonflement de la muqueuse et l'endolorissement de l'organe ; mais ne s'accompagnant de tuméfaction, de douleur et de symptômes réellement inflammatoires que dans l'état d'acuïté survenu par une invasion brusque, ou à la suite d'une longue durée et par l'effet des altérations organiques, que l'altération fonctionnelle prolongée des follicules détermine dans la structure de la muqueuse elle-même !

Les causes extérieures qui le produisent sont les mêmes que celles qui déterminent habituellement les affections catarrhales localisées sur les autres muqueuses : le coryza, le catarrhe bronchique, le catarrhe intestinal, etc. J'ai vu plusieurs fois des leucorrhées suivre un refroidissement brusque des parties génitales et du bas-ventre survenu chez des femmes en pleine transpiration : les unes s'étant assises dans un lieu frais, sur du gazon, sur une pierre froide ou humide ; d'autres ayant pris intempestivement un bain de siége frais non accompagné de réaction ; d'autres ayant exposé les parties génitales à l'air libre ou sur un siége traversé par un courant d'air froid, pour satisfaire un besoin naturel. J'ai vu des hommes contracter des catarrhes vésicaux et des prostatorrhées par l'action des mêmes causes.

J'ai connu une jeune fille de 20 ans atteinte depuis deux ans d'une leucorrhée vaginale et vulvaire qui a résisté à tous les moyens locaux que l'on a l'habitude d'employer, surtout aux injections astringentes de toute espèce, et qui n'a cédé qu'à l'association d'un traitement général (changement de climat, eau de goudron, ferrugineux, bains sulfureux, hydrothérapie), avec un traitement local énergique (badigeonnage quotidien avec une solution forte de nitrate d'argent). Ce n'est point de la guérison de cette malade que je veux parler, mais de la nature de sa maladie. Or, je puis affirmer que jamais affection catarrhale chronique, associée à un certain degré d'herpétisme, ne fut mieux caractérisée que celle qui paraissait entretenir la maladie de cette jeune fille : tempérament lymphatique, délicatesse des muqueuses, rougeur et injection vasculaire souvent considérables de ces membranes, par exemple de la muqueuse buccale, de celle des lèvres, qui se gonflaient facilement et laissaient même fendiller leur revêtement épithélial, de celle du nez, du pharynx, des bronches, fournissant toujours un peu de mucus, et développement du système des glandes sébacées de la peau, dont l'aspect ponctué et la facilité à se couvrir de boutons d'acné témoignaient de la disposition morbide de ces organes à fonctionner ; enfin éruptions érythémateuses ou herpétiques rares, sur divers points, autour des boutons d'acné, à la commissure des lèvres, sur les fesses ou à la face interne des cuisses ; rougeur des orifices des glandes vulvaires, leucorrhée muco-purulente abondante, variable en intensité d'un jour à l'autre, mais surtout, et c'est là un point essentiel, subissant au plus haut degré l'influence des variations du temps, diminution de l'écoulement et principalement des douleurs par les temps secs et chauds, augmentation subite de la douleur, de la chaleur, de la turgescence et de l'écoulement par le passage du beau temps au froid humide. Vingt fois j'ai observé ces différences; je ne pouvais d'abord me décider à les admettre aussi tranchées que la malade me l'avait assuré, et j'ai toujours constaté la réalité de ses assertions. C'est là le cas le plus accentué que j'aie rencontré; mais les faits du même genre, quoique moins déterminés, ne sont pas rares.

L'influence de ces causes est encore plus marquée lorsqu'elle se fait ressentir à la fois sur un grand nombre de femmes et en quelque sorte d'une manière épidémique. A Paris, quand le pont des Arts fut achevé, dit Troussel (*Des écoulements particuliers aux femmes*, Paris, 1842), il devint de mode d'en faire un lieu de promenade et de réunion. Les dames vinrent s'y asseoir, comme dans nos jardins publics, après le coucher du soleil; aussi furent-elles atteintes par l'air frais et humide du fleuve, qui occasionna une espèce d'épidémie de leucorrhée. On trouve des preuves du caractère épidémique que présente parfois le catarrhe utérin, dans l'ouvrage de M. Blatin et dans l'article Leucorrhée, du *Dictionnaire des sciences médicales*, où l'on rappelle les faits observés par les médecins de Breslau, en 1702, par Morgagni en Italie, en 1710, par Bassius à Halle de Magdebourg, en 1730, par Raullin à Paris en 1765, par Leake, en Angleterre, concuremment avec des catarrhes, des angines et des diarrhées; on peut y lire aussi les observations faites à Berlin en 1712, et en France par Roux en 1769.

Son mode de développement présente ceci de particulier, que souvent l'établissement du flux utérin dépend de dispositions personnelles, d'une constitution faible, d'un tempérament lymphatique, d'une susceptibilité avérée des muqueuses, enfin d'une impressionnabilité constatée à l'action du froid humide et des variations brusques de la température ou de l'état hygrométrique de l'air, et qu'il est déterminé par l'action des causes externes dont je viens de parler, c'est-à-dire des circonstances qui engendrent l'affection catarrhale et qui en produisent la localisation sur les muqueuses nasale, bronchique, vésicale, intestinale, etc.

L'analogie des complications rend les caractères du flux catarrhal encore plus évidents chez un certain nombre de malades. Par exemple, il en est qui sont atteintes avant ou depuis leur maladie utérine de douleurs rhumatismales, de névralgies, de douleurs articulaires; d'autres dont la leucorrhée s'accompagne d'entérite glaireuse, de catarrhe vésical ou bronchique; d'autres dont le flux utérin peut diminuer, se supprimer momentanément pour reparaître plus tard, et semble alterner avec l'augmentation ou la diminution d'un autre flux ou de toute autre manifestation concomitante d'affection catarrhale ou rhumatismale. J'ai vu d'assez nombreux exemples de ces coïncidences du catarrhe utérin avec des maladies d'une nature analogue, pour y attacher l'importance qu'elles méritent au point de vue du diagnostic.

Le traitement ne témoigne pas moins que les caractères précédents, de la spécialité du catarrhe utérin. On peut être obligé de combattre l'inflammation qui le complique souvent, soit au début, par suite de la soudaineté et de l'intensité d'action de la cause déterminante, soit à l'état chronique, par suite de l'incurie des malades et de la durée du mal. Mais on ne guérit pas pour cela le catarrhe par des antiphlogistiques. J'ai vu maintes fois les antiphlogistiques, appliqués intempestivement, augmenter le mal au lieu de le diminuer, et jeter les malades dans un état de faiblesse et de langueur au milieu duquel le flux utérin ne faisait que s'accroître et s'aggraver. Au contraire, le changement de climat, l'action d'un air vif, sec et suffisamment chaud, les révulsifs, les toniques, les reconstituants, les balsamiques, les astringents, enfin les topiques propres à modifier l'état anatomique et la vitalité de la surface sécrétante, produisent les résultats les plus avantageux, font cesser les douleurs en même temps que le flux, et fournissent la meilleure preuve que l'inflammation n'est pas dans ce cas la cause prochaine de la leucorrhée.

Le *catarrhe utérin aigu* peut être compliqué d'un certain degré d'inflammation. La muqueuse de la matrice, atteinte par l'impression de la cause qui produit la maladie, commence par être douloureuse, mais dans le premier moment la sécrétion semble diminuer au lieu d'augmenter. A mesure que la réaction se fait, qu'un léger mouvement fébrile s'établit, l'hypersécrétion commence, et elle prend plus ou moins d'intensité ou se trouve plus ou moins altérée, suivant les cas.

La douleur est surtout hypogastrique; elle s'accompagne de chaleur et d'embarras pelviens, même de douleur pendant la défécation et la miction, et revêt par instants le caractère de tranchées ou de contractions utérines.

Le *catarrhe utérin chronique* succède au premier ou débute sous cette forme; il succède aussi quelquefois à la métrite, qui développe sur les glandes utérines la tendance à l'hypersécrétion favorisée ou préparée par une disposition générale.

Les signes subjectifs sont les suivants : En première ligne, l'hypersécrétion, l'écoulement qui y succède, dont j'ai parlé plus haut; cet écoulement semble plus débilitant pour les malades que l'écoulement vaginal, et parfois, lorsqu'il est abondant, il coïncide avec une irritation, qui de la muqueuse utérine gagne la muqueuse vaginale, la vulve, la face interne des cuisses, où elle produit de la cuisson, une sorte d'érythème et même une desquamation épithéliale légère. Puis viennent des altérations de menstruation, habituellement de la dysménorrhée, exceptionnellement de la métrorrhagie; dans ce dernier cas, il est rare qu'il n'y ait pas quelque altération de la muqueuse, symptomatique d'un état morbide concomitant, tel qu'ulcération, granulations, fongosités. Il existe des douleurs qui partent du sacrum pour aboutir aux aines et aux pubis, qui s'accompagnent de tranchées utérines précédant l'expulsion du muco-pus accumulé dans la cavité utérine, et qui se compliquent après un certain temps d'un sentiment de gêne, de pesanteur, de plénitude pelviennes. Souvent une impression sur un autre point du corps, une sensation brusque de froid, celle que donne seulement un marbre sur lequel la malade appuie la main, retentit dans l'utérus, y éveille une douleur qui semblait sommeiller, et y détermine une hypersécrétion avec expulsion du mucus. Bientôt à ces douleurs s'ajoutent de la gastralgie, une sensation de fatigue et de tiraillement s'étendant de l'épigastre à la région dorsale entre les deux épaules, résultant du dérangement des fonctions digestives, de l'affaiblissement général qui y succède, de la chlorose, de la chloro-anémie, qui en est la conséquence. Les accidents dyspeptiques se développent; des renvois, des aigreurs, des vomissements, le ballonnement du ventre, sont souvent suivis de constipation ou de catarrhe vers la partie inférieure de l'intestin, de garde-robes douloureuses, de ténesme, de glaires rendues avec les fèces; les urines deviennent aussi troubles, chargées, muco-purulentes, la miction est douloureuse. L'amaigrissement, la langueur, la tristesse complètent le tableau.

Les signes objectifs sont : de la tension et de la rénitence à l'hypogastre, de la sensibilité au col de l'utérus; le doigt qui pratique le toucher ramène un mucus glaireux ou purulent, caractéristique; il y a souvent de la flaccidité des parois utérines, quelquefois augmentation de volume du col et du corps; ce dernier devient globuleux, surtout lorsque par l'occlusion des orifices résultant du gonflement de la muqueuse ou par leur oblitération due à la formation de brides ou à l'adhérence de surfaces ulcérées, les produits de sécrétion s'accumulent, et sont retenus dans la cavité utérine. La sonde utérine creuse pénètre avec quelque difficulté; mais une fois arrivée, elle est mobile en tous sens, et témoigne d'une augmentation de capacité de la cavité de la matrice; elle laisse quelquefois couler du mucus très-fluide par son canal.

Des exulcérations fréquentes s'observent sur le museau de tanche, au bord même de l'orifice et particulièrement sur la lèvre inférieure, phénomène qui peut tenir à une macération de l'épithélium par les mucosités, comme M. Gosselin l'a fait remarquer (*De la valeur symptomatique des ulcérations du col utérin, Arch. génér. de méd.*, 4e série, t. II, p. 129; 1845), mais qui peut aussi provenir d'une complication, comme cela me paraît évident pour des altérations plus sérieuses, telles que les granulations, les fongosités et les kystes folliculaires.

Je pense avec M. Scanzoni (ouv. cit., p. 155), que la leucorrhée persistante, comme la congestion utérine qui l'accompagne souvent, peut très-bien, par l'irritation qu'elle entretient dans l'organe et surtout sur sa muqueuse, par l'exagération de circulation qu'elle provoque forcément, amener à la longue, la métrite chronique, les ulcérations, les granulations, le développement des fongosités utérines, les kystes folliculaires, la formation des corps fibreux, etc. Mais de là à produire directement ces altérations, ou seulement quelques-unes, comme le veut M. Tyler-Smith, il y a loin. La leucorrhée catarrhale est plus rare au vagin qu'à l'utérus; cependant elle peut se manifester sur le premier de ces organes, elle peut succéder à une vaginite franche; elle peut, surtout à l'état aigu, exister simultanément sur l'un et sur l'autre.

Il en est de même de la *leucorrhée rhumatismale*. Cette espèce de leucorrhée n'a pas d'ailleurs de caractère pathognomonique. On doit la reconnaître ou la soupçonner par l'état général plutôt que par des symptômes locaux ou des signes propres.

VIII. Traitement de la leucorrhée aiguë. Cette maladie, surtout la leucorrhée catarrhale aiguë, peut guérir spontanément comme le catarrhe aigu de tout autre organe. Il ne faut pas pour cela l'abandonner à sa marche naturelle et négliger de la traiter; car elle a souvent de la tendance, et dans tous les cas, une grande facilité à passer à l'état chronique; or la leucorrhée chronique est une des maladies les plus rebelles, comme le catarrhe vésical, comme le catarrhe bronchique, comme la diarrhée, comme presque tous les autres flux chroniques. Elle produit peu à peu des troubles digestifs; l'appauvrissement du sang, l'amaigrissement, le dépérissement des malades. Ces tristes résultats ne tardent pas à se manifester par un état de langueur, par la pâleur du visage et par cette altération des traits et du teint dont l'ensemble est désigné sous le nom de *facies utérin*.

Il faut donc que le médecin comprenne et fasse comprendre à la malade l'urgence d'un traitement persévérant et prolongé. La nécessité de la cure n'est pas seulement indiquée par la difficulté d'atteindre la guérison, elle l'est encore par la fréquence des rechutes. La leucorrhée paraît quelquefois céder au traitement, et l'on peut se flatter d'avoir obtenu un succès ; mais elle ne cesse pendant quelques jours ou quelques semaines que pour reparaître avec une intensité nouvelle et une ténacité plus grande, soit à l'occasion du retour des règles, soit à la suite d'une excitation, d'une fatigue quelconque des organes génitaux. J'ai vu des cas de ce genre, vraiment désespérants, dans lesquels la persistance de la maladie et la fréquence des retours, comparables à ceux des écoulements uréthraux chez l'homme, semblait défier toutes les ressources de l'art. Cette ténacité tient habituellement à l'existence d'une affection diathésique et à la négligence des femmes. Mais quoi qu'il en soit, la maladie puise alors dans sa chronicité même de nouvelles conditions favorables à sa persistance et à sa durée.

Quand la guérison est enfin obtenue, il faut s'attacher à prévenir par une bonne hygiène le retour de la maladie. On ne saurait trop consolider la santé par le séjour à la campagne, les toniques, les amers, les ferrugineux, les bains de mer ou de rivière, l'hydrothérapie, la longue continuation des irrigations, des injections astringentes, une propreté soigneusement entretenue; enfin la privation des excès vénériens, et quelquefois même la continence absolue. Pour obtenir satisfaction sur ce dernier point, il est souvent nécessaire de séparer les époux, et l'on se trouve bien de prescrire à la malade un voyage, surtout si ce voyage a un but hygiénique apparent, en même temps que réel, par exemple de l'envoyer à des eaux minérales ferrugineuses, dans un établissement hydrothérapique ou aux bains de mer.

Il est des leucorrhées qu'il faut traiter avec plus de rapidité et de ténacité encore que la leucorrhée catarrhale à laquelle s'appliquent surtout les réflexions précédentes ; je veux parler de la leucorrhée vulvaire des enfants qu'il faut se hâter de guérir, pour éviter que les petites malades, en portant instinctivement les mains aux parties génitales, n'entretiennent ou n'augmentent le mal, et qu'elles ne contractent la funeste habitude de la masturbation.

Par contre, il est des leucorrhées qu'il ne faut pas traiter, ou ne traiter que par des soins de propreté nécessaires pour pallier le mal en diminuant la douleur, les cuissons, le prurit qu'il occasionne ; ce sont les leucorrhées qui existent chez les femmes phthisiques, que ces leucorrhées soient symptomatiques de la phthisie ou d'une tuberculisation utérine, ou qu'elles soient entretenues simplement par l'atonie et la débilité des malades. Elles jouent le rôle de la fistule à l'anus ou d'un exutoire artificiel. La présence en est souvent utile aux tuberculeuses ; leur suppression aggrave parfois les accidents pulmonaires, et précipite la fin des malades. La plupart des praticiens sont d'accord à cet égard. Lagneau, après les anciens médecins, a insisté sur ce fait, et Lisfranc (*Clinique chirurgicale*, t. II, p. 500) y est revenu avec l'énergie de paroles qui peint habituellement l'énergie de ses convictions : « J'ai observé, dit-il, un grand nombre de femmes, chez lesquelles les pertes blanches diminuaient ou suspendaient les progrès de la phthisie pulmonaire, quelquefois même cette affreuse maladie était amendée ; de là naît, nous ne saurions trop le dire, l'impérieuse, l'indispensable, l'absolue nécessité de respecter les écoulements blancs, lorsque quelque affection morbide viscérale existe. »

Le traitement de la leucorrhée aiguë doit presque toujours être à la fois général et local.

Le *traitement général* est beaucoup plus important qu'on ne paraît porté à le croire : il est presque impossible de guérir une leucorrhée sans y recourir, et dans certains cas à lui seul il est suffisant.

C'est ce qui a lieu dans les cas de leucorrhée liée à une altération fonctionnelle chez les chlorotiques. On peut se dispenser alors de recourir aux injections, aux divers topiques, à la cautérisation utérine. Il suffit de combattre la névrose par les sédatifs, les antispasmodiques, les toniques, de redonner au sang les éléments qui lui manquent, d'en refaire la richesse par le rétablissement des fonctions digestives et l'administration méthodique des préparations ferrugineuses, de favoriser la reconstitution du système par les bains ferrugineux et l'hydrothérapie, pour amener la disparition graduelle de la leucorrhée et pour voir le rétablissement de la menstruation donner la meilleure garantie de la guérison.

Le traitement général suffit même le plus souvent dans la leucorrhée catarrhale aiguë. On se borne à écarter les causes de la maladie ; à en combattre les complications, notamment l'inflammation, si elle existe, par le repos et les émollients, sinon par les antiphlogistiques, par exemple, par les grands bains, les bains de siége, les irrigations tièdes et calmantes, les lavements ; à éviter le refroidissement, et surtout les changements brusques de température, en revêtant le corps de flanelle, en pratiquant des frictions sèches sur toute la surface de la peau ; à soutenir les forces par une alimentation tonique, mais non excitante.

Ces moyens ne sauraient cependant constituer toujours tout le traitement général, même dans les cas de simple leucorrhée catarrhale aiguë. Il faut chercher parfois à obtenir une crise, comme dans le traitement du catarrhe bronchique. La peau, par sa grande étendue et par l'influence qu'elle a pu prendre au développement du catarrhe, en subissant un refroidissement, paraît l'organe le plus favorable à l'établissement de cette crise. Dans ce but, on emploie les diaphorétiques, on cherche à porter les mouvements au dehors, à exciter la transpiration.

Si la leucorrhée persiste et menace de passer à l'état chronique, on transforme cette action diaphorétique, cette révulsion par les sueurs, en véritable révulsion irritative ou séreuse, par l'emploi des frictions sèches ou excitantes sur toute la surface du corps, des rubéfiants, des épispastiques, des vésicatoires volants, ou tout au moins des frictions avec l'huile de croton tiglium, de manière à obtenir une éruption miliaire qu'on recouvre d'un papier adhésif, pour épargner à la malade une trop vive douleur. Si la révulsion cutanée est insuffisante on y joint, la révulsion intestinale, par les purgatifs administrés à plusieurs reprises, comme je vais le dire en parlant de leur emploi dans la leucorrhée chronique.

Il faut soutenir la guérison obtenue assez promptement de cette manière, par les moyens propres à combattre la faiblesse qui succède nécessairement à la leucorrhée et au traitement, et qui prédispose tant la malade aux rechutes et surtout la maladie à la chronicité ; c'est-à-dire par les préparations ferrugineuses, les lotions générales à l'eau froide, les bains de siége suivis de frictions sèches, le séjour à la campagne.

Il faut enfin, pour hâter la guérison et empêcher le passage à l'état chronique, soutenir l'action des moyens généraux par *des topiques* astringents : des injections tièdes, détersives ou légèrement astringentes (feuilles de noyer, tannin, coaltar, sulfate de zinc ou de cuivre, alun) ; des poudres inertes ou astringentes comme le sous nitrate de bismuth, l'alun seul ou mélangé avec de l'amidon, portées dans le vagin directement, par insufflation ou au centre d'un tampon ; le badigeonnage avec la solution faible de nitrate d'argent ou de teinture d'iode, versée au fond du spéculum. Mais ces derniers moyens héroïques contre la leucorrhée chronique, doivent être employés avec une grande réserve et de la manière la plus opportune dans la leucorrhée aiguë.

IX. Traitement de la leucorrhée chronique. Cette maladie succède quelquefois à la leucorrhée aiguë, mais elle est souvent chronique d'emblée ou primitivement; elle affecte, dès son apparition, ce caractère, qui la distingue nettement de la leucorrhée aiguë au point de vue des indications, qui témoigne presque indubitablement de l'influence directe exercée sur son existence par un état général, une affection ou une vraie diathèse, et qui démontre, en quelque sorte, la nécessité de l'attaquer par un *traitement* également *général*. Ce n'est pas qu'une diathèse lui ait nécessairement donné naissance : le défaut et le dérangement de la menstruation, une grossesse, un avortement, un accouchement, une excitation physiologique, des excès, une irritation mécanique, l'invasion brusque d'une affection catarrhale aiguë, ont souvent été son point de départ ; mais une diathèse dont l'existence latente était passée jusque-là inaperçue, trouvant dans cet état morbide une occasion de se localiser, ne tarde pas à se substituer à la cause occasionnelle dont l'action est bientôt épuisée, à imprimer à la leucorrhée son caractère, sinon apparent, du moins intime, à lui donner sa propre nature et à devenir bientôt, avec l'altération de tissu qui dépend de la durée même du mal, la cause principale et, pour ainsi dire, unique de sa persistance.

Quel que soit le point envahi par un acte pathologique quelconque, quelque resserré que soit l'espace sur lequel son évolution s'accomplit, quelque légers que soient les symptômes qui en trahissent la présence, une affection préexistante profite presque toujours de cette issue pour cesser d'être latente, se manifester au dehors et former, sinon la nature même de l'état morbide, du moins une de ses plus graves complications. Ainsi, alors même qu'elle ne serait pas diathésique dans le principe, la leucorrhée ne tarde pas à le devenir.

Ce qui se passe chez la femme à propos de la leucorrhée, je ne puis mieux le comparer qu'à ce qui se passe chez l'homme à propos des écoulements chroniques de l'urèthre et de la prostate. Rien n'est plus facile et souvent plus prompt à guérir qu'un écoulement uréthral chez un homme sain, bien constitué et indemne de toute affection morbide; rien n'est plus difficile et plus long à guérir qu'un écoulement uréthral chez un catarrheux, un rhumatisant, un goutteux, un dartreux, un scrofuleux. J'ai vu tant d'exemples, dans l'un et l'autre sexe, des difficultés que présente la guérison des écoulements chez de pareils sujets, de la nécessité qu'il y a de recourir aux antidiathésiques, aux reconstituants, de l'insuffisance des traitements locaux employés seuls, de la réussite de ces mêmes traitements lorsqu'ils sont précédés ou préparés par des traitements généraux, que je n'hésite pas à dire que là est le véritable secret du traitement et de la guérison de ces maladies.

Les affections qui exercent le plus d'influence sur la durée de la leucorrhée peuvent se ranger, quant à leur fréquence, à peu près dans l'ordre suivant : chlorose, chloro-anémie, catarrhe et rhumatisme, diathèse dartreuse, scrofuleuse, syphilitique. Chacune d'elles devient la source d'une indication spéciale quelquefois spécifique, et c'est ainsi que le fer, les altérants, l'iode, le mercure, l'arsenic, etc., peuvent être administrés avec succès, dans le traitement de la leucorrhée, suivant la nature de l'affection qui entretient cet état morbide. Je n'ai rien à dire ici de particulier sur leur mode d'emploi. Je me contenterai de passer en revue les moyens qui sont le plus habituellement employés, et qui répondent à la fois aux indications spéciales relevant du siége (muqueuse utéro-vaginale) et du caractère particulier (flux, hypersécrétion) de l'état morbide.

A la tête de ces moyens, il faut placer les reconstituants, l'alimentation analeptique, les toniques, le quinquina, le fer[1], les changements de genre de vie, le séjour à la campagne, et surtout le changement de climat. J'ai vu des exemples frappants de l'influence que ce dernier moyen exerce sur la guérison de la leucorrhée; il n'agit pas seulement comme moyen de distraction ou de tonification, par l'exercice qu'il entraîne et les réactions qu'il provoque, mais encore comme modificateur puissant, lorsque la malade passe d'un climat froid et humide, qui prédispose à la leucorrhée et aux catarrhes, dans un climat sec et chaud favorable à leur traitement. En concourant avec les autres moyens à la guérison de la leucorrhée, le changement de climat rend efficaces des médications jusque-là infructueuses, et j'ai vu un grand nombre de malades, par l'influence seule des mêmes moyens qui leur avaient été vainement administrés pendant longtemps sous d'autres latitudes, éprouver dans le Midi, en quelques semaines, une amélioration aussi rapide qu'inespérée, bientôt suivie d'une guérison définitive.

Les balsamiques, la tisane de bourgeons de sapin, les pilules de térébenthine, l'eau de goudron coupée avec du vin au repas, agissent sur la leucorrhée, comme sur tous les flux, comme sur toutes les autres maladies catarrhales par le fond ou par l'affection, par la forme ou l'hypersécrétion muqueuse. J'ai l'habitude de prescrire surtout l'eau de goudron, et avec succès; il est aisé de vaincre la répugnance des malades pour cette boisson en ayant soin de la mêler d'abord par très-petites quantités à de l'eau de Seltz, et d'en augmenter progressivement la dose, tandis qu'on diminue graduellement celle de l'eau de Seltz. Il ne faudrait pas croire qu'ils agissent comme spécifiques, qu'ils aient une action élective sur la muqueuse utérine, et qu'ils soient efficaces contre la leucorrhée comme ils le sont contre les écoulements uréthraux chez l'homme. Il ne faut pas attendre du baume de copahu, par exemple, la guérison, je ne dis pas de la leucorrhée, mais de la blennorrhagie vaginale, pas même de la blennorrhagie uréthrale. Le copahu est entraîné par les urines, et des expériences démonstratives prouvent que c'est le passage même des urines qui imprime aux follicules de l'urèthre, chez l'homme, la modification dont l'heureuse influence en suspend l'hypersécrétion. Il ne peut en être ainsi chez la femme, car le copahu ne peut être transporté en nature, ni par aucune sécrétion, sur la muqueuse utéro-vaginale; il n'agit même guère sur la muqueuse uréthrale, soit à cause de son peu d'étendue, soit à cause de la disposition ou de la direction particulière aux canaux excréteurs de ses glandes. Pourtant, des médecins dignes de foi assurent avoir vu le copahu, le matico, sans doute par le même mode d'action que les autres balsamiques, exercer une heureuse influence sur la leucorrhée vagino-utérine.

Le seigle ergoté a une action plus directe sur l'utérus; il a été employé avec succès. Bazzoni (Omodei, *Annali di medicina,* mai 1831) le recommande contre la leucorrhée chronique, à la dose de 4 grammes en décoction dans 250 grammes d'eau, en deux doses, la moitié le premier jour, l'autre moitié le second; rarement, dit-il, on est forcé d'en prendre davantage. Il est évident qu'il suffit de le prendre à la manière commune, en poudre, de six en six heures, à doses plus

[1] Parmi les préparations de fer, les plus vantées par M. Tyler-Smith sont: le sesquichlorure, et surtout les *sulfates ferrico-potassique* et *ferrico-ammonique*, présentés à la Société de pharmacie de Londres, par M. Lindsey Blith, en 1853, et très-employés en Angleterre sous le nom de *Iron alums*, aluns de fer. On prétend qu'ils sont plus astringents que l'alun à base d'alumine, et qu'ils n'ont pas les propriétés excitantes des autres ferrugineux. M. Tyler-Smith préfère l'alun de fer ammonique à l'alun de fer potassique, parce qu'il est plus soluble. Il l'administre à la dose de 15 à 30 centigr. dans un véhicule approprié, ou simplement dans de l'eau, trois fois par jour. (Tyler-Smith, *On leucorrhea*, p. 190.)

ou moins élevées. Il est évident aussi qu'il peut, à titre d'adjuvant, rendre de grands services, dans les cas où la cavité interne de l'utérus est le siége de la sécrétion, en excitant la contractilité affaiblie des parois de cette cavité.

Les eaux minérales, souvent conseillées, n'ont pas toujours une grande efficacité. Les bains ferrugineux naturels ou artificiels, très-vantés par quelques médecins, par exemple par Aran, sont utiles dans les cas de leucorrhée chlorotique; mais pour peu qu'il se joigne à la chlorose une autre diathèse qui n'éprouve pas par leur usage une heureuse modification, ils peuvent être plus nuisibles qu'utiles. J'ai vu quelques malades, même chlorotiques, à qui ils n'ont assurément fait aucun bien, tandis que les eaux alcalines, surtout les eaux sulfureuses, les bains de mer, etc., leur ont été plus tard très-utiles. Il faut donc savoir tâter le terrain dans ces cas douteux, et ne pas s'obstiner à employer un moyen justement vanté sans doute, mais dont l'efficacité a des limites.

L'hydrothérapie est d'une utilité beaucoup plus générale dans le traitement de la leucorrhée. Dans le catarrhe utérin franchement chronique, l'eau froide employée sous toutes les formes et les réactions graduées et énergiques que son application méthodique provoque, produisent des résultats souvent inespérés et vraiment héroïques. C'est le meilleur révulsif et le meilleur tonique en même temps; aussi on ne saurait trop varier, multiplier et prolonger l'emploi des moyens hydrothérapiques contre cette maladie souvent si rebelle. Au besoin on fait précéder les douches de bains de vapeur, qui déterminent une révulsion sur une large surface et qui, en provoquant par des sudations abondantes le rétablissement des fonctions de la peau, déplacent, en quelque sorte, l'habitude morbide et substituent la transpiration cutanée au flux leucorrhéique. Il faut seulement se garder d'affaiblir les malades par une médication qui serait débilitante, si l'on n'avait le soin de la faire suivre d'un régime et d'un traitement propres à tonifier le système et à en relever les forces.

Lorsque les bains de vapeur, les frictions sèches générales, l'hydrothérapie sont contre-indiqués, on peut avoir recours à la révulsion produite sur le tube digestif par les purgatifs, ou sur la peau par les épispastiques. Je ne trouve généralement aucun avantage à employer ce mode de révulsion, j'y reconnais des inconvénients assez notables pour ne pas l'adopter en principe. Ainsi, les malades atteintes de leucorrhée chronique, étant généralement faibles, dyspeptiques, gastralgiques, etc., ne peuvent éprouver par l'usage des purgatifs qu'une augmentation de faiblesse, une irritation des intestins peu favorables à leur rétablissement. Les épispastiques cutanés les irritent aussi quelquefois beaucoup, par la douleur qu'ils causent et le repos qu'ils imposent, surtout lorsqu'on les met sur le ventre. Je ne parle pas des exutoires, car ils peuvent être le plus souvent remplacés avantageusement par les frictions longtemps continuées, et ils ne produisent que très-rarement les bons effets qu'on en espère.

Je n'use donc des purgatifs que dans de rares occasions, à la fin de la leucorrhée aiguë, pour en prévenir le passage à l'état chronique; ou pendant le traitement de celle-ci, à titre de laxatifs, destinés à entretenir la liberté du ventre, pour augmenter l'appétit languissant et stimuler les digestions paresseuses, plutôt qu'à titre de révulsifs sur un organe qui doit être particulièrement ménagé. Est-ce par l'aloès ou par les résines qu'elles renfermaient, c'est-à-dire comme purgatifs ou comme balsamiques, que les fameuses pilules de Stahl (*Collegium casuale magnum*, cas. 19. Leipzig, 1733), composées de gomme ammoniaque, de myrrhe, d'aloès, de gomme de lierre, etc., agissaient dans le traitement de la leucorrhée et avaient mérité la confiance de leur illustre auteur?

L'aloès a été administré de nouveau dans ces derniers temps, mais d'une autre façon. Schœnbein et Aran (*Bulletin de thérapeutique*, t. LIV, p. 193. *Maladies de l'utérus*, p. 464) ont recommandé des lavements contenant de l'aloès suspendu dans une sorte de mucilage de savon et d'eau. La formule à laquelle je me suis arrêté, dit Aran, est la suivante :

Aloès	5 grammes.
Savon médicinal	5 —
Eau bouillante.	100 —

Laissez refroidir. A prendre en une seule fois, le soir en se couchant, après avoir débarrassé l'intestin par un grand lavement tiède. Les effets en sont d'autant plus remarquables que les malades les gardent plus longtemps. On peut en faire prendre un tous les jours ou tous les deux jours, jusqu'à ce qu'il survienne de l'irritation au rectum ou à l'anus; on suspend alors, pour recommencer quelques jours après, si l'écoulement a été modifié. Ils ne conviennent, pour déraciner le catarrhe utérin chronique, que lorsque tous les phénomènes congestifs ou inflammatoires sont tombés. Leur action paraît d'autant plus certaine que l'écoulement se rapproche du caractère aqueux. J'ai essayé ce moyen : il est désagréable pour les malades, il cause assez souvent de l'irritation au rectum et à l'anus, il ne peut pas toujours être continué, il donne enfin des résultats incertains et paraît n'être efficace que dans des cas très-rares.

Les malades acceptent difficilement l'application des vésicatoires sur le ventre. Si le mode de révulsion qu'ils déterminent paraît indiqué, je leur préfère les frictions avec l'huile de croton sur l'hypogastre, en ayant soin de couvrir la partie huilée avec un papier adhésif. Mais, si je rejette l'application des vésicatoires sur la peau de l'abdomen, il n'en est pas de même de leur application sur le col de l'utérus dans le cas de leucorrhée utérine, et surtout de leucorrhée de la muqueuse du corps. Il est bien entendu qu'il n'existe aucun écoulement à la vulve, ni au vagin, et que le col lui-même est à peu près sain, simplement engorgé, ou du moins qu'il n'est pas le siége principal de l'écoulement. Le vésicatoire est appliqué suivant les règles précédemment posées. Un seul vésicatoire ne suffit pas pour la guérison, il faut presque toujours en mettre un deuxième, souvent un troisième et quelquefois un quatrième, à quinze jours d'intervalle l'un de l'autre, en prévenant par le repos, les bains et les émollients, l'inflammation aiguë qu'ils pourraient développer, et continuant le traitement général commencé, autant que l'application de ce topique le permet. Il n'est pas besoin de dire qu'il faut s'en abstenir à l'époque menstruelle. Je puis assurer avoir obtenu, par ce mode de traitement, des guérisons inespérées. Ce n'est pas que je ne lui en préfère habituellement bien d'autres; mais quand diverses circonstances, venant du sujet ou du dehors, s'opposent à ce que l'on emploie l'hydrothérapie, les eaux minérales, etc., comme cela m'est arrivé souvent pour mes malades d'hôpital, je crois qu'on trouve dans ce moyen de grandes ressources pour la guérison des leucorrhées rebelles.

Nous sommes arrivés ainsi par degrés et, pour ainsi dire, d'une manière insensible au *Traitement local* de la leucorrhée chronique. Ce traitement doit s'associer souvent au traitement général; mais sauf les injections émollientes ou détersives, sauf les lotions ou les irrigations simples, qu'on se trouve bien de combiner avec le traitement général, comme moyen d'entretenir simplement la propreté et d'apaiser l'irritation, l'emploi des topiques doit être généralement renvoyé à l'époque où la constitution est assez heureusement modifiée pour faire espérer qu'une action locale décisive pourra suspendre l'écoulement.

Ces topiques sont les injections, les poudres, les applications diverses, pour les leucorrhées vulvaires et vaginales ; les injections et surtout la cautérisation intra-utérine, pour la leucorrhée utérine. Ils ont pour but de modifier directement la surface de la membrane, la cavité des follicules qui sont le siége des flux muqueux, en un mot l'état morbide local, qui semble entretenir à lui seul l'écoulement, comme par une habitude d'hypersécrétion contractée à la longue.

Les injections doivent être habituellement toniques, astringentes, cathérétiques, caustiques même. On se trouve bien de les faire quelquefois avec les eaux mêmes des bains minéraux, pendant la durée du bain, par exemple avec les eaux ferrugineuses ou sulfureuses. D'autres fois on se sert de liquides préparés *ad hoc;* je conseille toujours de les employer sous la forme de lotions, c'est-à-dire de substituer la lotion proprement dite à l'injection. Après avoir lotionné le vagin avec de l'eau pure ou légèrement savonneuse, on le lotionne avec une solution de coaltar, une décoction de tannin, ou de noix de galle, ou d'écorce de chêne, ou de roses de Provins, avec une solution d'alun (15 à 50 grammes dans 1 litre d'eau), ou de sulfate de zinc (mêmes doses), ou des deux substances à parts égales, ou de sulfate de cuivre (2 à 5 grammes par litre), etc. On comprend que ces injections peuvent être variées à l'infini ; je n'ai cité que les plus usitées.

Au lieu d'injections, on a proposé de porter les astringents ou les légers caustiques sous la forme de pommades ou de poudres. L'action des pommades est incertaine, et la présence des corps gras dans le vagin n'est pas favorable à la guérison de la leucorrhée. Quant aux poudres, c'est autre chose : elles absorbent le liquide, ou elles sont dissoutes peu à peu et impressionnent d'une manière continue les tissus avec lesquels cette dissolution les met en contact. Le meilleur topique de cette espèce est le sous-nitrate de bismuth, et la meilleure manière de l'appliquer est de la porter au fond du spéculum et d'en poudrer les surfaces malades. Quelquefois on a employé des sachets contenant des poudres inertes et astringentes ; d'autrefois on a jeté ou insufflé ces poudres dans le fond du spéculum, ou bien on les a portées, à l'aide de cet instrument, au fond du vagin, dans le cul-de-sac postérieur, en les enfermant dans un tampon de coton ou de ouate. Ce dernier moyen est un des meilleurs, je le préfère même au tampon imbibé de solutions astringentes ou caustiques, parce qu'il est à la fois absorbant et modificateur; j'avoue pourtant que j'aime mieux encore ne laisser aucun de ces corps étrangers à demeure dans le vagin. Ils rentrent dans la catégorie des pessaires médicamentaux, qui peuvent être utiles dans quelques cas, notamment dans les engorgements, les hypertrophies, etc., mais qui sont habituellement plus nuisibles comme corps étrangers qu'utiles comme médicaments. Je fais une exception pour les tampons imbibés de glycérolé au tannin (2 à 8 grammes de tannin pour 30 grammes de glycérine). La solubilité du tannin dans la glycérine et l'absorption de la glycérine par la muqueuse vaginale donnent à ce moyen, proposé par M. Demarquay, une efficacité réelle. Après une lotion préalable, introduisez dans le vagin un fort tampon de coton, d'abord mouillé avec de l'eau chaude et bien exprimé, puis tout imbibé de glycérolé au tannin ; renouvelez-le tous les deux ou trois jours. Il est mieux encore de verser une ou deux cuillerées de ce glycérolé au fond du vagin, à l'aide d'un spéculum de glace, de buis ou de caoutchouc durci, et d'enfoncer après, un tampon de coton qui l'y retient, en recommandant à la malade d'ôter le tampon le lendemain, et de lotionner le vagin ; le surlendemain on recommence le même pansement.

Hors ce cas, les tampons m'ont paru le plus souvent nuisibles, surtout par l'irritation que leur contact détermine, lorsque la muqueuse vaginale avec laquelle ils sont en relation immédiate est déjà malade, irritée, exfoliée et disposée à s'ulcérer par la continuité du contact d'un corps étranger sur le même point.

Pourquoi, du reste, ces complications, ces injections, ces pessaires médicamenteux, lorsqu'il est si facile de modifier directement la muqueuse par le badigeonnage, et de combiner cette action avec celle des lotions dont je viens de parler ? Que ce soit avec une solution de nitrate d'argent au 30ᵉ, de teinture d'iode au 20ᵉ, au 10ᵉ, au 5ᵉ, de tannin ou de glycérolé de tannin aux mêmes doses, de perchlorure de fer, ou plutôt de peroxychlorure de fer, etc., le procédé est le même : lotionnez le vagin, introduisez un spéculum de buis ou de glace, essuyez avec du coton, en retirant et poussant alternativement le spéculum, toute la surface de la muqueuse vaginale ; puis versez la solution, ou portez-la au fond du spéculum avec un assez fort pinceau de blaireau à long manche, que vous inclinez alternativement dans toutes les directions, pour badigeonner la muqueuse dans tous ses sillons, angles et culs-de-sac, et pour être sûr d'en atteindre toutes les parties. Cette petite opération peut se faire tous les jours ou trois fois par semaine. La solution de nitrate d'argent au 30ᵉ est le meilleur topique à employer à cet usage.

La même médication est applicable à la cavité utérine ; seulement, il est plus difficile de porter le liquide caustique sur cette muqueuse et de le faire pénétrer dans ses follicules, que de l'étendre à la surface de la muqueuse vaginale. De là, des modifications dans le procédé, ou la substitution d'un mode particulier de cautérisation au simple badigeonnage.

Il faut d'abord que le mucus soit expulsé de la cavité utérine. Pour y parvenir, je comprime le col de l'utérus avec le spéculum, et quelquefois simultanément le corps de l'organe avec la main appliquée sur l'hypogastre ; ou je dirige au fond du spéculum une petite douche sur le col de la matrice, soit à l'aide d'un simple hydroclyse, soit avec une petite pompe à jet continu ; ou bien, après avoir fait le cathétérisme, pour reconnaître la direction du conduit cervico-utérin, j'introduis dans ce conduit, si c'est possible, des pinces fines chargées de charpie ou un simple pinceau de blaireau ; ou bien enfin, je fais le cathétérisme utérin avec une sonde creuse, par laquelle je pousse ensuite doucement une injection d'eau dans la cavité utérine, et je continue cette injection assez longtemps pour bien laver cette cavité, si l'orifice cervico-utérin est assez large pour laisser le liquide s'écouler dans le vagin. La lotion de la cavité utérine par une sonde à double courant, proposée récemment, me paraît moins utile : l'instrument est plus volumineux qu'une sonde simple et l'expulsion du mucus utérin est moins certaine. Après ces préparatifs préliminaires, je porte un pinceau chargé de caustique dans la cavité de l'organe, et je l'y dirige en divers sens, de manière à en atteindre autant que possible les différents points.

Lorsque la leucorrhée siége surtout dans la partie cervicale et qu'elle est assez ancienne pour avoir amené l'hypertrophie des glandes du col, il faut faire plus : non-seulement on ne peut alors essuyer d'une manière complète la surface anfractueuse, mamelonnée, granuleuse, de la cavité cervicale, mais encore on ne peut atteindre suffisamment, par le caustique, l'intérieur même de ses follicules, ou de leurs canaux excréteurs. J'ai recours alors à une petite opération préliminaire, que j'emploie souvent dans le traitement des granulations folliculeuses tonsillaires, palatines, pharyngiennes : je fais, sur toute la surface granuleuse et dans divers sens, de nombreuses scarifications, soit avec un scarificateur ordinaire, un ténotome étroit convexe ou concave, soit avec une lancette ou une petite lame de forme appropriée, portée au bout des pinces spéciales destinées aux pansements de l'utérus. J'attends que la petite hémorrhagie soit arrêtée ; je douche au besoin le col pour l'arrêter plus tôt ou pour déterger la surface de la cavité cervicale et, s'il le faut, j'attends quelques heures ou une journée, après quoi je porte une des solutions caustiques dont je viens de parler, à l'aide d'un pinceau, dans toutes les anfractuosités de cette cavité. Si ces solutions caustiques sont insuffisantes, si la leucorrhée est compliquée ou entretenue par des ulcérations, des granulations ou un engorgement du col, je substitue aux solutions caustiques le caustique solide, et même le fer rouge, le cautère en bec d'oiseau, dont la pointe, inclinée en divers sens dans le col, atteint plus ou moins profondément, dans plusieurs endroits, la muqueuse malade. M. Huguier (*Gazette des hôpitaux*, 1849) avait déjà donné, depuis quelques années, le conseil de faire précéder la cautérisation de scarifications, pour assurer l'action du caustique sur la muqueuse du col, et je puis certifier que c'est un des meilleurs moyens d'obtenir la guérison de cette membrane.

La difficulté de badigoonner la cavité utérine comme on badigeonne la muqueuse vaginale, ou de la cautériser comme on cautérise celle du col, a donné l'idée d'y pratiquer des injections caustiques. Il y a bien longtemps déjà que je les ai essayées, en me servant de sondes en caoutchouc ; aujourd'hui l'opération est facilitée par l'usage connu, sinon répandu, des sondes utérines. On peut, à l'aide de ces sondes, injecter dans l'utérus, après l'avoir préalablement lavé, une solution caustique quelconque. Je l'ai fait avec succès, en me servant spécialement de perchlorure de fer, étendu d'eau, dans des cas d'écoulement très-abondant, avec ampliation de la cavité utérine, se rapprochant par les dimensions de l'organe, par la quantité de liquide que j'ai vu s'écouler (plusieurs cuillerées, un demi-verre), et par la qualité séreuse ou séro-muqueuse de ce fluide, des accumulations de liquide dans l'utérus connues sous le nom d'hydrométrie. Il faut toujours s'assurer que la sonde joue librement dans l'orifice cervico-utérin, que le liquide injecté doucement revient par le col, que ce qui reste sort, après quelques secondes de séjour, par le canal de la sonde ; enfin, et surtout, il faut qu'il n'y ait aucune trace, je ne dis pas de métrite, c'est évident, mais d'inflammation des annexes, de périmétrite, de péritonite pelvienne. Même dans ces cas, et avec toutes les précautions que je viens d'indiquer, j'ai vu des douleurs si atroces, des phénomènes si graves, une péritonite si dangereuse, suivre, dans un petit nombre de cas, ces injections, que je conseille de ne pas en user, ou de ne le faire qu'avec une très-grande réserve et lorsqu'il n'y a absolument aucune contre-indication à leur emploi.

Plus la sonde utérine sera fine, plus la quantité de liquide injecté sera petite, ou projetée dans un état de division extrême ou dans une direction qui en assure le retour vers l'orifice cervical, et plus on aura de chance d'éviter ces accidents. Ainsi je me trouve bien d'employer, d'après les excellents conseils de M. le professeur Pajot (*Archives générales de médecine*, février 1867), une sonde à orifice capillaire, pulvérisant les quelques gouttes de liquide poussées dans la cavité utérine. Ce procédé est préférable à celui de la canule à jet récurrent qui a été proposée depuis, et que j'ai expérimentée avec moins de succès.

Je préfère souvent à ces injections la cautérisation de la cavité utérine avec le caustique solide, qui ne m'a donné que de bons résultats, et n'a jamais causé d'accidents sérieux. On a essayé de cautériser la cavité utérine avec un pinceau, avec un porte-caustique, avec un crayon retenu à un axe de platine. De tous ces procédés, je préfère la cautérisation avec le nitrate d'argent fondu, laissé quelques secondes et promené en divers sens, autant qu'on le peut, dans la cavité utérine, ou même lorsqu'elle est nécessaire, la cautérisation avec le nitrate d'argent fondu laissé complétement à demeure dans cette cavité. Ces deux sortes de cautérisations, lorsqu'elles sont bien appliquées, donnent des succès constants. Outre les granulations et les fongosités, la leucorrhée est la maladie pour le traitement de laquelle je les ai employées le plus souvent.

Voici les règles à suivre pour la cautérisation à l'aide du crayon de nitrate d'argent laissé à demeure. L'indication est que la leucorrhée soit abondante, qu'elle ait déjà résisté à d'autres moyens rationnels, que le traitement général ait été fait, que les orifices utérins soient larges ou du moins tout à fait libres, qu'il n'y ait pas une flexion telle du corps sur le col que le mucus ne puisse passer facilement de l'une dans l'autre, qu'il n'y ait aucune inflammation, ni utérine, ni péri-utérine, ni même aucune forte congestion de l'organe, que les règles soient passées depuis sept à huit jours, de manière que la congestion menstruelle soit entièrement dissipée.

Après avoir préalablement cathétérisé l'utérus, pour m'assurer de la direction de ses cavités, j'introduis avec ménagement le crayon de nitrate d'argent fondu à l'aide de pinces porte-crayon ou d'un long porte-nitrate ordinaire, et je l'abandonne en ouvrant les pinces, ou je le casse sur le porte-nitrate, pour le laisser à demeure dans la cavité utérine, d'où je retire doucement l'instrument qui m'a servi à l'y faire pénétrer. Je n'ai pas besoin de dire que le fragment de nitrate d'argent laissé ainsi dans la cavité utérine est parfois extrêmement petit et que ses dimensions doivent varier selon l'intensité de la maladie et les conditions plus ou moins favorables à l'application de ce moyen. Il est évident que si la leucorrhée paraît bornée au col, il faut se contenter de laisser le crayon caustique dans la cavité cervicale. Un tampon imbibé d'eau salée est porté dans le cul-de-sac du vagin, tout contre le col, et la malade reçoit les soins nécessaires pour prévenir le développement de toute inflammation.

Immédiatement après l'opération, les douleurs sont calmées par les antispasmodiques généraux et locaux, les lavements laudanisés, les bains de siége, les bains entiers, les irrigations vaginales prolongées au besoin pendant plusieurs heures. La principale cause de l'innocuité de la cautérisation utérine par le séjour d'un fragment de nitrate d'argent, c'est que la matrice est loin d'éprouver l'influence directe et immédiate de ce caustique. En effet, lorsqu'il y a hypersécrétion de ses glandes et que sa membrane interne est tapissée de mucosités épaisses, le nitrate d'argent ne peut se mettre directement en contact avec elle, ni y déterminer sur aucun point une cautérisation vraiment profonde. La présence même du crayon excite une hypersécrétion de mucus qui protége la membrane. Le nitrate est enveloppé de ce mucus qui se coagule d'abord autour de lui; dès lors ce n'est plus qu'à travers cette enveloppe que se produit un échange entre le caustique et les sécrétions de la cavité utérine, et l'action prolongée de cet agent sur la muqueuse n'est pas comparable à celle que produirait son application directe sur le même organe bien dénudé ou ulcéré. Au bout de quelques jours le crayon est expulsé, conservant à peu près sa forme, mais étrangement altéré dans sa structure, décomposé, ramolli, feuilleté par les échanges lents et continus qui se sont opérés entre les éléments qui le constituent et ceux du mucus qui l'enveloppe et qu'il a dû traverser pour arriver jusqu'à la surface de la muqueuse utérine. Je crois devoir ajouter ici que, depuis que j'emploie ce traitement, concurremment avec les autres moyens qui peuvent être indiqués et que j'ai précédemment passés en revue, je ne connais pas une seule leucorrhée qui y ait résisté. J'ai montré, par des faits très-nombreux, que les suites ne présentent jamais rien de fâcheux, que la menstruation se rétablit normalement, que la conception a lieu chez les malades guéries par ce moyen comme chez les autres femmes, que la grossesse suit son cours normal ; enfin, je n'ai pas eu d'accidents à combattre pendant l'accouchement. Je présente donc avec confiance un moyen auquel aucun autre n'est comparable pour l'efficacité. Déjà plusieurs gynécologistes ont reconnu par leur expérience personnelle l'utilité de ce moyen et l'innocuité dont son application est accompagnée lorsqu'elle est *faite d'après les règles* que j'en ai tracées. A Vienne, le professeur Braun a imaginé un petit instrument, composé d'une canule en caoutchouc durci dans laquelle se meut un piston, destiné à précipiter le nitrate d'argent dans la cavité utérine et à l'y abandonner d'après la méthode que je viens d'indiquer. A. COURTY.

HISTORIQUE. Une maladie aussi commune que la leucorrhée et qui se rencontre dans tous les climats, a dû nécessairement être connue des anciens. On ne sera donc pas surpris de la voir décrite dès les temps les plus reculés. L'auteur du *Traité des maladies des femmes* qui, dans la collection hippocratique, appartient à la famille si distincte des écrits cnidiens, parle d'abord des émissions de semence, sans volupté, qui s'accompagnent d'épuisement, amènent la stérilité, etc. (L. I, n° 24); plus loin, il fait connaître différentes formes d'écoulement blanc (ῥόος λευκός) chez les femmes, et, suivant la méthode qui caractérise son école, il les distingue en plusieurs variétés d'après la couleur, la consistance du liquide et les phénomènes concomitants. Dans la plupart il signale un état chloro-anémique, caractérisé par la pâleur, de la bouffissure, de l'œdème, de l'essoufflement, de la cardialgie, etc. Dans les siècles suivants, les auteurs admettent ces deux mêmes espèces de leucorrhée : l'une dans laquelle l'écoulement, considéré comme provenant de l'utérus, est ténu, abondant, variant du rougeâtre au blanc et au blanc verdâtre suivant l'humeur qui prédomine; c'est le rhumatisme (ῥεῦμα) de l'utérus, ou *fluxus muliebris* (ῥόος γυναικεῖος). Dans l'autre, la matière rejetée provient de tout le corps, elle est plus visqueuse, moins abondante, c'est la gonorrhée ou écoulement de sperme chez la femme et qui fatigue beaucoup plus l'économie que la forme précédente. (*Voy.* Galien, *De loc. affect.*, liv. VI, c. 5; *de sympt. causis*, liv. III, c. 11 ; — Archigène et Soranus in Aetius, tetrab. IV. Sermo IV, c. 65, 72. — Arétée, *Diut.*, II, c. 11. — Paul d'Égine, lib. III, c. 63. — Théod. Priscien, in Gynec. de Wolff, etc.) Il est évident que, dans ces deux formes, se trouvaient confondus les écoulements aigus ou chroniques d'origine vénérienne. Il ne faut pas s'attendre à de grandes modifications à ces idées, pendant toute la période du moyen âge, nous les voyons même régner encore après la renaissance (Mercuriali, *De morb. mul.*, liv. IV, c. 5). Lorsque la syphilis, après la grande explosion de la fin du quinzième siècle, eut attiré fortement l'attention sur les écoulements de l'appareil génital, le nom de gonorrhée fut particulièrement réservé pour ceux qui étaient dus à un coït impur, et le nom de flueurs blanches resta pour caractériser le simple catarrhe utéro-vaginal. Enfin, l'heureuse expression de BLENNORRHAGIE (*voy.* ce mot) proposée par Swediaur, et généralement adoptée, a décidément fixé le langage de la science sur la question des flux génitaux.

BIBLIOGRAPHIE. — Nous avons, dans cette bibliographie, éliminé, autant que possible, les ouvrages qui par leur contexture ou leur titre nous ont paru écrits dans un but plutôt industriel que scientifique. — Nosographie. Considérations générales. — BAILLOU (Guill. de) præs. CARN. GERBAULT afferens. *An fluoris mulieris et mensis morbosi idem judicium?* (resp. negat.). Th. de Paris, 1579, in-plano. — CHARLETON (Walter). *De causis catameniorum et uteri rheumatismo.* Londini, 1685, in-8°. — SYLVIUS. *De fluore muliebri.* Lugd. Bat., 1687, in-4°. — CARPZOVIUS (C. B.). *De sexus sequioris gonorrhœa seu fluore albo.* Vitteb., 1711, in-4°. — REINHARD (Ch. Tob. Éphr.). *Carmen de leucorrhœa seu fluore albo mulierum.* Budissin. 1750, in-4°. — ALLEN (H.). *De fluoris albi charactere et notis quibus cum gonorrhœa convenit vel differt*, etc. Lugd. Batav., 1751, in-4°. — RAULIN (J.). *Traité des flueurs blanches avec la méthode de les guérir.* Paris, 1766, 2 vol., in-8°. — RENDEAU. *De fluore albo.* Montp., 1774, in-4°. — TANKA DE KRZOWITZ. *Historia Leucorrhœæ omnis ævi observata medica con-*

tincus. Viennæ, 1781, gr. in-8°. — ZIMMERMANN. *De fluore albo*. Gottingæ, 1788, in-4°. — ARENTS. *LeucorrhϾæ historia*. Duisb., 1788. — ARDESCH. *De Leucorrhœa*. Duisb., 1792. — BŒHMER. *Dissert. sistens Leucorrhœa pathologiam*. Viteb., 1798, in-4°. — BLATIN (J. B.). *Du catarrhe utérin ou des flueurs blanches*. Th. de Paris, an X, in-8°, et publié à part (travail resté classique). — HEINSZE (Carl Gtfr.). *Kurzer Unterricht über den weissen Fluss und*, etc. Leipzig, 1805, in-8°. — GIBSON (Benj.). *On the Common Cause of the Puriform Ophthalmia of Newborn Children* (une leucorrhée de la mère). In *Edinb. Med. and Surg. J.* t. III, p. 159; 1807. — BECKER (Gtfr. Wilh.). *Der weisse Fluss, oder was hat das Mädchen und das Weib zu thun, um sich*, etc. Pirna, 1807, in-8°; 3e édit., 1822, in-8°. — CLARKE (C. M.). *Observ. on Diseases of Females attended with Discharges*. Lond., 1814, in-8°. — BOINVILLIERS (J. M. E. A.). *Essai sur la leucorrhée ou fleurs blanches*. Th. de Paris, 1817, n° 157. — PINEL et BRICHETEAU. Art. *Leucorrhée* in *Dict. des sc. méd.*, t. XXVIII, 1818. — JANIN (P. L. Ch.). *Dissert. sur la leucorrhée vulgairement appelée flueurs blanches*. Th. de Paris, 1819, n° 129. — SPORER (Geo. Matth.). *Catarrhus genitalium pathologice et therapeutice disquisitus*. Viennæ, 1819, in-8°. — *Der weisse Fluss und die Bleichsucht, oder gründliche Anweisung, die Entstehung dieser Krankheiten zu verhüten*, etc. Gotha, 1827, in-8°. — JEWEL (G.). *Practical Obs. on Leucorrhœa Fluor albus or Weakness*. Lond., 1830, in-8°. — CHURCHILL (F.). *On Uterine Leucorrhœa*. In *Edinb. Med. and Surg. J.*, t. XLII, p. 312; 1834. — GRÆFE (E.). Art. *Fluor albus* in *Encyclopädisches Wörterbuch*, t. XII. Berlin, 1835, in-8°. — DESPINE (Marc). *Recherches analytiques sur quelques points de l'histoire de la Leucorrhée*. In *Arch. gén. de méd.*, 2e sér., t. X, p. 160; 1836. — STEINBERGER. *Ueber den weissen Fluss*. In *Siebold's Journ.*, t. XVI, p. 48; 1836. — TOTT (C. A.). *Ueber die ansteckende Excoriationen an den männlichen Genitalien und Tripper erregende Kraft den nicht venerischen Leucorrhoe der Weiber*. In *Siebold's Journ.*, t. XVI, p. 302; 1837. — BURDACH. *Fluor albus durch einen fremden Körper unterhalten*. In *Casper's Wochenschr.* 1837, n° 5, et *Schmidt's Jahrb.*, t. XVII, p. 57; 1838. — NIVET et BLATIN. *Recherches sur quelques points de l'histoire de la leucorrhée et du polype*, etc. In *Arch. gén. de méd.*, 5e série, t. III, p. 195; 1838. — LAGNEAU. Art. *Leucorrhée* in *Dict. de méd. en 30 vol.*, t. XVIII, 1838. — SCHŒNFELD. *De la leucorrhée des jeunes filles avant l'âge de la puberté*. Gand, 1839, in-8°. — PAULI (in Landau). *Der weisse Fluss* (in Miscellaneen, etc.). In *Neue Ztschr. f. Geburtsk.*, t. VII, p. 272; 1839. — BLATIN (H.) et NIVET (V.). *Traité des maladies des femmes qui déterminent des flueurs blanches, des leucorrhées*, etc. Paris, 1842, in-8°. — TROUSSEL. *Des écoulements particuliers aux femmes et plus spécialement de ceux qui sont causés par une maladie du col de la matrice*. Paris, 1842, in-8°. — ALBRECHT (Joh. Friedr. Er.). *Der weisse Fluss des weiblichen Geschlechts und seine gründliche Heilung*. Quedlinburg, 1843, in-12; 3e édit., 1865. — OTTANI. *Écoulement leucorrhéique transporté des parties génitales à l'ombilic*. In *Annali med.-chir.*, extrait in *Gaz. des hôp.*, 1843, p. 88. — HELLER. *Eigenthümliches Sediment in Harn bei Syphilis universalis mit Fluor albus während des innerlichen Gebrauchs des Jodkalium*. In *Heller's Archiv für physiol. und pathol. Chemie*, t. I, p. 37; 1844. — ANDRESSE (Wilh.). *Dringender Rath an Mütter, etc., die rechte Beobachtung der oft übersehenen Ursachen des weissen Flusses oder Gebärmutter-Catarrhs, und die darauf*, etc. Berlin, 1846, in-8°. — MITCHELL. *On Leucorrhœa*. In *Dublin Med. Press*, 1847, p. 106, et *Braithwaite's Retrospect*, t. XV, p. 398; 1847. — HEHMANN (Wilh. Léonh.). *Der weisse Fluss oder Mutter-Catarrh der Frauen. Wie kann man*, etc. Nordhausen, 1836, in-12; ibid., 1848, in-12. — LANGE. *Fluor albus*. In *Deutsche Klinik*, t. IV, p. 513; 1852. — KAUFFMANN. *Ueber einige der häufigsten Ursachen der chronischen Fluor albus*. In *Verhandl. der Gesellsch. f. Geburtsk. zu Berlin*, 1852, et *Schmidt's Jahrb.*, t. LXXVI, p. 52; 1852. — SMITH (W. Tyler). *A Memoir on the Pathology and Treatment of Leucorrhœa based upon the Microscopical Anatomy of the Cervix uteri*. In *London Med. Chir. Transact.*, t. XXXV, p. 377, fig. col., 1852. — DU MÊME. *Pathology and Treatment, etc.* London, 1855, in-8°. — WILDE (William R.). *History of the Recent Epidemic of Infantile Leucorrhœa. With an Account of Five Cases*, etc. *Med. Times*, 1853, t. II, p. 200, 346, 369, 446. — DU MÊME. *Leucorrhœal Ophthalmia, and other Cases of Infantile Leucorrhœa*. In *Med. Times and Gaz.*, 1857, t. I, p. 58. — HARRIS (E.). *A Comparison of the Statements and Facts advanced by the heading Uterine Pathologists on the Nature and Source of Leucorrhœal Discharges*. In *New-York Journal of med.*, 1853, febr., et *Rank's Abstr.*, t. XVIII, p. 227; 1853. — BEIGEL (Herm.). *Ueber die Secrete des Fluor albus*. In *Deutsche Klin.*, t. VII, p. 205; 1855. — ANDERSON (W. J.). *On Leucorrhœa*. In *Med. Times*, 1856, t. II, p. 108, 435. — RICHARD (Ad.). *De la Leucorrhée chez les petites filles*. In *Gazette des Hôpitaux*, 1857, p. 586. — Art. *Leucorrhœa* in *Dict. de Copland*, t. II, p. 207; 1858. — ERHARDT. *Ueber Fluor albus*. In *Aerztl. Mitth. aus Baden*, 1858, n° 8. — DUNCAN (Matthews). *On the Uterine Leucorrhœa of Old Women*. In *Edinb. Med. J.*, t. V, p. 626; 1860. — BOCLAND (C. E.). *De la leucorrhée*. Th. de Paris, 1860. — CHARRIER (A.). *Des ulcérations du col utérin et de la leucorrhée chez les femmes enceintes*. In *Bullet. de Thérap.*, liv. LX, p. 54; 1861. — WALLER (Ch.). *On Leu-*

corrhœa and Vaginitis. In *Med. Circular*, 1861, p. 19, et *Braithw. Retrosp.*, t. XLIV, p. 553; 1861. — Hennig (C.). *Der Catarrh der inneren weiblichen Geschlechtstheile*. Leipz., 1862, in-4°, pl. 6, in-fol. — Guersant (Paul). *De la leucorrhée chez les petites filles*. In *Bull. de thérap.*, t. LXVIII, p. 305; 1865.

Traitement. — Slevogt (J. H.). *De acmella ceylandica novo fluoris albi remedio*. Jenæ, 1705, in-4°. — Gimelle. *Sur l'emploi de l'Iode dans la leucorrhée*. In *Journ. univ. des sc. méd.*, t. XXV, p. 5; 1822. — Graham (Ch. W. M. S.). *On the Internal Use of Sulphate of Zinc in Gleet and Leucorrhœa*. In *Edinb. Med. and Surg. Journ.*, t. XXVI, p. 107; 1826. — Hall (Marshall). *On the Use of the Ergot of Rye in Uterine Leucorrhœa*. In *The Lond. Med. and Phys. Journ.*, t. LXI, p. 379; 1829. — Bazzoni (L. G.). *Sull' uso della segale cornuta nella leucorrea*. In *Ann. univ. d'Omodei*, t. LVII, p. 225; 1831. — Lhéritier. *De l'emploi du styrax liquide dans le traitement de la blennorrhée et de la leucorrhée*. In *Bull. de thérap.*, t. III, p. 209; 1832. — Ritton (G.). *On the Use of Colchicum Autumnale in Fluor albus*. In *The Lancet*, 1833-34, t. II, p. 655. — Negri (G.). *On the Efficacy of the Secale Cornutum in Hæmorrhage and Leucorrhœa*, etc. In *Lond. Med. and Surg. J.*, t. IV, p. 553, 588; 1834. — La Roche (R.). *Obs. of the Remedical Effects of the Balsam of Cobaiba in catarrh.... and in Leucorrhœa*. In *Americ. Journ.*, t. XIV, p. 13; 1834. — Trousseau et Bonnet. *Mém. sur l'emploi du fer dans les douleurs d'estomac chez les femmes*. In *Arch. de méd.*, 2e série, t. X, p. 160; 1836 — Müller. *Chronischer weisser Fluss geheilt durch Jodine*. In *Casper's Wochenschr.*, 1836, p. 633. — Hannay (J.). *On the Application of Solid Nitras argenti in the Gonorrhœa of Women*. In *London Med. Gaz.*, t. XX, p. 185; 1837. — Horner. *Traitement de la leucorrhée par l'usage des mèches*. In *Philadelph. Hosp. Rep.*, 1837 (mois juin et juillet); analyse in *Arch. gén. de méd.*, 3e sér., t. III, p. 350; 1838. — Bürkner. *Die aufsteigende Douche als Heilmittel der Schleimflüsse aus den weiblichen Genitalien*. In *Neue Zeitschr. für Geburtsk.*, t. V, p. 399; 1837. — Hudson (Alf.). *On the Use of Nitrate of Silver in some Affections of the Mucous Membrane*. In *Dublin Journ. of Med. sc.*, t. XVII, p. 234; 1840. — Brunslow. *Anwendung....., des Ammonium muriaticum gegen fluor albus*. In *Med. Ztg. vom Ver. f. Heilk. in Preuss.*, 1839, n° 34, et *Schmidt's Jahrb.*, t. XXVI, p. 11; 1840. — Hourmann. *Du tamponnement comme méthode de traitement des écoulements utéro-vaginaux*. In *J. des conn. méd.-chir.*, 1841 (mars), p. 89. — Steenkiste (Ch. von). *Obs. de Leucorrhée guérie d'après la méthode proposée par M. von Wageninge de Rotterdam* (teinture d'iode). In *Ann. de la Soc. méd.-chir. de Bruges*. 1842, p. 280. — Allnatt (R. H.). *Crosote in Leucorrhœa*. In *The Lancet*, 1842, t. I, p. 504. — Manfredonia (Gius.). *Nitrato di argento adoperato nella curagione di una Leucorrea*. In *Ann. med. d'Omodei*, t. CX, p. 229; 1844. — Duvay (Fr.). *De la cautérisation vaginale multiple, envisagée comme cure radicale des écoulements leucorrhéiques ou flueurs blanches*. In *Gaz. méd.*, 1845, p. 401. — Gibert. *Nouvelles remarques sur l'emploi de l'alcoolé tannique dans le traitement de la leucorrhée et des ulcères du col de l'utérus*. In *Rev. méd.*, 1845, t. II, p. 45. — Du même. *De la leucorrhée utérine, et de son traitement par les injections portées jusque dans la cavité de la matrice*. In *Bull. de thérap.*, t. XXXI, p. 406; 1846. — Legrand (A.). *Note sur le traitement local de la leucorrhée* (nitrate d'argent). In *Gaz. méd.*, 1847, p. 13. — Reclam (Carl). *Ueber Uterinleucorrhöe und ein neues Mittel gegen dieselbe* (cautérisation lombaire). *N. Ztg. für Med. und med. Reform*, 1848, et *Schmidt's Jahrb.*, t. LXI, p. 320; 1849. — Mayer (A.). *Des scarifications multiples du col à l'aide d'un instrument nouveau dans le traitement des Leucorrhées symptomatiques des engorgements de l'utérus*. In *Gaz. méd. de Strasb.*, 1852, p. 97. — Du même. *De la Leucorrhée; nouveau moyen de traitement par les scarifications multiples du col*. Paris, 1852, in-8°. — Lazowski (Ant.). *De l'emploi du seigle ergoté contre les écoulements blennorrhagiques passés à l'état chronique*. In *Rev. thérap. du Midi*, t. V, p. 211; 1853. — Brown (Bedford). *Chlorate of Potash Inject. in Leucorrhœa and*, etc. In *Americ. Journal*, 2e série, t. XXXIV, p. 66; 1857. — Caby (A. J. C. Émile). *Nouveau mode de traitement de diverses affections des organes génitaux chez l'homme et chez la femme par l'emploi du sous-nitrate de bismuth*. Th. de Paris, 1858, n° 221. — Du même. *De l'emploi du sous-nitrate de bismuth dans le traitement de la blennorrhée et de la leucorrhée chronique*. In *Bullet. de thérap.*, t. LV, p. 193, 259; 1858. — Burns (Arth. P.). *Arsenic in Menorrhagia Leucorrhœa*, etc. In *Americ. Journ.*, 2e série, t. XXXVIII, p. 393; 1859. — Duclos. *Leucorrhée — sachets médicamenteux*. In *Rev. de thérap.*, t. XI, p. 321; 1863. E. Bod.

LEUKERBAD (Eaux minérales de). *Voy.* Loëche.

LEURET (François), né à Nancy en 1797. Leuret était venu à Paris commencer ses études médicales, mais son père ne voulant pas continuer à lui en fournir les moyens pendant plus d'un an, Leuret plutôt que de retourner dans sa famille, prit le parti de s'engager; le hasard ayant amené son régiment à Paris, il put suivre les cours d'Esquirol à la Salpêtrière, grâce à l'indulgence de ses chefs qui finirent même par lui faire obtenir son congé de réforme. Il obtint à Charenton une place d'externe, logé, nourri, etc., et enfin d'interne auprès de son ancien maître Esquirol, dont il devint le disciple préféré. Nommé d'abord médecin expectant à Bicêtre, puis titulaire, une maison particulière se l'attacha comme médecin avec de brillants avantages. Il put alors se consacrer à ses études favorites d'anatomie et de psychologie; c'est alors aussi que déviant de l'école si éminemment philanthropique de Pinel et d'Esquirol, Leuret qui regardait les aliénés non comme des malades, mais comme des êtres qui se trompent et persistent à vouloir se tromper, imagina d'employer contre eux un système d'intimidation pour les forcer d'abandonner leurs idées délirantes. Il se proposait de leur faire éprouver des souffrances morales plus vives que celles qu'ils endurent, de les attaquer sans cesse, de les harceler sans repos ni trêve, pour leur démontrer l'inanité et la fausseté de leurs conceptions. Pour appuyer ces moyens purement moraux, il fut forcé d'avoir recours à la douleur physique, à l'aide des douches et des affusions froides, qu'il mit parfois en usage avec trop de prodigalité. Mais à part cette fâcheuse exagération, il faut convenir que l'idée de combattre les hallucinations par le raisonnement et la discussion, était véritablement logique, et qu'il déploya dans l'emploi de ce moyen une persistance, un à propos, une présence d'esprit vraiment admirables.

Ces travaux spéciaux ne l'avaient pas empêché de commencer la publication d'un travail des plus remarquables sur l'anatomie comparée du système nerveux, que la mort l'empêcha d'achever, et qui fut terminé par cet autre savant, enlevé par une mort si prématurée, le regrettable Gratiolet.

Leuret était d'une constitution délicate, que les privations et les chagrins de sa jeunesse avaient encore détériorée. Atteint d'une double affection du cœur et du foie, il voulut rendre le dernier soupir dans sa ville natale. Mourant, il se fit transporter à Nancy, dans les derniers jours de 1850, et il succomba le 5 janvier 1851, à l'âge de 53 ans.

Voici l'indication des principaux travaux publiés par Leuret.

I. *Mém. sur la structure de la membrane muqueuse de l'estomac et des intestins.* In *Nouv. bibl. méd.*, t. VIII, p. 405; 1825. — II. *Mém. sur les affections putrides* (avec M. Hamont). Ibid., 1826, t. IV, p. 509. — III. *Rech. physiologiques et chimiques pour servir à l'histoire de la digestion* (avec Lassaigne, mention honorable de l'Acad. des sc.). Paris, 1825, in-8°. — IV. *Essai sur l'altération du sang.* Th. de Paris, 1826, n° 76. — V. *Mém. sur l'épidémie de choléra-morbus, qui a ravagé l'Inde*, etc. In *Ann. d'hyg.*, 1re sér., t. VI, p. 314; 1831. — VI. *De la fréquence du pouls chez les aliénés, considérée dans ses rapports avec les saisons, la température atmosphérique*, etc. (avec Mitivié). Paris, 1832, in-8°. — VII. *Fragments psychologiques sur la folie.* Paris, 1834, in-8°. — VIII. *Note sur les indigents de la ville de Paris, suivie d'un rapport*, etc. In *Ann. d'hyg.*, 1re sér., t. XV, p. 294; 1836. — IX. *Notice sur quelques établissements de bienfaisance du nord de l'Allemagne et de Saint-Pétersbourg.* Ibid., t. XX, p. 336; 1838. — X. *Mém. sur le traitement moral de la folie.* In *Mém. de l'Acad. de méd.*, t. VII, p. 552; 1838. — XI. *Mém. sur l'emploi des douches et des affusions froides dans le traitement de l'aliénation mentale.* In *Arch. gén. de méd.*, 3e sér., t. IV, p. 175; 1839. — XII. *Anatomie comparée du système nerveux dans ses rapports avec l'intelligence, comprenant la description*, etc. Paris, 1839-58, 2 vol. in-8°, atl. de 12 pl. in-fol. (le 2e vol. et les 10 dernières planches ont été publiées par Gratiolet). — XIII. *Obs. médico-légales sur l'ivrognerie et la méchanceté considérées dans leurs rapports avec la folie.* In *Ann. d'hyg.*, 1re sér., t. XXIV, p. 372; 1840. — XIV. *Du traitement moral de la folie.* Paris, 1840, in-8°. — XV. *Des indications à suivre dans le traitement moral de la folie.* Paris, 1846, in-8°. — XVI. Plusieurs rapports de médecine légale publiés dans les *Annales d'hygiène*, dont il fut un des fondateurs.

E. Bod.

LEUTHNER (Joh.-Nep.-Ant. von). Encore un des nombreux exemples de ce que peuvent le travail et l'ardeur de parvenir. Il était né le 20 novembre 1740 à Wertheim ; enlevé à la charrue, élevé gratuitement, soutenu par quelques personnes qui avaient deviné son mérite, il se fit recevoir docteur à Ingolstadt en 1764. Après un séjour de deux années à Strasbourg, aux frais de l'électeur Maximilien-Joseph, il revint se fixer à Munich, où il arriva aux plus hautes dignités auxquelles un médecin puisse aspirer. Il mourut en 1814. Ses principales publications sont :

I. *De acidulis Disenbacentibus*. Ingolst., 1764, in-4°. — II. *Abhandlungen und Beobachtungen von der Ruhr unter dem Volke*, etc. München, 1767, in-8°. — III. *Urtheil eines altgläubigen Philosophen über die neumodischen Gedanken einiger Ueberklugen der heutigen Welt*, etc. Augsburg, 1775, in-8. — IV. *Beobachtungen wie auch General- und Special-Kurmethoden hitziger Gallen- und Faulfieber*. Nürnberg, 1776, in-8°. — V. *Neue praktische Versuche über die besonderen Heilkräfte des Bergpechöls in Lungengeschwüren*. Augsb., 1777, in-8. — VI. *Praktische Heilungsversuche der Milz- und Mutterdünste durch verschiedenen Gebrauch des gemeinen Wassers*. Ulm, 1779, 2 part. in-8. — VII. *Physik.-chemische Untersuchung des alt-berühmten Gesundbrunnens und mineralischen Seifenbads zu Maria-Brunn*, etc. München, 1790, in-4; — *Physik.-praktische Beschreibung des Gebrauchs des Gesund-Brunnens mineralischen Seifenbades*, etc. Ibid., 1790, in-4°, et *Ehrenrettung der Mineralquelle und des seifenartigen Gesundbades zu Maria-Brunn*. München, 1810, in-8°.

E. Bgd.

LEUWENHOEK, ou **LEEUWENHOEK** (Antoine). Un des plus célèbres naturalistes du dix-septième siècle, né à Delft, le 24 octobre 1632, mort le 26 août 1723. Les observations microscopiques furent surtout le but de ses patientes investigations. En 1688, en examinant la queue du têtard et la membrane interdigitale de la grenouille, il voit clairement passer les globules de sang, un à un, des ramifications des artères aux premiers rameaux des veines, et de sceptique relativement à la circulation, il devient un de ses adeptes les plus fervents. Il décrivit aussi les globules du sang, de forme ovale et aplatie, remarqua qu'il faut au moins six de ces globules réunis pour que le sang paraisse rouge, et crut trouver dans l'obstacle apporté à leur mouvement l'origine de plusieurs maladies ; le premier, il fit connaître la structure lamellaire du cristallin ; les animalcules spermatiques furent de sa part l'objet de nombreuses recherches, et il disputa à Hartsœker et à Huygens la priorité dans leur découverte. L'animalcule appelé *rotifère*, et que l'on rencontre surtout dans la poussière et la mousse des bois, fit apparaître, sous la lentille de Leuwenhoek, sa curieuse organisation. On n'en finirait pas si l'on voulait mentionner toutes les observations que Leuwenhoek a consignées dans ses nombreuses publications et dans les mémoires qu'il a envoyés à l'Académie des sciences. Mais il faut dire que ce savant, justement illustre, servi du reste par des microscopes très-imparfaits, grossissant à peine deux cents fois, a vu bien des choses qui n'existaient pas réellement, et que là-dessus il a échafaudé des théories que les recherches modernes n'ont pas justifiées. Il n'en est pas moins vrai qu'il tient le premier rang parmi les anciens micrographes et, qu'en lisant ses œuvres, un profond respect nous saisit, devant ce savant passant sa vie à étudier ce monde infiniment petit, et cherchant à dévoiler dans le microcosme les éternels secrets de la nature.

Nous ne cataloguerons pas ici la bibliographie de Leuwenhoek ; en y comprenant toutes les éditions, cela formerait presque un petit volume. Nous nous contenterons, après avoir fait remarquer que ses œuvres réunies ont paru en hollandais (Delft, 1696, in-4°) et en latin (Leyde, 1721, 4 vol. in-4°), de donner les titres de ses cinq principaux ouvrages :

I. *Observations sur les êtres invisibles*. Leyde, 1684, in-8°. — II. *Ontledingen van onzigtbaren verborgentheden*. Leyde, 1691, in-4°, figures. — III. *Arcana naturæ detecta, sive epistolæ ad Societ. regiam Angl. scriptæ ab ann.* 1680 *ad* 1695. Delft, 1695, in-4°. — IV. *Anatomia et contemplatio nonnullorum naturæ invisibilium secretorum comprehensorum epistolis quibusdam scriptis ad illustr. inclitæ Soc. reg. Lond. collegium*. Leyde, 1685. — V. *Anatomia sive interiora rerum*; etc. A. C.

LEVACHER (GILLES). Chirurgien de l'hôpital Saint-Jacques de Besançon (1725); chirurgien consultant des armées (1740); membre de l'Académie de Besançon; correspondant scientifique de Maupertuis, Réaumur, Clairaut, Winslow, Jullien; praticien laborieux, lithotomiste habile; le premier peut-être qui ait reconnu que l'ossification du périoste était nécessaire à la consolidation des fractures; tel fut Levacher, une des figures chirurgicales les plus remarquables du siècle dernier. Né au château de Chaleuses (Bourbonnais), le 29 mars 1693, il mourut le 8 octobre 1760, laissant la réputation d'un homme habile, d'un opérateur consommé et d'un grand sens pratique. On lui connaît les trois ouvrages suivants :

I. *Observations de chirurgie sur une espèce d'empyème au bas-ventre*. Paris, 1737, in-12. — II. *Dissertation sur le cancer des mamelles*. Besançon, 1741, in-12. — III. *Histoire de frère Jacques, lithotomiste de la Franche-Comté*. Paris, 1751, in-12. A. C.

LEVACHER (FRANÇOIS-GUILLAUME), chirurgien qui vivait vers le milieu du siècle dernier et dont la vie est peu connue. Nous le voyons figurer en 1769 comme membre du Comité perpétuel de l'Académie de chirurgie, et en 1774 comme conseiller vétéran. Levacher de la Feutrie, que l'on a accusé bien à tort (*voy.* plus bas) de chercher à se faire passer pour le chirurgien dont nous parlons, est à peu près le seul écrivain qui nous fournisse quelques renseignements sur son compte. Il était maître en chirurgie de Paris et premier chirurgien de LL. AA. RR. l'infant et l'infante duc et duchesse de Parme. Enfin on voit, par ses observations, qu'il a servi dans la chirurgie militaire. On lui doit d'avoir réfuté dans son mémoire sur les plaies d'armes à feu la vieille erreur du vent du boulet et d'avoir démontré qu'il y avait bien réellement contusion par le boulet lui-même; que, si l'on ne trouve pas de traces extérieures, c'est que la peau, membrane extensible, a cédé à l'action du corps contondant. Son appareil pour le redressement des déviations de la taille est des plus ingénieux. Il a publié les mémoires suivants :

I. *Mém. sur quelques particularités concernant les plaies faites par armes à feu*. In *Mém. de l'Acad. de chirurgie*, t. IV, p. 22. Paris, 1769, in-4°, pl. 1. — II. *Nouveau moyen de prévenir et de guérir la courbure de l'épine*. Ibid., p. 596, pl. 1, et à part. in-12, pl. 2.

LEVACHER DE LA FEUTRIE (A.-F.-THOMAS), était né à Breteuil dans le diocèse d'Évreux, le 12 février 1738; il fit à Caen ses premières études médicales, y prit le bonnet de docteur en 1766; il vint ensuite à Paris disputer le prix fondé par Diest pour l'obtention des degrés en médecine depuis le baccalauréat jusqu'à la régence inclusivement. Levacher, comme il nous l'apprend lui-même dans la dédicace de son principal ouvrage, gagna le prix, passa sa thèse en 1768, et se livra à la pratique, où il obtint beaucoup de succès. Son Traité du rakitis a été regardé par Dezeimeris comme un véritable plagiat. Levacher de la Feutrie, profitant d'une similitude de nom, se serait attribué l'appareil à redressement et les observations du chirurgien Levacher. Ce reproche ne me paraît nullement fondé. En effet, je lis page 326 du traité du rakitis : « En 1764, M. Levacher lut à la séance publique de l'Académie royale de chirurgie de Paris la dissertation *citée quelquefois dans cet ouvrage, dans laquelle on trouve la description et la figure* d'une machine propre à guérir le rakitis, que l'on voit ici appliquée sur un enfant (pl. II, fig. 3 et 4). » Et pour compléter en quelque sorte cette déclaration si explicite, et *plusieurs fois renouvelée* dans le courant du livre, on lit dans la table des auteurs cités (p. 445) la mention suivante : « LEVACHER (François-Guillaume), maître en chirurgie de Paris (suivent les titres, *voy.* l'article précédent), a fait le mémoire cité pages 9, 326, 351, 356, 363, 403 et 422. » Pleine et entière justice avait donc été rendue par Levacher de la Feutrie à son homonyme. Le médecin distingué dont nous parlons eut l'honneur de remplir, en 1779, les fonctions de doyen de la Faculté de médecine et plus tard celles de secrétaire de la Société médicale d'émulation, en 1803 et 1804. Il est mort dans un âge très-avancé.

Notre savant collaborateur M. Chéreau possède un jeton de décanat de Levacher de la Feutrie. D'un côté sont les armes de ce médecin avec les années 1779-1780. De l'autre côté on lit ceci : THOM. LE VACHER DE LA FEUTRIE. EBROINUS. FAC. M. DEC.

A. C.

On lui doit les ouvrages suivants :

I. *An fractis ossibus in situ post conformationem continendis machinæ vincturis anteponenda.* (Resp. : *Machinæ vincturis anteponendæ.*) Th. de Paris, 1768, in-4°. — II. *Dictionnaire de chirurgie contenant*, etc. (avec Moysant et de la Macellerie). Paris, 1767, 2 vol. in-12. — III. *Traité du Rakitis, ou l'art de redresser les enfants contrefaits.* Paris, 1772, in-8°. — IV. *L'École de Salerne, ou l'art de conserver la santé, en vers latins et français, avec des remarques*, etc. Paris, 1782, in-12. — V. *Éloge de X. Bichat.* In *Mém. de la Soc. d'émulat.*, t. VI; 1803. — VI. *Recherches sur la pellagre, affection cutanée endémique dans la Lombardie.* Ibid., t. VII, p. 168 ; 1806.

E. BGD.

LEVAIN. On appelle *levain* la pâte de farine de froment dans laquelle un commencement de fermentation alcoolique s'est développé sous la double influence de l'eau et d'une température convenable.

L'élément actif du levain est un champignon analogue, sinon identique à celui de la bière. Il est formé par de petits corps ovoïdes, très-réfringents, ordinairement accolés deux à deux par leurs extrémités; ils sont plus petits et plus allongés que le *torula cerevisiæ.* Ils transforment les matières sucrées de la farine en acide carbonique et en alcool. Le premier de ces corps boursoufle la masse du levain qui se gonfle et se crible ainsi de petites cavités. L'alcool reste mélangé à la pâte, à laquelle il ne communique aucun goût à cause de sa faible proportion. Pour démontrer sa présence, il suffit de distiller 5 à 6 kilos de pains prêts à être enfournés, et délayés dans l'eau. On recueille les premières portions du liquide distillé qu'on sature de carbonate de potasse. L'alcool qui est insoluble dans une semblable solution vient nager à la surface. J'ai pu en opérant ainsi recueillir quelques centimètres cubes de ce corps et constater qu'il avait l'odeur, le goût, la densité et le point d'ébullition de l'alcool vinique, avec un arome spécial rappelant celui de la farine[1]. Une partie de cet alcool s'oxyde pendant la panification et se transforme en acide acétique.

Ces champignons ne naissent pas spontanément dans le levain; leur production est expliquée par la préparation même du levain, qui consiste à prélever, sur chaque fournée, une partie de la pâte qu'on abandonne à elle-même tandis qu'on fabrique du pain avec l'autre. Cette portion de pâte porte le nom de *levain*

[1] On a proposé de retirer industriellement l'alcool provenant de la fermentation panaire, mais cette idée n'a pas eu de suite.

chef. On lui fait subir différentes opérations qui ont pour but de l'additionner petit à petit d'eau et de farine : ces opérations sont les suivantes.

1° Le levain chef, qui pèse ordinairement 8 à 9 kilos en été, et 11 à 12 en hiver, est *raffermi* avec un tiers en poids de farine, et pétri pendant vingt à vingt-cinq minutes.

2° On l'abandonne à lui-même dans une manne pendant cinq à six heures.

3° On le délaye dans 14 litres d'eau et on lui incorpore 25 kilos de farine. Le tout est brassé pendant vingt-cinq minutes. Cette opération porte, en boulangerie, le nom de *rafraîchissement*. *Rafraîchir* un levain signifie l'additionner d'eau et de farine. Après ce premier rafraîchissement, le levain change de nom, et s'appelle *levain de première*.

4° Après un repos de trois ou quatre heures suivant la saison, le levain subit un second rafraîchissement à l'aide de 26 litres d'eau et 47 kilos de farine. Le tout est pétri pendant une demi-heure. Il forme alors le *levain de seconde*.

5° Après un repos de deux à trois heures, nouveau rafraîchissement à l'aide de 50 à 52 litres d'eau et 90 à 91 kilos de farine; le produit qui porte le nom de *levain de tout point* est directement mélangé à la farine après avoir été délayé dans l'eau convenable. Le volume de ce dernier levain doit être égal à la moitié ou au tiers, suivant la saison, de la pâte nécessaire pour la fournée.

Toutes ces opérations sont, comme toutes les fermentations, très-délicates à conduire. Le moindre accident, de l'eau un peu trop fraîche ou trop chaude, suffisent pour altérer le pain fabriqué; c'est pour cette raison que la direction des levains est toujours confiée au boulanger le plus exercé. Dans les campagnes, où la fabrication n'est pas courante, les levains sont quelquefois gardés plusieurs jours, et passent à l'acide; dans ce cas, le gluten se liquéfie, et le pain est mat, mal levé et grisâtre : son goût est également altéré.

Un bon levain se reconnaît aux caractères suivants : L'odeur est un peu vineuse, mais sans aigreur. Il doit être bombé, sa surface est légèrement déchirée. A la pression de la main, un mauvais levain s'affaisse sans se relever. Lorsque le levain n'est plus à l'état normal, il importe d'y remédier au plus vite, sous peine de voir la panification devenir de plus en plus mauvaise à cause des défauts des chefs levains. On atteint ce but à l'aide de procédés variables suivant les cas, mais que nous ne pouvons décrire ici. En général il vaut mieux employer des levains peu avancés et en quantité assez considérable, ou, en termes de boulangerie, de *grands levains jeunes*. Parmentier insiste sur ce principe, et proscrit complétement les vieux levains.

Dans le cas où on ne peut se procurer de chef-levain, on peut en fabriquer un, en laissant aigrir de la pâte. Cinq ou six rafraîchissements au moins, et un temps beaucoup plus considérable sont nécessaires pour arriver au levain de tout point. L'addition d'une petite quantité de levûre de bière facilite beaucoup cette opération.

Indépendamment des cellules de ferment qu'on rencontre dans le levain, on y trouve également un grand nombre de petits corps allongés, en forme de baguette, très-réfringents, et que j'ai décrits en détail. (Voy. *Manuel pratique de microscopie*, par M. Coulier. Paris, 1859.) Ils présentent les caractères des bactéries. Je les avais d'abord pris pour un ferment particulier, mais j'ai constaté que dans des circonstances favorables ils avaient un mouvement propre très-vif. Ces corps sont difficiles à étudier à cause de leur petitesse. Comme ils sont d'autant plus nombreux que le levain est plus vieux, ils peuvent servir à déterminer approximativement l'âge de celui-ci. Lorsqu'ils sont nombreux, cette circonstance doit faire supposer que le levain est de mauvaise qualité.

Pendant longtemps on a redouté l'action des ferments contenus dans le levain sur l'économie ; on sait aujourd'hui que la cuisson les tue et les dénature de manière à les rendre inoffensifs. (*Voy.* PAIN.) P. COULIER.

LEVÉE DE CADAVRE. *Voy.* CADAVRE.

LÉVEILLÉ (JEAN-BAPTISTE-FRANÇOIS), est un de ces hommes qui, malgré un mérite réel, un grand savoir, des travaux importants, n'obtiennent pas dans le monde médical la réputation et la notoriété auxquelles parviennent une foule de médiocrités. Léveillé naquit le 25 août 1765, à Ourouer, dans le Nivernais. Son père lui fit faire de bonnes études et l'envoya en 1790 étudier la médecine à Paris, où il suivit les leçons de l'illustre Desault. Commissionné en 1799 pour l'armée d'Italie avec le grade de médecin de première classe, il se rencontra à Pavie avec quelques-uns des plus éminents chirurgiens de l'Italie, et se lia d'amitié avec le célèbre Scarpa. A son retour en France, en 1801, Léveillé s'adonna à la pratique civile de la médecine et à des travaux de littérature médicale. Il fut nommé médecin des prisons du département de la Seine, de la maison royale de santé, et l'Académie de médecine se l'adjoignit dès sa fondation. Il mourut le 13 mars 1829. Ses écrits attestent des connaissances anatomo-pathologiques sérieuses et une connaissance approfondie de la littérature médicale italienne. Sa chirurgie mérite encore aujourd'hui d'être consultée.

I. *Diss. physiologique sur la nutrition du fœtus des mammifères et des oiseaux.* Paris, 1799, in-8°. — II. *Traité prat. des maladies des yeux de Scarpa*, trad. de l'ital. avec des notes. Paris, 1802, 2 vol. in-8°. — III. *Mém. de physiol. et de chirurgie par Ant. Scarpa et J.-B.-F. Léveillé, contenant*, etc. Paris, 1804, in-8°. — IV. *Traité élémentaire d'anatomie et de physiol.*, t. I, *Ostéographie et syndesmologie ;* t. II, *Myographie et mouvements de l'homme* (seuls parus). Paris, 1810, 2 vol. in 8°. — V. *Nouvelle doctrine chirurgicale*, ou *Traité complet de pathologie, de thérapeutique et d'opérations chirurgicales*, etc. Paris, 1812, 4 vol. in-8°. — VI. *Mém. sur l'état actuel de l'enseignement de la médecine et de la chirurgie*, etc. Paris, 1816, in-4°. — VII. *Hippocrate interprété par lui-même*, ou *Commentaires sur les Aphorismes, d'après les écrits vrais ou supposés d'Hippocrate.* Paris, 1818, in-8°. — VIII. *Histoire de la folie des ivrognes.* In *Mém. de l'Acad. de méd.*, t. I, 1828, et Paris, 1831, in-8°, précédée d'une notice nécrologique sur l'auteur. — IX. Plusieurs mémoires insérés dans différents recueils (*Journ. gén. de méd.*, *Bullet. de la Soc. de la Faculté de méd.*, *Mém. de la Soc. méd. d'émulat.*, etc.), et quelques traductions. *Mém.* (posth.) *sur la névralgie rhumatism. aiguë de la vessie*, in *Rev. méd.* 1836, t. IV, p. 5.

E. BGD.

LEVELING (HEINRICH PALMAZ von), né à Trèves, le 28 septembre 1742, se fit recevoir docteur à Strasbourg en 1764. Après avoir rempli les fonctions de conseiller aulique de l'électeur palatin de Bavière et de médecin du prince-évêque de Fresingue, il fut appelé en 1782 à l'université d'Ingolstadt pour y occuper les chaires d'anatomie, de chirurgie d'Institutions et d'histoire de la médecine. Leveling se fit là une assez grande réputation comme anatomiste et chirurgien pour qu'on lui accordât des lettres de noblesse. Il mourut dans cette même ville le 9 juillet 1798.

Outre quelques dissertations de physiologie et de médecine, il a laissé les ouvrages suivants :

I. *Anatomische Erklärung der Originalfiguren von Andr. Vesal, sammt einer Anwendung der Winslowischen Zergliederungslehre*, in VII. Büch. Ingolstadt, 1781, in-4°. — II. *Observ. anatomicæ rariores iconibus æri incisis illustratæ.* Ibid., 1786, in-4°. — III. *Historiæ chirurgico-anatomicæ facultatis medicæ Ingolstadiensis ab universitate anno 1472 condita ad annum* 1788. Ibid., 1788, in-4°.

Ses deux fils ont pratiqué la médecine avec beaucoup de distinction.

Leveling (HEINR.-M. V.) l'aîné, né à Ingolstadt en 1766, a été professeur dans l'université de cette ville après la mort de son père ; on lui doit en particulier une anatomie intitulée : *Anatomie des Menschen, zum Leitfaden für Aerzte*, etc. Part. I et II. Erlangen, 1795-97, in-8°.

Leveling (P.-TH.), frère du précédent, né à Ingolstadt en 1767 ; s'est également fait un nom dans la littérature médicale. E. BGD.

LE VERNET (EAUX MINÉRALES ET STATION HIVERNALE DE) *hyperthermales* ou *mésothermales, sulfurées sodiques, azotées*. Deux routes à peu près de longueur égale conduisent de Paris au Vernet ; l'une est la voie ferrée de Lyon, Montpellier, Narbonne et Perpignan, l'autre le chemin de Bordeaux, Toulouse et Perpignan, d'où une voiture met de cinq à six heures pour aller au Vernet, en passant par Prades et Villefranche. Il n'est pas indifférent, pour les malades affectés de la poitrine surtout, de prendre un chemin ou un autre dans les diverses saisons de l'année. Ceux qui vont l'été au Vernet peuvent suivre l'une ou l'autre de ces deux directions ; mais ceux qui vont passer la saison hivernale, doivent choisir de préférence la route de Bordeaux. Ils éviteront ainsi les vents quelquefois impétueux du golfe de Lion, et feront tout leur voyage sur une ligne dont l'exposition est toujours au midi.

Le Vernet, dans le département des Pyrénées-Orientales, dans l'arrondissement de Prades, est un village situé au pied du mont Canigou, dans la vallée du Tet, connue dans la chaîne des Pyrénées par sa fertilité et la douceur de son climat. Cette vallée est abritée, en effet, contre tous les vents, excepté contre ceux du nord-est, par les montagnes élevées qui l'entourent. Elle est ouverte au nord-est, et la route venant de Prades suit ses nombreux détours. Le vent s'engouffre dans cette sorte d'entonnoir et souffle quelquefois, de Prades à Villefranche, avec une grande énergie. Aussi n'est-ce pas dans ce point que l'on peut remarquer l'égalité de la température qui règne dans cette contrée. Au tournant de la route de Villefranche au Vernet, l'intensité du vent se modère peu à peu pour céder complétement lorsqu'on s'engage dans la vallée. Si l'établissement du Vernet est garanti des grands vents, les malades qui vont y faire une saison doivent cependant se munir de vêtements chauds et épais, pour se défendre de l'humidité produite par les nombreux cours d'eau, la réverbération du sol et les rosées abondantes qui en sont la conséquence ; mais ils ne doivent pas trop se préoccuper de cette particularité qui ne se fait sentir que le soir, et surtout le matin, car il leur est permis de sortir, de se promener seulement vers le milieu du jour au printemps, en été et au commencement de l'automne, tandis que pendant l'hiver leur traitement consiste plus peut-être dans le séjour à la chambre et aux salles d'inhalation que dans les moyens balnéaires proprement dits. Cependant les malades qui font une cure d'hiver se rendent ou se font porter au soleil dans les heures les plus chaudes des belles journées, lorsque le médecin leur en a donné le conseil.

L'établissement thermal, à 620 mètres au-dessus du niveau de la mer, est à 500 mètres du bourg du Vernet, peuplé de 875 habitants, et où se trouvent les ressources alimentaires, pharmaceutiques et littéraires, dont les hôtes peuvent avoir besoin. Le thermomètre s'abaisse rarement à — 2°,5 centigrade, et les plantes supportant difficilement une basse température, telles que le laurier-rose, le cactus, l'aloès, le grenadier, l'oranger y sont cultivées en pleine terre. L'hiver de 1858 a fait descendre le thermomètre jusqu'à — 2°,5 centigrade (janvier); pendant le jour le plus chaud, il s'est élevé à + 26° centigrade. La température la plus basse des journées de l'été de la même année a été de + 8° centigrade et la plus haute de + 33° centigrade (août).

Le Vernet étant une station d'hiver, le médecin éloigné doit connaître les avantages de ce poste sulfureux où la saison thermale dure toute l'année. Il est important que les malades ne partent pas au moment des grands froids de leur pays; autrement la transition trop brusque de la température peut donner des résultats opposés à ceux que l'on espère obtenir. En général, on doit être arrivé au Vernet au milieu du mois de novembre. S'il ne faut pas trop brusquement passer des contrées septentrionales aux régions du midi, et s'il est prudent de s'acclimater progressivement, il est plus indispensable encore, pour ceux qui ont fait une cure heureuse au Vernet, de ne pas s'en retourner au plus vite dans un climat trop rigoureux. Bien des convalescents n'écoutant pas ces préceptes si simples et si raisonnables ont payé de leur santé, et quelques-uns de leur vie, l'inobservation des sages avis qu'ils avaient reçus.

Les sources thermo-minérales du Vernet sont au nombre de onze. Elles se nomment: 1° la *source des Anciens-Thermes* ou *Eaux-Bonnes*, 2° la *source du Vaporarium*, 3° la *source Saint-Sauveur*, 4° la *source Élysa*, 5° la *Mère-source*, 6° la *source de la Comtesse*, 7° la *source Aglaé*, 8° la *source Ursule*, 9° la *source du Torrent* ou *de la Providence*, 10° la *source de Castell*, et 11° la *source de la Buvette* dite encore *source de la Santé*. Toutes ces sources servent aux usages balnéothérapiques des deux établissements de la station du Vernet. Les sept premières appartiennent à l'*établissement des Commandants*, les quatre autres à l'*établissement Mercader*.

ÉTABLISSEMENT DES COMMANDANTS. 1° *Source des Anciens Thermes* ou *Eaux-Bonnes*. Cette source se trouve au nord, derrière l'établissement, au pied du rocher de la Penne. Elle est captée sous une voûte creusée dans le rocher même et fermée par une porte pleine. Aussitôt que cette porte est ouverte, il sort une vapeur épaisse qui ne permet de distinguer ni la voûte, ni l'eau, et qui éteint sur-le-champ la bougie. Cette vapeur, d'une odeur sulfureuse très-prononcée, et d'une réaction parfaitement neutre, fait monter à 36°,6 centigrade, l'air extérieur étant à 23°,1 centigrade, le thermomètre qu'on y plonge à un mètre de profondeur. L'eau de cette source est claire et transparente, chaude à la bouche, d'une saveur hépatique, fade, nullement salée, elle a l'odeur d'œufs couvés. Des bulles gazeuses très-fines viennent, après quelques minutes, se déposer en perles sur les parois du verre qui la contient. Elle n'a aucune influence sur les préparations de tournesol ou de curuma. Sa température, prise au tuyau du réservoir, est de 54°,8 centigrade. Elle est employée en boisson, mais elle sert surtout à chauffer toutes les pièces de l'établissement, au moyen de conduits traversant la salle à manger, le salon, la chapelle, les chambres à coucher, etc. Elle alimente aussi les bains chauds et les douches des Anciens-Thermes; elle fournit d'eau chaude les baignoires et les douches, après avoir été rassemblée dans un réservoir clos de briques reliées par du béton. Elle se rend encore dans un refroidissoir situé à côté et en avant du réservoir d'eau sulfureuse à sa température native. Le même tuyau conduit aux baignoires et aux douches l'eau chaude ou refroidie, suivant que l'un ou l'autre des robinets est ouvert ou fermé. L'eau de la source des Anciens-Thermes, analysée par Anglada, a donné, par 1,000 grammes, les principes suivants:

Hydrosulfate de soude cristallisé	0,0305
Carbonate de soude.	0,0571
— chaux.	0,0008
— magnésie	traces.
Sulfate de soude	0,0291
— chaux	0,0037
Chlorure de sodium.	0.0121
Silice	0,0436
Glairine ou barégine.	0,0090
Perte.	0,0031
TOTAL DES MATIÈRES FIXES.	0,2258

Les baignoires sont de marbre blanc, à demi-encaissées dans le sol, en saillie de 30 centimètres au-dessus de l'aire des cabinets. L'eau arrive par le fond des baignoires, au moyen de robinets en contre-bas des dalles et à portée des baigneurs, qui ont l'eau chaude et l'eau froide à leur disposition. Les cabinets de douches sont sous l'ancienne voûte des Anciens-Thermes. Ils sont surmontés d'une grande pièce dans laquelle ont été installés, immédiatement au-dessus de chacun d'eux, cinq bassins pour la préparation des douches. Trois de faïence servent à contenir, le premier, l'eau de la douche parabolique, et les deux autres, l'eau chaude pour la douche jumelle. Le quatrième est carré, fait de briques bétonnées; il alimente la douche Tivoli. Le cinquième bassin, fait aussi de briques et de béton, renferme l'eau douce froide servant à la douche ascendante et à mitiger l'eau des autres douches. Les trois cabinets de douches sont mal éclairés et mal ventilés par leur porte d'entrée et par une ouverture circulaire de 50 centimètres de diamètre, ménagée sur la grande voûte, aérée seulement elle-même par deux lucarnes situées à la partie supérieure. Une des salles renferme l'appareil de douche parabolique, les deux autres, ceux des grandes douches en filet, en pluie, Tivoli, etc. Le cabinet du milieu est pourvu d'un système de douches ascendantes à tuyau fixe. La pression des grandes douches varie de 3 à 5 mètres, et les malades sont douchés assis ou debout. Le massage n'est pratiqué ni pendant ni après l'administration des douches.

2° *Source du Vaporarium.* On a établi sur le griffon de cette source un robinet placé au-dessus d'une baignoire de marbre. La température de l'eau à ce robinet est de 56°,2 centigrade, l'air de la salle étant à 29°,5 centigrade. Sa réaction est légèrement alcaline. Des tuyaux conduisent cette eau dans un réservoir de 3 mètres de profondeur, toujours alimenté d'eau courante, et placé sous la pièce dite du *Vaporarium.* Elle a les mêmes propriétés physiques et chimiques que celles de la source précédente. L'analyse de 1,000 grammes de l'eau de la source du Vaporarium a donné en sulfure à M. Fontan, en 1851, le résultat suivant:

Sulfure de sodium.	0,0248

La salle du Vaporarium n'est éclairée que par un œil-de-bœuf vitré situé à sa partie supérieure. Le thermomètre monte à 40°,8 centigrade dans l'intérieur de cette pièce, entourée de dix cabinets non fermés et dans lesquels la chaleur est plus concentrée. On peut abaisser la température en ouvrant une soupape pratiquée dans la lucarne établie au point le plus élevé du dôme.

La salle de respiration, située immédiatement au-dessus de la pièce du Vaporarium, sous la voûte commune aux cabinets de douches, n'est pas assez confortablement installée. Une cage de verre, entourée d'un puits de béton recouvert de planches formant galerie à hauteur d'appui, s'ouvre par sa partie supérieure pour donner passage à la vapeur et aux gaz, suivant les besoins du traitement et l'idiosyncrasie des malades. La température de la salle d'aspiration est entretenue, en général, à 28°,5 centigrade.

3° *Source Saint-Sauveur*. Cette source est captée sous une voûte de briques bétonnées, et une plaque de marbre ferme son bassin de captage. L'eau a les mêmes propriétés physiques et chimiques que celle des autres sources du Vernet, seulement son odeur et son goût sont moins hépatiques ; ils rappellent jusqu'à un certain point ceux de la source de l'établissement de SAINT-SAUVEUR (*voy.* ce mot), ce qui a fait donner à cette source du Vernet le nom sous lequel elle est connue. Sa réaction est très-sensiblement alcaline ; sa température est de 47°,1 centigrade. Quelquefois employée en boisson, cette eau sert surtout à alimenter l'établissement Saint-Sauveur, une des dépendances de l'établissement des Commandants. Elle se rend par des conduits de maçonnerie, à deux réservoirs placés à droite et à gauche de la porte d'entrée de la cour de l'établissement Saint-Sauveur. Chacun de ces réservoirs contient, l'un, l'eau que l'on y laisse refroidir, et l'autre, l'eau à la température de la source qui arrive directement aux robinets des baignoires par des tuyaux de terre cuite. L'analyse de l'eau de la source Saint-Sauveur a donné, en 1836, à M. Bouis, sur 1,000 grammes, les proportions suivantes :

Sulfure de sodium	0,0406
Sulfate de soude	0,0270
— chaux	0,0010
Carbonate de soude	0,0730
— potasse	traces.
— chaux }	0,0030
— magnésie }	
Chlorure de sodium	0,0120
Silice	0,0600
Glairine ou barégine	0,0110
TOTAL DES MATIÈRES FIXES	0,2276

L'établissement des bains Saint-Sauveur est à 50 mètres de la source de ce nom, et se compose de quatorze salles ayant chacune une baignoire de marbre sans appareil de douches. Les robinets versent l'eau par leur partie supérieure et sont à la disposition des baigneurs. L'eau de la source Saint-Sauveur, arrivée aux robinets des baignoires, marque encore 43° centigrade, l'air des cabinets étant à 24° centigrade.

4° *Source Élysa*. Elle jaillit sous un bâtiment spécial, situé à 25 mètres des bains Saint-Sauveur et à 15 mètres seulement de la salle à manger. Son eau a les mêmes caractères physiques et chimiques que ceux des autres sources du Vernet ; mais elle est moins désagréable au goût ; sa saveur et son odeur sont moins sulfureuses et comparables à celles de la Raillière de Cauterets. Des bulles gazeuses qui s'attachent bientôt aux parois des verres la traversent ; sa réaction est moins sensiblement alcaline que celle de l'eau de la source Saint-Sauveur. L'air du cabinet étant à 24° centigrade, la température de l'eau de la source Élysa marque 34°,8 centigrade. On l'emploie en boisson et en bains. L'analyse chimique de 1,000 grammes de cette eau, faite en 1851, par M. le docteur Fontan a donné :

Sulfure de sodium	0,01492

Le pavillon construit sur le griffon de la source Élysa ne se compose que de deux cabinets qui contiennent chacun une baignoire de marbre au fond de laquelle arrive directement et par un jet de 40 centimètres de hauteur, l'eau de la source venant d'un réservoir séparé seulement par le mur du pavillon. Ces deux baignoires sont alimentées en outre par l'eau de la source Saint-Sauveur, apportée par des tuyaux souterrains et versée par un robinet placé au-dessus du bord supérieur des baignoires.

5° *Mère-source.* Son point d'émergence est à 25 mètres plus bas que le bâtiment de la source Élysa, dans une pièce de terre inculte, et son griffon principal se trouve au fond d'une galerie souterraine recouverte de pierres. Elle est captée sous une cloche de béton, mais plusieurs de ses filets coulent en liberté et permettent d'apprécier qu'elle ne diffère en rien des autres sources, si ce n'est pas son goût fade, son odeur très-sulfureuse, sa réaction neutre et sa température élevée qui est de 57°,8 centigrade, l'air de la galerie étant à 31° centigrade. Les filets non captés de la Mère-source suffisent pour former un petit ruisseau dont les eaux ne sont pas utilisées. On constate dans ce ruisseau la présence de filaments de barégine et de sulfuraire plus nombreux et plus longs que tous ceux observés aux sources sulfurées. Plusieurs sont flottants et creux, et mesurent plus de 1 mètre de longueur et près de 1 centimètre de diamètre. Cette eau est employée en boisson, en bains, en douches et en inhalations. 1,000 grammes de l'eau de la Mère-source ont donné, en 1851, à M. Fontan :

Sulfure de sodium. 0,0239

Le bâtiment dans lequel se trouvent la buvette, les bains, les douches et la salle d'inhalation de la Mère-source est à 6 mètres seulement de la rivière qui coule du Vernet à Conflans, et à 70 mètres de la galerie de la source. L'eau s'y rend par des conduits souterrains de pierre contenant des tuyaux de terre vernissée qui la versent dans un réservoir fermé, situé dans le jardin, derrière la maison; ils occupent toute sa longueur. L'établissement est composé de quatre cabinets de bains, de deux cabinets de douches et d'un vaporarium ; un des cabinets de bains renferme deux baignoires. Tous sont éclairés et ventilés par une fenêtre donnant sur le jardin. Les baignoires de marbre sont trop étroites et encaissées dans le sol de manière à former une saillie de 45 centimètres au-dessus du dallage des cabinets. Au fond du cabinet double, se trouvent deux baignoires séparées par des carreaux de faïence. L'eau de la Mère-source arrive au robinet de ces baignoires à la température de 41° centigrade, celle du cabinet étant de 23°,6 centigrade. De l'eau refroidie y vient à 34°,5 centigrade. Les salles de bains occupent le rez-de-chaussée, tandis que les cabinets de douches et le vaporarium se trouvent dans le sous-sol. Les deux cabinets de douches, voûtés, sont disposés de façon à ce qu'on peut y prendre les douches dans une baignoire au-dessus de laquelle sont fixées à 2m,25 de hauteur des tuyaux à robinet. Par l'un s'administre la douche descendante, l'autre conduit l'eau minérale à une ouverture pratiquée dans l'aire du cabinet, sur laquelle on s'assied pour recevoir les douches ascendantes. La température des salles de douches étant de 25°,4 centigrade, l'eau arrive aux robinets des appareils à 47°,5 centigrade. Le vaporarium occupe une petite salle circulaire bâtie sur le réservoir qui se trouve à côté des grandes douches. Cette salle est trop chaude, quoiqu'elle soit presque toujours ouverte ; la pièce qui la précède sert de cabinet de respiration. L'installation et l'organisation de l'établissement de la Mère-source sont peu confortables et suffisent à peine à leur destination. Toutes les salles sont humides et beaucoup trop sombres ; aussi cette division n'est-elle guère fréquentée que par les paysans.

6° et 7° Les eaux des sources *de la Comtesse* et *Aglaé* ne sont pas employées.

ÉTABLISSEMENT MERCADER. 8° *Source Ursule.* Le griffon de cette source est au fond d'une galerie pratiquée dans le déblai d'un pavillon composé de quatre salles: de grandes douches, d'une salle de douches ascendantes et d'une salle d'inhalation gazeuse. Ce pavillon reçoit les eaux de la source Ursule, la plus éloignée de l'établissement Mercader, elle alimente aussi les deux buvettes, les appareils de douches et les tuyaux qui parcourent trois des côtés du plancher de chaque pièce de cette maison de bains. C'est elle encore qui, en été, se rend au vaporarium et à la salle de respiration. L'eau de cette source est claire et limpide, d'une saveur et d'une odeur hépatiques prononcées, d'une réaction alcaline et d'une température de 41°,8 centigrade, celle de la galerie étant de 28°,3 centigrade. L'analyse chimique de l'eau de la source Ursule, faite par M. Ossian Henry, en 1852, a donné les résultats très-incomplets que voici :

Sulfure de sodium	0,0129
Carbonate de chaux	
— magnésie	0,2371
Sel de potasse	
Sulfate de soude	
Chlorure de sodium	
Iodure alcalin	
Silicate de soude	
— alumine	
Indices de fer	
Matière organique (glairine)	
TOTAL DES MATIÈRES FIXES	0,2500

9° *Source du Torrent* ou *de la Providence.* La source du Torrent a son point d'émergence à 3 mètres du griffon de la source Ursule et dans la même galerie. Ses caractères physiques et chimiques sont les mêmes que ceux de la source Ursule. Sa température est de 39°,2 centigrade. Elle alimente d'eau chaude dix cabinets de bains de l'établissement Mercader, et elle envoie son eau pendant l'hiver au vaporarium et à la salle d'inhalation. « Toutes les sources de l'établissement Mercader ayant une composition presque identique, dit M. Buran, ingénieur chimiste, je me contente de donner l'analyse que j'ai faite, en 1853, de 1,000 grammes d'eau de la source du Torrent ou de la Providence.

Sulfure de sodium	0,0420
Sulfite de sodium	0,0050
Sulfate de sodium	0,0225
— magnésium	0,0035
— calcium	0,0010
Silicate de sodium	0,0628
Carbonate de sodium	0,0910
— potassium	0,0100
— magnésium	0,0020
— calcium	0,0015
Chlorure de sodium	0,0160
Alumine	0,0010
Glairine	0,0150
Iodure de potassium	0,0001
TOTAL DES MATIÈRES FIXES	0,2734

« Plus, des traces de fer, de brome dont on ne pourrait déterminer les proportions qu'en réitérant les expériences et en opérant sur de plus fortes proportions que celles que j'ai eues à ma disposition. »

10° *Source de Castell.* Elle se trouve à 30 mètres de l'établissement Mercader, sur un des côtés du chemin conduisant au village de Castell Cette source qui émerge au fond d'une galerie a les mêmes propriétés physiques et chimiques que les autres. Sa réaction est neutre, et sa température est de 35°,5 centigrade, celle de la galerie étant de 24° centigrade. Elle fournit d'eau refroidie les dix cabinets alimentés d'eau chaude par la source Ursule. Son eau n'a pas été analysée.

11° *Source de la Buvette* dite encore *Source de la Santé*. Son eau est utilisée en boisson seulement, c'est un filet de la source de la Providence ou du Torrent; elle n'a par conséquent qu'une importance très-secondaire.

L'établissement des bains Mercader se compose de deux buvettes, de quatorze cabinets de bains, d'un vaporarium et d'une salle de respiration. L'une des buvettes se trouve dans la galerie du rez-de-chaussée, contenant quatre salles de bains alimentées par la source Ursule : c'est la buvette de la *Bienfaisante Adélaïde*. Elle consiste dans une table de marbre à laquelle est fixé un petit robinet de cuivre, sous lequel est une soucoupe, communiquant avec le tube de zinc qui emporte l'eau de la source Ursule au fond de la galerie. L'autre buvette est au premier étage, elle est alimentée par un filet dépendant de la source du Torrent ou de la Providence ; elle est connue sous le nom de *Buvette de la Santé*, et son installation est à peu près la même que celle de la buvette Adélaïde. Son eau tient en suspension une grande quantité de flocons de barégine. Les quatorze salles de bains du rez-de-chaussée reçoivent leur eau de la source Ursule, et les dix autres, au premier étage, de la source de la Providence comme eau chaude et de la source de Castell comme eau froide. Les cabinets auxquels la source Ursule fournit son eau sont réservés pour ceux dont le traitement exige des bains à une température élevée. A gauche, ils s'ouvrent sur la galerie de droite de l'établissement, et ne sont éclairés que par une porte vitrée, avec imposte. Leurs baignoires de marbre ont deux robinets : l'un à clef, donnant l'eau à la température de la source Ursule, est placé au milieu de la paroi latérale de la baignoire; l'autre, fixé au-dessus de son bord supérieur, verse l'eau de la même source refroidie. Deux de ces cabinets sont munis d'appareils de douches descendantes, et un d'un appareil de douche ascendante. Des dix autres cabinets, neuf n'ont qu'une seule baignoire, un seul en a deux; aucun n'a d'appareils de douches. L'eau de la source de la Providence y arrive à 36°,3 centigrade. Le charbon seul est employé pour le chauffage du linge aux deux établissements du Vernet.

Le vaporarium est dans la galerie de la buvette et des salles de bains alimentées par l'eau de la source Ursule. Il est précédé d'une pièce qui sert à la fois de vestiaire et de salle de surveillance. La température du vaporarium est de 37° centigrade. La salle de respiration et de humage, située au premier étage, est suivie d'une galerie vitrée exposée au midi, dans laquelle le soleil brille pendant toute la journée et d'où les malades découvrent les campagnes et les rochers des environs. C'est dans cette pièce qu'est établi le réservoir alimentant d'eau les douches des cabinets du rez-de-chaussée, de vapeur et de gaz la salle de respiration et de humage. On a établi au centre de la salle de respiration un appareil de zinc, aux côtés duquel ont été pratiquées deux ouvertures où les malades viennent appliquer leur bouche. Une odeur à peine prononcée qui semble différer très-peu de celle de la vapeur d'eau ordinaire est perçue en entrant dans la salle. Cela tient assurément à la construction vicieuse du réservoir; il serait très-facile avec des appareils semblables à ceux de PIERREFONDS, de SAINT-HONORÉ et d'URIAGE (*voy.* ces mots) d'obtenir un développement de vapeurs et de gaz beaucoup plus considérable.

Les deux établissements rivaux des Commandants et de Mercader sont assez convenablement installés et répondent à toutes les exigences d'une cure d'hiver par les eaux sulfurées. Les malades peuvent boire, prendre leurs bains, leurs douches d'eau, leurs bains de vapeur dans les vaporariums du Vernet, et leurs séances d'inhalation, sans sortir des établissements dont toutes les pièces principales sont chauffées par l'eau thermale des sources. Il n'y a de luxe ni dans l'un ni dans l'autre, mais l'établissement des Commandants est le plus complet. Il est ordinairement préféré par les personnes appartenant aux classes élevées de la société. L'établissement Mercader convient mieux, à cause de ses prix relativement modiques, aux baigneurs simples ou forcés de limiter leurs dépenses. L'établissement Mercader n'est certes pas brillant; l'on ne s'y préoccupe que de la santé des malades.

MODE D'ADMINISTRATION ET DOSES. Les eaux du Vernet doivent être prescrites avec une grande prudence, comme toutes les eaux sulfurées et sulfureuses, du reste, et n'être permises qu'à très-faibles doses d'abord, une cuillerée ou un quart de verre, et très-rarement en quantité plus considérable que trois verres. Elles se donnent seules, coupées de lait ou d'une infusion de fleurs de tilleul édulcorée avec le sirop de gomme et plus souvent avec le sirop d'érysimum des montagnes du Vernet. Le médecin qui dirige la cure les prescrit le plus souvent le matin à jeun, de quart d'heure en quart d'heure, et quelquefois aussi le soir avant de se mettre au lit. Il arrive, par exception, qu'elles se prennent aux repas, coupées avec du vin ou mêlées à l'eau ordinaire, il arrive même que certains malades en font usage à l'exclusion de toute autre boisson. Toutes les sources du Vernet peuvent s'employer à l'intérieur : les eaux utilisées ainsi le plus souvent, à l'établissement des Commandants, sont celles de la source Élysa et celles de la source Saint-Sauveur ou des Anciens-Thermes; et, à l'établissement Mercader, celles de la buvette de la Santé, venant, on se le rappelle, de la source du Torrent ou de la Providence, et celles de la buvette de la Bienfaisante Adélaïde alimentée par la source Ursule. Les eaux de la buvette Élysa à l'établissement des Commandants, celles de la buvette de la Santé ou de la Providence à l'établissement Mercader, ont des propriétés moins énergiques, mais aussi elles sont moins excitantes. L'eau des deux autres buvettes, moins facilement tolérée par l'estomac, stimule plus vivement l'organisme tout entier. Les deux premières buvettes semblent donner les résultats obtenus aux Eaux-Bonnes, les deux dernières ceux de certaines sources de Bagnères-de-Luchon et de Cauterets.

EMPLOI THÉRAPEUTIQUE. Les quatre sources Élysa, des Anciens-Thermes, de la Providence et Ursule donnent une idée complète de l'action physiologique et curative de toutes les autres sources du Vernet. Nous allons nous en occuper exclusivement.

A petites doses et dès les premiers jours les eaux du Vernet ont un effet tonique marqué sur presque toutes les constitutions. Elles augmentent la transpiration, les urines deviennent plus abondantes, l'appétit plus vif, les digestions plus faciles et plus promptes. En quantité plus considérable, le pouls et la chaleur de la peau s'accroissent. Les sécrétions cutanées et des membranes muqueuses contiennent, la chimie le constate aisément, de l'acide sulfhydrique que l'odorat fait même reconnaître, lorsque ces eaux ont été administrées à doses un peu élevées. Il survient de la céphalalgie, des bourdonnements et des tintements d'oreilles, des éblouissements, des vertiges, de la sécheresse de la bouche, de l'anorexie, de la soif, etc., etc., de la saturation minérale enfin. Assez fréquemment encore le phénomène de la poussée (*voy.* ce mot) se caractérise par des furoncles, du pemphigus, de l'érythème, du lichen, etc., accidents qui font immédiatement suspendre la cure, nécessitent un traitement rafraîchissant, contraignent à garder la chambre et même le lit, les malades qui doivent se tenir chaudement et favoriser autant que possible l'éruption regardée au Vernet comme l'indice à peu près certain d'une médication hydrosulfurée commencée sous les meilleurs auspices. Les eaux du Vernet en bains, en douches d'eau, ont une action complexe, c'est-à-dire, qu'elles doivent leurs effets à leur température plus ou moins élevée, à la proportion de leurs éléments minéralisateurs, et surtout à la quantité du sulfure de sodium qu'elles renferment. C'est l'existence de ce composé chimique qui rend plus ou moins actives, plus ou moins stimulantes les eaux sulfurées; leur glairine ou barégine est le correctif de ce principe hépatique, et les eaux de cette classe sont d'autant moins stimulantes qu'elles en contiennent davantage. Quoi qu'il en soit, le contact de l'eau du Vernet fait éprouver à la peau une sensation d'onctuosité qui n'échappe à personne : des bulles de gaz ne tardent pas à venir se fixer en forme de perles distinctes sur les divers points de la périphérie du corps, mais elles s'en détachent au moindre mouvement. Les phénomènes d'excitation se produisent surtout à la suite des bains très-chauds et des douches préparées avec les eaux hyperthermales. Il est à remarquer que si l'eau en boisson donne quelquefois lieu à la saturation minérale et à la poussée, les bains et les douches, principalement lorsqu'ils sont administrés chauds et très-chauds, occasionnent surtout ces effets physiologiques exagérés. Si nous avons vu les accidents cutanés survenus après une cure d'eau en boisson, spécialement caractérisés par des furoncles, du pemphigus, du lichen, etc., ceux du traitement par l'usage extérieur des eaux de cette station se reconnaissent aux éruptions de la membrane externe, qui apparaissent sous forme de papules lorsque la manifestation est bénigne, et sous l'apparence de vésicules si elle est intense au contraire. Lorsque les bains et les douches sont à une très-haute température, les malades éprouvent une sensation de chaleur vive, mordicante, sur toutes les parties mouillées; un spasme, un malaise général, accompagnés de dyspnée, d'une respiration anxieuse, accélérée. La bouche devient aride, la soif ardente, la face vultueuse, les yeux rouges et saillants; la circulation est augmentée, à la tête surtout; des vertiges surviennent; une sueur profuse couvre le visage et toutes les parties du corps. Rarement le médecin doit chercher à faire naître ces phénomènes d'extrême stimulation, et lorsqu'ils sont nécessaires, il importe de surveiller les baigneurs et de s'opposer à ce que l'effet devienne funeste, comme cela est arrivé à des malades qui ont succombé dans un bain ou à la suite d'un bain d'eau du Vernet pris à une température trop élevée. Les bains et les douches se donnent ordinairement le matin à jeun. La durée des bains varie suivant l'idiosyncrasie et la force des malades, l'importance et la gravité des maladies, le degré de chaleur auquel ils sont administrés, l'action plus ou moins stimulante de leurs eaux; les bains tièdes sont, en général, de quarante-cinq minutes à une heure, les bains chauds de cinq à quinze minutes, et les bains très-chauds de trois à cinq minutes au plus. Les douches s'administrent de cinq à vingt minutes, suivant leur chaleur, leur volume et leur force de projection.

Certaines sources employées à l'intérieur ont une force que n'ont pas les autres elles stimulent plus ou moins activement le système nerveux. Il en est de même de leurs eaux administrées à l'extérieur : les unes produisent une surexcitation inconnue à certaines autres, et il n'est pas indifférent, par exemple, de prescrire des bains avec l'eau de la source Élysa ou de la source Saint-Sauveur à l'établissement des Commandants, et avec l'eau de la source de la Providence ou de la source Ursule à l'établissement Mercader, quand même ces bains ont une température identique. Est-ce parce que les sources Élysa et de la Providence contiennent davantage de barégine que les sources des Anciens-Thermes et Ursule? Cela est probable, mais n'est pas certain. Les phénomènes physiologiques principaux produits par les vaporariums du Vernet sont : une lourdeur de tête, une grande chaleur de la peau bientôt suivie d'une sueur abondante, une gêne prononcée de la respiration, une augmentation considérable de la circulation sanguine, une sécrétion plus abondante et plus facile de la membrane muqueuse tapissant les voies aériennes, et une congestion du tissu pulmonaire « pouvant aller jusqu'à l'hémoptysie, la fonte de tubercules existants et la formation de nouveaux tubercules chez les phthisiques. » (H. Silhol, *Notice sur les eaux du Vernet*, p. 54, Montpellier, 1852.) Dans les salles de respiration, la température ne s'élève plus comme dans les vaporariums, à 36° centigrade, mais seulement à 16° centigrade et au plus à 18° centigrade. Le malade peut y respirer longuement les vapeurs et les gaz sans que le pouls augmente de force et de fréquence, sans que la transpiration s'établisse ; il y éprouve seulement une légère moiteur, ses sécrétions laryngiennes et bronchiques se font plus abondamment et plus facilement, et il s'opère pour ainsi dire, par les vapeurs et le gaz acide sulfhydrique, une sorte de sédation, d'action stupéfiante même des organes de la respiration et de l'hématose. Enfin, l'action physiologico-pathologique des eaux du Vernet en gargarismes consiste dans la guérison des inflammations granuleuses, souvent d'origine herpétique, de la membrane muqueuse de l'arrière-bouche et du pharynx. C'est l'eau des sources fortes d'Ursule et des Anciens-Thermes qui s'emploient d'habitude alors. L'action physiologique des eaux du Vernet indique leurs vertus dans les affections des membranes muqueuses des voies digestives, respiratoires et génito-urinaires.

Aussi sont-elles employées avec un grand succès dans les affections de l'arrière-gorge, de l'estomac et des intestins. Lorsqu'une dermatose existant depuis un certain temps disparaît tout à coup ou même peu à peu, et qu'il survient une amygdalite, une pharyngite granuleuses, une dyspepsie stomacale ou intestinale, il est infiniment probable que les voies digestives ont été consécutivement affectées, et que la maladie nouvelle est de semblable nature que l'affection ancienne, et qu'il faut appliquer le même traitement. Cette explication donne la clef du mode d'action de diverses classes d'eaux minérales dans des maladies qui ont les mêmes symptômes, mais qui sont loin d'avoir la même cause. Ce sont les eaux en boisson, les bains généraux, les douches d'eau et les gargarismes qui conviennent alors.

Ce que nous venons de dire des maladies de la membrane muqueuse des organes digestifs peut s'appliquer presque littéralement à celle qui tapisse les organes respiratoires, et les eaux du Vernet en boisson, en bains, en douches, en gargarismes et en inhalations, sont utilement employées dans les laryngites et dans les bronchites chroniques, accompagnées de crachats abondants, épais et purulents, qui donnent souvent de graves inquiétudes sur la terminaison de ces maladies. On doit ajouter qu'il en est de même des catarrhes du larynx et des bronches, ou de l'asthme ayant apparu après la rétrocession d'une affection herpétique. Là ne se bornent pas les prétentions des sources des deux établissements du Vernet qui veulent, ainsi que la plupart des eaux sulfurées et sulfureuses et plus justement que beaucoup d'entre elles, guérir sinon la phthisie pulmonaire, au moins les accidents qui compliquent le plus souvent la seconde période de cette maladie. La composition chimique, la thermalité, l'action physiologique des eaux du Vernet suffisent pour justifier les résultats annoncés à cette station. En se souvenant des détails donnés au commencement de cet article sur la topographie, la douceur du climat, etc., de ce point du Languedoc, on comprendra encore mieux l'importance de ce poste thermal, qui doit être d'autant mieux connu qu'il est une des rares stations minérales d'hiver où les malades peuvent aller passer la mauvaise saison, éviter les transitions brusques de température dans des appartements chauffés par la haute thermalité des sources sulfurées, et trouver une atmosphère toujours relativement chaude. Les eaux et le climat du Vernet ne guérissent-ils que les accidents de la deuxième période de la phthisie du poumon? N'arrêtent-ils pas quelquefois l'évolution de tubercules au premier degré? N'ont-ils jamais cicatrisé de cavernes après avoir tari leur suppuration? Toutes ces questions sont assurément très-délicates, et M. le docteur Piglowski croit qu'il est parvenu à enrayer la marche de la phthisie au premier degré, alors que les commémoratifs et les signes physiques lui donnaient presque la certitude de ne pas commettre d'erreur. Mais ce praticien éclairé ne pense pas que la vertu des thermes sulfurés du Vernet soit efficace dans la phthisie pulmonaire arrivée à la troisième période, et il déplore l'habitude où sont les médecins éloignés d'envoyer des malades trop avancés pour que la guérison soit possible. On doit se garder de conseiller aux phthisiques, quel que soit le degré de leur affection, des bains entiers, des douches générales et le séjour dans un vaporarium. Tous ces moyens, au lieu d'être utiles, leur sont très-nuisibles et les mènent promptement vers une issue funeste. Il faut ne leur prescrire que des demi-bains, des douches sur le bas des jambes et sur les pieds, et enfin le séjour dans les salles de respiration, où ils doivent passer, tous les jours, un temps assez long, suivant les avis du médecin.

Dans les affections des membranes muqueuses des organes génito-urinaires, les eaux du Vernet en boisson, en bains et en douches générales et locales réussissent très-bien, surtout lorsque les maladies des reins, de la vessie, de l'utérus ou du vagin ont pour expression principale la sécrétion anormale du mucus et même du pus. L'effet heureux se produit, quelle que soit la cause de l'affection; mais il n'est jamais aussi appréciable et aussi marqué que si les reins, les uretères, la vessie, la matrice et le vagin ont souffert d'affections herpétiques. L'action stimulante et tonique des eaux du Vernet explique encore leurs vertus dans la dysménorrhée et l'aménorrhée qui accompagnent ordinairement un état d'atonie générale. Les eaux en boisson, en bains généraux, en douches sur les lombes et dans le vagin, sont les moyens qu'il convient d'opposer à de pareils états morbides.

Les maladies de la peau sont aussi très-utilement traitées par l'application des eaux du Vernet, qui agissent différemment, suivant les sources auxquelles les malades sont adressés. Les sources faibles conviennent mieux aux personnes qui présentent encore un état subaigu de leur affection cutanée, et chez lesquelles il faut éviter de ramener la période inflammatoire; tandis que les sources fortes doivent être choisies, au contraire, pour ceux qui sont depuis longtemps travaillés par une dermatose indolente dont on ne peut obtenir la guérison qu'en réveillant la vitalité de la membrane tégumentaire, et en suractivant sa circulation. Dans l'eczéma qui n'a pas revêtu complétement la forme chronique, les sources Élysa et de la Providence sont employées en boisson et en bains généraux frais ; tandis que dans le psoriasis les eaux de la source Ursule et des Anciens-Thermes doivent être prescrites en boisson, en bains chauds et même très-chauds, et en vapeurs dans les salles dites vaporariums. Ces deux exemples suffisent pour faire comprendre le parti que les médecins peuvent tirer de l'application des eaux sulfurées du Vernet, suivant leur plus ou moins grande quantité de barégine, leur plus ou moins grande sulfuration, leur plus ou moins grande thermalité, dans les affections de la peau. Nous ne pouvons passer sous silence, à cet égard, une remarque faite en décrivant les sources. On se souvient que la Mère-source est celle qui contient la plus grande quantité de barégine et de sulfuraire. Il est bien fâcheux que le refroidissement dépouille l'eau d'une partie de ces matières avant son arrivée à l'établissement thermal qu'elle alimente, et qu'on n'ait pu élever sur son griffon même une maison de bains où les qualités natives de cette source eussent pu être conservées. S'il est vrai que l'action émolliente d'une source hépatique soit en raison de la proportion de barégine et de sulfuraire qui y sont dissoutes, la Mère-source est assurément une des plus précieuses, et nous ne pouvons douter que le propriétaire de l'établissement des Commandants, auquel cette source appartient, ne fasse organiser une buvette convenable et quelques salles de bains sur le point même de l'émergence de la Mère-source. Les propriétés curatives des eaux du Vernet sur les affections de l'enveloppe extérieure ne doivent point être mises en oubli par les médecins, qui savent combien ces maladies sont tenaces, rebelles aux traitements les plus rationnels et les plus énergiques. Les dermatoses chroniques surtout ont deux caractères essentiels, celui de disparaître avec une difficulté extrême, et celui de revenir quelque temps après leur guérison ; de sorte qu'un malade, qui a suivi pendant de longs mois un traitement avec persévérance, et se croyant guéri à la fin de l'automne, par exemple, voit revenir son affection au déclin de l'hiver ou au commencement du printemps suivant. Les eaux du Vernet, prises en boisson, en bains, en douches, en bains de vapeur, pendant un temps qui doit toujours se prolonger après la guérison complète, ont donné des résultats satisfaisants, et les malades qui persévèrent longtemps après leur cure n'ont souvent point la rechute habituelle chez ceux qui s'en tiennent à la saison thermale, telle qu'elle est comprise dans toutes les stations n'ayant point d'établissement d'hiver. Lorsque les affections de la peau ont une origine syphilitique, les eaux du Vernet conviennent encore, en ce sens qu'elles permettent aux malades de suivre plus facilement une médication hydrargyrique ou iodurée, qui agit comme spécifique ; les eaux s'opposent aux accidents du traitement, et produisent un effet favorable sur la manifestation cutanée, occasionnée par une affection devenue constitutionnelle. Comme toutes les eaux sulfurées et sulfureuses, les eaux du Vernet, prises pour une autre fin, ont souvent rappelé sur l'enveloppe extérieure des traces qui ont instruit sur la signification de douleurs ou d'accidents dont la cause était mal appréciée jusqu'alors, et ont éclairé sur le traitement véritable qui doit leur être opposé pour en triompher à peu près sûrement.

L'hyperthermalité, les effets physiologiques des eaux du Vernet expliquent parfaitement leur efficacité dans les rhumatismes chroniques, quels que soient leurs manifestations et leur siége, et il n'est pas besoin d'insister ici pour faire comprendre qu'il est certains rhumatisants chez lesquels les eaux sulfurées doivent être préférées à toutes les autres ; nous spécifierons, en traitant des *eaux minérales* en général, quelles constitutions et quelles diathèses coexistant avec le rhumatisme chronique, précédées ou engendrées par lui, rentrent dans la sphère d'action des eaux hyperthermales sulfurées et sulfureuses. Que le rhumatisme se révèle par des douleurs articulaires, musculaires ou viscérales; qu'il affecte la sensibilité ou la myotilité d'une plus ou moins grande portion du corps; qu'il ait revêtu les formes névralgique, paralytique, atrophique, etc., les eaux du Vernet, appliquées en bains et en douches d'eau très-chaude, en vapeurs, suffisent presque toujours pour débarrasser les malades auxquels les eaux hyperthermales sulfurées conviennent, et dans un temps en général assez court. L'avantage que présente aux rhumatisants la station du Vernet, c'est que, pour traiter leur maladie, les baigneurs ne sont pas forcés d'attendre la saison où les établissements s'ouvrent officiellement, le commencement de l'été. Cela est d'autant plus important à noter, que leurs douleurs sont toujours moins violentes pendant les chaleurs; le climat du Vernet et la température élevée des appartements de ses deux établissements permettent aux rhumatisants d'être traités avec succès pendant l'hiver où les accidents sont plus tranchés et plus rebelles à toutes les médications. Dans les douleurs, les névralgies, les paralysies et les atrophies rhumatismales, on fait grand usage au Vernet de frictions avec les brosses anglaises, après les bains, les douches, ou le séjour des malades dans le vaporarium. Il serait à désirer qu'un masseur habile fût attaché à cette station thermale et pût exercer sous la douche dans les affections dont il nous reste à parler. Les eaux du Vernet, prises en bains et en douches, conviennent, comme toutes les eaux hyperthermales sulfurées et sulfureuses, dans tous les états pathologiques où il est utile d'exciter énergiquement, et d'une manière locale, les fonctions de la peau des parties affectées, comme dans la gêne des mouvements consécutive à de grands traumatismes, dans les suites de blessures par armes de guerre, de luxations ou de fractures, etc.; dans les rétractions musculaires, dans les engorgements des articulations des sujets scrofuleux surtout. Elles sont prescrites avec avantage, enfin, et sous la même forme, dans les plaies fistuleuses et les ulcères atoniques.

Les eaux du Vernet sont *contre-indiquées*, chez les sujets pléthoriques, chez ceux qui sont prédisposés à des congestions ou à des hémorrhagies actives, chez les hémoptoïques, chez ceux qui ont un système nerveux trop irritable, chez ceux enfin qui voient survenir facilement une inflammation de l'un des organes essentiels à la vie.

Durée de la cure. On sait qu'à aucun établissement thermo-minéral la durée de la cure n'a rien de fixe et dépend de circonstances très-complexes. Au Vernet, où se traitent des affections essentiellement chroniques, avec lesquelles on ne peut réussir sans faire preuve d'une grande persévérance, il est plus que partout impossible de limiter, approximativement même, le temps que les malades doivent y séjourner.

On *n'exporte* l'eau d'aucune des sources du Vernet.

A. ROTUREAU.

BIBLIOGRAPHIE. — *Notice sur le grand établissement thermal de Vernet-les-Bains, près Prades (Pyrénées-Orientales)*. Paris, 1842, in-8°, 32 pages. — PIGLOWSKI. *Notice sur l'établissement thermal des anciens thermes de Vernet (Pyrénées-Orientales)*. 2ᵉ édition, Perpignan, 1851, in-8°, 40 pages. — DU MÊME. *Quelques considérations sur l'emploi des eaux minérales sulfureuses du Vernet (Pyrénées-Orientales)*. Extrait du *Moniteur des hôpitaux*, 1856 et brochure. Paris, 1856, in-8°, 15 pages. — DU MÊME. *Quelques réflexions sur l'utilité de la médication hydro-minérale en toutes saisons*. Paris, 1860, in-8°, 20 pages. — SILHOL (H.). *Thermes Mercader. Notice sur les eaux minérales sulfureuses de Vernet (Pyrénées-Orientales)*. Montpellier,

1852, in-8°, 80 pages. — HENRY (O.). *Analyse de l'eau minérale sulfureuse du Vernet.* In *Bulletin de l'Académie de médecine,* 1853. — FILHOL (E.). *Eaux minérales des Pyrénées....* Paris, 1853, in-12.

A. R.

LEVICO (EAUX MINÉRALES DE), *athermales, sulfatées ferrugineuses fortes, carboniques moyennes.* En Italie, dans le Trentin, au pied du mont Fronte, à 1075 mètres au-dessus du niveau de la mer, est un bourg peuplé de 1835 habitants. Son climat est beaucoup plus tempéré que celui des stations minérales placées dans une vallée étroite, entourée de hautes montagnes de tous les côtés, excepté au midi. Deux sources émergent de la montagne du nord dans deux grottes distinctes, formées de micaschiste et de schiste argileux. Des pyrites, contenant du fer, du cuivre, de l'arsenic et des couches ocreuses d'un jaune rougeâtre, se trouvent aux environs des grottes qui donnent leur nom aux sources. L'une est la grotte de l'ocre; l'autre, la grotte du vitriol. La *source de l'Ocre,* ou *Supérieure* ou *de l'Estomac,* ou *Douce,* ou *Faible,* est exclusivement employée en boisson, tandis que la *source du Vitriol,* ou *Inférieure* ou *Forte,* fournit seule aux bains de Levico.

L'eau de la source de l'Ocre ou Douce est claire et limpide, lorsqu'elle a laissé déposer une matière ocracée sur les parois de son bassin; elle est sans odeur prononcée; sa saveur est à la fois ferrugineuse et piquante; elle est traversée par de nombreuses bulles gazeuses, qui s'attachent en partie aux parois des verres qui la contiennent. Sa température est de 12°,3 centigrade. L'eau de la source du Vitriol ou Forte n'est pas limpide, elle contient un précipité qui lui donne l'aspect de bière foncée ou de cidre sans eau; son odeur et sa saveur sont très-franchement ferrugineuses; son goût est assez styptique pour qu'elle puisse être facilement ingérée. Elle ne paraît point gazeuse, et pourtant elle renferme plus d'acide carbonique que la source de l'Ocre; sa température est de 13°,1 centigrade. M. le docteur Louis Manetti, professeur de chimie à l'école municipale de Trente, a fait l'analyse chimique de l'eau des deux sources de Levico; il a trouvé dans 1000 grammes de chacune d'elles les principes suivants :

	SOURCE DE L'OCRE.	SOURCE DU VITRIOL.
Sulfate de cuivre	»	0,0470
— ferreux	0,4008	0,0290
— ferrique	»	4,3210
— manganèse	»	traces.
— alumine	»	0,8428
— magnésie	0,2630	0,1504
— chaux	0,1320	1,0520
— soude	»	0,0120
— ammoniaque	»	0,0105
Oxyde de fer	0,0671	»
— alumine	0,0472	»
— manganèse	traces	»
Acide silicique	0,0230	0,0230
— arsénieux	0,0099	0,0008
Matières organiques	0,0190	»
TOTAL DES MATIÈRES FIXES	0,9620	6,4885
Gaz acide carbonique libre	0,1990 gramme.	0,2720 gramme.

L'établissement minéral de Levico se compose d'une buvette, de salles garnies de baignoires de marbre et d'une pièce pour l'application topique du dépôt de la source du Vitriol.

EMPLOI THÉRAPEUTIQUE. L'eau de la source de l'Ocre ou Faible se boit à la dose de quatre à huit verres, le matin, à jeun, et de demi-heure en demi-heure; quelques malades en font usage aux repas, pure et le plus souvent coupée de vin. Les bains se prennent avec l'eau de la source du Vitriol ou Forte, chauffée à 32° centigrade ; leur durée varie d'une demi-heure à une heure. Les boues ocracées de cette source sont appliquées en cataplasmes, constamment renouvelés dès qu'ils sont secs.

Les eaux de la source Faible de Levico sont seules, à proprement parler, des eaux minérales, car celles de la source Forte ne sont qu'une lixiviation des pyrites avec lesquels elles sont en contact : ce sont des eaux factices, pour ainsi dire. Nous entrerons dans plus de détails aux articles EAUX MINÉRALES et RECOARO (Eaux minérales de) ; nous renvoyons donc à ces mots.

Les eaux de la source Faible de Levico, en boisson, ont une action tonique et reconstituante marquée. Les bains avec l'eau de la source Forte sont un puissant adjuvant de la médication interne. Les cataplasmes de boues ont un effet résolutif.

M. le docteur Perugini, qui a publié une monographie sur ces eaux, les vante dans l'anémie, la chlorose, les convalescences difficiles, la dyspepsie et l'hépato-splénite ; c'est l'eau en boisson qui fait la base du traitement alors ; tandis que ce sont les bains d'eau et les applications locales de matière ocreuse qui conviennent dans les paralysies consécutives à une affection cérébrale ou médullaire, dans les rhumatismes simple et goutteux, dans les affections organiques du cœur et des gros vaisseaux, dans lesquelles il importe de modérer la circulation sanguine, dans les névralgies, dans les maladies de la peau et même dans la pellagre. M. Perugini pense que les eaux de Levico, en bains surtout, sont hypersthéniques des systèmes artériel et veineux, quel que soit le calibre des vaisseaux.

Durée de la cure, de 20 à 30 jours.

On *n'exporte* pas les eaux de Levico. A. ROTUREAU.

BIBLIOGRAPHIE. — PERUGINI. *Notizia sull' acqua minerale de Levico*, 1864. In *Ippocratico di Torino*, octobre 1867. — *Notes sur les eaux de Levico, envoyées à l'Exposition universelle de Paris*, 1867. — In *Annales de la Société d'hydrologie médicale de Paris*, t. XIII, pages 86-193, 198 ; 1867-1868. A. R.

LEVIER. § I. **Physique médicale.** On donne, en mécanique, le nom de levier à une verge rigide, inflexible et inextensible, libre de tourner autour d'un

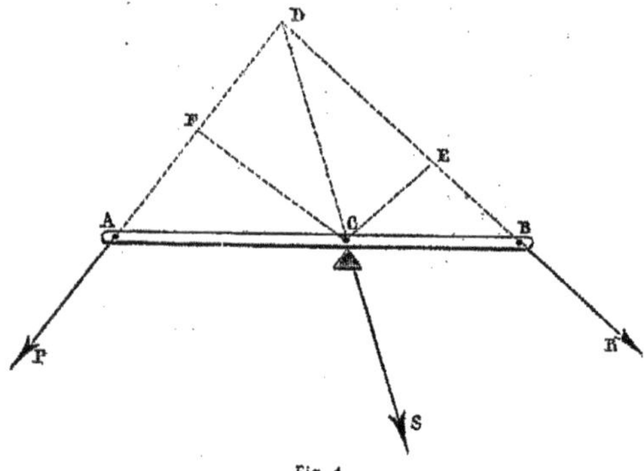

Fig. 1.

point fixe appelé *point d'appui*, et soumise à l'action de deux forces qui tendent à lui imprimer des mouvements de sens contraires.

Soient : AB (fig. 1) un levier, C le point d'appui, P, R deux forces agissant la première en A, la seconde en B, dans le sens des flèches. AC est le bras de levier de la force P, BC le bras de levier de la force R. Le problème à résoudre est le suivant:

Quel doit être le rapport des intensités des forces P, R, pour que le levier AB reste en équilibre entre les deux actions qui le sollicitent en sens contraires.

Prolongeons les directions des forces jusqu'au point D où elles se rencontrent, et construisons, d'après la règle du parallélogramme des forces, leur résultante S. Évidemment, pour que le levier reste en équilibre, il suffit et il faut que cette résultante S passe par le point d'appui C. Par ce point C, menons les perpendiculaires CF, CE sur les directions des forces P, R. Puisque C est un point pris sur la direction de la résultante S, il résulte des lois de la composition des forces que les intensités des composantes P, R satisfont à la relation suivante :

$$P : R :: CE : CF$$

Mais, dans cette proportion, le produit des *extrêmes* est égal à celui des *moyens*, nous pouvons donc mettre cette relation sous la forme suivante :

$$P \times CF = R \times CE.$$

En mécanique, le produit $P \times CF$ de la force P par la perpendiculaire menée du point d'appui C sur sa direction s'appelle le *moment* de la force P; de même $R \times CE$ est le *moment* de la force R.

Pour que la résultante S des deux forces P, R passe par le point d'appui C, c'est-à-dire pour que ces deux forces P, R appliquées aux extrémités du levier AB se fassent équilibre, il suffit et il faut que :

« Les intensités des forces P, R soient *inversement proportionnelles* aux longueurs des perpendiculaires CF, CE menées par le point d'appui C sur leurs directions ou, en d'autres termes, que les *moments* de ces forces soient *égaux*. »

L'intensité de l'action d'une force donnée sur un bras de levier également donné est donc proportionnelle au *moment* de cette force, et par suite à la longueur de la perpendiculaire menée par le point d'appui sur sa direction. Il en résulte que, la force et le bras de levier restant les mêmes, l'intensité de l'action de la force varie avec la longueur de cette perpendiculaire, ou avec l'inclinaison de la force sur le bras de levier, augmente à mesure que l'angle de la direction de la force et du bras de levier se rapproche de l'*angle droit* et atteint son *maximum*, quand la direction de la force est perpendiculaire à son bras de levier.

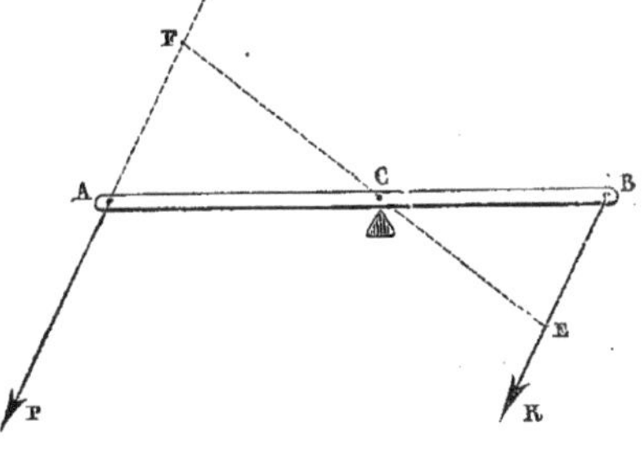

Fig. 2.

Dans le cas où (fig. 2) les forces P, R sont parallèles, si CF, CE sont les perpendiculaires menées par le point C sur les directions des forces, nous avons toujours pour condition d'équilibre :

$$P : R :: CE : CF$$

Mais dans ce cas, ECF est nécessairement une ligne droite, les deux triangles CAF, CBE sont semblables et nous avons :

CE : CF :: CB : CA

donc P : R :: CB : CA.

Par conséquent, dans le cas de deux forces parallèles P, R appliquées aux extrémités d'un levier, l'équilibre existe :

« Lorsque les intensités des deux forces P, R sont *inversement proportionnelles* à leurs bras de levier CA, CB. »

Le levier étant généralement employé pour exercer une pression, surmonter une résistance, soulever un poids ou lui faire équilibre, l'une des forces agissantes, la force P, prend la dénomination de *puissance*, et l'autre, la force R, est désignée sous le nom de *résistance*.

La position du point d'appui par rapport aux points d'application de la puissance et de la résistance ne change en rien les conditions d'équilibre du levier, mais elle exerce une influence considérable sur l'intensité de la pression que l'on peut exercer, sur le poids que l'on peut équilibrer ou soulever, sur la vitesse de déplacement que l'on peut communiquer avec une force donnée. De ce point de vue nous devons distinguer *trois genres* de levier.

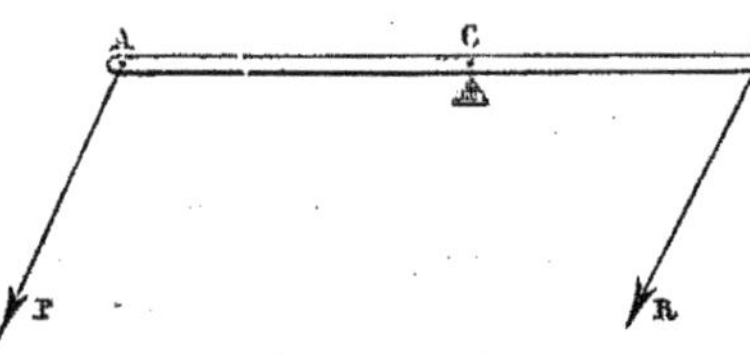

Fig. 3.

Dans le levier du *premier genre* (fig. 3), le point d'appui C est placé entre la puissance P et la résistance R, il peut se présenter trois cas :

1° Le bras de levier AC de la puissance P est *égal* au bras de levier BC de la résistance R; alors nécessairement l'équilibre existe lorsque la puissance et la résistance sont égales. La pression exercée au point B par l'intermédiaire d'un semblable levier est donc exactement égale à celle que la puissance P pourrait réaliser si elle était *directement* appliquée au même point.

2° Le bras de levier AC de la puissance P est *plus court* que le bras de levier BC de la résistance R; nécessairement la pression supportée en B est *plus faible* que celle qu'exercerait la puissance P directement appliquée en B. Si, par exemple, AC est le *dixième* de BC, la pression à l'extrémité B du levier n'est que le *dixième* de celle qui serait réalisée par l'application directe de la puissance P au point B.

3° Lorsque le bras de levier AC de la puissance P est *plus long* que le bras de levier BC de la résistance R, la pression réalisée en B est supérieure à celle qu'on obtiendrait en appliquant *directement* la puissance P au point B. Avec un bras de levier AC *dix* fois *plus long* que BC, on obtient en B une pression *dix* fois *plus forte* qu'en faisant agir *directement* la puissance P sur ce point B.

Dans le levier du *second genre* (fig. 4), le point d'application B de la résistance R est placé entre le point d'appui C et le point d'application A de la puissance P. Nécessairement alors le bras de levier AC de la puissance est *plus long* que le bras de levier BC de la résistance, et la pression réalisée en B est *plus con-*

sidérable que celle que déterminerait la puissance P *directement* appliquée au point B. Dans le cas où le point B est, à partir de C, au *dixième* de la longueur de AC, la pression réalisée en B est *dix* fois *plus forte* que celle qu'on obtiendrait en faisant agir la puissance P *directement* sur le point B.

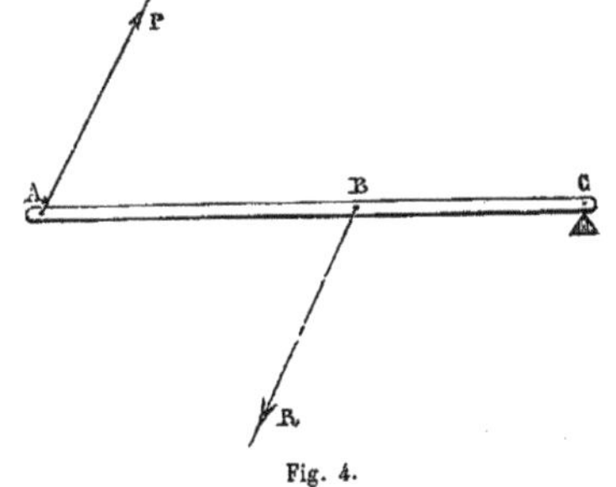

Fig. 4.

Enfin, dans le levier du *troisième genre* (fig. 5), le point d'application A de la puissance P est situé entre le point d'appui C et le point d'application B de la résistance R. Le bras de levier AC de la puissance étant *plus court* que le bras de levier BC de la résistance, la pression en B est nécessairement *plus faible* que si la puissance P agissait directement sur le point B. Si, par exemple, AC est le *dixième* de BC, la pression en B n'est que le *dixième* de celle que déterminerait la puissance P directement appliquée au point B.

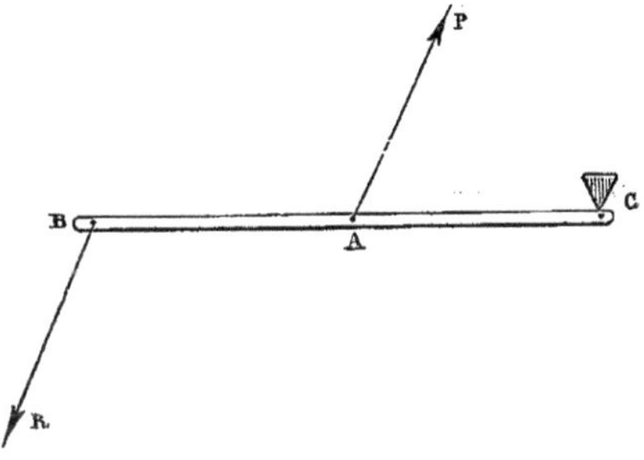

Fig. 5.

Tant qu'il ne s'agit que de réaliser une pression ou de faire équilibre à un poids, on peut donc, en disposant convenablement la position du point d'appui de levier, multiplier ou diminuer à volonté, et dans des proportions déterminées, l'action des forces. Il n'en est plus de même quand on veut exécuter un *travail;* le levier peut faciliter l'emploi de la force dans telle ou telle circonstance, mais, en aucun cas, le travail produit par l'intermédiaire du levier ne peut *excéder* celui que réaliserait l'application directe de la force.

Le travail exécuté par une force dans un temps donné est le produit de cette force par le chemin que fait son point d'application suivant sa direction. Dans une machine employée à soulever un fardeau, le *travail moteur* est égal au produit de la force motrice par le chemin qu'a parcouru son point d'application; le *travail résistant*, qui représente le *travail effectué*, est le produit du poids soulevé par la hauteur à laquelle il a été transporté. Il est facile de voir qu'en faisant abstraction des frottements, quand la machine est animée d'un mouvement uniforme, le *travail moteur* et le *travail résistant* sont nécessairement égaux. Du moment, en effet, où le mouvement est uniforme, la force motrice et la force résistante (ou poids à soulever) doivent se faire équilibre comme si la machine ne se mouvait pas : car si ces deux forces ne se neutralisaient pas mutuellement, celle des deux qui l'emporterait sur l'autre modifierait évidemment à chaque instant la marche du système.

Cela posé, soit P (fig. 6) une force motrice employée à soulever le poids R, au moyen du levier AB. Le système étant animé d'un mouvement uniforme, la force motrice et la résistance se font équilibre et nous avons

$$P : R :: BC : AC$$

ou

$$\frac{P}{R} = \frac{BC}{AC}. \qquad (1)$$

Le levier AB d'abord horizontal tourne d'un mouvement uniforme autour du point C et, au bout d'un certain temps, a pris la position A'B'. — Le point d'application A de la force motrice P s'est déplacé de la quantité AA', et le poids R a été soulevé en R' de la quantité BB'; mais évidemment les chemins parcourus par les point d'application de la puissance et de la résistance satisfont à la condition :

$$AA' : BB' :: AC : BC$$

$$\text{ou } \frac{AA'}{BB'} = \frac{AC}{BC} \qquad (2)$$

Si nous multiplions membre à membre les équations (1) et (2), nous avons :

$$\frac{P \times AA'}{R \times BB'} = \frac{AC \times BC}{AC \times BC} = 1$$

d'où

$$P \times AA' = R \times BB'. \qquad (3)$$

Dans l'équation (3) le premier membre représente le *travail moteur* et le second membre le *travail résistant*. Quel que soit le genre de levier employé, ces deux travaux sont nécessairement égaux, donc le travail effectué par une force, par l'intermédiaire d'un levier, ne peut jamais excéder le travail que produirait la force appliquée directement à la résistance.

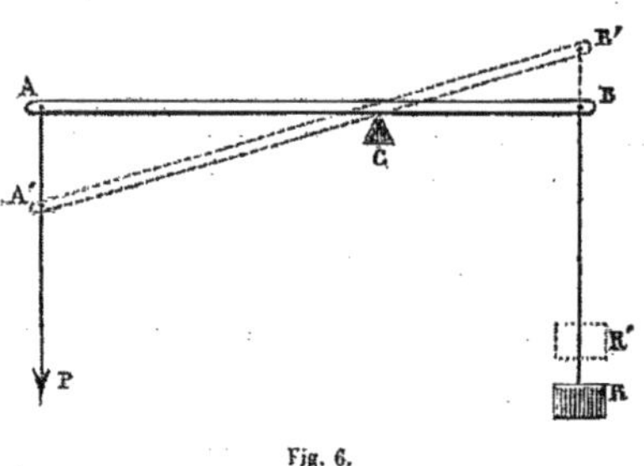

Fig. 6.

Dans la figure 6, les chemins AA', BB', parcourus par les points d'application de la force motrice P et de la résistance R sont *directement proportionnels* aux bras du levier de ces forces, et, comme ces chemins sont parcourus dans le même temps, il en résulte que, dans l'emploi du levier comme moyen de transmission des forces :

« Ce que l'on gagne en force on le perd en vitesse, et réciproquement. »

Toutes les fois donc que, pouvant disposer de la puissance, on voudra surtout communiquer à la résistance une grande vitesse de déplacement, on devra recourir à un levier du *troisième genre*, ou à un levier du *premier genre*, dans lequel le bras de la puissance soit *plus court* que celui de la résistance.

Lorsqu'au contraire on veut simplement déplacer une résistance considérable avec une faible vitesse et une force de grandeur limitée, on doit employer un levier du *second genre*, ou un levier du *premier genre*, dans lequel le bras de la puissance soit *plus long* que celui de la résistance.

Quelle que soit l'autorité de Pline, il nous est impossible d'admettre avec lui que le levier ait été imaginé en 1240 par Cyaire, de l'île de Chypre. Pour faire comprendre le peu de confiance que mérite une pareille assertion, il nous suffira sans doute de rappeler ici que les pyramides d'Égypte ont été bâties sous l'ancien empire, dont la onzième et dernière dynastie est antérieure de quelques années à Abraham. Les hommes qui ont exécuté de tels travaux connaissaient certainement le levier, dont l'usage remonte probablement aux premiers âges de l'humanité. Les conditions d'équilibre de deux forces agissant sur un levier ont été découvertes par Archimède ; ce grand mathématicien était tellement convaincu de la puissance de cette machine qu'il aimait à répéter : « Donnez-moi un point d'appui et je soulèverai la terre : *Da mihi ubi consistam et terram loco dimovebo.* » Un mot d'explication est nécessaire pour bien fixer la valeur réelle de ce mot d'Archimède. Sans doute, en agissant à l'extrémité d'un bras de levier suffisamment long, un homme, ne mettant en action que sa force musculaire, tiendrait la terre en équilibre. Mais quel résultat obtiendrait-il s'il voulait mettre la planète en mouvement ? Le calcul indique qu'en *quarante millions* d'années il la déplacerait tout au plus de l'épaisseur d'un cheveu.

Chez les animaux, les os jouent le rôle de leviers et sont mis en mouvement par les muscles, organes actifs de la locomotion. Sans entrer dans les détails qui trouveront naturellement leur place dans les articles de ce Dictionnaire consacrés à l'étude des diverses questions de mécanique animale, nous devons dire ici quelques mots des principaux rapports des muscles et de leurs leviers osseux.

En raison du mode d'insertion des tendons, les axes de traction des muscles et les leviers correspondants se coupent en général à angle aigu. Cette disposition entraîne une perte de force d'autant plus considérable que l'angle compris entre l'axe de l'os et la direction de la puissance active est plus petit. Il n'en est pourtant pas toujours ainsi ; il nous suffira de rappeler la direction des fibres des masséters et des intercostaux par rapport aux branches horizontales de la mâchoire inférieure et aux côtes, pour montrer comment, dans bien des circonstances, l'insertion musculaire s'opère sous un angle favorable à la puissance active. Nous devons encore signaler ici un fait qu'il ne faut pas perdre de vue. Souvent, à mesure que l'os est entraîné par l'action du muscle, l'angle, d'abord très-aigu, de l'axe de traction et du levier, augmente graduellement, de manière à rendre l'effort de contraction musculaire de plus en plus efficace.

Le levier le plus répandu dans l'économie est incontestablement celui du *troisième genre*. Toutefois certains muscles ont avec les os des connexions plus favorables à leur puissance et nous offrent des exemples de leviers du *premier* et même du *deuxième* genre.

La tête peut exécuter sur la colonne vertébrale des mouvements de peu d'étendue, mais très-variés, qui sont répartis entre deux articulations. La flexion, l'extension, l'inclinaison latérale et la circumduction appartiennent à l'articulation occipito-atloïdienne ; l'articulation atloïdo-axoïdienne ne permet que la rotation. Dans tous ces mouvements, la tête représente évidemment un levier du *premier genre*. En effet, le poids à mouvoir est concentré au centre de gravité du crâne, de l'encéphale et de la face ; les puissances motrices sont les muscles qui s'insèrent à la partie postérieure du crâne ; par conséquent les articulations, ou centres de mouvement, sont placées entre la puissance et la résistance.—Par l'intermédiaire des pièces osseuses de la colonne vertébrale, les muscles spinaux postérieurs font équilibre au poids de tout le tronc; il suffit de se rappeler la disposition du poids des viscères en avant et le mode d'insertion des muscles aux apophyses transverses et épineuses pour demeurer convaincu que chaque vertèbre joue le rôle d'un levier du *premier genre* à mouvements très-peu étendus. Ajoutons d'ailleurs que les insertions de ces muscles spinaux postérieurs aux apophyses transverses et épineuses des vertèbres et à la partie postérieure de l'occipital se font sous des angles très-rapprochés de l'angle droit et très-favorables à la puissance.—Nous citerons encore comme muscles agissant sur des leviers du *premier genre* et dans une direction qui entraîne très-peu de perte de force, les muscles qui, prenant leur point d'appui sur le membre inférieur, servent à faire basculer le bassin en avant et en arrière autour de l'articulation coxo-fémorale.—Les muscles spinaux postérieurs et les muscles du bassin n'impriment jamais aux pièces osseuses que des mouvements d'une faible étendue; le plus souvent ils se bornent à maintenir l'équilibre en prévenant des déplacements, et doivent agir dans tous les cas avec beaucoup de sûreté. De tous les leviers, ceux du *premier genre* sont certainement les mieux disposés pour obtenir des effets de cette nature.

Dans la station verticale, le poids du corps tout entier est transmis aux os du pied par l'astragale. Dans l'acte du redressement sur la pointe du pied, les métatarsiens et les os du tarse, solidement réunis par leurs ligaments, font l'office d'un levier dont le point fixe est à l'extrémité antérieure des métatarsiens. Les puissances actives, les jumeaux et le soléaire, s'insèrent à angle droit au calcanéum par le tendon d'Achille; elles agissent donc sur un levier du *deuxième genre* et dans la direction la plus favorable à l'exercice de la force pour soulever le poids du corps tout entier autour de l'extrémité antérieure du métatarse fortement appuyé contre le sol.

Parmi les très-nombreux leviers du *troisième genre* de l'économie, nous nous contenterons de mentionner les deux exemples suivants. Le grand pectoral s'insère: d'une part, au bord antérieur de la clavicule, à la face antérieure du sternum, aux cartilages des deuxième, troisième, quatrième, et surtout cinquième et sixième côtes, à la partie externe de cette dernière et à l'aponévrose abdominale; d'autre part, par un tendon aplati, au bord antérieur de la coulisse bicipitale de l'humérus, assez près de l'articulation scapulo-humérale. Quand les parois thoraciques sont fixées, ce muscle joue le rôle d'un *adducteur* du bras; au moyen d'un bras de levier *très-court*, il agit sur l'humérus comme sur un levier du *troisième genre* dont le centre de mouvement est dans l'articulation scapulo-humérale.

Le biceps brachial s'insère : en haut, au sommet de l'apophyse coracoïde et à la partie la plus élevée de la cavité glénoïde; en bas, à la tubérosité bicipitale du radius par un tendon qui passe en avant de l'articulation du coude. Ce muscle est un *fléchisseur* de l'avant-bras sur le bras et agit évidemment sur le radius comme sur un levier du *troisième genre*, par un bras de levier très-court. Au moment où la flexion de l'avant-bras sur le bras commence, le tendon est presque parallèle au radius et la puissance agit dans une direction très-défavorable. A mesure que la flexion s'opère, le tendon change de direction par rapport au levier, le moment de la puissance augmente. Enfin, quand le membre est dans la demi-flexion, le tendon est perpendiculaire au radius; cette position est évidemment la plus favorable à l'action du muscle.

Toutes les fois que la puissance musculaire est employée comme moyen de faire équilibre à un poids déterminé ou à exercer une pression, le levier du *troisième genre* a l'inconvénient d'entraîner une perte de force. Mais ce levier offre des avantages quand il s'agit de communiquer à une partie du corps un mouvement rapide et d'une grande étendue. Ainsi, sans sortir des deux exemples que nous avons cités, il est évident que, grâce à leurs insertions très-rapprochées des surfaces articulaires, le grand pectoral et le biceps brachial peuvent, même en se raccourcissant très-peu, soit imprimer à la main une très-grande vitesse, soit lui faire parcourir un arc d'une amplitude très-considérable. Le levier a donné son nom à un instrument obstétrical, dont il est question ci-après. J. G.

§ II. **Obstétrique.** On a désigné par le nom de levier des accoucheurs, *vectis obstetricius*, un instrument destiné par ses inventeurs à agir, à la manière d'un levier prenant son point d'appui sous l'arcade du pubis, sur la tête du fœtus pour la forcer à descendre dans le canal du bassin et des organes génitaux. On lui a donné en outre pour usage accessoire de redresser la tête dans les présentations déviées ou inclinées, de lui faire exécuter les mouvements de flexion et de rotation à l'aide desquels elle s'engage naturellement dans le détroit inférieur, enfin d'exercer des tractions plus ou moins directes, de manière à le faire désigner parfois sous le titre bien peu mérité de *tractor*. Il consiste simplement en une tige de fer ou d'acier d'une longueur et d'une largeur variables, présentant à ses extrémités deux courbures d'une grandeur inégale dirigées dans le même sens ou une seule, l'autre extrémité se terminant par un manche diversement configuré. Le levier, considéré comme moyen d'extraction, après avoir été employé et avoir fait beaucoup de bruit vers le milieu et jusque vers la fin du dernier siècle, est tombé dans l'oubli, malgré des tentatives réitérées pour le réhabiliter, et, à tort ou à raison, il n'a plus, depuis longtemps, qu'un intérêt historique. L'époque précise de sa découverte est restée entourée d'obscurités, et son origine semble se confondre avec celle du forceps. D'après une version de Mulder, que de nouveaux documents sont venus appuyer, Hugues Chamberlen en serait l'inventeur. Cet accoucheur, qui jouissait d'une grande réputation à Londres, paraît avoir été en possession, dès avant 1672, d'instruments parmi lesquels se trouvait le levier, pour extraire l'enfant vivant lorsque quelque obstacle s'opposait à sa sortie. En effet, il annonce dans la préface d'une traduction de Mauriceau qui porte cette date, que son père, son frère et lui possédaient un secret au moyen duquel ils pouvaient délivrer des femmes sans détruire l'enfant, quoique le bassin fût petit. Deux ans avant cette publication, il était venu à Paris dans l'espoir de vendre son secret ; mais le hasard l'ayant mis en présence d'une femme que Mauriceau déclarait ne pouvoir accoucher à cause de l'étroitesse du bassin, il se vanta imprudemment de pouvoir la délivrer. Il ne recueillit de sa tentative que la confusion d'un échec et le discrédit de son secret. H. Chamberlen ayant fait, en 1693, un séjour assez prolongé à Amsterdam, on suppose, d'après la version que j'expose, qu'il vendit alors son secret à Roger Roonhuysen. Ici surgit une difficulté. Il est certain que les Chamberlen faisaient usage d'un forceps droit déjà assez perfectionné. Avaient-ils en même temps saisi et mis à profit les avantages qu'on peut tirer du levier ? Cela paraît aujourd'hui peu douteux. Denman regardait même comme probable que l'instrument employé au dernier siècle par les Chamberlen était le levier. « Mais ceci, ajoute-t-il, n'est que conjecture ; car malgré toutes mes recherches, je n'ai pu découvrir qu'aucun d'eux ait laissé une description de l'instrument qu'ils employèrent. » Mais plus tard on a retrouvé les instruments qu'ils tenaient si bien cachés. Rigby a donné en 1833 la description d'instruments trouvés avec des pièces de correspondance dans une vieille armoire d'une maison qui avait appartenu de 1685 à 1715 à la famille Chamberlen. On y voit figurer des forceps de diverses formes et un levier qui est probablement le modèle de celui que H. Chamberlen céda à Roonhuysen. On suppose qu'il ne vendit que la moitié de son secret, se réservant le forceps. Il est curieux de voir une famille composée de membres distingués, aveuglée par l'instinct du lucre, et rendue insoucieuse de sa gloire et de son honneur, au point d'en dérober les titres, non-seulement à ses contemporains, mais encore à la postérité, qui devait s'efforcer, dans son esprit d'impartiale justice, de les lui restituer. Si les Roonhuysen n'ont effectivement d'autres titres à revendiquer l'instrument qui porte leur nom que de l'avoir acquis à prix d'argent, on doit regretter qu'ils n'aient pas eu, au moins, l'ambition de se donner l'honneur de le faire connaître dès qu'ils eurent appris à en faire usage, au lieu de suivre l'exemple honteux des Chamberlen. Que dire de Ruisch, dont le nom célèbre se trouve mêlé à cet indigne trafic ! Quoi qu'il en soit, R. Roonhuysen acquit la réputation de terminer sans peine, par des moyens tenus secrets, les accouchements les plus difficiles. Parmi le petit nombre d'initiés à prix d'argent que la possession du secret de Roonhuysen fit connaître se placent en première ligne : Boom, Titsingh, surtout Jean de Bruyn, dont le registre mentionnait huit cents accouchements laborieux terminés heureusement, durant une pratique de quarante-deux ans. A la mort de ce dernier, deux médecins distingués d'Amsterdam, Jacques de Vischer et Hugo de Van de Poll, mus par un sentiment honorable, achetèrent de son gendre pour la somme de 5,000 livres de France, dit-on, le fameux secret sous la réserve habituelle de ne pas le faire connaître.

Ne se croyant pas tenus de respecter une clause contraire à l'honneur scientifique et à la dignité professionnelle, après avoir mis en ordre les notes laissées par de Bruyn, ils les publièrent en langue hollandaise, en 1753, avec une figure de l'instrument, sous un titre qui signifie : *Le secret de Roonhuysen révélé.* Cet opuscule parut l'année suivante, par extrait, en langue française à la suite du premier volume de la traduction française du *Traité* de Smellie avec la figure de l'instrument. C'est une lame de fer longue de 11 pouces, large de près de 1 pouce, épaisse de 1 ligne 1/2, présentant à ses extrémités deux courbures peu profondes et d'une étendue inégale. Cette lame est garnie à ses extrémités et sa partie moyenne d'une bandelette enduite d'emplâtre diapalme, le tout recouvert d'une peau de chien pour atténuer les effets de la pression sur la tête de l'enfant et contre l'arcade des pubis. Les leviers de la période occulte présentent déjà quelques différences, celui de Boom a aussi deux courbures, mais plus profondes et plus longues, celui de Titsingh a une seule courbure plus profonde et plus étendue et le manche se termine par un anneau ; le premier est revêtu d'une peau de chien, le second d'un tissu de laine.

Les accoucheurs qui n'étaient pas gagnés d'avance à la cause du levier durent éprouver quelque déception en voyant l'instrument merveilleux si longtemps tenu secret, ils durent penser que sa valeur n'était pas en rapport avec le bruit qu'il avait fait. Ajoutons qu'il avait le désavantage de rencontrer à son entrée dans la vie publique un rival redoutable qui avait déjà partout pris pied dans le domaine de la pratique. Le forceps, qui avait pris dans les mains de Levret et de Smellie la forme la mieux appropriée à ses usages, commençait à se vulgariser, grâce aux écrits et aux leçons de ces deux célèbres accoucheurs et de leurs nombreux élèves. Toutefois le mouvement qui s'était produit en Hollande en faveur du levier persista et s'étendit même au dehors, comme le prouvent les nombreuses variétés de formes qu'on lui avait fait subir avant la fin du siècle, et qu'on trouve figurées dans l'ouvrage de Mulder. Camper, dans ses *Remarques sur les accouchements laborieux par l'enclavement de la tête et sur l'usage du levier de Roonhuysen*, insérées parmi les Mémoires de l'Académie royale de chirurgie, s'attacha à mieux faire connaître en France et justifier la pratique hollandaise. Il donne année par année, de 1741 à 1765, la liste des accouchements laborieux terminés par Titsingh et Berkman, les deux *accoucheurs jurés* de l'époque, gagés par la ville d'Amsterdam pour assister les femmes pauvres. Cette liste renferme un nombre considérable de têtes prétendues enclavées ; mais l'omission des résultats obtenus par l'intervention du levier lui fait perdre une partie de son intérêt. Une récapitulation comprenant neuf années, de 1757 à 1765, est un peu plus explicite : sur 89 enfants, dont les têtes étaient enclavées, 72 sont nés vivants et 17 morts ; plusieurs de ces derniers étaient morts avant l'opération et se présentaient avec une procidence du cordon. Tous les enfants qui présentaient la tête ont été tirés par la spatule ou levier. Camper, qui avait fait, en 1749, le voyage de Londres pour se perfectionner dans la médecine pratique, avait vu Smellie opérer et il en fut émerveillé, mais il n'en resta pas moins partisan du levier. Deux chirurgiens versés dans l'art des accouchements, correspondants de l'Académie royale de chirurgien, Rigaudeaux à Douai et Varocquier à Lille, ont prétendu n'avoir pas attendu la publication du levier de Roonhuysen pour en connaître les avantages. Le premier assure avoir terminé par cette méthode plus de quarante accouchements laborieux en très-peu de temps, dont la difficulté venait de la disproportion du passage et du volume de la tête de l'enfant. Le second, placé sur un plus grand théâtre, aurait eu des occasions plus nombreuses encore d'employer ce moyen, s'il est vrai, comme il l'assure, qu'il s'est servi avec un succès constant de son levier sur plus de mille à douze cents femmes dans des accouchements laborieux. La prétention de la supériorité du levier sur le forceps a eu dans Herbiniaux, accoucheur expérimenté à Bruxelles, son plus ardent et son plus compendieux défenseur. En effet, il a consacré deux volumes à la défense de cette thèse, en partie remplis de critiques acerbes dirigées principalement contre Levret, et surtout contre Baudelocque, qui avaient soutenu et longuement développé la thèse contraire. Se servant exclusivement du levier, Herbiniaux en avait bien compris l'usage et les ressources tout en les exagérant. Il avait fait subir au levier une modification à laquelle il attachait beaucoup d'importance.

La figure primitive du levier de Roonhuysen présente une petite corde nouée sur le manche un peu en arrière de sa grande courbure, sur laquelle la notice de J. de Vischer et de Van de Poll ne s'explique pas. Était-ce un point de repère pour juger de la profondeur de l'introduction ou bien un moyen de combiner la traction avec l'action du levier ? Quoi qu'il en soit, c'est pour remplir cette dernière indication que Herbiniaux fit perforer son levier à la base de sa courbure pour y fixer une corde. Herbiniaux donne sur ses opérations des détails plus circonstanciés qu'on ne l'avait fait avant lui, et qui font de quelques-unes de véritables observations. Il n'est pas douteux qu'il n'ait plusieurs fois entraîné des têtes retenues par un obstacle sérieux.

L'opposition rationnelle, et, du reste, fondée de Levret, de Baudelocque et de toute l'école qui procédait de ces deux grands maîtres, l'évidence surtout de la supériorité du forceps sur le levier comme méthode générale d'extraction de la tête, ne permirent pas à ce dernier d'être jugé expérimentalement autant peut-être qu'i méritait de l'être. Il fut repoussé avant qu'on eût suffisament examiné s'il n'est pas des cas, comme les déformations du bassin où il peut offrir une ressource plus puissante et devenir d'une application plus facile que le forceps. Rejeté comme moyen d'extraction, le levier fut accepté comme agent de redressement, de flexion de la tête dans ses présentations déviées et de rotation dans le sens de ses mouvements naturels. C'est en vue de ce rôle accessoire qu'on a donné en France à sa partie recourbée plus d'étendue et plus de profondeur qu'on a élargi et fenêtré la partie qui forme cuiller. L'indication de redresser la tête semblait alors très-commune. On avait fait, à tort, de ses déviations autant de présentations considérées comme des causes d'accouchement laborieux. Mais une connaissance plus complète du mécanisme de l'accouchement a fait justice de ces causes de dystocie, en montrant que lorsqu'elles se rencontrent au début, elles se corrigent généralement sous l'influence des progrès du travail et qu'il est d'une mauvaise pratique de chercher intempestivement à les corriger. Le levier repoussé comme moyen d'extraction, et réduit au seul usage de redresser la tête, de corriger les présentations et les positions dans les rares occasions où cela peut devenir nécessaire et où la main ou une branche du forceps peut généralement le remplacer, n'a plus figuré, en France, dans les traités classiques, que pour mémoire et comme un objet d'archéologie.

Le levier, pendant cette même période, avait fait en Angleterre des conquêtes plus étendues et plus durables. J'emprunte l'appréciation d'un juge compétent et bien placé pour en juger : « Tandis que le levier dit Denman était très en vogue et regardé à Amsterdam comme un progrès inappréciable de la pratique de l'art des accouchements, l'instrument favori était ici le forceps, surtout d'après les corrections de Smellie, qui était alors le professeur principal de l'art à Londres; cependant la pratique en chef dans cette cité fut successivement entre les mains des docteurs Bamber Middleton, Nesbit, Cole et Griffith, dont quelques-uns, sinon tous, préfèrent le levier au forceps. A ces praticiens succéda le docteur John Wathen, homme d'un grand esprit et très-habile; il réduisit la grandeur du levier et opéra avec une habileté qui m'a souvent étonné. En 1757, époque de l'établissement charitable pour accoucher les femmes pauvres à domicile, le docteur John Ford, le premier médecin désigné pour les soigner, employa le levier dans toutes les occasions où il fallait des instruments; ses collègues et ses successeurs, les docteurs Cooper, Cogan, Douglas, Sims, Squire et Croft, ainsi que plusieurs autres, imitèrent son exemple. La juste réputation de ces praticiens, qui constamment préférèrent le levier au forceps, a engagé plusieurs gens de l'art à l'essayer, et l'opinion générale de son utilité est allée en croissant. Maintenant tous ceux qui se mêlent de la pratique des accouchements, se croiraient peu instruits, s'ils n'étaient pas familiers avec la structure et la manière d'employer le levier : et quelques-uns qui, soit par habitude, soit par éducation continuent à se servir du forceps, conviennent sans difficulté du mérite égal, sinon supérieur du levier. »

La pratique du levier avait, au contraire, à peine pénétré en Allemagne, et ce n'est guère que par des recherches d'érudition et des appréciations théoriques que les accoucheurs allemands ont touché à l'histoire de l'usage de cet instrument. Les diverses écoles de ce pays, dont quelques-unes ont montré depuis un si remarquable esprit d'initiative, suivaient alors docilement les errements de l'école de Paris, représentée par Levret et Baudelocque.

Tandis que le levier, comme moyen d'extraction, était à peu près universellement tombé dans l'oubli, le souvenir de l'école hollandaise et les efforts opiniâtres d'Herbiniaux n'étaient pas complétement effacés dans leurs centres de rayonnement. L'usage de l'instrument s'était conservé par tradition dans quelques-unes des provinces flamandes, et il a aujourd'hui des partisans très-autorisés dans MM. Boddaert, Coppée, Fraeys, etc., à Gand, qui semble avoir pris la place occupée autrefois par Amsterdam et Bruxelles. Les travaux de ces praticiens distingués et les observations qu'ils ont apportées à l'appui de leur pratique imposent, dans une question où des intérêts si graves sont en jeu, aux accoucheurs qui n'ont pas subi l'empire du parti pris, le devoir d'un examen nouveau. Déjà M. Tarnier, dans l'*Atlas complémentaire* de A. Lenoir et dans ses *Additions* à la 7e édition du *Traité* de Cazeaux, rappelant la pratique des médecins de Gand, fait un appel pressant aux accoucheurs français, en attendant qu'il apporte lui-même son tribut d'observations.

Il est bien entendu qu'il ne s'agit plus, aujourd'hui, de l'ancienne querelle du forceps et du levier : la supériorité du premier, comme méthode générale d'extraction, est un fait définitivement acquis et hors de toute contestation sérieuse. La question véritable et actuelle est de savoir, si dans les déformations et les rétrécissements du détroit supérieur pouvant encore permettre à la tête de passer, et où le forceps laisse beaucoup à désirer pour la facilité et la régularité de son application et la direction des tractions, le levier n'offre pas une facilité d'application plus grande, une puissance d'extraction supérieure et un danger moindre pour le fœtus et peut-être pour la mère ? C'est ce que les travaux contemporains sur l'usage du levier et ses résultats, comparés à ceux obtenus par le forceps dans les mêmes conditions, tendent à montrer. Mais avant d'aborder cette question capitale, nous avons à faire connaître les conditions inhérentes à son emploi régulier, son mode d'action comparé à celui du forceps. La formule sacramentelle : *Potentia agit in os occipitis*, prononcée par les premiers initiés en livrant leur secret, contient implicitement la théorie du levier. Elle consiste pour la présentation du crâne, lorsque l'occiput est dirigé vers un point de la moitié antérieure du bassin, à donner au bras de la puissance un point d'appui sous l'arcade du pubis et à celui de la résistance une prise solide sur un point de la région sous-occipito-mastoïdienne, de sorte qu'en faisant mouvoir l'instrument à la façon d'un levier du premier genre, on force la tête à se fléchir ou à rester fléchie en s'avançant à travers les détroits par ses plus petits diamètres. Les positions occipito-antérieures primitives ou consécutives du vertex, formant à une période avancée du travail la généralité des cas, il en résulte que le champ des applications régulières du levier est très-étendu. Il est bien clair que ses premiers partisans, qui en faisaient un fréquent usage, l'appliquaient habituellement à une période avancée du travail, lorsque la tête commençait déjà à presser sur le plancher du bassin, ou même à s'engager dans le détroit inférieur. En effet, les cas dans lesquels un rétrécissement du bassin ou une autre cause retient la tête au détroit supérieur, sont relativement bien peu nombreux, comparés à ceux dans lesquels sa progression est entravée dans le fond du petit bassin ou au détroit inférieur par des causes très-diverses et souvent complexes. De là, à une période avancée du travail, cette apparente immobilité de la tête sur divers points de l'excavation du bassin qu'on décorait, si improprement et si abusivement, du nom d'*enclavement*. Il n'est pas douteux, par exemple, que dans l'*espèce d'enclavement* « où la tête, arrivée au détroit inférieur du bassin, le front était si serré contre le sacrum, et l'occiput contre le pubis, qu'elle ne pouvait pas être poussée dehors par les efforts de la nature», il s'agissait, évidemment, d'une tête arrêtée, ayant déjà accompli ou en voie d'accomplir son mouvement de rotation en avant. C'est justement, au dire de Camper, dans cette espèce d'enclavement que Roonhuysen et ses imitateurs faisaient habituellement usage du levier. C'est aussi le moment où, suivant le précepte, il s'applique plus exactement sur l'os occipital, et où son mode d'action est le plus en rapport avec la direction à donner à la tête. En effet, en poussant l'occiput en bas et en arrière, il force la tête à se fléchir assez pour s'engager dans le détroit inférieur par son diamètre sous-occipito-bregmatique, tandis qu'elle réagit sur le plancher du bassin pour le creuser en une gouttière qui continue la paroi sacro-coccygienne. Les contractions utérines et le levier, qu'on fait agir autant que possible de concert, dirigent leurs efforts communs sur la partie postérieure du périnée, dont la réaction tend à diriger la tête en avant; désormais, au lieu de descendre fléchie, elle va s'avancer, en exécutant par degrés un mouvement d'extension qui tend à engager de plus en plus l'occiput sous l'arcade du pubis. Dès que le mouvement d'extension de la tête commence, le levier agit à contre-sens, en empêchant le sommet de se porter en avant; il forcerait, à un moment donné, le périnée de se déchirer, si l'instrument continuait à agir jusqu'à la fin. Suivant la remarque de Camper, cet accident semble avoir été assez commun dans la pratique hollandaise: « Souvent l'urèthre en est fort endommagée, souvent le périnée se fend plus que dans l'accouchement naturel, et que lorsqu'on se sert d'un forceps quelconque. » Le danger que court le périnée est en partie conjuré de la manière suivante: au moment où la tête est sur le point de se dégager, le point d'appui de la résistance et celui de la puissance se confondent, et l'instrument cesse de tenir en place, à moins de l'enfoncer plus profondément, en le faisant glisser sur le côté du cou jusque sur l'angle de la mâchoire et même sous le menton, comme l'a proposé et figuré Camper. Placé ainsi, l'accoucheur en élevant le bras extérieur de l'instrument, au lieu de faire presser le front contre le sacrum et le périnée, fait exécuter à la tête un mouvement d'extension, en même temps qu'il lui fait suivre une ligne courbe assez analogue à celle que représente la direction de l'axe du bassin. Camper se trompait en interprétant la pratique des Roonhuysiens par ce procédé ingénieux de dégagement de la tête à l'aide du levier; outre que le procédé n'est peut-être pas facilement applicable, le levier de Roonhuysen ayant la même largeur dans toute son étendue, s'y prêterait peu. Cependant il est permis de croire, d'après les impressions fortes, signalées par Camper, qui allaient quelquefois vers l'angle de la mâchoire inférieure des enfants délivrés par la spatule, qu'ils faisaient à leur insu quelque chose d'analogue lorsqu'ils étaient forcés de dégager la tête avec les seules ressources du levier. Dans un cas où Camper avait délivré lui-même un enfant, dont la tête était enclavée, à l'aide de la spatule de Boom avec un succès facile, l'impression qui laisse ordinairement une tache rougeâtre sur les enfants vivants, s'avançait à côté de l'oreille jusque sur la mâchoire inférieure. Mais on suivait probablement dès lors la pratique recommandée plus tard par Herbiniaux, de laisser à la nature le soin d'achever le dégagement de la tête, ce qui était plus rationnel et plus sûr.

La tête enclavée, pour parler la langue du temps, ne s'offre pas toujours, comme les Roonhuysiens le déterminaient, avec l'occiput vers l'os pubis et le front dans la cavité de l'os sacrum. Elle se présente plus ou moins oblique; quelquefois elle occupe transversalement la cavité du bassin, parfois la face est dirigée en avant; c'est-à-dire que la tête peut être en position occipito-cotiloïdienne gauche ou droite, en position occipito-iliaque directe de l'un ou de l'autre côté, enfin en position occipito-postérieure obliques ou directes. Occupons-nous d'abord des premières.

Relativement au point sur lequel doit porter l'extrémité de l'instrument, on voit que ce point, suivant l'obliquité de la tête, ne peut rester limité à la région sous-occipitale, qu'il doit s'étendre sur toute la partie postéro-latéral de la base du crâne y compris la région sous-mastoïdienne, et, en fait, il s'étend assez souvent jusque sur l'angle de la mâchoire inférieure. Excepté sur ce dernier point, la pression de l'instrument ne peut guère entraîner d'accidents fâcheux pour l'enfant, bien qu'elle puisse être considérable sur un point donné. En effet, si au moment où l'on commence à élever le manche de l'instrument, la pression s'exerce d'abord par une portion étendue de sa partie concave, dès que la tête se fléchit, s'incline ou descend, elle ne s'exerce plus que par l'extrémité de la lame. Portée sur un point de la voûte, elle pourrait certainement l'enfoncer, la fracturer, mais la base peut certainement résister à une pression considérable : la lésion se bornerait à une contusion plus ou moins forte, à une petite plaie contuse ou à des écorchures plus étendues qui sont le résultat de glissements ou des efforts qu'on fait pour maintenir l'instrument en place. En arrière ces lésions peuvent s'étendre plus ou moins loin sur la racine du cou, mais n'affectant que des parties dépourvues d'organes essentiels, de gros troncs vasculaires et nerveux, elles ne sont pas très-dangereuses pour l'enfant.

Herbiniaux n'avait cherché à établir que le levier ne devait pas agir sur l'extrémité postérieure du grand diamètre de la tête, mais sur un point central, c'est-à-dire sur l'apophyse mastoïde, que parce qu'il avait remarqué que, dans les applications efficaces, c'était cette partie de la tête qui portait ordinairement les traces de l'instrument. En effet, excepté dans les cas où elle est déjà engagée dans le détroit inférieur, la tête reste oblique, et c'est sur un point compris entre l'occiput et l'apophyse mastoïde que l'application se fait le plus régulièrement et le plus solidement. Le meilleur moyen de donner à l'instrument une prise solide, c'est de le placer sinon sous la symphyse, au moins sous le corps du pubis, sans lui faire subir une déviation trop prononcée pour attendre l'os occipital ou sans le rapprocher trop de l'ischion, ce qui le fait glisser avec une extrême facilité. La pression en arrière et en bas, s'exerçant sur la région sous-mastoïdienne ne semble guère propre à favoriser les mouvements de flexion et de rotation que la tête subit en s'engageant dans le détroit inférieur, cette pression semble bien plutôt disposée de manière à les contrarier. Mais comme le levier ne fixe pas la tête et qu'on le fait agir concurremment avec la douleur, ces mouvements tendent à s'exécuter, comme dans l'expulsion naturelle, sous l'influence de la forme du détroit inférieur et de la réaction de la partie postérieure du plancher du bassin. Mais quand la tête est amenée au point où commence le mouvement d'extension qui en opère le dégagement, le levier appliqué sur la base de l'apophyse mastoïde ne contrarie guère moins ce mouvement, et expose autant à la rupture du périnée que lorsque l'instrument est appliqué sur la base de l'occipital, à moins qu'on ne laisse le dégagement de la tête s'opérer spontanément, comme la pratiquait Herbiniaux. Malgré ces conditions défavorables, il n'est pas moins certain que la tête retenue au détroit inférieur ou dans l'excavation du bassin, en position occipito-antérieure directe ou oblique et même transversale, a pu, entre des mains exercées, être facilement entraînée au dehors sans déterminer de lésions notables. Il n'est pas moins certain que les Roonhuysiens les plus habiles, malgré le bruit de leurs succès, échouaient assez souvent dans des conditions de conformation et de position régulières. Bien que ces insuccès, de même que les accidents, aient été fort tenus dans l'ombre, ils n'ont pas moins laissé quelques traces. Camper rapporte qu'en 1752, par conséquent avant la révélation du secret, Boom laissa mourir une femme sans être délivrée de son enfant, qu'on aurait pu délivrer avec le forceps de Smellie; que Boom lui procura, l'année suivante, l'occasion de disséquer le corps d'une femme morte en travail avec son enfant, qui avait la tête de même que le précédent, transversalement enclavée. Il avait essayé différentes façons pour la délivrer, mais il l'abandonna à la fin sans se servir d'autres moyens. Camper introduisit à sa présence le forceps de Smellie et tira assez facilement la tête au dehors, après avoir tourné la face en arrière, comme l'enseignait Smellie. Camper, dont le témoignage n'est pas suspect, car il avait été séduit par le bruit des succès de de Bruyn, de Titsingh, de Berkman, etc., ajoute : « Ils travaillaient jusqu'à ce que la tête de l'enfant, à la fin étouffé, fût poussée au dehors; ou que la mère aussi bien que l'enfant eussent rendu l'âme. » Lui-même, à Leyde, au début de sa carrière obstétricale, ayant été appelé pour délivrer une jeune femme de son enfant dont la tête était enclavée, il se servit d'un instrument vanté alors pour être celui de Roonhuysen, mais sans effet, et la femme mourut un quart d'heure après sans avoir été délivrée.

On reste effrayé à l'idée seule de faire usage du levier dans la position occipito-postérieure, en pensant aux désordres graves qu'il peut déterminer sur la face. Cette crainte doit même se présenter à l'esprit toutes les fois qu'on fait usage du levier, l'expérience montrant qu'on est fort exposé, lorsque la tête est tuméfiée, à prendre pour une position occipito-postérieure une occipito-antérieure, à moins de s'assurer directement de la place occupée par la face. Un des points qui se présentent le plus naturellement à l'extrémité du levier dans les positions occipito-postérieures directes ou obliques méconnues est justement l'une ou l'autre arcade orbitaire, de sorte qu'on s'expose non-seulement à contondre la face, mais encore à compromettre d'une manière irremédiable l'intégrité et les fonctions de l'œil lui-même. A en juger par quelques exemples d'extraction de la tête en position occipito-postérieure, les autres points de la face qui se présentent naturellement à l'extrémité du levier et lui fournissent une prise solide sont la tempe, les régions malaire, parotidienne, le maxillaire inférieur, qui peuvent supporter des pressions assez fortes sans subir des lésions graves. L'instrument étant fixé sur un point rapproché de l'extrémité antérieure de la tête et poussant cette extrémité en arrière et en bas, peut à la vérité favoriser le mouvement de rotation qui tend dans ces positions à diriger l'occiput en avant, mouvement que le forceps peut encore plus sûrement exécuter. Mais si l'occiput reste invariablement en arrière, le levier tend à contrarier le mouvement de flexion exagérée par lequel la tête s'engage dans le détroit inférieur et glisse en distendant le périnée jusque sur la commissure postérieure de la vulve. Dès que la partie postérieure de la tête n'a plus pour support l'extrémité inférieure du sacrum, le coccyx et les ligaments sacro-sciatiques, le levier concourt à augmenter le danger de rupture que court le périnée en continuant à pousser la tête en bas et en arrière.

Ainsi, que l'occiput soit dirigé en avant ou en arrière, ou directement de côté, le levier peut à la vérité, à certains moments, favoriser les mouvements de flexion, de rotation et finalement d'extension, à l'aide desquels la tête s'engage et s'avance à travers le détroit inférieur, en distendant progressivement le périnée et la vulve. Mais dès que l'effort porte sérieusement sur ces parties, il contrarie ou exagère ces mouvements et augmente les chances de rupture graves du périnée. Dans ces mêmes conditions, le forceps est aussi heureusement approprié au rôle qu'il a à remplir, qu'il semble ne rien laisser à désirer. Application facile et régulière des deux branches, prise solide, pression exercée sur une large surface, facilité de rendre la flexion de la tête plus prononcée si cela semble nécessaire, de lui faire exécuter son mouvement de rotation à temps, de diriger les tractions dans la direction de la ligne courbe qu'elle doit suivre, de diriger, de graduer le mouvement d'extension à l'aide duquel elle tend à se dégager à l'extérieur; en supposant même, ce qui arrive quelquefois, qu'on ait commis la méprise de croire l'occiput en avant lorsqu'il est en arrière, on reconnait l'erreur presque assez à temps pour opérer le dégagement en conformité avec la position de la tête. On ne peut pas même invoquer ici, comme pour le détroit supérieur réduit, la supériorité de la puissance d'extraction du levier sur les tractions directes. En effet, dans les cas mêmes où les résistances naturelles, provenant du détroit inférieur et de son plancher charnu, sont le plus considérables, les tractions directes suffisent généralement en y mettant le temps nécessaire, en répétant les efforts de traction et en les faisant coïncider autant que possible avec les contractions utérines.

Préférer le levier au forceps pour l'extraction de la tête, retenue dans l'excavation du bassin ou au détroit inférieur, est une idée injustifiable, aussi contraire aux enseignements de l'expérience qu'aux lois du mécanisme de l'accouchement. Il est juste de reconnaître que les partisans modernes du levier les plus autorisés ne vont pas jusque-là. Ils reconnaissent avec M. Boddaert la supériorité du forceps sur le levier quand la tête est descendue au détroit inférieur et qu'on doit employer les instruments pour l'extraire; «il vaut mieux alors, dit-il, employer le forceps que le levier pour l'amener au dehors, que ce dernier pourrait faire dévier la tête de sa bonne direction. Il préfère encore se servir du forceps lorsque la tête se présente diagonalement dans l'excavation pelvienne, parce que dans ce cas la tête n'a à subir qu'un mouvement de rotation qu'elle exécute pendant l'application de l'instrument, que dans tous les cas il est facile de lui imprimer en l'extrayant.» Si nous rappelons que dans les positions occipito-postérieures son usage a encore plus d'inconvénients et de dangers, on reconnaîtra que, de l'aveu des partisans du levier éclairés par une longue expérience personnelle, cet instrument doit céder le pas au forceps, toutes les fois, que la tête est descendue dans l'excavation pelvienne, c'est-à-dire sur le point où, dans les conditions de bonne conformation et de présentation régulière, elle rencontre le plus généralement un obstacle à son expulsion spontanée.

Ce que nous avons dit jusqu'ici de l'emploi comparatif du levier et du forceps, comme moyens d'extraction de la tête arrêtée dans l'excavation pelvienne ou au détroit inférieur, s'applique exclusivement à la présentation du vertex. L'emploi du levier dans la présentation de la face serait encore moins justifiable. Dans les positions mento-antérieures directes ou obliques, l'extrémité du levier porterait en plein sur le devant du cou ou sur ses parties latérales et y déterminerait des désordres graves. Les mento-latérales directes, qu'on ne parviendrait à rendre et à maintenir obliques en plaçant les branches du forceps, rendraient son emploi difficile et dangereux, tandis que le levier, appliqué sur l'occipital ou sur l'apophyse mastoïde, en poussant ces parties en arrière et en bas, pourrait déterminer le mouvement de rotation qui amène le menton dans l'arcade du pubis. Dans les cas peu communs où la tête est poussée profondément dans l'excavation pelvienne sans que le menton tende à se porter en avant, si le forceps se montre impuissant à la faire avancer ou à la faire tourner, on doit encore moins compter sur le levier. Ce sont des cas rares qui sont le plus souvent au-dessus des ressources de ces deux instruments.

La tête retenue au détroit inférieur, après la sortie du tronc, réclame rarement l'intervention des instruments. Dans des mains exercées on comprend que le levier puisse devenir une ressource d'un usage plus facile et plus expéditif que le forceps, par conséquent moins compromettante pour l'enfant.

On ne peut pas dire du détroit supérieur comme de l'inférieur et de l'excavation, qu'il est en tout point exactement approprié au forceps ; d'ailleurs des difficultés inhérentes aux déformations et aux rétrécissements de ce détroit rendent l'usage de cet instrument souvent difficile et incertain. Le levier employé dans les mêmes conditions, c'est-à-dire lorsque la tête de l'enfant est retenue au détroit supérieur rétréci ou déformé, mais suffisamment étendu pour lui livrer passage sans exiger une réduction supérieure à celle qu'elle peut naturellement donner, semble offrir dans les positions qui se prêtent le mieux à son application des avantages réels, et pouvoir éluder des difficultés qui lui permettent de soutenir avec avantage la comparaison avec le forceps. D'abord sa supériorité de puissance d'action est évidente : agissant à la manière d'un levier du premier genre, il donne à la puissance un avantage considérable sur les tractions directes, avantage qui peut être le double, le triple, suivant le plus ou moins d'étendue laissée au bras de la résistance et de la puissance, c'est-à-dire suivant le degré de profondeur qu'exige l'introduction. La résistance et la puissance étant les mêmes, au moment où les tractions directes deviennent insuffisantes, le levier tient encore au service de l'accoucheur une somme importante de forces disponibles ; l'effort nécessaire pour faire descendre la tête peut être considérable d'un côté, tandis qu'il reste modéré de l'autre, sans que les effets de la pression sur la tête du fœtus et la partie de la mère diffèrent quant à leur intensité, à moins que la différence des moyens d'extraction n'entraîne une notable différence dans la déperdition des forces. Sous ce rapport l'avantage semble encore être du côté du levier. La prétention des partisans exclusifs de l'un et de l'autre de ces deux instruments, de diriger l'effort dans la direction de l'axe du détroit supérieur, est mal fondée. Le levier tend à pousser la tête en bas et en arrière contre le promontoire ; s'il ménage la vessie, il peut comprimer fortement son col et l'urèthre. Le forceps, au contraire, malgré l'attention de diriger le manche en arrière, tend d'autant mieux à faire arc-bouter la tête contre les pubis, que souvent le bassin vicié présente une inclinaison en avant exagérée ; la vessie ménagée dans le premier cas peut être fortement comprimée dans le second. La direction imprimée à la tête dans le premier semble plus favorable à son engagement et présenter moins d'inconvénients que dans le second. Relativement à la facilité, à la régularité de l'application des instruments, à la réduction du crâne, le levier offre des avantages réels sur plusieurs points. Cela n'est pas douteux pour l'introduction qui ne rencontre pas de limites, quel que soit le degré de rétrécissement et de déformation du bassin. En effet, il est toujours possible, sinon facile, de porter la simple lame étroite et peu recourbée qui la constitue sous l'arcade du pubis, soit qu'on l'y insinue directement, soit qu'introduite en arrière, on l'y fasse arriver par un mouvement de spirale. Mais l'indication de fixer l'extrémité de l'instrument sur un point de la région occipito-mastoïdienne en limite l'emploi pour l'enfant vivant aux positions occipito-antérieures et occipito-latérales. On sait que les positions occipito-postérieures, au détroit supérieur ne sont pas rares, et qu'elles exposent à des lésions graves de la face, du cou, si elles sont méconnues; dans le cas contraire on pourrait fixer la cuiller du levier sur la tempe, sur la région malaire, sur le maxillaire inférieur, sans faire courir à l'enfant trop de danger. Il est vrai qu'en agissant ainsi, on se priverait de l'avantage, attribué au levier et refusé au forceps, d'engager la tête en la fléchissant. Cet avantage très-sensible pour l'engager, la pousser à travers le détroit inférieur, où la résistance existe de toutes parts, est le plus souvent nul au détroit supérieur rétréci ou déformé, où la résistance n'existe qu'entre le promontoire et le pubis, ou un point de sa branche horizontale. La tête, poussée par les contractions utérines dans le détroit supérieur rétréci et déformé, tend à s'y engager dans la direction où elle trouve le plus de place; le levier ne la fixant pas comme le forceps, et agissant de concert avec les contractions utérines, favorise cette disposition au lieu de la contrarier. Il n'oppose, de plus, aucun obstacle à la propriété de réduction que le crâne tient de la laxité de ses sutures et de la flexibilité des pariétaux. Mais tous ces avantages du levier sur le forceps sont en grande partie compromis par le peu de sûreté de son point d'appui sur la tête; c'est évidemment son côté défectueux et le plus grand obstacle à son usage. Il ne s'agit pas seulement de cas où la tête est mobile au-dessus du détroit supérieur, il est évident qu'à chaque tentative elle se déplace et fuit devant l'extrémité de l'instrument. Si en pareil cas le forceps n'est pas absolument impuissant à saisir la tête, il faut convenir qu'il est au moins d'une application fort difficile et fort incertaine. Mais cette mobilité ne se rencontre guère dans les cas que nous supposons. En effet, il faut d'une part que le détroit supérieur offre encore assez d'étendue pour permettre à la tête de commencer à s'engager, de l'autre, que l'expectation ait été assez prolongée pour rencontrer un commencement d'engagement et la fixité de la tête. En dehors de ces conditions, il n'y a rien de bon à attendre du levier ou du forceps. En un mot, il faut qu'il y ait pour l'un comme pour l'autre, plus encore pour le levier que pour le forceps, à un degré plus ou moins prononcé, cet état de fixité de la tête, qu'on désigne encore souvent par habitude sous le nom d'*enclavement*, fixité qui est le résultat de l'engagement de la tête et de la rétraction de l'utérus sur le corps de l'enfant, après la dilatation du segment inférieur de l'utérus et l'évacuation du liquide amniotique. C'est ainsi, du reste, que l'entendent les partisans modernes du levier exercés à son maniement. M. Coppée (de Gand) convient que si la tête est encore mobile au-dessus du détroit supérieur, on parvient bien à appliquer le levier; mais que dans ce cas il est sujet à glisser sans entraîner la tête, et que celle-ci change même de position sous l'action de l'instrument. « Il faut, ajoute-t-il, pour l'appliquer avec succès, que la tête soit au centre du détroit et même un peu engagée. » On doit distinguer entre l'application et le maniement de l'instrument. Sans doute sa simplicité, son peu de volume permettent de porter facilement dans les positions occipito-antérieures ou latérales son extrémité sur un des points d'élection de la base du crâne; mais ce n'est là que la partie la plus facile de l'opération, et ses partisans, après avoir vanté sa facilité d'application et sa supériorité sur le forceps sous ce rapport, sont conduits par une sorte de contradiction à convenir des difficultés de son maniement. M. Coppée proclame que le levier ne sera jamais l'instrument que de celui qui a déjà acquis une certaine expérience. M. Boddaert avoue que le mode opératoire est plus compliqué qu'avec le forceps, parce que celui-ci ne doit qu'extraire la tête, tandis que celui-là doit l'extraire et en outre lui faire subir divers mouvements. Du reste, dans la condition désavantageuse de la mobilité de la tête coïncidant avec un rétrécissement du bassin, il n'y a pas lieu d'insister beaucoup sur l'infériorité du levier, le forceps lui-même est fort exposé à échouer, et ne doit être essayé que si un accident grave vient compliquer le travail, avant que les efforts naturels aient commencé à engager et à fixer la tête. Les autres difficultés inhérentes au forceps ne sont que trop réelles et ne doivent être ni dissimulées ni même atténuées. Une des plus grandes et des plus communes se rencontre dans la nécessité de placer les branches sur deux points du bassin suffisamment opposés l'un à l'autre pour que leur articulation puisse être opérée sans efforts violents. Deux causes peuvent rendre cette opposition des branches difficile et même quelquefois impossible : 1° la forme de la déformation ; 2° la position de la tête. On comprend sans peine qu'un détroit supérieur encore suffisamment étendu pour laisser passer la tête, soit déformé latéralement ou dans la direction sacro-cotyloïdienne, de telle façon qu'il soit difficile de placer de ce côté, soit latéralement, soit obliquement une des branches directement en opposition avec l'autre. Mais c'est la direction de la tête, engagée dans le détroit supérieur, qui est la cause la plus ordinaire de la difficulté de placer les deux branches dans leurs rapports respectifs. A la vérité, la tête peut être assez oblique, et le bassin rétréci assez régulier pour permettre de la saisir par les côtés. Mais ce n'est pas le cas le plus commun ; le plus souvent, soit que la position soit transversale, soit que l'une des branches du forceps ne puisse pas être portée suffisamment en avant, la tête est saisie directement du front à l'occiput, ou obliquement de l'apophyse mastoïde à la bosse frontale opposée. L'expérience a prouvé que les branches du forceps placées ainsi ne glissent pas facilement, et que les tractions bien dirigées entraînent la tête sans accroître sensiblement les difficultés et les dangers pour la mère et l'enfant. Que la tête soit saisie régulièrement ou non, on doit reconnaître que les résultats ne sont pas très-satisfaisants pour ce dernier, qui est souvent extrait mort ou animé d'une vie précaire, les centres nerveux ayant subi une compression trop grande.

Jusqu'à quel point le parallèle entre le levier et le forceps employés au détroit supérieur dans les viciations du bassin, théoriquement favorable au premier, est-il justifié par les faits ? Ces faits sont de plusieurs ordres :

1° On trouve souvent dans les écrits des partisans du levier la mention de succès obtenus par le levier dans des cas où le forceps avait échoué. Ces simples assertions, qui ne font pas même connaître le plus souvent si la tête était au détroit supérieur ou dans l'excavation, ont au fond peu de valeur et laissent ignorer si l'on doit rapporter le résultat à la supériorité de la méthode plutôt qu'à une différence d'habitude ou à ce que l'obstacle a été surmonté pendant le temps écoulé entre les deux opérations. C'est une victoire que remporte assez souvent sur lui-même le forceps, dans les mêmes mains ou dans d'autres : tous les jours on voit une nouvelle application réussir après une première tentative infructueuse.

2° D'autres sont mentionnés avec assez de détails pour montrer que l'obstacle était réel et constitué par une viciation du détroit supérieur. Il ne faut pas les chercher dans la période de ferveur du levier, durant laquelle on ne rencontre que des énumérations de succès. Les difficultés et les insuccès provenant d'obstacles sérieux ne feraient pas même une ombre au tableau, si Camper n'avait eu le soin d'en recueillir çà et là quelques exemples. Il faut arriver jusqu'à Herbiniaux pour rencontrer des faits authentiques d'extraction de la tête retenue au détroit supérieur vicié ; mais ils sont peu nombreux et se réduisent à deux ou trois. Désormeaux, qui sans être un partisan du levier, le jugeait avec une impartialité dont ses prédécesseurs ne lui avaient pas donné l'exemple, émet l'opinion qu'il peut rendre de très-grands services, non-seulement, comme le veut Mulder, dans les cas où l'on n'a qu'une légère résistance à surmonter, mais encore dans quelques-uns des cas les plus difficiles. « Pour mon compte, ajoute-t-il, je me rappelle m'en être servi avec succès dans deux cas où la tête, étant dans une situation transversale au-dessus du détroit supérieur, n'aurait pu être saisie avec le forceps que d'une manière défavorable, c'est-à-dire de la face à l'occiput. Une branche du forceps, portée le long de la face, peut être ramenée en avant, sans cependant arriver jusque derrière la symphyse des pubis, et son extrémité, en raison de sa courbure, parvint jusque sur la région mastoïdienne, où elle trouva un point d'appui solide. Au moyen de cette branche de forceps qui faisait l'office de levier, ou, pour mieux dire, de crochet, j'entraînai la tête du fœtus. Dans un des deux cas, la tête éprouva une telle pression, en traversant le détroit supérieur, que le pariétal gauche présentait une dépression longitudinale profonde, produite par la saillie sacro-lombaire. » C'est surtout dans les publications de M. Boddaert qu'on trouve des exemples concluants de l'efficacité du levier, on peut difficilement se défendre de reconnaître sa supériorité, lorsqu'une réduction notable de la tête est nécessaire pour qu'elle puisse franchir le détroit supérieur rétréci. On y rencontre des observations de têtes extraites, souvent rapidement, parfois avec conservation de la vie de l'enfant, presque toujours sans accidents pour la mère, le bassin ne mesurant, au dire de l'auteur, dans son diamètre rétréci que 3 pouces, 3 pouces un 1/4, 3 pouces et 1/2.

3° On peut invoquer des expériences en apparence décisives démontrant la supériorité du levier sur le forceps pour faire franchir à la tête le détroit supérieur réduit. Le professeur Fabbri, de Bologne, auteur d'un important Mémoire sur le levier, a répété en 1865, à Paris, devant plusieurs témoins ces expériences. M. Tarnier, un des témoins, en rend compte de la manière suivante : « Un rétrécissement du bassin ayant été simulé par une plaque de tôle ajustée sur le promontoire, et un enfant ayant été placé comme s'il se fût présenté par le sommet, j'appliquai le forceps sur cette tête. J'essayai de toutes mes forces, et il me fut impossible de l'entraîner dans l'excavation. Le docteur Fabbri appliqua à son tour le le levier et abaissa aussitôt la tête dans le petit bassin. Je renouvelai l'expérience, j'appliquai de nouveau le forceps tout aussi infructueusement que la première fois; après quoi j'eus recours moi-même au levier ; je déclare qu'avec cet instrument je fis descendre la tête dans l'excavation avec une étonnante facilité. »

Les résultats de ces observations et de ces expériences sont de nature à fixer sérieusement l'attention. Ils se justifient du reste facilement, si l'on veut bien ne pas oublier que le levier emprunte à son mode d'action une puissance d'extraction bien supérieure à celle des tractions directes exercées par le forceps. On jugerait sans doute trop favorablement de la sûreté et de la solidité de la prise du levier sur la tête, si l'on prenait à la lettre ces manœuvres à ciel découvert, où le point d'appui, la position, l'immobilité de la tête sont assurés d'avance, avantages en grande partie perdus dans les conditions ordinaires. On ne doit pas moins en conclure que les rétrécissements du bassin encore susceptibles de laisser passer la tête, mais qui opposent soit à l'introduction des branches du forceps, soit à leur articulation, soit à la progression de la tête par les tractions directes, des obstacles qui semblent insurmontables, peuvent encore dans une certaine limite et dans un certain nombre de cas être justiciables du levier. En conséquence, on n'est légitimement autorisé, après l'insuccès du forceps, d'avoir recours à la crâniotomie ou à l'opération césarienne si l'enfant est vivant, qu'après avoir essayé le levier. De même les praticiens exercés au maniement du levier, et qui l'emploient d'emblée lorsque l'impuissance des efforts de la nature est évidente, ne sont légitimement autorisés à passer outre lorsqu'ils échouent, qu'après avoir épuisé les ressources du forceps.

Les règles générales et particulières de l'application du levier sont d'une grande simplicité, mais ne constituent pas moins un procédé opératoire d'une exécution souvent difficile, sinon pour introduire l'instrument, au moins pour donner à son extrémité une prise suffisamment sûre et solide pour qu'il puisse manœuvrer avec efficacité. Le manuel opératoire et les modifications qu'il doit subir dérivent presque exclusivement de la présentation et de la position de la tête. Aussi doit-on indiquer en première ligne, parmi les précautions préliminaires, la nécessité d'un diagnostic certain; et, toutes les fois que l'examen des sutures, des fontanelles et des autres points de repère ne donnent pas au diagnostic une certitude absolue, on ne doit pas hésiter à aller directement à la recherche de la position : il faut à tout prix éviter de prendre, à notre insu, un point d'appui sur la face lorsqu'on suppose l'enfant vivant. Un autre soin préliminaire sur lequel les partisans du levier insistent avec raison, c'est de donner, à la femme placée en travers sur un lit, plus encore que pour l'application du forceps, une position horizontale, le siége un peu élevé et dépassant autant que possible le bord du lit. En effet, comme ils poussent directement sous l'arcade du pubis l'instrument dans la matrice, le manche doit être renversé tout contre le périnée. Voici comment ils procèdent : ils accrochent avec l'index et le médius de la main gauche l'orifice utérin et le ramènent par leur face palmaire contre l'arcade pubienne, ils font ensuite glisser l'extrémité de l'instrument, tenu par sa partie moyenne et fortement renversé en arrière, le long de leur face dorsale, en lui faisant suivre les contours du crâne ; on reconnaît qu'elle a franchi sa circonférence, le point difficile de l'introduction, à une petite secousse et à un peu plus de liberté de l'instrument dès qu'elle est parvenue sur la base du crâne, où, après quelques tâtonnements, elle trouve un point d'appui plus ou moins favorable : l'instrument est placé *comme il faut*, suivant l'expression consacrée. On comprend facilement qu'un levier à courbure trop étendue et trop profonde rende plus difficile et même impossible l'introduction directe. On peut également faire arriver par une voie indirecte l'instrument sous l'arcade du pubis, en introduisant son extrémité en arrière et la faisant arriver sous l'arcade du pubis par un mouvement de spirale allongée contournant la tête ; les praticiens exercés au maniement du forceps useraient de ce procédé plus volontiers que de l'autre. On dirige et on place autant que possible l'instrument sous le corps du pubis du côté du bassin où correspond l'occiput, plutôt qu'exactement sous la symphyse, pour être plus en rapport avec la position de la tête et pour atténuer les effets de la compression de l'urèthre. Parfois il se porte invinciblement sous la symphyse, d'autres fois on peut à peine le faire arriver sous le corps du pubis où l'on veut le placer. On voit que la précaution d'envelopper l'instrument dans une gaîne emplastique pour diminuer les effets de la compression sur la tête du fœtus et sur les parties de la mère, est parfaitement fondée, et si le levier n'a plus aujourd'hui ces garnitures incompatibles avec la propreté de l'instrument, on peut les remplacer au moment de s'en servir par des bandelettes de caoutchouc vulcanisé. Lorsqu'on s'est assuré que l'instrument est bien placé, on attend, pour le faire manœuvrer, l'arrivée d'une douleur. C'est une règle importante à observer, non-seulement pour le concours que les efforts naturels apportent à l'expulsion, mais encore comme moyen de fixer la tête et d'empêcher l'instrument de glisser. Au moment où les contractions utérines commencent, on saisit de la main gauche le levier près des organes génitaux et l'on presse contre la tête de haut en bas pour maintenir le point d'appui et diminuer la pression des parties molles situées sous la symphyse des pubis, tandis qu'on soulève de la main droite le manche de l'instrument vers le ventre de la mère, de manière à forcer la tête à s'écarter du pubis et à descendre dans l'excavation. Il faut avoir soin de retirer progressivement l'instrument, qui ne pénètre guère, au début, au delà de 3 pouces dans les parties, à mesure que la tête descend, et de changer dans les intervalles les points d'appui, de manière à lui permettre de subir son mouvement de rotation en avant, à mesure que l'occiput s'approche de l'arcade du pubis.

La même manœuvre s'applique aux différentes positions du crâne, et ne comporte d'autres changements que ceux qui résultent de la direction de la tête, du côté du bassin auquel l'occiput correspond et de son plus ou moins d'éloignement du pubis, ce qui fait varier le point d'appui de la résistance de la région sous-occipitale à la région mastoïdienne. Si l'on voulait tenter de faire usage du levier dans les positions occipito-postérieures, il faudrait le diriger obliquement suivant une ligne allant de l'apophyse mastoïde au menton, ce qui augmenterait encore sa disposition à glisser déjà si grande dans les positions favorables à son emploi. Si l'on voulait absolument en faire usage, on aurait plus de chances de réussir en portant son extrémité sur la tempe, au-devant du pavillon de l'oreille ou sur l'angle de la mâchoire inférieure.

Il est à peine nécessaire d'indiquer les modifications que la présence de la face, au détroit supérieur, ferait subir au manuel opératoire. Nous avons déjà fait remarquer que le levier, comme moyen d'extraction, était d'une application très-limitée lorsque la face était descendue sur le plancher du bassin, même inapplicable dans les positions mento-antérieures, à plus forte raison, lorsqu'elle est retenue au-dessus du détroit supérieur par un vice de conformation du bassin ou un obstacle quelconque. Si l'on essaye de s'en servir, c'est surtout en le faisant manœuvrer à la seconde manière, c'est-à-dire comme moyen de redresser la tête, de changer la présentation. Mais, pour cela, on ne peut guère plus compter sur le levier que sur une branche du forceps et surtout sur la main, qui peut, si elle ne réussit pas, aller saisir les pieds, le meilleur moyen à prendre en pareil cas. Cependant, si la tête était immobile, fortement engagée dans le détroit supérieur, ne laissant plus de chances à l'abaissement du vertex ou à la version, le levier pourrait agir efficacement dans les positions mento-latérales directes, dans lesquelles le forceps est inadmissible, parce que l'une de ses branches porterait sur le devant du cou. Le levier pourrait facilement être introduit sous l'arcade des pubis et porté sur l'occipital. Les mouvements d'élévation et de traction sur le manche pourront faire descendre la tête et ramener progressivement le menton en avant. Dans la position mento-postérieure, le levier peut à la rigueur être introduit sous l'arcade du pubis et suivre le vertex jusque sur l'occiput. Mais la difficulté de faire descendre la tête, et la profondeur de l'introduction qui retire au levier une partie de sa puissance ne permettent guère de compter sur ce moyen. Si le forceps est le plus souvent impuissant à entraîner la tête, il peut au moins réussir à lui faire exécuter un mouvement de rotation en avant, mouvement qui ferait cesser les difficultés.

Dans l'accouchement par l'extrémité pelvienne ou dans la version, il arrive souvent que la tête est retenue dans son passage à travers le bassin : s'il n'est pas rétréci, la main est le moyen le plus sûr et le plus expéditif de lever la difficulté et de soustraire l'enfant au danger d'asphyxie qui le menace. Mais s'il est rétréci, la main peut être impuissante, et le cas exiger l'emploi du forceps. Les partisans du levier, surtout M. Coppée, prétendent qu'il est plus expéditif et plus sûr que le forceps, et que le succès a dépassé toutes leurs espérances. La manœuvre consiste à tenir le tronc du fœtus abaissé vers le périnée et ramené contre la cuisse droite ou gauche, suivant que l'occiput est incliné à droite ou à gauche, pour que le manche de l'instrument puisse passer à côté du cou de l'enfant. Que l'occiput regarde en avant ou en arrière, l'extrémité de l'instrument est portée sur un point de la voûte du crâne, le vertex, le sinciput, en prenant garde, lorsque l'occiput est dirigé en arrière, de blesser la face. Pour cela, il suffit de faire glisser l'extrémité de l'instrument sur la tempe jusqu'au sinciput. Si la face regardait directement en avant et qu'elle ne pût être inclinée ni d'un côté ni de l'autre, on pourrait à la rigueur faire glisser l'instrument sur la face, en ayant soin de faire avancer son extrémité au delà de la voussure du front. Il n'est pas nécessaire d'insister pour montrer que le mouvement d'élévation du manche agit d'une manière très-favorable pour engager la tête et la pousser à l'extérieur. C'est dans les cas où l'instrument prend son point d'appui sur la voûte, comme dans ceux où il agit comme moyen de redressement que les leviers à courbure plus étendue et plus prononcée conviennent.

On voit, d'après la manière d'agir du levier, qu'il expose par son extrémité à comprimer et à blesser la tête de l'enfant, et par son manche à comprimer et à blesser l'urèthre et le col de la vessie de la mère. Jusqu'à quel point ces compressions peuvent-elles avoir des suites fâcheuses pour l'un ou pour l'autre, lorsque la résistance à vaincre est considérable ou bien que l'instrument n'est pas manié avec toute la dextérité et la prudence nécessaires? Les observations d'application du levier publiées, jusqu'à présent, ne sont pas assez nombreuses pour juger complétement la question. Camper, qui était fort au courant de la pratique des Roonhuysiens de son temps, parle de la déchirure de l'urèthre comme d'un accident commun. Il note aussi le fait d'un chirurgien célèbre de Bois-le-Duc, qui, ayant extrait par la spatule une tête transversalement située, l'occiput vers l'ischion gauche, trouva sur le pariétal situé en avant un grand enfoncement produit par la pointe de l'instrument; l'enfant vécut et l'enfoncement disparut en cinq mois de temps. Marchand (de Charenton) a publié une observation de délivrance par le levier, la tête étant en position occipito-antérieure gauche, dans laquelle il est dit que la pression s'était exercée sur les côtés de la tête où il y avait une contusion plus marquée à droite qu'à gauche. Il survint un phlegmon diffus qui occupait les régions parotidienne et mastoïdienne; il fut ouvert, et au bout d'un mois la guérison était complète, sans qu'il se soit montré aucun signe de contusion du cerveau. Il y avait en outre, au moment de la naissance, une paralysie de la face à droite. La mère, après l'accouchement, se plaignait de douleurs vives à la partie droite du bassin et de la cuisse ; la miction était impossible; on fut obligé de la sonder pendant dix jours. Dans une autre observation d'extraction du fœtus avec le levier, du même auteur, les accidents du côté de la mère furent plus graves : une déchirure des grandes lèvres donna naissance à un érysipèle traumatique qui gagna la fesse et parcourut toute la cuisse droite jusqu'au genou ; on fut obligé de sonder la malade pendant près de deux mois, et il y eut une fistule vésico-vaginale qui guérit seule au bout de huit jours. Nous ne chercherons pas à concilier l'existence simultanée d'une rétention d'urine et d'une fistule vésico-vaginale, ni à comprendre la facile et rapide guérison de celle-ci, à moins que la lésion ne portât sur le canal de l'urèthre, mais alors il serait peut-être plus rationnel de l'attribuer au levier, bien qu'il ait triomphé sans peine de la difficulté, qu'aux tentatives réitérées du forceps. Hyernaux, de Bruxelles, appréciateur indulgent par sentiment national, convient cependant que le levier, manié par des mains inhabiles, peut avoir de plus tristes résultats que le forceps; et il ajoute, comme quelqu'un de bien informé : « Nous en avons vu malheureusement beaucoup dans les dernières années qui étaient de nature à ébranler notre confiance. » Mais il fait remarquer avec raison qu'on doit tenir un grand compte des affirmations d'hommes qui, comme Boddaert, Coppée, Fraeys, assurent que dans le cours de leur pratique ils n'ont jamais eu à déplorer, ni sur la mère ni sur l'enfant, des lésions graves. JACQUEMIER.

BIBLIOGRAPHIE. — DE VISCHER (Jacques) et VAN DE POLL (Hugo). *Roonhuysens geheim ontdekt.* Amsterdam (en hollandais), 1753; notice sur le levier de Roonhuysen, rédigée sur des documents laissés par de Bruyn. — La même notice traduite du hollandais et insérée à la fin du tome Ier du traité théorique et pratique des accouchements, traduit de l'anglais par de Preville, 1754. — LEVRET. *Suite des observations sur les causes et les accidents de plusieurs accouchements laborieux; sentiment de l'auteur sur le levier de Roonhuysen et sur la manière de s'en servir.* Paris, 1771. — CAMPER. *Remarques sur les accouchements laborieux par l'enclavement de la tête, et sur l'usage du levier de Roonhuysen dans ces cas.* Dans les *Mémoires de l'Académie royale de chirurgie,* tome XV, in-12. — Supplément aux remarques de Camper. *Mémoires de l'Académie royale de chir.,* tome XV. — DELEURYE. *Traité des accouchements,* 1777. — CHAYROU. *Discours préliminaire à la traduction des observations nouvelles de Theden.* Bouillon, 1777. — RECHBERGER. *De vecti emendando.* Viennæ, 1779. — HOIN. *Réponse à Chayrou. Journal de médecine,* janvier et mars 1780. — BAUDELOCQUE. *Traité de l'art des accouchements,* 1781. — GEHLER. *Programma de vectis obstetriculis usu dubio,* 1789. — SUTTHOFF. *Vectis Roonhuisenis historia et usu.* Gœtting., 1786. — HERBINIAUX. *Traité sur divers accouchements laborieux.* Bruxelles, 1791. — DENMAN. *Introduction à la pratique des accouchements.* Trad. de l'anglais par Kluyskens, 1802. — MULDER. *Historia litteraria et critica forcipum et vectium obstetriciorum.*—FLAMANT. *Sur le levier des accoucheurs. Journal complémentaire des sciences médicales,* 1831. — DESORMAUX. Article *Levier* du *Dictionnaire de médecine en 30 volumes.* — BODDAERT. *De l'usage rationnel du forceps et du levier; rapports et discussions sur ce travail. Annales et bulletins de la Société de médecine de Gand,* 1842 et 1849. — COPPÉE. *Du levier en obstétrique. Bulletins de l'Académie roy. de médecine de Belgique,* t. VII. — FRAEYS. *Du levier après la sortie du tronc.* — HUBERT. *Notes sur l'équilibre du forceps et du levier et sur le choix à faire entre ces deux instruments. Mémoires de l'Académie royale de Belgique,* t. IV, 1860. — FABBRI. *Uso Ragionevole della leva nell' obstetricia.* Bologna, 1863. — TARNIER. *Note* ajoutée à la 7e éd. du *Traité d'accouchements,* de Cazeaux. Paris, 1867. — MARCHANT. *Du forceps et du levier.* In *Arch. génér. de médecine.* Paris, 1868. — DU MÊME. *Accouchement terminé par le levier.* In *Gaz. des hôp.,* n° 149; 1868. J.

LEVRAT-PERROTON (J. F. B.), était né vers 1790, au Bugey, où son père exerçait la médecine. D'abord chirurgien militaire, il fut fait prisonnier sous les murs de Berlin, à l'époque de nos désastres, envoyé dans une petite ville de Sibérie, et revint en France à la paix. Reçu docteur, il s'établit d'abord à Neuville-sur-Saône, mais ses succès dans la pratique l'engagèrent à se fixer sur un plus vaste théâtre et il vint à Lyon. C'est alors qu'il ajouta à son nom de Levrat celui de son beau-père Perroton, agent de change à Lyon, afin de se distinguer du docteur Levrat (F. M. Ph.), qui pratiquait la médecine dans la même ville. Il se fit alors une réputation dans la pratique obstétricale et obtint la place de médecin de l'Antiquaille. Nous signalerons, entre autres recherches nombreuses, celles qu'il a faites sur l'action du tartre stibié dans les affections du poumon, sur le *monesia Marchansia,* sur le traitement de l'ongle incarné, et surtout sur l'emploi du seigle ergoté dont il a fait une monographie remplie de faits intéressants.

Levrat-Perroton a succombé le 24 février 1855, à l'âge de soixante-cinq ans, aux suites d'une affection catarrhale dont il était tourmenté depuis plusieurs années. Voici l'indication des principales publications de ce laborieux médecin.

I. *Observ. sur l'emploi du tartrate antimonié de potasse* (émétique) *dans les phlegmasies des organes de la respiration.* Lyon, 1828, in-8°. — II. *Obs. sur l'emploi médical de l'acétate et du sous-acétate de plomb dans quelques névroses du cœur et des organes de la génération, précédées*, etc. Marseille, 1829, in-8°. — III. *Observ. et réflexions sur les propriétés obstétricales du seigle ergoté.* Lyon, 1832, in-8°. — *Recherches et observations sur l'emploi thérapeutique du seigle ergoté.* Lyon et Paris, 1837, in-8°; nouv. édit., Lyon et Paris, 1853, in-8°. — IV. *Bulletin médical du service des aliénés à l'hospice de l'Antiquaille de Lyon, pendant l'année* 1840. Lyon, 1842, in-8°, tabl. — V. *Mém. sur l'emploi de l'alcali volatil fluor* (ammoniaque liquide) *dans la coqueluche.* Lyon, 1840, in-8°. E. Bgd.

LÈVRES. § I. **Anatomie.** La bouche est limitée en avant par des prolongements tégumentaires et musculeux, parallèles au rebord alvéolaire des mâchoires, juxtaposés à l'état de repos, mais pouvant s'écarter en formant un orifice de forme et de grandeur variables. Ces prolongements constituent les *lèvres*. Le même nom est appliqué aux rebords de quelques ouvertures naturelles, telles que celles du méat urinaire chez l'homme, de la dépression vulvaire chez la femme. En pathologie, on désigne aussi sous ce nom les bords d'une plaie à réunir. Nous ne nous occuperons que des voiles antérieurs de la bouche.

Les replis labiaux sont au nombre de deux. Ils sont charnus, mobiles, extensibles et contractiles. Dans leur ensemble ils représentent une région restreinte de la face, de forme ovalaire, bornée en haut par le nez, en bas par le sillon mento-labial, et sur les côtés par des sillons obliques qui les séparent des joues. Leur étendue prédominante est transversale, et dans ce sens elles se divisent en deux moitiés superposées, circonscrivant l'orifice de la bouche. Les lèvres buccales, séparées comme les paupières par une fente transversale, sont inégales et exemptes l'une par rapport à l'autre de la symétrie que présentent les bords des fentes verticales ou antéro-postérieures. La lèvre supérieure est plus saillante et présente plus de hauteur que l'inférieure ; elle s'en distingue aussi par des particularités de forme. Les deux organes se rejoignent en dehors par deux angles appelés *commissures ;* en arrière, ils sont attachés par la muqueuse au rebord alvéolaire de chaque mâchoire, au-devant desquelles un appareil musculaire compliqué leur permet d'exécuter des mouvements nombreux et d'imprimer à l'orifice buccal les formes les plus variées.

Lèvre supérieure. Elle a une direction à peu près verticale ou légèrement inclinée en avant, suivant la saillie des dents et du rebord alvéolaire. Sa face antérieure, un peu convexe entre les sillons naso-labiaux, présente à la partie moyenne la dépression sous-nasale, sorte de gouttière terminée en bas par un tubercule qui s'accuse sur le bord libre de la lèvre, avec une saillie variable suivant les sujets. Elle est limitée sur les côtés par des rebords raphéaux correspondant à la soudure des bourgeons formateurs de la lèvre, pendant la période primitive de la vie intra-utérine. Ces rebords sont marqués chez l'adulte par la saillie du bord interne du muscle élévateur commun de la lèvre supérieure et de l'aile du nez qui finit à ce niveau. A partir de ces rebords, la surface labiale forme à droite et à gauche un plan convexe un peu incliné en dehors, jusqu'au point où elle se confond avec la joue. En arrière, la lèvre, de forme concave et limitant le vestibule de la bouche, est humide et recouverte par la muqueuse, qui l'attache aux os sus-maxillaires et qui forme sur la ligne médiane un repli triangulaire connu sous le nom de *frein de la lèvre supérieure.* Le bord adhérent de la lèvre se continue au milieu avec l'extrémité postérieure de la sous-cloison, sur les côtés avec la ligne de circonscription de l'orifice des narines, puis avec l'aile du nez et les parties constituantes de la joue. Le bord libre, d'une épaisseur moyenne de 8 à 10 millimètres chez l'adulte, d'après M. Sappey, est d'une coloration rosée, et fait partie du contour de l'orifice buccal. Sa direction est à peu près horizontale ; il est toutefois un peu concave en bas et arrondi d'avant en arrière, de manière à ne s'appliquer sur la partie correspondante de la lèvre inférieure que par un plan moins étendu que ne le comporte la totalité de la surface. Ce bord est légèrement ondulé. Une saillie existe à sa partie moyenne, au niveau de la gouttière sous-nasale. Deux faibles dépressions existent à droite et à gauche, et puis une surface inclinée se termine aux commissures. Ces détails de forme ont quelque importance pour expliquer les difficultés de restituer la forme exacte de la lèvre après l'opération du bec-de-lièvre, et les artifices auxquels doit recourir le chirurgien pour approcher le plus possible de la configuration normale.

Lèvre inférieure. Elle n'a pas la disposition verticale précédemment indiquée ; un peu entraînée par son propre poids, surtout chez certains sujets, sa face antérieure regarde en bas et se termine au sillon transverse qui la sépare du menton. Sa face postérieure est revêtue par la muqueuse qui la fixe à l'os maxillaire inférieur, en ne formant qu'un frein médian triangulaire plus court que celui de la lèvre supérieure. Le bord libre de la lèvre que nous décrivons présente dans son ensemble une surface convexe, dont la régularité est modifiée par des ondulations superficielles en sens opposé de celles que nous avons signalées à l'autre lèvre. On y remarque une faible dépression médiane et deux élevures voisines qui s'harmonisent avec les inégalités correspondantes du bord libre supérieur.

Les extrémités des bords labiaux se confondent au dehors en formant les *commissures* (cum miscere), et achèvent de circonscrire l'orifice buccal par un point d'union dont les côtés, à peu près parallèles quand la bouche est fermée, forment un angle obtus dont le sinus plus ou moins ouvert, suivant le degré d'élargissement de l'orifice, regarde la ligne médiane. Ainsi disposées, les deux lèvres dessinent l'*orifice buccal* qui sert d'entrée aux voies digestives et qui forme aussi une des limites de l'appareil respiratoire. Cet orifice, habituellement fermé par la contraction tonique de certaines parties de l'appareil musculaire des lèvres, est susceptible de se dilater et de prendre des dimensions et des formes nombreuses, en rapport avec diverses fonctions, soit de nutrition, soit d'expression. Il varie d'ailleurs naturellement dans son étendue en donnant lieu aux différences de conformation connues sous le nom de bouche *grande, petite* et *moyenne*. L'agrandissement de l'orifice buccal est produit non-seulement par l'action des muscles dilatateurs, mais par l'écartement des mâchoires, et suivant le degré d'entraînement excentrique des rebords labiaux, il permet le passage de corps volumineux, l'exploration des parties profondes, et rend possible une action chirurgicale sur les organes qui appartiennent à la bouche ou qui sont en rapport avec cette cavité.

Structure des lèvres. Ces organes sont constitués par un revêtement cutanéo-muqueux, formant un repli dont l'intervalle est occupé par une couche musculaire et par des glandules. Les éléments communs des organes, vaisseaux, nerfs et tissu conjonctif, sont répartis dans ces divers éléments.

Le revêtement cutané se distingue par sa densité qui n'exclut pas une certaine délicatesse d'organisation, par l'épaisseur de sa partie dermique, laquelle est très-adhérente aux muscles sous-jacents et fournit à ces derniers des points d'attache multipliés. Aussi la peau obéit-elle complétement aux contractions isolées des fibres de l'appareil musculaire complexe des lèvres, circonstance favorable à l'expression physionomique. L'adhérence de la peau est plus marquée, d'après Bichat, au niveau de la gouttière sous-nasale que dans tout autre point. La peau des lèvres est garnie d'un grand nombre de follicules pileux dont chacun reçoit le conduit excréteur de deux petites glandes sébacées. Le produit de sécrétion de ces follicules donne lieu chez l'homme adulte à des poils dont la direction est différente à chaque lèvre. Ceux de la lèvre supérieure se dirigent généralement en dehors et en bas, à partir de la ligne médiane, et constituent les *moustaches*. Ceux de la lèvre inférieure descendent verticalement et font partie de la *barbe*. Au niveau du bord libre, la peau se modifie et prend des caractères de transition qui la rapprochent de la muqueuse. Elle devient transparente et acquiert, par ce fait, une coloration rosée diversement nuancée, suivant les sujets. Des rides légères, à direction antéro-postérieure, s'y font remarquer; elles résultent du froncement musculaire, et s'effacent sous l'influence des contractions diductrices, ou simplement par le fait de la turgescence vasculaire dont cette région est susceptible. La couche épithéliale est assez épaisse; elle est peu adhérente, sujette à s'exfolier, et se continue avec l'épithélium intra-buccal.

La muqueuse labiale est rouge, mince et assez transparente pour laisser apercevoir la couleur blanchâtre des glandules qui la soulèvent; elle est moins adhérente que la peau et peut être disséquée pour former des lambeaux de revêtement dans la chéiloplastie. Son chorion muqueux porte des papilles coniques qui se logent dans les dépressions d'un épithélium pavimenteux. La destruction limitée de cet épithélium se produit dans les inflammations aphtheuses et se révèle par des ulcérations superficielles. La putréfaction facilite son détachement par plaques plus étendues permettant l'examen de sa couche profonde et indiquant les dépressions où sont reçus les sommets des cônes papillaires.

Les *muscles* des lèvres constituent la charpente de ces organes; ils en déterminent l'épaisseur et la forme, et y représentent un appareil assez compliqué, destiné au resserrement de l'orifice buccal et à sa dilatation dans tous les sens.

Ces muscles sont au nombre de dix-neuf. Ils appartiennent à l'ordre des peaussiers et ont ce caractère commun que leurs fibres sont pâles, plus ou moins infiltrées de tissu adipeux, et qu'ils sont aplatis dans le sens antéro-postérieur. Le système musculaire de l'orifice buccal permet d'en distinguer les parties constituantes, par leur antagonisme. L'un de ces muscles, le plus important et le seul qui appartienne véritablement aux lèvres, est l'orbiculaire; les autres viennent des diverses régions de la face et convergent vers l'ouverture buccale, qu'ils sollicitent en différents sens. Ce sont pour la lèvre supérieure, et de chaque côté de la ligne médiane, les élévateurs superficiel et profond, les petits zygomatiques dont l'existence n'est pas constante; pour les commissures, les muscles grand zygomatique, canin, buccinateur, triangulaire des lèvres et *risorius Santorini;* pour la lèvre inférieure, le carré du menton. Ces divers muscles seront plus opportunément décrits à l'article FACE. Ils ont pour la plupart une insertion osseuse à l'un des points de cette région, et ne font réellement partie de la lèvre que par leur extrémité buccale qui adhère au muscle orbiculaire et s'insère à la face profonde de la peau.

L'*orbiculaire des lèvres* ou muscle propre de la région, représente moins un sphincter complet de l'orifice buccal, qu'un double demi-orbiculaire dont chaque moitié peut exercer une action isolée. Il affecte, comme la région labiale dont il constitue la charpente, la forme d'une zone ovalaire dont le milieu est occupé par l'ouverture buccale. Plus épais que les muscles périphériques et sans attache osseuse, l'orbiculaire des lèvres est comme suspendu au milieu des fibres rayonnées qui convergent vers lui. Ses éléments groupés en faisceaux assez épais vers le bord libre des lèvres, forment deux demi-ellipses opposées par leur concavité. Les fibres rapprochées du bord libre n'appartiennent pas à la même courbe que les plus extérieures ; celles-ci sont très-arquées, tandis que les premières se rapprochent de la direction horizontale. Elles sont assez serrées et n'admettent pas autant de tissu adipeux que les muscles rayonnés. La face antérieure de l'orbiculaire est recouverte par la peau qui lui adhère fortement, la face postérieure est plus lâchement unie à la muqueuse dont elle est séparée par les glandules labiales. La grande circonférence est en rapport avec l'extrémité buccale des muscles diducteurs dont quelques fibres s'insinuent entre leurs couches superposées, avant d'aboutir à la peau. La petite circonférence est libre et se termine pour chaque demi-orbiculaire aux commissures. Dans ce point, les fibres du muscle buccinateur et particulièrement celles du plan profond, s'entre-croisent de manière à ce que celles d'en bas passent dans le plan profond du demi-orbiculaire supérieur, et celles d'en haut dans la couche correspondante du demi-orbiculaire inférieur, en sorte que buccinateur et orbiculaire ont des éléments communs et peuvent être considérés comme un seul et même muscle, opinion soutenue par M. Cruveilhier.

Les lèvres comprennent encore une couche de *glandes* en grappe ayant une complète analogie de structure et de fonctions avec les glandes salivaires. Ces glandules de forme sphéroïdale irrégulière constituent une couche interposée entre le plan musculeux et la muqueuse, qu'elles soulèvent et où elles aboutissent par un conduit excréteur que termine un orifice distinct à la loupe et même à l'œil nu. L'agmination des glandules est telle, qu'il en résulte un plan assez épais et très-visible dans une section perpendiculaire des lèvres au milieu de l'espace compris entre les commissures et la ligne médiane. L'épaisseur de la couche est très-faible dans ce dernier point ; il n'existe plus de glandes au niveau des angles.

Éléments complémentaires des lèvres. Ils comprennent le tissu conjonctif, les vaisseaux et les nerfs. Le *tissu conjonctif* ou cellulaire des lèvres est très-serré et peu abondant au-dessous de la peau. Il ne se charge même chez les sujets très-gras que d'une petite quantité de tissu adipeux. Plus abondant au niveau de la couche glandulaire et sous-muqueuse, il peut, dans ces points, s'infiltrer facilement de liquides séreux comme on l'observe dans plusieurs cas de tuméfaction des lèvres.

Vaisseaux. La vascularité de la région est très-prononcée. Nées de plusieurs sources, mais surtout de la faciale, les *artères* coronaires ou labiales, tantôt proviennent d'un seul tronc qui se bifurque pour donner une branche à chaque lèvre, tantôt se détachent isolément au nombre d'une ou deux pour chacune. Dubreuil assure que la dualité est plus fréquente pour la lèvre inférieure que pour la supérieure.

Arrivées au niveau des lèvres, ces branches traversent la couche musculaire et rampent sinueusement au-dessous de celles-ci, au niveau des glandules et plus près par conséquent de la face muqueuse de la lèvre, circonstance utile à connaître quand il s'agit d'obtenir, à l'occasion des plaies de cette région, un affrontement qui soit à la fois unissant et hémostatique. Les coronaires s'anastomosent entre elles, sur la ligne médiane, et donnent des artérioles qui établissent dans l'épaisseur des tissus un réseau particulièrement riche vers les bords libres. Des sources artérielles complémentaires alimentent le réseau labial. Elles sont représentées, pour la lèvre supérieure, par des rameaux d'émanation de la sous-orbitaire, de la buccale et de l'alvéolaire, branches de la maxillaire interne, de la transversale de la face, branche de la temporale, et, pour la lèvre inférieure, par des rameaux provenant de la mentonnière et de la sous-mentale. Les *veines* ne suivent pas complétement la direction des artères ainsi que nous nous en sommes assuré dans des préparations spéciales que nous avons déposées au musée de la Faculté de Montpellier (Concours pour la place de chef des travaux anatomiques, 1834). Nées d'un réseau sous-cutané plus prononcé au niveau du bord libre où elles contribuent à la turgescence semi-érectile de cette partie, ces veines se prêtent au développement des angiomes ou tumeurs érectiles, si fréquentes sur le contour de l'orifice buccal des enfants. Elles se rassemblent en troncs irréguliers moins profonds et plus nombreux que les artères. Celles de la lèvre supérieure se jettent dans la faciale. Les veines de la lèvre inférieure descendent en nombre et gagnent les veines sous-mentales. M. Sappey les dit chargées de valvules résistantes. Il est certain qu'elles admettent difficilement l'injection. Mais les cas pathologiques développent assez leur réseau initial pour en dessiner la disposition. Les *lymphatiques* de la lèvre commencent aussi par un réseau très-délicat au-dessous des couches tégumentaires et notamment au niveau du bord libre et de la muqueuse. Ceux de la lèvre supérieure se dirigent vers les troncs parallèles à l'artère faciale et gagnent les ganglions sous-maxillaires profonds avec lesquels cette artère, qui décrit des sinuosités au-dessous de la mâchoire, les met en rapport. Les lymphatiques de la lèvre inférieure se rendent aux ganglions médians ou latéraux de la région sus-hyoïdienne, qui sont moins profondément placés. La direction et la terminaison de ces lymphatiques aident à comprendre les propagations morbides qui accompagnent le cancer des lèvres et expliquent la plus grande gravité des récidives ganglionnaires attachées au cancer de la lèvre supérieure qu'à celui de l'inférieure où cette maladie est d'ailleurs beaucoup plus commune.

Nerfs. Ils sont de deux ordres : les sensitifs sont fournis à la lèvre supérieure par le plexus nerveux très-riche du sous-orbitaire, dont les filets descendent verticalement en formant un plan superficiel pour la peau, et une série profonde qui passe au-dessous du muscle orbiculaire, pour atteindre les glandules et la muqueuse jusqu'au bord libre. Les nerfs du même ordre destinés à la lèvre inférieure proviennent des filets rayonnants et ascendants du nerf mentonnier que donne le dentaire inférieur. Les nerfs moteurs sont des divisions du facial, et arrivent aux muscles des lèvres dans une direction transversale. On les distingue des précédents non-seulement par cette direction et par leur destination exclusivement musculaire, mais parce qu'ils sont plus fins et plus nacrés.

Développement et variétés physiologiques des lèvres. La question du développement des lèvres a été amplement traitée à l'occasion du BEC-DE-LIÈVRE, et pour éclairer la formation de cette anomalie (*voy.* ce mot et l'article BOUCHE), nous nous contenterons d'indiquer ici les changements que l'*âge* imprime à ces organes musculo-membraneux. Les lèvres de l'enfant naissant paraissent proportionnellement plus longues et plus volumineuses que celles de l'adulte. Elles se dirigent plus en avant, disposition en rapport avec l'acte de succion, et qui s'explique d'ailleurs par l'absence des dents d'où résulte la diminution de hauteur verticale des mâchoires. Chez l'adulte, les lèvres prennent une disposition harmonique avec la courbe et le développement de ces dernières. Elles redeviennent proportionnellement plus longues chez le vieillard où l'absence des dents les ramène en arrière, en même temps que la production des rides et l'atrophie modifient singulièrement leur forme. A cet âge le réseau vasculaire se modifie, le bord libre perd sa couleur rosée, et prend ainsi que la muqueuse une nuance violacée; la peau s'altère dans sa nutrition et devient apte aux productions épithéliales de forme verruqueuse.

Le sexe imprime aussi aux lèvres un changement particulier. Ackermann (*de Discrimine sexuum prœter genitalia*) fait remarquer que chez l'homme elles sont plus grandes, plus saillantes, plus charnues que chez la femme. Huschke ajoute qu'elles sont plus rouges, plus chaudes et plus sèches. On sait que ce n'est que exceptionnellement, ou qu'après la cessation de la fonction menstruelle, que la lèvre supérieure de la femme se couvre de poils. Dans les conditions normales, la peau des lèvres est plus fine chez le sexe féminin; les bords libres sont moins épais, l'arête qui les sépare de la face cutanée est moins accusée; les commissures se cachent souvent au fond d'un pli agréable. La forme générale de ces organes est plus gracieuse; l'orifice buccal est plus petit et par ses courbes heureuses aussi bien que par ses rapports harmoniques avec d'autres parties de la face, il représente un des éléments les plus marqués de la beauté.

Les lèvres présentent des variétés individuelles très-nombreuses qui donnent à la physionomie un caractère particulier. Il suffirait de jeter un coup d'œil sur les remarquables planches de Lavater, dont les types sont si spirituellement choisis, pour se faire une idée des variétés de forme dont l'orifice buccal est susceptible. Les seules différences de volume des lèvres, abstraction faite de leurs mouvements, indiquent des dispositions physiologiques ou psychologiques assez constantes pour être regardées comme vraies. Des lèvres charnues et modérément saillantes indiquent une bonne constitution et de la disposition à la sensualité. Le volume prédominant de la lèvre supérieure avec mollesse de son tissu se lie au tempérament lymphatique et révèle une disposition aux scrofules. La lèvre inférieure renversée, humide, volumineuse et tremblante indique des instincts peu élevés. Des lèvres fines et d'un dessin ferme et correct coïncident avec une certaine élévation d'intelligence et de décision dans le caractère. Les peintres plus encore que les anatomistes étudient ces corrélations et Le Brun n'avait pas hésité à dire que la bouche est la partie qui de tout le visage marque le plus particulièrement les dispositions intérieures.

Les *races* se caractérisent en partie par la disposition physique des lèvres. On sait que la forme des mâchoires, la direction des dents et le prognathisme influent sur cette direction; que les sujets de la race caucasique ont les lèvres à peu près verticales, que les Éthiopiens, au contraire, et les sujets de race malaise, ont, à des degrés divers, des lèvres obliques en avant et qui doivent leur épaisseur au développement des faisceaux charnus du muscle orbiculaire. Dans les races américaines, on remarque que les Chiliens ont la lèvre inférieure spécialement développée.

La recherche des différences que présentent les lèvres, suivant les espèces animales, nous conduirait hors du cadre de cet article. Nous nous contenterons de rappeler que les lèvres proprement dites, considérées comme voiles mobiles servant à la clôture de la bouche, ne se rencontrent que chez les mammifères proprement dits, où elles sont des organes de succion, de préhension et de toucher. Chez certains et spécialement chez quelques carnassiers, de longs poils roides de la lèvre supérieure transmettent des sensations tactiles assez délicates. Chez tous les mammifères, y compris même les singes anthropomorphes, les lèvres sont obliques en sens opposé. Cette obliquité approche du parallélisme chez certains d'entre eux. Parmi les formes intéressantes qu'on peut signaler dans les espèces animales, nous citerons celles des vampires ou phyllostomes, qui se disposent en ouverture parfaitement ronde, rappelant la bouche en suçoir des lamproies; le développement de la lèvre supérieure de certains pachydermes, où cet organe s'élargit et s'épate en formant le groin qui porte les ouvertures nasales; son développement encore plus marqué chez les proboscidiens, où la lèvre supérieure et le nez confondus ensemble se disposent en un prolongement cylindrique d'une grande puissance musculaire connu sous le nom de trompe; la disposition bifide de la lèvre supérieure qu'on rencontre chez divers mammifères, tels que des chéiroptères, des rongeurs (lièvres), des ruminants (brebis, chameaux, etc.). Cette fente, normale chez ces animaux, se présente chez l'homme, comme vice de conformation, désignée sous le nom de *bec-de-lièvre*. Citons enfin l'absence de lèvres proprement dites chez l'ornythorhynque, où l'on ne retrouve qu'une portion tégumentaire indurée ou cornée, marquant la transition au bec des oiseaux qui sont dépourvus de lèvres, ainsi que les vertébrés inférieurs. — Dans les insectes, la bouche se compose d'un grand nombre de pièces : l'une d'elles porte le nom de *labre*; on a restitué à une autre pièce le nom de *lèvre*; mais l'organisation buccale des articulés, établie d'après un type particulier, cesse de ressembler à celle où la présence des lèvres peut être véritablement admise.

Usage des lèvres. Les fonctions de ces organes sont complexes et dérivent de leur organisation musculaire et de leur sensibilité. Les lèvres fonctionnent comme organes de préhension des aliments, comme agents de divers actes respiratoires; elles contribuent à l'exercice de la parole, servent à exprimer les sentiments passionnés; elles agissent aussi en tant qu'organes du toucher.

La préhension des aliments par le mouvement des lèvres est la seule ressource dévolue à quelques animaux. Chez l'homme, elle est une des premières fonctions de la vie extérieure, car l'acte de succion est un de ses modes. Dans cet acte, la contraction des fibres les plus extérieures de l'orbiculaire des lèvres projette sur un plan antérieur l'orifice buccal qui entoure le mamelon; le vide qui s'opère ensuite dans la bouche par le retrait de la langue favorise l'arrivée du lait. La préhension labiale des aliments s'exerce dans d'autres circonstances par des contractions partielles, par des mouvements harmoniques ou successifs qui font pénétrer dans la bouche des aliments solides ou liquides; après leur introduction, les lèvres agissent comme organes de rétropulsion pour les porter au delà des arcades dentaires. Elles servent aussi à retenir les liquides dans l'intérieur de la bouche. La lèvre inférieure, en particulier, remplit cet office chez l'homme et empêche la perte de la salive; son absence ou son renversement paralytique, en supprimant cette fonction, apportent quelquefois un trouble dans la nutrition. Le rejet des aliments dans le vomissement s'accompagne aussi d'un mouvement labial qui agrandit l'orifice de la bouche en renversant en dehors le bord libre, comme pour le soustraire au contact des matières expulsées.

Divers actes liés à la respiration exigent le concours des mouvements labiaux. L'action de souffler, de siffler, de chanter, a pour condition le changement de l'orifice buccal qui se rétrécit ou s'allonge pour participer à la vibration que le courant aérien détermine, ou qui s'élargit pour aider à la propagation des sons. On sait que la paralysie du nerf facial, que Charles Bell considérait comme le nerf respiratoire de la face, rend impossibles certains actes, notamment celui de siffler, qui exige une contraction complète de l'orbiculaire des lèvres.

La participation des lèvres à l'exercice de la parole est, chez l'homme, une de leurs fonctions importantes. Bien que la distinction des sons d'une langue parlée, d'après les organes qui sont censés les produire, soit insuffisante, elle répond cependant à certains faits d'observation, et les lèvres jouent un rôle notable pour la voix articulée. Dans la prononciation des voyelles, le contour de l'orifice buccal affecte des dimensions différentes. Kempfen lui attribue des degrés de largeur représentés par les chiffres proportionnels suivants : 5 pour la voyelle *a*, 4 pour *e*, 3 pour *i*, 2 pour *o*, 1 pour *u*. Certaines consonnes exigent le concours prédominant des lèvres et sont dites pour ce motif consonnes *labiales;* ce sont les lettres *b*, *p*, *m*, *v*, *f*. Les vices de conformation des lèvres en empêchent ou en gênent la prononciation.

Comme organes du toucher, les lèvres, innervées par les filets émanant de la cinquième paire, jouissent d'une sensibilité très-délicate ; peu de surfaces ressentent le chatouillement avec autant de vivacité ; la sensation tactile s'exalte jusqu'à la sensation voluptueuse dans le baiser. Chez certains animaux, les lèvres sont le siége à peu près exclusif du sens du toucher et donnent des impressions très-fidèles.

Enfin la région labiale, en raison de la multiplicité des éléments musculaires qui entrent dans sa composition, se prête à des mouvements très-variés qui concourent à l'expression. Ces contractions, qui peuvent se localiser dans des muscles isolés, ainsi que dans des portions de muscle, comme l'ont prouvé les expériences de M. Duchenne (de Boulogne) sur l'électrisation localisée, réalisent, par leur production isolée ou combinée, des expressions très-diverses. Les passions heureuses, la gaieté, la surprise agréable, l'admiration, se caractérisent par l'action des muscles dilatateurs, notamment par celle des muscles obliques qui relèvent les angles labiaux (zygomatique, canin). Le sourire et le rire oral, qui sont propres à l'espèce humaine, se rattachent à cette catégorie. Les passions tristes, au contraire, se révèlent par l'action des muscles qui abaissent les angles (triangulaires des lèvres). Mille nuances dans la forme résultent de contractions partielles qui s'accusent surtout au niveau des commissures et représentent le dédain, la fierté, l'ironie. Ces mouvements des lèvres s'associent généralement à la contraction des muscles faciaux des autres régions et complètent l'expression physionomique. M. Ch. Blanc (*Grammaire des arts du dessin*) fait remarquer que l'état de calme de la physionomie se traduit par l'horizontalité des lignes buccale, nasale et palpébrale ; les passions gaies, par l'obliquité générale de ces lignes en haut et en dehors ; et les passions tristes, par une direction opposée. Lorsque les mouvements des lèvres sont à la fois discordants et exagérés, il en résulte les grimaces qui sont la caricature des passions.

§ II. **Pathologie.** Nous examinerons successivement les anomalies, les plaies, les maladies inflammatoires de l'ouverture buccale, les difformités accidentelles, les tumeurs et les ulcères. Ce qui concerne la séméiologie médicale a été traité à l'article BOUCHE.

ANOMALIES. La région labiale est sujette à quelques vices congénitaux de conformation qui rentrent dans le domaine de la chirurgie. L'anomalie principale est le bec-de-lièvre et a déjà été décrite (*voy.* ce mot). Les autres peu nombreuses se résument dans l'occlusion de la bouche et l'exstrophie des lèvres.

Occlusion congénitale de la bouche. Ce vice originel de conformation est extrêmement rare. La science n'en possède qu'un petit nombre d'exemples sujets à discussion. C'est donc une assertion émise sans examen approfondi que celle de A. Bérard qui déclare assez commune une pareille anomalie. D'une manière générale, il est reconnu en tératologie que les imperforations des ouvertures naturelles des parties inférieures du corps sont beaucoup plus communes que celles des parties supérieures. Ainsi, on observe assez fréquemment les imperforations de l'anus et du rectum, celles du vagin, celles même du canal de l'urèthre, surtout lorsqu'il y a des embouchures anomales. Mais les occlusions congénitales sont absolument rares aux ouvertures naturelles de la région céphalique, et parmi ce genre d'anomalies on n'a guère noté que les occlusions des ouvertures correspondant aux organes des sens, telles que celles du conduit auditif, l'adhérence congénitale des paupières. On a vu moins souvent les oblitérations des narines qui servent en même temps à une fonction organique, la respiration. Quant à l'imperforation de la bouche, elle est essentiellement rare. Il faut du moins distinguer deux cas, celui où, la bouche ne s'étant pas formée, il y a plutôt absence des éléments antérieurs de la cavité buccale qu'imperforation véritable de l'orifice buccal organisé, et celui où les lèvres formées sont devenues adhérentes pendant la vie intra-utérine par excès de cloisonnement antérieur de la bouche ou par un acte pathologique ayant clos, par cicatrisation ou par tout autre mécanisme, une partie de l'orifice buccal. La première catégorie comprend les cas où un arrêt de développement général a atteint l'extrémité supérieure de l'intestin oral : aussi ne l'a-t-on observé que dans les cas de monstruosité complexe, incompatible avec la vie. Les auteurs s'expliquent très-brièvement sur ce point. I. Geoffroy Saint-Hilaire ne cite aucune observation qui lui soit personnelle et constate simplement la rareté de l'anomalie. Cruveilhier se contente de dire qu'elle coïncide avec la cyclopie. Les observations de Haller, de Verdier, de Schenck se réduisent à de simples assertions. Dans la seconde catégorie où il y a véritablement occlusion de l'orifice buccal, la bouche étant d'ailleurs bien constituée, l'imperforation tient à la présence accidentelle d'une membrane obturatrice ou à une adhérence des lèvres. L'existence de cette sorte d'hymen buccal rentre dans le domaine de la chirurgie. L'une des premières observations authentiques qu'ait recueillies la science est due à Littre. (*Mémoires de l'Acad. des sciences*, 1701.) L'opercule cutané fermait à la fois l'orifice de la bouche et les narines. Dans les exemples cités par Büchner (*Acta nat. curios.*, t. II, p. 210), et par Olaüs Borrichius (*Acta Hafniensia*, t. II), l'obturation n'atteignait pas les narines, mais il existait concurremment d'autres anomalies. Desgenettes (*Gazette salutaire*, 1792) signale le cas d'un enfant né au septième mois de la grossesse et qui avait la bouche imperforée sans indiquer d'autres vices de conformation. Lorsque l'occlusion buccale tient à des adhérences accidentellement établies entre les lèvres pendant la vie fœtale, on peut supposer un état pathologique inflammatoire ou ulcéreux ayant eu pour résultat l'union cicatricielle des lèvres de l'orifice buccal. Tel était le cas d'un sujet cité par Percy (*Mémoires sur les ciseaux*, p. 70), où ce chirurgien pratiqua l'incision de la cicatrice.

L'absence de la bouche avec occlusion de l'extrémité supérieure du tube digestif ne peut fournir à l'art aucune indication. Les monstres qui la présentent sont mort-nés. Mais les cas où la bouche est fermée par une membrane accidentelle ou par des adhérences cicatricielles sont susceptibles de guérison, surtout si les narines sont libres et que les secours chirurgicaux soient prompts. Schenck dit avoir ainsi rétabli forcément l'ouverture buccale chez plusieurs nouveau-nés, sans dire quel moyen il avait employé. Le sujet observé par Büchner avait été, comme plus tard celui de Percy, heureusement soumis à l'intervention de l'art. Les procédés à mettre en usage en pareille circonstance ayant une complète analogie avec ceux dont nous devrons nous occuper à l'occasion des rétrécissements accidentels de la bouche, nous aurons l'occasion d'y revenir plus opportunément dans le cours de cet article.

Exstrophie des lèvres. Nous désignons sous ce nom une disposition anomale qui consiste en un renversement des lèvres avec saillie ou chute plus ou moins considérable de la muqueuse; une atrophie partielle des lèvres du côté de la couche cutanée avec rétraction des fibres les plus extérieures de l'orbiculaire peut amener ce renversement que nous avons remarqué spécialement à la lèvre inférieure. Une hypertrophie congénitale de la muqueuse avec excès du tissu sous-muqueux peut amener le même résultat et se rencontre plus souvent à la lèvre supérieure. Cette dernière difformité assez commune est connue sous le nom de bourrelet labial ou *lèvre double*. Dans ce cas, la muqueuse forme au niveau du bord libre de la lèvre et en dépassant ce rebord, une saillie transversale parallèle à la lèvre affectée et d'un volume apparent parfois aussi considérable que celui de l'organe normal. Cette plicature désagréable et qui altère l'expression naturelle de la bouche devient précisément plus saillante dans les cas où cette expression est mise en jeu, notamment dans le rire. J'ai vu une femme chez laquelle cette double lèvre existait à un degré tellement prononcé que même à l'état de repos le bourrelet supplémentaire partant de la lèvre supérieure recouvrait l'inférieure. Ce bourrelet est sujet à se gonfler, à s'ulcérer et devient assez gênant pour que ceux qui présentent cette déformation désirent s'en débarrasser.

Le bourrelet muqueux labial doit être distingué de l'ectropion labial qui résulte le plus souvent de destructions accidentelles d'une portion de peau plus ou moins étendue, suivie de cicatrices qui renversent la lèvre en dehors.

Lorsque le bourrelet s'accroît par l'engorgement du tissu sous-muqueux on peut se borner à lui opposer des topiques astringents sous forme de lotions ou de pommades. Mais lorsque sans cette complication il dépasse désagréablement le niveau du bord libre des lèvres, le seul traitement rationnel à lui opposer consiste dans sa destruction. On pourrait atteindre ce but en employant la cautérisation à l'aide d'un pinceau chargé d'un liquide caustique, tel que le nitrate acide hydrargyrique ou le beurre d'antimoine. Mais la position même du repli à l'entrée de la bouche, la possibilité de la diffusion de l'action caustique sur les points voisins, le voisinage des dents sont tout autant de circonstances qui indépendamment de la douleur et de la lenteur de cette action thérapeutique, en contre-indiquent l'emploi. Une opération simple, prompte et sûre, l'excision, est infiniment préférable; le bistouri, et mieux encore les ciseaux agiraient facilement dans ce but. La profondeur à laquelle il faut porter l'action de l'instrument peut varier. Si la base du bourrelet était indurée, il serait nécessaire de dépasser les limites de l'induration après avoir convenablement renversé la lèvre pour agir avec plus de précision. La cicatrisation du tissu muqueux s'opère d'ordinaire avec une grande promptitude. Il y aurait avantage à accélérer ce résultat par l'application de quelques points de suture.

PLAIES. Les *piqûres* simples des lèvres ne présentent rien de particulier dans cette région. Lorsqu'elles sont compliquées de la présence d'un venin (piqûres d'abeilles), elles donnent lieu à un gonflement rapide et considérable. — Elles s'accompagnent assez fréquemment de la présence d'un corps étranger métallique ou de toute autre nature, comme on l'observe à la suite des sutures nécessitées par diverses opérations. Dans ce cas peuvent se produire, quoique rarement, des accidents inflammatoires.

Les *contusions* et les *plaies contuses* de la même région se produisent moins fréquemment que dans d'autres parties, à cause de la mobilité des lèvres. Toutefois le point d'appui que leur offrent en arrière les dents et le rebord alvéolaire les exposent à des solutions de continuité dans lesquelles le tissu subit une sorte d'écrasement entre le corps vulnérant extérieur et la surface résistante profonde. Une circonstance particulière doit être notée. Le tissu de la lèvre cède quelquefois avec une certaine régularité, lorsque l'agent contondant exerce une action directe et assez limitée, et que la saillie verticale d'une alvéole, jouant le rôle de crête ou d'arête, facilite la division du tissu. La contusion est pour ainsi dire linéaire et la division qui l'accompagne est presque assimilable à celle que produirait un instrument tranchant. Nous avons vu un cas de ce genre dans lequel la réunion immédiate put se faire sans aucune difficulté. D'autres fois la plaie est déchirée, frangée, infiltrée de sang, ses bords peuvent même être mortifiés; dans ces cas, l'ecchymose est toujours plus étendue vers la face profonde des lèvres que vers la face cutanée à cause de la laxité du tissu cellulaire sous-muqueux et de la proximité relative des vaisseaux et de la face profonde des lèvres. Les plaies contuses des lèvres s'observent quelquefois à la suite de l'action d'armes à feu, soit qu'une portion plus ou moins étendue de l'organe soit perforée ou emportée par un projectile, comme Dupuytren en a cité des exemples, soit que l'action de la poudre ayant agi en même temps, ait fait subir aux tissus une distension et un écrasement qui divise la lèvre en lambeaux irréguliers, déchirés et ne tenant aux parties respectées que par des pédicules plus ou moins étendus; des lésions de ce genre s'observent principalement chez les sujets qui attentent à leurs jours en se tirant un coup de pistolet dans la bouche. J'ai observé ce genre de lésion sur un malheureux sourd-muet qui, dégoûté de l'existence, avait voulu s'en débarrasser par ce moyen. Les lèvres avaient cerné le bout de l'arme et la déflagration de la poudre avait déchiré et brûlé leur tissu en le divisant en éclats et le souillant des débris noirâtres de la substance explosive.

Les plaies labiales peuvent être produites par des *morsures* et des *déchirures*. J'ai vu un enfant qui s'étant placé par curiosité à l'entrée d'un terrier où était un furet, avait été saisi aux lèvres par l'animal et avait été cruellement déchiré. Une partie de la lèvre supérieure et l'aile gauche du nez avaient été emportées; il fallut une opération autoplastique pour réparer la difformité cicatricielle.

Les plaies par *instrument tranchant* sont les plus fréquentes et varient par leur siége leur direction et leur étendue; on les distingue en complètes et incomplètes, celles-ci peuvent être avec perte de substance. Les instruments vulnérants peuvent intéresser l'épaisseur du tissu labial du côté de la peau ou du côté de la muqueuse; ces dernières sont moins fréquentes que les plaies cutanées. Quoi qu'il en soit, dans les divisions incomplètes, la conservation de l'une des couches de la lèvre représente un obstacle important à l'écartement de ses bords. Les divisions verticales complètes des lèvres s'élevant à une hauteur variable de l'organe sont suivies d'un écartement considérable, produit par la contraction du muscle orbiculaire qui cesse d'être l'antagoniste des diducteurs et qui reçoit le concours de ces derniers pour accroître l'intervalle qui sépare les bords de la solution de continuité. On remarque, dans ce cas, les mêmes effets que dans les fissures congénitales. La déformation augmente par les cris et par toutes les causes de mouvements locaux avec cette différence que la diduction des bords de la plaie labiale s'accompagne d'une douleur assez vive. Une hémorrhagie quelquefois abondante accompagne ces plaies; la perte de sang est d'autant plus grande que la division est plus rapprochée des commissures et par conséquent du point où les coronaires labiales ont le plus de volume et se trouvent le plus près de leur origine au tronc de la faciale. Les bouts artériels se montrent saillants à la surface de la division, par suite de la rétraction, plus forte dans le tissu musculaire que dans le tissu artériel. Cette rétraction fait paraître les plaies labiales plus grandes qu'elles ne sont réellement et met à découvert une bonne étendue des arcades dentaires. Les plaies labiales par instrument tranchant peuvent s'accompagner de perte de substance; c'est une lésion chirurgicale bien commune, puisqu'elle est un résultat de la plupart des opérations qu'on pratique pour enlever les lésions organiques dont les lèvres sont le siége. Les excisions en V donnent lieu à un écart qui tend à effacer, pour ainsi dire, la portion restante des lèvres; mais une traction exercée sur ces restes labiaux leur restitue encore une certaine étendue. Les plaies transversales faites aux dépens des bords diminuent d'une manière proportionnelle la hauteur de la lèvre intéressée et modifient par suite ses usages. Ces plaies exposent surtout aux hémorrhagies veineuses; leur examen direct permet d'y distinguer facilement la présence et la saillie des glandules qu'on est parfois dans l'obligation d'exciser pour faire plus exactement la réunion de la muqueuse et de la peau.

La division traumatique des lèvres, intéressant toute leur épaisseur et une partie plus ou moins considérable de leur hauteur, peut, dans le cas où l'art n'interviendrait pas ou si la réunion échouait, être suivie de la cicatrisation isolée de chaque bord et produire la lésion connue sous le nom de *bec-de-lièvre accidentel*. Il serait difficile de le confondre avec le bec-de-lièvre congénital. Non-seulement il en diffère par sa cause, mais par beaucoup d'autres caractères. Ainsi le bec-de-lièvre accidentel, au lieu de se produire comme l'anomalie aux points de jonction des bourgeons formateurs, se montre indifféremment dans tous les points et s'observe aussi bien à la lèvre inférieure qu'à la supérieure. Il affecte la direction que lui donne la cause vulnérante, ne s'accompagne ni d'atrophie des lèvres, ni de l'angle arrondi qui caractérise le bec-de-lièvre congénital; enfin les bords de la solution de continuité sont cicatriciels et ne présentent rien qui ressemble au bourrelet muqueux des fissures congénitales.

Le traitement des plaies des lèvres repose en général sur des indications précises. Les piqûres et les contusions n'exigent que le genre de soins qui convient en général aux lésions de cette nature. Quant aux plaies par instruments tranchants, elles exigent à titre particulier et d'une manière prédominante l'emploi de la réunion. Ne pouvant éluder l'écartement des bords que l'organisation musculaire compliquée des lèvres rend très-considérable, le chirurgien doit lutter contre la contraction des muscles et assujettir les parties dans des rapports fixes pendant tout le temps nécessaire à la réunion. Les emplâtres adhésifs, disposés en bandelettes, le collodion, peuvent rendre des services suffisants dans les plaies superficielles qui ne vont guère au delà de la peau. Comme les muscles faciaux qui convergent vers les lèvres vont s'insérer par bon nombre de leurs fibres à la face profonde du derme, les agglutinatifs peuvent suffire pour annuler leur contraction. Dans ces cas aussi, le bandage unissant des plaies en travers, modifié pour les besoins de la région, peut assurer des rapports convenables entre les bords de la plaie superficielle. Mais, si celle-ci est profonde et notamment si elle comprend toute l'épaisseur de la lèvre, la suture convient et sa nécessité est généralement reconnue. La suture est directement applicable aux plaies récentes et régulières, qu'il suffit d'absterger et de disposer dans leurs rapports naturels par un affrontement très-précis. L'exactitude de ce rapport est motivée par la nécessité de conserver la régularité du contour de l'orifice buccal, et d'éviter par conséquent qu'un des bords de la plaie dépasse l'autre en aucun sens, au niveau de la marge labiale. Si les bords de la plaie sont contus, inégaux, déchirés, désorganisés par la cause vulnérante, le chirurgien doit les régulariser par des excisions convenables, afin d'avoir autant que possible des surfaces nettes et saines à assujettir. Mieux vaut une légère perte de substance que l'élasticité du tissu des lèvres dissimulera ultérieurement, qu'une éventualité de développement inflammatoire dont le résultat se traduit non-seulement par l'insuccès de la réunion, mais par des cicatrices difformes auxquelles il faut quelquefois remédier par des opérations ultérieures compliquées. La condition récente des plaies, leur abstersion régulière, l'enlèvement de tout corps étranger, préparent le succès de l'affrontement, et dans ces cas la cicatrisation par première intention est un résultat presque constant. Si les bords de la plaie ont déjà subi une atteinte inflammatoire, s'ils sont même suppurants, mais qu'ils soient d'ailleurs nets et exempts de désorganisation, on peut tenter encore la réunion. Elle est moins sûre sans doute, mais on peut réussir, et cette chance doit être recherchée. En cas d'échec, on aurait toujours la ressource de raviver ultérieurement les bords cicatrisés de la plaie, et de faire l'opération du bec-de-lièvre accidentel.

Quant au mode de suture à mettre en usage, il varie suivant le caractère des plaies : dans celles qui sont incomplètes, la suture entrecoupée peut suffire. On l'appliquera, suivant les cas, sur la peau ou sur la muqueuse, sans oublier que les fils placés sur cette dernière surface, incessamment détrempés par les liquides buccaux, peuvent se relâcher, et exigent que le nœud soit bien assujetti. La suture entrecoupée doit être secondée dans ses effets, au moins lorsqu'on l'applique sur la peau, par les agglutinatifs et au besoin par le bandage. Quelques chirurgiens contemporains préconisent aussi la suture entrecoupée pour les divisions complètes des lèvres. Roser, adoptant une opinion éclectique, dit qu'il est assez indifférent de choisir la suture entrecoupée ou la suture entortillée. Nous ne saurions nous ranger à cet avis, et la question nous paraît depuis longtemps jugée en faveur de la suture entortillée, qui dans les plaies des lèvres en particulier donne d'excellents résultats. Convenablement pratiquée, non-seulement elle maintient dans toute la hauteur et toute l'épaisseur de la plaie l'affrontement exact et complet qui est nécessaire à une prompte cicatrisation, mais elle annule avec efficacité les effets de la contraction musculaire, et de plus elle exerce une action hémostatique certaine. Cette hémostasie, essentiellement liée à la réunion, n'est pas moins fidèle que la ligature directe du vaisseau, et elle donne assurément plus de garantie que la compression avec une plaque de plomb recourbée, placée au voisinage de la commissure, bien que ce moyen ait réussi à Boyer, qui n'en est pas moins resté partisan de la suture entortillée.

Le mode d'emploi de cette suture, quoique très-vulgarisé, exige des précautions et des soins. Les règles de son emploi ne pouvant être reproduites à toute occasion, nous renvoyons le lecteur aux articles Bec-de-Lièvre et Suture.

Affections inflammatoires des lèvres. Bien que cette région ne présente pas d'aptitude morbide spéciale aux invasions inflammatoires, nous ne pourrions omettre certaines particularités. Les manifestations pathologiques de cette nature ont lieu sur la peau ou sur l'épaisseur même des lèvres, et se traduisent par des résultats différents.

Les phlegmasies cutanées des lèvres se manifestent fréquemment avec la forme herpétique, et prennent le caractère aigu ou chronique. A la première forme se rapporte l'*herpes labialis*, si fréquent au rebord même des lèvres et dont l'apparition est souvent sollicitée par une affection catarrhale, un embarras gastrique dont elle marque la terminaison. De courte durée et absolument exempte de gravité, cette petite éruption cède à l'emploi d'émollients au début et d'astringents légers à la fin, sous forme de lotions ou de pommades. Les phlegmasies chroniques des lèvres affectent de préférence la lèvre inférieure ou la portion de la lèvre supérieure qui correspond à la gouttière de la sous-cloison. L'impétigo, le sycosis sont les variétés les plus fréquentes. Cette dernière forme s'observe surtout chez l'adulte, et se cantonne dans les follicules pileux et les glandes sébacées qui leur correspondent. Des produits parasitiques, de nature animale, comme le *demodex folliculorum* ou végétale, comme l'*achorion Schœnleinii* et l'*oïdium albicans*, du côté de la muqueuse, peuvent compliquer et entretenir les dermatites dont la région est le siége. Le psoriasis n'épargne point les lèvres. Dans une de ses formes les plus rebelles et les plus désagréables, il s'accompagne de fissures rayonnées, spécialement fixées aux commissures ou à la partie moyenne de la lèvre supérieure, fissures qui se déchirent pendant l'action musculaire des diducteurs, ou qui, occasionnant une contraction réflexe des fibres de l'orbiculaire, donnent à l'ouverture buccale un aspect froncé particulier. Nous avons connu un malade chez lequel il existait une véritable contracture du sphincter buccal, permettant d'établir une complète analogie par rapport aux ulcérations linéaires, à la douleur névralgique et à la contracture musculaire, avec la fissure à l'anus.

Parmi les inflammations locales atteignant le tissu labial au delà de la couche cutanée, nous devons spécialement signaler les inflammations phlegmoneuses, les inflammations furonculeuses et anthracoïdes.

Le *phlegmon* des lèvres s'observe quelquefois à la suite des plaies contuses de la région. Il succède parfois aux opérations chirurgicales qu'on y pratique, et complique notamment l'érysipèle, quoique ce résultat soit bien moins fréquent aux lèvres qu'aux paupières. L'évolution inflammatoire s'accomplit au prix d'assez vives douleurs, à cause de la densité des couches extérieures où n'existe qu'un tissu cellulaire assez serré. Le gonflement s'opère surtout du côté des couches profondes. Les lèvres, ne pouvant s'étendre dans ce sens à cause de la présence du bord alvéolo-dentaire, se portent et se renversent en avant en se déformant et en donnant à la bouche une expression disgracieuse. Bornée tantôt à la période fluxionnaire, comme on l'observe à l'occasion des odontalgies et des gingivites concomitantes, l'inflammation des lèvres aboutit dans d'autres cas à la suppuration. Il est rare que les abcès soient très-volumineux. Leur formation s'annonce par un accroissement de chaleur avec pulsation locale, exaltation de la sensibilité, congestion de la face, tuméfaction des ganglions sous-maxillaires et le cortége plus ou moins accusé des symptômes généraux de l'inflammation. Le pus se forme d'ordinaire assez rapidement, et, soit qu'on lui donne issue ou qu'il s'échappe spontanément, son élimination est suivie d'un prompt soulagement. Le traitement de ces sortes d'inflammations ne comporte aucune indication exceptionnelle. L'emploi des émollients, et, lorsque la présence du pus est accusée, une ouverture prompte du foyer, constituent les seules indications du traitement. Si des corps étrangers, engagés dans l'épaisseur du tissu (fils, épingles, etc.), sont la cause du travail inflammatoire, leur ablation est nécessaire.

Le *furoncle* et l'*anthrax* des lèvres sont loin d'être rares. Le furoncle est surtout très-commun pendant l'adolescence; je l'ai souvent observé sur les élèves du lycée de Montpellier. Il m'a paru plus fréquent au printemps, et dans certaines années. Les femmes y sont sujettes surtout aux époques menstruelles. Un prompt débridement abrége la durée de l'inflammation et facilite la sortie du bourbillon celluleux infiltré de plasma.

L'*anthrax* est une inflammation du même genre, mais dans de plus fortes proportions, et peut revêtir une forme grave. M. Verneuil a récemment porté l'attention des praticiens sur l'anthrax des lèvres (*Gazette hebd.*, novembre 1868) et a signalé les conséquences les plus dangereuses comme attachées à cette lésion. Une énorme tuméfaction, des douleurs brûlantes très-vives, un aspect violacé avec perforations multiples révélant les divers foyers plasmatiques et les nécroses celluleuses qui y correspondent, une dureté considérable des tissus dont les formes et les sillons limitants s'effacent; une fièvre violente et finalement des propagations inflammatoires diffuses vers le reste de la face ou vers la région sus-hyoïdienne, des accidents de pyohémie, tels sont les caractères sérieux que revêt cette affection et qui donnent lieu à un fâcheux pronostic. Dans les cas observés par M. Verneuil, la mort a succédé aux désordres provoqués par l'anthrax. Aussi ce savant chirurgien a-t-il proposé d'attaquer la maladie par des moyens énergiques tels que la cautérisation au fer rouge. Il est certain du moins que lorsque la lésion atteint les proportions que nous venons d'indiquer, les antiphlogistiques émollients et résolutifs, les débridements ordinaires seraient absolument insuffisants; il y a lieu de faire la part d'une mauvaise disposition de l'organisme et de la pénétration de principes septiques dans les voies circulatoires qui menacent la vie par un effet deutéropathique. Les toniques, l'aconit, le camphre à l'intérieur, l'acide phénique et la cautérisation sur les parties affectées sont d'un emploi très-rationnel.

Dans des cas de ce genre l'anthrax n'est pas restreint à ses formes connues et habituelles. Il est le début et l'occasion d'une atteinte morbide à forme essentiellement gangréneuse et qui dans d'autres circonstances se montre seule sans que les foyers anthracoïdes établissent sa période initiale. Cette forme morbide si grave, que l'on a signalée aussi sous le nom d'*œdème malin, de charbon*, est aux lèvres ce que le noma est à la cavité buccale. Elle atteint spécialement la lèvre inférieure, d'où elle se propage vers la région sus-hyoïdienne qui s'œdématie promptement et s'infiltre d'un liquide jaunâtre citrin ou opalin, ayant une véritable analogie d'aspect avec celui qui infiltre les tissus autour d'une pustule maligne. A l'inoculation près, c'est la même maladie. Nous l'avons observée deux fois, et récemment sur une jeune dame qui fut rapidement emportée, malgré le traitement le plus énergique, ayant consisté en débridements profonds suivis de cautérisations avec le chlorure d'antimoine. Les lèvres, en raison de leur position extérieure, sont au reste sujettes à la *pustule maligne*. Boyer a cité l'histoire d'un boucher qui, dépouillant une bête atteinte de charbon, et ayant déposé entre ses dents le couteau qui servait à son opération, s'inocula la matière septique et fut atteint d'une pustule maligne de la région labiale.

Complétons ces considérations sur l'anthrax des lèvres et les affections qui lui ressemblent en rappelant que l'anthrax relève ordinairement d'une mauvaise disposition générale de l'organisme et qu'il peut se lier au diabète.

Difformités accidentelles de l'orifice buccal. La mobilité des lèvres, la disposition de l'orifice qu'elles circonscrivent, leurs rapports avec les parties voisines permettent de se rendre compte des traces que peuvent laisser dans cette région les lésions traumatiques, les atteintes inflammatoires, les ulcérations et les pertes locales de substances, quelle que soit leur cause. Les déformations accidentelles qui en résultent se traduisent surtout par l'atrésie, les déviations et les adhérences anormales. Ces lésions sont tantôt isolées, tantôt combinées ; elles dépendent généralement de cicatrices vicieuses établies au niveau même de l'orifice buccal, à son voisinage, ou dans l'intérieur même de la bouche ; les premières occasionnent surtout l'atrésie, les secondes les déviations, et les dernières des adhérences profondes.

Parmi les causes qui peuvent aboutir à de pareils résultats, se distinguent en premier lieu les lésions traumatiques dont l'action irrégulière produit une forte contusion ou une perte de substance, et change la disposition normale de l'orifice buccal. Les plaies par armes à feu surtout occasionnent de pareils désordres, soit qu'une partie des lèvres cède à leur action, et se détache directement, ainsi que je l'ai observé sur un blessé de la campagne de Crimée, soit qu'en agissant comme les agents contondants ordinaires, les projectiles produisent un écrasement des tissus suivi de mortification plus ou moins étendue. Certaines plaies irrégulières faites par des corps tranchants conduisent au même résultat. Un enfant à qui j'ai dû pratiquer la chéiloplastie, avait fait une chute sur un fond de bouteille cassée reposant sur le sol. Il en était résulté une blessure semi-circulaire qui détacha la moitié de la lèvre inférieure à la façon d'un emporte-pièce et donna lieu à une cicatrisation vicieuse avec adhérence intra-buccale. On ne saurait énumérer toutes les lésions traumatiques dont l'effet ultime consiste dans la déformation de l'orifice buccal ; l'observation révèle chaque jour des variétés nouvelles. La chirurgie elle-même, si elle n'aboutit pas dans ses tentatives réparatrices après des opérations exigeant une perte de substance, peut créer des déformations de cette nature. Les brûlures sont une des causes les plus actives des difformités accidentelles des lèvres. Elles surviennent dans un petit nombre de circonstances. Sans chercher dans l'histoire sacrée ou profane l'exemple d'Isaïe qui brûlait ses lèvres avec un charbon ardent, ou de la Romaine Porcie qui cherchait la mort en introduisant dans sa bouche la même substance en ignition, les chirurgiens trouvent à enregistrer des exemples de brûlures labiales. J'ai opéré de la chéiloplastie une jeune fille épileptique dont l'orifice buccal avait été horriblement déformé par une brûlure survenue à l'occasion d'une chute sur un fragment de bois embrasé, et j'ai dû faire l'agrandissement de l'orifice buccal sur un jeune enfant à qui sa mère avait, par mégarde, fait prendre du bouillon tellement chaud, qu'il en était résulté une brûlure des lèvres et de la muqueuse du vestibule de la bouche, avec atrésie et adhérences. On sait que les brûlures du voisinage de la bouche, celles du cou, celles de la face, sont suivies de formations inodulaires dont les extrémités adhérentes d'une part à un point quelconque de l'ouverture buccale, et de l'autre à un point fixe, attirent par atrophie ou par rétraction, la partie mobile des lèvres, et produisent des difformités complexes. Telle brûlure profonde de la joue peut, après la guérison, entraîner simultanément vers le noyau de rétraction la paupière, la narine et la commissure labiale. Des inflammations phlegmoneuses suivies de brides inodulaires produisent des effets semblables. Il en est de même des pertes de substance gangréneuses ou autres, des suites de la variole, des ulcérations diverses qui détruisent les tissus à de grandes profondeurs et sur des surfaces étendues. Les hôpitaux présentent de tels spécimens aux observateurs ; nous en avons souvent constaté des exemples chez des infirmiers, profession qu'adoptent avec une certaine préférence les sujets ainsi disgraciés. Des ulcérations syphilitiques, scrofuleuses, lupeuses, après une durée très-chronique et guéries à grand'peine par des remèdes internes ou après des cautérisations plus ou moins énergiques, se reconnaissent encore après leur guérison, non-seulement à des cicatrices déformantes qui détruisent le parallélisme des lèvres, mais à des nuances de coloration révélatrices du caractère primitif de la lésion.

Comme conséquence des cicatrices vicieuses déterminées par les causes qui viennent d'être énumérées, nous noterons diverses déformations.

Atrésie de l'orifice buccal. Parfois il existe entre les lèvres une sorte de palmure rudimentaire interposée entre les angles; les lèvres jouissent encore d'une certaine liberté d'action et la palmure commissurale ne fait que restreindre leur écartement, sans l'empêcher. D'autres fois les lèvres sont véritablement soudées par leur bord libre dans une étendue plus ou moins considérable, et il en résulte une coarctation de l'orifice, une atrésie plus ou moins prononcée. J'ai vu et opéré deux malades chez lesquels il y avait impossibilité d'introduire, dans la bouche, des aliments solides; le bec de la cuiller ou un étroit biberon pouvaient seuls engager dans la bouche les liquides nutritifs. Demarque signale un cas pareil à la suite d'ulcérations. J. Horst cite l'exemple d'un meunier varioleux dont les lèvres soudées à la suite d'excoriation n'avaient laissé à la place de l'orifice normal qu'un petit trou admettant à peine le bout d'un entonnoir. L'ouverture devint si étroite qu'elle fut insuffisante et que le sujet mourut d'inanition. Les cicatrices obturantes sont tantôt souples, tantôt indurées ou calleuses. Elles n'occasionnent qu'une douleur médiocre, mais la gêne fonctionnelle qu'elles produisent devient très-considérable. Les sujets ainsi disposés ne peuvent ni se nourrir convenablement, ni parler avec liberté. L'expression de la physionomie est altérée, le rire et les actes respiratoires de la bouche se ressentent à des degrés divers de cette fâcheuse disposition.

Déviation. Les cicatrices vicieuses périphériques exercent sur les lèvres et la bouche une action non moins prononcée et plus variable dans ses apparences. Suivant le sens des tractions exercées, elles déterminent des changements morphologiques qui portent différents noms. Les pertes de substance de la partie moyenne, suivies de rétraction verticale, produisent des encoches plus ou moins profondes depuis le *sulcus* jusqu'au coloboma et au bec-de lièvre accidentel. Dans d'autres cas, l'action cicatricielle se limitant à la surface cutanée ou à la surface muqueuse provoque, comme aux paupières, l'ectropion ou l'entropion labial. Si la cicatrice agit comme au voisinage des commissures, elle entraîne la lèvre dans le sens de sa rétraction, déforme la bouche et la portion correspondante de la joue, découvre les gencives et les dents, expose la cavité buccale à des causes incessantes d'irritation et à la perte des liquides salivaires, surtout si la lèvre inférieure est entamée, détruite ou fortement sollicitée en bas par la bride fibreuse. Les dispositions anormales les plus variées peuvent être l'effet de ces entraînements du contour de l'orifice buccal. Nous avons observé un cas dans lequel il avait subi une ectopie complète et se trouvait comme transporté sur la joue gauche; un *lupus exedens* à répétition, suivi de cicatrices partielles multiples et irrégulières, avait substitué à l'orifice buccal cette ouverture anormale, froncée, inégale, sans contractions régulières, et où quelques traces phagédéniques attestaient encore la cause originelle de la déformation.

Adhérences. Un des résultats les plus compliqués des difformités que nous passons en revue, s'exprime par la production d'adhérences intra-buccales. Ces adhérences succèdent à des ulcérations qui se produisent simultanément à la face interne des lèvres et à la partie correspondante des gencives et de la muqueuse placée au delà. C'est particulièrement à la suite de stomatites gangréneuses, du noma, d'ulcérations syphilitiques, de la mercurialisation poussée à un haut degré, que se produisent, pendant le travail de réparation cicatricielle, ces adhérences que favorisent l'immobilité du rebord alvéolaire et les mouvements toujours limités auxquels sont condamnés les lèvres entamées par des ulcérations étendues. Ces adhérences se font tantôt par d'assez larges surfaces, tantôt par des brides limitées dont le doigt porté dans la cavité buccale, apprécie la position et le relief. Parfois adhérentes à leurs extrémités, ces brides sont libres à leur partie moyenne, plus souvent elles tiennent par toute leur étendue aux tissus qu'elles unissent et s'enfoncent à des profondeurs variables dans ces derniers. Elles les affermissent ainsi dans des rapports fixes incompatibles avec les fonctions de la cavité vestibulaire de la bouche. Certaines adhérences, plus profondes et plus complètes, s'étendent d'une mâchoire à l'autre, atteignent par leurs éléments fibreux les arcades alvéolaires et les immobilisent non-seulement par rapport aux lèvres qui les recouvrent, mais de manière à s'opposer à l'écartement des os maxillaires. C'est surtout lorsqu'un coup de feu a porté le désordre dans une grande étendue de tissu, fracturé les os, détaché des esquilles et occasionné plus tard de longues suppurations que des inodules puissants s'organisent et subissent graduellement des métamorphoses dont l'ossification est le dernier terme. Une sorte d'ankylose s'établit entre les mâchoires elles-mêmes, dont les dents se rencontrent et se dévient : leur couronne et leur collet se recouvrent de tartre, les gencives se ramollissent, les liquides buccaux s'altèrent et ajoutent l'impression d'une certaine fétidité à la position pénible des malades qui ne peuvent ni recevoir des aliments solides ni parler librement ; une pareille situation réagit sur la nutrition et constitue un cas dont l'importance sera mieux appréciée dans un article spécial. (*Voy.* MACHOIRES.)

Traitement. Les moyens thérapeutiques applicables aux déformations de l'ouverture buccale se divisent naturellement d'après les trois groupes principaux que nous venons de passer en revue. Nous les examinerons successivement en tant qu'ils ont pour but prédominant de combattre l'atrésie, de corriger les déviations ou de détruire les adhérences anormales ; quant à ce qui concerne l'indication plus spéciale de réparer les pertes de substance, indication qui peut se combiner avec les précédentes, il en sera question plus opportunément à propos de la chéiloplastie.

Le traitement de l'*atrésie* de l'ouverture buccale est tantôt palliatif et tantôt curatif. Si le rétrécissement de l'orifice ne fait que gêner l'introduction des aliments et que le malade se refuse à toute opération proprement dite, on peut se contenter de varier les artifices pour l'ingestion des aliments. L'usage du biberon, de l'entonnoir de J. Horst, d'une cuiller étroite, d'un bol à bec d'aiguière allongé sera utile pour l'introduction de substances liquides ou demi-liquides. Il peut être utile de dilater le petit orifice buccal préalablement enduit de glycérine belladonée, avec de l'éponge préparée, avec la tige de la minaire, ou la racine de gentiane. Ces moyens sont généralement peu tolérés ou inefficaces. La dilatation forcée serait peu rationnelle, surtout dans une région où la nécessité d'éloigner toute chance de déchirure susceptible d'ajouter à l'irrégularité de la forme, doit être soigneusement écartée ; c'est donc à une opération qu'il faut avoir recours et le cas qui se présente alors n'est pas sans analogie avec la lésion connue sous le nom de doigts palmés où l'on voit une membrane plus ou moins épaisse remplir l'intervalle qui sépare les doigts.

L'*incision transversale* faite à droite et à gauche de l'orifice rétréci jusqu'au niveau normal où correspondent les commissures, se présente comme le procédé le plus simple; il est celui que les malades préfèrent, à cause de sa prompte exécution; mais l'expérience démontre que, dans ces cas, la simplicité ne donne pas la garantie du succès. Alors même qu'à l'exemple d'Amussat on déchire la cicatrice des commissures au moment où elle se forme, ou qu'on résiste à ses progrès par l'interposition d'une lame de plomb, ainsi que le recommande Boyer, le travail de cicatrisation triomphe de l'obstacle, gagne du terrain au dépens de la longueur donnée aux lèvres par l'incision transversale, et finit par reproduire la difformité. Il importe, pour obvier à ce résultat presque constant, et qui reproduit aux lèvres les mêmes effets que l'on constate après l'incision simple de la membrane intermédiaire des doigts palmés, de changer les conditions de la cicatrisation, et d'obtenir par exemple un trajet préalablement cicatrisé au niveau des nouvelles commissures, d'où l'on ferait partir les incisions labiales pour les diriger vers l'orifice rétréci, ou de provoquer une rapide cicatrisation cutanéo-muqueuse, soit vers les rebords labiaux, soit surtout au niveau de l'angle, afin d'empêcher celui-ci de s'effacer ou de se rapprocher de plus en plus du centre de l'ouverture buccale; de cette intention sont nés les procédés suivants :

Emploi du botoc ou création préalable d'un trajet cicatrisé au niveau des commissures. On sait que certaines parties du corps peu épaisses et présentant peu d'aptitude inflammatoire, comme le lobule de l'oreille, la sous-cloison de la saillie nasale, peuvent supporter la présence prolongée de corps étrangers, tels que des anneaux métalliques, et que les trajets se revêtent autour de ces corps d'une membrane cicatricielle qui les rend permanents. Les lèvres, sans offrir la même tolérance que les parties que nous venons d'indiquer n'excluent pas absolument le séjour des corps étrangers et le trajet que ceux-ci parcourent dans leur épaisseur est susceptible de cicatrisation isolée. Les récits des voyageurs ont appris que certaines peuplades de l'Amérique du Sud, les Botocudos, sont dans l'habitude de loger ainsi dans l'épaisseur de leurs lèvres des anneaux ou d'autres objets connus sous le nom de *botoc* et qu'ils attachent à la présence de ces objets l'idée d'un agrément et d'un accroissement de beauté. La présence du botoc, dont le volume est souvent considérable, crée des trajets artificiels permanents. Cette pratique, qui cause une juste surprise aux Européens, est cependant de nature à démontrer que la région labiale n'est pas rebelle à la production d'un revêtement isolant dans le trajet de ces corps étrangers, et que le botoc peut être essayé dans les cas où on juge utile de provoquer des trajets accidentels de ce genre. L'opération du rétablissement de l'orifice buccal, d après ce principe, a été proposée par Krüger Hausen, et a son analogue dans le procédé de Rudtorffer pour remédier aux adhérences des doigts. Elle comprend deux temps; dans le premier, on crée le canal artificiel; dans le second, on incise la partie comprise entre l'orifice buccal rétréci et le trajet artificiel cicatrisé. L'exécution du premier temps se fait en perforant à la hauteur et à la distance où doivent se trouver les commissures, l'épaisseur des lèvres ou de la joue, en évitant le trajet connu des artères qui appartiennent à la région; la perforation se fait avec un bistouri, un stylet pointu ou un trois-quarts. Nous préférons une canule à bord tranchant qui enlève, à la manière d'un emporte-pièce, un morceau cylindrique des tissus; on engage dans le trajet soit un tube de plomb, soit un fragment régulier d'ivoire ou un séton formé de fils de soie réunis et dans tous les cas on fait choix d'une substance dont la nature ne soit pas irritante, afin d'atténuer le plus possible le développement inflammatoire que le corps étranger ne manque guère de provoquer.

Le double bouton d'ivoire avec un cylindre intermédiaire, dit bouton de chemise dont une plaque amovible pourrait se visser à volonté, nous paraîtrait le moyen le plus commode dans ce but. Il va sans dire qu'un instrument de ce genre devrait rester en place autant de temps que l'exigerait une cicatrisation solide. Ce résultat obtenu, en supposant qu'il n'y eût point de scène inflammatoire qui forçât à renoncer à son emploi, il y aurait lieu de procéder au second temps, qui consisterait à inciser transversalement, dans la direction, connue des lèvres, l'espace compris entre l'ouverture buccale coarctée et le trajet artificiel établi aux commissures.

Débridement et suture cutanéo-muqueuse. La clinique de Montpellier a mis en vogue, depuis Serre, le procédé qui consiste à débrider transversalement la palmure interlabiale et à réunir directement la muqueuse et la peau par des points de suture. Des fils de soie doivent être employés à cet effet, et leurs points d'application assez multipliés pour que la réunion se fasse exactement dans toute l'étendue de l'orifice buccal agrandi. Si on laisse de trop grands intervalles, la coaptation cutanéo-muqueuse n'est pas exacte; l'inflammation s'empare des parties laissées à nu entre les nœuds et la non-réunion de la peau et de la muqueuse fait échouer ultérieurement l'adhésion dans les points où elle a d'abord réussi. Ce procédé très-vanté par son auteur, et qui nous a paru effectivement excellent dans les cas nombreux où nous l'avons appliqué pour des opérations analogues à celle qui nous occupe, prévient la coarctation ultérieure en supprimant, par la réunion immédiate, les surfaces de section; celles-ci resteraient, sans cette précaution, à l'état de plaie exposée, et, en se cicatrisant de nouveau par seconde intention, elles participeraient à l'obturation inodulaire partant de l'angle labial, et reproduiraient ainsi la difformité primitive.

Ourlet des commissures. Dieffenbach et avant lui Werneck, cité par Rigaud, ont proposé d'arrêter aux commissures mêmes le travail de cicatrisation qui assujettit obstinément les parties divisées à sa formation et à sa rétraction ultérieure, car ces deux effets se produisent. Dans ce but, Dieffenbach qui est surtout le propagateur du procédé thérapeutique, s'il n'en est pas l'inventeur, a proposé de sacrifier une partie de l'épaisseur de la lèvre au niveau des extrémités de l'incision transversale de la bouche aux dépens de la partie cutanée et de la couche charnue jusqu'à la muqueuse qui doit être entièrement respectée. Cette muqueuse restée adhérente par son côté externe est ensuite mobilisée par la section de ses bords supérieur et inférieur, et est ensuite renversée de façon à couvrir par sa surface saignante l'angle rentrant des commissures et former dans ce point une inflexion ou un ourlet véritable qui vient fixer son bord libre à la peau. On comprend que, lorsque cet ourlet réussit, il forme une barrière au progrès cicatriciel de la plaie angulaire des lèvres et réalise une condition excellente pour maintenir l'orifice agrandi. On peut, si la muqueuse manque, faire avec la peau ancienne une opération analogue, réserver un lambeau de cette dernière membrane et le renverser vers la cavité buccale où on l'assujettit, quoique avec plus de difficulté, par des points de suture; pour plus de sécurité dans le résultat définitif on doit faire sur les bords labiaux la réunion cutanéo-muqueuse en combinant ainsi les procédés de Serre et de Dieffenbach. Ajoutons qu'il est utile dans l'agrandissement transversal de la bouche de ne pas se contenter d'inciser la palmure, mais d'inciser dans l'épaisseur de chaque lèvre la portion de tissu cicatriciel qui s'y trouve et qui en se rétractant atténuerait le bénéfice de l'opération. C'est ainsi que nous avons procédé dans un cas récent, et nous avons obtenu une restauration complète de l'orifice buccal rétréci à la suite d'un noma.

Le traitement des *déviations* de l'ouverture buccale ne saurait être assujetti à des règles fixes, la déviation pouvant elle-même être très-diversifiée dans son siége, dans son étendue et dans la cause qui l'entretient. L'ectopie latérale de l'orifice peut exiger une opération complexe ayant pour but de débrider d'abord avec les précautions sus-énoncées pour empêcher la reproduction cicatricielle de la difformité, et d'opérer ensuite la synthèse des côtés comme dans le bec-de-lièvre commissural. (*Voy.* BEC-DE-LIÈVRE.) L'attraction des lèvres dans un sens ou dans un autre rend nécessaires la section, le détachement ou l'ablation complète des brides inodulaires qui fixent dans une direction déterminée les éléments mobiles de la paroi antérieure de la bouche. Nous avons ainsi restitué la forme de l'orifice buccal chez un jeune homme horriblement défiguré par une brûlure de la face et du cou, en opérant la section et le détachement de brides multiples et divergentes étendues depuis la lèvre inférieure jusqu'au cou. L'extrémité cervicale de chaque bride fut cernée par une incision en V ouvert en haut ; la bride étant détachée dans son adhérence au point correspondant, les bords cutanés de la plaie furent réunis au-dessous d'elle et la lèvre se releva en proportion de l'ascension de chaque colonne inodulaire ainsi détachée. — Le coloboma labial peut être traité comme le bec-de-lièvre accidentel par la rescision de ses bords et l'emploi de la suture entortillée. Un jeune homme qui désirait se marier et qui voulut être préalablement débarrassé d'une difformité de la lèvre inférieure produite par du tissu cicatriciel organisé sur la ligne médiane et attirant la lèvre en bas, fut traité comme s'il était atteint d'une lésion hétéroplastique de la lèvre. Je cernai la masse cicatricielle par une incision en V; j'enlevai la production fibreuse et je réunis d'un côté à l'autre par la suture entortillée. — L'entropion et l'ectropion des lèvres exigent des rescisions en sens opposé, pour restituer le parallélisme des faces cutanée et muqueuse. Les bords des incisions seront réunis par la suture ou livrés à la suppuration suivant qu'on voudra changer simplement la hauteur de la lèvre à corriger, ou créer une force cicatricielle agissant en sens opposé de la cause primitive de la déviation. On peut concevoir telle complication donnant lieu à des indications plus délicates et exigeant des procédés plus ou moins analogues à ceux qui ont pour but de remédier à ce genre de difformité sur la région des paupières. Dans tous les cas où l'on aura à dégager les lèvres déviées de l'assujettissement où la maintiennent des cicatrices vicieuses, il importera avant d'attaquer ces dernières par des incisions, de les modifier par la malaxation, par des tractions parallèles ou perpendiculaires à leur direction prédominante, enfin, par l'ensemble des procédés qui appartiennent à ce qu'on nomme la gymnastique suédoise. Le docteur Bourguet (d'Aix) vient de publier (*Montpellier médical*, 1869) quelques faits en faveur de cette manœuvre spécialement appliquée aux cicatrices de la face.

Quant au traitement des *adhérences* accidentelles qui s'établissent entre la face profonde des lèvres et la muqueuse du rebord alvéolaire, et qui peuvent s'étendre jusqu'à la face interne des joues; il consiste dans la destruction de ces adhérences, suivie de l'interposition de corps étrangers destinés à empêcher leur renouvellement. La libération des parties peut être tentée par le *décollement* des adhérences qu'on cherche à obtenir en introduisant dans la bouche le doigt, une sonde de femme ou tout autre instrument mousse. Ce procédé ne saurait rendre quelque service que dans les cas simples et récents; mais il est absolument insuffisant pour la destruction des adhérences un peu étendues ou anciennes.

Dans le cas de l'*incision*, à l'aide d'un bistouri simple ou boutonné convenablement dirigé entre les lèvres et le rebord alvéolaire, cette manœuvre peut être gênée par le rétrécissement de l'orifice buccal auquel il faut remédier concurremment par l'application de l'un des procédés précédemment indiqués. Si les adhérences sont étendues, épaisses, et comprennent simultanément les joues et les lèvres, ce qui tend à l'oblitération d'une partie de la bouche et à l'immobilisation plus ou moins prononcée des mâchoires, il peut être nécessaire de pratiquer l'incision des parties dans une étendue plus ou moins considérable. On rencontre nécessairement des difficultés lorsqu'on veut respecter à la fois l'intégrité de l'orifice buccal, et des couches extérieures des lèvres et des joues. Dans ces cas, on a proposé et exécuté l'excision des adhérences en attaquant les lèvres et les joues de dehors en dedans par des brèches plus ou moins considérables, et dans diverses directions. Les adhérences sont ainsi mises à découvert, le tissu inodulaire qui les constitue est emporté comme une tumeur anormale, et l'on réunit ensuite les bords des incisions à l'aide de la suture entortillée. Mott, Velpeau, Serre, ont exécuté des opérations de ce genre, mais avec un succès temporaire. La destruction des adhérences n'est pas effectivement la seule difficulté contre laquelle le chirurgien ait à lutter dans des cas de ce genre ; une difficulté plus grande l'attend après l'opération, lorsqu'il s'agit d'empêcher le renouvellement des adhérences. La muqueuse ayant été détruite, et les surfaces atteintes étant nécessairement livrées à la suppuration, de nouvelles formations inodulaires remplacent les anciennes et reproduisent plus tard la condition qu'on a voulu détruire. On doit chercher à écarter ce résultat en introduisant entre la paroi génio-labiale et le rebord alvéolaire des corps étrangers qui puissent être tolérés, tels que : une éponge fine disposée en lame, un linge enduit d'un corps gras, une plaque de plomb garnie, un morceau de liége aminci et taillé dans une forme convenable. Mais ces corps étrangers ou sont gênants et ne tiennent pas la place qu'on voudrait leur assigner, ou n'exercent qu'une action insuffisante ; la néoformation cicatricielle rétrécit de plus en plus le champ de leur action, elle les repousse au lieu de subir elle-même l'empêchement qu'ils sont destinés à produire. En désespoir de cause, pour quelques cas graves, on a eu recours à des procédés chéilo ou génio-plastiques. Dieffenbach dit avoir disséqué un lambeau de muqueuse buccale et l'avoir ramené et fixé à l'intérieur de la bouche sur la surface mise à nu par la section des adhérences. V. Mott a rapporté de son côté un cas d'ablation complète d'une masse cicatricielle qui exigea le sacrifice d'une partie de la joue, où le vide fut comblé par un lambeau tégumentaire ramené et greffé sur le contour de la perte de substance. Dans les deux cas, le succès a été annoncé. J'ai renouvelé deux fois l'opération de Mott avec un succès complet, notamment chez un jeune homme de 26 ans, admis en 1863, à la clinique de Montpellier, pour se faire guérir des suites d'un coup de feu qui avait fracturé la mâchoire, emporté la commissure labiale gauche, détruit la joue et créé, après la cicatrisation, une difformité très-étendue, avec adhérence labio-génienne. La perte de substance fut régularisée, et un lambeau pris sur la région supérieure et latérale du cou, ayant sa base adhérente au niveau du bord antérieur du masséter, fut ramené sur le vide de la perte de substance et convenablement fixé par des points multipliés de suture. La réunion fut très-exacte, les formes furent convenablement restituées et la mobilité de la mâchoire fut récupérée. Je conserve le dessin photographique de ce résultat opératoire. La méthode de Mott est dans tous les cas infiniment préférable par son exactitude et par la facilité de son exécution à celle de Dieffenbach; on ne trouve, en effet, dans des cas de cette nature, qu'une portion insuffisante de muqueuse saine pour la reporter dans l'intérieur même de la bouche, sur la surface résultant de la section ou de l'extirpation des adhérences, sans compter la difficulté de la greffe, de la suture intrabuccale et de la ressource précaire de ce lambeau muqueux sujet lui-même à s'enflammer et à se détruire dans l'intérieur de la bouche.

Nous dépasserions les limites de notre sujet en parlant des adhérences profondes, qui assujettissent l'une à l'autre les deux mâchoires. Ces sortes d'adhérences n'appartiennent plus à la région labiale proprement dite; l'immobilisation des lèvres n'y représente plus qu'une circonstance accessoire, et c'est pour ces cas que la dilatation forcée avec des coins engagés entre les arcades dentaires avec l'instrument dilatateur de Stromeyer, ou d'autres moyens analogues, peut être indiquée. Dans les cas graves et rebelles, on peut avoir à pratiquer l'opération d'Esmark, dont la description actuelle serait un hors-d'œuvre.

TUMEURS ET ULCÈRES DES LÈVRES. Les tumeurs sont peu susceptibles de classification dans la région qui nous occupe. Les lèvres, comme toutes les parties du corps, participent à la manifestation générale des influences dyscrasiques qui s'expriment par l'apparition de tumeurs ou d'ulcères, et de plus, présentent une disposition marquée à la production de quelques tumeurs locales. Nous décrirons successivement, et en n'insistant que sur les particularités qui les caractérisent dans la région labiale, l'hypertrophie, les tumeurs érectiles, les tumeurs propres des glandules labiales (kystes et adénomes), les affections syphilitiques et le cancer. Pour ne pas nous exposer à des redites, nous examinerons simultanément les ulcères qui peuvent accompagner ces tumeurs aux différentes périodes de leur évolution.

Gonflement; hypertrophie. La lèvre supérieure est spécialement disposée à une tuméfaction chronique très-fréquente chez les sujets atteints de scrofules. Cet état est loin cependant de représenter un caractère constant de la dyscrasie; bon nombre de scrofuleux en sont exempts, et l'on observe surtout le gonflement de la lèvre supérieure, lorsqu'il existe simultanément des coryzas chroniques, des éruptions impétigineuses autour des narines, des ulcères scrofuleux ou lupeux au voisinage de la lèvre ou des ulcérations du sillon labio-alvéolaire. La tuméfaction est due à une infiltration œdémateuse du tissu conjonctif, principalement du côté de la couche profonde qui est ramollie, dépressible et qui porte souvent les traces des saillies alvéolo-dentaires. Cette tuméfaction est à peu près indolente, elle augmente par l'action du froid ou à l'occasion des recrudescences qui se produisent dans les lésions cutanéo-muqueuses du voisinage; elle n'aboutit que très-rarement à la suppuration. Le gonflement est toujours plus marqué à la partie moyenne que sur les côtés. La résistance du plan postérieur est cause que la lèvre supérieure repoussée en avant surplombe l'inférieure et change l'expression physionomique. Cette affection ordinairement sans importance se dissipe avec l'influence générale ou locale qui la détermine; il est rare qu'elle donne lieu à des abcès dans l'épaisseur de la lèvre, mais on voit plus souvent l'inflammation subaiguë et chronique aboutir à une induration rebelle qui peut exiger alors l'intervention du chirurgien. Si les astringents et les résolutifs ainsi que les remèdes généraux ont été sans efficacité, on peut, à l'exemple de M. Paillard, qui s'est occupé du traitement de cette affection (*Journal des Progrès*, 1re série, t. III), attaquer la partie indurée par une incision transversale, parallèle au bord libre de la lèvre et s'étendant d'une commissure à l'autre, en intéressant l'organe à une profondeur variable. On retranche ensuite, du côté de la bouche, la portion excédante de la lèvre préalablement renversée, en ménageant le plus possible la muqueuse qu'on peut ramener vers la portion respectée du bord libre, où on la fixe par quelques points de suture. Si l'instrument du chirurgien avait intéressé l'artère coronaire, il serait indispensable de la lier.

Le gonflement chronique atteint plus rarement la lèvre inférieure ; on l'observe pourtant chez quelques sujets lymphatiques disposés aux gerçures du bord libre ou dans les cas de stomatite accompagnés d'une abondante salivation. Cette tuméfaction permanente est assez fréquente aussi chez les crétins, les idiots, les paralytiques dont la lèvre pendante expose la muqueuse et le tissu cellulaire sous-muqueux à l'action de l'air extérieur et ne peut retenir la salive. Le gonflement paralytique peut dépendre d'un défaut d'innervation locale. Nous l'avons observé chez un malade affecté d'une paralysie double du nerf facial dont la physionomie avait perdu toute expression.

L'hypertrophie proprement dite s'observe plus rarement, surtout en tant qu'elle porte sur l'ensemble des éléments composants de la lèvre ; il est plus commun de constater l'hypergénèse de quelques éléments, tels que celle de la couche dermique et du tissu conjonctif sous-jacent, dans l'éléphantiasis qui y affecte la forme tubéreuse et produit dans cette région des déformations quelquefois horribles. L'hypertrophie générale des lèvres, normale dans quelques races humaines, est assez rare dans nos climats ; lorsqu'elle existe, c'est spécialement à la lèvre inférieure qu'elle se manifeste. Elle est tantôt spontanée, tantôt liée à des influences pathologiques; nous l'avons vue coexister avec le prolapsus de la langue. Quelle que soit sa cause, l'hypertrophie de la lèvre modifie sa position. La lèvre est renversée, pendante, plus ou moins indurée. Elle laisse souvent échapper la salive, gêne aussi la parole, ne sert pas convenablement à la clôture de la bouche et entraîne secondairement une modification dans la direction des dents. Les incisives se portent en avant et servent peu à la mastication ; leur collet se recouvre de tartre et elles s'ébranlent prématurément. Les contractions de la lèvre se font d'une manière imparfaite et ne peuvent redresser l'organe qui est souvent agité d'un tremblement involontaire surtout pendant les émotions morales. Ces divers caractères étaient portés à un degré excessif chez un souverain d'Allemagne, Léopold II, qui a laissé son nom à une disposition dont il portait le type le plus accentué (*labium leopoldinum*).

L'hypertrophie labiale doit être combattue par les préparations iodurées. On peut soumettre la lèvre à une compression plus ou moins soutenue à l'aide d'un appareil spécial agissant sur ses deux surfaces, ou par un bandage analogue au chevestre qui relève l'organe et l'appuie contre l'arcade alvéolo-dentaire. Ce n'est que lorsque l'hypertrophie est très-considérable et qu'elle s'accompagne non-seulement de gêne très-prononcée, mais de douleur et d'induration qu'on peut l'assimiler aux tumeurs exigeant le sacrifice de l'organe et qu'on doit lui appliquer des opérations dont l'exposé sera mieux placé lorsqu'il s'agira du cancer labial.

Tumeurs érectiles ; angiomes. Ces tumeurs qui peuvent se retrouver dans toutes les régions du corps, méritent une mention spéciale en tant que siégeant aux lèvres. C'est en effet l'une des régions où on les observe le plus fréquemment. Dans un tableau de 151 observations publiées par M. Porta (*Dell'angectasia.* Milano. 1861) 107 occupaient la région de la tête ; parmi celles-ci, 89 étaient situées à la face, et dans ce dernier groupe, 10 appartenaient aux lèvres. Un relevé fait par

M. Lebert donne des résultats analogues : sur 56 tumeurs de ce genre 26 occupaient la tête, et parmi ces derniers 7 siégeaient à la région des lèvres. Le sexe féminin parait être une cause prédisposante des tumeurs érectiles des lèvres. Je note comme particularité intéressante que sur 10 cas de tumeurs érectiles des lèvres que j'ai dû opérer, toutes ont été présentées par des sujets du sexe féminin. Le jeune âge prédispose particulièrement au développement de ces tumeurs. La moitié au moins sont congénitales et se présentent à la naissance sous forme de *nævi*. Il serait intéressant de déterminer l'époque de la vie intra-utérine à laquelle les nævi apparaissent. L'examen des collections de fœtus, conservés à divers titres dans les grands musées, signalerait sous ce rapport des faits inexplorés jusqu'à ce jour, et qui probablement établiraient une corrélation entre l'apparition des tumeurs érectiles et les modifications de la circulation pendant la vie intra-utérine. Les divers points du contour de l'orifice buccal sont inégalement disposés à la formation des tumeurs érectiles. Sur les 10 cas de ce genre que j'ai observés, la lésion avait atteint 6 fois la lèvre inférieure, deux fois la supérieure ; dans un cas, elle occupait la commissure gauche et dans l'autre le contour entier de l'orifice buccal.

Les tumeurs érectiles des lèvres se présentent dès le début sous forme de taches violacées tantôt circonscrites, tantôt diffuses et laissant voir à leur périphérie, à travers la transparence de l'épithelium, de petits vaisseaux dilatés, susceptibles de revêtir les formes connues des angiomes. Ces tumeurs consistent dans des capillaires de formation nouvelle présentant des dilatations cirsoïdes ampullaires plus ou moins irrégulières, tantôt étalées dans le réseau sous-cutané ou sous-muqueux, tantôt pénétrant plus profondément et compris dans un stroma-fibreux aux dépens des tissus de la région. L'âge influe sur la prédominance des éléments vasculaires de ces sortes de tumeurs labiales. D'après M. Broca (*Traité des tumeurs* t. II, p. 217), la prédominance artérielle serait plus commune chez les enfants. Il est rare toutefois que, malgré la richesse artérielle de la région, les angiomes des lèvres présentent des pulsations bien marquées, et les caractères de cette variété de télangiectasie connue sous le nom d'anévrysme de Pott. La prédominance veineuse s'observe plus souvent, surtout chez les adultes et les vieillards, et cet état se révèle non-seulement par la coloration bleu d'acier, la mollesse et la dépressibilité de la tumeur avec absence de battements, mais par l'accroissement de ces caractères sous l'influence des causes qui gênent la circulation veineuse, telles que les cris, les pleurs, la colère, ou des compressions exercées sur les troncs auxquels aboutissent les veines qui émergent des lèvres. Les angiomes labiaux peuvent affecter une disposition plus compliquée et mériter le nom de tumeurs caverneuses, c'est-à-dire présentant des espaces extravasculaires où pénètre le sang, soit que la résorption partielle des parois des vaisseaux dilatés ait abouti à une perforation qui crée un passage au sang dans un espace latéral par rapport au vaisseau, soit qu'un autre mécanisme formateur ait organisé ces locules appendiculaires, où se prolonge l'endothélium vasculaire. Billroth a représenté, à un grossissement de 350 diamètres, un lacis de trabécules provenant d'une tumeur caverneuse de l'une des lèvres, dont les mailles proportionnellement assez larges étaient occupées par du sang.

Le volume des tumeurs érectiles des lèvres est variable ; il augmente généralement avec beaucoup de rapidité chez les enfants. Parfois il suffit de quelques mois pour qu'un nævus ou tache érectile acquière la dimension d'une framboise et s'étende notablement en surface et en profondeur. La marche de ces tumeurs est beaucoup plus lente chez les adultes et les vieillards. Nous connaissons une dame qui depuis trente ans porte une tumeur de ce genre au milieu de la lèvre inférieure, sans qu'aucun progrès notable se soit accompli. Dans des cas moins heureux, le lacis vasculaire s'accroît ; il entraîne les capillaires voisins dans le sens d'une modification morbide analogue, et la tumeur acquiert successivement des dimensions qui non-seulement gênent les parties affectées en les altérant par leur coloration et leur forme irrégulière, mais qui peuvent se fendiller et s'ulcérer plus ou moins profondément. Il en résulte des hémorrhagies qui se renouvellent avec des variations de fréquence ou d'intensité, et les tissus peuvent subir des modifications intimes et des envahissements morbides d'une autre nature. Elles sont susceptibles d'être atteintes par l'inflammation qui tantôt aboutit à l'altération avec hémorrhagie dont nous venons de parler, et d'autres fois à des productions plastiques qui s'infiltrent dans les tissus ou y déposent les germes d'une organisation cicatricielle avec oblitération restreinte des vaisseaux. D'autres fois des végétations, des fongosités, se montrent à leur surface qui devient bosselée et irrégulière. Des produits morbides d'un autre genre peuvent aussi se montrer dans les parois des vaisseaux ou dans les intervalles qui les séparent. Holmes a signalé de petits kystes séreux. Ils sont rares en pareille circonstance. Il est plus ordinaire de voir la région labiale envahie par des tumeurs composées, autrefois désignées sous le nom de fongus-hématodès, et dans lesquelles les éléments des cancers et ceux des tumeurs érectiles, se combinent et se compliquent mutuellement. Nous avons observé une tumeur de ce genre qui, ayant affecté simultanément la lèvre supérieure et la sous-cloison du nez, exigea le sacrifice complet de ces parties et une opération réparatrice complémentaire.

Ce n'est que par exception que les tumeurs érectiles des lèvres restent absolument stationnaires, et c'est par une exception plus grande encore qu'on les voit rétrograder et guérir spontanément. MM. Velpeau et Gosselin ont observé des cas dans lesquels la trame érectile s'était transformée en tissu fibreux. Mais on s'exposerait à des mécomptes en fondant un heureux pronostic sur cette possibilité. Ces sortes de tumeurs sont essentiellement envahissantes, elles peuvent gagner du côté de la muqueuse ou de la peau, parfois dans les deux sens à la fois, en atteignant aussi la substance intermédiaire et en exposant les sujets soit à des hémorrhagies soit aux dégénérescences compromettantes dont il vient d'être question ; aussi une tumeur érectile des lèvres étant donnée, surtout chez un enfant, et lorsque la marche envahissante est constatée par une observation attentive, l'indication d'en arrêter les progrès peut-elle être considérée comme formelle.

Parmi les moyens dont l'art dispose pour combattre ces sortes de tumeurs, quels sont ceux qui sont le plus avantageusement applicables aux angiomes de la région labiale? Le choix de ces moyens doit être fondé sur l'importance de la tumeur, qui se tire de son siége et de son étendue. Lorsque l'angiome est superficiel, peu étendu en largeur et en hauteur, qu'il présente l'aspect d'un réseau érectile étalé on peut l'attaquer par la cautérisation à l'aide d'un pinceau imbibé d'acide nitrique monohydraté surtout s'il est bombé au bord libre ou à la face cutanée. Tout autre caustique peut être mis en usage selon les préférences du chirurgien. C'est pour des cas du même genre que l'inoculation vaccinale, que l'injection de quelques gouttes de perchlorure de fer liquide à l'aide de la seringue à tube capillaire de Pravaz, peuvent aussi aboutir à un résultat favorable. Si la tumeur circonscrite permet d'agir sur les deux faces de la lèvre, en la soumettant à une compression graduée, celle-ci en agissant longtemps sur les vaisseaux peut les oblitérer. Boyer signale un cas de guérison par ce moyen. Mais il considère le résultat comme exceptionnel, et cette ressource lui paraît à bon droit infidèle. Il est du moins expérimental qu'il ne faut guère accorder de confiance à la catégorie des moyens de traitement qui ne combattent les angiomes que par l'action oblitérante. Les sétons multiples, les aiguilles métalliques employées d'après la méthode de Lallemand alors même qu'on les transforme en cautères linéaires en élevant leur température par un courant galvanique (Middeldorpff) ou par l'action de l'éther (Mathieu) ne peuvent donner des résultats absolument satisfaisants. On peut toutefois les mettre en usage dans les cas où les malades se refusent à l'ablation. Nous avons nous-même obtenu la guérison d'un angiome de la lèvre inférieure chez une femme, par les aiguilles multiples servant d'appui à quelques huit de chiffre d'un fil de chanvre destiné à comprimer les tissus. Mais ces moyens et ceux qui leur ressemblent et qui ont pour but d'oblitérer les vaisseaux en y créant des cloisons cicatricielles, ou de coaguler le sang dans les voies qu'il parcourt, exposent à laisser quelque partie de la tumeur en dehors de l'action thérapeutique locale qu'on a l'intention d'exercer. Des reproductions quelquefois assez promptes attestent bientôt l'insuffisance de la méthode, aussi vaut-il mieux recourir à une action plus radicale, qui, en détruisant complétement la lésion, exonère l'organe de toutes chances de reproduction. Cette méthode destructive trouve dans la région la compensation du sacrifice qu'elle impose, par la possibilité de ramener au contact les bords de la plaie résultant de l'ablation de la tumeur, ou par celle de réparer par la chéiloplastie les pertes de substances trop étendues ou trop irrégulières pour se prêter à la réunion ordinaire. On peut enlever complétement les tumeurs érectiles des lèvres par des excisions portant au delà de leurs limites sur des tissus sains. Lorsqu'il est possible de les circonscrire par des excisions en V suivies de l'affrontement des bords de la plaie et de la réunion par la suture entortillée, on prépare les résultats les plus satisfaisants. C'est ainsi que nous avons procédé dans le plus grand nombre de cas, en suivant les règles ordinaires et en combattant ces tumeurs comme les produits morbides hétéroplastiques dont il faut opportunément débarrasser l'organisme. On comprend que suivant l'étendue de la perte de substance qu'il faut infliger aux tissus, suivant le siége spécial et la forme de la brèche qui en résulte, le chirurgien modifiera sa méthode et ses procédés d'ablation et qu'il aura recours aux artifices variables de la chéiloplastique, qu'il serait superflu d'indiquer à l'occasion de chacune des tumeurs labiales d'où peut naître l'indication de l'ablation. Le chirurgien ne devra point se laisser surprendre par l'augmentation de vascularité de la région. Une compression préventive convenable consistant dans l'aplatissement des artères faciales contre le plan résistant de la mâchoire, des compressions temporaires des tissus divisés, exercées par les doigts des aides et finalement le placement d'un nombre suffisant de ligatures en fil de soie, suivi d'un affrontement hémostatique à l'aide de la suture entortillée, apporteront à l'opération toute la sécurité désirable. Ce n'est pas pour des opérations de cette nature, faites dans une région superficielle accessible aux ressources de l hémostasie, qu'on doit ériger en règle la méthode de la ligature préalable du vaisseau principal. (Artères faciales, carotide externe ou carotide primitive.) Il faudrait pour justifier une pareille opération que la tumeur dépassât les limites de la région sur laquelle nous avons à examiner les angiomes, et alors elle cesserait d'appartenir au sujet qui nous occupe.

La destruction des tumeurs érectiles des lèvres, par l'ablation directe avec le bistouri, n'est pas d'ailleurs la seule méthode à laquelle on puisse recourir. L'emploi du feu ou celui des caustiques ont parfois leurs indications. Mais leur action profonde est généralement irrégulière ou infidèle, leur résultat immédiat s'oppose à l'affrontement des parties détruites, les cicatrices consécutives sont inégales et des opérations chéiloplastiques ultérieures sont souvent rendues nécessaires. La ligature simple si la tumeur est supportée par un collet, multiple si elle est sessile et à base plus ou moins engagée dans la profondeur des tissus, peut rendre des services, lorsqu'on veut à tout prix écarter les chances d'une hémorrhagie. Ce moyen n'est pas à dédaigner chez les jeunes sujets. La suture multiple pratiquée d'après le procédé de Rigal, permet de décomposer une tumeur à large base en un nombre variable de tumeurs pédiculées et d'étreindre efficacement la totalité de la masse morbide, fût-elle très-étendue. J'ai opéré ainsi avec le plus grand succès une petite fille âgée de 10 mois, et chez laquelle le contour entier de l'orifice buccal était envahi par une dégénérescence érectile qui faisait de rapides progrès. Étreinte par douze ligatures se faisant suite, la zone érectile qui bordait l'orifice buccal tomba le sixième jour, en faisant place à une ouverture agrandie mais régulière. La suppuration qui se déclara sur la surface mise à nu par la chute du bourrelet érectile circulaire ne fut pas de longue durée; des bourgeons cicatriciels ne tardèrent pas à se former, à s'organiser d'après leur mécanisme physiologique ordinaire, et après environ deux mois, la bouche reformée et rétrécie, présentant à la place des lèvres normales un rebord rosé cicatriciel, restituait un bon aspect physionomique et se prêtait aux fonctions de la région. L'opération date actuellement de quatre ans, la coarctation n'a pas atteint les proportions qu'on aurait pu redouter et aucune opération destinée à l'agrandissement de la bouche n'est devenue nécessaire.

Tumeurs des glandules labiales. Ces altérations locales sont propres à la région des lèvres et n'ont encore été l'objet que d'un petit nombre d'observations précises. On peut reconnaître toutefois qu'elles sont le point de départ de formations kystiques et d'hypertrophies circonscrites ou adénomes.

Les *kystes* des lèvres ont été plusieurs fois constatés sans qu'on ait cherché à se rendre compte de leur origine. Boyer les signale comme fréquents sur la face postérieure des lèvres, et spécialement sur celle de la lèvre inférieure au-dessous de la muqueuse. Or c'est précisément le siége normal de la couche glanduleuse. Ces tumeurs enkystées atteignent rarement un grand volume. Elles se développent en soulevant la muqueuse dont le tissu s'accroît et acquiert de la transparence. Le contenu de ces tumeurs consiste en une matière visqueuse et filante qui offre de la ressemblance avec le liquide de la grenouillette. Elle s'accumule graduellement dans la cavité formée aux dépens de l'organe dont l'orifice excréteur est rétréci ou oblitéré. Les kystes labiaux ainsi constitués restent quelquefois stationnaires. Ils sont indolents, déforment la lèvre en proportion de leur volume et adhèrent plutôt aux parties profondes qu'à la muqueuse qui les recouvre. Ces tumeurs que Virchow compare aux grains de mil ou aux comédons des follicules pileux, ont en général des dimensions supérieures à celles de ces petites élevures et nous paraissent avoir plus d'analogie avec les kystes qui se développent dans l'épaisseur de la grande lèvre chez la femme et qui résultent d'une dilatation des glandes de Bartholin. Leur cavité est souvent inégale et multiloculaire, ce qui s'explique par la dilatation sacciforme ou ampullaire des culs-de-sac qui n'ont, à l'état normal, qu'un renflement rudimentaire. Ces kystes labiaux sont isolés ou multiples suivant qu'une ou plusieurs glandules prennent part à la dilatation. Leur ouverture spontanée est très-rare. On a toutefois signalé des trajets fistuleux s'ouvrant sur la lèvre et aboutissant par leur extrémité opposée aux glandules envahies par la dégénérescence kystique. Cette disposition a été notée comme existant à l'état congénital et comme siégeant particulièrement à la lèvre inférieure. Nous l'avons signalée à propos du bec-de-lièvre.

D'après le mécanisme que nous venons d'indiquer pour la formation des kystes labiaux, leur traitement exige qu'on obtienne non-seulement l'évacuation, mais l'oblitération de leur cavité. La ponction ou l'incision simple, ayant pour but unique de donner issue au liquide exposeraient à une récidive presque certaine. Dans un cas de ce genre, nous avons réussi en faisant suivre une large incision d'un lavage de la cavité kystique et d'un badigeonnage intérieur avec un pinceau fortement imbibé de teinture d'iode pure. Il est rare que la tumeur soit assez considérable pour exiger l'emploi du trois-quarts ordinaire suivi d'une injection irritante. Un trois-quarts délié introduit avec précaution serait suffisant. Quant à l'excision entière du kyste, elle entraînerait, à cause de l'adhérence de la partie profonde de la tumeur, une dissection lente et assez laborieuse. Ce moyen ne conviendrait que si les parois épaisses et indurées de la tumeur s'opposaient à une oblitération probable. On peut se contenter dans des cas de cette nature de l'excision partielle de la paroi du kyste, soit qu'on emporte, soit qu'on respecte la portion de muqueuse qui le recouvre. On n'a guère à craindre une difformité de quelque importance à la suite de cette opération, qui n'exige d'autre traitement que l'affrontement des parties ou l'application d'une couche de collodion.

L'*adénome* ou hypertrophie des glandules, genre de tumeurs établi par les travaux des anatomo-pathologistes modernes et surtout par ceux de M. Broca, est moins rare à la région labiale que les kystes proprement dits, et a été souvent confondu avec les variétés de tumeurs cancéreuses qui affectent les lèvres. Mais, malgré des ressemblances extérieures avec les tumeurs comprises dans ce groupe, les adénomes labiaux représentent une lésion spéciale dont on retrouve les analogues dans les hypertrophies circonscrites des glandes. Ils appartiennent à l'espèce connue sous le nom d'*adénome acineux*. Leur disposition intime se révèle par des culs-de-sac solides hypertrophiés et parfois indurés, accolés ensemble et unis par une faible quantité de tissu fibreux. Comparables d'une manière générale aux tumeurs adénoïdes des glandes en grappes, elles ont une analogie plus prochaine, comme l'ont établi MM. Cornil et Ranvier, avec les hypertrophies circonscrites de la parotide ou avec celles que M. Lebert a indiquées dans la glande lacrymale. Les éléments glandulaires en s'hypertrophiant acquièrent non-seulement plus de volume, mais plus de consistance. Le revêtement épithélial pavimenteux de la surface interne devient en même temps plus épais et représente, à une certaine période du développement de ces tumeurs, la partie principale de leur masse; cette prolifération exagérée des éléments épithéliaux distend le tissu glandulaire et produit à la surface de la lèvre une saillie que la pression de la tumeur rend plus marquée, et par où elle fait échapper sous forme de vermisseau des cylindres déliés de matière grisâtre, comme lorsqu'on presse des tumeurs folliculeuses. Cette disposition était très-marquée dans un polyadénome de la lèvre inférieure que j'ai récemment observé et enlevé sur un militaire admis à la clinique de l'hôpital Saint-Éloi. La tumeur, considérée d'abord comme un cancroïde, n'était en réalité qu'un polyadénome dont les orifices excréteurs, ouverts sur la surface muqueuse de la lèvre, émettaient par la pression la matière molle dont il a été question, et où l'examen microscopique confié à M. le docteur Gayraud, chef de clinique, révéla la présence de cellules d'épithélium pavimenteux. L'adénome et le polyadénome de la lèvre sont des tumeurs bénignes qui peuvent acquérir sans doute un développement assez considérable, mais qui restent essentiellement locales, sans s'infiltrer dans les tissus voisins, ni se propager aux ganglions sous-maxillaires. Dans l'adénome un peu ancien les cellules qui remplissent la cavité de la glandule hypertrophiée peuvent s'infiltrer de substance graisseuse. D'autres fois les culs-de-sac s'indurent et certains peuvent subir la dégénérescence kystique. Pendant l'accomplissement de ces modifications nutritives, le malade éprouve dans la région affectée une douleur sourde. La lèvre se gonfle, subit des atteintes inflammatoires, devient douloureuse, l'épithélium de son bord libre se desquame ou se détache complétement et laisse la surface plus ou moins ulcérée. Si dans ces circonstances les bords viennent à s'indurer, l'ensemble de la surface malade revêt plus ou moins les apparences d'une ulcération syphilitique ou cancéreuse. Mais l'origine, le mode de développement de la tumeur, sa position d'abord rapprochée de la surface muqueuse, son indolence primitive et qui se maintient lorsqu'il n'existe pas de complication inflammatoire, et la disposition alvéolaire de sa surface lorsqu'il s'agit d'un polyadénome, enfin le suintement de matière épidermique ramollie par les ouvertures des tubes excréteurs lorsqu'on exerce une pression concourent à éclairer le diagnostic. Si l'on ajoute que dans l'adénome, il n'y a point d'engorgement ganglionnaire sous-maxillaire même quand la tumeur est ancienne, on écartera la pensée d'une affection cancéreuse, et si l'on remarque qu'il n'y a ni antécédents ni signes concomitants de nature syphilitique, on aura des motifs encore mieux fondés pour distinguer l'adénome des tumeurs, ulcérées ou non, qui appartiennent à cette dernière dyscrasie.

Le traitement de l'adénome labial peut admettre l'emploi des divers résolutifs qu'on oppose d'ordinaire aux engorgements chroniques et aux hypertrophies, tels que l'iode et ses composés donnés à l'intérieur ou employés comme topiques, la préparation d'or, etc. Mais ces divers traitements médicamenteux longs et presque toujours infidèles, le cèdent, à tous les points de vue, à une action chirurgicale. L'excision en V, et mieux encore l'excision cunéiforme qui permet de conserver à la lèvre ses couches cutanée et muqueuse établissent d'excellentes conditions de guérison; en détachant en effet dans l'épaisseur de la lèvre la couche glanduleuse qui est le point de départ et le siége de ce genre de tumeurs, on met le malade à l'abri de récidives. Il suffit de rapprocher les surfaces entre lesquelles la tranche prismatique formée par la tumeur et les tissus adhérents était contenue, pour préparer une prompte guérison sans déformation de la lèvre qui reste seulement plus mince que dans l'état naturel.

Affections syphilitiques des lèvres. Les manifestations de ce genre les plus importantes, dont la région labiale peut être le siége, sont le chancre et la tumeur syphilitique.

Le *chancre* des lèvres est une des plus importantes variétés de la syphilis extra-génitale. Méconnu ou peu remarqué, bien qu'il eût été signalé depuis longtemps par Fallope, Brassavole, Rondelet, Amatus Lusitanus et Botal, le chancre primitif des lèvres avait été pour ainsi dire soustrait à l'attention des observateurs sous l'empire des idées de Hunter qui avait concentré sur les organes génitaux et sur les manifestations primitives de la syphilis, l'origine de la contagion. Mais l'Ecole de Montpellier a rappelé l'attention sur la fréquence des chancres des lèvres. Delpech les a très-bien décrits dans sa *Chirurgie clinique* et a indiqué l'engorgement coexistant des ganglions sous-maxillaires. Lallemand a signalé aussi leur existence, et c'est à lui qu'on doit cette observation remarquable de trois amis infectés de chancres indurés des lèvres par la même femme qui recevait simultanément leur cour pendant qu'elle était atteinte de syphilis buccale secondaire. (*Clinique médico-chirurgicale*, 1845.) Reprise en 1854 par M. Rodet, puis par M. Ricord et ses élèves, enfin et surtout par M. Rollet de Lyon, la question du chancre céphalique en général et du chancre des lèvres en particulier, a été examinée avec un soin qui a permis non-seulement de constater l'existence et les variétés de cette affection, mais les rapports d'origine du chancre labial chez le sujet contaminé avec les ulcérations syphilitiques à différents siéges ou parvenues à diverses périodes chez le sujet contaminateur.

Le chancre labial est le plus commun des chancres de la région céphalique; chez les adultes, il affecte à peu près indifféremment la lèvre supérieure et la lèvre inférieure et se montre plus rarement aux commissures ainsi que cela résulte des observations et des statistiques dressées par MM. Fournier et Buzenet. Ce chancre est plus fréquent chez la femme que chez l'homme. Dans les deux sexes et à l'âge adulte, on l'observe beaucoup plus rarement que le chancre des organes génitaux. D'après les relevés faits par M. Carrier à l'hospice de l'Antiquaille, dans le service de M. Bonnaric de (Lyon), sur 130 femmes affectées de chancres indurés, on a noté dix cas de chancres labiaux. Les statistiques dressées à Paris par M. Fournier, chez l'homme, donnent 12 chancres des lèvres sur 471 siégeant dans diverses parties du corps; M. Clerc ne signale aussi, pour l'homme, que 5 chancres labiaux sur 404 observations relatives à la même lésion dans divers points de l'organisme. On peut en induire la moindre proportion de fréquence chez l'homme que chez la femme.

L'enfance est l'époque de la vie où, toute proportion gardée, le chancre des lèvres est le plus fréquent. Ce fait est établi par les observations de M. Rollet et il s'explique lorsqu'on prend en considération la non-activité des organes génitaux chez les enfants et les causes particulières qui les exposent à recevoir des caresses sur la région labiale, ou à contracter la syphilis pendant l'allaitement.

Les causes des chancres labiaux sont assez variées. Leur source la plus commune consiste en des baisers impurs entre une personne saine et une personne contaminée. Des aveux de nature à faire penser que les honteuses habitudes de sodomie buccale se multiplient ont rétabli la réalité de cette cause de chancres labiaux. Ceux-ci peuvent succéder aux pratiques judaïques de la circoncision, qui consistent non-seulement dans l'excision prépuciale, mais dans le contact entre les organes de l'opéré et la bouche de l'opérateur. L'allaitement est une source de chancres labiaux admise depuis les premiers observateurs, niée par l'école de Hunter et constatée de nouveau par les syphiliographes de nos jours. Il importe toutefois d'en rechercher exactement la cause et de ne pas confondre les manifestations de la syphilis héréditaire qui, chez les nouveau-nés, s'expriment très-fréquemment par des ulcérations labiales bucco-gutturales ou nasales, avec des chancres récents acquis par le contact des lèvres avec le mamelon d'une nourrice infectée. L'allaitement maternel est une cause beaucoup plus rare de chancre labial, pour le nourrisson, que l'allaitement par une nourrice mercenaire. L'habitude où sont les nourrices d'échanger même temporairement les enfants qu'elles allaitent, soit dans les hôpitaux, soit dans la vie civile, multiplie les occasions d'infection qu'un choix attentif de la première nourrice tendrait à écarter. Le nourrisson contracte ainsi un chancre labial qui peut se communiquer à son tour à la nourrice saine et créer des obscurités de diagnostic qu'on ne débrouille que par une enquête d'origine. La question de la syphilis héréditaire, pouvant donner lieu à des ulcérations non primitives mais contagieuses du nouveau-né, explique d'ailleurs, d'après les observations de MM. Colles et Diday, pourquoi la syphilis se propage plus souvent de l'enfant à la nourrice que de celle-ci au nourrisson.

Les chancres labiaux résultent assez fréquemment de l'usage commun d'objets usuels. Ainsi le bord souillé d'un verre, d'une cuiller, d'une écuelle dont s'est servi un syphilitique peut transmettre la syphilis en provoquant l'apparition d'un chancre sur la lèvre; les pipes, les cigares jouent le même rôle de véhicule; j'ai vu des communications de ce genre entre des soldats d'une même chambrée et entre deux frères. Les doigts eux-mêmes peuvent transporter le virus chancreux J'ai été récemment consulté par un jeune homme qui, après avoir touché les organes génitaux d'une femme infectée, avait ainsi transporté sur sa lèvre inférieure le principe contagieux et qui présentait un chancre induré. Un bonbon, sucé à tour de rôle par des enfants, a pu communiquer un chancre syphilitique. (Hardy.) J'ai soigné, d'un chancre labial, une jeune personne qui s'obstinait à n'attribuer d'autre origine à son mal que d'avoir porté à ses lèvres une rose qui avait reçu les baisers de son amant.

L'observation moderne a inscrit dans l'étiologie du chancre labial une cause longtemps méconnue et qui paraît être assez fréquente dans une catégorie d'ouvriers travaillant en commun. C'est le soufflage du verre. La *syphilis des verriers*, ainsi designée à cause des circonstances où elle se manifeste et de la profession qui favorise sa propagation, a été l'objet d'intéressantes descriptions que la science doit à M. Rollet, de Lyon (*Traité des maladies vénériennes*), et à M. Viennois (*Congr. médico-chirurg. de France*, 1863). Cette origine a été longtemps méconnue, et ce n'est qu'en 1858 que M. Rollet a signalé le premier cas de syphilis transmise par le soufflage du verre. Depuis lors les faits se sont assez multipliés pour qu'on soit autorisé à considérer les verreries comme de véritables foyers de syphilis d'autant plus dangereux qu'ils ne sont l'objet d'aucune défiance. Si l'on remarque avec notre savant confrère de Lyon que les usines consacrées à la fabrication des bouteilles, vitres, gobelets, etc., sont très-nombreuses, non-seulement chez nous, mais dans les pays producteurs de vins comme l'Italie et l'Espagne, ou industriels comme la Belgique et l'Angleterre ou certaines régions de l'Allemagne; qu'en France seulement il se fabrique 60 millions de kilogrammes de verre à bouteilles et que la gobeletterie seule occupe 20,000 ouvriers, on comprendra la multiplicité des occasions de propagation syphilitique. La cause effective de cette propagation entre les ouvriers qui soufflent le verre est l'usage commun de la *canne* ou tube à souffler. Ce tube en fer dont l'embouchure peut recevoir la matière contagieuse passe successivement, et sans retard et sans qu'on prenne le soin d'essuyer son embouchure, entre les mains de trois ouvriers qui soufflent l'un après l'autre par cette embouchure quelquefois irrégulière et pouvant, indépendamment du dépôt du virus, faciliter sa pénétration par les excoriations qu'elle occasionne pendant la coïncidence du soufflage avec une impulsion rotatoire que doit subir l'instrument.

Signalons enfin comme cause de communication du chancre labial, les morsures des lèvres d'un sujet sain par un sujet contaminé. Lordat a signalé cette cause (*Leçons sur l'odaxisme*, Montpellier 1835) que M. Rollet compare, pour la syphilis, au mode ordinaire de l'inoculation de la rage.

Quel que soit le mode d'origine du chancre labial, celui-ci peut revêtir sur ce point les caractères connus de ce genre d'ulcération. Le plus souvent solitaire, mais quelquefois multiple et existant sur l'une et l'autre lèvre aux points correspondants, le chancre des lèvres s'indure comme celui de la région génitale ; il excède rarement l'étendue de 1 centimètre de diamètre, mais peut, accidentellement, être beaucoup plus large. M. Buzenet cite un exemple où une ulcération de cette nature avait détruit la moitié de la lèvre inférieure et s'était étendue à la moitié de la hauteur de la joue. M. Rollet signale, comme l'une des formes les plus fréquentes, le chancre induré bombé, c'est-à-dire à fond plus saillant que les bords.

Souvent visible du côté de la peau, il est cependant plus fréquent du côté de la bouche où la ténuité de la couche épithéliale rend l'inoculation plus facile. Rendu douloureux par son exposition habituelle à l'air, au contact des liquides buccaux, à celui des aliments, des boissons ou des instruments qui servent à leur ingestion, le chancre bucco-labial est assez douloureux et sujet à s'irriter. Il détermine parfois une stomatite vestibulaire ou même plus profonde avec exagération de sécrétion salivaire. Sa surface se modifie parfois et prend une coloration grisâtre. Il peut affecter la forme phagédénique ; d'autres fois il subit la transformation sur place en plaque muqueuse.

L'adénite de voisinage signalée par Delpech est assez fréquente pour être considérée comme un de ses caractères ; elle peut aboutir à la suppuration. L'engorgement qui accompagne le chancre de la lèvre inférieure se manifeste aux ganglions sous-maxillaires de la région sous-mentonnière, surtout pour le chancre de la partie moyenne. Quand la lèvre supérieure est affectée ce sont plus spécialement les ganglions latéraux et profonds qui subissent la propagation morbide et l'envahissement inflammatoire.

Le diagnostic des chancres labiaux, quoique généralement facile, n'est pas exempt de quelques obscurités. Les indications d'origine fournies par les malades tendent souvent à induire le praticien en erreur et certains de ces chancres ne laissent pas que de ressembler à une ulcération épithéliale. La rapidité de leur apparition et de leur évolution, la limitation de l'induration à leur périphérie, le caractère inflammatoire de l'adénopathie concomittante, les anamnestiques, les coexistences morbides, les suites infectieuses de la maladie, enfin l'épreuve thérapeutique, dans les cas douteux, ne tardent pas à dissiper les doutes.

Ces chancres donnent lieu à un pronostic relativement plus fâcheux que ceux des organes génitaux. La nullité de l'attention, propre à révéler leur début, les laisse quelquefois longtemps ignorés. Les malades eux-mêmes cherchent à se faire illusion, et l'ulcération fait quelquefois des progrès inattendus, soit sur place, soit eu égard aux conséquences générales de l'inoculation syphilitique. Une autre circonstance ajoute à la gravité du pronostic. L'obscurité même qui enveloppe l'origine ou l'existence de ces ulcères multiplie les chances de contagion. L'absence de toute défiance du sujet porteur de la lésion, ou l'ignorance absolue dans laquelle se trouvent à cet égard les jeunes sujets et, à plus forte raison, les nouveau-nés, établissent de déplorables sources de contagion. La communauté des objets usuels et plus encore les baisers entre membres d'une même famille ou dans des circonstances qui établissent des habitudes familières exposent à de telles chances de communication, que des observateurs ont vu dans la multiplicité de ces cas une sorte d'endémie circonscrite. La syphilis des vieillards, et spécialement celle des femmes âgées préposées à la garde des enfants, ne reconnaît pas ordinairement d'autre origine. Le pronostic en est d'autant plus sérieux que la maladie n'est souvent reconnue que par les symptômes généraux de la période secondaire.

Le traitement des chancres syphilitiques labiaux n'a rien de spécial. Les cautérisations, les soins de propreté, l'isolement de l'ulcération par son recouvrement avec de la baudruche gommée, le traitement antiphlogistique et résolutif des adénites concomitantes, et l'administration des mercuriaux lorsque l'induration est constatée, constituent le traitement le plus rationnel.

La *tumeur syphilitique des lèvres* est un cas particulier de ces manifestations tertiaires de la syphilis que j'ai décrites, dès 1846, sous le nom de tumeurs syphilitiques des muscles et que les observateurs ont constatées depuis dans presque toutes les portions musculaires du corps humain. Les faits signalés par MM. Ricord, Nélaton, Vidal, Robert, Virchow, Becquerel, Zambaco, Lagneau fils et plusieurs autres ont aujourd'hui généralisé ce sujet, mais ces auteurs ont passé sous silence les tumeurs de cette nature développées dans l'épaisseur des lèvres et pouvant simuler des affections d'un autre caractère. Je les ai toutefois constatées assez fréquemment sur des malades admis à la clinique de l'hôpital Saint-Éloi de Montpellier et qui, envoyés dans le but de subir une opération, ont pu être délivrés par un traitement antisyphilitique. Les tumeurs vénériennes affectent de préférence la lèvre inférieure. J'ai constaté six fois leur présence sur cette partie de la bouche et une seule fois à la lèvre supérieure. Dans cette région, comme dans la plupart des organes musculaires, la tumeur syphilitique se présente tantôt sous la forme dure et circonscrite appelée *nodus* et occupe soit la couche celluleuse, soit l'épaisseur même de la lèvre ; tantôt elle revêt, plus manifestement par sa forme un peu moins limitée et par sa mollesse, au moins pendant une certaine période, le caractère des tumeurs gommeuses proprement dites ou *syphilomes*. Dans la lèvre, leur volume varie depuis celui d'un pois jusqu'à celui d'une petite noix. Ordinairement arrondie ou ovalaire, participant à la mobilité générale de la lèvre, mais dépourvue de liberté dans le tissu de celle-ci, la tumeur syphilitique est le siége d'une douleur obtuse s'exaspérant parfois la nuit. Sa consistance, demi-molle dans les premiers temps de sa formation, se modifie pendant sa marche tantôt dans le sens de la mollesse et peut arriver jusqu'à la réduction en un liquide d'une grossière ressemblance avec de la gomme ramollie ou avec du pus, tantôt dans le sens de l'induration et alors elle ressemble aux productions cancéreuses de la région dont on la distingue par son mode d'évolution et par des successions ou des coexistences morbides dont le cancer est exempt, ainsi que par une marche régressive inconnue dans le processus cancéreux. Cette marche régressive, dont nous avons été plusieurs fois témoin sous l'empire des modificateurs thérapeutiques, conduit les gommes syphilitiques labiales à des substitutions d'éléments intimes ou de tissu et en particulier à l'atrophie graisseuse. Les observations micrographiques de Virchow montrent le tissu envahi par les gommes comme un tissu de granulation compacte à petites cellules dans le tissu connectif intramusculaire. Leur dégénérescence graisseuse est précoce, et, lorsqu'elle se produit, les cellules disparaissent complétement, de sorte qu'il ne reste qu'une masse finement granulée riche en graisse et d'apparence amorphe. Appliquée aux tumeurs gommeuses des lèvres suivies de guérison, cette remarque de Virchow m'a paru justifiée par l'examen clinique. Sur un sujet affecté d'une tumeur de la lèvre que je me refusai à enlever parce qu'elle me parut d'origine syphilitique, un traitement général par l'iodure de potassium et le proto-iodure hydrargyrique administrés simultanément fit disparaître la tumeur à tel point que la lèvre diminua d'épaisseur, s'amincit graduellement, perdit sa résistance naturelle comme dans l'atrophie musculaire progressive. Dans cet état l'organe ne pouvait mieux être comparé qu'à l'aspect que prennent dans cette dernière maladie les tissus du premier espace intermétacarpien où on voit les muscles de la partie interne de l'éminence thenar se fondre tellement, que les couches cutanées dorsale et palmaire sont flasques et adossées. Le traitement de la tumeur syphilitique des lèvres est celui de la période tertiaire de la syphilis : iodure de potassium, chlorure d'or à l'intérieur, pilules de sels hydrargyriques sont les moyens internes ordinairement usités, pendant qu'on emploie sur la lèvre des frictions iodurées ou des topiques résolutifs. Si la tumeur s'est ramollie, ulcérée et ouverte, les lavages détersifs et des cautérisations aident à la transformation de la surface morbide et décident ou accélèrent le travail de cicatrisation. Quant à l'opération proprement dite, elle est généralement contre-indiquée, sauf les réserves faites par Virchow sur le traitement chirurgical des gommes musculaires, le traitement général étant doublement utile, car il achève la guérison après avoir contribué à éclairer le diagnostic.

Cancer des lèvres. La région labiale est l'une des parties du corps humain le plus exposée à ces tumeurs d'une durée variable qui aboutissent à une destruction ulcéreuse spontanée et envahissante, hostile à l'ensemble même de l'organisme, et qui sont connues sous le nom collectif de cancer, bien que leurs apparences extérieures et leur structure intime présentent quelques différences. Parmi ces tumeurs, l'une d'elles est prédominante aux lèvres ; c'est le *cancroïde* ou *épithéliome*. Il en sera principalement question ici. Les autres productions hétéroplastiques appartenant au groupe des maladies cancéreuses, telles que le squirrhe, l'encéphaloïde et autres variétés établies par l'histologie moderne, n'offrent pas de caractères assez spéciaux dans la région qui nous occupe pour y insister longuement. Ils se confondent d'ailleurs avec l'épithéliome par leurs traits extérieurs les plus saillants aussi bien que par les indications thérapeutiques qui s'y rapportent. Les distinctions un moment établies par l'École anatomo-pathologique, dont M. Lebert était le principal représentant, ont vu leur intérêt s'affaiblir, lorsqu'une observation plus précise a démontré que la bénignité attribuée au cancroïde par opposition à la malignité attribuée aux autres formes de cancer, n'était pas un caractère absolu et que ces diverses affections étaient susceptibles de se généraliser, de récidiver ailleurs que sur place et finalement de menacer la vie, quoique à des degrés différents. Nous n'en sommes pas moins fondé à admettre pour les lèvres les deux variétés suivantes : Cancer commun, cancer épithélial.

Au premier groupe appartiennent le *squirrhe* et l'*encéphaloïde*, qui ont principalement leur point de départ dans l'épaisseur même du tissu labial et qui forment d'abord des tumeurs interstitielles plus dures dans la première variété, plus molles dans la seconde, mais généralement assez résistantes à cause de la densité du tissu où le produit morbide prend naissance. Ces tumeurs offrent aux lèvres les mêmes caractères physiques et microscopiques que dans toutes les régions du corps, elles n'affectent pas une prédominance plus marquée pour les lèvres que pour les autres points de l'organisme. Elles relèvent plus évidemment d'une cause générale, sont plus étrangères aux causes excitantes locales auxquelles les lèvres sont exposées, affectent indifféremment les deux sexes et se montrent sans siége d'élection dans tous les points du contour de la bouche. Leur évolution est généralement très-rapide. Les ulcérations auxquelles leur destruction donne lieu sont plus étendues, plus susceptibles d'envahir les tissus voisins et les ganglions lymphatiques qui leur correspondent. Dans l'ensemble de leur formation, de leur marche et de leur terminaison elles se comportent comme des lésions graves. On doit noter que ces productions cancéreuses ne présentent presque jamais aux lèvres la dégénérescence colloïde, ni l'infiltration mélanotique. Elles s'associent parfois à des formations érectiles en constituant le fongus hématodès des lèvres dont il a été déjà question. Elles peuvent du reste coexister avec l'épithéliome et former une sorte de cancer mixte comme l'a observé M. Lebert.

Le *cancer épithélial*, désigné aussi sous le nom de faux cancer, de cancer local, par quelques pathologistes, est tellement commun aux lèvres, qu'il a servi, pour ainsi dire, de type pour caractériser ce genre de tumeur. La détermination de ses rapports avec les formations épithéliales date des premiers progrès de l'histologie contemporaine. M. Ecker (d'Heidelberg) en 1844, M. Mayor (de Genève) en 1846, ont les premiers signalé cette corrélation aussitôt confirmée par MM. Küss et Sédillot de (Strasbourg), par M. Bennet (d'Édimbourg), et particulièrement mise en lumière par les divers travaux de M. Lebert, le véritable agitateur de la question du cancer diathésique et du cancer local. C'est à lui qu'on doit la désignation de *cancroïde* appliquée à cette dernière forme. En 1852, M. Hannover donnait à la même affection le nom d'*épithéliome* déduit de la nature histologique du produit morbide, et cette dénomination paraît devoir rester dans la sience. (*Das epithelioma.* Leipzig, 1852.)

Causes. L'épithéliome labial affecte d'une manière très-prédominante la lèvre inférieure et succède dans le plus grand nombre des cas à une cause excitante appréciable qui concentre son action sur les mêmes parties.

Le séjour sur la lèvre de matières malpropres et irritantes peut être signalé comme influence étiologique. On remarque en effet que l'épithélioma est plus rare chez les gens appartenant à la classe aisée et qui, soigneux de leur personne, entretiennent une propreté convenable sur la région labiale. Il est au contraire très-fréquent chez les ouvriers dont la profession engendre la malpropreté, ou chez les cultivateurs de certaines contrées où l'hygiène est bien retardée. L'un de nos élèves, M. Burin (*Thèse sur le cancer de la lèvre inférieure*, Montpellier, 1856), a signalé un fait que nous avons vérifié depuis, établissant la fréquence de cette affection dans certains départements méridionaux et notamment l'Aveyron, la Lozère et l'Ardèche où les habitudes de propreté sont à l'état rudimentaire. La répétition des mêmes causes d'irritation dans les mêmes points expose aux mêmes résultats. Les sujets atteints d'irritation herpétique aux lèvres et qui, cèdant trop facilement au prurit, excitent les parties avec leurs ongles, sont disposés à cette affection. Les individus sujets aux desquamations épithéliales et qui contractent l'habitude d'en dépouiller le bord des lèvres avec leurs dents, sont exposés au même mal. Lassus (*Path. clin.*, t. I) cite l'exemple d'un homme dont la profession consistait à engraisser de la volaille et qui, soufflant des grains dans le bec de ces animaux, se mordait continuellement au même endroit. Un ulcère rebelle de la lèvre inférieure fut la suite de cet exercice. M. Comin (*Thèse de Paris*, 1822) attribue à Capuron une observation du même genre. Un cas plus commun est celui des individus qui, ayant des dents gâtées, déchaussées, déviées et irrégulières sont exposés à ressentir dans un point constamment le même du contour de l'orifice buccal, une irritation qui produit d'abord un ulcère simple et plus tard un cancer épithélial. Rigal (de Gaillac) a relevé et fait connaître bon nombre de cas de ce genre que tout praticien est à même de vérifier et que j'ai souvent constatés dans les hôpitaux.

Mais la cause locale la plus active et la moins contestable de l'épithéliome des lèvres, c'est l'habitude de fumer avec excès. Les professeurs Roux, à l'Hôtel-Dieu de Paris, et Lallemand, à l'hôpital Saint-Éloi de Montpellier, rappelaient souvent dans leur enseignement la réalité de cette influence étiologique. Leroy (d'Étiolles) père, à qui on doit une statistique de l'affection cancéreuse, a fait aussi une part importante à l'habitude de fumer, et depuis lors cette influence étiologique, mentionnée aujourd'hui par la plupart des auteurs contemporains des traités d'hygiène ou de chirurgie, s'est fortifiée par de nombreux témoignages que nous avons reçus soit de la part des chirurgiens d'hôpitaux, ou de médecins militaires, tant en France qu'en Algérie. On peut consulter à ce sujet les observations de M. Payn, médecin colonial à Hussein-Dey (*Gaz. méd. de l'Algérie*, 1858). M. Lebert (*Traité des affections cancéreuses*) et M. Hurteaux (*Du cancroïde en général*) ont admis aussi la réalité de cette action productrice de l'épithéliome. Nous croyons toutefois avoir appuyé l'admissibilité de cette cause par des considérations plus variées et par des faits plus nombreux qu'on ne l'avait fait jusqu'à ce jour (*Gaz. méd. de Paris*, 1856, et *Tribut à la chirurgie*, 1861) et nous avons proposé pour cette affection l'expression de *cancer des fumeurs*, qui a causé un certain émoi aux intéressés. Aussi quelques contestations se sont élevées sur cette origine de l'épithéliome labial. M. Fleury de Clermont entre autres a nié toute influence de l'habitude de fumer, et M. Turgan, l'auteur du *Traité des grandes usines de France*, aurait cru nuire à la cause du tabac s'il ne l'avait pas mis hors de toute accusation. Mais il s'agit ici d'un fait médical, et les considérations d'un autre ordre ne doivent pas voiler la vérité.

Le tabac agit chez les fumeurs par les principes qui lui sont propres et par les circonstances inhérentes à son mode de consommation. Les feuilles de cette plante sont soumises à une préparation spéciale consistant à les arroser avec de l'eau salée et de la mélasse, afin de provoquer une fermentation pendant laquelle se produit de l'ammoniaque. Cet alcali met en liberté la nicotine ou principe actif du tabac qui lui doit ses propriétés irritantes, son odeur âcre et sternutatoire. La nicotine varie en proportion suivant les qualités du tabac à fumer livré à la consommation, et si l'on prend en considération l'âcreté de cette substance, on se refusera difficilement à reconnaître la possibilité d'un effet nuisible. Il n'est pas douteux que le cancer des lèvres et des autres parties de la bouche ne soit devenu plus fréquent depuis que l'habitude de fumer s'est non-seulement répandue d'une manière très-générale, mais qu'elle s'est aussi accrue chez les individus qui l'ont contractée. Si l'on compare à cet égard les tableaux de consommation du tabac en France seulement, depuis le commencement de ce siècle jusqu'à l'époque actuelle, on se convaincra que c'est surtout depuis la fin du premier empire et plus spécialement depuis 1830 que l'usage du tabac à fumer s'est généralisé d'une manière vraiment extraordinaire. Or, il est à remarquer que le nombre des cancers labiaux est devenu plus considérable à mesure que l'invasion de l'habitude qui provoquait cette maladie faisait elle-même des progrès. Cette lésion était assez rare avant l'époque contemporaine. Le cancer des lèvres n'est pas noté comme prédominant, eu égard au cancer des autres régions dans les traités généraux publiés en France avant l'époque indiquée. On peut s'en convaincre en lisant les écrits de Sabatier, Léveillé, Boyer, Delpech, Richerand. Les chirurgiens étrangers qui ont fait des exposés généraux de la science, tels que Heister, Bell, Richter, Monteggia, n'attachent non plus aucune idée de prédominance au cancer labial, et tous gardent le silence au sujet de sa provocation par l'action du tabac à fumer qui de leur temps était relativement peu répandue. Mais si en regard de ces écrits muets sur la maladie et sur sa cause, on place les cas nombreux qui se présentent aujourd'hui et l'extension immodérée d'une habitude propre à provoquer la maladie, on conviendra que cette corrélation doit être élevée à la hauteur d'une cause.

L'épithéliome des fumeurs attaque principalement la lèvre inférieure. Cette prédominance est établie par des faits nombreux qui sont du domaine de l'observation journalière. C'est tantôt à la partie moyenne du bord libre, tantôt, et le plus souvent, dans un point plus voisin de la commissure que se montrent les premières traces de l'altération qui doit aboutir au cancer. Le fumeur place habituellement le tuyau de la pipe ou l'extrémité du cigare sur le même point qui finit par s'altérer. Comme preuve de cette habitude on constate ordinairement, chez les vieux fumeurs de pipe, une dépression circulaire, une véritable usure sur le bord des dents qui correspondent à l'épithéliome. Cette usure constitue pour la réception du tuyau de la pipe un point plus commode que tout autre et que le fumeur finit par adopter invariablement. Il en résulte que le tuyau toujours un peu incliné en bas appuie sur le même point de la lèvre et la soumet à une excitation lente et continue. La lèvre supérieure affranchie d'un contact aussi constant en obtient une immunité relative.

La maladie labiale étant due à la cause que nous indiquons, on s'explique sa rareté chez les enfants et les femmes. Chez eux, le cancer des lèvres revêt aussi bien les formes graves du squirrhe et de l'encéphaloïde que celle de l'épithéliome. Mais cette préservation n'est pas absolue, et on peut présumer qu'elle le deviendra moins si l'usage du tabac à fumer, déjà recherché par les enfants et les adolescents et dans certaines classes de femmes, va croissant. La France paraît être surpassée par l'Angleterre, où, d'après le docteur Seymour, les enfants concourent pour une part très-importante à la consommation du tabac. L'anticipation de l'habitude qui soumet le contour buccal à une irritation continue peut faire présumer un accroissement dans la proportion ultérieure de l'épithéliome. Les sujets des classes inférieures qui fument la pipe à tube court et du tabac de mauvaise qualité présentent des épithéliomes labiaux à un âge moins avancé que les riches et les raffinés qui fument les cigares délicats, les longues pipes et qui neutralisent du reste par des soins hygiéniques les effets locaux de la combustion du tabac.

Le mode de consommation de cette substance est loin, en effet, d'être indifférent aux résultats morbides locaux qui lui sont imputables. L'expérience apporte un élément à cette question. Ce n'est pas sans raison que l'énergie du langage populaire a qualifié du nom de *brûle-gueule* la pipe à tube court. Non-seulement ce tube s'imprègne de la matière empyreumatique qui brunit le culot des vieilles pipes, mais il s'échauffe quelquefois à un assez haut degré pour faire subir aux lèvres une élévation locale de température, une sorte de brûlure chronique propre à épaissir la couche épithéliale, comme le contact des corps échauffés accroît la sécrétion épidermique des mains chez les sujets qui exercent certaines professions. Les pipes dont on se sert dans ces conditions ainsi que les cigares que l'on consomme jusqu'au bout et que l'on mâchonne à la fin, en guise de chique labiale, représentent les plus mauvaises conditions. On peut remarquer le contraste des habitudes entre les Orientaux qui fument le narghilé et celle de nos fumeurs de pipe dont le culot touche, pour ainsi dire, la bouche. Dans le mode adopté par les premiers, la fumée partant du fourneau où brûle leur tabac, arrive refroidie par un long tuyau qui traverse parfois une couche d'eau parfumée, tandis que dans le mode dont nous sommes témoins, la fumée arrive dans la bouche à son maximum de température, entraînant les principes accumulés au fond du culot. Les analyses de M. Meljens y ont signalé une forte proportion de nicotine. M. Gerhardt (*Chimie organique*, t. IV, p. 186) ayant, de son côté, analysé le liquide brunâtre qui s'accumule au fond des pipes, y a trouvé un liquide brunâtre d'une saveur très-âcre, d'odeur empyreumatique, très-vénéneux et assez chargé de nicotine pour que quelques gouttes versées dans le bec d'un oiseau le frappent d'une mort instantanée. Aussi le cancer des fumeurs n'attaque pas exclusivement la lèvre où repose le tuyau de la pipe, il peut se manifester dans tous les points de la cavité buccale, et il affecte principalement les parties sur lesquelles se porte plus directement le premier jet de fumée que l'aspiration fait sortir du tuyau, c'est-à-dire la langue et les joues. Si l'on associe à cette cause locale très-accentuée, l'irritation que la déviation des dents occasionnée par la pression même de la pipe peut ajouter à l'échauffement du tuyau, comme l'a indiqué Rigal, et les excoriations que le placement réitéré de la pipe dans la bouche peut occasionner sur la lèvre, comme l'a indiqué M. Philippart, on se convaincra que l'action dont nous venons d'analyser les effets doit être très-influente. Toutefois, il ne suffirait pas d'établir sa place en étiologie, si l'observation n'indiquait sa réalité dans la pratique.

Il y a dix ans, nous avons publié un relevé de 72 cas de cancer labial où un examen attentif des circonstances qui avaient pu favoriser la maladie ne laissait aucun doute sur la réalité de l'influence de l'habitude de fumer. Le plus grand nombre de ces faits avait été observé à la clinique de l'hôpital Saint-Eloi. Depuis lors, notre expérience sur ce point a pu se baser sur des faits bien plus nombreux, accumulés, pour ainsi dire, sous nos yeux, par la notoriété des premiers. Le nombre actuel des affections de ce genre que j'ai observées et dont la plupart ont exigé des opérations chirurgicales s'élève à 225, en sorte qu'il ne saurait nous rester aucun doute ni sur la fréquence du cancer buccal chez les fumeurs, ni sur la réalité de la cause qui provoque chez eux une aussi grave affection.

A cette cause locale, nous n'hésitons pas à associer une disposition générale, un état dyscrasique qui est aussi une condition de la maladie. Nous avons souvent entendu faire, à titre d'objection, la remarque que beaucoup de fumeurs ne présentent absolument aucune lésion, malgré l'intensité et la durée de leur habitude, et que, d'ailleurs, le nombre des fumeurs est si grand par rapport au petit nombre des cas morbides qui se présentent dans la pratique, qu'il n'y avait pas lieu de tenir compte de l'influence de l'usage du tabac sur la production du cancer buccal. Nous ferons remarquer qu'il en est ainsi pour une foule de faits pathologiques attribuables à une cause générale qui, agissant sur un très-grand nombre de sujets, ne réalise son action que sur très-peu d'entre eux. En pathologie, les causes étant multiples, si l'on ne tient compte que d'un seul facteur, on n'a pas le produit. Mais si on tient compte de tous les éléments producteurs, on rentre dans la vérité et on peut attribuer à chacun la part respective qui lui revient. Dans le cas que nous examinons, il ne s'agit que d'une cause déterminante qui reste inerte si elle est seule, mais elle devient très-puissante si elle coexiste avec une cause générale prédisposante qu'elle excite et qu'elle rend active. Tel sujet chez lequel la disposition morbide au cancer fût restée latente, s'il n'eût pas soumis un organe à un contact irritant habituel, est après un certain temps affecté d'un cancer aux lèvres, si ces parties subissent l'excitation qu'y concentre l'habitude de fumer. L'effet qui se produit dans ce cas trouve ses analogues dans beaucoup d'autres circonstances et pour d'autres parties du corps où l'on voit spécialement l'épithéliome succéder à des irritations locales réitérées. Le *cancer des ramoneurs*, très-commun du temps de Pott, qui l'a décrit, et qui était attribué par ce chirurgien à l'irritation produite par la suie provenant de la combustion de la houille et accumulée dans les plis du scrotum, représente un cas pathologique du même ordre. La pratique en signale beaucoup d'autres. Les cas cités par Marjolin, de l'envahissement des cautères anciens par le cancer, rentrent encore dans la même catégorie, et les exemples de cancroïdes, qui se développent sur les surfaces eczémateuses souvent irritées par les ongles des malades, viennent encore à l'appui de cette interprétation.

Caractères. L'épithéliome labial atteignant dans une proportion très-prédominante la lèvre inférieure, notre description s'y rapportera principalement. Cette lésion peut se manifester sous plusieurs formes.

1° Il est assez commun d'observer la maladie bornée à un épaississement épithélial qui correspond au point d'appui de la pipe ou du cigare ou à l'action localisée de toute autre cause efficiente. L'excès de production épithéliale peut toutefois être réparti sur une grande étendue du rebord de la lèvre, qui perd alors son aspect naturel et prend une coloration blanchâtre caractéristique. Limité à ce degré, l'épithéliome n'est que l'exagération de l'état normal et marque, pour ainsi dire, la transition entre cet état et la production épidermique pathologique. Sous cette forme diffuse et superficielle, il reste souvent stationnaire. Cette variété est évidemment la plus bénigne et n'aboutit pas nécessairement à l'ulcération.

2° Une autre forme qui présente aussi une bénignité relative consiste dans l'épithélioma corné. Il se produit sur le bord labial une véritable excroissance dure et résistante comme la corne et qui peut acquérir des dimensions variables. On sait que des productions cornées de cette nature peuvent se manifester sur différents points du corps, ce qui a donné lieu à des descriptions singulières recueillies par Pagenstescher (*de Cornibus et cornutis*) ; mais parmi celles qui naissent sur des muqueuses ou à leur voisinage, les cornes des lèvres sont les plus remarquables. J'en ai observé une de forme cylindrique et recourbée en manière d'ergot sur un sujet âgé de 38 ans. Elle avait un centimètre d'épaisseur à sa base et une longueur de 3 centimètres. J'en pratiquai l'ablation avec succès. Les produits cornés labiaux semblent parfois n'être que l'enveloppe des papilles hypertrophiées analogues à celles qui bordent le pourtour des ulcères connus sous le nom de mal perforant. Ces lésions, nommées aussi *papillomes cornés* et bien décrites par MM. Cornil et Ranvier, qui leur assimilent les cors, les verrues et d'autres productions du même genre, sont loin d'être rares à la lèvre. Tantôt elles déterminent une ulcération autour du point où elles sont implantées, d'autres fois elles cernent une ulcération vers laquelle semblent dirigées des aiguilles cornées convergentes. L'analyse anatomique réduit ces formations à une condensation de cellules épithéliales qui s'accroissent par juxtaposition, se dessèchent et s'indurent tout en conservant une adhérence très-prononcée. Les produits cornés ne participent pas à la vie commune et existent au même titre que les ongles et les cheveux. Si on les incise, la surface de section présente l'aspect réel de la corne, et si on en fait brûler une partie, comme nous l'avons expérimenté, elles répandent l'odeur caractéristique de corne brûlée. Contenues par leur point d'implantation avec la couche épidermique naturelle, les mouvements ou les tractions qu'on leur imprime occasionnent de la douleur à la lèvre. Leurs rapports avec les productions épithéliales ordinaires ne sauraient être méconnus. L'état corné représente un détail particulier et pour ainsi dire accidentel de tassement de la substance épidermique. Mais on les voit se former dans les mêmes circonstances, et à leur début elles ressemblent aux excroissances ordinaires dont elles ne se distinguent que par un peu plus de densité. Sur l'un de nos opérés, il existait simultanément un épithéliome diffus de la lèvre, des excroissances verruqueuses, dont quelques-unes, passées à l'état d'ulcération, indiquaient le cancroïde, et une tumeur cornée placée près de la commissure complétait l'ensemble de la lésion évidemment produite par la même cause.

3° La forme la plus ordinaire du cancer labial des fumeurs est caractérisée à son début par une excroissance verruqueuse ou par une fissure dont les bords sont plus ou moins indurés. Dans le premier cas, une saillie anormale plus ou moins résistante se manifeste sur un point limité de la lèvre inférieure et spécialement sur celui qui sert d'appui à la pipe ou au cigare; le fumeur néglige cette excroissance ou l'attribue à une autre cause et donne cours à ses habitudes avec d'autant moins de défiance qu'aucune douleur ne l'avertit de la nature du mal qui fait sa première apparition. Dans le second cas, c'est une gerçure du rebord labial prise pour une crevasse épidermique ordinaire qui marque le début du cancroïde. Loin de se cicatriser, cette gerçure, entretenue par une cause habituelle d'irritation, s'agrandit ou creuse le tissu de la lèvre, et cette apparence est d'autant plus marquée que ses bords se relèvent et s'hypertrophient en revêtant une apparence grisâtre.

Cette période initiale de la maladie fait bientôt place à un état plus caractérisé. La production morbide dépasse alors sensiblement le niveau de la lèvre. La base ou la circonférence en est dure et un peu douloureuse, la surface est d'un aspect particulier, elle paraît rugueuse et chagrinée; des papilles mamelonnées ou coniques hérissent la partie saillante de la tumeur et s'y dessinent avec des apparences diverses. L'aspect et le contact des papilles hérissées de la langue peuvent jusqu'à un certain point en donner l'idée, et cette assimilation est d'autant plus acceptable, qu'il s'agit en effet d'une organisation analogue. Les saillies du corps papillaire de la muqueuse labiale subissent une hypertrophie qui leur donne isolément du relief. L'examen à la loupe fait encore mieux reconnaître la gaîne épithéliale qui enveloppe chaque papille et qui en lui communiquant plus de résistance, lui imprime aussi une forme plus accentuée. Bon nombre de malades offrent les caractères que nous venons d'énoncer au plus haut degré et avec des variétés particulières qui ont pu fixer l'attention des observateurs. M. Eckel a décrit trois formes de tumeurs épithéliales des lèvres qu'il désigne sous les noms de tumeurs en treillages, en pavés ou en dards. Mais ce sont là des circonstances de configuration extérieure qui ne peuvent servir de base à une classification utile et qui d'ailleurs manquent quelquefois complétement, car il est des cancroïdes de la lèvre sur lesquels la couche papillaire et épithéliale disparaît dès le début et qui se montrent avec le caractère primitivement ulcéreux.

La surface de ces ulcérations saillantes est tantôt un peu saignante, tantôt recouverte de croûtes plus ou moins épaisses et irrégulières qui ont pour éléments du pus épaissi, de l'épiderme, des matières grasses ou sébacées, du sérum ou du sang desséchés. M. Lebert, les examinant sur le porte-objet du microscope, dit y avoir rencontré parfois des infusoires de la tribu des Vibrions. Les croûtes sont plus ou moins adhérentes, et semblent, dans certains cas, constituer toute la tumeur. Les malades les tiraillent, les sollicitent de diverses façons ou les arrachent dans le but de diminuer la saillie de la tumeur et de simplifier celle-ci; mais cette manœuvre n'est qu'une nouvelle cause d'irritation et n'aboutit qu'à l'accroissement de l'épithéliome qui s'agrandit dans tous les sens et gagne les tissus voisins.

La tumeur prend alors les caractères vraiment propres au cancroïde, elle acquiert un volume et des dimensions très-marqués; la muqueuse labiale d'abord soulevée s'ulcère et le mal s'étend du côté de la cavité buccale. La face cutanée n'est pas plus respectée; l'épiderme se fendille, éclate, laisse le tissu propre du cancroïde se dessiner au dehors et celui-ci surplomber en avant de la lèvre où il s'étale en excroissance mûriforme. La lésion gagne ainsi de proche en proche toute l'étendue de la lèvre et la commissure la plus voisine, et peut ainsi menacer le contour buccal ou se propager plus spécialement dans le sens de l'une des deux joues. Il n'est pas rare de voir la face interne de celle-ci ou l'un des côtés de la langue offrir simultanément un noyau distinct d'ulcère cancroïde. Pendant cette période de progrès le mal envahit la lèvre inférieure dans le sens de sa hauteur. Si on palpe cette partie, on la trouve indurée; l'induration est tantôt circonscrite, tantôt diffuse. Elle est uniforme ou lobulée et, suivant son étendue, elle gêne plus ou moins les fonctions de la partie pour l'exercice de la parole, pour la préhension buccale des aliments et des boissons et pour retenir la salive. Si la maladie est un peu avancée, la lèvre ne peut empêcher ce liquide de s'écouler, et comme sa sécrétion est plus abondante à cause de l'irritation que la muqueuse buccale éprouve et que le cancer entretient, la salive s'échappe constamment et irrite la surface cutanée de la région mentonnière. Nous avons vu des malades que cette dégoûtante disposition n'empêchait pas de fumer, et qui accroissaient encore l'excès de secrétion et de déperdition salivaires par l'excitation que produit l'action locale du tabac.

Lorsqu'on examine sous le rapport anatomique un épithéliome au moment où le tissu labial commence à être envahi, et qu'on pratique une incision verticale destinée à faire apprécier les rapports de la production morbide avec les éléments naturels de la lèvre, on remarque que la base de l'épithéliome s'enfonce inégalement dans les parties qui sont plus épaisses et plus vascularisées; les glandes sébacées de la région sont hypertrophiées aussi bien que les glandules sous-muqueuses. En soumettant la tumeur à la pression et en lui faisant subir une sorte d'écrasement, on obtient une matière grisâtre qui n'a, avec la matière squirrheuse ou encéphaloïde, qu'une fausse ressemblance de couleur et qui, par sa consistance, a été comparée au mastic des vitriers. Elle revêt plus exactement l'apparence de la matière épidermique de certaines parties du corps, lorsqu'elle a été ramollie par une longue immersion dans l'eau, et qu'elle se détache par fragments caséiformes faciles à écraser.

La matière composante de ces tumeurs n'est, en effet, qu'une substance véritablement épidermique ou épithéliale, ainsi que le démontre l'examen microscopique. On reconnaît par cet examen divers éléments parmi lesquels prédominent les cellules dites épithéliales, volumineuses, atteignant de 1 à 3 dixièmes de millimètre avec un ou plusieurs noyaux, tantôt d'une forme assez régulière, d'autres fois déformées. Ces cellules dont la description détaillée ne saurait actuellement nous occuper et qui, d'ailleurs, n'ont rien de caractéristique par rapport à l'épithéliome des fumeurs, sont parfois agminées de manière à former des corpuscules assez volumineux pour être apercevables sans le secours du microscope et désignés sous le nom de globes épidermiques. Ce sont des corps sphéroïdaux, cylindriques ou en polyèdre et dont la partie centrale amorphe ou granuleuse est entourée de cellules pavimenteuses imbriquées comme les écailles d'un bulbe ou même soudées; plusieurs globes épidermiques réunis représentent quelquefois des granulations blanchâtres très-évidentes.

Les fumeurs atteints de l'épithéliome parvenu à ce degré s'aperçoivent alors du caractère suspect de la maladie qui les affecte. L'ulcération s'empare de la tumeur et la détruit inégalement pendant qu'une formation nouvelle la propage dans un autre sens. La matière épidermique infiltre alors les tissus voisins qu'elle détruit par substitution. Le tissu musculaire de la lèvre, le tissu muqueux jusqu'au rebord gingival, la peau dans une étendue plus ou moins grande, sont le siége principal de ce progrès, mais cet envahissement par substitution connaît peu d'obstacles si la maladie est abandonnée à elle-même. L'os maxillaire inférieur n'échappe pas à la destruction et si la maladie atteint la langue, les joues ou le voile du palais, des ulcérations affreuses et incessamment augmentées, signalent les progrès du mal.

Le cancroïde de la lèvre inférieure n'atteint pas des proportions aussi menaçantes sans mettre en évidence tous ses caractères. Mais lors même qu'il est borné à la lèvre qui est son siége de prédilection, il est en général facile à diagnostiquer. Son mode de développement, la considération de la cause qui lui a donné naissance, la forme initiale, les démangeaisons auxquelles il donne lieu d'abord et auxquelles succèdent des sensations plus pénibles, celles d'élancements douloureux, la dureté inégale de la tumeur qu'il représente, l'aspect de l'ulcération suffisent pour dévoiler la nature du mal au chirurgien exercé. Toutefois, il est des cas douteux où une observation attentive est d'autant plus nécessaire qu'il en découle une conséquence thérapeutique heureuse ou préjudiciable pour le malade. Il n'est pas inutile de rappeler que les ulcères des lèvres ou les tumeurs qui les accompagnent peuvent revêtir la nature cancéreuse, syphilitique, scrofuleuse ou dartreuse. Le cancer vrai, ou hétéroplastique, sera différencié du cancroïde par son siége indifféremment établi sur tous les points du contour de l'ouverture buccale, par son développement moins superficiel, par ses progrès plus rapides, ses variétés d'aspect squirrheux ou encéphaloïde et surtout par l'examen microscopique, diagnostique, consistant à déterminer la forme des éléments constituants du tissu morbide. Les ulcères syphilitiques et les tumeurs musculaires syphilitiques des lèvres pourraient donner lieu à des méprises regrettables, et conduire mal à propos à l'exécution d'opérations inutiles, si on ne prenait en considération les antécédents morbides, les coexistences pathologiques qui manifestent la syphilis, l'aspect de l'ulcère, les douleurs nocturnes et gravatives des tumeurs labiales portant le caractère syphilitique. Les tumeurs scrofuleuses siégent de préférence à la lèvre supérieure qui est engorgée et œdémateuse et qui présente, surtout à la face muqueuse, des ulcères d'un aspect atonique bien différent de celui du cancroïde. Enfin, un praticien distinguera toujours aussi la manifestation de la diathèse herpétique, connue sous le nom de lupus, à l'aspect de l'ulcération serpigineuse, aux traces d'une ancienne cicatrisation spontanée dans le voisinage de la maladie actuelle, aux tubercules ulcérés, isolés ou agminés qui forment cette maladie, et aux plaques crustacées qui revêtent les ulcérations. L'excision exploratrice et la vérification microscopique resteront toujours, pour le chirurgien, comme une ressource, précieuse, et dans les cas douteux la temporisation et l'épreuve thérapeutique pourront asseoir le diagnostic sur des bases positives. Dans un cas un peu obscur, à ses débuts, et considéré comme un cancer labial par plusieurs chirurgiens qui avaient examiné l'un de nos malades, nous avons administré, à titre d'essai, des remèdes antisyphilitiques, qui ont eu le double avantage d'éclairer assez promptement le diagnostic et de transformer cet essai en traitement rationnel bientôt suivi de guérison.

L'épithéliome consécutif à l'habitude de fumer ne doit pas à cette origine locale une limitation absolue aux parties où il se développe. S'il se généralise plus rarement que le vrai cancer, on ne doit pas oublier qu'il relève lui-même d'une cause diathésique qui a été mise en jeu par une excitation incessamment portée sur le même point, et qu'en conséquence il offre les dangers inhérents au concours simultané d'une cause interne et d'une cause locale. Ces dangers consistent dans la diffusion des produits morbides qui constituent la lésion au delà des points primitivement atteints. Hâtons-nous de dire que d'après notre statistique aussi bien que d'après l'observation commune, l'épithéliome se propage facilement aux ganglions lymphatiques voisins et renouvelle dans ces foyers des lésions comparables, par leur nature et par leurs résultats, à la lésion primitive. Ici se reproduit naturellement la question clinique si débattue de nos jours, des différences du cancroïde et du cancer au point de vue de la localisation. On avait d'abord pensé que le cancroïde ou épithéliome ulcéré ne s'accroissait que de proche en proche en gagnant les tissus voisins et les détruisant par substitution, tandis que le cancer hétéromorphe (squirrhe ou encéphaloïde) pouvait se montrer et se montrait en effet très-souvent sur des points éloignés et sans liaison directe avec le siége primitif de la maladie. Cette distinction radicale, que la pratique eût été heureuse d'enregistrer comme preuve de la curabilité du cancroïde, a reçu une première atteinte par la démonstration de la propagation de la matière épithéliale depuis le lieu de formation initial jusqu'aux ganglions voisins. De nouveaux faits recueillis par MM. Virchow, Velpeau, Ollier tendent à établir que l'épithéliome peut se reproduire ou récidiver sur des points éloignés et sans aucune liaison avec son lieu primitif d'apparition. Ces vérités étant acquises et permettant de conclure que, malgré la présence d'un élément homœomorphe, l'épithéliome se comporte comme les tumeurs cancéreuses à éléments hétéromorphes, reconnaissons que les progrès de l'épithéliome sont généralement limités au voisinage des tissus primitivement affectés, et que cette maladie ne dépasse guère le champ lymphatique de la lésion.

Mais ce dernier mode de terminaison est extrêmement fréquent pour les cancers épithéliaux des lèvres. Nous l'avons observé pour tous les cas où l'intervention tardive de l'action chirurgicale avait permis à la lésion de s'étendre. Tous les fumeurs que nous avons vu périr des suites du cancroïde labial ou de la même lésion développée dans les parties intrabuccales étaient affectés d'engorgement des ganglions lymphatiques sous-maxillaires. Cette participation morbide des ganglions lymphatiques se produit avec une rapidité variable. Chez certains sujets, la propagation cancroïde marche très-promptement, chez d'autres, elle est un résultat tardif. Le développement de l'affection dans les ganglions est quelquefois insidieux et il est toujours utile, quand on doit opérer un de ces cancroïdes, d'examiner très-attentivement la région sous-maxillaire, soit dans la partie moyenne, soit surtout sur les côtés, pour découvrir des ganglions quelquefois très-petits qui sont masqués par les glandes sous-maxillaires ou cachés à la face interne de l'os. On remarque que les ganglions affectés sont tantôt mobiles et exempts de toute connexion avec les parties environnantes, tandis que d'autres fois le tissu cellulaire qui les entoure a perdu sa laxité, est comme infiltré de la matière plastique où doivent se développer les cellules épithéliales et représente des engorgements diffus, massifs et adhérents, dont on ne peut tracer les limites et qui par le fait de cette disposition font pressentir une plus haute gravité eu égard à la marche ultérieure des symptômes. L'ulcération ne tarde pas, en effet, à s'emparer de ces tumeurs sous-maxillaires dures et saillantes, où l'analyse microscopique démontre les mêmes éléments que dans l'épithéliome labial. Leurs progrès tantôt se dessinent du côté de la bouche et de la muqueuse, gênent la langue et la mâchoire dans leurs mouvements, tantôt du côté de la peau qu'elles soulèvent douloureusement après avoir altéré sa consistance et sa couleur. Une abondante excrétion de matières ichoreuses, et des hémorrhagies qui se renouvellent avec une fréquence et une intensité variables affaiblissent peu à peu les malades, dont la fièvre hectique achève de miner la constitution et qui périssent misérablement. Quelquefois la gêne de la déglutition ou de la respiration s'ajoute aux causes de gravité inhérentes à la marche naturelle de la maladie.

Si le cancer des fumeurs revêt d'une manière prédominante la forme de l'épithéliome, il ne s'ensuit point que le cancer hétéromorphe ou vrai cancer ne puisse être provoqué par la même influence. Une observation attentive nous permet d'affirmer que le squirrhe ou l'encéphaloïde peuvent aussi être sollicités dans leur manifestation vers la bouche par l'irritation que le tabac à fumer occasionne. Si l'on objecte que dans ces cas la maladie pouvant se développer spontanément et sans cause provocatrice, rien ne démontre que la cause locale incriminée soit réellement intervenue, nous répondrons par cet axiome de pathologie générale d'après lequel une diathèse latente demande, pour se montrer, une cause occasionnelle. Véritable tendance à l'évolution morbide, la prédisposition est une sorte de germe attendant les conditions de sa vie spécifique. Cette condition, méconnue dans beaucoup de cas où, par ignorance de la cause, on admet la spontanéité, se retrouve chez les fumeurs imprégnés du germe cancéreux. La maladie se déclare parce qu'elle reçoit son principe d'activité dans une région où l'énergie nutritive, la richesse vasculaire et d'autres dispositions locales favorisent d'ailleurs le développement du cancer. Dans ces cas, la marche de la maladie est plus rapide et plus grave que dans l'épithéliome, et le danger de l'apparition des produits morbides de même nature, par coexistence ou par récidive, dans d'autres points étant plus grand que dans le premier cas, il en résulte un surcroît d'aggravation qui en fait la pire espèce de cancer buccal considéré chez les fumeurs.

Traitement. Les détails dans lesquels nous sommes entrés sur l'étiologie du cancer labial et spécialement de sa forme épithéliale, permettent de faire une place à la prophylaxie de cette lésion. Il est évident que la suppression ou la modération dans l'habitude de fumer restreindraient notablement le nombre des lésions cancéreuses des lèvres. Mais l'hygiéniste a peu de chances d'être écouté en présence d'une mode générale passée à l'état de besoin. La médecine opératoire doit remédier à un mal dont les porteurs méprisent la prophylaxie, et que les remèdes internes seuls ne peuvent guérir quand il est établi. Ce serait en effet perdre son temps que d'administrer, à l'adresse d'un cancer constaté, l'iodure de potassium, les préparations aurifères, hydrargyriques ou autres, dont l'emploi ne saurait se justifier que si la nature du mal offrait quelques doutes et qu'on voulût éclairer le diagnostic par une épreuve thérapeutique.

Le cancer des lèvres n'est justiciable que du chirurgien; on doit le détruire. La destruction par la cautérisation ou l'instrument tranchant peut convenir suivant les cas; mais le bistouri est infiniment préférable aux caustiques. Les cancroïdes cutanés éloignés des ouvertures naturelles sont facilement et avantageusement attaqués par la pâte arsenicale ou par celle de chlorure de zinc; mais le maniement de ces substances caustiques n'est ni aussi facile ni aussi sûr lorsqu'il s'agit du cancer placé à l'ouverture de la bouche, et à plus forte raison s'il empiète dans cette cavité. Les caustiques plus faibles et d'une action plus rapide et plus superficielle, tels que le nitrate d'argent, le sulfate de cuivre, le nitrate acide hydrargyrique, sont formellement contre-indiqués, et entre des mains inexpérimentées, ils ont même l'inconvénient d'ajouter à l'épithéliome ulcéré une nouvelle cause d'irritation qui accélère ses progrès. Quant à l'action du feu, elle est douloureuse, répugne aux malades et ne produit de destructions complètes qu'à la condition de donner lieu, après la chute des eschares, à des cicatrices irrégulières qu'il s'agit précisément d'éviter lorsqu'on opère sur l'ouverture buccale. Le fer rouge ne convient que lorsque le cancer des lèvres, étendu jusque dans l'intérieur de la bouche, se refuse à une attaque chirurgicale régulière et lorsqu'il faut exercer pendant l'opération une action hémostatique.

Le cancer des lèvres est attaqué avec beaucoup d'avantage par le bistouri. Avec cet instrument, on cerne le mal par des incisions régulières convenablement dirigées au delà de ses limites, et on peut faire suivre cette ablation par une réunion exacte, d'où résultent des cicatrices linéaires laissant à peine des traces visibles de l'opération. L'excision cunéiforme, l'excision en V, l'excision horizontale du bord labial et l'opération composée et réparatrice connue sous le nom de chéiloplastie conviennent spécialement pour le traitement des cancers labiaux.

L'*excision cunéiforme* est utile dans les cas où l'épithéliome, disposé parallèlement au bord libre de la lèvre, ne dépasse pas l'épaisseur de ce bord, et respecte à la fois la peau et la muqueuse, qui appartiennent à ses faces. On cerne la lésion entre deux incisions horizontales qui détachent dans l'épaisseur de l'organe une sorte de coin dont la base est à la lésion et l'arête opposée dans l'épaisseur des tissus. On obtient ensuite une cicatrice linéaire en réunissant la peau et la muqueuse par quelques points de suture. Dans ce procédé que nous avons souvent mis en pratique et qui nous a donné les meilleurs résultats, la lèvre amincie d'avant en arrière, mais n'étant ni diminuée en hauteur, ni raccourcie d'une commissure à l'autre, a conservé chez nos opérés une forme régulière qui dissimulait complétement la difformité et qui, chez certains, a même corrigé la disposition primitivement disgracieuse de l'ouverture buccale.

L'excision en V est l'opération qui se pratique le plus communément pour remédier au cancer labial. Elle est applicable lorsque la lèvre étant envahie partiellement dans le sens de sa hauteur et de son épaisseur, il reste, entre la tumeur cancéreuse et les commissures labiales, assez de tissu pour que l'organe puisse être reconstitué. Deux incisions obliques et convergentes sont faites depuis le bord libre de la lèvre jusqu'à un point plus ou moins rapproché de la partie adhérente, et elles circonscrivent un triangle de parties molles dont la base supporte le cancer. Immédiatement après l'ablation qui doit empiéter convenablement sur les parties saines, on réunit par affrontement les deux bords épais de la plaie, et et on les maintient efficacement en contact par la suture entortillée comme dans l'opération du bec-de-lièvre. Cinq ou six jours suffisent pour que la réunion soit solide. Ce procédé nous a toujours réussi, et ne nous paraît pas mériter les reproches que lui adresse M. Lebert. Il n'expose pas à la récidive, si on a eu le soin de dépasser les limites du mal, et le rétrécissement de la bouche ainsi que la saillie de la lèvre saine, devenue proportionnellement trop étendue, ne tarde pas à disparaître par suite de l'ampliation de la partie restante de la lèvre opérée, qui se dilate avec facilité. Ce procédé a pour conditions de succès l'intégrité et la souplesse du tissu labial respecté; la portion retranchée ne doit pas être non plus trop considérable; si la perte de substance réclamée par la lésion devait être trop étendue, l'excision simple ne suffirait pas.

L'*ablation horizontale* du bord labial était le procédé préféré par Dupuytren et par les chirurgiens formés à son exemple. Elle convient lorsque le cancer a envahi tout le bord libre sans détruire la lèvre en hauteur. Mais pour peu que la lésion exige un sacrifice du tissu dans ce dernier sens, et qu'en conséquence l'organe soit raccourci dans son ensemble, la rangée dentaire reste à découvert, la bouche perd sa régularité, l'absence de la partie mobile de la lèvre produit une gêne marquée dans la prononciation des mots, et s'il s'agit de la lèvre inférieure, comme c'est le cas le plus ordinaire, l'organe ne pouvant plus faire obstacle à l'écoulement de la salive, il en résulte pour l'opéré une infirmité désagréable et même une cause de dépérissement.

C'est aux procédés complexes de la *chéiloplastie* qu'il faut recourir, lorsque le cancer a produit des ravages considérables autour de l'orifice buccal. Si les lèvres sont détruites dans une grande étendue, que la lésion se soit propagée aux commissures ou qu'elle ait encore porté plus loin ses effets, les opérations précédentes ne sauraient suffire. Enlever rigoureusement les parties affectées et diriger les incisions de manière à mobiliser les parties restantes; agrandir l'ouverture buccale par la division des commissures; faire des sections verticales ou obliques dans le sens du menton et jusqu'à la région sus-hyoïdienne; disséquer les parties comprises entre les incisions; emprunter des lambeaux à la joue, à la partie inférieure de la face ou même au cou; affronter régulièrement ces lambeaux mobilisés, de manière à réparer la lèvre et à restituer avec plus ou moins d'exactitude la forme de la bouche, telle est la série des artifices qu'il faut employer et dont on assure les effets par une bonne hémostasie et une suture terminale faite avec soin. Comme on le comprend, les procédés sont très-divers pour atteindre le résultat; et depuis Franco jusqu'à Chopart, depuis Roux jusqu'à Dieffenbach et Serre, depuis Syme jusqu'à Jæsche, B. Lagenbeck et Burow, l'activité et l'esprit inventif des chirurgiens n'a pas fait défaut aux difficultés du problème. Sans entrer dans l'exposition actuellement inopportune de tous les procédés préconisés, exposition déjà faite dans ce dictionnaire, à propos de la chéiloplastie, nous nous bornerons à dire que, dans les nombreuses opérations de ce genre que nous avons pratiquées, nous avons obtenu des résultats plus satisfaisants en taillant et mobilisant des lambeaux géniens qu'en recherchant des lambeaux mentonniers ou sus-hyoïdiens. La suture cutanéo-muqueuse, comme complément de l'orifice buccal, s'exécute dans le premier cas avec des ressources bien plus grandes, la réunion s'opère mieux, et l'on n'a pas à redouter après l'opération les déformations résultant de la difficulté de maintenir les lambeaux mento-hyoïdiens, qui tendent, malgré toutes les précautions, à s'abaisser et par conséquent à dénuder l'arcade dentaire inférieure, sinon l'os maxillaire lui-même.

Au reste, les ressources varient avec les procédés et ceux-ci s'appliquent suivant les cas à la restauration de la lèvre supérieure, à celle de la lèvre inférieure ou à celle des commissures. Le cancer n'étant pas la seule lésion qui donne lieu à des séparations de cette nature et l'opération étant susceptible de considérations générales qui dépasseraient les proportions de cet article, nous renvoyons le lecteur aux articles AUTOPLASTIE et CHÉILOPLASTIE, où ces considérations sont amplement exposées.

L'épithéliome et les tumeurs hétéromorphes qui composent le groupe des affections cancéreuses de la lèvre, peuvent récidiver, si l'on n'enlève pas scrupuleusement tous les tissus affectés ou même suspects. A cet égard l'attention du chirurgien doit se porter d'une manière toute particulière sur les ganglions lymphatiques de la région sous-maxillaire, soit sur la ligne médiane, soit, ce qui est plus ordinaire, sur les parties latérales, et au voisinage de la glande sous-maxillaire. C'est par là que le mal repullule avec le plus d'énergie, et c'est aux progrès de la lésion renouvelée dans ces points que succombent les malades ; leur mort est lente et très-douloureuse. Il faut donc examiner avec le plus grand soin l'état des ganglions lymphatiques, s'abstenir de toute tentative si leur altération et leur défaut de mobilité indiquent que la propagation morbide s'est étendue au delà de la sphère accessible à toute opération prudente, mais les enlever sans merci lorsque l'opération a pu être entreprise. Bien que ce temps complémentaire ne soit pas toujours sans difficultés, un chirurgien exercé saura les surmonter, et il n'oubliera pas que l'opération ne peut être fructueuse qu'autant qu'elle est complète. Il devrait se considérer comme n'ayant rien fait dans l'intérêt du malade, s'il lui restait encore quelque point suspect à enlever, *Nil actum reputans si quid superesset agendum.*

BOUISSON.

BIBLIOGRAPHIE. — Nous avons, autant que possible, éliminé de cette bibliographie, les nombreux mémoires ou observations relatifs aux procédés de *restauration des lèvres* (voy. CHÉILOPLASTIE). Du reste, comme complément, on pourra voir les traités de pathologie externe, les monographies et mémoires sur les tumeurs de différentes sortes (cancers, cancroïdes, épithéliomas, tumeurs érectiles, etc.).

WINCLER (Dan.). *De excrescentia in labio superiore.* In *Ephem. N. C.*, dec. I, ann. VI et VII, obs. 37, p. 70. Francof., 1677, in-4°. — RAYGER (C.). *De labrosulcio seu Cheilocace.* Altdorfii, 1698, in-4°. — STAUDACHER (H. Guill.). Præs. BAIER. *De labiorum pustulis.* Altdorfii, 1700, in-4°. — FÜRSTENAU. *De carcinomate labii inferioris absque sectione persanato.* Rintel, 1739. — DELIUS. *De Efflorescentia labiorum.* Erlangæ, 1764, in-4°. — BAYLE. *Sur un ulcère chancreux de la lèvre inférieure.* In *Journ. de méd.*, t. XXVI, p. 256 ; 1767. — DUJARDIN (F.). *De labiorum cancro.* Th. du coll. de chir. Paris, 1768, in-4°. — FELS. *De Carcinomate labiorum observationes aliquot.* Erfordiæ, 1789. — LODER (Just. Chr.). *Progr. cancri labii inferioris feliciter extirpati historia.* Ienæ, 1794, in-4°. — GAULT (J. Ambr.). *Essai sur le cancer des lèvres.* Th. de Paris, an XIII, n° 389. — GRÆFE (C. F. VON). *De notione et cura angiectaseos labiorum, ratione habita communis vasorum morbosæ extensionis specimen.* Lipsiæ, 1807, in-4°. — STARK (J. Chr.). *Commentatio medico-chirurgica de cancro labii inferioris observationibus illustrata.* Ienæ, 1812, gr. in-4°, pl. — MONFALCON. Art. *Lèvres.* In *Dict. des sc. méd.*, t. XXVIII, 1818. — EARLE (H.). *On Diseases of the Lips.* In *Med. Chir. Transact.*, t XII, p. 271 ; 1822. — BULL (Chr. Ald.). *Case of Cancer of the Lip in which the Operation lately recommended by M. Richerand was performed.* In *The Lond. Med. Repository*, t. XIX, p. 472 ; 1823. — PAILLARD (A.). *Traitement chirurgical du gonflement de la lèvre supérieure.* In *Journ. des progrès*, etc., 1re sér., t. III, p. 213 ; 1827. — ROUX (de Saint-Maximin). *Sur le cancer des lèvres et sur une nouvelle méthode opératoire.* In *Rev. méd.*, 1828, t. I, p. 30. — GRÆFE (Ed.). *Ueber J. N. Roux's Methode den Lippenkrebs zu heilen.* In *Græfe's und Walther's Journ.*, t. XII, p. 428 ; 1828. — DU MÊME. Art. *Lippen* (Krankh.). In *Encyclopäd. Wörterb.*, t. XXI. Berlin, 1839. — TRAVERS (Benj.). *Cancer of the Lower Lip.* In *Med. Chir. Transact.*, t. XV, p. 239 ; 1829. — COATES (W. Mart.). *Carcinoma of the Lip. Spreading Ulcer. Death from Inanition. Extraordinary post mortem Appearances.* In *Lond. Med. Gaz.*, t. XIII, p. 575 ; 1834. — BURIN (L. P. A.). *Dissert. sur le cancer de la lèvre inférieure.* Th. de Montp. 1836, n° 49. — BÉRARD (A.). Art. *Lèvres.* In *Dict. en 30 vol.*, t. XVIII, 1838. — PAULI. *Eigenthümliches Lippenübel.* In *Med. Annalen*, t. VI, Heft 4, et *Schmidt's Jahrb.*, t. XXIV, p. 52 ; 1839. — PAYAN (d'Aix). *Tumeurs cancéreuses des lèvres.* In *Gaz. méd.*, 1841, p. 557. — SÉBASTIAN (A. A.). *Recherches sur les glandes labiales* (anat. et path.). Groningue, 1842, in-4°. — SHUH. *Die Operationsgeschichte einer ganzen krebsigen Unterlippe, nach Lisfranc's Methode.* In *Œsterr. med. Jahrb.*, t. XXIII, St. 1, et *Schmidt's Jahrb.*, Splt. III, p. 273 ; 1842. — ECKER (A.). *Ueber den Bau der unter dem*

Namen Lippenkrebs zusammengefassten Geschwülste der Lippe. In *Archiv v. Roser u. Wunderlich*, t. III, p. 380; 1844. — Ammon. *Die Brachylia und das Mikrostoma, zwei wenig gekannte angeborne Fehler der Lippen und des Mundes.* In *Journ. für Chir. und Augenheilk.* N° F°, t. III, n° 2, et *Schmidt's Jahrb*, t. XLVI, p. 197; 1845. — Heller (C.). *Ueber Acephalocysten der Unterlippe.* In *Œsterl. Jahrb.*, 1845, et *Canstatt's Jahresb.*, 1845, t. IV, p. 372. — Heyfelder. *Krebs der Unterlippe im Aetherschlafe extirpirt. Recidive*, etc. In *Prager Vierteljahrschr.*, t. XXI, p. 84; 1849. — Jobert (de Lamballe). *Quelques considérations sur le cancer des lèvres.* In *Gaz. des hôpit.*, 1849, p. 332. — Melzer. *Ueber den Lippenkrebs und die Ursache seines häufigen Vorkommens in Krain.* In *Jen. Ann.*, t. II, n° 4, 1851, et *Schmidt's Jahrb.*, t. LXXII, p. 327; 1851. — Laboulbène. *Cancroïde de la joue et des lèvres* (exam. microscop.). In *Bull. de la Soc. anat.*, t. XXVIII, p. 373, et Rapp. par M. Broca, p. 379; 1853. — Guttceit (H. von). *Geschichte eines Lippengeschwürs* (prim. syphil.). In *Med. Ztg. Russl.*, 1852, et *Schmidt's Jahrb.*, t. LXXVIII, p. 322; 1853. — Güntner. *Lippencarcinom mit bedeutender Infiltration der Umgebung, rasche Resorption der letztern. Heilung.* In *Prager Vierteljahrschr.*, t. LXII, 67; 1854. — Gray (H.). *Horny Tumor from the Lower Lip.* In *Transact. of the Pathol. Soc.*, t. VI, p. 463; 1855. — Hutchinson. *Horny Growth from the Lip, associated with Epithelial Cancer.* In *Transact. of the Pathol. Soc.*, t. VIII, p. 403; 1857. — Porta (Luigdi). *Tumore follicolare sebaceo ulcerato del labbro inferiore.* In *Ann. univ.* (d'Omodei), t. CLXVIII, p. 297; 1859. — Bouisson. *Du cancer buccal chez les fumeurs.* In *Montpellier médical*, t. II, p. 539; t. III, p. 19; 1859, et *Gaz. méd.*, 1859. — Bryant (Th.). *On Cancer of the Lip.* In *Guy's Hosp. Rep.*, 3° sér., t. VII, p. 6. — Jacobi (J. B.). *Ueber angeborene und erworbene Krankheiten der Lippen bei Kindern.* In *Journ. für Kinderkrankh.*, t. XXIV, p. 44; 1860. — Lortet (Louis). *Essai monographique sur le prétendu cancroïde labial.* Th. de Paris, 1861, n° 92, fig. — Wormald and H. Coote. *Primary Syphilitic Sore of the Upper Lip. Enlarged Gland*, etc. In *Med. T. and Gaz.*, 1861, t. I, p. 470. — Humphry. *Tabular Statement of Twenty Cases of Operations for Primary Epithelial Cancer of Lip.* In *Med. T. and Gaz.*, 1861, t. I, p. 61. — Diday (F.). *De la contagion syphilitique entre les souffleurs de verres à bouteilles.* In *Gaz. méd. de Lyon*, 1862, p. 481, 497. — Chassagny. *De la prophylaxie de la syphilis chez les ouvriers souffleurs de verre.* Ibid., p. 521. — Jones (Sydney). *Cysticercus Cellulosæ removed from the Lower Lip.* In *Transact. of the Pathol. Soc.*, t. XIV, p. 279; 1863. — Pretedre. *Apparatus for the Purpose of Remeding Defects in the Parts about the Mouth.* In *Juror's Report*, etc., et *Ranking's Abstr.*, t. XXXVII, p. 174; 1863. — Verneuil (A.). *Anthrax des lèvres. Gravité du pronostic.* In *Gaz. hebd.*, 1868, p. 724. — Sigmund. *Die primitive Syphilis aus den Mundlippen.* In *Wien. med. Wchnschr.*, t. XVIII, n° 9, 10; 1868, et *Schmidt's Jahrb.*, t. CXXXIX, p. 295; 1868.

E. Bgd.

LEVRET (André), né à Paris en 1703, mort le 22 janvier 1780. Voilà certainement le plus illustre des accoucheurs français du dix-huitième siècle; praticien consommé, esprit inventif, ingénieux; ennemi des théories, esclave de l'observation; bien supérieur selon nous à Mauriceau, à Delamotte et à Astruc, quant à la sûreté clinique et au but ultime de toute médecine : le salut des malades. Levret n'était qu'un pauvre chirurgien, et il n'est pas même sûr qu'il eût jamais obtenu aucun grade du collége de Saint-Cosme. Néanmoins, il devint membre de l'Académie de chirurgie et accoucheur de la Dauphine, mère de Louis XVI. Ses inventions en fait de chirurgie et d'obstétrique sont marquées au coin du génie, et aujourd'hui encore on peut consulter avec fruit les livres qu'il a écrits. Ce fut lui qui proposa les ciseaux à tranchant concave pour exciser la luette, ciseaux modifiés plus tard par Percy; ce fut lui qui imagina, pour le traitement des polypes des fosses nasales et de la matrice, des procédés, des instruments restés presque intacts aujourd'hui. Ce fut lui, enfin, qui modifia assez profondément le forceps (*voy.* ce mot), ou tire-tête, pour rendre l'application de cet instrument si efficace. Levret vivait précisément à l'époque où, pour remplacer le crochet et la cuiller *simples*, Palfin (de Gand) offrit ses deux cuillers, mais non susceptibles d'articulation; où le chirurgien Le Doux rattachait ces cuillers, après leur introduction, tout bonnement par un ruban; où l'on imagina plusieurs moyens mécaniques d'articulation; où Chamberlain fenêtra chaque cuiller... Mais le tire-tête restait droit dans le sens de ses bords et déchirait ainsi la fourchette fort souvent. Levret modifia considérablement l'instrument : sur les lames qui bornent l'évasement, en dehors, il fit mettre une espèce de cannelure bordée d'une petite lèvre, pour que l'application soit plus exacte; sur les branches, en dehors, il fit appliquer une plaque fort mince, mobile, pour faciliter la direction droite de l'instrument dans la direction de son bord : il lui donna une forme courbée qui permettait d'adapter la direction des cuillers à celle de l'axe de chaque détroit du bassin. La cannelure, la plaque mobile du forceps de Levret ne sont pas restées, mais la courbure des cuillers s'est maintenue ; et c'est à bon droit que le forceps Levret est resté dans la pratique. (*Voy.* ses *Observations sur les causes et les accidents de plusieurs accouchements laborieux*, Paris, 1747, in-8°, p. 71 et seq.) Sans doute, comme dans l'affaire du spéculum, on a beaucoup spéculé dans ces derniers temps, en fait d'inventions de nouveaux tire-tête ou forceps ; mais j'imagine que beaucoup d'accoucheurs de campagne ne possèdent que le forceps Levret et qu'ils ne s'en trouvent pas plus mal, ni leurs patientes non plus.

Outre plusieurs observations communiquées à l'Académie de chirurgie, je connais de Levret les ouvrages suivants :

I. *Observations sur les causes et les accidents de plusieurs accouchements laborieux.* Paris, 1747, in-8°. — II. *Observations sur la cure radicale de plusieurs polypes, avec des remarques sur ce qui a été proposé ou mis en usage pour les terminer; et de nouveaux moyens pour y parvenir plus aisément.* Paris, 1747, in-8°. — III. *Explication de plusieurs figures sur le mécanisme de la grossesse.* Paris, 1752, in-8°. — IV. *L'art des accouchements démontré par les principes de physique et de mécanique.* Paris, 1753-1766, in-8°, planches. — V. *Essai sur les abus des règles générales et contre les préjugés qui s'opposent aux progrès de l'art des accouchements.* Paris, 1766, in-8°. — VI. *Lettre sur l'allaitement des enfants.* Paris, 1771, in-8°. A. C.

LEVULOSE. La levulose se trouve dans la plupart des fruits mûrs, acides ou verts, tels que le raisin, la cerise, le groseille, la fraise, où elle est associée à poids égaux avec la glycose. C'est ce mélange des deux principes qui constitue le sucre interverti. On peut l'obtenir à l'état de pureté en traitant l'inuline par les acides. (*Voy.* Glycose, Inuline.) La levulose est sirupeuse, incristallisable, très-soluble dans l'eau, insoluble dans l'alcool absolu. Elle réduit la liqueur de Fehling et devie à gauche le plan de polarisation. D'après Berthelot, si l'on traite le sucre interverti par les alcalis ou les ferments, la levulose se détruit moins vite que la glycose. A. D.

LEVURE. La levûre, telle que la fournissent les brasseurs, est une bouillie grisâtre, exhalant une odeur spéciale qui rappelle celle du houblon et de l'alcool. Elle est ordinairement criblée de petites cavités dues aux gaz qui se forment dans sa masse. Ce dégagement continue pour peu que la température soit favorable à la fermentation ; de telle sorte qu'une partie de la levûre se déverse par-dessus les bords du vase qui la contient, pourvu que celui-ci ne soit pas de trop grande capacité.

L'odeur spéciale que nous avons signalée n'est pas propre à la levûre, il est possible de l'en débarrasser par des lavages qui entraînent également les traces de sucre qu'elle peut contenir. Dès lors, le boursouflement cesse, et on peut obtenir une sorte de pâte semi-solide, plus facile à transporter et à conserver, et qui a néanmoins toutes les propriétés de la levûre des brasseurs. Cette odeur est due en grande partie au houblon qu'on introduit dans la bière.

Le caractère le plus saillant de la levûre consiste dans la propriété de dédoubler le sucre en alcool et en acide carbonique. Dès qu'elle est mélangée à de l'eau légèrement sucrée, on voit le liquide se troubler, si la température est favorable. Ce phénomène provient de ce que le gaz acide carbonique qui se dégage de chaque parcelle de ferment y adhère par capillarité. Bientôt, la bulle de gaz étant assez grosse, le ferment monte à la surface du liquide; puis retombe quand elle se détache, et ainsi de suite. C'est en petit ce qui se passe quand on vient à mettre un grain de raisin sec dans un verre de vin de Champagne ou d'eau de Seltz; on voit ce grain incessamment monter, puis retomber au fond du vase. Dès que la fermentation est terminée, tout le ferment retombe, et le liquide s'éclaircit.

La décomposition du sucre par le ferment ne paraît pas être un simple dédoublement en alcool vinique et acide carbonique. M. Pasteur a montré qu'il se formait également de l'acide succinique qu'on peut retrouver dans tous les liquides fermentés.

Quand on met en contact un certain poids de levûre avec de l'eau sucrée, on arrive à décomposer une quantité déterminée de sucre, mais on ne peut aller au delà. La levûre est détruite par cette fermentation, ou du moins elle a perdu son principal caractère. Cette expérience constitue ce qu'on pourrait appeler la fermentation telle que la produisent ordinairement les chimistes.

La fermentation des brasseurs se passe tout autrement. Le ferment pendant la fabrication de la bière est mis en contact, non avec de l'eau sucrée pure, mais avec le moût ou décoction d'orge germée. Ce liquide contient non-seulement du sucre, mais encore de la dextrine, des substances albumineuses, et des sels terreux parmi lesquels les phosphates paraissent jouer un grand rôle. Dans ces circonstances différentes, non-seulement le ferment ne semble pas détruit, mais on en trouve à la fin de l'opération une quantité plus grande que celle qui existait au début. C'est une véritable récolte qui permet au brasseur, tout en conservant la quantité de ferment qui lui est nécessaire, d'en exporter journellement.

Ces faits s'expliquent facilement. On sait que le ferment est une petite plante que les botanistes ont applée *Torula cerevisiæ;* pendant la fermentation on peut voir au microscope la plante se reproduire par bourgeonnement. Si on lui donne une nourriture incomplète comme dans l'expérience des chimistes, ses rejetons sont faibles, étiolés et ne tardent pas à périr. Tel serait le sort de toute autre plante cultivée dans un sol qui ne lui fournirait qu'un seul des éléments nécessaires.

Si au contraire on lui donne un aliment complet, comme dans l'expérience des brasseurs, non-seulement elle peut accomplir toutes les phases de son existence, mais encore elle laisse après elle des rejetons plus nombreux et viables. La petite plante se trouve alors dans les conditions où nous mettons tous les végétaux que nous voulons récolter.

Il existe deux variétés de levûre qui se distinguent en ce que l'une, plus active, se recueille à la surface du liquide; tandis que l'autre ne quitte pas la couche inférieure. Ces levûres ont été décrites avec soin à l'article BIÈRE, auquel nous renvoyons le lecteur.

La levûre peut être employée à la place du levain, pour fabriquer le pain. Les pâtissiers s'en servent exclusivement pour leurs préparations auxquelles le levain donnerait un goût désagréable. J'ai souvent fait préparer du pain avec de la farine et de la levûre sans levain. Ce pain est plus agréable au goût, et je crois qu'il est plus blanc. Les pains *viennois* sont préparés par ce procédé. Il est certain que le levain donne au pain un goût sûr, et une odeur peu agréable. La substitution au moins partielle de la levûre au levain est un progrès qui s'effectuera dès que le commerce fournira la première dans de bonnes conditions. C'est pour répondre à ce besoin qu'on a installé en Allemagne des fabriques de levûre dans lesquelles celle-ci, étant l'objet principal de la fabrication, et non un produit accessoire comme dans les brasseries, peut acquérir les meilleures qualités.

Cette fabrication s'effectue à Vienne et en Moravie. La levûre est préparée au moyen d'un moût (ou infusion à une température convenable) de malt, de seigle et de maïs. L'absence du houblon permet d'obtenir des produits non amers et moins odorants. Il paraît qu'on peut obtenir en levûre jusqu'à 0,1 du poids du grain employé.

A mesure que la fermentation alcoolique avance, on enlève la levûre qui surnage, on la presse pour faire écouler l'excédant d'humidité, et on l'emballe dans des caisses. L'opération dure environ soixante-douze heures. La levûre viennoise doit être employée aussitôt que possible; elle est plus active que la levûre des brasseurs dans la proportion de 2 à 3. D'après MM. Payen, Champion et Henry Pellet, elle contient seulement un quart de son poids de substance sèche; cette dernière renferme 0,077 d'azote et 0,035 de matière grasse. L'incinération fournit 0,081 de cendres dont 100 parties contiennent :

Acide phosphorique	46,9
— silicique	1,8
Potasse	22,5
Soude	15,9
Magnésie	5,0
Chaux	1,3
Eau (combinée avec les phosphates)	4,4
Chlore et acide sulfurique	traces.
Oxyde de fer et pertes	2,4
TOTAL	100,0

(Voyez pour la description du champignon de la levûre CRYPTOCOCCUS.)

P. COULIER.

LEWIS (WILLIAM), chimiste anglais, mort le 21 janvier 1781, et qui vivait à Kingston, dans le comté de Surrey. On a de lui :

I. *Experimental Examination*. Lond., 1754, in-8°. — II. *La platine, l'or blanc, ou le huitième métal*. Paris, 1755, in-12. — III. *Experimental History of the materia medica*. Lond., 1760-1784, in-4°. Traduit en français par Le Bègue de Presle (1771). — IV. *Commercium philosophico-technicum, or the Philosophical Commerce of Arts*. Lond., 1785, in-4°. — V. *Course of Practical Chemistry*. Lond., 1780, in-8°, etc. A. C.

LÉZARD (*lacerta*, de *lacertosus*, bien musclé). Genre de Reptiles de l'ordre des Sauriens, formant le type de la famille des Lacertidés. Ces animaux si connus composent un groupe des plus naturels; leur corps est très-effilé, leur colonne vertébrale est composée d'un grand nombre de vertèbres à articulations très-mobiles, permettant des mouvements très-prompts et très-étendus; leurs pattes articulées à angle droit sur le corps, sont fines, quoique robustes, mais trop courtes pour supporter le poids du Lézard, aussi l'abdomen et la queue traînent sur le sol; la queue est longue et douée d'élasticité.

L'agilité des Lézards est très-grande; ils se cramponnent aux murs, aux rochers, aux troncs d'arbres au moyen de leurs ongles, et ils se portent rapidement vers un point ou s'enfuient avec prestesse au moindre bruit. Quand le soleil est ardent, leur course est des plus vives, mais dès que la température baisse leurs mouvements se ralentissent, enfin, pendant la saison froide, ils sont en complète hibernation et privés de mouvement. Leur nourriture consiste en insectes, vers de terre, petits mollusques, etc.; leur digestion est lente. Ils boivent en lapant à la façon des chiens.

Ces animaux ont un naturel doux et n'attaquent point l'homme. Ils ne cherchent à mordre que lorsqu'on les a saisis ou qu'on les empêche de s'échapper. Les grandes espèces ne redoutent ni les chiens ni, dit-on, les serpents.

La morsure des Lézards n'est point venimeuse et produit simplement une forte pression; la morsure peut au plus se compliquer d'une légère éraillure de la peau si l'animal a retiré la tête en serrant de toutes ses forces ses mâchoires garnies de petites dents disposées en lignes droites.

Les Lézards vivent de proie, ils font la chasse aux petits animaux, insectes, mollusques, etc.; Dugès prétend qu'ils mangent parfois leurs propres œufs quand ils sont poussés par la faim. Les Lézards peuvent supporter de longs jeûnes; leur voix se réduit à un faible cri ou à un soufflement plus ou moins violent.

Les attributs des sexes sont peu visibles. Les mâles ont l'origine de la queue large, aplatie et sillonnée, elle est arrondie chez les femelles; de plus, la coloration du corps est moins brillante chez ces dernières, ainsi que chez les jeunes. L'accouplement dure longtemps. La femelle pond de 7 à 9 œufs, placés ordinairement dans un nid spécial, mais parfois réunis à ceux d'autres femelles, car on trouve parfois jusqu'à 30 œufs rassemblés. La coque des œufs est poreuse; ils éclosent par la chaleur atmosphérique. Quelques espèces de lézards sont presque vivipares, les petits sortant de l'œuf quelques minutes après que ces œufs ont été pondus.

La durée de la vie chez ces animaux est considérable; elle serait de plus de vingt ans, suivant Bonaterre. Le renouvellement de la queue fragile des Lézards se fait avec rapidité. On avait observé depuis longtemps qu'un Lézard peut marcher avec assez de vivacité, manifester des sensations et vivre pendant quelques jours après avoir été décapité.

Les principales espèces de Lézards de nos contrées sont :

Le Lézard des souches (*Lacerta stirpium* Daudin), à dos brun, plus ou moins rougeâtre, ocellé de noirâtre, les côtés du corps verts ocellés de brun, le ventre blanc, parfois piqueté de noir. La coloration est très-variable du reste suivant les sexes et les individus. Taille 21 centimètres, y compris la queue, longue elle-même de 12 centimètres. — Assez commun, place son terrier sous les touffes d'herbes, les racines des arbres, agile et peu craintif.

Le Lézard vert (*Lacerta viridis* Daud.), uniformément vert en dessus dans l'âge adulte, parfois piqueté de brun dans les variétés nombreuses de l'espèce; il est plus ou moins brun et à taches vertes dans le jeune âge; habite les endroits boisés et exposés au soleil. — Commun; la chair n'en est pas, dit-on, désagréable.

Le Lézard ocellé (*Lacerta ocellata* Daud.), vert, varié, taché ou réticulé de noir à grandes taches bleues et rondes sur les flancs, le dessous du corps blanc glacé de vert. Taille atteignant 40 centimètres et plus, la queue ayant 25 centimètres. — Grande et belle espèce du midi de la France; on le trouve dans la forêt de Fontainebleau.

Le Lézard des murailles (*Lacerta muraria* Laurenti) est le Lézard gris de Daudin. C'est l'espèce la plus commune et répandue partout, d'un gris cendré, marqué de traits et de points brunâtres; le ventre et le dessous de la queue d'un blanc luisant. Il ne dépasse guère 20 centimètres de longueur; la queue y entre pour 14 centimètres.

La chair est bonne à manger et Laurenti dit qu'on peut la faire cuire ou frire comme celle des petits poissons.

Les Lézards ont été jadis employés en médecine à cause des propriétés qu'on leur attribuait contre les maladies cutanées, lymphatiques et cancéreuses, ils ont été vantés pour le traitement de la syphilis, etc. La chair séchée était regardée comme un succédané de celle du Scinque (*voy.* ce mot). Elle passait pour sudorifique à un haut degré ; l'usage en est tombé dans un complet oubli.

Des peuplades africaines mangent la chair des Lézards de ces contrées, surtout celle du groupe du Lézard vert et du Lézard ocellé.

A. Laboulbène.

LIANE. Plusieurs des végétaux grimpants, sarmenteux ou volubiles, auxquels on donne ce nom dans nos colonies, sont employés en médecine. Ainsi l'on appelle :

1. *Liane amère*, plusieurs Ménispermacées, les *Cocculus*, les *Abuta*, les *Cissampelos*, notamment le *Pareira Brava.*
2. *L. à barriques*, le *Rivina humilis* L.
3. *L. à blessures*, les Vanilles dont le suc est employé topiquement aux Antilles, pour guérir les plaies.
4. *L. à bœuf*, l'*Entada scandens* Benth. (*Mimosa scandens* W.)
5. *L. boîte à savonnette*, les *Nandhirobes* ou *Feuillea.*
6. *L. à calebasse*, les mêmes plantes.
7. *L. à caleçons*, plusieurs Passiflores vermifuges des Antilles.
8. *L. de Caripos*, une Dilléniacée, le *Davilla brasiliana* DC.
9. *L. à chat*, le *Bignonia Unguis* L.
10. *L. à cœur*, le *Pareira* (n. 1).
11. *L. contre-poison*, les *Feuillea* (n. 5, 6).
12. *L. à corde*, le *Bignonia æquinoctialis* L., au Brésil.
13. *L. à couleuvre*, les *Feuillea* (n. 5, 6, 11).
14. *L. à coureux* ou *Timac*, une plante qui, d'après les *Mémoires de la Société royale de médecine* (I, 341), s'emploie avec succès aux Antilles, contre les hydropisies.
15. *L. à crabes*, le *Bignonia æquinoctialis* (n. 12).
16. *L. à glacer l'eau*, le *Cissampelos Pareira* (n. 1, 10).
17. *L. à lance*, ou à *l'anse*, l'*Omphalea diandra* de la Jamaïque (*voy.* Omphalier).
18. *L. Lardizabale*, le *Lardizabala biternata* R. et Pav., du Chili.
19. *L. à médecine*, l'*Ipomœa cathartica*, de Saint-Domingue.
20. *L. à Minguet*, l'*Ipomœa macrorhizon*, espèce purgative de Saint-Domingue.
21. *L. à paniers*, le *Bignonia æquinoctialis* (n. 12, 15).
22. *L. à persil*, le *Paullinia pinnata* L., à cause de la forme de ses feuilles.
23. *L. à pomme*, le *Passiflora alata* Ait.
24. *L. Popaye*, l'*Omphalea diandra* (n. 17).
25. *L. purgative*, l'*Ipomœa cathartica* (n. 19).
26. *L. à raves*, le *Dioscorea sativa* L. (*voy.* Dioscorée).
27. *L. à réglisse*, l'*Abrus precatorius* (*voy.* Abrus).
28. *L. rouge*, une Dilléniacée, le *Tigarea aspera* L.
29. *L. à savonnette*, les *Feuillea* (n. 5, 6, 11, 13).

30. *L. à serpent*, l'*Aristolochia anguicida* Jacq. (*voy.* Aristoloche).
31. *L. à serpents*, le *Cissampelos Pareira* (n. 1, 10, 16).
32. *L. à sirop*, le *Columnea scandens* L., de l'Amérique australe.
33. *L. à vers*, le *Cereus triangularis* L., dont le suc est vermicide (*voy.* Cierge).

Quelques lianes utiles ont reçu des noms d'hommes, ainsi le *Telfairia pedata*, de l'Afrique australe, a été appelé *Liane Le Joliff*, et la *L. purgative de Saint-Domingue* (n. 19, 25), *L. de Bauduit* ou *à Bauduit*. H. Bn.

LIATRIS. Nom générique donné par Schreber et Gærtner à quelques espèces de Composées, retirées des genres *Serratula* et *Vernonia*. Ces plantes présentent les caractères suivants : Involucre à bractées imbriquées ; réceptacle nu ; corolle tubuleuse, à lobes allongés ; styles à rameaux cylindriques, longuement exsertes ; achaines à dix côtes, surmontés d'une aigrette à poils roides ciliés ou plumeux. Ce sont en général des herbes à feuilles entières ou très-rarement dentées, dont les racines, souvent tubéreuses, contiennent de la résine et ont une odeur de térébenthine assez marquée. Elles habitent le nord de l'Amérique et portent, au Canada, le nom de *Pinetta de prairia*. Elles sont employées, dans certaines localités, comme diurétiques et même antisyphilitiques. Les *Liatris squarosa* W. et *L. scariosa* W. sont en particulier usités contre la morsure des serpents.

D.C. *Prod.* v. 128. — Schreber. *Gen.* 1791, 2. 1263. — Gærtn. *De fruct.* Tab. CLVII. Fig. 1. Pl.

LIBANUS. *Voy.* Boswellie, Encens.

LIBANOTIS. Nom appliqué par Théophraste, Dioscoride, Pline, etc., à diverses plantes aromatiques de la famille des Ombellifères, qu'il est difficile d'indiquer d'une manière positive, mais qu'on doit probablement rapprocher des genres actuels *Cachrys* et *Athamantha*. L'une de ces plantes, le *Libanotis coronaria*, de Dioscoride, paraît être le Romarin. Les auteurs du seizième siècle attribuèrent ce nom à un plus grand nombre d'espèces se rapportant aux divers genres *Laserpitium*, *Ligusticum*, *Ferula*, *Cachrys*, *Seseli*, *Athamantha*, *Thapsia*, *Rosmarinus*, etc. Plus tard, Gærtner et Mœnch établirent, sur les caractères de l'*Athamantha cretensis* un genre *Libanotis* qui ne fut point admis par les botanistes. Enfin De Candolle, après Crantz, a réuni sous ce nom générique huit espèces d'Ombellifères ne différant des *Seseli* que par les dents du calice longues, subulées, poilues, presque membraneuses et se détruisant au moins en partie après la floraison. Aucune de ces espèces n'a d'importance médicale.

Bauhin (J.). *Hist. Plant.*, III, lib. XXVII, p. 38. — D.C. *Collect. de mém.*, mém. V, 47 — *Prodr.*, IV, 140. — Crantz, *Austr.*, 222. Pl.

LIBAVIUS (André), un des plus illustres chimistes allemands de la fin du seizième siècle, né à Halle, dans la Saxe, vers l'année 1546, mort à Cobourg, en 1616, après avoir été successivement professeur d'histoire et de poésie à Iéna (1588), gymnasiarque et médecin pensionné à Rotenbourg (1591), directeur du gymnase de Cobourg (1606). Libavius fut un grand homme dans toute l'acception du mot. En face des erreurs grossières des partisans de Paracelse, en face de la tyrannie des galénistes, il eut le courage de combattre Amwald, Gramann, Michelius, Scheunemann, Crell, Hartmann, etc., lesquels ne sachant pas appliquer à propos les données fournies par la chimie, détournaient cette belle science de sa véritable voie, et commettaient en son nom de déplorables abus. Sans doute Libavius ne sut pas secouer complétement le joug de son temps; sans doute il crut à la transmutabilité des métaux, à l'or potable et à d'autres billevesées de cette espèce, mais il a le mérite incontestable de s'être affranchi du langage obscur et mystique des alchimistes, d'avoir, le premier, publié un manuel de chimie générale, plus clair, plus utile qu'aucun de ceux qui avaient vu le jour jusqu'alors, et de tenter avec succès l'application de la chimie à l'industrie et aux arts. C'est lui qui a reconnu la propriété qu'a l'oxyde d'or de colorer le verre en rouge; c'est lui qui a découvert le chlorure d'étain, connu pendant si longtemps sous le nom de *liqueur fumante de Libavius*. C'est encore Libavius qui le premier a songé à la transfusion du sang comme un moyen de guérison et de rajeunissement. Le passage d'un de ses livres où cette idée est émise, est trop curieux, pour ne pas être traduit ici : *Supposons un homme fort, robuste, sain, plein d'un sang généreux, et un autre homme épuisé, faible, amaigri, ayant à peine le souffle. Que le maître de l'art se munisse de deux tubes d'argent disposés de manière à pouvoir se visser l'un à l'autre. Chez l'homme robuste il ouvre une artère dans laquelle il insère l'extrémité de l'un des tubes ; puis, chez l'homme malade il ouvre pareillement une artère, qu'il munit aussi de l'autre tube; en réunissant bout à bout ces deux tubes, le sang chaud de l'homme sain passera dans le corps de l'homme affaibli, y fera pénétrer les sources de la vie, et dissipera la langueur.* Il est impossible d'être plus clair, et nul doute que les partisans malheureux de la transfusion, Christophe Wren, Timothée Clarke, Robert Boyle, Henshaw, Richard Lower, J.-D. Major, Denis, Emmeretz, etc., ne prirent dans les œuvres du chimiste allemand cette méthode qui provoqua tant d'enthousiasme et qui devait sombrer dans une mer d'orages et de tempêtes. (*Voy.* le mot TRANSFUSION.) André Libavius a écrit énormément. Voici les titres de ses ouvrages qui sont les plus recherchés, et qui ont le mieux établi sa célébrité :

I. *Epistola de examine panaceæ Amwaldinæ, ut quisque judicare possit qua arte Amwaldus usus sit.* Francof., 1594, in-8°. — II. *Neo paracelsica, in quibus vetus medicina defenditur adversus τερετίσματα tum G. Amwald, cujus liber de panacea excutitur, tum J. Gramanni, servatâ verâ veræ chimiæ laude.* Francof., 1594, in-8°. — III. *Tractatus duo physici, prior de imposturâ vulnerum per unguentum armarium curatione, posterior de cruentatione cadaverum injustâ cæde factorum, præsente qui occidisse creditur.* Francof., 1594, in-8°. — IV. *Rerum chymicarum epistolica forma ad philosophos et medicos scriptarum.* Francof., 1595-1599, in-8°. — V. *Alchymia è dispersis passim optimorum auctorum, veterum et recentiorum, exemplis potissimum*, etc. Francof., 1595, in-fol. — VI. *Commentationum metallicarum Libri IV, de naturâ metallorum, mercurio philosophorum, azotho, et lapide seu tinctorâ physicorum conficiendâ, è rerum naturâ, experientiâ, et autorum præstantium fide.* Francof., 1597, in-4°. — VII. *Alchymia recognita, emendata, et aucta*, etc. Francof., 1597, in-4°. — VIII. *Epitome metallica, cum variis tractatibus, nempe, de arte probandâ mineraliâ, de aquâ permanente, de aquis mineralibus.* Francof., 1597, in-4°. — IX. *Novus de medicinâ veterum, tam Hippocraticâ quam hermeticâ Tractatus.* Francof., 1599, in-4°. — X. *Examen censuræ scholæ Parisiensis contrà alchymiam.* Francof., 1601, in-8°. — XI. *Praxis alchymiæ*, etc. Francof., 1605, in-8°. — XII. *Appendix necessaria syntagmatis arcanorum chymicorum.* Francof., 1615, in-fol. (C'est dans ce dernier ouvrage que se trouve le passage sur la transfusion que nous avons rapporté plus haut.) — XIII. *Historia Bombycum*, Francof., 1599, in-8°.

A. C.

LIBERIA. *Voy.* GUINÉE.

LIBERTÉ MORALE. *Voy.* RESPONSABILITÉ MORALE et INTERDICTION.

LICARI. *Voy.* DICYPELLIUM.

LICHE (La) (Eau minérale de), *protothermale, amétallite, sulfureuse faible.* Dans le département des Hautes-Alpes, dans l'arrondissement de Briançon, sur les montagnes de l'Alpe-Martin, au milieu d'une prairie naturelle, à 1927 mètres au-dessus du niveau de la mer, émerge la source de la Liche. Son eau, claire et limpide, a une odeur manifestement sulfureuse; son goût est fade et hépatique; sa température est de 17°,2 centigrade. Son poids spécifique n'est pas connu; l'on sait seulement que 1000 grammes de cette eau renferment 0^{lit},00823 de gaz acide sulfhydrique. Cette eau est employée en boisson par les bergers qui ont des affections de la peau ou des catarrhes pulmonaires chroniques des voies respiratoires. A. R.

LICHEN. (Dermatose). Il est de certains mots dans l'histoire de la médecine que l'on voit avec étonnement se perpétuer d'âge en âge, sans que jamais une idée nette, un objet bien défini, ne viennent en préciser le sens. Tel paraît avoir été le sort du mot *lichen*, λειχην, dont l'origine remonte à Hippocrate, que l'on retrouve sous les acceptions les plus diverses dans les auteurs grecs et latins, et dont la signification n'a été définitivement et rigoureusement déterminée que vers la fin du siècle dernier[1].

On sait qu'un grand nombre de plantes de la famille des Lichénées se présentent habituellement sous la forme de plaques crustacées étendues sur le sol, sur l'écorce des vieux arbres ou sur les rochers. Cette étymologie étant admise, on comprend toute la confusion qui dut en résulter nécessairement pour le fait pathologique que le mot lichen se trouvait appelé à représenter. Rien de plus vague, en effet, et surtout rien de plus contestable qu'un caractère basé exclusivement sur un rapport d'analogie plus ou moins grossier entre des objets d'ailleurs complétement dissemblables. Aussi la plupart des auteurs anciens, et Hippocrate lui-même, ont-ils appliqué le mot lichen à des formes morbides très-différentes de siége et de modalité pathogénique, formes sèches et formes humides, lésions papuleuses, pustuleuses et vésiculeuses, sans qu'il soit toujours possible de reconnaître au milieu de cette obscurité ce qui a trait plus spécialement à l'affection qui nous occupe. Et cet état d'incertitude devait se continuer jusqu'à une époque très-rapprochée de nous, car les écrits de Sauvages, de Lorry, et même ceux d'Alibert nous retracent la même confusion dans les termes et dans les choses.

Il faut, en effet, arriver jusqu'à Willan et Bateman pour voir enfin le sens du mot lichen se dégager avec une certaine netteté. Ces auteurs ont décrit sous ce nom : « Une éruption étendue de papules, se manifestant chez les adultes, accompagnée d'un trouble des organes intérieurs, se terminant ordinairement par une légère desquamation, susceptible de se reproduire et ne se transmettant pas par contagion. »

C'était là un progrès, sans doute, encore bien que cette définition laissât beaucoup à désirer, même en se plaçant au point de vue restreint du classificateur anglais. Il n'est pas exact de dire, par exemple, que le lichen soit une affection particulière à l'âge adulte, car on l'observe fréquemment dans l'enfance : il est vrai que Willan le désignait alors par un autre mot, celui de *strophulus*. Quant aux

[1] Il résulte de divers passages de Dioscorides (l. IV, c. 53), Pline (l. XXVI, c. 10), Galien (*De simple médicament. Temperam.*, l. VII, c. 11, n° 6) que le mot *lichen* a été transporté de la pathologie à la botanique, et non de la botanique à la pathologie, comme on serait tenté de le croire. C'est pour cette raison que nous plaçons ici la dermatose avant la plante.

troubles fonctionnels intérieurs dont s'accompagne quelquefois le lichen, ils n'ont rien de nécessaire, et dans tous les cas ne sauraient être rattachés à l'altération de la peau par un lien de causalité. Enfin, c'est aller beaucoup trop loin que d'affirmer d'une manière absolue la non contagion du lichen, car nous retrouverons ce caractère au plus haut degré dans les espèces de cause parasitaire.

Quoi qu'il en soit et toute imparfaite qu'elle nous paraisse, la définition de Willan constituait un progrès très-réel au temps où elle fut émise ; elle nous a mis en possession d'un fait désormais acquis à la science, en établissant l'existence du lichen comme affection papuleuse *sui generis*, et en séparant cette affection d'une manière irrévocable de toutes les autres formes éruptives qui se manifestent à la peau.

La plupart des dermatologistes qui ont suivi Willan ont accepté sa définition du lichen, en y apportant quelques modifications. Biett fait remarquer que cette affection n'est pas rare dans l'enfance, et qu'elle peut se montrer indépendamment de troubles fonctionnels du côté des organes internes, mais il ne sort pas du cadre tracé par le classificateur anglais, et conserve toutes les variétés que celui-ci avait admises.

Gibert place le lichen dans l'ordre des papules, à côté du prurigo. Il considère le strophulus comme une espèce intermédiaire entre les exanthèmes et les papules, mais sans toutefois le séparer complétement du genre lichen, dont il ne serait qu'une variété plus ou moins distincte.

Telle est aussi l'opinion de M. Cazenave, qui n'admet que deux affections papuleuses, le prurigo et le lichen.

Rayer et M. Devergie ont conservé le genre strophulus, et décrit séparément trois maladies papuleuses, le lichen, le strophulus et le prurigo, ainsi que l'avaient fait Willan et Bateman.

Cependant tout le monde en France n'avait pas suivi le mouvement suscité par Willan. Doué d'un sens plus pratique et plus véritablement médical que le pathologiste anglais, Alibert n'avait pu consentir à une doctrine fondée exclusivement sur la forme élémentaire des altérations cutanées, et n'apercevant pas d'ailleurs tout le parti qu'on pouvait en tirer, il crut devoir la répudier complétement pour édifier en sa place ce qu'il appela lui-même une méthode naturelle de classification. Ce n'est pas ici le lieu de juger cette méthode dans l'ensemble des applications qu'en a faites Alibert; mais nous devons nous demander ce qu'elle a produit relativement au lichen. Que devient cette affection dans les cadres du célèbre dermatologiste? Elle disparaît à peu près complétement pour aller se perdre, avec le prurigo et la gale, dans le groupe des dermatoses scabieuses, « dont le caractère général est de provoquer à la surface de la peau un prurit plus ou moins violent, suivi ou non de desquamation, et qui porte les malades à se gratter sans cesse pour apaiser ou éteindre la sensation pénible qui les incommode. » Ce groupe comprend en effet deux genres, la gale et le prurigo, et ce dernier genre se subdivise lui-même en quatre espèces, dont l'une, le prurigo lichénoïde ou furfurant, est ainsi appelée, dit Alibert, « parce que les papules prurigineuses finissent par produire une furfuration analogue à celle du son ou de la farine, d'où vient que certains auteurs, Plenck et Willan en particulier, le désignèrent sous le nom de lichen, d'autres sous celui d'*herpes farinosus*. »

C'était nous ramener tout simplement aux plus mauvais jours de l'histoire du lichen, et nous rejeter sans compensation dans toutes les incertitudes dont le système de Willan nous avait à peine délivrés. Quoi de moins naturel, en effet, qu'une famille de dermatoses dont les membres ne présentent d'autre lien entre eux que la prédominance d'un symptôme qui leur est commun, de l'aveu même d'Alibert, avec presque toutes les affections cutanées?

Joseph Frank a décrit le lichen dans trois chapitres : dans celui du strophulus, dans celui du psydracia et dans celui de l'herpès furfureux.

M. Gintrac (de Bordeaux) a placé le lichen aigu et le strophulus ou lichen aigu de la première enfance dans la classe des fièvres éruptives et des exanthèmes aigus, et le lichen chronique dans la classe des herpétides, à côté de l'urticaire et du prurigo.

Enfin, pour n'omettre aucune des vicissitudes qu'a traversées le lichen, nous devons dire que M. Hardy a réuni cette affection au genre eczéma, dont elle formerait « non pas une variété comme l'impétigo, mais une espèce particulière reliée au genre par des caractères si intimes qu'on ne saurait l'en séparer, et qu'en thérapeutique plus encore qu'en diagnostic, il importe de les envisager simultanément. » Dans cette manière de voir, et par un singulier retour des choses, le lichen perd donc encore son individualité distincte pour n'être plus qu'une période ou l'une des phases de transformation d'une autre affection.

Ces préliminaires historiques étant posés, j'aborde sans autre transition l'étude du lichen considéré comme genre (*séméiotique cutanée générale*).

La seconde partie de ce travail sera consacrée à l'exposition rapide des espèces et variétés admises par les auteurs.

Dans la troisième enfin, nous aurons à examiner le lichen au point de vue des modifications que lui impriment les maladies dont il est la traduction sur la peau (*séméiotique cutanée spéciale*).

I. Du lichen considéré comme affection générique. *Séméiotique cutanée générale.* — *Définition.* Je définis le lichen : une affection cutanée caractérisée dans sa période d'état par la présence de papules particulières, agglomérées ou discrètes, envahissant une surface plus ou moins étendue, et s'accompagnant à une certaine période de leur existence d'une hypertrophie des papilles avec exagération des plis naturels de la peau.

Symptomatologie. Le lichen peut affecter une marche aiguë ou une marche chronique, et les symptômes initiaux diffèrent notablement dans les deux cas.

Lorsqu'il se présente à l'état aigu, son apparition est habituellement marquée par quelques phénomènes prodromiques, tels que malaise, courbature, anorexie, excitation fébrile, etc.; dans ce cas, l'éruption rappelle assez bien par son allure et son extension rapide le mode d'invasion des pseudo-exanthèmes.

Dans le lichen chronique, c'est à la peau que se manifestent les premiers symptômes, soit que l'éruption s'y développe d'emblée, soit qu'elle ait été précédée pendant quelques jours par un prurit plus ou moins intense, local ou généralisé.

L'éruption peut se montrer sur toutes les parties du corps, mais les mains, les avant-bras, le cou, la face constituent pour elle des lieux de prédilection. Tantôt partielle à l'origine, elle reste indéfiniment confinée à une région unique; tantôt elle envahit à la fois ou successivement un certain nombre de surfaces plus ou moins étendues, ou même la totalité de la membrane tégumentaire.

Sur la peau s'élèvent de petites éminences dures, pleines, solides, c'est-à-dire ne renferment aucun liquide, diversement configurées suivant les cas, quelquefois éparses, le plus ordinairement réunies de manière à constituer des groupes plus ou moins nettement limités et séparés les uns des autres par des intervalles de peau saine. Ces papules dépassent rarement les dimensions d'un grain de millet;

elles sont parfois si petites que la réalité de leur existence pourrait être mise en doute, si le doigt promené sur l'éruption ne faisait percevoir une légère sensation de rudesse et d'aspérité. Leur forme est généralement en rapport avec leur volume, acuminée ou conique pour les plus petites, aplatie, lenticulaire ou subhémisphérique, lorsque le diamètre du bouton devient plus considérable. D'une coloration rouge et animée dans l'état aigu, quelquefois rouge sur certains points et blanchâtre sur d'autres (*strophulus candidus*), elles ne diffèrent pas sensiblement dans l'état chronique de la teinte normale des téguments voisins. Leur surface est parfois lisse, unie, le plus ordinairement sèche, rugueuse, recouverte de débris épidermiques ou de véritables squames.

Les sensations morbides que détermine le lichen sont variables de caractère et d'intensité, suivant la forme de l'affection, et surtout suivant sa nature. Le lichen est, après le prurigo, la lésion tégumentaire qui s'accompagne le plus volontiers de cette hyperesthésie spéciale, que l'on a désignée sous les noms de prurit, démangeaison. Cette sensation peut d'ailleurs exister à tous les degrés, tantôt très-faible et facilement supportée par les malades, et tantôt devenant par sa violence une véritable torture. Entre ces deux extrêmes se place une foule de nuances intermédiaires. En général, la tolérance de la peau est d'autant plus grande pour le lichen que les éléments qui le composent sont plus volumineux, plus hypertrophiques, plus isolés les uns des autres. Cette sorte d'antagonisme entre le prurit et les dimensions de l'élément primitif apparaît surtout avec évidence lorsque l'on compare à ce point de vue les grosses papules indolentes de la syphilis aux papules acuminées et presque invisibles du lichen dartreux; mais on le retrouve également dans d'autres espèces, dans le lichen scrofuleux, par exemple, ainsi que dans cette variété d'arthritide que nous décrirons bientôt sous le nom de lichen à papules déprimées.

Indépendamment du prurit, le lichen peut en outre imprimer à la sensibilité de la peau des modifications d'un autre ordre. Certains malades accusent surtout de la cuisson, ou un sentiment d'ardeur brûlante; pour d'autres, ce sont des picotements vifs ou des élancements douloureux qui semblent prédominer davantage, soit qu'ils se joignent simplement à la démangeaison, soit qu'ils la remplacent d'une manière plus ou moins complète. Toutes ces modifications ont une importance séméiotique, que nous aurons à apprécier au point de vue de la détermination des espèces.

Il est rare que le lichen se prolonge au delà d'un certain temps sans que d'autres phénomènes ne s'ajoutent à la production papuleuse qui en forme le trait essentiel et caractéristique. Nous avons déjà noté la sécheresse des papules et leur état d'exfoliation ; la membrane cutanée subit en outre des altérations profondes et très-remarquables dans sa texture et ses propriétés physiques. C'est d'abord un certain degré d'épaississement, quelquefois à peine marqué, et qui s'accroît en raison du nombre et de la confluence des éléments papillaires hypertrophiés; en même temps, la peau a perdu sa souplesse et son élasticité normales; elle est dure, sèche, rugueuse, comme cassante, d'où résulte une exagération toute particulière de ses rides et plis naturels, et si l'affection occupe des parties très-mobiles, telles que le creux poplité, l'aisselle, le pli du coude, les espaces interdigitaux, etc., on observe fréquemment des fissures ou des espèces de rhagades, qui intéressent profondément la substance du derme.

Le lichen est susceptible de revêtir des apparences très-diverses suivant son siége topographique, son étendue, son intensité, la forme, le volume et la disposition de ses papules, leur état de confluence ou de dissémination, et mille autres circonstances qu'il est plus facile de concevoir que d'énumérer. C'est sur de semblables considérations que reposent toutes les divisions et sous-divisions dont les auteurs ont comme à l'envi hérissé son histoire. Nous retrouverons toutes ces variétés, avec leurs dénominations particulières, dans la seconde partie de cette étude.

Il est pourtant une forme de lichen qui mérite dès à présent une mention spéciale, en raison de l'importance qui lui a été donnée, je veux parler du *lichen agrius*. Cette affection ne diffère en réalité de la forme commune que par l'intensité insolite des phénomènes inflammatoires et une certaine tendance à la polymorphie; sous l'influence des grattages et autres manœuvres employées par le malade pour calmer le prurit, les papules irritées et excoriées se recouvrent à leurs sommets de petites vésicules transparentes, suivies elles-mêmes de croûtes squameuses, adhérentes dans un seul point, libres dans le reste de leur étendue, et simulant assez bien l'aspect des lichens que l'on rencontre sur le tronc des vieux arbres. Les croûtes laissent en se détachant des excoriations superficielles qui sont le siége, pendant un certain temps, d'un léger suintement séreux. Dans une autre variété, dont la nature est différente, les papules sont plus grosses et compliquées de véritables pustules donnant lieu à des croûtes assez épaisses et de forme impétigineuse; le prurit est faible et hors de toute proportion avec l'intensité des phénomènes éruptifs : c'est le lichen agrius à grosses papules, que nous avons placé parmi les scrofulides boutonneuses.

En résumé, rien de plus variable que la physionomie du lichen. Quelques-unes de ses formes semblent même tellement différentes à première vue, qu'il n'est peut-être pas inutile de faire ressortir le lien qui les rassemble. Là, c'est une éruption largement disséminée sur toutes les parties du corps; ici, au contraire, tout se réduit à quelques papules groupées sur un point très-circonscrit. Nul prurit, aucune sensation morbide chez ce malade, tandis que cet autre est en proie à d'intolérables souffrances. Tantôt la lésion est simple, représentée par un seul élément, et tantôt compliquée d'érythème, de vésicules, de pustules, d'ulcérations et de croûtes. Les altérations consécutives de la peau, c'est-à-dire son mouvement hypertrophique, l'état granuleux de sa surface, l'exagération de ses plis, etc., que nous avons considérées comme propres au lichen, n'existent pas à beaucoup près dans tous les cas. Au milieu de cette symptomatologie mobile et changeante, que reste-t-il donc en définitive pour caractériser le genre? Un seul phénomène, mais constant, pathognomonique, la papule lichénoïde. C'est elle que l'on constate au début, sous la forme de légères saillies papillaires, appréciables à l'œil nu et au doigt, elle que l'on retrouve sous des apparences variées dans la période d'état, où elle atteint son développement parfait, et c'est elle encore qui persiste, comme partie fondamentale ou essentielle, quelquefois masquée, mais toujours présente et facilement reconnaissable, jusqu'à la disparition complète de l'éruption cutanée.

Marche. Durée. Terminaisons. Ainsi que nous l'avons remarqué précédemment, le lichen peut exister à l'état aigu ou à l'état chronique, mais il affecte le plus habituellement cette dernière forme.

Le lichen aigu parcourt rapidement ses périodes, et disparaît en général après une durée de un à deux ou trois septénaires; il peut aussi se prolonger davantage par le fait d'éruptions successives. Il est d'ailleurs très-sujet à récidiver, soit sur les mêmes points, soit sur d'autres régions, et quelquefois avec une sorte de périodicité.

Le lichen chronique succède rarement à la forme aiguë, et revêt d'emblée les caractères particuliers qui le distinguent. C'est alors une des affections de la peau les plus tenaces et les plus rebelles. Souvent, il est vrai, on le voit présenter des améliorations passagères qui donnent l'espoir d'une terminaison prochaine : les papules s'affaissent, la peau reprend peu à peu sa souplesse et se dépouille des produits d'exfoliation accumulés à sa surface ; sa sensibilité morbide s'éteint de jour en jour ; en un mot, tout semble enfin marcher vers la solution désirée ; et puis, sous l'influence d'une cause insignifiante, d'une impression morale, d'un écart de régime, d'un changement brusque dans les conditions de l'atmosphère, une recrudescence survient, de nouvelles poussées papuleuses se produisent, ramenant avec elles le prurit et le reste, et la guérison se trouve encore indéfiniment ajournée.

La marche et la durée du lichen varient d'ailleurs suivant la nature de la cause qui lui a donné naissance. Lorsqu'il est d'origine artificielle, il suffit de soustraire le malade à l'influence de l'agent provocateur pour obtenir une guérison rapide et radicale. Le lichen scrofuleux se termine fréquemment de lui-même, et d'une manière définitive, vers l'âge de la puberté, après avoir quelquefois persisté, malgré tous les moyens, pendant une grande partie de l'adolescence. C'est dans l'espèce arthritique que l'on observe plus particulièrement ces retours périodiques que nous signalerons tout à l'heure ; mais un moment arrive où, après des intermissions de plus en plus prolongées, l'action morbifique finit par abandonner la peau pour rentrer dans le silence ou se porter sur un autre système organique jusqu'alors épargné. Enfin, lorsqu'il sera question du lichen herpétique, nous verrons que cette espèce, de toutes sans contredit la plus grave, semble prendre de nouvelles forces et s'invétérer davantage avec le progrès des années.

Le lichen coexiste souvent avec d'autres altérations de la peau, et notamment avec l'impétigo, l'ecthyma, le prurigo, l'eczéma, l'urticaire. Il peut aussi se transformer *in situ* en une autre affection, par exemple le lichen agrius en impétigo, ou la forme squameuse en psoriasis ; ou bien les papules dégénèrent lentement et se convertissent en tubercules (syphilis). Un phénomène inverse peut également se produire, le lichen servant à son tour de mode de terminaison à une lésion cutanée différente de forme ou de modalité pathogénique ; et, sans parler du prurigo, que l'analogie de ses caractères anatomiques rapproche singulièrement du lichen, qui n'a vu et pour ainsi dire suivi de jour en jour, dans certains eczémas anciens, les modifications progressives qui s'accomplissent dans le tissu de la peau, son augmentation d'épaisseur, l'exagération de ses plis, la sécheresse de plus en plus marquée de sa surface, et, comme dernier terme, la substitution définitive des papules lichénoïdes aux vésicules et aux croûtes ? L'eczéma s'est fait lichen, et c'est avec celui-ci qu'il faut désormais compter pour le choix des moyens thérapeutiques. Ces sortes de mutations ne portent habituellement que sur le genre des affections : la forme change, le fond restant le même : mais elles peuvent aussi atteindre l'espèce lorsque, par une coïncidence qui n'est pas très-rare, le malade se trouve à la fois sous l'influence de plusieurs causes morbifiques distinctes.

Le lichen ne compromet pas par lui-même la vie des sujets qui en sont atteints. Cependant, les désordres fonctionnels qui sont la conséquence du prurit, dans les espèces où ce symptôme domine, jettent parfois les malades dans un tel état de faiblesse et d'émaciation, que l'on conçoit alors la possibilité d'une terminaison funeste en l'absence de toute complication.

Diagnostic. Le lichen ne saurait être méconnu de personne, lorsqu'il se présente sous la forme caractéristique de papules groupées sur une surface tégumentaire épaissie et sillonnée profondément dans le sens de ses plis naturels ; mais il est des cas où ses traits sont mal dessinés, où les lignes de démarcation s'effacent, par le fait de circonstances accidentelles, et le diagnostic devient alors quelquefois d'une grande difficulté.

Parmi les affections qui peuvent simuler le lichen, le *prurigo* se place en première ligne. De part et d'autre, nous rencontrons la papule, mais avec des caractères de forme, de volume, de disposition qui diffèrent notablement dans les deux cas. Les papules du prurigo sont généralement plus larges, plus aplaties, plus volumineuses que celles du lichen ; toujours isolées et éparses, elles n'ont aucune tendance à se réunir en groupes, comme il est presque de règle pour cette dernière affection ; la peau qui les supporte reste souple et d'ailleurs parfaitement normale ; enfin, elles déterminent un prurit incomparablement plus intense, toutes choses égales, et surtout plus âcre et plus brûlant que ne fait le lichen, et ne tardent guère à se recouvrir de petites croûtes noirâtres, formées par une gouttelette de sang desséché, ce qui n'a lieu que rarement pour la papule lichénoïde. Assurément, chacun de ces caractères, pris séparément, n'offre pas toujours toute la netteté désirable ; il est des nuances difficiles à saisir, et plus difficiles encore à analyser; ou bien ce sont des particularités importantes qui manquent d'un côté ou qui s'ajoutent de l'autre. Ainsi, la papule du prurigo n'est pas nécessairement et dans tous les cas plus volumineuse que celle du lichen, et celle-ci à son tour peut exister parfois à l'état d'isolement, et sans autre altération appréciable du tissu de la peau. Ce n'est donc pas sur tel ou tel caractère que doit être basé le diagnostic, mais sur l'ensemble des phénomènes, sur la physionomie générale de l'éruption, sa marche, les circonstances qui ont présidé à son développement. Ajoutons du reste que, par une exception rare, ce point de diagnostic est beaucoup plus facile à résoudre en pratique qu'à discuter en théorie.

Tous les auteurs se sont préoccupés de la distinction à établir entre le lichen et la *gale*. Pour nous, une semblable question n'a pas lieu d'être posée, car elle implique la confusion entre le genre et l'espèce. Le mot gale entraîne avec lui l'idée de cause et de nature ; celui de lichen indique simplement l'existence d'une éruption papuleuse spéciale, sans rien préciser sur l'origine de cette éruption. Or, il n'y a rien de commun entre ces deux ordres de faits. On sait de plus que le lichen fait précisément partie des phénomènes éruptifs provoqués par la présence de l'acarus scabiei : il s'agit alors d'une affection spéciale, que nous retrouverons bientôt dans l'histoire des espèces, le lichen parasitaire.

L'eczéma, à sa première période, se distingue sans difficulté du lichen par le caractère de son élément primitif, qui est une vésicule remplie de sérosité transparente. Son siége a lieu communément, non au côté externe des membres, mais au contraire à leur face interne, dans le sens de la flexion, sur les plis articulaires, à la partie antérieure du tronc. Il donne lieu à du suintement et à des croûtes jaunâtres et d'aspect humide. Cependant nous avons vu que le lichen pouvait se compliquer parfois de la production de vésicules, elles-mêmes suivies d'excoriations et de croûtes. Mais on remarque alors, avec un peu d'attention, que les papules constituent la partie essentielle, et, si je puis ainsi dire, le fond de l'éruption ; qu'elles préexistaient aux vésicules ; que les croûtes sont légères, fragmentées, adhérentes, individuelles pour chaque saillie papuleuse, bien différentes par conséquent des larges concrétions de l'eczéma proprement dit à sa deuxième période. Jamais d'ailleurs, dans l'eczéma, le corps papillaire de la peau ne présente cette augmentation d'épaisseur et cette sécheresse particulière qui caractérisent si bien le lichen confirmé.

Le lichen a été confondu avec certaines formes de l'*urticaire*, sous le nom de *lichen urticatus*. C'est là un rapprochement forcé, que rien ne justifie. Le lichen urticatus n'est pas autre chose, en réalité, qu'une variété du genre urticaire, dont il offre tous les attributs essentiels.

Le lichen circonscrit pourrait en imposer parfois pour un *herpès circiné*. Mais nous ne retrouvons pas dans le lichen, du moins au même degré, la parfaite régularité de forme et surtout la rapidité d'extension des cercles de l'herpès. Le centre des plaques se dégage beaucoup plus lentement et d'une manière presque toujours incomplète. Les squames sont plus sèches, plus adhérentes, et reposent sur des surfaces rugueuses, jamais excoriées si la lésion est simple. Enfin, il est bien rare qu'un examen attentif ne fasse pas découvrir à la périphérie des plaques ou des cercles quelque élément encore reconnaissable dont la présence vient aussitôt fixer le diagnostic. Il ne faut pas oublier du reste que le lichen constitue l'une des formes primitives de la teigne tonsurante, au même titre que l'herpès dont il reproduit alors exactement la marche et le mode de propagation. Dans ce cas, la lésion élémentaire importe peu, et toute distinction s'efface devant l'identité de nature.

Dans le *psoriasis*, comme dans le lichen, il y a épaississement de la peau et formation de squames. Mais la plaque psoriasique est plus exactement limitée, plus uniformément saillante que celle du lichen ; elle est en même temps plus congestive, ainsi que l'atteste sa coloration rouge ; ses squames sont imbriquées, brillantes, nacrées, très-adhérentes ; les démangeaisons qui l'accompagnent sont relativement nulles ou tout à fait insignifiantes. L'erreur ne serait véritablement possible qu'à la période de déclin de l'affection psoriasique, alors que les plaques semblent se fragmenter à leurs bords en une foule de petits points rouges encore élevés au-dessus de la peau, et qui simulent assez bien des papules de lichen. Cependant, un observateur attentif reconnaîtra bientôt que ces points n'ont pas le caractère papuleux; qu'ils ne sont pas acuminés ; qu'ils sont inégaux entre eux, irréguliers de forme et de volume, peu ou point prurigineux, de nature surtout congestive, etc., et si tous ces signes ne lui suffisaient pas, il saurait découvrir sur d'autres points du corps, et notamment aux lieux d'élection, que l'on doit toujours examiner (coudes et genoux), quelque plaque de psoriasis plus nettement caractérisée.

Dans l'*erythema papulatum* du dos des mains et de la face, on trouve des saillies ressemblant jusqu'à un certain point aux papules du lichen, mais qui en diffèrent par leur teinte rouge, le fond érythémateux sur lequel elles reposent, et l'absence presque complète de démangeaisons.

La *couperose* pourrait être prise pour un lichen de la face ; mais celui-ci occupe ordinairement le front, tandis que la couperose se place de préférence sur le nez, les joues, le menton ; le prurit est vif dans la première affection, et se trouve remplacé plus ou moins complétement dans la deuxième par un sentiment de chaleur et de fourmillement qui s'accroît après le repas, et en général sous l'influence de toutes les causes d'excitation. Enfin, la couperose, lésion à la fois érythémateuse et pustuleuse, s'accompagne de boutons d'acné indurée et pustuleuse, de dilatations des vaisseaux capillaires, ce qui n'a jamais lieu dans l'affection lichénoïde.

Siége anatomique du lichen. Cette question n'a pas encore été scientifiquement résolue. M. Cazenave a placé le lichen dans la papille nerveuse de la peau. Suivant cette opinion, d'ailleurs toute hypothétique, le lichen serait une affection nerveuse des papilles tactiles, et la papule, une sorte de papille pathologique.

Cette manière de voir est passible d'objections sérieuses. M. Hardy a fait remarquer :

1° Que le prurit est un phénomène commun à un grand nombre d'affections très-différentes de forme et de modalité pathogénique ;

2° Que le lichen existe rarement, pour ne pas dire jamais, à la paume des mains et à la plante des pieds, c'est-à-dire là où les papilles cutanées atteignent leur plus haut degré de développement ;

3° Que les papules ne rappellent en aucune façon la disposition en courbes régulières et concentriques si remarquable pour les papilles physiologiques ;

4° Qu'il est enfin d'autres altérations de la peau, sa sécheresse, son épaississement, l'exagération de ses plis, dont la présence et le mode de formation ne s'expliquent nullement dans l'hypothèse de M. Cazenave.

La théorie que M. Hardy crut devoir émettre à son tour nous paraît encore plus difficile à justifier que la précédente. S'appuyant sur la coloration brune qui survient fréquemment à une certaine période du lichen, il incline à placer le siége anatomique de cette affection dans les parties profondes de l'épiderme, dans le corps muqueux de Malpighi. Mais sans parler des contradictions évidentes que soulève une semblable assertion, comment concevoir que le corps muqueux, simple produit de sécrétion, puisse donner naissance à une lésion aussi spéciale, aussi vitale, si je puis ainsi dire, que celle qui constitue le lichen.

Pour nous, le lichen est une affection de mode hypertrophique, localisée vraisemblablement à l'origine dans les couches les plus superficielles du derme, là où s'élabore la sécrétion de l'épiderme. Telle est l'idée nécessairement vague et incomplète qu'il nous paraît prudent de ne pas franchir, dans l'état actuel de la science.

Pronostic. Le lichen, considéré comme affection générique, tire la plus grande partie de sa gravité des démangeaisons qui l'accompagnent, et nous pourrions ajouter qu'il est, toutes choses égales, d'autant plus tenace et rebelle, d'autant plus sujet à récidive, que le phénomène prurit tend à prédominer davantage.

La marche et la forme de l'éruption seront prises en sérieuse considération. Il n'y a évidemment aucune comparaison à établir, au point de vue de la gravité, entre le lichen simple et aigu, dont la durée est de quelques septénaires au plus, et le lichen chronique dont la persistance est presque indéfinie.

Le pronostic varie enfin et surtout suivant la nature du lichen. Lorsqu'il est artificiel, il disparaît de lui-même, et dans un temps fort court, par la soustraction de la cause. Le lichen scrofuleux cède assez facilement, en général, à un traitement approprié. Il en est de même du lichen spécifique, dans lequel le prurit fait défaut, et qui n'a d'importance qu'en dévoilant l'existence de la syphilis. L'espèce arthritique, par sa durée souvent longue et ses récidives fréquentes, comporte un jugement beaucoup plus sévère. Enfin, sur le dernier plan et le plus sombre du tableau se place le lichen herpétique, espèce redoutable et par le prurit atroce qu'elle détermine, et par la résistance qu'elle oppose aux médications les plus rationnelles et les mieux dirigées.

Traitement du lichen, considéré comme affection générique. — Le traitement diffère suivant que le lichen est aigu ou chronique.

Le lichen aigu sera combattu par la médication émolliente. On prescrira au malade des boissons rafraîchissantes, acidulées ou mucilagineuses, des bains additionnés de son, d'amidon, etc.; s'il s'agit d'un lichen agrius à son début, les surfaces atteintes seront recouvertes de cataplasmes de fécule ou saupoudrées de poudres émollientes, suivant l'état de l'éruption et l'indication du moment. Dans certains cas, assez rares d'ailleurs, si le sujet est jeune, vigoureux, pléthorique, si la réaction est vive, quelques émissions sanguines seront parfois de quelque utilité. On se trouve également bien, dans les mêmes circonstances, de l'administration d'un purgatif, que l'on peut répéter à quelques jours d'intervalle.

Dans le lichen chronique, le genre nous fournit deux indications dominantes, tirées des principaux symptômes, à savoir : 1° calmer le prurit; 2° favoriser la disparition des lésions de la peau, et le retour de cette membrane à son état physiologique.

D'autres indications secondaires peuvent en outre se présenter par le fait de complications ou de circonstances accidentelles.

1° *Calmer le prurit.* S'il est des cas où le prurit est nul (lichen syphilitique), ou peu marqué (lichen scrofuleux), il en est d'autres où ce phénomène prédomine à ce point que toutes les autres indications lui deviennent subordonnées. Calmer le prurit, c'est là ce que le malade demande sur toute chose et avec le plus d'instance.

Le premier soin du médecin sera d'en rechercher la cause. La démangeaison tient-elle à la présence de l'acarus, de pédiculi, les insecticides en auront rapidement raison. Est-elle au contraire sous la dépendance d'une maladie constitutionnelle, c'est dans la nature de cette maladie que l'on cherchera surtout les moyens de la combattre. L'huile de cade, par exemple, qui donne à cet égard de bons effets dans le lichen scrofuleux, réussit beaucoup moins lorsqu'on l'applique au lichen herpétique, et ainsi du reste. La thérapeutique du genre nous ramène donc en quelque sorte forcément à la considération des espèces.

Mais il n'est pas toujours facile d'atteindre la cause, ou le résultat se fait longtemps attendre ; et cependant le prurit persiste intense et continu, les insomnies se répètent, des troubles fonctionnels se déclarent, etc. Que faire alors ?

Deux ordres de moyens se présentent, dans cette difficile situation, les uns internes et les autres externes.

Le prurit étant un phénomène essentiellement nerveux, on aura recours, à l'intérieur, aux narcotiques et aux antispasmodiques, aux préparations opiacées et belladonées, à l'atropine, au datura stramonium, à l'aconit.

Les moyens externes, beaucoup plus efficaces que les précédents, consistent en bains, lotions et pommades.

Les bains frais produisent un soulagement notable dans un certain nombre de cas. Ainsi agissent encore les bains additionnés de sublimé, d'alun, de sous-carbonate de soude ; les bains sulfureux, les bains de mer, les bains de vapeur conviennent rarement en raison de l'excitation trop vive qu'ils déterminent.

Les pommades ne réussissent presque jamais contre le prurit. Je leur préfère de beaucoup les lotions avec la glycérine étendue, celles avec l'eau de savon, avec l'eau vinaigrée, avec une décoction de jusquiame, de têtes de pavots, avec l'eau de goudron, ou même simplement les lotions à l'eau froide, que les malades emploient instinctivement pendant la durée des paroxysmes. Les lotions à l'eau blanche (1 gramme de sous-acétate de plomb pour 400 à 500 grammes de véhicule), celles au sublimé (sublimé corrosif, 0gr,50; eau, 300 grammes), nous ont paru jouir d'une efficacité très-réelle.

Toutefois, les pommades peuvent être parfois d'une certaine utilité. Elles agissent alors en changeant la nature du prurit, ou plutôt en lui substituant une autre forme de douleur, plus intense peut-être, mais plus facile à supporter que la démangeaison. Ainsi agit la pommade suivante : morphine, 0gr,05 à 0gr,10; axonge, 30 grammes. Cette pommade ne calme pas, comme on serait d'abord tenté de le croire, mais provoque une cuisson, une véritable douleur. C'est au même titre que peuvent être conseillées les cautérisations avec le nitrate d'argent, sous forme de solutions plus ou moins concentrées, dans quelques cas de lichen circonscrit.

2° *Favoriser la disparition des altérations de la peau, et son retour à l'état normal.* Cette deuxième indication réclame rarement une médication spéciale et distincte de celle que nous venons d'indiquer. Effets émanés d'une même cause morbifique, le prurit et les altérations cutanées cèdent aux mêmes moyens thérapeutiques. Cependant, on pourra combattre la sécheresse toute particulière des surfaces atteintes par des douches et des bains de vapeur qui réveillent en effet parfois, dans une certaine mesure, l'activité fonctionnelle du tissu de la peau. Contre l'état hypertrophique, on aura recours aux frictions résolutives, aux pommades à l'iodure de plomb ou de potassium, à l'extrait de ciguë, aux préparations alcalines, etc., etc. Mais tous ces moyens, dont il ne faudrait pas s'exagérer la portée, ne sont que des auxiliaires utiles, mais nullement indispensables, de la médication spécifique.

II. Espèces et variétés de lichen admises par les auteurs. Ce chapitre nous a paru servir de transition naturelle entre l'histoire du genre, dont il n'est à proprement parler que la continuation et le complément, et la description particulière des espèces que nous croyons devoir rattacher à ce genre.

Indépendamment de l'intérêt que présente une semblable étude, elle nous était en quelque sorte imposée par la nature même de cet ouvrage, où le lecteur doit trouver, non pas seulement l'affirmation d'une conviction personnelle, mais encore le tableau aussi complet et fidèle que possible de toutes les opinions qui se sont produites sur la matière.

Cette revue rétrospective aura de plus l'avantage de faciliter singulièrement l'intelligence de nos espèces, considérées dans leurs rapports avec les espèces et variétés correspondantes admises par les auteurs ; et je saisirai toutes les occasions de les mettre en regard les unes des autres, afin d'en faire ressortir les analogies et les différences.

Les dermatologistes qui se sont succédé depuis Willan peuvent être divisés en deux écoles bien tranchées, les uns ayant adopté presque sans réserve les idées du pathologiste anglais, et les autres s'étant ralliés de préférence à la méthode d'Alibert. Tel est l'ordre qui nous guidera dans cette étude.

A. *École de Willan.* Willan s'était basé sur le nombre et la disposition des papules, sur leur couleur, sur l'intensité de l'éruption, etc., pour établir six espèces de lichen, désignées sous les noms de *lichen simplex*, *pilaris*, *circumscriptus*, *agrius*, *lividus*, *tropicus*, auxquelles il faut ajouter une septième espèce décrite par Bateman sous le nom de *lichen urticatus.*

1° Le *lichen simplex* consiste dans une éruption de papules rouges, qui se montrent d'abord sur la face et sur les bras, et qui s'étendent, dans l'espace de trois ou quatre jours, sur le tronc et les membres, principalement dans le sens de l'extension. Dans quelques cas, l'éruption est partielle et occupe seulement la face, le cou et les bras. Elle est précédée de phénomènes généraux, et disparaît après une durée qui varie de un à trois septénaires.

Biett fait observer que le lichen simplex n'a pas toujours, dans sa marche et dans sa durée, la régularité que lui attribue Willan ; que les phénomènes généraux manquent dans la majorité des cas ; que l'éruption peut se prolonger pendant un temps fort long, par poussées successives, soit sur le même point, soit sur d'autres régions.

Le lichen simplex nous paraît surtout correspondre, dans sa forme aiguë, au lichen artificiel, et dans sa forme chronique et récidivante, à notre lichen de nature herpétique.

2° Le *lichen pilaris* est une simple modification de l'espèce précédente, dont elle ne diffère qu'en ce que les papules se développent sur des points de la peau traversés par des poils. Il est plus grave et intéresse plus profondément le tissu cutané. Le bulbe des poils paraît atteint. La durée de cette affection est habituellement fort longue.

Le lichen pilaris est pour nous de nature arthritique.

3° Dans le *lichen circumscriptus*, ce sont des faisceaux ou réunions de papules, de forme plus ou moins régulièrement arrondie. Ces plaques sont limitées par un bord bien marqué. Elles peuvent rester stationnaires pendant un temps variable, puis disparaître, ou au contraire s'étendre par la production de nouvelles papules à la circonférence ; dans ce dernier cas, leur centre se dégage par l'affaissement progressif des boutons, mais en conservant une teinte rouge et un aspect furfuracé.

Cette forme fait habituellement partie de notre lichen arthritique. D'autres fois, c'est une affection d'origine parasitaire.

4° *Lichen agrius*. C'est la plus grave de toutes les espèces de lichen, d'où est venu son nom (ἄγριος). Elle est souvent précédée de symptômes fébriles qui s'apaisent dès que l'éruption se montre. On trouve alors de larges plaques de papules nombreuses et confluentes, d'une coloration rouge vif, et reposant sur une surface érythémateuse souvent très-étendue. Ces papules produisent un prurit très-intense et parfois intolérable. Sous l'influence des grattages et autres moyens plus ou moins violents que le malade met en œuvre pour calmer la démangeaison, la rougeur de la peau augmente, et du sommet excorié des papules suinte un liquide qui ne tarde pas à se transformer en croûtes jaunâtres et d'aspect humide.

Le lichen agrius peut se terminer en quelques semaines ou persister pendant des mois et des années. Lorsqu'il a longtemps existé sur un même point la peau devient sèche, rugueuse, épaisse, sillonnée de rides profondes, surtout au niveau des parties mobiles.

Nous verrons que le lichen agrius de Willan correspond surtout à deux de nos espèces : le lichen scrofuleux et le lichen herpétique.

5° *Lichen lividus*. « Le docteur Willan, dit Biett, a décrit sous ce nom une éruption de papules dont la couleur est rouge obscur ou livide. Cette éruption se manifeste principalement sur les extrémités et n'est point accompagnée de symptômes fébriles. Elle est sujette à se reproduire et se prolonge ainsi pendant plusieurs semaines. Les papules sont mêlées de taches violacées, livides, résistant à la pression : ce qui indique l'affinité qui existe entre le purpura et le lichen lividus. » Ces quelques lignes nous donnent le tableau, tracé de main de maître, de l'une des variétés les plus remarquables de notre lichen arthritique.

6° Le *lichen tropicus*, espèce particulière aux pays chauds, n'est, suivant toute probabilité, qu'un lichen de cause externe, une sorte d'exanthème sudoral produit par la chaleur.

7° Le lichen *urticatus*, ainsi appelé par Bateman en raison de l'analogie qu'il présente avec l'urticaire, n'est en réalité qu'une forme de cette dernière affection.

Biett n'a fait que reproduire les divisions de Willan, bien que, dit-il, le nombre pourrait en être réduit.

M. *Cazenave* admet deux formes principales : le lichen simplex et le lichen agrius.

La première forme peut se présenter à l'état aigu ou à l'état chronique. A l'état aigu, dit l'auteur, les papules sont rouges, enflammées, accompagnées d'une chaleur et d'un prurit incommodes. Au bout de trois ou quatre jours, la rougeur diminue, il s'établit une légère desquamation furfuracée, et la maladie se termine avant la fin du second septénaire, à moins d'éruptions successives. Lorsque la maladie est chronique, ce qui arrive le plus souvent, les papules sont peu ou point enflammées, le plus ordinairement de la même couleur que la peau. Dans ce cas, la durée de la maladie est indéterminée. Il y a épaississement plus ou moins considérable de la peau et production assez abondante de squames.

M. Cazenave rattache au lichen simplex, à titre de sous-variétés, les formes pilaris, lividus, circumscriptus, urticatus, que Willan et Bateman avaient placées sur la même ligne. Il ne décrit pas le lichen tropicus, mais ajoute aux variétés de l'auteur anglais une forme nouvelle, le *lichen gyratus*, caractérisé par la disposition rubannée de ses groupes papuleux.

Enfin le strophulus, que Bateman considérait comme un genre à part, constitue pour M. Cazenave une variété de lichen particulière aux enfants à la mamelle, existant toujours à l'état aigu, et consistant dans une éruption de papules rouges, ou blanches, accompagnées de vives démangeaisons. Il admet d'ailleurs les cinq variétés de strophulus reconnues par Bateman, à savoir :

Le *strophulus intertinctus*, dont les papules enflammées, éparses, sont entremêlées de taches érythémateuses;

Le *strophulus confertus*, dont les papules sont plus petites et confluentes;

Le *strophulus volatilicus*, dont les papules sont disposées par petits groupes peu nombreux, arrondis et répandus sur diverses régions;

Le *strophulus albidus*, dont les papules sont blanches, et quelquefois entourées d'une légère auréole inflammatoire;

Le *strophulus candidus*, dont les papules sont plus larges, et dépourvues d'inflammation à leur base.

J'adopte l'opinion de M. Cazenave pour ce qui concerne le classement anatomique du strophulus et sa réunion au genre lichen; mais j'attache fort peu d'importance aux divisions secondaires basées sur des différences d'aspect et de coloration. Le strophulus constitue pour nous, dans l'immense majorité des cas, une des premières manifestations de la scrofule.

La seconde forme de lichen admise par M. Cazenave est le *lichen agrius*, qui peut exister spontanément ou succéder au lichen simplex. La description qu'il en donne ne diffère pas sensiblement de celle que nous avons relatée plus haut, d'après Willan et Biett.

Gibert admet toutes les variétés de Willan et Bateman, mais il rapproche le strophulus du lichen et décrit une variété nouvelle, qu'il désigne sous le nom de *lichen acarique*, et que nous retrouverons plus loin, lorsqu'il sera question du lichen artificiel ou de cause externe.

Indépendamment des formes déjà nombreuses décrites par les auteurs anglais, *Rayer* a cru devoir établir quatre variétés de siége : le lichen de la face, le lichen des membres, le lichen des parties génitales et de l'anus, et le lichen du cuir chevelu.

Quelques mots sur chacune de ces variétés :

Le lichen de la face, dit Rayer, est commun pendant l'été chez les personnes dont la face est habituellement exposée aux ardeurs du soleil. Il est caractérisé par une desquamation furfuracée décrite sous le nom de dartre farineuse ; lorsqu'il passe à l'état chronique, la peau devient jaunâtre, sèche et furfuracée ; enfin, l'éruption augmente sous l'influence des boissons spiritueuses. Une telle affection rappelle assurément beaucoup moins le lichen qu'un pityriasis ou une acne rosacea.

Le lichen des membres, d'après le même auteur, serait surtout fréquent sur les bras et les avant-bras des cuisiniers, que leur profession expose constamment à une température très-élevée. Il s'agit évidemment dans ces cas d'un lichen artificiel.

Quant au lichen des parties génitales et de la marge de l'anus, variété rebelle et souvent difficile à distinguer de l'eczéma, en raison du suintement qui s'y produit par le fait des grattages, nous pensons qu'il doit être rapporté à l'arthritis par sa nature, quelle que soit d'ailleurs en réalité sa forme primitive.

Enfin le lichen du cuir chevelu, tel que l'a décrit Rayer, ne nous paraît être qu'un pityriasis développé sur cette région.

Dans l'article qu'il consacre au lichen dans son *Traité pratique des maladies de la peau*, M. *Devergie* commence par s'élever hautement contre la définition des auteurs, en vertu de laquelle ils considèrent cette affection comme n'étant pas de nature contagieuse, et il cite à l'appui de sa manière de voir plusieurs exemples de transmission évidente, au moyen d'un contact plus ou moins prolongé. Nous ne croyons pas que M. Devergie ait rallié beaucoup de personnes à sa doctrine, du moins dans le sens absolu où il l'a posée. Sans aucun doute, lorsque le lichen est symptomatique de la présence de l'acarus ou du tricophyton, on comprend la possibilité de sa transmission par le transport du parasite qui en est la cause matérielle et saisissable ; mais affirmer que cette affection est contagieuse dans tous les cas, que le lichen constitutionnel, par exemple, peut se propager par simple contact d'un individu à un autre, c'est se mettre en contradiction manifeste avec l'expérience de chaque jour et les lois les mieux reconnues de la pathologie.

M. Devergie reconnaît des formes simples et des formes composées de lichen. Les formes simples sont nombreuses et se groupent autour de deux variétés principales : le lichen simplex et le lichen agrius.

Le lichen simplex se montre sous trois dispositions différentes : *diffusus*, *circumscriptus*, *gyratus*. Mais quelle que soit sa forme, il peut être discret ou confluent, aigu ou chronique, et lorsqu'il est confluent et chronique, il devient le lichen *agrius ferox*. Il existe enfin, pour M. Devergie, deux autres variétés de lichen simplex, le lichen *pilaris* et le lichen *lividus*.

Le lichen agrius pourrait succéder au lichen simplex, comme il vient d'être dit, ou se manifester d'emblée sous la forme qui lui est propre. Il serait alors caractérisé par l'existence de papules volumineuses dont la majeure partie donne lieu, avec le temps, à une sécrétion purulente à leur sommet, comme les pustules, par des démangeaisons beaucoup moins intenses que celles qui accompagnent le lichen simplex confluent, par une ténacité très-grande, et enfin par son apparition chez des enfants doués d'un tempérament lymphatique.

Ce lichen agrius, qui pour nous constitue une affection scrofuleuse, pourrait d'ailleurs se présenter sous trois formes différentes : diffusus, circumscriptus et gyratus, c'est-à-dire dans les mêmes conditions que le lichen simplex.

M. Devergie admet enfin trois formes composées de lichen : le lichen urticant, le lichen eczémateux et le lichen herpétiforme.

Je me suis expliqué sur le lichen urticant, ou urticatus de Bateman, qui doit être rapporté au genre urticaire.

Le lichen eczémateux se montre à la partie externe des membres, sous forme de plaques arrondies, disséminées, sécrétantes, surtout au début; puis la sécrétion s'arrête peu à peu et l'état papuleux se dessine. Cette description répond de point en point à une variété de notre eczéma arthritique.

Enfin, le lichen herpétiforme, qui consisterait en des plaques nettement arrondies, parsemées de papules nombreuses, terminées par un bourrelet à tendance extensive, n'est autre chose à nos yeux qu'une affection symptomatique de la présence d'un parasite, le trichophyton tonsurant.

B. *Ecole d'Alibert.* Alibert a placé le lichen dans sa famille des dermatoses scabieuses (voy. *Historique du lichen*), où il figure comme variété du genre *prurigo* sous le nom de prurigo lichénoïde ou furfurant.

M. Gintrac (de Bordeaux) admet un lichen aigu et un lichen chronique. Il range la première espèce dans la classe des fièvres éruptives et des exanthèmes aigus, et la seconde dans la classe des maladies cutanées chroniques. Les variétés de forme et de siége sont les mêmes que celles des Willanistes.

Le lichen aigu, selon M. Gintrac, se développe en général chez les individus soumis à l'action d'une forte chaleur, chez les forgerons, les cuisiniers, les faucheurs ou les laboureurs, etc., etc.; nous retrouverons cette espèce dans l'histoire du lichen artificiel. Quant au strophulus, ou lichen aigu de la première enfance, qu'il rattache au travail de la dentition, à un dérangement des voies digestives, à une mauvaise alimentation, nous ne pouvons y voir qu'une manifestation scrofuleuse provoquée par une influence occasionnelle.

Enfin nous savons que, pour M. Hardy, le lichen n'a plus d'existence distincte et qu'il va se confondre avec l'eczéma, l'impétigo, le pityriasis et le psoriasis, pour former cette sorte de combinaison dartreuse dans laquelle chacune de ces affections joue un rôle assez difficile à déterminer. Ajoutons cependant que quelques débris du lichen échappent, sous le nom de strophulus, au naufrage général du genre, pour figurer plus loin dans la classe des maladies cutanées accidentelles, entre le zona et le prurigo; mais le strophulus de M. Hardy n'est pas le strophulus de Bateman, c'est tout simplement un prurigo ou un lichen de cause externe. Ce qu'il décrit sous le nom de lichen *hypertrophique* n'est que les mycosis fongoïdes généralisés. (Voir *Mycosis.*)

Telles sont les espèces et variétés de lichen admises par les auteurs. Je les livre à l'appréciation du lecteur sans autre commentaire ni réflexion critique que l'exposé qui va suivre.

III. Du lichen considéré comme affection spéciale (*séméiotique cutanée spé-*

ciale). Il existe pour moi deux grandes classes de lichens, les uns de cause externe, les autres de cause interne.

Le lichen de cause externe est dû, soit à l'action sur la peau de substances irritantes, soit à la présence de parasites végétaux ou animaux, d'où les deux espèces suivantes : lichen artificiel, lichen parasitaire.

Le lichen de cause interne peut être symptomatique de quatre maladies constitutionnelles : la scrofule, l'arthritis, la dartre et la syphilis.

Le tableau suivant donne l'énumération de toutes les espèces et variétés comprises dans ces deux classes :

LICHEN DE CAUSE EXTERNE.

Espèce	Variété	
1° Artificiel	Agents irritants.	
2° Parasitaire	acarique (acarus scabiei, rouget).	
	trichophytique.	

LICHEN DE CAUSE INTERNE.

Espèce	Variété	
1° Scrofuleux	exanthématique (strophulus).	
	agrius.	
2° Arthritique	circonscrit.	
	pilaris	par hypertrophie papillaire ;
		par altération fonctionnelle de la papille.
	lividus.	
3° Herpétique	diffus.	
	généralisé.	
4° Syphilitique	lichen lenticulaire — syphilide papuleuse lenticulaire.	
	lichen miliaris — syphilide papuleuse miliaire.	

Avant de commencer la description particulière de chacune de ces espèces, je rappellerai que toute affection spéciale présente à considérer deux ordres de phénomènes parfaitement distincts : 1° des phénomènes communs, génériques, dont le genre n'est lui-même qu'une sorte de formule générale et abstraite; 2° des phénomènes propres ou exclusifs, qui résultent de sa nature même, c'est-à-dire de la maladie dont elle est la traduction sur la peau.

Nous avons étudié plus haut les caractères communs du genre lichen; il nous reste maintenant à l'envisager au point de vue des modifications que la maladie lui imprime.

I. Lichen de cause externe. Le lichen est une forme très-commune de dermatose provoquée. Des causes nombreuses et diverses peuvent lui donner naissance. On le rencontre particulièrement chez les individus que leur profession met en contact incessant avec des substances plus ou moins irritantes; tels les épiciers (*gale des épiciers*), les boulangers, les teinturiers, les maçons, les criniers, les fileurs de laine, les ouvriers qui manient les verts arsénicaux, etc. L'exposition habituelle à une chaleur intense, produit le même résultat sur la peau chez les cuisiniers, les forgerons, les verriers, les faucheurs, les laboureurs, etc. (*lichen professionnel*). Les mauvaises conditions hygiéniques, le changement d'air, pour les jeunes gens arrivés nouvellement à Paris, l'habitation dans une chambre petite, mal aérée, l'absence des soins de propreté, ont une influence incontestable sur le développement de cette affection. (*Strophulus de M. Hardy.*)

Les auteurs ont décrit sous le nom de *lichen tropicus* une éruption qui se produit, ainsi que son nom l'indique, sous l'influence de la température élevée des contrées tropicales : « Dans ces climats, dit Bontius, lorsque la sueur a été excitée, il se manifeste des papules rouges et rugueuses, qui le plus souvent couvrent tout le corps, et qui sont accompagnées d'un prurit très-violent. Cette éruption attaque de préférence les personnes étrangères à ces contrées, mais il n'est aucun de leurs habitants qui n'en ait été atteint ; les démangeaisons sont intolérables. » Le lichen tropicus trouve évidemment sa place parmi les affections de cause externe.

Le lichen artificiel a pour siége ordinaire les parties découvertes, la face, le cou, les avant-bras, les mains. Les papules qui le caractérisent sont assez volumineuses, éparses ou confluentes, mais sans affecter de disposition régulière, souvent excoriées, d'une teinte rouge qui existe également dans leurs intervalles. Le prurit est quelquefois très-vif, le plus habituellement modéré ; il peut être remplacé par un sentiment de cuisson ou de chaleur. La lésion cutanée est rarement simple ; à côté des éléments du lichen, on trouve de l'érythème, des papules de prurigo (*strophulus prurigineux de M. Hardy*), des vésicules, des pustules phlyzaciées ou psydraciées, etc. Cette affection est toujours bénigne, et sans retentissement sur la santé générale. Sa marche est aiguë ou subaiguë, et sa durée subordonnée à la persistance des causes qui l'ont provoquée et qui l'entretiennent.

Le lichen doit être compté au nombre des formes éruptives que le médecin peut développer à son gré, dans un but expérimental ou thérapeutique. J'ai décrit ailleurs, d'après des expériences instituées par moi à cet effet, l'action toute spéciale et véritablement élective exercée sur la peau par l'ipécacuanha employé en frictions sous forme de pommade. Cette action se manifeste d'abord par des rougeurs diffuses sur lesquelles ne tardent pas à se dessiner, si on continue les frictions, de petites saillies papuleuses, d'une teinte plus animée. Le nombre de ces papules n'est jamais très-considérable. Elles sont volumineuses, bien distinctes les unes des autres, également rouges de la base au sommet, et dépourvues d'auréole circonférentielle. Elles disparaissent en général sous la pression du doigt, ou même par de simples tractions exercées sur la peau; mais il en est qui ne font que se décolorer et pâlir légèrement; toutes reprennent instantanément leur apparence, dès qu'on les abandonne à elles-mêmes. La peau, à l'endroit où elles siégent, est rude, rugueuse, sèche au toucher, mais sans épaississement notable. Le malade éprouve au début une cuisson vive qui témoigne de l'action immédiate produite par la pommade irritante employée en friction, et plus tard, lorsque les papules sont bien manifestes, un prurit des plus vifs, très-incommode surtout pendant la nuit. L'éruption ne disparaît qu'avec lenteur ; les papules commencent par pâlir, puis s'affaissent graduellement ; leur teinte devient bleuâtre et violacée. Les démangeaisons persistent jusqu'à la fin, et il ne faut pas moins de un à deux septénaires pour que toute trace de la lésion cutanée se soit complétement effacée.

Cette affection reproduit, comme on voit, tous les caractères du genre lichen, dont elle pourrait être considérée comme un type, au point de vue de la lésion primitive. S'il y avait lieu d'en établir le diagnostic, dans un cas donné, on la reconnaîtrait à la coloration vive et animée de ses papules, à leur volume, à la régularité de leur aspect, à leur marche aiguë, à l'absence d'exfoliation à leur surface. Ajoutons à ces signes que l'éruption est nécessairement limitée à une région peu étendue, et que la peau qui la supporte n'a subi aucun épaississement.

Le lichen peut signaler à son début la germination du trichophyton. Sans être aussi fréquente que les éruptions érythémateuses, vésiculeuses et pustuleuses, cette forme n'est cependant pas très-rare chez les individus atteints de teigne tonsurante. On l'observe, non au cuir chevelu, mais presque toujours sur le tronc et les membres, très-souvent au dos de la main et du poignet, quelquefois aussi sur la face, et à la partie supérieure du cou, au milieu même des cercles herpétiques. Dans tous les cas, les papules affectent une disposition spéciale, qui trahit facilement leur origine, soit qu'elles se réunissent en plaques nettement limitées à leurs bords, soit qu'elles figurent des courbes plus ou moins étendues, ou même de véritables cercles. C'est probablement sur des faits de ce genre que M. Devergie s'est basé pour admettre la contagion du lichen ; opinion vraie dans une certaine mesure, mais qui devient insoutenable dans les termes absolus où l'a posée son auteur.

Le lichen fait également partie, comme on sait, des éruptions symptomatiques de la gale, au même titre que le prurigo, l'ecthyma, l'impétigo, etc. Sa présence n'entraîne, relativement au pronostic et au traitement de la gale, aucune indication particulière.

Enfin, j'ai dit plus haut, que Gibert avait décrit un lichen acarique. Voici comment il s'exprime à ce sujet : « Cette variété se montre surtout chez les citadins qui, vers la fin de l'été, vont séjourner à la campagne, dans des lieux boisés où se rencontrent, à cette époque de l'année, de petits acarus végétaux qui s'implantent sur la peau de l'homme, et y meurent promptement, mais après avoir déterminé pendant plusieurs jours de très-vives démangeaisons, accompagnées de petites papules plus ou moins enflammées au cou, aux aisselles, au pli du coude, aux jarrets, au bas-ventre. J'ai connu une personne qui n'était parvenue à se débarrasser de ces éruptions qu'en brossant soigneusement la peau, lorsqu'elle se déshabillait le soir en rentrant de ses excursions champêtres. »

En résumé, quelles que soient d'ailleurs sa forme et son espèce, le lichen de cause externe se présente à nous avec tous les caractères que nous avons assignés aux affections de cet ordre : siége de prédilection sur les parties découvertes, irrégularités de forme et de disposition, lésions primitives souvent multiples, cause facile à saisir, marche rapide, durée courte, guérison rapide et radicale.

Le traitement est toujours simple. La première indication consiste à supprimer la cause. S'il s'agit d'un lichen professionnel, on conseillera le repos et les topiques émollients et résolutifs. La psore sera combattue par la friction générale avec la pommade d'Helmerich. Enfin, dans le lichen trichophytique, tous les efforts du médecin auront pour but la destruction du parasite qui entretient et propage l'affection de la peau.

II. Lichen de cause interne. Il se subdivise en quatre espèces : *a.* le lichen scrofuleux ; *b.* le lichen arthritique ; *c.* le lichen herpétique ; *d.* le lichen syphilitique.

A. *Lichen scrofuleux.* Cette espèce comprend surtout le strophulus des auteurs, et certaines formes de lichen agrius.

L'affection lichénoïde désignée sous le nom de strophulus par la plupart des dermatologistes, n'est pas autre chose à nos yeux qu'un lichen scrofuleux, survenant dans la première enfance, au moment du travail de la dentition, d'où lui est venue la dénomination de *feux de dents*, que le vulgaire a pour habitude de lui appliquer. L'éruption débute presque toujours par la face et les parties supérieures du corps, rarement par le cuir chevelu, comme il est presque de règle pour la scrofulide exsudative. Aucune région n'est d'ailleurs, d'une façon absolue, à l'abri de ses atteintes. Les papules sont volumineuses, tantôt éparses, isolées, tantôt plus nombreuses, rapprochées, confluentes (*strophulus confertus*) ; leur coloration est rosée ou rouge, d'autres fois blanchâtre avec une surface unie et luisante (*strophulus candidus*). Le prurit qui les accompagne est en général très-modéré.

Le strophulus n'est pas toujours une affection exclusivement papuleuse. Quelquefois ses papules sont entremêlées de rougeurs érythémateuses (*strophulus intertinctus*), ou bien encore surmontées à leur sommet de vésicules demi-transparentes. Toutefois, il est bon d'être averti que la papule peut revêtir un aspect pseudo-vésiculeux, sans qu'il y ait le moindre soulèvement à sa surface, ce dont il est facile de s'assurer en piquant avec une aiguille la partie culminante du bouton.

La marche du strophulus est toujours aiguë. Il ne détermine habituellement aucun changement notable dans la santé des enfants. La durée moyenne est de un à deux septénaires, lorsque tout se borne à une seule éruption; mais le plus souvent l'affection se prolonge bien au delà de ce terme, par le fait de poussées successives.

Le lichen scrofuleux peut également se montrer à une époque plus avancée de la vie, et cette circonstance suffit pour modifier sensiblement ses caractères, en laissant toutefois parfaitement reconnaissable le cachet particulier que lui imprime sa nature. C'est à cette forme de scrofulide que doivent être rapportées un certain nombre des variétés complexes décrites sous le nom de *lichen agrius*. On l'observe principalement à partir de l'âge de douze à quinze ans, chez les enfants d'un tempérament lymphatique. Ici, comme dans le strophulus, les papules sont plus grosses, plus hypertrophiques que dans les autres espèces, et ne déterminent que des démangeaisons relativement faibles, si on les compare au prurit atroce et permanent du lichen à petites papules. Enfin ce lichen offre ceci de remarquable, qu'il est susceptible de se transformer, d'affecter une forme composée, ou, si l'on aime mieux, de se compliquer de productions vésiculeuses et pustuleuses. Il se transforme assez souvent en lichen eczémateux ou en eczéma lichénoïde.

L'éruption que je viens de décrire répond trait pour trait, comme je l'ai dit plus haut, au lichen agrius de M. Devergie. Elle est généralement beaucoup plus tenace et rebelle que le strophulus ou lichen scrofuleux de la première enfance, dont elle n'est parfois qu'une sorte de continuation, sous une forme un peu différente; et il n'est pas rare de la voir persister pendant des mois et même des années, sans aucun intervalle de rémission complète. Lorsqu'elle a longtemps existé sur un même point, la peau devient sèche, rugueuse, épaisse, sillonnée, comme dans le lichen invétéré.

Le lichen scrofuleux présente habituellement des relations avec des affections de même nature. De même que la gourme avec laquelle on le voit coexister ou alterner sur le même sujet, il ouvre le plus souvent, sous le nom de strophulus, la marche des accidents de la scrofule. Il peut disparaître plus ou moins complétement pour récidiver plus tard pendant le cours de la première période, ou même pendant le cours de périodes subséquentes de la maladie constitutionnelle.

La scrofulide boutonneuse sera rarement confondue avec une autre affection cutanée. Le strophulus, en raison de sa persistance et de l'apyrexie, ne saurait être pris pour une rougeole boutonneuse. Le lichen scrofuleux, lorsqu'il se complique d'eczéma ou d'impétigo (*forme agrius*), est souvent difficile à reconnaître; mais le diagnostic du genre n'offre plus alors qu'un intérêt très-secondaire, les deux affections se fondant, si je puis ainsi dire, l'une dans l'autre, pour constituer une espèce unique. Dans les cas ordinaires le lichen se distinguerait facilement de l'eczéma en tenant compte des caractères différentiels que nous avons donnés plus haut dans l'histoire du genre. (*Voy.* Diagnostic du lichen.)

Le strophulus ou lichen scrofuleux du premier âge pourrait en imposer pour une syphilis héréditaire. Mais les phénomènes éruptifs sont tout autres dans la syphilis infantile, où l'on trouve du coryza chronique, des érythèmes, des roséoles, des plaques muqueuses, des éruptions papulo-pustuleuses avec ou sans excoriations, des éruptions bulleuses. Le siége n'est pas le même : la scrofulide boutonneuse débute à la face et sur les parties supérieures du corps, pour de là se répandre sur d'autres régions de la peau ; la syphilide se manifeste d'abord et surtout aux parties sexuelles et à l'anus, sur la région ombilicale, à la face, aux lèvres. Le strophulus n'apparaît guère que vers le cinquième ou le sixième mois, tandis que les manifestations de la syphilis ont lieu à l'époque de la naissance ou peu de temps après, quelquefois même pendant la vie intra-utérine.

En dehors des caractères propres aux deux éruptions, on trouverait des signes distinctifs dans l'habitude extérieure et la constitution de l'enfant. Le contraste est en général des plus frappants. Dans la scrofule, il y a développement exagéré des tissus mous, volume énorme des membres, et comme une sorte de boursouflement de toutes les parties du corps ; dans la syphilis, au contraire, l'enfant est petit, émacié, flétri, ridé, à membres grêles, semblable de tout point à un petit vieillard.

Sans être grave en lui-même, le lichen scrofuleux entraîne un *pronostic* plus sérieux, toutes choses égales, que les scrofulides sécrétantes, en raison de sa durée souvent longue et de l'état de souffrance dans lequel il jette les petits malades, par le fait du prurit quelquefois assez vif qui l'accompagne.

Le *traitement* varie nécessairement suivant la forme de l'affection et l'âge de l'enfant. Dans le strophulus ou lichen du premier âge, on se contentera d'entourer l'enfant de précautions hygiéniques sévères, en surveillant son alimentation, le lait de la nourrice, les soins de propreté, le renouvellement des linges, etc. Si les surfaces malades paraissent irritées et douloureuses, elles seront recouvertes de poudres émollientes de riz, de fécule, d'amidon. Quelques bains adoucissants seront utiles au déclin de l'éruption.

Mais le strophulus peut se prolonger au delà de son terme ordinaire, en affectant une tendance à la chronicité ; il convient alors de sortir de l'expectation pour recourir aux moyens qu'il nous reste à indiquer.

Ces moyens sont locaux et généraux.

Les moyens généraux consistent dans l'emploi, que l'on gradue suivant l'âge, des sirops antiscorbutique et de proto-iodure de fer, administrés purs ou dans une petite tasse de tisane amère de houblon. On peut également prescrire, de temps en temps, un léger laxatif, sirop de chicorée, manne, huile de ricin, etc., pour stimuler les fonctions digestives et venir en aide à la médication générale.

Parmi les moyens locaux, je donne la préférence à l'huile de cade, que je considère comme le modificateur par excellence de toutes les dartres scrofuleuses, et en particulier de la scrofulide boutonneuse. Je l'emploie presque toujours pure, sous forme d'onctions, ou mieux encore de frictions, lorsque les symptômes inflammatoires sont complétement tombés ; ces applications sont répétées tous les deux ou trois jours, où à de plus longs intervalles, suivant les cas et le résultat obtenu. Les bains sulfureux et alcalins, les bains de sels ou les bains de mer, constituent également de très-bons moyens à opposer au lichen scrofuleux passé à l'état chronique.

B. *Lichen arthritique.* Cette espèce comprend trois variétés principales : le lichen circonscrit, le lichen pilaris et le lichen lividus.

1° *Lichen circonscrit.* Les auteurs ont confondu sous ce titre deux affections très-différentes, l'une d'origine parasitaire, dont nous avons traité plus haut (lichen trichophytique), l'autre de nature arthritique, dont il nous reste à tracer les caractères spéciaux.

Ainsi que son nom l'indique, le lichen circonscrit se caractérise tout d'abord aux yeux de l'observateur par une sorte de concentration des phénomènes éruptifs sur des espaces limités de la peau ; les papules qui le constituent sont petites, nombreuses, tellement agglomérées et confluentes qu'elles se confondent à leurs bases les unes dans les autres. De là résultent des plaques granuleuses, diversement configurées, en général assez régulièrement arrondies, à bords saillants et nettement arrêtés. Ces plaques ont un diamètre de 3, 4 à 5 centimètres, rarement plus considérable ; d'abord très-restreintes, elles s'accroissent lentement par la production de poussées successives à leur circonférence. D'une coloration rouge ou même violacée au début, elles ne tardent pas à se recouvrir de petites squames minces, très-adhérentes, d'une teinte grise ou blanchâtre. Elles sont le siége de picotements et d'élancements plutôt que de véritables démangeaisons. Après une certaine durée, les papules s'affaissent graduellement du centre à la périphérie, la coloration morbide s'affaiblit et finit par s'éteindre, et un moment arrive où la plaque ne se distingue plus des téguments voisins que par un léger épaississement de la peau avec exfoliation à sa surface. Dans cet état, le lichen circonscrit ressemble beaucoup à l'eczéma sec de même nature, dont nous l'avons en effet différencié dans l'histoire du genre. Nous pouvons ajouter que beaucoup de nos eczémas du dos des mains ne sont pour les Willanistes que des lichens circonscrits : erreur de genre qui importe peu, la nature des deux affections étant la même.

Le lichen circonscrit a des lieux bien marqués de prédilection ; c'est sur le côté externe des membres, sur la face dorsale des avant-bras et des mains, au front, sur les parties génitales que surtout on le rencontre. Les plaques sont plus ou moins nombreuses, dispersées sur les différents points d'élection, ou réunies sur une même région ; dans ce dernier cas, elles peuvent se joindre et se déformer mutuellement par leurs bords contigus.

Cette variété de lichen est des plus tenaces, et persiste souvent pendant des mois et des années. Elle est très-sujette à récidive, et présente parfois, à cet égard, une sorte de périodicité en rapport avec les saisons. Cependant, s'il est impossible de fixer un terme approximatif à sa durée, il faut savoir qu'elle est destinée à disparaître après un certain temps, et d'une manière définitive, par le fait même de l'évolution spontanée de la maladie constitutionnelle.

Le *diagnostic* du lichen circonscrit, considéré comme espèce, n'est pas toujours facile à établir. L'affection qui s'en rapproche le plus est assurément le lichen parasitaire ; mais l'examen des poils nous fournit ici des renseignements précieux : on les trouve altérés dans leur structure, cassés et revêtus d'une gaîne blanche particulière, s'il s'agit d'un lichen trichophytique. La présence d'anneaux herpétiques ou de débris de cercles d'herpès sur le visage, le cou, le dos des mains et sur d'autres régions suffirait pour rendre toute méprise impossible.

Le lichen scrofuleux offre bien peu d'analogie avec l'espèce qui nous occupe. Se manifestant surtout dans le jeune âge, il se développe en général sur de larges surfaces ; ses papules sont volumineuses et recouvertes pour la plupart de vésicules et de pustules. Très-rarement circonscrit, il se montre alors presque toujours sur les plis du jarret ou du coude, c'est-à-dire sur des points qui éloignent aussitôt l'idée d'un lichen arthritique. Celui-ci offre des caractères tout opposés de siége, d'aspect, d'exacte circonscription; ses plaques sont sèches, formées de petites papules agglomérées, sans mélange d'autres éléments éruptifs; enfin, les sensations morbides sont plus accusées que dans le lichen scrofuleux, et de forme différente.

Il nous resterait à distinguer le lichen circonscrit des espèces dartreuse et syphilitique; mais l'ordre logique des choses nous oblige à réserver pour le moment ce double point de diagnostic.

2° *Lichen pilaris* (*cutis anserina*). Le lichen pilaris est caractérisé par des papules traversées par un poil, et plus volumineuses que celles du lichen ordinaire.

Il peut se développer sur tous les points de la peau que recouvrent des poils, mais plus particulièrement dans la barbe, sur la région antérieure de la poitrine et sur la face externe des membres.

J'établis deux variétés importantes de lichen pilaris, d'après les différences que présente la lésion élémentaire : *a*. un lichen par hypertrophie papillaire; *b*. un lichen par altération fonctionnelle de la papille.

a. Dans la première variété, on trouve de grosses papules traversées par un poil à leur centre, et constituées évidemment par l'hypertrophie du follicule pileux et de la papille pilifère. Les parties affectées offrent un aspect rugueux qui rappelle assez bien cet état particulier de la peau désigné communément sous le nom de *chair de poule*, d'où la dénomination de *cutis anserina* donnée à cette forme de lichen.

Les démangeaisons sont peu vives et habituellement remplacées par des picotements. La chute des poils ne survient qu'après une longue durée de l'affection.

Cette variété se distingue de l'acne pilaris par son siége anatomique et la forme de sa lésion primitive : par son siége, qui a lieu dans le follicule pileux lui-même, et non dans les glandes sébacées annexées à cet organe; par sa forme primitive, qui est une papule acuminée constituée par le follicule hypertrophié, et par conséquent bien différente de la papulo-pustule ombiliquée de l'acne pilaris.

b. Dans la seconde variété de lichen pilaris, la papille pilifère présente une grave altération fonctionnelle. Elle ne donne plus naissance au poil, mais sécrète en sa place une matière glutineuse qui, examinée au microscope, se montre composée de cellules épidermiques molles, de forme polyédrique et pourvues d'un noyau très-apparent. Ce lichen pilaris offre donc une certaine analogie avec le pityriasis capitis caractérisé par une hypersécrétion d'épiderme qui se fait aux dépens des parois du follicule pileux. Il en diffère cependant par le siége de la sécrétion morbide, qui a lieu dans la papille elle-même, et par la nature du produit sécrété, dont l'organisation est beaucoup plus rudimentaire que dans le pityriasis, où l'on observe de véritables cellules épidermiques aplaties, déformées et disposées sous la forme de lamelles ou furfures.

Le lichen pilaris par altération fonctionnelle de la papille offre des symptômes qui lui sont propres. Ses papules sont petites, déprimées à leur partie centrale, d'une couleur jaunâtre ou brunâtre, ordinairement disposées en plaques plus ou moins étendues. Ces plaques ont un aspect singulier et tout à fait caractéristique:

elles ressemblent, qu'on me passe cette expression, à une croûte de pain légèrement brûlée et râpée superficiellement.

Les éléments du poil cessent d'être sécrétés de bonne heure ; aussi les papules ne sont pas traversées par un poil comme celles du lichen par hypertrophie papillaire.

Le lichen pilaris par altération fonctionnelle se sépare du pityriasis capitis par sa forme primitive, qui est une papule, et par les caractères particuliers de son exfoliation.

Dans l'acne pilaris, on trouve une papulo-pustule ombiliquée, rouge, indurée, qui se recouvre d'une croûte jaunâtre et légèrement déprimée à sa partie centrale. La lésion ne porte pas sur le follicule pileux, ou ne l'atteint que tardivement, par propagation du travail morbide développé dans les glandes annexées à cet organe. Elle laisse fréquemment à sa suite des cicatrices blanches et indélébiles. Il ne faut pas confondre le lichen pilaris avec l'*ichthyose pilaris*, improprement décrite par MM. Devergie et Hardy sous le nom de pityriasis pilaris.

C. *Lichen lividus*. J'ai depuis longtemps fait connaître une variété de lichen non décrite par les auteurs, et que j'ai nommée *lichen à papules déprimées*. Cette affection n'est pas très-rare. Elle est caractérisée par des papules plus volumineuses que celles des autres variétés de lichen, larges, aplaties, tantôt disséminées, tantôt se réunissant par groupes de deux, trois, quatre et en plus grand nombre, pour constituer des plaques. Ces papules sont en général distinctes les unes des autres, souvent luisantes et comme vernissées à leur surface, et terminées par un bord circulaire quelquefois légèrement saillant en forme de margelle. Les démangeaisons sont nulles ou peu marquées.

Dans quelques circonstances, l'éruption revêt une teinte violacée ; les papules sont mélangées de taches hémorrhagiques et entourées d'une auréole livide : c'est à cette variété que les auteurs ont imposé le nom de *lichen lividus*. Celui-ci n'est donc qu'un lichen à papules déprimées avec la tendance spéciale aux extravasations sanguines qu'on rencontre si souvent dans les affections arthritiques.

Le lichen à papules déprimées se développe de préférence sur le front, le menton, le nez, les oreilles et les membres. Il peut également se montrer sur le tronc, où je l'ai fréquemment observé. Sa marche est lente, et sa durée moyenne de cinq à six septénaires. Il ne détermine aucun trouble notable de la santé lorsqu'il est simple ; mais la forme lividus coïncide en général avec d'autres phénomènes de débilitation.

Cette affection se distingue de la syphilide papuleuse, avec laquelle on la confond le plus ordinairement, par les caractères bien définis de ses papules, par leur coloration violacée, et dans certains cas, par la présence de véritables ecchymoses dans le tissu de la peau. La syphilide coexiste d'ailleurs presque toujours avec des plaques muqueuses et l'engorgement des ganglions lymphatiques, ce qui n'a jamais lieu pour le lichen à papules déprimées. Enfin, il est bien rare que celui-ci soit absolument dépourvu de prurit, comme il est de règle pour le lichen spécifique.

Les éléments du psoriasis guttata sont recouverts de squames blanches et nacrées, différentes à tous égards de l'épiderme blanc et lisse qui fait corps avec la papule déprimée du lichen. Le prurit est moins marqué dans le psoriasis. L'examen des coudes et des genoux éclairerait au besoin le diagnostic.

Traitement du lichen arthritique. Les préparations alcalines, administrées *intùs* et *extrà*, occupent la première place dans le traitement du lichen arthritique, quelle que soit d'ailleurs sa forme ou variété de forme. On prescrira l'eau de Vichy aux repas, le bicarbonate de soude à la dose de $0^{gr},20$, $0^{gr},50$ et jusqu'à 1 gramme et $1^{gr},50$ par jour, sous forme de sirop, dont le malade prendra une, deux à trois cuillerées à bouche par jour, dans une tasse de tisane amère. On pourra recourir également, dans certains cas, aux préparations de colchique, aux antimoniaux.

La médication locale varie suivant la forme du lichen.

Contre le lichen circonscrit, on a conseillé un grand nombre de pommades, les unes composées de sels mercuriels incorporés à l'axonge en proportions diverses, pommades au sulfate jaune de mercure, au protochlorure et au proto-iodure du même métal, etc., et les autres ayant pour bases des substances astringentes, tannin, oxyde de zinc, sous-nitrate de bismuth, etc., parfois associées à des modificateurs du système nerveux, comme le chloroforme et le camphre. C'est dans le lichen circonscrit que les cautérisations avec le nitrate d'argent trouvent plus spécialement leur emploi. Je préfère de beaucoup à tous ces moyens les applications d'huile de cade que je fais répéter tous les deux ou trois jours. On retire également de grands avantages, dans les mêmes cas, de lotions faites avec une solution de glycérine ou de saponine et une faible dose de carbonate de soude : eau de son, 500 grammes ; glycérine anglaise, 30 grammes ; carbonate de soude, $0^{gr},25$ à 1 gramme. Le malade prend concurremment des bains alcalins et de vapeur, ou même des douches sur les régions affectées.

Les moyens qui précèdent conviennent parfaitement au lichen pilaris ; seulement, comme cette forme se montre sur des parties velues, il est tout d'abord nécessaire de couper les poils aussi près que possible des surfaces malades.

Les cautérisations avec la teinture d'iode m'ont paru modifier avantageusement le lichen par altération fonctionnelle de la papille.

Enfin, contre le lichen à papules déprimées, j'ai retiré de grands avantages de l'emploi des bains sulfureux et des douches sulfureuses. S'il y avait une tendance marquée aux hémorrhagies, chez un individu affaibli ou avancé en âge, il faudrait en premier lieu fortifier la constitution par un régime et un traitement convenables.

D. *Lichen herpétique*. Nous retrouvons ici les deux principales variétés de lichen admises par les auteurs anglais, le lichen simplex et le lichen agrius, cette dernière expression étant comprise dans toute la rigueur de son sens étymologique (ἄγριος, ferox).

Le lichen herpétique présente quelquefois une certaine acuïté à son début, mais sa marche est essentiellement chronique. Ses papules sont petites, acuminées, de la même couleur que la peau, ordinairement réunies en groupes disséminés sur de larges surfaces. Ces groupes sont très-variables en étendue, de forme irrégulière et indécise, diffus et mal limités à leurs bords. On les trouve principalement au cou, à la face interne des membres, dans le sens de la flexion. Leur nombre, d'abord peu considérable, se multiplie avec le temps par des poussées qui se succèdent tantôt sur un point, tantôt sur un autre point, sans qu'il soit possible d'assigner un terme aux progrès de l'éruption.

C'est dans le lichen herpétique que le prurit atteint son plus haut degré d'intensité. Les expressions manquent pour rendre les souffrances que détermine parfois cette cruelle affection. La membrane cutanée devient le siége des sensations les plus douloureuses et les plus pénibles. Pour apaiser la démangeaison, le malade se gratte avec une sorte de fureur, et l'action de ses ongles ne lui suffisant bientôt plus, il ne recule pas devant l'emploi de corps durs ou acérés, tels que des étrilles, des brosses, au moyen desquels on le voit se ratisser sans cesse et se déchirer la peau. Ce prurit est sujet à des redoublements ou paroxysmes, mais la rémission n'est jamais complète. Certaines circonstances paraissent influer puissamment sur ses retours et sur son intensité : c'est le soir, la nuit, après les repas, après le travail ou un exercice quelconque, qu'il se manifeste de préférence. Il suffit parfois d'une émotion vive, d'un brusque changement de température pour en provoquer l'explosion subite. Pendant ces crises, le malade ne peut goûter un seul instant de repos. C'est en vain qu'il cherche dans le sommeil un calme momentané à ses souffrances : la démangeaison redouble et s'exaspère au delà de toute mesure, sous l'influence de la chaleur du lit. Il est alors contraint à se lever pour s'exposer à l'air, pour se frictionner, se faire des lotions froides, s'étendre nu sur le sol, etc., et c'est ainsi que s'écoule, lentement et péniblement, la meilleure partie de la nuit.

Lorsque le lichen se propage aux muqueuses extérieures, il y provoque des troubles spéciaux en rapport avec la sensibilité des tissus qu'il attaque : c'est ainsi que dans le lichen des parties génitales il n'est pas rare de voir l'hyperesthésie de la peau se propager à ces organes, et devenir une cause d'onanisme et de nymphomanie.

Parmi les phénomènes communs ou génériques du lichen, nous avons noté certaines altérations de texture de la peau, son épaississement, l'état de sécheresse de sa surface, l'exagération de ses plis, etc. : nulle autre espèce ne les présente au même degré, et d'une manière aussi hâtive que le lichen herpétique. En même temps, et par le fait du traumatisme qui résulte des manœuvres employées par les malades pour calmer le prurit, les papules irritées se recouvrent de vésicules et de croûtes, presque aussitôt déchirées ou arrachées par les ongles ; les surfaces sont rouges, excoriées, douloureuses, sillonnées de toutes parts de traînées noirâtres et sanglantes. C'est le lichen agrius à petites papules, qu'il ne faut pas confondre avec le lichen agrius scrofuleux, précédemment décrit.

Le lichen herpétique est une affection presque toujours chronique. Sa durée est indéterminée. Il coïncide ou alterne fréquemment avec diverses affections nerveuses, telles que gastralgies, migraines, névralgies intercostales, et autres manifestations de la dartre. Il présente parfois des améliorations, bientôt suivies de revirements soudains, sous l'influence des causes les plus légères ; et chaque récidive semble ajouter encore à sa ténacité et favoriser sa tendance à la généralisation.

Le lichen herpétique offre des traits trop fortement accusés pour que son *diagnostic* soit l'objet de sérieuses difficultés. La seule variété arthritique que l'on puisse à la rigueur lui opposer serait peut-être le lichen circonscrit. Mais que de différences entre ces deux affections ! D'un côté, c'est une éruption en groupes disséminés, à forme indécise, irrégulière, situés à la face interne des membres, s'accompagnant d'un prurit intense et persistant : voilà pour le lichen dartreux ; d'un autre côté, plaques arrondies, bien circonscrites, occupant le dos des mains, des pieds, des avant-bras, et en général la face externe des membres ; prurit modéré, habituellement remplacé par des picotements, des élancements, de la cuisson : voilà pour le lichen arthritique. Il nous a presque suffi de renverser, en quelque sorte, les caractères de l'une de ces espèces pour obtenir les caractères de l'autre.

Le lichen agrius herpétique se distingue également du lichen agrius scrofuleux par des signes faciles à saisir. Le premier n'apparaît guère que dans l'âge adulte et chez des sujets doués d'un tempérament nerveux, il est remarquable par la ténuité de ses papules et la violence du prurit qu'elles déterminent; les vésicules qui le compliquent sont transparentes et donnent lieu à de légères concrétions. Le deuxième se montre surtout de douze à quinze ans, chez des enfants lymphatiques; ses papules sont grosses, hypertrophiques, compliquées d'érythème, de vésicules et même de pustules, tous phénomènes dont l'ensemble contraste singulièrement avec le peu d'intensité des sensations morbides.

Le *pronostic* du lichen herpétique se déduit des considérations qui précèdent. C'est de toutes les espèces la plus grave, soit qu'on la juge au point de vue restreint de ses phénomènes propres, c'est-à-dire comme simple affection de la peau, soit que l'on considère plus spécialement l'influence morbifique qu'elle traduit sur cette membrane.

Le *traitement* du lichen herpétique a pour base l'emploi des préparations arsenicales, soit l'acide arsénieux ou l'arséniate d'ammoniaque en solution, soit l'arséniate de fer en pilules. Ces médicaments seront administrés à doses croissantes, qu'il est souvent nécessaire de porter assez haut, pour obtenir un résultat satisfaisant. Leur action doit alors être surveillée avec le plus grand soin, car la tolérance varie suivant les malades, et les phénomènes d'intoxication se développent quelquefois avec une grande rapidité. Il faut aussi tenir compte de l'état des voies digestives.

Comme l'effet thérapeutique est souvent assez lent à se produire, on s'efforcera, par tous les moyens possibles, de calmer le prurit si violent que détermine cette affection. (*Voy*. Traitement du genre.)

Enfin, dans les cas rebelles, on pourra envoyer les malades à Plombières, à la Bourboule, ou leur conseiller une eau sulfureuse légère, telle que celles d'Uriage, de Saint-Gervais, etc.

D. Lichen syphilitique. J'en admets deux formes distinctes, que j'ai désignées sous les noms de syphilide papuleuse lenticulaire et de syphilide papuleuse miliaire; mais ce sujet est confié à un autre collaborateur. (Voir ci-après.) Bazin.

LICHEN SYPHILITIQUE (*syphilide papuleuse lichénoïde*). Cette éruption n'a été bien distinguée des autres syphilides qu'à partir de Carmichaël, le premier syphiliographe qui ait adopté le nom de *papule* emprunté à la classification dermatologique de Willan. Jusque-là toutes les syphilides étaient des *pustules*, et celles que nous appelons maintenant des syphilides papuleuses étaient des *pustules rouges, dures, petites, sèches, merisées, tuberculeuses*.

Les syphilides papuleuses sont aujourd'hui bien connues, grâce aux travaux de Biett, Cazenave, Ricord, Bassereau, Bazin, Hardy. Elles forment deux variétés principales : la syphilide à petites papules, arrondies ou coniques, ou *syphilide lichénoïde*, et la syphilide à larges papules, sèches ou humides, ou *syphilide papuleuse plate*. Il ne doit être question ici que de la première.

La syphilide lichénoïde, ou lichen syphilitique, est une des manifestations les plus communes et les plus précoces de la syphilis secondaire. Elle coïncide quelquefois avec la roséole ou avec d'autres formes éruptives, également superficielles. Elle est caractérisée par de petites granulations rouges, saillantes, coniques, globuleuses ou légèrement aplaties, du volume d'une lentille ou un peu plus. Ces granulations présentent à leur début une coloration rouge assez nette, mais qui devient graduellement plus foncée, en se rapprochant de la teinte cuivrée, pour prendre à la fin une teinte plus brune, bronzée. Cette dernière coloration persiste longtemps, et on la retrouve encore après l'affaissement de toute la saillie. Au début la coloration rouge disparaît sous la pression du doigt, mais à la fin la coloration brune ne s'efface qu'en partie sous cette pression.

Au commencement de l'éruption, les papules du lichen syphilitique forment des saillies dures, pleines et lisses. Bientôt, sur la surface, l'épiderme se ride, se détache, et une desquammation assez marquée s'opère incessamment. Les squames sont minces et blanches; en se détachant d'abord à leur circonférence, elles forment autour de la papule un petit liséré blanc sur lequel l'école de Biett a beaucoup insisté.

Dans quelques cas la desquammation est plus prononcée; les squames sont plus épaisses, légèrement imbriquées les unes sur les autres ; on a alors une éruption qui n'est plus simplement papuleuse, et qu'on a désignée sous le nom de *syphilide papulo-squameuse*.

Dans d'autres cas la papule est recouverte d'une couche épidermique dure, permanente, résistante. L'éruption forme alors encore une variété, généralement discrète et localisée, connue sous le nom de *syphilide cornée*.

Du reste, la forme seule des papules a suffi pour établir des distinctions entre les éruptions : on a donné le nom de *syphilide lenticulaire* à celle dont les papules ont la forme et le volume des lentilles, et de *syphilide granuleuse* à celle dont les pustules sont rondes, globuleuses; on a aussi rattaché au lichen syphilitique la *syphilide papuleuse miliaire*, qui rentre plutôt dans la classe des syphilides vésiculeuses.

La syphilide papulo-squameuse a pour siége de prédilection la paume des mains et la plante des pieds. Il en est de même de la syphilide cornée. Quant à la syphilide lenticulaire, on l'observe surtout à la partie postérieure du cou, sur le front, sur la poitrine, sur le dos, sur le tronc et sur les membres, principalement aux cuisses et aux bras. La syphilide granuleuse se montre surtout dans le sillon naso-labial, autour des lèvres et au menton. Les saillies qui la constituent sont généralement groupées, alignées de manière à former une traînée oblongue, ou à décrire des cercles ou des segments de cercle. Les papules sont quelquefois enflammées à leur sommet, et un certain nombre d'entre elles sont le siége d'une exhalation légère de sérosité purulente qui soulève un peu l'épiderme, et leur donne l'apparence de vésicules ou de pustules. Celles-ci sont éphémères, se déchirent bientôt, et forment en se desséchant des croûtes superficielles.

Le lichen syphilitique, avec ses différentes variétés, se développe d'une manière tantôt brusque, tantôt plus lente. Dans le premier cas, tout le corps peut se trouver couvert par l'éruption dans l'espace de huit à dix jours. Dans le second, les papules s'élèvent insensiblement, arrivent à leur développement complet, rétrocèdent; puis une nouvelle poussée se fait, et à mesure que les premières papules s'affaissent, les autres surgissent et s'accroissent. On voit quelquefois des malades ainsi affectés de poussées papuleuses successives durant plusieurs mois, et même pendant une année ou deux. Après que l'éruption a disparu, la place occupée par les papules paraît souvent gaufrée, parsemée d'éraillures ou de cicatrices, bien qu'il n'y ait eu ni ulcération ni suppuration. C'est que le tissu de la papule écartait les fibres du derme, lesquelles sont restées dissociées après la résorption de ce tissu, comme dans les vergettures par distension de la peau.

Ces éruptions ne sont pas toujours la suite immédiate du chancre, et souvent il y a entre ces deux ordres d'accidents, pour intermédiaire, une éruption roséolique; ou bien les papules sont entremêlées et tachées de roséole. D'autres fois c'est avec des plaques muqueuses, où des pustules psydraciées ou phlyzaciées que les papules coexistent. L'alopécie, l'adénopathie et divers phénomènes généraux liés à l'état chloro-anémique, s'observent aussi dans cette éruption. L'iritis n'est pas rare avec le lichen syphilitique, au point que Carmichaël en a fait, à tort il est vrai, le symptôme concomitant exclusif de la syphilide papuleuse.

Le lichen syphilitique n'a qu'une ressemblance éloignée avec le lichen simple, dont les papules sont petites, agminées, réunies en plaques, extrêmement prurigineuses. Il diffère aussi beaucoup du prurigo, dont les papules blanches sont recouvertes d'une croûte noire, formée par un petit caillot desséché, et dont la démangeaison est le symptôme prédominant. La gale est polymorphe; mais si les papules de cette éruption ont quelque analogie avec celles du lichen syphilitique, il n'en est pas de même des vésicules et des sillons qui sont le fond de l'éruption psorique.

D'ailleurs, pour le lichen syphilitique comme pour toutes les syphilides, il y a à prendre en considération les signes commémoratifs et les symptômes concomitants, qui sont souvent d'un grand secours quand les caractères objectifs de l'éruption ne sont pas bien marqués, soit qu'ils ne l'aient jamais été, soit qu'ils aient cessé de l'être.

Le traitement du lichen syphilitique doit être général et local.

Le traitement général ne diffère pas de celui de la syphilis secondaire; il est le même, à peu près, que celui de l'acné et de toutes les syphilides précoces. (*Voy.* SYPHILIDES.)

Quant au traitement local, il consiste surtout en bains simples et médicamenteux. Les bains de sublimé ont une grande efficacité. Il en est de même des pommades mercurielles, et plus particulièrement de la pommade au proto-iodure de mercure. Cette pommade est surtout nécessaire dans certaines formes de lichen syphilitique, dans celles notamment dont les papules sont sèches, dures, squameuses. Il arrive même qu'on est obligé de recourir à des moyens locaux plus énergiques, à des cautérisations avec le nitrate acide de mercure, dans les cas de papules cornées de la paume de la main, par exemple, éruption toujours rebelle.

J. ROLLET.

LICHEN D'ISLANDE. § I. **Botanique.** Cette plante est trop connue, dans la pratique médicale, sous le nom de *Lichen* (*voy.* LICHENS), pour que son histoire pharmacologique et thérapeutique ne figure pas ici; mais son étude botanique doit être renvoyée au mot CÉTRAIRE.

§ II. **Pharmacologie.** Le lichen d'Islande est sec, coriace, sans odeur sensible, d'une saveur amère, désagréable. Mis à tremper dans l'eau froide, il se gonfle, devient membraneux, et cède au liquide une partie de son principe amer et un peu de mucilage. Lorsqu'on le soumet à l'ébullition dans l'eau, il se dissout en grande partie, et le liquide, s'il est concentré, se prend en gelée par le refroidissement.

Berzelius a retiré de 100 parties de lichen d'Islande :

Sucre incristallisable	3,6
Principe amer ou *cétrarin*	3,0
Cire et Chlorophylle	1,6
Gomme	3,7
Matière extractive colorée	7,0
Amidon ou *lichénine*	44,6
Squelette féculacé	36,6
Surtartrate de potasse. Tartrate et phosphate de chaux	1,9
	102,0

Les deux principes essentiels du lichen d'Islande sont l'amidon et la matière amère. L'amidon du lichen est désigné sous le nom de *lichénine*. Il est insipide; il se gonfle dans l'eau froide sans se dissoudre d'une manière sensible. Il se dissout dans l'eau bouillante, et la liqueur se prend en gelée si elle est assez concentrée. Il perd cette propriété par une longue ébullition. Il est insoluble dans l'alcool et dans l'éther, et présente la même composition que la fécule ordinaire. Sous l'influence de l'ébullition prolongée dans l'eau, il se transforme en dextrine. Les acides étendus le font passer à l'état de glycose; l'acide nitrique le convertit en acide oxalique. Il se dissout dans la potasse.

Jonh avait trouvé de l'inuline dans le lichen, et il considérait le principe amylacé de Berzelius comme de l'inuline modifiée. M. Payen a vu plus récemment qu'en traitant la gelée de lichen par la diastase, cet amidon se change en dextrine et en sucre, comme le fait l'amidon ordinaire, et qu'il laisse déposer une matière blanche : or cette matière blanche est de l'inuline. La matière gélatineuse du lichen n'est donc qu'un mélange d'amidon, d'inuline, et de l'amidon spécial du lichen; en colorant le tissu du lichen par l'iode, on aperçoit au microscope une multitude de granulations très-ténues, colorées d'une magnifique teinte bleue, qui sont l'amidon ordinaire.

Quant à la matière amère du lichen, ou *cétrarin*, elle est, sous la forme d'une poudre blanche, légère, inodore, et inaltérable à l'air. Elle est neutre et possède une saveur très-amère. Elle est peu soluble dans l'eau froide; elle se dissout mieux, mais encore fort mal, dans l'eau bouillante. Le cétrarin est plus soluble dans l'alcool que dans l'eau, encore ne s'y dissout-il qu'en faible proportion. L'éther n'en dissout qu'une petite quantité; les acides le précipitent de ses dissolutions dans l'alcool et dans l'eau; l'acide chlorhydrique le dissout en le transformant en une matière colorante bleue. Il s'unit aux alcalis et forme avec eux des combinaisons très-amères. Il se dissout aussi avec facilité dans les carbonates alcalins.

Pour préparer le cétrarin, d'après Herberger, on fait bouillir pendant une demi-heure de la poudre grossière de lichen d'Islande avec quatre fois son poids d'alcool à 83° centésimaux; on laisse le tout en repos jusqu'à cessation des vapeurs pour éviter la perte d'alcool; on passe, on exprime, puis on ajoute à la liqueur de l'acide chlorhydrique étendu ; on mêle alors à tout le liquide quatre fois environ son volume d'eau, et on abandonne le mélange pendant douze heures dans un ballon fermé. Au bout de ce temps, on décante la liqueur qui surnage un dépôt abondant; on recueille sur une chausse ce dépôt, qui a une couleur plus ou moins verdâtre; on le partage en petits fragments au sortir de la presse, tandis qu'il est encore un peu humide; on le lave en cet état avec de l'alcool ou de l'éther; on le traite alors par deux cents fois son poids d'alcool bouillant, dans lequel la matière inorganique qui l'a accompagné jusqu'à ce point est à peine soluble. La majeure partie du cétrarin se précipite peu à peu par le refroidissement de la liqueur alcoolique; on peut, en chassant l'alcool, obtenir ce qui reste en dissolution.

L'étude du cétrarin a été reprise par MM. Knopp et Schedermann, qui lui ont attribué des propriétés acides et l'ont appelé *acide cétrarique*. Cette matière amère, d'après ces chimistes, se présente sous la forme d'aiguilles blanches, ténues, à saveur franchement amère, presque insolubles dans l'eau, très-solubles dans l'alcool bouillant et formant avec les bases des sels jaunes, solubles et très-amers. Ces auteurs ont, en outre, indiqué l'existence dans le lichen d'Islande, d'un acide gras, inodore, d'une saveur âcre, fondant à 120°, et auquel ils ont donné le nom d'*acide lichenstéarique*.

L'acide cétrarique doit constituer un bon médicament ; c'est un tonique qui n'est nullement astringent. Le docteur Müller l'a employé pour combattre la fièvre intermittente, à la dose de 10 centigrammes toutes les deux heures. Cette substance lui a paru agir avec plus de lenteur que la quinine, mais avoir sur elle l'avantage de ne point affecter l'estomac.

Le squelette du lichen d'Islande jouit à peu près des mêmes propriétés que le tissu cellulaire.

Berzelius, en analysant le lichen d'Islande, avait surtout pour but de trouver un moyen de priver cette substance de son amertume qui, seule, empêche que le peuple n'en fasse sa nourriture habituelle dans les pays pauvres ; car on ne parvient que très-imparfaitement à lui ôter cette amertume par la décoction dans l'eau, et d'ailleurs la décoction dissout également la partie nutritive du lichen. Le procédé qui a le mieux réussi à Berzelius consiste à faire macérer le lichen une ou deux fois dans une faible dissolution alcaline (carbonate de potasse 1, eau 300), à l'exprimer, à le laver exactement et à le faire sécher, si l'on n'aime mieux l'employer humide, pour en préparer toutes sortes de mets.

On a proposé d'appliquer le même procédé aux préparations pharmaceutiques du lichen, mais indépendamment de ce que la présence d'une petite quantité de principe amer peut être utile à l'action médicatrice du lichen, il serait à craindre que le lavage n'enlevât pas tout le sel alcalin. Il est certainement préférable, pour l'usage de la médecine, de faire chauffer le lichen une ou deux fois avec de l'eau presque jusqu'à l'ébullition (à 80° environ). Ce procédé suffit pour priver le lichen de la plus grande partie de son amertume ; ce qui en reste alors n'est nullement désagréable.

Le lichen d'Islande est surtout employé sous la forme de tisane et sous celle de gelée. Voici du reste les principales formes pharmaceutiques sous lesquelles cette substance est le plus ordinairement administrée.

Tisane de lichen d'Islande. Lichen d'Islande, 10 grammes ; eau commune, quantité suffisante. On met le lichen et l'eau dans un poêlon, on porte à l'ébullition. On jette cette première décoction, qui renferme la presque totalité du principe amer, et on lave le lichen avec de l'eau froide. On le remet sur le feu avec une nouvelle quantité d'eau ; on fait bouillir pendant une demi-heure de manière à obtenir un litre de tisane ; on passe. On édulcore cette boisson avec 60 grammes de sucre ou de toute autre manière.

Quand le principe amer du lichen doit être conservé, il faut que le médecin l'indique d'une manière spéciale. (*Codex.*)

Gelée de lichen d'Islande. Saccharure de lichen d'Islande, 75 grammes ; sucre blanc, 75 grammes ; eau commune, 150 grammes ; eau de fleurs d'oranger, 10 grammes. On mêle les trois premières substances, et on fait bouillir pour réunir l'écume à la surface. On retire du feu, et lorsque l'écume aura formé une couche assez résistante on l'enlève, et on coule la gelée dans un pot où on aura pesé d'avance l'eau de fleurs d'oranger. Ces proportions doivent fournir 250 grammes de gelée. (*Codex.*)

Quelquefois les médecins prescrivent la *gelée de lichen amère.* Cette gelée se prépare en faisant bouillir 5 grammes de lichen non lavé dans quantité suffisante d'eau, pendant cinq minutes, de manière à obtenir 150 grammes de décoction qui sont substitués dans la formule précédente aux 150 grammes d'eau commune. (*Codex.*)

La dose de gelée de lichen est d'une cuillerée à café de temps en temps entre les repas

Saccharure de lichen ou *gelée sèche de lichen d'Islande.* Lichen d'Islande, 1000 grammes; sucre blanc, 1000 grammes; eau, quantité suffisante. On met le lichen dans l'eau et on chauffe jusqu'à l'ébullition. On rejette cette première eau, on lave le lichen à plusieurs reprises dans l'eau froide; on le fait bouillir ensuite endant une heure dans une quantité suffisante d'eau, et on passe avec expression à travers une toile.

On laisse reposer pendant quelque temps; on décante; on ajoute le sucre et on évapore au bain-marie, en agitant continuellement jusqu'à ce que la matière soit en consistance très-ferme. On la distribue alors dans des assiettes, et on achève sa dessiccation à l'étuve.

On réduit le produit en une poudre fine que l'on conserve dans des flacons bien bouchés. (*Codex.*)

Le saccharure de lichen est rarement employé seul; il sert surtout à préparer la gelée et les pastilles de lichen. Délayé dans une tasse d'eau bouillante, à la dose d'une cuillerée à café, il fournit une tisane de lichen très-agréable, surtout si l'on ajoute une petite quantité de sucre.

Sirop de lichen d'Islande. Lichen d'Islande mondé, 30 grammes; sucre, 1000 grammes; eau, quantité suffisante. On lave le lichen à l'eau froide; on le fait bouillir dans l'eau pendant quelques minutes pour le priver d'une partie de son amertume, et on rejette cette première décoction. On lave de nouveau le lichen à l'eau froide, et on le remet sur le feu avec environ un litre d'eau que l'on maintient à l'ébullition pendant une demi-heure. On passe sans expression; on ajoute le sucre, on clarifie avec la pâte de papier, et on passe de nouveau lorsque le sirop marque, bouillant, 1,27 au densimètre (31° Baumé).

Ce sirop ne se conserve pas longtemps en bon état; il s'altère même aussitôt que la bouteille qui le contient se trouve en vidange; aussi est-il nécessaire de le renouveler souvent.

Pâte de Lichen d'Islande. Lichen d'Islande, 500 grammes; gomme arabique, 2500 grammes; sucre, 2000 grammes; extrait d'opium, 1gr,50; eau, quantité suffisante. On met le lichen dans l'eau, et on chauffe jusqu'à l'ébullition; on rejette cette première eau, et on lave le lichen à plusieurs reprises. On le fait bouillir ensuite pendant une heure avec une quantité d'eau suffisante pour obtenir 3000 grammes de décoction, dans laquelle on fera fondre à la chaleur du bain-marie la gomme arabique concassée et lavée. On passe avec expression à travers une toile serrée; on laisse en repos jusqu'à ce que la liqueur soit presque froide. On décante, on ajoute le sucre d'abord, et, vers la fin de l'opération, l'extrait d'opium dissous dans une petite quantité d'eau. On fait évaporer, en agitant continuellement jusqu'à consistance de pâte ferme; on coule celle-ci sur un marbre légèrement huilé; quand elle sera refroidie, on l'essuie avec soin pour enlever le peu d'huile qui y adhère, et on l'enferme dans une boîte. 100 grammes de cette pâte contiennent environ 3 centigrammes d'extrait d'opium. (*Codex.*)

Tablettes de lichen. Saccharure de lichen, 500 grammes; sucre blanc, 1000 grammes; gomme arabique pulvérisée, 50 grammes; eau, 150 grammes. On fait un mucilage avec l'eau et la gomme mélangée préalablement avec un peu de sucre; on ajoute le saccharure, puis le reste du sucre, et lorsque la pâte est homogène, on la divise en tablettes du poids de 1 gramme. (*Codex.*)

Chocolat au lichen d'Islande. Chocolat, 1000 grammes; saccharure de lichen, 100 grammes. On ramollit le chocolat dans un mortier échauffé; on incorpore exactement le saccharure de lichen, et on distribue la masse dans des moules. (*Codex.*)

On prépare encore une *poudre de lichen d'Islande*, mais pour l'obtenir il fau se servir de lichen non privé de son principe amer. Cette poudre est rarement prescrite, bien qu'elle soit cependant une bonne manière d'administrer le principe amer du lichen. On peut, avec de la poudre de lichen et quelques gouttes de sirop de sucre, préparer un électuaire qui peut être administré chaque jour à la dose de 4 à 10 grammes.

T. GOBLEY.

§ III. **Thérapeutique.** *Action physiologique.* Le lichen d'Islande possède des propriétés complexes dues à l'union de la fécule avec un principe amer; il est à la fois un émollient, un analeptique et un tonique; et tant qu'il n'a pas été débarrassé du cétrarin, c'est le mode d'action des toniques amers qu'il est le plus disposé à développer. Mais lorsque ce principe en a été éliminé, il devient un médicament purement émollient, tout en conservant les qualités nutritives qu'il doit à la forte proportion de fécule qu'il contient.

Action thérapeutique. Il a été particulièrement invoqué comme médicament pectoral. Signalé, en 1673, par Borrichius, pour ses propriétés médicales; recommandé d'une manière plus précise, en 1683, par Hjaerne (Mérat et de Lens), il fut, d'après Sprengel, définitivement introduit en thérapeutique par Linnæus et Scopoli. Bergius, Crichton, Cramer, Stoll, Tromsdorff, Murray, Gontier Saint-Martin, Regnault, etc., viennent successivement témoigner en sa faveur, chacun lui attribuant plus ou moins, sur les maladies chroniques des organes respiratoires, une influence, tantôt mal appréciée, tantôt évidemment exagérée. De là les éloges outrés qui lui ont été prodigués dans le traitement de la bronchite chronique, de l'asthme humide, de l'hémoptysie, de la phthisie surtout; de là enfin la prescription banale et l'engouement populaire dont il est devenu l'objet en tous cas d'affection chronique des voies aériennes.

Il est inutile d'insister aujourd'hui sur l'impuissance radicale des préparations de lichen, quelles qu'elles soient, en présence de tubercules confirmés. Mais il ne faut pas laisser croire que cette substance ait une efficacité spéciale sur telle autre lésion des bronches ou des poumons, ou sur tel symptôme de leurs maladies; sans doute elle ne vaut pas moins, mais elle ne vaut pas mieux que diverses substances féculentes, mucilagineuses, et à ce titre émollientes, qui peuvent être indifféremment prescrites pour calmer la toux en atténuant l'action irritante de l'air à l'origine de la muqueuse aérienne; car l'action béchique des médicaments émollients ne va pas au delà, ainsi que nous l'avons, il y a bien longtemps, démontré (*voy.* notre mémoire sur la *médication émolliente*, in *Mém. de l'Acad. de méd.*, t. XIX, et *Un. méd.*, 1851). Une action plus profonde, une action pectorale, de la part du lichen, est complétement inadmissible.

Reste encore, il est vrai, la double influence qu'il peut exercer en apportant dans l'organisme un élément féculent qui a une certaine valeur nutritive, et un principe amer dont l'action tonique ne doit pas non plus être contestée. Cette influence n'est pas sans profit pour les individus affaiblis, atteints de maladies longues et graves des bronches ou des poumons. Mais on sait que les préparations de lichen sont ordinairement administrées dépouillées du principe amer. Le principe alimentaire agit seul alors, bien inférieur en efficacité à ces agents énergiques de reconstitution, huile de foie de morue, viande crue, vins généreux, etc., plus justement opposés aujourd'hui à la cachexie tuberculeuse. Il serait donc plus rationnel de donner, dans les maladies chroniques de poitrine et particulièrement aux sujets débilités, toute la substance du lichen, c'est-à-dire le lichen non lavé, non *blanchi ;* et il nous a paru en effet que, de cette manière, le lichen avait plus d'efficacité. Telle est aussi l'opinion de M. Bouchardat. Mais la plupart des malades ne l'acceptent pas facilement ainsi ; son amertume, comparable à celle de la gentiane, du quassia amara, étant jugée encore plus désagréable.

C'est cependant sans le laver que l'on doit administrer le lichen, dans certaines circonstances où l'on veut en obtenir des effets analogues à ceux que procurent les autres toniques amers : dyspepsies atoniques, faiblesse accompagnant les convalescences, épuisement succédant aux hémorrhagies, marasme, consomption, etc. Les plus graves parmi les cas de ce genre ne le comporteraient évidemment que comme adjuvant d'agents réconfortants plus énergiques.

C'est enfin sous le même mode d'administration qu'il a été proposé comme fébrifuge ; et à ce titre, malgré les assertions de Marie Saint-Ursin et Dufour (*Gazette de santé*, 1808), il a dû se montrer plus d'une fois insuffisant. Quelques essais avec le cétrarin auraient, dit-on, été plus avantageux ; M. Müller, de Kaiserslautern (Büchner, *Répertoire de pharmacie*, 1837), dit l'avoir trouvé, à la dose de 10 centigrammes, un puissant fébrifuge, opérant, il est vrai, plus lentement que la quinine, mais ayant l'avantage de ne pas irriter l'estomac. Cazin engage, pour juger la question, à expérimenter, avec prudence, des doses allant jusqu'à 20 et 30 centigrammes. (*Traité des plantes médicinales indigènes*, 3e édit.) Mouchon préfère la poudre de lichen, 3 à 6 grammes entre deux accès, ou l'extrait aqueux pulvérulent à dose moitié moindre. (*Monographie des principaux fébrifuges indigènes*, Lyon, 1856.)

Nous devons noter qu'on attribue généralement au principe amer du lichen une certaine faculté purgative ; il faut donc y veiller, et modérer la dose du lichen non lavé ou le suspendre s'il agit trop vivement sur les intestins. Ajoutons aussi que ce principe donne, selon plusieurs auteurs, au lichen d'Islande des propriétés vermifuges, qui seraient encore plus prononcées dans les autres lichens plus amers dont il sera fait mention à la fin de cet article.

En dehors du cadre des maladies de poitrine, le lichen a encore été conseillé partout où l'on croyait voir l'indication des remèdes adoucissants, mucilagineux, émollients. Ainsi il a été recommandé contre les phlegmasies gastro-intestinales, et particulièrement contre la diarrhée et la dysenterie chroniques. Mais il n'a réellement pas plus d'action spéciale dans ces cas que contre les affections pectorales, surtout s'il a été réduit à l'état de simple préparation amylacée.

Les propriétés nutritives du lichen sont plus positives que ses propriétés thérapeutiques. Ainsi se justifie son usage comme aliment dans les régions septentrionales de l'Europe, où il remplace en partie les farines des céréales qui y sont rares et chères. Là on le mange en outre de diverses autres manières. Ailleurs même on l'utilise comme aliment, et on le fait, par exemple, entrer dans la composition de certains chocolats. Enfin la parfumerie s'en est emparée, avec l'idée illusoire d'y trouver des propriétés cosmétiques particulières.

Pour l'emploi médical, le lichen d'Islande se prête à de nombreuses formes, dont les plus usitées sont la *gelée*, la *pâte* et la *tisane ;* celle-ci est ordinairement coupée avec du lait. 10 grammes de lichen suffisent pour obtenir 1 litre de tisane, une dose plus forte la rendant trop mucilagineuse ; si le médecin veut y conserver le principe amer, il doit l'indiquer dans son ordonnance. (*Voy.* LICHENS.)

D. DE SAVIGNAC.

BIBLIOGRAPHIE. — REISSE (H. S. E.). *Diss. inaug. med. de Lichene Islandico.* 1778. — TROMSDORF (G. B.). *Progr. de Lichene Islandico.* Erford., 1778. — EGELING. *Diss. de quassia et Lichene Islandico.* Glasgow, 1779. — CRAMER (G. C. P.). *Diss. inaug. med. de Lichene Islandico.* Erlangen, 1780. — ELZNER (C. F.). *Progr. duo de Lichene Islandico.* Kœnigsberg, 1791. — REGNAULT. *Observ. on Pulmonary Consumption, or an Essay on the Lichen Islandicus.* Londres, 1802. — PROUST. *Mém. sur le Lichen d'Islande.* In *Journ. de physique*, t. LXXIII, p. 81. — DU MÊME. *Usages alimentaires du* Lichen Islandicus. In *Annales de chimie*, t. LVII, p. 196. — BERZELIUS. *Recherches sur la nature du* Lichen Islandicus. In *Annales de chimie*, t. XC, p. 277, et in *Bull. de pharmacie*, t. VI, p. 537. — BOUCHARDAT. *Des préparations dont le lichen d'Islande est la base.* In *Annuaire de thérapeutique*, 1843. D. DE S.

LICHEN PULMONAIRE, LICHEN DES CHIENS, etc. Tous les lichens employés en médecine seront étudiés aux mots CLADONIE, COLLEMA, EVERNIA, LECANORA, PELTIGERA, SPHÆROCOCCUS, RAMALINA, USNEA, VARIOLARIA, démembrements de l'ancien genre *Lichen*.

Le L. *Pulmonaire* est devenu le type d'un genre distinct. (*Voy.* LOBARIA, STICTA, PULMONAIRE DE CHÊNE). Le *L. Pyxidé* et le *L. Cocciferus* sont des SCYPHOPHORUS; le *L. Vulpin*, un EVERNIA; le *L. Pustuleux*, un GYROPHORA; le *L. des chiens*, un PELTIGERA; le *L. Agaric* (*Lichen Agaricus*), une SPHÉRIE (*voy.* ce mot).

Les Lichens tinctoriaux, notamment le *L. de Grèce*, sont en général des *Roccella*. (*Voy.* ORSEILLE).

LICHÉNINE. Substance de couleur blanche, ayant la même composition que l'amidon, mais dure et cassante, soluble dans l'eau, insoluble dans l'alcool et l'éther. On l'extrait ordinairement du Lichen d'Islande. L'action de l'eau bouillante, en se prolongeant, la transforme en dextrine; celle des acides bouillants, en glycose, et celle de l'acide azotique la convertit à chaud en acide oxalique. (*Voy.* LICHENS.) A. D.

LICHÉNIQUE (ACIDE). Se trouve à l'état de sel de chaux dans certains Lichens. (*Voy.* LICHENS.)

LICHÉNO-STÉARIQUE (ACIDE). Cet acide se rencontre dans le lichen d'Islande. Il a la forme de feuillets cristallins. Insoluble dans l'eau, soluble dans l'alcool, mais surtout dans l'éther et les huiles. (*Voy.* LICHENS.)

LICHENS (λείχην, dartre). § I. **Botanique.** Les Lichens sont des plantes cryptogames cellulaires rapprochées par des caractères communs qui en font un groupe homogène, mais ce groupe est rattaché aux classes voisines, Algues et Champignons, d'une manière assez intime pour qu'à diverses époques on ait refusé aux Lichens les caractères d'une division taxonomique d'importance égale à celle des Algues et des Champignons. Confondus par les anciens avec les Algues dont ils représentaient des types à vie aérienne, ils ont été dans ces derniers temps classés parmi les Champignons dont les rapprochent leurs organes reproducteurs. Linné rangeait les Lichens dans la division des Algues et les plaçait à côté des hépatiques. Jussieu leur conserva cette place et, pour rester fidèle aux affinités qui rapprochent les Lichens de certaines espèces de Champignons, il introduisit ces champignons Pezizes, Sphéries, dans le groupe des Algues. Acharius, Fries et les auteurs qui les ont suivis ont donné aux Lichens une place à part et les ont constitués en une classe étudiée isolément dans la plupart des traités classiques.

Les Lichens végètent et forment des expansions sèches que l'on rencontre à la surface du sol, des rochers, des écorces et quelquefois des corps les plus polis, verre, rails de chemin de fer, etc., qui leur permettent d'être en rapport avec l'atmosphère; ils ne sont presque jamais submergés et ne croissent pas comme les Champignons soit dans l'obscurité, soit sur des substances en putréfaction. Leur tissu est uniquement formé de cellules, et, comme toutes les plantes cellulaires amphigènes, ils n'ont pas une véritable tige, mais un thalle de forme, de dimension et de couleur variables. Le thalle se présente souvent comme une croûte mince, adhérente à son support, devenant quelquefois farineuse et pulvérulente. Ce thalle, appelé crustacé, a une forme irrégulière déterminée par un liséré de couleur foncée, d'autres fois sans limite précise ou même caché sous l'épiderme des écorces (thalle hypophléode). La forme du thalle crustacé est la plus répandue. Une seconde forme est appelée foliacée et présente l'aspect de lames découpées à bords plus ou moins profondément lobés ou laciniés et n'adhérant à son support que par certains points de la surface inférieure. Enfin, chez un plus petit nombre de genres, le thalle semble prendre un développement acrogène, il s'allonge à partir de son point d'attache en formant des rameaux arrondis ou aplatis qui se ramifient; ce thalle est appelé fructiculeux, quelquefois ces deux dernières formes alternent sur le même individu et donnent au Lichen l'apparence d'un axe portant des appendices, c'est l'aspect que présente la Cladonie verticillée.

La dimension des Lichens varie entre des limites généralement restreintes, les uns sont punctiformes et à peine visibles, les autres ont plusieurs centimètres de diamètre, les grandes espèces de Peltigera et de Sticta peuvent avoir jusqu'à 30 centimètres, on cite même des Lichens dont le thalle fruticuleux aurait atteint jusqu'à une dizaine de mètres (Usnées), mais c'est là un fait tout à fait exceptionnel.

La coloration est vive chez quelques espèces, plus généralement terne, jaune, brune, gris verdâtre, plus ou moins lavée; elle n'est jamais d'un vert franc, sauf sur la tranche d'un thalle fraîchement coupé. La surface est tantôt lisse et vernissée, tantôt mate et pulvérulente; l'état de la surface et la couleur peuvent du reste varier chez certaines espèces suivant la composition chimique des corps qui les portent, bien qu'ils vivent surtout aux dépens de l'atmosphère. Les Lichens, en effet, ne sont jamais parasites, sauf quelques espèces réduites à un simple organe de reproduction et qui vivent sur d'autres Lichens.

Quels que soient les aspects et les formes particulières du thalle, on y reconnaît, si on étudie sa structure, deux sortes de cellules très-différentes : les unes allongées, incolores, régulièrement cylindriques, ramifiées, à cloisons éloignées, s'allongeant en filaments que les Allemands désignent sous le nom de hyphes, elles sont tout à fait comparables aux éléments cellulaires qui forment le tissu des Champignons; les autres sphériques, isolées les unes des autres de 1/55 à 1/100 de millimètres de diamètre, présentent tous les caractères de certaines Algues unicellulaires et se multiplient, comme elles, par formation intracellulaires de cellules nouvelles ou par gemmation. Ces cellules vertes qui tranchent sur la trame filamenteuse du Lichen ont reçu le nom de *Gonidies.* Elles ne constituent le principal élément que dans un très-petit nombre d'espèces dont le thalle est gélatineux, épais, semblable aux Nostocs et qui ont, avec ce genre d'Algues, la plus grande affinité. Chez tous les autres Lichens la trame principale est formée par les cellules allongées. Ces cellules, très-rapprochées à la surface supérieure, y forment une première couche appelée *corticale*, dont la portion superficielle, amorphe, comme la cuticule des phanérogames, est quelquefois colorée. Les Gonidies apparaissent au-dessous et y dominent de manière à former une deuxième couche appelée couche *gonidiale ;* dans les Lichens fruticuleux, cette couche, comme la précédente, est circulaire. Les Gonidies ont une enveloppe épaisse, elles sont remplies d'un endochrome vert ou vert bleuâtre.

Une troisième couche inférieure, appelée *médullaire*, est formée par les cellules allongées qui s'enchevêtrent et donnent lieu à un tissu lâche dont les mailles contiennent de l'air; on y rencontre fréquemment des cristaux d'oxalate de chaux. La présence de ces cristaux a été indiquée à tort comme pouvant établir une distinction entre les Lichens et les Champignons; ces mêmes cristaux se retrouvent chez les Clavaires, les Exidies, les Myxomycètes, chez quelques Champignons il y en a non-seulement dans les espaces intercellulaires, mais même dans l'intérieur des cellules, notamment chez l'*Agaricus conicus* L. Les cellules allongées des Lichens ont une paroi épaisse, leur calibre est très-petit, elles rappellent les cellules qui entrent dans la structure du réceptacle de certaines espèces fungiques beaucoup plutôt que les cellules à paroi mince du mycélium. La partie du Lichen considérée comme l'analogue du mycélium des Champignons est la couche la plus inférieure appelée *hypothalle*; cette couche est fugace, elle apparaît la première à la suite de la germination des spores, et il n'en reste souvent de trace que dans la bordure étroite et foncée qui dessine le contour des thalles crustacés.

On considère aussi comme faisant partie de l'hypothalle, les *Rhizines* qui fixent la plante à son support; ce sont des rangées de cellules qui se détachent perpendiculairement à la surface inférieure du thalle et plongent dans le sol où végète le Lichen. Les Lichens dont le thalle présente, distinctes, les couches qui viennent d'être énumérées, ont été appelés *hétéromères*. Lorsque les gonidies et les cellules allongées sont entremêlées sans distinction de couche, on les dit *homœomères*. On a supposé que les gonidies naissaient des cellules allongées, M. Bayroffer a pensé que l'extrémité de courtes branches latérales des cellules filamenteuses ou hyphes se gonfle en une petite cellule ronde qui se remplit de matière verte et s'isole bientôt; les figures qu'a données M. de Bary (*Morphol. und Physiol. der Pilze, Flechten, und Myxomyceten*, 1866, p. 258, 264) paraissent confirmer cette hypothèse; toutefois on constate très-difficilement les diverses phases de ce développement et ce que l'on vérifie le mieux, c'est l'adhérence que présentent quelquefois les gonidies et les cellules filamenteuses; il est donc difficile d'arriver à une entière certitude.

Chez les gonidies vertes la paroi se colore en bleu sous l'influence de l'iode, elle ne donne pas cette réaction chez celles qui sont vert bleuâtre, la paroi des cellules filamenteuses ne se colore presque jamais en bleu, elle jaunit sous l'influence de ce réactif. Ces deux systèmes de cellules fournissent la substance gélatineuse qui donne aux Lichens des propriétés médicales adoucissantes, analogues à celles de beaucoup d'Algues et de Cryptogames assez éloignées, les Fougères par exemple. Dans les Lichens qui appartiennent aux Collemacés, l'abondance de la substance gélatineuse paraît bien due à la prédominance des gonidies, mais dans le *Cetraria islandica* Ach., dans le *Sphærophoron Coralloïdes* Pers., la trame filamenteuse de la couche médullaire traitée par l'eau bouillante donne une gelée abondante; cette gelée se colore en bleu par l'iode, bien que la cellule, à l'état frais, n'offre pas cette réaction. La gelée obtenue de cette manière est formée par un amidon particulier, l'amidon de Lichen ou *lichénine*, dont le caractère distinctif de l'amidon ordinaire est précisément de former, dans l'eau bouillante, une solution gluante au lieu d'un véritable empois. L'amidon ordinaire se rencontre aussi dans les Lichens comme chez les Algues, et sous ces deux formes il constitue, avec une substance azotée spéciale, la partie nutritive essentielle des Lichens, utilisée soit par l'homme, soit par les animaux. Suivant Thénard, deux kilos de farine formée par la pulvérisation du Lichen d'Islande équivalent à un kilo de farine de blé. Un autre principe, très-répandu chez ces plantes, est le *cétrarin* ou acide cétrarique très-amer, cristallisable, très-soluble dans l'eau et surtout dans une solution de potasse. L'amertume que cette substance communique aux Lichens est très-prononcée; la Variolaire (*voy.* ce mot) est remarquable sous ce rapport et a été employée, ainsi que plusieurs espèces exotiques, comme antipériodique, tonique et anthelminthique. On utilise enfin les principes colorants contenus chez plusieurs espèces (*voy.* les articles consacrés à ces espèces et entre autres : Lecanore, Parelle, Parmélie, Rocelle). Presque toutes les espèces à thalle crustacé et un grand nombre d'espèces à thalle foliacé fournissent des couleurs analogues à celles que l'on retire des Parelles ou des Rocelles.

Quelques espèces passent pour provoquer des purgations ou des vomissements, mais on n'en connaît aucune de vénéneuse. Le *Chiodecton*, accusé de contenir de la brucine, parce qu'il croissait sur l'écorce de la fausse Augustine, a été reconnu n'être qu'une excroissance de cette écorce elle-même. Ce que les Lichens empruntent au support sur lequel ils vivent est du reste assez difficile à déterminer. Les Lichens se développent sur des corps qui ne peuvent leur fournir les matériaux de leur organisation, et il est évident qu'ils ne les tirent que de l'atmosphère, sans parler de ceux qui, comme le *Lecanora esculenta* Eversm. (*voy.* Lecanore), se développent et s'accroissent sans être attachés à leur support. Il y a cependant des Lichens dont la couleur change ou devient plus intense suivant le sol sur lequel ils se développent, et il y a une relation bien connue entre l'existence des oxydes de fer ou de manganèse dans une roche et la couleur des Lichens implantés sur cette roche.

L'action produite sur les rochers par la végétation des Lichens ne saurait, du reste, se produire sans qu'il y ait assimilation de quelques-uns des principes dissous ou décomposés par suite de cette action, en particulier de l'acide carbonique lorsque la plante végète sur un support calcaire. L'humidité entretenue au point où végète le Lichen, l'introduction des rhizines et les décompositions chimiques résultant de la végétation du thalle amènent une désagrégation graduelle des roches les plus compactes. Les Lichens remplissent donc un rôle important au point de vue de la physiologie générale, ils aident à la formation d'un sol plus propre que la roche à recevoir les semences des végétaux d'une organisation plus élevée et qui permet leur développement.

On retrouve les Lichens là où nulle autre plante ne peut atteindre, près des limites des neiges éternelles et au voisinage des pôles ; dans cette dernière station ils sont d'une très-grande utilité, soit en fournissant un aliment à l'homme, soit en servant de fourrage aux rennes dont l'homme tire un si grand parti. A partir de ces points extrêmes on retrouve les Lichens dans toutes les régions de la terre et sous toutes les latitudes. Quelques espèces qui croissent sur les rochers, dans les régions froides, se retrouvent sur les écorces dans les forêts ombragées des régions plus chaudes; un très-petit nombre d'espèces sont liées à un substratum spécial, en particulier à la résine ou aux écorces résineuses. Dans les pays très-cultivés, les Lichens sont plus rares et d'une manière générale leur proportion, relativement aux phanérogames s'accroît à mesure qu'on avance vers le nord, mais ils sont les seuls végétaux qui présentent un aussi grand nombre d'espèces répandues dans les régions les plus éloignées entre elles et les plus diverses. Ce fait s'observe surtout pour les Lichens saxicoles que l'on retrouve à la fois sous les tropiques et dans les régions polaires.

Une accommodation pareille à des circonstances atmosphériques si différentes suppose chez ces plantes une très-grande élasticité des propriétés vitales; les Lichens supportent la dessiccation avec une grande facilité; dès qu'ils sont humectés, ils végètent de nouveau, offrant ainsi un phénomène de réviviscence analogue à celui que montrent un certain nombre de graines et quelques animaux inférieurs. Toutefois les Lichens se montrent assez difficiles au point de vue de la pureté de l'atmosphère. On a remarqué qu'ils semblent fuir les villes et d'après M. Nylander ceux qu'on y rencontre n'y arrivent qu'à un développement incomplet. Le développement des Lichens pourrait ainsi devenir une sorte de mesure de la salubrité de l'air et ces plantes fourniraient ainsi au médecin un *hygiomètre* très-sensible. En étudiant la végétation des Lichens dans les jardins de Paris, M. Nylander arrive aux conclusions suivantes relativement au jardin du Luxembourg : « Les Marronniers de l'allée de l'Observatoire y sont surtout remarquables par les nombreux Lichens qui couvrent leurs écorces, et ce, en telle abondance, qu'il faut aller en dehors de la ville pour trouver quelque chose de semblable. Cette circonstance autorise certainement à affirmer que la partie du Luxembourg dont nous parlons est le lieu le plus sain de tout Paris. » (*Bull. de la Soc. Bot. de France*, t. XIII, 1866, p. 365.) La durée de la vie chez les Lichens paraît très-longue, et M. Léveillé s'est assuré que non-seulement le thalle est vivace, mais même le réceptacle fructifère, caractère que l'on ne retrouve à aucun degré chez les Champignons.

Les organes de reproduction les plus apparents ont la forme de réceptacles arrondis, appelés *scutelles* ou plus généralement *apothécie* (*Apothecium*). Ils sont de petite dimension, mais en général assez apparents à cause de leur coloration distincte, franche, ou même tout à fait différente de celle du thalle. Les Apothécies connues depuis Micheli (1729) sont disséminées sur toute la surface du thalle ou sur le bord des expansions foliacées et de ses lobes, ou à l'extrémité de petits supports à forme fruticuleuse, d'autres fois elles sont très-concaves et enfouies dans le tissu même du thalle. Ce réceptacle ou conceptacle, toujours formé aux dépens des cellules filamenteuses et ne contenant que peu de gonidies, est tapissé de cellules dressées parallèles dont les unes étroites, minces, portent le nom de paraphyses, les autres de même forme, mais plus larges, portent le nom de thèque. Ces thèques contiennent les spores en nombre défini, ordinairement 8, plus rarement 2, 4, 6 et même de vingt à cent et au delà. Les paraphyses et les thèques forment par leur ensemble un véritable *hyménium*, semblable à celui des champignons thécasporés. (*Voy.* CHAMPIGNONS.)

L'hyménium des Lichens, souvent appelé *thalamium*, est pénétré d'une substance mucilagineuse qui bleuit par l'iode ainsi que le sommet des thèques. Les spores bleuissent aussi quelquefois mais plus rarement, elles sont tantôt uniloculaires, tantôt cloisonnées, tantôt incolores, tantôt colorées. Leurs dimensions varient depuis $0^{mm},001$ jusqu'à $0^{mm},3$ dans leur plus long diamètre; elles ont une double paroi et germent comme les spores des Champignons en émettant un ou plusieurs filaments cellulaires cylindriques qui s'allongent, se cloisonnent et se ramifient. M. Itzigsohn et M. Tulasne ont fait connaître d'autres organes auquels on a attribué le rôle d'organes mâles : ce sont les *spermogonies* qui se montrent comme des points noirs ou foncés, groupés ou disséminés à la surface supérieure du thalle d'un grand nombre de Lichens ; ces spermogonies sont des réceptables tapissés à leur intérieur par des cellules allongées appelées *stérigmates*; les stérigmates donnent naissance à leur extrémité et le long de leur paroi à de très-petits corps cylindriques allongés, incolores, appelés *spermaties*; les spermaties ne germent pas et possèdent un mouvement de trépidation très-apparent, on a comparé ces petits corps aux anthérozoïdes de beaucoup de cryptogames, mais on n'a jamais pu s'assurer directement s'ils servaient réellement à la fécondation. On rencontre encore une autre forme de conceptable appelé *pycnide* dans lequel prennent naissance des cellules capables de germer appelées *stylospores*. Les spermogonies et les pycnides ne sont pas des organes spéciaux aux Lichens, ils ont été retrouvés chez les Champignons.

Les Lichens ont encore un mode de reproduction qui rappelle les moyens de propagation agame par bulbilles, bourgeons mobiles, que l'on retrouve chez les végétaux plus élevés en organisation. Des gonidies isolées ou groupées, entourées ou entremêlées d'éléments cellulaires allongés du thalle, forment une petite masse arrondie qui s'isole, se fait jour à travers la couche corticale et peut reproduire un nouveau thalle s'il est placé dans des conditions convenables; ces productions ont reçu le nom de *sorédies*. Les gonidies peuvent du reste s'individualiser et avoir une vie tout à fait isolée. MM. Famintsin et Boranetsky ont observé qu'elles peuvent donner naissance à des zoospores qui se développent dans l'intérieur de chaque gonidie de même que dans certaines Algues unicellulaires. (*Voy.* Algues). Il résulte de ces recherches qu'il n'y a aucune distinction possible entre les gonidies de plusieurs Lichens (*Physcia, Parietina, Cladonia, Evernia*), et les Algues des genres *Cystococcus, Protococcus, Palmella*. Plusieurs espèces de ces genres pris pour des Algues ne seraient par conséquent que des gonidies de Lichen vivant libres et isolées; un fait qui vient à l'appui de cette hypothèse, c'est la faculté que possèdent d'autres parties des Lichens de s'isoler et de s'individualiser par suite d'une sorte d'évolution appelée anamorphose, et qui apporte dans la vitalité de telle ou telle partie des modifications ou des altérations assez importantes pour qu'on ait fondé sur ces caractères anormaux de fausses divisions génériques. L'hypothalle peut s'allonger en un corps floconneux qui prend une grande prépondérance, le thalle devenir pulvérulent, se désagréger et présenter cet aspect particulier qui a donné lieu à la fondation du genre *Lepraria*. Les Apothécies s'isolent comme les parties du thalle et se développent librement. On a regardé aussi les gonidies comme de véritables Algues sur ou entre lesquelles se développerait la trame d'un champignon; le Lichen ne serait que le résultat nécessairement fortuit et variable de ce pseudo-parasitisme. Cette théorie est difficile à accorder avec la persistance d'une forme typique quelconque, les relations toujours les mêmes des gonidies et de la couche médullaire, le développement des Lichens débutant non pas par la forme gonidique, mais par l'hypothalle filamenteux végétant dans des conditions et à des expositions où l'Algue qui devrait servir de substratum ne se rencontre guère.

Ce n'est pas ici le lieu d'approfondir cette discussion; mais il résulte de l'étude précédente que si les Lichens ont de grands rapports avec les Champignons, ils en ont aussi de très-positifs avec les Algues. Cette fusion si remarquable de caractères empruntés à deux groupes bien définis et tranchés dans leurs types les plus complets, donne une physionomie très-spéciale au groupe des Lichens et devient un caractère d'assez grande importance pour qu'il soit difficile de ranger les Lichens parmi les Champignons. Les Lichens forment donc une classe, intermédiaire aux Algues et aux Champignons ne contenant qu'une seule famille divisée en trois tribus correspondant aux trois familles de M. Nylander.

I. Les Collemacés ou Lichens à thalle très-simple, homœomère, gélatineux. On retrouve dans cette tribu des formes de thalle rappelant les thalles fruticuleux ou foliacés de la troisième tribu. *Ephebe*, *Lichinia*, *Collema*, etc.

II. Les Myriangiacés ne comprenant qu'un genre dont l'organisation plus spécialisée que celle des Collemacés est moins complète que celle du groupe qui suit. *Myriangium*.

III. Les Lichénacés comprenant la majeure partie des Lichens se divisent en six séries secondaires fondées à la fois sur la considération du thalle et des apothécies. Les genres principaux : *Calicium*, *Conocybe*, *Bæomyces*, **Cladonia*, *Stereocaulon*, **Roccella*, **Usnea*, *Alectoria*, **Evernia*, **Ramalina*, **Cetraria*, **Peltigera*, **Sticta*, **Parmelia*, **Physcia*, **Umbilicaria*, **Lecanora*, **Pertusaria*, *Variolaria*, *Lecidea*, *Graphis*, *Opegrapha*. *Verrucaria*, etc. Ceux qui sont plus particulièrement d'un usage médical ou économique sont désignés par un astérisque.

Les classifications les plus usitées avant celle-ci, proposée en 1858 par M. Nylander, reposaient, la plus ancienne, celle d'Acharius, sur la situation et les rapports du fruit ou apothécie avec le thalle, et la plus connue et la plus communément employée, celle de Fries, sur la nature des apothécies; les unes ouvertes et apparentes au dehors servaient de caractéristique à la division des Gymnocarpes, les autres incluses dans la substance du thalle caractérisaient celle des Angiocarpes.

Cette classification, tout en réalisant un progrès, ne pouvait plus continuer à être en usage du moment où l'on s'est aperçu que certains Lichens portaient à la fois des apothécies ouvertes et des apothécies du type des Angiocarpes. (*Voy.* LICHENS.)

J. DE SEYNES.

BIBLIOGRAPHIE. — Une énumération très-complète de ce qui a été écrit sur les Lichens a été publiée en un volume in-8° par M. Krempelhuber sous ce titre : *Geschichte und Litteratur der Lichenologie*, Munich, 1867. Nous renvoyons à cet auteur, en nous bornant à citer quelques ouvrages classiques et quelques mémoires saillants.

MICHELI. *Nova plantarum genera*. Florentiæ, 1729. — HOFFMANN. *Plantæ lichenosæ*. Lipsiæ, 1789-1801. — ACHARIUS. *Lichenographia universalis*. Gœttingæ, 1810. — WALLROTH. *Naturgeschichte der Flechten*. Frankfurt, 1825-27. — FÉE. *Cours d'histoire naturelle pharmaceutique*, Paris, 1828. — FRIES. *Lichenographia Europea reformata*. Lond. Goth., 1831. — ENDLICHER. *Enchiridion botanicum*. Lipsiæ, 1841. — MONTAGNE. Aperçu morphologique de la famille des Lichens. Paris, 1846. In *art.* LICHEN in *Dictionnaire d'Orbigny*. — MASSALONGO. *Ricerche sull' antonomia dei Licheni crostosi*, 1852. — TULASNE. *Mémoire pour servir à l'histoire organog. et physiol. des Lichens*, 1852; *Ann. des sc. natur.*, 5e sér., t. XVII. — NYLANDER. *Synopsis methodica Lichenum*. Paris, 1859. — PEREIRA. *Mat. med.* Lond. (4e éd.). — DE BARY. *Morphol. und Physiol. der Pilze, Flechten und Myxomiceten*. In *Handbuch der physiol. Botan.* von Wilh. Hofmeister. Leipzig, 1866. — FAMINTZIN et BORANETZKY. *Changement des Gonidies des Lichens en zoospores*. In *Ann. des sc. natur.*, 5e série, t. VIII, 1867. — ROUMEGUÈRE. *Plantes acotylédones d'Europe, famille des Lichens*. Toulouse, 1868.

Voyez en outre les articles : CÉTRAIRE, CÉTRARIN, CLADONIE, COLLEMÉ, EVERNIE, ERYTHRINE, LECANORE, LICHÉNINE, ORCINE, ORSEILLE, PARELLE, PARMÉLIE, PELTIGÈRE, PERTUSAIRE, PHYSCIE, RAMALINE, ROCELLE, ROCELLINE, STICTA, USNÉE, VARIOLAIRE. J. DE S.

§ II. **Matière médicale**. Les lichens, dont le nom vient de λείχην, dartre, de la forme croûteuse des expansions de ces plantes, sont intéressants, et comme médicaments et aliments, et comme substances tinctoriales.

Les propriétés médicinales des lichens sont de deux ordres : ils sont toniques et doivent cette vertu à une matière amère, ou ils sont nourrissants et analeptiques, parce qu'ils contiennent un principe qui se rapproche de la fécule. Les mêmes propriétés paraissent se retrouver, plus ou moins développées, dans tous les lichens foliacés qui sont à peu près les seuls dont on se serve en médecine. L'analogie de leur composition est même telle que l'on pourrait, sans grand inconvénient, les employer tous au même usage mais le lichen d'Islande est, de toutes les plantes de cette famille, la seule qui soit encore fréquemment usitée; aussi présente-t-elle pour nous un grand intérêt, car ce n'est que dans cette espèce que le principe amer et le principe amylacé ont été bien étudiés. (*Voy.* LICHEN D'ISLANDE.)

On s'est servi autrefois en médecine de quelques autres espèces de lichen; plusieurs même ont été fort en vogue, mais ils sont aujourd'hui presque tous tombés dans l'oubli, tels sont : le *lichen pulmonaire* ou la *pulmonaire de chêne*, qui présente une certaine analogie d'aspect avec le poumon coupé; de là probablement aussi l'idée que l'on a eue de l'employer contre les maladies du poumon. Sa saveur est plus amère que celle du lichen d'Islande, et, suivant Gmelin, dans le nord de l'Europe, on l'emploie quelquefois comme le houblon dans la préparation de la bière. Débarrassé de cette saveur amère, il jouit des mêmes propriétés que le lichen d'Islande. Il faisait partie autrefois du sirop de mou de veau. On s'en sert aujourd'hui surtout dans la teinture. Le *lichen pyxidé* qui est moins gélatineux que celui d'Islande, moins amer et cependant plus désagréable au goût; il était employé contre la toux. Le *lichen des murailles*, qui a été regardé comme fébrifuge; le *lichen des rennes;* le *lichen blanc de neige;* le *lichen contre la rage;* le *lichen aphteux*. Ces différentes espèces, et plusieurs autres, ont, comme nous l'avons déjà dit, quelque analogie dans leur mode d'action avec le lichen d'Islande, mais elles sont un peu âcres et astringentes, et contiennent moins de principes gélatineux. Cependant, en les lavant et en les laissant macérer dans l'eau bouillante, on pourrait les priver de leurs principes âcres et astringents, et les employer à défaut du lichen d'Islande.

On employait aussi autrefois une petite plante que l'on nommait *Usnée du crâne humain* qui a été vantée contre l'épilepsie, et que l'on avait, dit-on, la folie de payer jusqu'à mille francs les 30 grammes, c'est le *lichen saxatilis* de Linné (*Parmalia Saxatilis*, Ach.). Ce qui rendait ce lichen si rare était la condition imposée de n'employer seulement que celui qui croissait sur les crânes humains exposés à l'air. On lui substituait souvent un autre petit lichen filamenteux, le *lichen plicata* de Linné (*Usnea plicata*, DC.). Tous deux sont entièrement oubliés.

Aucune espèce de Lichen n'est vénéneuse, et dans les pays pauvres du Nord, ils sont employés comme matière alimentaire.

Plusieurs lichens fournissent des principes colorants dont on fait un très-grand usage dans les arts. (*Voy.* ORSEILLE.) T. GOBLEY.

LICHTENSTEIN (GEORGES-RODOLPHE). Médecin et chimiste allemand, né à Brunswick en 1745, mort à Helmstaedt, le 28 mai 1807. Voici la liste de ses ouvrages :

I. *Dissertatio de dispositione salium, imprimis simplicium atque mixtorum.* Helmstædt, 1769, in-4°. — II. *Abhandlung vom Milchzucker und den verschiedenen Arten desselben.* Brunswick, 1772, in-8°. — III. *Zweifel und Bedenklichkeiten bey der wichtigen Frage von der freyen Ausfuhr des Getraides.* Brunswick, 1772, in-8°. — IV. *Dubia circà chemiæ in virtutibus medicamentorum eruendis præstantium.* Helmstædt, 1773, in-4°. — V. *Entdeckte Geheimnisse, oder Erklærung aller Kunstwœrter und Redensartem Bergwerken und Hütten-Arbeiten, nach alphabetischer Ordnung.* Helmstædt, 1778, in-8°. — VI. *Anleitung medicinischer Krœuterkunde für Aerzte und Apothcker.* Helmstædt, 1782-1786, in-8°, 3 vol. — VII. *P. F. Fabricii animadversationes varii argumenti medicas, ex scriptis ejus minoribus collegit, notisque adjectis edidit.* Helmstædt, 1785-1787, in-4°. A. C.

LICORNE. La licorne, telle que les anciens la concevaient, portant une corne sur le front, n'existe sans doute pas comme type zoologique. Pallas fait remarquer que, chez les antilopes, certains individus portent plusieurs cornes, d'autres n'en possèdent qu'une ; et Cuvier, que des antilopes peuvent être réduites à une seule corne, par monstruosité ou par suite de mutilation. On s'accorde assez généralement aujourd'hui à penser que la licorne des anciens n'était autre que l'antilope oryx.

Qu'était cette corne, puisque l'animal qui était censé la fournir n'existe pas? Quelles étaient ses prétendues propriétés?

Ambroise Paré (L. XXI, c. 47-65) qui, dans un long article sur la licorne, a contribué plus que personne à reléguer parmi les êtres fabuleux cette « beste estrange », fait remarquer que la corne elle-même a été décrite de vingt manières différentes ; et, avec d'autres savants de son temps, il attribue à un grand poisson de mer, le rohart (narwal), les cornes droites dont on montrait alors des échantillons. Ce sont en réalité des défenses de narwal, que les Norwégiens et les Danois rapportaient des mers polaires et vendaient à haut prix comme cornes de licornes. Ces défenses, qui atteignent quelquefois une hauteur de 8 à 10 pieds, tantôt lisses, tantôt sillonnées de rainures en spirales, sont paires; mais il est rare que toutes deux se développent simultanément ; le plus souvent, l'une d'elles reste à l'état rudimentaire, tandis que l'autre (la gauche d'ordinaire) s'allonge pour se terminer en pointe mousse.

Quoi qu'il en soit, on attribuait à cette substance des vertus extraordinaires contre le mal caduc, le spasme, la peste, la fièvre quarte, la morsure des chiens enragés et des vipères, les piqûres de scorpions et généralement contre toutes les plaies venimeuses. Il suffisait même de tenir la corne à l'opposite du lieu où se trouvait le venin pour que celui-ci se découvrît. Sur quoi Paré fait une judicieuse remarque. Ce sont, dit-il, ces promesses impossibles qui « donnent occasion à ceux qui ont quelque peu d'esprit, de tenir pour faux tout le reste qui en a esté dit et escrit. » Il a, du reste, constaté par l'expérience que tous ces récits sur les vertus de ce produit animal n'ont aucune espèce de fondement.

La corne de licorne conservait encore sa réputation au siècle dernier, bien qu'on connût alors son origine. Voici ce qu'en dit Lemery dans son *Dictionnaire des drogues* (Paris, 1760, in-4°, p. 522, article *Narwal*) : « Elle contient beaucoup de sel volatil et d'huile. Elle est cordiale, sudorifique, propre pour résister au venin, pour l'épilepsie. La dose est depuis 1 demi-scrupule jusqu'à 2 scrupules. On en porte aussi une amulette pendue au cou, pour préserver du mauvais air : mais il ne faut pas attendre d'effet de cette amulette. » A. D.

LICUALA. Genre de palmiers, propres aux régions chaudes des Indes orientales. Ce sont des arbres peu élevés, à stipes marqués d'impressions circulaires, couronnés au sommet de grandes feuilles en éventail, profondément divisées jusqu'à la base en segments tronqués et grossièrement dentés à leur extrémité. Entre ces frondes, se trouvent des spadices articulés de distance en distance, recouverts sur les entre-nœuds de spathes incomplètes et se divisant en rameaux spiciformes, recouverts de fleurs hermaphrodites. Le périanthe des fleurs est à six divisions : les étamines, en même nombre, sont soudées à leur base en une espèce d'urcéole; des trois ovaires, deux avortent d'ordinaire et se réduisent à deux petites écailles; le troisième devient, à la maturité, un drape sous-globuleux, jaune-orangé ou purpurin, qui contient dans la graine un albumen, creusé sur la face ventrale d'une cavité et portant l'embryon sur sa face opposée.

Les feuilles du *Licuala* et particulièrement du *Licuala spinosa* de Java, sont employées à divers usages à cause de la résistance de leurs fibres. Les naturels s'en servent en guise de papier pour faire leurs cigarettes. En Europe, nous recevons enveloppés de ces feuilles, les Sangdragons, désignés sous les noms de *Sangdragons en baguettes* et en *olives*.

RUMPHIUS. *Herb. Amb.*, I, p. 44, tab. 9. — BLUME. *Rumphia*, II, p. 37 et suiv., tab. 89 à 95

LIEBENSTEIN (EAUX MINÉRALES et CURE DE PETIT-LAIT DE), *athermales, bicarbonatées calciques et ferrugineuses faibles, carboniques fortes, sulfureuses faibles*. Dans la Saxe-Meiningen, est un bourg de 700 habitants, bâti dans la belle et riche vallée de Lawerra, à 312 mètres au-dessus du niveau de la mer, au pied du Thuringerswald et de la forêt de Rön (chemin de fer du Nord, Mannheim, Francfort et Eisnach). Le climat de Liebenstein est assez doux, quoique en général les matinées et les soirées y soient assez fraîches. Les promenades les plus fréquentées sont l'Erdfall, excavation naturelle dominée de tous côtés par des blocs de rochers qu'ombragent de beaux arbres. L'Erdfall se compose d'une grotte que l'on illumine les jours de fête et d'une sorte de cave (*felsenkeller*) où l'on fait rafraîchir les boissons. Le château de Liebenstein est à un peu plus de 1 kilomètre de l'Erdfall, mais des sentiers agréables et faciles parcourent les bosquets et les jardins qui séparent ces deux promenades. L'excursion la plus rapprochée et la plus suivie est celle de Wilhelmsthal, résidence d'été du duc, dont le château est entouré d'un beau et grand parc. La Wattburger, l'Inselberg, à 1 myriamètre de Liebenstein, offrent un panorama magnifique, que les baigneurs ne manquent pas d'aller voir. La saison s'ouvre le 1er mai et finit le 15 septembre. Deux sources alimentent l'établissement : on les nomme la *Vieille source* (Altquelle) et la *Nouvelle source* (Neuequelle). Cette dernière est seule importante à connaître, car la Vieille source, connue dès 1615, est aujourd'hui presque entièrement abandonnée. La Nouvelle source émerge des couches inférieures du carbonate de chaux, dans un terrain où l'on rencontre des granits, des porphyres, des basaltes, des micaschistes, des grès et de la dolomie; on l'a trouvée en 1846, après avoir pratiqué un sondage de 35 mètres de profondeur. Son eau est limpide, incolore, d'une odeur légèrement sulfureuse, d'une saveur agréable, quoiqu'elle soit un peu salée et surtout ferrugineuse. Des bulles gazeuses, les unes grosses et rares, les autres très-fines et très-nombreuses, traversent cette eau et font que sa surface semble être toujours en ébullition. La température de l'eau de la Nouvelle source n'est pas constante, elle est de 10° centigrade en moyenne; sa densité est de 1,0025. La dernière analyse a été faite par le professeur Reichardt, qui a trouvé, dans 1000 grammes d'eau, les principes suivants :

Bicarbonate de chaux	0,5910
— magnésie	0,2057
— manganèse	0,0124
— protoxyde de fer	0,0775
Chlorure de sodium	0,2471
— lithium	0,0041
Sulfate de potasse	0,0052
— soude	0,0100
— magnésie	0,1841
— chaux	0,0205
Alumine	0,0008
Acide silicique	0.0275
TOTAL DES MATIÈRES FIXES	1,3941
Gaz acide carbonique	10 cent. cubes 1342

L'établissement minéral de Liebenstein appartient au gouvernement, qui l'administre; il renferme des salles de conversation, de danse, de jeu, outre la buvette, les cabinets de bains et de douches. On peut y suivre une cure de petit-lait et y prendre des bains composés d'une décoction d'aiguilles de sapin.

MODE D'ADMINISTRATION ET DOSES. Les eaux de Liebenstein sont prescrites en boisson, en bains et en douches d'eau. La dose à l'intérieur est de trois à huit verres, pris le plus souvent le matin à jeun et à un quart d'heure d'intervalle. Cette eau est quelquefois employée pendant les repas, seule, et le plus souvent coupée d'une certaine quantité de vin. La durée des bains est d'une heure en général, lorsqu'ils sont exclusivement composés d'eau minérale artificiellement chauffée; ils sont d'une demi-heure ordinairement, lorsqu'on les additionne d'une certaine quantité d'eau mère fournie par les salines de Salzungen (*voy.* ce mot), qui sont voisines de Liebenstein. Les douches sont administrées pendant un quart d'heure ou vingt minutes.

EMPLOI THÉRAPEUTIQUE. Lorsque les personnes dont le système sanguin est prédominant font usage pendant un temps, même assez peu prolongé, des eaux de Liebenstein, elles ne tardent pas à éprouver des phénomènes leur indiquant qu'il est prudent de ne pas continuer la cure minérale. Ainsi elles ont des maux de tête, des étourdissements, des bourdonnements d'oreilles, des envies de dormir pendant le jour, de l'agitation et de l'insomnie pendant la nuit, etc., qui son un avertissement certain de l'inopportunité de l'administration de la source Nouvelle. Les sujets, au contraire, faibles ou épuisés par une longue maladie, par une anémie ou une chlorose, sont promptement reconstitués, par l'usage intérieur surtout de cette eau ferrugineuse. Ces effets physiologiques principaux suffisent pour renseigner sur les indications et les contre-indications de l'eau de Liebenstein, dont l'action curative a beaucoup d'analogie avec celle des eaux ferrugineuses carboniques de Schwalbach, de Pyrmont, de Driburg et de Spa. (*Voy.* ces mots.) Il est utile d'ajouter cependant que les eaux de Liebenstein, qui sont légèrement sulfureuses, conviennent mieux que celles que nous venons de nommer toutes les fois que les chloro-anémiques ont des manifestations cutanées.

Durée de la cure. De 25 à 30 jours.

On *exporte* peu l'eau de Liebenstein. A. ROTUREAU.

BIBLIOGRAPHIE. — SCHWERDT. *Liebenstein Mineralbad.* Gotha, 1854. — DÆBNER. *Das Mineralbad und Molkenanstalt zu Bad Liebenstein, in Thüringen.* In *Balneologische Zeitung;* t. I. — JOANNE et LE PILEUR. *Bains d'Europe, guide descriptif et médical.* Paris, 1860, in-12, p. 78-80. A. R.

LIEBENZELL (EAUX MINÉRALES ET CURE DE PETIT-LAIT DE), *hypothermales, chlorurées sodiques et bicarbonatées ferrugineuses faibles, carboniques moyennes.* Dans le Wurtemberg, dans la forêt Noire, au pied du Schlossberg, que couronnent les ruines d'un vieux château du moyen âge qui avait été bâti sur les restes d'une forteresse romaine, à 286 mètres au-dessus du niveau de la mer, se trouve la petite ville de Liebenzell, peuplée de 1050 habitants et construite sur la rive droite de la Nagold (chemin de fer de l'Est, Strasbourg, Kelh, Durlach, Pforzheim, Wildbad et Liebenzell). Les pics des montagnes qui dominent la vallée ont plus de 600 mètres d'élévation; le torrent qui descend de ces sommets forme, au milieu de la ville, une pièce d'eau dont le courant met en mouvement un moulin et une usine. Le climat est très-doux; il permet de commencer la saison dès le 15 mai et de ne la finir que le 15 octobre. Le séjour de Liebenzell est très-agréable, en raison des promenades et des excursions que les baigneurs peuvent y faire. Le château est au confluent de la Nagold et du Lägenbach; la Monakam et sa belle église; les ruines de l'ancienne abbaye des bénédictins d'Hirsau; le petit centre industriel et commercial de Calw, dont les maisons à pignons pointus et l'ancien château ont un cachet original; Weil-die-Stadt; les sept chênes, près de Grünbach, d'où l'on découvre la vallée du Rhin jusqu'à Spire, les montagnes des Vosges de l'Odenwald et du Taunus; les villes laborieuses de Pforzheim et de Neuenburg, sont les curiosités les plus fréquemment visitées par les hôtes de Liebenzell. Trois sources, connues très-anciennement et probablement dès l'époque de l'occupation romaine, ainsi que l'indiquent les monnaies, les poteries et les fûts de colonnes découverts aux environs, émergent du granit et du grès bigarré, comme les eaux de Baden-Baden et de Wildbad, qui en sont les plus rapprochées. Le débit des trois sources en vingt-quatre heures est de 110,000 litres environ. Cette eau est limpide, semble peu gazeuse, n'a aucune odeur et presque aucun goût lorsqu'elle est à sa température native; mais lorsqu'on la laisse se refroidir, elle a un goût fade et elle affecte légèrement la membrane pituitaire, à cause du gaz hydrogène sulfuré qu'elle laisse dégager. La température de l'eau des trois sources de Liebenzell varie de 21°,7 à 25° centigrade. Une série d'observations faites régulièrement pendant un siècle, de 1747 à 1848, a démontré les oscillations que nous venons d'indiquer; la densité de l'eau est de 1,001326. Sigwart a fait, en 1833, l'analyse de l'eau de Liebenzell; ce chimiste a trouvé, dans 1000 grammes, les principes suivants :

Chlorure de sodium avec traces de chlorure de magnésium.	0,6692
Carbonate de soude	0,1011
— chaux	0,1067
— oxyde de fer	0,0130
Sulfate de soude	0,0794
Silice	0,0333
TOTAL DES MATIÈRES FIXES	1,0257

Gaz dégagé par l'eau des sources, sur 100 parties :

Acide carbonique	51,58
Azote	24,44
Oxygène	4,25
TOTAL DES GAZ	100,00

Liebenzell a deux établissements thermaux : l'un se nomme le *Bain supérieur*, et l'autre, le *Bain inférieur*. Une seule source alimente le premier, les deux autres se rendent au second, l'une de ces dernières est très-peu abondante et sert exclusivement en boisson. L'eau du Bain supérieur fait monter la colonne du thermomètre de 23°,2 à 25° centigrade, tandis que la température des deux sources du Bain inférieur ne s'écarte qu'entre 21°,7 et 23° centigrade seulement. L'eau de Liebenzell est employée en boisson, en bains et en douches; on peut suivre encore à cette station des cures de lait et de petit-lait qui n'offrent rien de spécial et sur lesquelles nous n'avons rien à dire de particulier.

EMPLOI THÉRAPEUTIQUE. L'eau de Liebenzell, prise en boisson, en bains et en douches, active très-notablement les fonctions de la peau, mais elle diminue le nombre et la force des battements du cœur et des artères; elle calme aussi le système nerveux; elle est très-sensiblement diurétique. Le docteur Hartmann assure aussi « qu'elle agit encore en facilitant, soit dans l'ensemble de l'économie, soit seulement dans les organes malades, la nutrition et par suite l'assimilation. » Cette eau est principalement utile dans les maladies des femmes, aussi désignet-on souvent dans le pays cette station thermale par la dénomination de *Frauenbad*, lorsque ces maladies reconnaissent pour cause un trouble nerveux ou une affection utérine accompagnée ou non accompagnée de stérilité, d'hystérie et de chlorose. Les eaux de Liebenzell d'ailleurs, dont la température, les propriétés physiques, chimiques, et les indications thérapeutiques se rapprochent tellement de celles de SCHLANGENBAD, que nous renvoyons à ce mot pour les autres détails.

Durée de la cure, un mois, en moyenne.

On n'*exporte* pas les eaux de Liebenzell. A. ROTUREAU.

BIBLIOGRAPHIE. — HARTMANN. *Liebenzell*. Stuttgart, 1852. — *Balneologische Zeitung*, t. II et III. — JOANNE (Ad.) et LE PILEUR (A.). *Les bains d'Europe, guide descriptif et médical*, etc. Paris, 1860, in-12, p. 80-81. A. R.

LIEBERKUEHN (JOH.-NATHANAEL), peut être regardé comme un des fondateurs de l'anatomie micrographique. Il était né à Berlin le 5 septembre 1711, et se livra d'abord à l'étude de la théologie pour obéir aux desseins de son père, qui le destinait à l'Église, mais il avait cédé en même temps à la vocation qui l'entraînait vers les sciences naturelles, et il suivit avec ardeur les cours de physique, de botanique et d'anatomie que le célèbre Hamberger donnait à Iéna. Devenu libre de ses déterminations à la mort de son père, il s'adonna entièrement aux études de son choix, et avant même qu'il fût reçu docteur, sa renommée était assez grande pour qu'on le jugeât digne d'être admis à l'Académie des Curieux de la nature, où il entra sous le nom de Dédale. C'est seulement dans le cours des voyages qu'il entreprit dans l'intérêt de son instruction qu'il prit le bonnet de docteur à Leyde, en 1739. Pendant le séjour qu'il fit à Londres, la Société royale se l'attacha comme membre. Enfin il retourna à Berlin, et il y remplit les fonctions de membre du conseil supérieur de médecine. Une mort prématurée l'enleva à la science, le 7 octobre 1756.

Lieberkühn, nous l'avons dit, appliqua avec succès le microscope à l'étude de l'anatomie; on connaît ses belles recherches sur la muqueuse de l'intestin, ses observations sur les villosités dont il s'efforça de démêler la structure intime, sur les glandes tubuleuses qui portent son nom. Pour observer la disposition et la répartition des vaisseaux dans les organes, il eut recours, le premier, aux injections avec une substance métallique, puis détruisant le parenchyme à l'aide d'une liqueur dissolvante, il laissait le réseau vasculaire à nu. L'instrument dont il se servait avec tant d'habileté, le microscope, lui doit d'heureux perfectionnements.

Il a consigné ses recherches dans les opuscules suivants :

I. *De valvula coli et usu processus vermicularis* (dissert. inaug.). Lugd. Batav , 1739, in-8°, et in *Disputat. anat. de Haller*, t. I. — II. *De pilis intestinorum*. Ibid., 1739, in-4°. — III. *De fabrica et actione villorum intestinorum tenuium*. Ibid., 1745, in-4°, pl. 3. — IV. *Description d'un microscope anatomique*. In *Mém. de l'Acad. des sc. de Berlin*, 1745. — V. *Sur les moyens propres à découvrir la construction des viscères*. Ibid., 1748. — VI. Les ouvrages de Lieberkühn ont été rassemblés par Sheldon sous le titre : *Joh. Nath. Lieberkühn anatomici, dum viveret summi et medici experientissimi, Dissertationes quatuor. Omnia nunc primum in unum collecta*, etc. Lond , 1782, in-4°. E. BOD.

LIEBWERDA (EAUX MINÉRALES, BOUES ET CURE DE PETIT-LAIT DE) *athermales, amétallites, ferrugineuses faibles, carboniques fortes*. En Autriche, dans la Bohême, dans la vallée de Riesengebirge, à la base du versant nord de Tafelfichte, émergent les quatre sources de Liebwerda de terrains primitifs composés de granit, de micaschiste, de gneiss, de schiste argileux, de calcaire primitif et de quartz. Ces sources, connues dès le commencement du quinzième siècle, ont reçu les noms de *Christiansquelle* ou *Trinkquelle* (source de Christian ou source de la Buvette), de *Josefinenquelle* (source de Joséphine), de *Stahlbrunnen* (source Ferrugineuse) et de *Wilhelmsbrunnen* (source de Guillaume). Deux de ces sources sont seules importantes à connaître ; la Trinkquelle et la Stahlbrunnen. Nous les aurons particulièrement en vue en décrivant leurs propriétés physiques et chimiques. Leur eau est limpide, très-pétillante, d'une saveur aigrelette très-agréable ; elle rougit instantanément les préparations de tournesol ; sa température est de 10° centigrade à la Trinkquelle, et de 11°,2 centigrade à la Stahlbrunnen. La densité de la Trinkquelle est de 1,0009, celle de la Stahlbrunnen est de 1,0027. Le débit des quatre sources est de 1,716,000 litres en vingt-quatre heures. Reuss a trouvé que 1,000 grammes de l'eau de la Stahlbrunnen contiennent les principes suivants :

Carbonate de magnésie	0,2950
— soude	0,0868
— chaux	0 0723
— oxyde de fer	0,0054
Sulfate de chaux	0,0752
— soude	0,0130
Chlorure de sodium	0,0057
Silice	0,0101
Total des matières fixes	0,6535
Gaz acide carbonique	0,696 litre.

L'eau de la Trinkquelle contient une plus grande quantité de gaz, mais moins de carbonate d'oxyde de fer.

La station de Liebwerda est aussi très-connue par ses cures de petit-lait.

Emploi thérapeutique. Les eaux de Liebwerda sont légèrement excitantes par le gaz acide carbonique qu'elles contiennent, apéritives, toniques et reconstituantes à cause du bicarbonate de fer qui est la partie active de leur minéralisation. Elles sont principalement fréquentées par les convalescents, les anémiques et les chlorotiques ; les malades auxquels une cure par le petit-lait a été prescrite, trouvent à Liebwerda une organisation bien entendue et une installation complète.

La *durée de la cure* est d'un mois, en général.

On *exporte* les eaux de la Trinkquelle de Liebwerda. A. Rotureau.

Bibliographie. — Osann. *Darstellung des bekannten Heilquellen*. Berlin, 1841, in-8°. — Joanne (Ad.) et Le Pileur (A.). *Les bains d'Europe, guide descriptif et médical*, etc. Paris, 1860, in-12, p. 82-83. A. R.

LIÉNINE. Corps cristallisable qui se trouve dans la rate. (*Voy.* Rate.)

LIENTERIE (de λεῖος, lisse, glissant, et ἔντερον, intestin). Diarrhée dans laquelle les aliments sont rendus sans être digérés. (*Voy.* Diarrhée, Dysenterie.)

LIERNE. L'un des noms vulgaires de l'Herbe-aux-Gueux (*Clematis Vitalba* L.). *Voy.* Clématite.

LIERRE (*Hedera* L.). § I. **Botanique.** Genre de plantes, de la famille des Araliacées, dont les fleurs, régulières et hermaphrodites, présentent les caractères suivants. Leur réceptacle, concave, en forme de bourse, renferme l'ovaire, tandis que les bords de cette bourse supportent le périanthe et l'androcée, dits pour cette raison épigynes. Le calice est peu visible, représenté par cinq petites saillies en forme de dents. La corolle est formée de cinq pétales, alternes, caducs, valvaires dans le bouton. Les étamines sont au nombre de cinq, alternes avec les pétales, formées chacune d'un filet libre, et d'une anthère biloculaire, introrse, puis oscillante, déhiscente par deux fentes longitudinales. L'ovaire infère est à cinq loges, superposées aux pétales, ou à un nombre moindre de loges (de deux à quatre), avec un seul ovule descendant, inséré en haut de l'angle interne de la loge, anatrope, avec le micropyle tourné en haut et en dehors, coiffé d'un obturateur formé par un épaississement du funicule ovulaire. Le fruit est une drupe à noyaux minces, qui renferme une ou quelques graines, dont les téguments recouvrent un albumen charnu abondant, ruminé, et dont le sommet contient un petit embryon à radicule supère. Les Lierres sont des arbustes, souvent grêles, sarmenteux, se soutenant et s'attachant aux objets voisins, à l'aide de crampons ou racines adventives imparfaites, nées sur les branches. Dans le sol, ces racines deviennent plus développées. Les feuilles sont alternes, sans stipules. Les fleurs, portées sur des branches libres, non adhérentes, et dont les feuilles ont une forme spéciale, sont disposées en ombelles, simples ou composées, dont la base est entourée d'un involucre formé de plusieurs bractées.

L'espèce employée en médecine est le Lierre commun ou L. d'Europe, L. grimpant, L. en arbre (*Hedera Helix* L., *Spec.*, 292). C'est un arbuste sarmenteux, atteignant quelquefois de fortes dimensions en hauteur et en épaisseur, car son tronc peut devenir aussi gros que le corps d'un homme. Ordinairement, ses tiges et branches grêles s'appuient et s'attachent aux rochers, arbres, murailles, etc., à l'aide de crampons, c'est-à-dire de racines adventives incomplétement développées, et qui prennent tout leur accroissement quand la plante s'appuie sur un sol humide. Les feuilles sont alternes, pétiolées, persistantes, luisantes et d'un vert foncé en dessus, plus pâles et plus ternes en dessous. A la partie inférieure des tiges, elles sont profondément lobées, avec 3-5 lobes largement triangulaires, plus ou moins profondément laciniés dans certaines variétés. Sur les branches qui deviennent libres, et qui souvent portent des fleurs, le limbe devient entier ou à peu près, ovale-aigu ou presque rhomboïdal, arrondi à la base. Les fleurs sont réunies en ombelles presque globuleuses à la partie supérieure des rameaux. Leur calice est court, inséré sur un réceptacle vert et velu ou pubescent. La corolle est verdâtre, à pétales larges et tronqués à la base, d'abord rapprochés en cône, puis étalés, réfléchis, parcourus sur leur ligne médiane par une côte saillante. Les étamines ont un filet court et une anthère médio-dorsifixe, jaune, un peu cordée à la base. Le fruit est presque globuleux, de la grosseur d'un pois, couronné d'une cicatrice circulaire, inégale, qui répond à l'insertion du périanthe. Sa couleur est presque noire, et sa pulpe a une teinte pourpre noirâtre très-foncée. Il renferme de une à cinq graines. Le lierre grimpant fleurit en automne; il croît de préférence dans les lieux sombres, ombragés, sur les vieux troncs, sur les édifices en ruine. Toutes ses parties sont douées d'une odeur caractéristique.

Le Lierre commun a été fort employé en médecine. Les propriétés nombreuses que lui attribuaient les anciens s'appliquent souvent à d'autres plantes. Ainsi Pline a, d'après Desvaux, confondu le Lierre avec le Ciste, trompé qu'il fut par la ressemblance des noms *Cistos* et *Cissos* (Κισσός); ce dernier était celui du Lierre. Le Lierre était la plante consacrée à Bacchus. « (Lyarre a été surnommé *Dionysia*, c'est-à-dire Bacchique, prenant ce nom de Bacchus, qui le premier apporta Lyarre des Indes en Grèce; ou parce que il luy est voué et dédié. Car tout ainsi que Bacchus est tousiours ieune, aussi le Lyarre est tousiours verdoyant. Et tout ainsi que le Lyarre lie toutes choses qu'il empongne : ainsi Bacchus tient, enserre et lie l'esprit des hommes. » [Fuchs (L.), *Hist.*, 294.] On admettait alors plusieurs espèces de Lierre : « Lyarre droict et royde, se soutenant seul, entre toutes autres espèces, ha esté nommé *Cissos* : par le contraire, celuy qui se traîne par terre ha esté appelé *Chamæcissos.* » Dioscoride distinguait plusieurs espèces de Lierre ; « mais en général, ajoute Fuchs, il n'y en ha que trois. L'un est blanc, à cause qu'il porte poinct blanc : et celuy est appelé de Pline, Lyarre femelle. L'autre est noir, portant ses bayes et fruicts noirs : et selon Pline, c'est le masle. Cette espèce s'allie volontiers ès murailles. » Ce dernier seul, on le voit, peut être notre Lierre. Pour les anciens, il était âcre, astringent, il guérissait les brûlures, les céphalalgies, l'odontalgie, les maux d'oreille, les ulcères, les taches au visage, la punaisie, l'aménorrhée, etc. Ce n'était pas une plante sans action, car elle pouvait produire la stérilité, et, à trop forte dose, « engendrer imbécillité et foyblesse de corps, et troubler l'esprit. » On sait combien l'on est actuellement revenu de tout cela ; mais le Lierre n'est pas complétement abandonné.

On a longtemps employé en médecine une résine extraite du Lierre, la *gomme hédérée* ou *gomme de Lierre*. Elle découle naturellement du tronc des vieux Lierres, dans les pays chauds, ou bien l'on favorise son écoulement à l'aide d'incisions, et on la laisse durcir à l'air. On l'emploie souvent en fumigations. C'est, d'après Guibourt, un mélange de résine et de gomme ; il lui conserve néanmoins le nom de résine de Lierre, parce que c'est la portion résineuse qui seule est utile. Dans le commerce, cette substance est souvent en morceaux d'un brun noir, opaque, caractères dus à la croûte qui les recouvre ; mais à l'intérieur ils sont transparents, vitreux, d'un rouge orangé, inodores et d'une saveur mucilagineuse. Cette portion intérieure se gonfle dans l'eau et s'y dissout en partie comme la gomme arabique. Ailleurs la masse est mêlée de fragments d'écorce rougeâtre et de petits grains rouges brillants de résine. La résine décrite par de Meuve et Lémery a une cassure vitreuse, une couleur bien rouge, une forte odeur de résine Tacamaque et de graisse rance. On a proposé de la substituer à la myrrhe. Ce doit être, dit Guibourt, une substance assez active. Pelletier a donné une analyse de la résine de Lierre (in *Bull. Pharm.*, IV, 504). On suppose qu'il a opéré sur celle qui est mélangée de fragments d'écorce, et qui se compose, suivant lui, de :

Gomme.	7
Résine.	23
Acide malique, etc.	0,30
Ligneux très-divisé	69,70
	100,00

Guibourt a vu que, sous l'influence de l'acide azotique, cette résine ne se comporte ni comme les véritables gommes, ni comme les résines, ni comme le ligneux. Il suppose donc qu'elle renferme un nouveau principe immédiat que son inaltérabilité pourrait faire rechercher pour la teinture.

Le *L. de Saint-Dominique* est le *Bignonia Unguis L.* (*Voy.* BIGNONE).

H. BN.

L., *Gen.*, n. 238 (part.). — GÆRTN., *De Fruct.*, I, 130, t. 26. — DC., *Prodr.*, IV, 216 — ENDL., *Gen.*, n. 4560. — RICH. (A.), *Elém.*, éd. 4, II, 164. — MÉR. et DEL., *Dict.*, III, 450. — GUIB., *Drog. simpl.*, éd. 4, III, 183. — CAZIN, *Traité prat. et rais. des pl. médic.*, éd. 3, 583. — BENTH. et HOOK., *Gen.*, 940, n. 33. — MOQ.-TAND., *Bot. médic.*, 106, 352.

§ II. **Emploi médical.** Toutes les parties du lierre ont été employées en médecine.

Les parties les plus usitées sont les *feuilles*, et ensuite les *baies*; les unes et les autres s'emploient : en nature, pour infusion, décoction; en poudre.

Le *bois* sert à fabriquer des pois à cautère.

L'*écorce* a été prescrite en décoction.

L'*hédérine*, ou résine de lierre, paraît pouvoir se prêter aux mêmes préparations que les autres gommes-résines. Elle entre dans l'*onguent d'Althea* et dans le *Baume de Fioravanti*.

Action physiologique. L'hédérine possède des propriétés excitantes, analogues à celles des autres gommes-résines odorantes; d'après Stahl, elle aurait électivité d'action sur l'utérus et agirait comme emménagogue. L'écorce de lierre, selon qu'elle contient plus ou moins d'hédérine, a des propriétés semblables à celles de cette gomme-résine, mais toutefois plus faibles. Les feuilles ont une saveur amère et nauséeuse. Leur action, un peu excitante, semble aussi avoir de l'analogie avec celle des toniques amers. Les baies ont, à l'état frais, une saveur acidule qui devient amère et un peu âcre après la dessiccation; elles sont éméto-cathartiques, et susceptibles, si on en abuse, de produire des accidents.

Action thérapeutique. On ne se sert plus guère des feuilles de lierre qu'à l'extérieur. Leur usage est très-répandu pour le pansement des cautères dont elles excitent un peu la suppuration en même temps qu'elles maintiennent le pois et protégent les autres pièces du pansement. Leur décoction, aqueuse ou vineuse, a été conseillée pour tonifier les ulcères indolents, et dissiper diverses affections chroniques de la peau. On lui attribue aussi une certaine efficacité contre la gale et la teigne. Cazin dit l'avoir vue utile contre les brûlures du premier et du deuxième degré. Les feuilles de lierre, cuites et formant cataplasmes, ont été employées avec avantage contre les engorgements froids, surtout contre ceux des mamelles; on a recommandé ces cataplasmes pour arrêter la sécrétion du lait.

L'écorce de lierre était considérée autrefois comme excitante, altérante et fondante, et on l'administrait contre la syphilis et les dartres.

Les baies sont souvent employées par les paysans, d'après Cazin, au nombre de dix à douze, comme purgatif; elles agissent sous ce rapport assez violemment et peuvent, comme nous l'avons dit, devenir dangereuses. Boyle les administrait cependant, à plus hautes doses, comme sudorifiques, pratique condamnée par Hoffmann et Simon Pauli; et ce n'en fut pas moins comme telles qu'on les prescrivit dans la peste de Londres, pulvérisées et délayées dans du vinaigre. Elles ont eu aussi quelque emploi, et encore dans les campagnes, contre les fièvres intermittentes. Somme toute, et malgré une certaine activité, les feuilles et les baies de lierre ne paraissent pas avoir une grande valeur thérapeutique. Peut-être n'en serait-il pas de même de l'hédérine; mais il faudrait des observations sérieuses, des applications suivies, pour être fixé à son égard. Ses propriétés excitantes, fondantes, emménagogues, par exemple, demanderaient à être étudiées de nouveau. Il en doit être de même des propriétés qu'on lui prête comme épilatoire, antiparasitaire (particulièrement contre les poux de tête), antiodontalgique, et curative ou préventive de la carie dentaire. A ces divers titres, elle paraît avoir beaucoup d'analogie avec la myrrhe. Dans l'industrie, on s'en sert pour faire des vernis.

Doses et modes d'administration. A l'intérieur, infusion ou décoction des feuilles, 4 à 8 grammes pour 1 litre d'eau; poudre, 1 à 2 grammes. Poudre des baies, 50 centigrammes à 1 gramme. A l'extérieur, 10 à 20 et 30 grammes en décoction, pour lotions, fomentations, cataplasmes.

LIERRE TERRESTRE. § I. **Botanique.** (*Voy.* CATAIRE, GLÉCHOME, NEPETA.)

§ II. **Emploi médical.** Les parties usitées sont les feuilles et les sommités. Le lierre terrestre a une odeur forte, aromatique, mais peu agréable; sa saveur est balsamique, chaude, amère, un peu astringente; la dessiccation diminue ses propriétés; aussi cette plante doit-elle être séchée à l'ombre et avec soin. Son analyse n'a été faite que très-incomplétement; les deux principes les plus importants qu'on y a reconnus sont une huile essentielle et une matière résineuse amère. Elle contient aussi du tannin; son infusion noircit par le sulfate de fer.

La préparation la plus ordinaire est l'*infusion* : 10 à 20 grammes de feuilles pour 1 litre d'eau.

Viennent ensuite le *suc* et le *sirop*.

Quant aux autres préparations : *poudre des feuilles*, *conserve*, *extrait*, *teinture alcoolique*, *eau distillée*, elles ne sont plus employées.

Le lierre terrestre entre dans la formule de plusieurs *espèces béchiques*.

Action physiologique. Le lierre terrestre fait partie du groupe des labiées amères aromatiques; comme elles, probablement, il contient plus ou moins de camphre. En conséquence il est à la fois tonique, excitant, antispasmodique. Ces modes d'action ne se limitent pas aux organes respiratoires, comme pourrait porter à le penser sa réputation vulgaire dans le traitement des maladies de poitrine, mais s'étendent aux organes digestifs, aux organes génito-urinaires; il peut donc se comporter comme agent béchique, anticatarrhal, stomachique et diurétique. Il passe en outre pour être un peu astringent, ce qu'il doit au tannin, et vermifuge, ce qui dépend probablement de son huile essentielle et de sa résine amère. Mais quelque variées que soient ses propriétés, toutes ne semblent s'exercer qu'à un degré plus ou moins modéré et ne constituent qu'un médicament auxiliaire dans la thérapeutique des maladies contre lesquelles on l'a préconisé.

Action thérapeutique. Le lierre terrestre partage avec le lichen d'Islande la vogue populaire dans le traitement des maladies de poitrine. Toute exagération mise de côté et l'utilité des deux étant admise, l'emploi du premier se justifie encore mieux que celui du second. En effet, le lierre terrestre a réellement plus d'action, non-seulement sur le système broncho-pulmonaire, mais sur l'ensemble des conditions qui créent la gravité et surtout la chronicité des maladies de cet appareil. De plus, et se rapprochant en cela de la gomme ammoniaque et de la myrrhe, il facilite l'expectoration s'il y a lieu, mais il combat aussi les sécrétions morbides qui la provoquent. C'est cette double propriété qui indique son emploi à la fin des bronchites aiguës et dans tout le cours des bronchites chroniques; de même, sur le déclin des pneumonies, en excitant le tissu pulmonaire, il favorise la résorption des produits phlegmasiques. Mais de là à guérir la phthisie pulmonaire, comme on le prétendait autrefois, il y a loin. Ici ce n'est plus qu'une utilité restreinte qu'il manifeste, mais réelle encore, puisqu'il peut contribuer à suspendre momentanément les sécrétions purulentes entretenues par la lésion tuberculeuse. Ainsi seulement s'expliquent les succès, autrement mal interprétés, qu'auraient obtenus, de l'emploi du lierre terrestre dans le traitement de la phthisie pulmonaire, Ettmüller, Willis, Morton, Murray, Rivière, Sauvage, etc. En d'autres termes, effets palliatifs s'il s'agissait de la tuberculisation vraie, effets curatifs admissibles dans ces cas de catarrhes broncho-pulmonaires si facilement comptés pour des phthisies avant la découverte de l'auscultation.

De même, il ne faut inférer qu'avec une très-grande réserve, des observations de Murray, l'efficacité spéciale, selon cet auteur, du lierre terrestre dans la phthisie hémoptoïque; efficacité relative, sinon même fortuite, soit; mais, d'ailleurs est-il permis d'en déduire un précepte pour des applications nouvelles, en telles circonstances, aujourd'hui que nous connaissons des agents évidemment meilleurs contre l'hémoptysie? On ne peut donc concéder qu'à titre d'auxiliaire la plante en question dans l'imminence ou pendant le cours des hémorrhagies bronchiques et pulmonaires.

Ces justes restrictions étant apportées à l'influence du lierre terrestre comme médicament pectoral, nous allons voir qu'il faut encore plus rabattre des éloges qui lui ont été donnés sous d'autres rapports.

Baglivi recommande la teinture alcoolique de lierre terrestre contre les débilités d'estomac, la dyspepsie, les flatuosités ; utilité possible, mais pour de pareils cas d'autres médicaments inspireront à bon droit plus de confiance.

Sennert et Plater affirment qu'il excite les reins et la vessie au point de favoriser la sortie des petits calculs ; cette action, dont Cullen, très-sceptique à l'endroit des vertus du lierre terrestre, doutait avec raison, personne depuis n'a songé à la vérifier.

Lautt a proclamé cette labiée un puissant fébrifuge. Rey y a vu un remède contre la céphalalgie ; Sultif un sédatif direct du cerveau, utile comme tel dans les maladies mentales.

On le voit, en dehors du cercle des affections pectorales, il n'y a plus que des indications vagues et contestables pour l'emploi médical, à l'intérieur, du lierre terrestre.

A l'extérieur, il a servi, en infusion ou en décoction, pour exciter et modifier les ulcères ; en cataplasmes, que l'on a considérés comme devenant ainsi toniques résolutifs et calmants.

Le lierre terrestre se donne aujourd'hui, soit en infusion, à la dose de 10 à 30 grammes, soit le suc, de 30 à 80 grammes.

Des essais, infructueux paraît-il, ont été tentés en Angleterre pour, à l'aide de cette plante, soit clarifier la bière, soit augmenter sa force. En Orient, un autre usage, qu'on dit mieux réussi, est de manger les galles du lierre terrestre, ou *pommes de terrète*, produites par un *diplolepis*. Mérat et Delens disent que les maquignons mélangent les feuilles de cette plante avec l'avoine des chevaux pour leur faire rendre des vers. Enfin, on a prétendu que ces feuilles peuvent, à défaut de celles du mûrier, servir à la nourriture des vers à soie. D. DE SAVIGNAC.

BIBLIOGRAPHIE. — RUDBECK fils (O.). *Diss. de Hedera*. Upsaliæ, 1707. — HEDER (C. A.). *Diss. de Hedera terrestre*. Altorfii, 1736. — BENDER (C. B.). *Diss. de Glechemate hederacea*. Erlangen, 1787.

LIERRE DU CANADA. *Voy.* SUMAC.

LIERRE DE CILICIE. *Voy.* SALSEPAREILLE.

LIEUTAUD (JOSEPH). Né à Aix, en Provence, le 21 janvier 1703, enfant de l'école de Montpellier, neveu de Gariel, botaniste distingué du midi de la France, ce médecin gravit rapidement l'échelle des honneurs. Louis XV l'appela auprès de lui après la mort de Sénac (1770), et il passa de là aisément à la cour de Louis XVI, dès l'avénement de ce prince au trône, c'est-à-dire le 14 mai 1774.

La renommée aux cent bouches l'y avait déjà précédé.

Lieutaud avait la passion de l'anatomie. Attaché pendant un grand nombre d'années à l'hôpital royal de Versailles, établi par lettres patentes du mois de juin 1720, il trouva là à faire une ample moisson de découvertes, et l'on rapporte qu'il y disséqua plus de douze cents cadavres, étudiant, scrutant la nature, non pas seulement dans son expression naturelle, mais encore dans les désordres qu'elle laisse après la mort lorsqu'elle a été souffrante durant la vie. Les ouvrages qu'il a laissés ne sont pas exempts d'inexactitudes, de fautes même ; mais en revanche on y trouve une foule d'observations fines et délicates, un tableau méthodique, simple et clair des articulations, une démonstration fort exacte de l'œil et du cerveau, une exposition admirablement faite des muscles de la face, du pharynx et du dos. Il peut être regardé comme le fondateur, en France, de l'anatomie pathologique, et s'il a manqué du génie qui fait tout à coup sortir du néant une idée heureuse, il n'en a pas moins conçu le premier le plan de réunir dans un cadre toutes les altérations morbides, et le leur appliquer la symptomatologie.

Lieutaud mourut le 6 décembre 1780.

Nous avons vu signés de lui les ouvrages suivants :

I. *Elementa physiologiæ juxta solertiora notissimaque physicorum experimenta et accuratiores anatomicorum observationes concinnata.* Amsterdam, 1740, in-8°. — II. *Essais anatomiques contenant l'histoire exacte de toutes les parties qui composent le corps de l'homme, avec la manière de disséquer.* Aix, 1742, in-8° ; Paris, 1766, in-4 ; 1772, 2 vol. in-8° ; 1776, 2 vol. in-8°. Trad. en allemand. Leipzig, 1782, in-8. — III. *Précis de la médecine pratique.* Paris, 1759, in-8°. — IV. *Précis de la matière médicale.* Paris, 1766, in-8°. — V. *Historia anatomico-medica, sistens numerosissima cadaverum humanorum exstipia.* Paris, 1767, in-4° ; Gotha, 1796, in-8°. — V. *Relation d'une maladie rare de l'estomac, avec quelques observations concernant le mécanisme du vomissement et l'usage de la rate. Mém. de l'acad. des sc.*, année 1752, p. 223. — VI. *Synopsis universæ praxeos medicæ, in binas partes divisa ; quarum prior omnium morborum conspectum exhibet ; altera vero rem medicamentariam, perpetuis commentariis illustratam, sistit ; cui subjungitur liber De cibo et potu.* Paris, 1770, in-4°, 2 vol.

A. C.

LIÈVRE. Genre de Mammifères rongeurs établi par Linné, ayant pour type le Lièvre commun. Ces animaux ont des caractères très-nets fournis par les formes du corps, un système dentaire spécial et des habitudes assez analogues ; mais les diverses espèces du genre sont très-voisines entre elles et souvent difficiles à distinguer.

Les dents incisives sont au nombre de six, il y en a quatre à la mâchoire supérieure et elles sont placées parallèlement par paires les unes derrière les autres, les antérieures convexes, sillonnées à leur face externe, cachant entièrement les postérieures qui servent d'arc-boutant aux deux incisives du maxillaire inférieur. Les molaires sont au nombre de vingt-deux, ainsi disposées $\frac{6-6}{5-5}$; elles sont formées de lames verticales soudées, et ces dents sont ciselées vers leur extrémité libre et suivant l'axe latéral. Les autres caractères sont une tête grosse, le museau épais, à poils courts et soyeux ; les yeux grands, saillants, latéraux, avec des membranes clignotantes ; les oreilles longues et molles, poilues en dehors, presque nues en dedans, la lèvre supérieure fendue jusqu'aux narines ; l'intérieur de la bouche garni de poils. Les pieds antérieurs sont courts, grêles, à cinq doigts ; les postérieurs sont fort longs, à quatre doigts ; tous les doigts sont fortement serrés les uns contre les autres et avec des ongles peu arqués ; les plantes et les palmes des pieds sont velues. La couleur du pelage est roussâtre, variée de blanchâtre et de noir suivant les espèces ; la queue courte et presque nulle.

Les Lièvres sont des animaux timides que le moindre bruit effraye, très-rapides à la course, vivant de matières végétales. On en connaît une quarantaine d'espèces qui se répartissent très-naturellement en deux sections. Les Lièvres (*Lepus*) et les Lapins (*Cuniculus*).

C'est à la première division que se rapporte le Lièvre commun (*Lepus timidus* Linné, λαγώς Élien, *Lepus* Pline), trop connu pour qu'il soit besoin de le décrire. On sait que le Lièvre vit sur la terre et ne creuse pas de terrier. Il est nocturne, cherche sa nourriture et s'accouple après le coucher et avant le lever du soleil. Le mâle porte en vénerie le nom spécial de *bouquin;* le rut a lieu de décembre à mars, et les mâles, à cette époque, traversent des terrains immenses. La femelle prend le nom de *hase* et reste généralement sédentaire. La gestation est de trente à quarante jours, et la portée de trois à quatre petits mis bas en rase campagne, sous une touffe d'herbe ou dans un buisson. Les jeunes *levrauts* sont allaités pendant vingt jours, puis restent isolés, vivant de racines, d'herbes, de feuilles, de fruits ou de grains, et rongeant aussi l'écorce des arbres.

La chasse du lièvre empêche la multiplication de ces animaux ; elle fournit à l'industrie et à l'alimentation une dépouille et une chair utiles. Les fourreurs préparent la peau du lièvre qui, chez une espèce de Russie (*Lepus variabilis*), est blanche l'hiver. Cette fourrure peut, comme beaucoup d'autres, servir contre les névralgies et les rhumatismes en maintenant une température constante sur les parties malades du corps humain où on la place. La chair du lièvre est savoureuse et excitante; c'est une viande noire. (*Voy.* VIANDES.) Les lièvres qui vivent dans les plateaux montagneux, sur les coteaux où abondent les plantes aromatiques, ont une chair très-supérieure à celle des lièvres habitant les plaines basses et marécageuses. La chair du Lièvre était défendue au peuple juif; elle a été aussi proscrite par Mahomet.

Dans ces derniers temps on a fait de nombreuses expériences pour croiser le Lièvre et le Lapin. Il s'est produit sous cette influence des métis qui forment des races d'animaux plus riches en viande et plus gros que les parents, et qu'on a désignés sous le nom de LÉPORIDES. Paul Broca a publié sur cette question un intéressant travail.

L'ancienne médecine admettait dans sa pharmacopée diverses parties du lièvre, la graisse (*axungia leporis*) servait contre les taies des yeux. Le sang était regardé comme un tonique. Le foie, la bile, les testicules et jusqu'aux excréments avaient leur emploi, ainsi que l'os astragale, pied de lièvre (*leporis tali*).

La deuxième division des Lièvres comprend les Lapins, parmi lesquels figure au premier rang le Lapin commun (*Lepus cuniculus*), dont il a été question déjà. (*Voy.* LAPIN.) A. LABOULBÈNE.

LIGAMENTS (*ligamentum* de *ligare lier*, allem. *Band*, συνδεσμός). Le nom de ligament a été donné à des parties très-diverses qui n'ont de commun que le rôle banal de liens, réunissant entre eux divers organes, ou en assurant la position.

Comme le fait remarquer A. Paré, « ligament est usurpé généralement et spécialement..., généralement pour toute partie du corps laquelle conjoint une partie avec l'autre; en laquelle acception le cuir peut être dit ligament, pour ce qu'il contient toutes les parties internes jointes ensemble. » Les efforts de l'école d'Alexandrie, de Galien surtout, puis de Vésale, pour établir la nature des ligaments, n'ont pas empêché que longtemps on ne confondît sous ce nom les tendons, les aponévroses, un grand nombre d'organes fibreux, et même des nerfs, comme l'avaient fait Hippocrate et Aristote. Weitbrecht dans son beau traité *De syndesmologia,* traduit sous le titre de *Desmographie*, par Tarin, crut nécessaire de décrire à côté des ligaments qui servent à unir entre eux des os ou des cartilages, non-seulement les parties fibreuses et membraneuses qui lient les cartilages ou les os, les tendons en leur place, qui, en dehors des ligaments articulaires, circonscrivent des orifices, des anneaux, ou servant d'insertions musculaires (lig. sacro-sciatiques, L. de Fallope, L. interosseux, gaînes tendineuses); mais encore, les ligaments des parties molles, c'est-à-dire « toutes les membranes et les duplicatures des membranes qui unissent des parties molles et les viscères à d'autres parties voisines, les y suspendent et les retiennent ; » tels que sont les ligaments des paupières, des lèvres, de la luette, de la langue et des viscères. L. de la vessie, L. large, L. du foie, L. cutané du coccyx. Enfin comme le dit Tarin, pour ne pas tout à fait s'éloigner des autres anatomistes, on se croyait alors obligé de décrire des ligaments qui ne méritaient ce nom qu'à titre de comparaison, tels que la corde de Willis, la corde du tambour, le ligament ciliaire, etc. L'énumération de toutes les parties désignées sous ce nom serait fastidieuse; il faudrait en ajouter d'invention moderne, qui ont l'avantage d'attirer l'attention sur le rôle de diverses lames fibreuses ou aponévrotiques et que l'on retrouvera dans la description des divers viscères ou des séreuses. (*Voy.* PÉRITOINE, PÉRICARDE, PLÈVRE, POUMON, UTÉRUS, etc.) Appliquant ici aux ligaments leur dénomination la plus restreinte, nous nous occuperons seulement des ligaments articulaires ou ligaments proprement dits, c'est-à-dire les parties fibreuses qui servent à l'union des os et des cartilages, s'insérant par leurs deux extrémités sur des segments différents du squelette.

Ainsi circonscrits, les ligaments font partie des organes du système fibreux (Bichat, Bérard, Robin). Les bourrelets, disques et ménisques interarticulaires, appelés aussi fibro-cartilages (*voy.* ce mot), sont distincts des ligaments articulaires par leur position, leur rôle, certaines particularités de structure qui ont fait consacrer par l'usage leur description isolée.

Béclard, sous le nom de tissu ligamenteux ou desmeux, a réuni toutes ces parties qu'il décrit d'ailleurs séparément; et l'on doit reconnaître qu'au point de vue de l'anatomie extérieure, aussi bien que de la texture, certains ligaments se confondent avec les aponévroses d'insertion, des faisceaux fibreux forment autour des articulations des sortes de ligaments, et le ligament rotulien représente un véritable tendon.

Situation. Forme. Caractères extérieurs. Les L. présentent par rapport aux articulations des dispositions variées qui les ont fait distinguer d'une part en L. *périphériques* s'insérant sur des saillies qui limitent, surmontent ou dépassent les surfaces articulaires et unissant ainsi les os à distance; d'autre part en L. *interosseux* qui sont ou intra-articulaires comme le L. rond, ou situés en dehors de l'article (L. sacro-iliaque, costo-vertébral). Les L. ont des connexions importantes avec les parties molles et les os. On peut décrire aux L. périphériques deux faces, dont l'une est en général tapissée par la synoviale. Les ligaments interosseux, arrondis et longs, sont entourés par la synoviale de toutes parts ceux qui plus courts s'épaississent en une masse plus ou moins étendue, peuvent n'être en rapport que par l'une des faces avec la synoviale, quelquefois empêchent la communication de deux synoviales entre elles (au carpe, au tarse), et peuvent être en dehors de l'article. Les insertions se font ou directement sur l'os, ou sur le périoste et même le périchondre avec lequel les L. semblent se continuer ou sur les bourrelets et fibro-cartilages. Leurs rapports avec les muscles et les tendons sont intéressants à étudier dans chaque articulation, au point de vue du mécanisme des mouvements. La plupart des L. périphériques semblent se continuer avec les tendons et les aponévroses d'insertion, dont les fibres prennent attache sur eux.

Les formes des L. sont très-variables et sont appropriées à des rôles différents. Les uns représentent des bandelettes aplaties, minces, ou arrondies en cordons (lig. latéraux du genou) ; d'autres des faisceaux de directions diverses, rayonnés, à plans entre-croisés. Ailleurs, ils forment des faisceaux grêles irrégulièrement disposés (lig. antérieurs et postérieurs au coude, au genou). Dans les articulations les plus mobiles, les énarthroses, les faisceaux réunis forment autour de l'articulation une sorte de manchon ou capsule fibreuse. Enfin des fibres courtes parallèles peuvent constituer une couche épaisse, unissant étroitement les surfaces osseuses. La direction des ligaments, si importante à connaître pour comprendre le jeu des articulations et pour régler les manœuvres opératoires, sera étudiée dans chaque articulation.

L'épaisseur est loin d'être uniforme pour un même ligament. Tandis que les ligaments latéraux peuvent à leur base seulement paraître plus épais, les capsules fibreuses présentent ordinairement des renforcements sur des points déterminés ; ainsi la capsule fibreuse de la hanche, excessivement mince, et même faisant défaut (au niveau du tendon du psoas) présente en haut et en dehors 8 à 11 millimètres d'épaisseur par adjonction du faisceau supérieur. (Sappey.)

Dans les ligaments aplatis, du cartilage où un os sésamoïde peut déterminer l'épaississement (ex.: L. calcanéo-cuboïdien). La distinction naturelle des L. en latéraux, capsulaires, interrosseux, ne répond pas à des caractères tranchés d'épaisseur ou de position. Certains ligaments antérieurs et postérieurs représentent des capsules incomplètes, et des faisceaux de renforcement semblent des ligaments particuliers au milieu d'une capsule (lig. de Bertin à l'articulation coxo-fémorale). D'ailleurs chaque ligament présente des caractères particuliers d'étendue, d'épaisseur, de coloration même ; ainsi la capsule fibreuse coxo-fémorale est remarquable par son étendue, les ligaments du genou par leur longueur, les ligaments latéraux au coude et au cou-de-pied par leurs plans superposés, leur direction rayonnée, les ligaments interosseux du carpe et du tarse par leurs fibres courtes ; et, parmi les ligaments aplatis, le calcanéo-cuboïdien et le calcanéo-scaphoïdien inférieur, par leur épaisseur, leur résistance en rapport avec la station verticale. Ces caractères seraient assez précis pour permettre une classification des articulations basée sur la forme et la disposition des ligaments.

La dénomination des L. est tirée de l'un de leurs caractères dominants, sans règles précises. On les désigne tour à tour suivant leur situation par rapport à l'articulation (L. latéraux, antérieur, postérieur, annulaire, transverses, obliques), la direction de leurs fibres (rayonnés, coniques, trapézoïde, rhomboïdes), leurs connexions réciproques (L. croisés, cruciformes, L. en Y, en V, en X), enfin leurs attaches (lig. rotulien, péronéo-astragalien, interclaviculaire), etc. On a même donné à certains faisceaux importants dans leur rôle le nom des anatomistes qui les ont signalés.

Texture. Lorsqu'on examine à l'œil nu, ou à l'aide d'une loupe les ligaments, on s'aperçoit facilement qu'ils sont constitués par des faisceaux fibreux plus ou moins épais qui sont séparés par de fines lamelles de tissu cellulaire ; souvent entre les faisceaux se retrouve du tissu cellulaire adipeux, on voit quelquefois même des vaisseaux soit à la surface, soit surtout près des points d'insertion.

Cette apparence qui avait suffi à Bichat pour ranger les ligaments parmi les organes du tissu fibreux est entièrement confirmée par les recherches histologiques modernes qui ont fait connaître bien des particularités remarquables.

Les ligaments sont constitués par du tissu fibreux, ils renferment comme éléments principaux, des fibres lamineuses, et comme éléments accessoires des fibres élastiques, des cellules de cartilage, des vaisseaux et des nerfs.

Les fibres lamineuses se présentent réunies sous la forme de longs faisceaux plus ou moins larges, ondulés, rappelant l'aspect de mèches de cheveux. Elles sont étroite à sbords nets et, comme l'a fait remarquer M. Robin, elles se rapprochent beaucoup des fibres lamineuses des tendons. Ces faisceaux peuvent contenir 10 ou 20, même 40 ou 50 fibres lamineuses. Ils sont séparés par une fine couche de tissu lamineux ou cellulaire, qui est désigné par Kœlliker sous le nom de tissu conjonctif. Ces faisceaux primitifs en se réunissant forment les faisceaux secondaires, puis tertiaires, visibles à l'œil nu. C'est entre ces faisceaux à direction variable que l'on peut retrouver du tissu lamineux ou cellulaire véritable, qui varie en aspect et en étendue. Il s'accumule dans les mailles irrégulières que laissent entre eux les faisceaux de divers ordres, et renferme de nombreuses vésicules adipeuses, ou bien il est à peine représenté dans les faisceaux primitifs par quelques fibres lamineuses, des corps fusiformes, fibro-plastiques qui par leurs anastomoses forment un fin réticulum autour des faisceaux fibreux. Çà et là on ne retrouve que des noyaux embryo-plastiques et de la substance amorphe.

Les *éléments élastiques* se présentent ordinairement sous forme de fibres élastiques allongées ordinairement, très-minces, d'ailleurs en général peu nombreuses dans les ligaments proprement dits. On les trouve en assez grand nombre à l'état fusiforme, à l'état de fibres à noyaux. Elles affectent des directions variables. Dans les ligaments en bandelettes, elles suivent ordinairement la direction des faisceaux, mais dans les capsules, et les ligaments minces, elles s'entre-croisent en sens variables.

Les divers éléments élastiques s'observent surtout vers l'insertion des ligaments; les fibrilles élastiques occupent toute la longueur des ligaments. Les cellules de cartilages se rencontrent également surtout vers les attaches des ligaments. Elles sont quelquefois réunies en séries allongées, et il est souvent difficile de les distinguer des fibres élastiques à noyaux. Ainsi que l'a fait remarquer M. Sappey, ces cellules sont surtout prononcées dans les ligaments interarticulaires et les ligaments latéraux du genou. Il nous a paru chez de jeunes animaux que ces éléments étaient développés en plus grand nombre.

Des *artères* et des *veines*, existent dans les ligaments. A leur surface déjà, on peut voir dans l'enveloppe cellulaire des vaisseaux de deux ordres; ceux-ci pénètrent dans les ligaments latéraux surtout vers leur base et généralement par les interstices que laissent entre eux les faisceaux entre-croisés dans les ligaments épais et à fibres rayonnées ou à direction entre-croisée. Ces vaisseaux sont d'ailleurs rares dans l'épaisseur même des ligaments, et dans les capsules fibreuses la plupart se rendent à la synoviale. On retrouve très-difficilement des vaisseaux à la partie moyenne des ligaments latéraux à texture dense, au genou par exemple. Les veines accompagnent les artères dans les interstices des faisceaux, et le plus souvent une seule veine accompagne l'artère. M. Sappey a pu suivre la transformation des artères en capillaires et des capillaires en veines.

La présence de *lymphatiques* dans les L. n'a pas encore été démontrée. Teichmann, cependant a décrit des lymphatiques qui siégeraient sous l'épithélium des synoviales et traverseraient les capsules articulaires. Räuber a décrit une glande symphatique dans la capsule fibreuse d'une articulation métacarpo-phalangienne, mais l'interprétation du dessin qu'il en donne est très-douteuse, suivant Kœlliker.

Nerfs. L'existence de nerfs dans les ligaments semble définitivement démontrée. Rüdinger, en 1857, a décrit des nerfs dans les ligaments externes des symphyses; plus tard, Pappenheim, Kœlliker ont suivi des nerfs non-seulement sous la synoviale, mais dans les ligaments eux-mêmes. Rüdinger (1863) a décrit avec soin l'origine et le trajet des nerfs dans les ligaments longitudinaux antérieur et postérieur de la colonne vertébrale, qui reçoivent des nerfs composés de tubes à moelle et de tubes pâles, c'est-à-dire des fibres nerveuses spinales et lymphatiques, et dont l'origine est dans les racines postérieures. Rauber, en 1865, a décrit des corpuscules de Pacini terminant les nerfs articulaires et situés non-seulement sous la synoviale, mais dans les ligaments eux-mêmes. M. Sappey, en 1866, a étudié avec soin les rapports et la distribution des nerfs dans les ligaments. Nous avons pu suivre ces nerfs dans les articulations du cochon d'Inde.

C'est dans les capsules articulaires, et surtout dans les divers ligaments du genou, que les nerfs se voient le plus facilement. Ils accompagnent ordinairement les vaisseaux, mais dans leur parcours ils peuvent s'en éloigner. Des troncs principaux, formés d'un petit nombre de fibres, se détachent des ramifications dichotomiques ou latérales qui forment des plans anastomotiques placés dans les interstices des faisceaux fibreux. Dans les capsules, la plupart de ces nerfs vont se ramifier sous la synoviale, mais plusieurs de leurs rameaux s'épuisent certainement dans les faisceaux ligamenteux eux-mêmes. Dans les L. à fibres longitudinales (L. latéraux), on les trouve surtout vers les points d'insertion, ils se distribuent en se divisant dans le tissu lamineux, et le tissu adipeux qui sépare les faisceaux fibreux. Les L. intra-articulaires, tels que L. croisés, L. ronds, possèdent aussi des nerfs.

La terminaison des nerfs des L. est encore peu connue; Rauber a démontré que les nerfs articulaires se terminent dans des corpuscules de Pacini, qui sont assez nombreux, puisque cet anatomiste a pu en compter plus de 800 pour toutes les articulations. Dans les articulations fémoro-tibiales il en a trouvé 19. Ces corpuscules sont plus petits que ceux que l'on trouve dans les autres parties; leur longueur varie entre 160 et 800 millièmes de millimètre, ils ont une structure plus simple, on ne leur trouve qu'un très-petit nombre de capsules enveloppantes. Nous avons observé de ces corpuscules de Pacini chez le cochon d'Inde; ils avaient des dimensions très-variables. Ainsi, deux corpuscules terminant des filets nerveux issus d'un même rameau, mesuraient l'un 220 millièmes de millimètre de long sur 50 et 90 de large dans les deux diamètres extrêmes, à l'origine ou à la périphérie, l'autre 50 millièmes de millimètre sur 30 de large. Il faut reconnaître que le plus grand nombre de ces corpuscules se trouvent autour de la capsule, dans les tissus fibreux périarticulaires, et sous la synoviale, mais on en trouve dans les capsules fibreuses elles-mêmes.

On peut mettre en doute que tous les nerfs se terminent par des corpuscules de Pacini. M. Sappey a vu des tubes se terminer par des extrémités libres, mais n'a pas cru pouvoir affirmer que tel serait le mode de terminaison. Il nous a paru, en suivant les fines ramifications nerveuses des ligaments latéraux du genou, chez le cochon d'Inde, que les tubes réunis au nombre de deux ou trois, vont souvent se perdre dans des groupes de cellules adipeuses, composés seulement de deux ou trois de ces cellules ou formant des masses bien plus considérables; mais nous ne pouvions suivre leur trajet ultérieur. Dans d'autres points, au contraire, les filets nerveux semblent réduits à l'état de filaments pâles, dans lesquels on ne peut plus distinguer de tube à moelle, et qui sont à peine reconnaissables, par les noyaux latéraux de l'enveloppe des tubes, au milieu des fibres lamineuses et élastiques. Bien que l'on ne puisse suivre plus loin ces filets nerveux, leur distribution montre qu'il y a un autre mode de terminaison que celui des corpuscules de Pacini. Une seule fois il nous a semblé reconnaître à l'extrémité d'un nerf de ligament un corpuscule ayant les caractères des corpuscules de Meissner, mais nous ne sommes pas en droit de conclure d'une observation isolée.

Caractères chimiques. Vesale, le premier, a cherché à distinguer les ligaments et les tendons par les caractères qu'ils présentent à la coction. Tandis que les tendons se réduisent plus facilement en gélatine glutineuse, les ligaments résistent plus longtemps et conservent toujours, dit Vesale, leur ténacité fibreuse (*tenacem fibrositatem*). Bichat a montré que, chez les fœtus et les enfants, les ligaments se convertissent par la coction en une gélatine plus blanche que celle que produisent les ligaments de l'adulte : « Les gelées des jeunes animaux sont plus blanches que celles des animaux avancés en âge. » Du reste, les ligaments proprement dits n'ont pas, que nous sachions, été l'objet de recherches spéciales, et on peut leur attribuer les caractères du tissu fibreux. Les recherches micrographiques donnent quelques renseignements plus précis : l'acide acétique, la soude, la potasse ramollissent et gonflent considérablement les ligaments, et les convertissent en une masse gélatiniforme, comme muqueuse, et l'eau les ramollit et permet une dissection plus facile des faisceaux fibreux ; le liquide de l'humeur aqueuse, frais, ramollit beaucoup les ligaments sans les gonfler, et facilite leur étude, l'eau de chaux les ramollit en les blanchissant sans les gonfler notablement, et permet l'isolement des faisceaux fibreux ; l'alcool, l'acide chromique les rendent plus denses, tout en permettant l'isolement facile des faisceaux secondaires.

Développement et transformations ultérieures. Les ligaments apparaissent tardivement chez le fœtus. On sait que les articulations se développent lentement ; tant que la cavité articulaire n'est pas constituée, les ligaments sont confondus avec les parties molles qui serviront à la formation du périoste ou du périchondre. En même temps que la cavité articulaire se forme, et avant qu'elle ne soit complète, les ligaments se constituent à la périphérie, mais les faisceaux ne sont réellement distincts qu'à une période tardive. Vers le sixième mois on commence à reconnaître les faisceaux blancs qui constituent les ligaments, et ceux-ci acquièrent peu à peu et lentement l'épaisseur et la résistance qui leur est propre, circonstance intéressante au point de vue du mécanisme des articulations, et qui explique l'étendue des mouvements dans le jeune âge. Les ligaments semblent acquérir une consistance de plus en plus grande suivant l'âge, et chez le vieillard ils sont denses, épais, de plus en plus inextensibles, de moins en moins flexibles. Chez le fœtus on remarque une disposition curieuse des ligaments dont les traces se retrouvent encore chez les enfants ; de véritables faisceaux ligamenteux, unissent les diverses pièces osseuses qui par leur soudure complètent l'os. Ces ligaments constituant des sortes d'articulations transitoires, signalées par MM. Rambaud et Renault, ne commencent à se développer que lorsque l'état cartilagineux de l'os n'est plus prédominant. On peut citer comme exemples les articulations transitoires iléo-pubienne, ischio-pubienne, iléo-ischiatique, le ligament sous-pubien représente chez l'adulte ces ligaments transitoires.

Propriétés et fonctions. Les données anatomiques précédentes permettent de comprendre les fonctions des ligaments. La présence de vaisseaux, de tissu lamineux, fait comprendre une nutrition plus active qu'on ne l'admet généralement, en même temps que la rareté relative de ces vaisseaux explique la lenteur de cette nutrition, et les transformations peu considérables des ligaments aux divers âges de la vie.

Le problème de la sensibilité des ligaments a donné lieu à des discussions nombreuses, dont on retrouve des traces dans les anciens auteurs. Mais comme le plus souvent ceux-ci se sont en même temps préoccupés des tendons, des aponévroses, de la dure-mère, la part qui a été faite aux ligaments est restreinte et difficile à circonscrire. Sous l'impulsion de Haller et de ses élèves, la controverse prit une allure passionnée, dura vingt ans (1550-1570), et fut réveillée à diverses reprises, jusqu'à nos jours. Longue serait la seule énumération des travaux faits à cette époque en Allemagne, en France et en Italie. Tandis qu'un grand nombre de chirurgiens admettaient la sensibilité des ligaments démontrée par les douleurs de l'entorse, de la distorsion, de l'inflammation de ces parties, Haller et ses élèves multipliaient les expériences et montraient que les ligaments sont insensibles aux piqûres, lacérations, déchirures. L'on comprend la persistance de l'école de Haller, si l'on se rappelle que les nerfs des ligaments sont restés inconnus jusqu'à une époque toute récente.

Bichat semble avoir établi de la manière la plus complète l'état de la sensibilité dans les ligaments. Tandis que l'irritation chimique ou mécanique ne réveille pas de sensations douloureuses, la distension amène des manifestations non douteuses de douleur, et l'inflammation consécutive à l'irritation des ligaments met en évidence une sensibilité très-grande aux diverses excitations. Bichat a fait admirablement ressortir les conséquences de cette sensibilité spéciale si bien en accord avec le rôle des ligaments et qui semblait nécessaire au jeu régulier des articulations.

Cependant l'opinion de Bichat n'a pas été admise généralement. Ainsi M. Richet, dans ses expériences, attribuait la sensibilité spéciale des ligaments aux tiraillements exercés sur l'os et le périoste, et produisant chez les animaux de l'anxiété, du malaise. Ces sensations sont une preuve de la sensibilité des ligaments, la présence des nerfs, leur distribution relativement plus riche vers les insertions des ligaments explique actuellement ces différences, et nous croyons que M. Richet a modifié son opinion première. Flourens admet la sensibilité des ligaments; mais ses expériences se rapportent seulement au ligament rotulien. La connaissance des nerfs des ligaments, et surtout l'existence des corpuscules de Pacini, établit une consécration, qui nous paraît définitive, de l'opinion de Bichat. Les ligaments doivent aux corpuscules la sensibilité spéciale dévolue à ces organes, c'est-à-dire les sensations de pression, de tact interne, et, dans ses expériences, Rauber a montré que de fortes pressions, l'excitation galvanique des corpuscules causent de la douleur. La section des nerfs qui se rendent aux corpuscules, dans la patte du chat, est suivie de troubles dans la marche, auxquels les corpuscules articulaires concourent pour leur part. Quant à la sensibilité aux torsions, à l'extension forcée, on peut la rattacher aux corpuscules; mais on ne saurait encore affirmer que les nerfs par eux-mêmes n'ont pas un rôle indépendant et dû à un mode de terminaison différent, ainsi que nous l'avons vu dans la partie anatomique. Dans l'inflammation, la congestion vasculaire, le gonflement du tissu lamineux et des faisceaux fibreux eux-mêmes, expliquent l'hyperesthésie par compression des nerfs ou de leurs extrémités. Il faut cependant l'avouer, il reste encore bien des points à éclaircir sur cette question, à laquelle les recherches histologiques récentes apportent des documents précieux, et donnent un intérêt nouveau. Nous n'insistérons pas sur le rôle physiologique spécial des ligaments que l'on trouve exposé dans l'article ARTICULATIONS; il nous suffira de rappeler que les ligaments doivent à la présence du tissu fibreux leurs caractères de résistance à l'extension, de flexibilité. Un léger degré d'extension et d'élasticité est plus prononcé dans quelques-uns, et en rapport avec la présence de tissu élastique. La disposition des faisceaux qui les constituent joue un rôle très-important dans la régularisation, la limitation des mouvements articulaires.

Lésions des ligaments. Les altérations pathologiques des ligaments ont une grande importance dans l'histoire des affections articulaires, mais, comme elles sont décrites dans divers articles [ARTICULATIONS (Inflammation, Difformités des)], nous nous bornerons à les rappeler brièvement.

La nutrition n'est pas assez active dans les ligaments pour que l'on y observe des altérations primitives; mais, en dehors du rhumatisme, il est rare que les ligaments périphériques ou intra-articulaires ne participent pas aux troubles des diver parties des articulations.

Les ligaments peuvent être le siége d'inflammation aiguë, et l'on y observe au début, comme l'ont montré les expérimentations, de la vascularisation, surtout à la surface et vers les points d'insertion, là où les vaisseaux existent normalement. La présence du tissu lamineux cellulaire interstitiel fait comprendre le développement de l'inflammation là comme dans les autres organes, mais bientôt l'infiltration séro-gélatineuse envahit tout le tissu, et porte non-seulement sur le tissu cellulaire, mais sur les fibres lamineuses des faisceaux fibreux, qui se gonflent et perdent leur aspect nacré; tout le ligament semble transformé en une masse molle, translucide, lardacée, dans laquelle on reconnaît une prolifération cellulaire et des leucocytes abondants. Il est alors difficile de distinguer les fibres lamineuses minces et effilées appartenant aux faisceaux fibreux, qui semblent dissociés. A cette période, la résolution peut se faire, mais s'accompagne de production d'un tissu lamineux abondant, qui plus tard peut donner lieu à des rétractions, dont la conséquence est la roideur articulaire. Si la suppuration s'établit, les ligaments peuvent être détruits en grande partie.

Dans les inflammations à marche chronique, on observe des phénomènes analogues et la transformation lardacée persiste pendant longtemps; les ligaments ainsi modifiés se soudent avec les tissus fibreux périarticulaires, et forment une masse dans laquelle on ne sépare plus les faisceaux des ligaments. Lorsque l'inflammation est de longue durée, la production d'un nouveau tissu lamineux ou cellulaire dense, ayant des propriétés analogues au tissu cicatriciel, constitue des obstacles sérieux au rétablissement de l'articulation.

D'autre part, les ligaments peuvent, dans certaines lésions articulaires chroniques, l'hydarthrose, subir des altérations différentes, soit sous l'influence de la pression des surfaces articulaires, ou de la résistance moins grande des faisceaux lamineux qui les constituent; les ligaments s'allongent, s'atrophient, d'où les déplacements articulaires. Ces lésions s'observent également dans les ligaments intra-articulaires, et l'on connaît l'importance donnée aux lésions du ligament rond dans la coxalgie.

Les altérations des ligaments s'observent à la naissance; leur étude est importante. Dans les difformités, quelquefois on trouve l'absence d'une des parties ligamenteuses, telle est l'absence congénitale du ligament rond; et la rétraction, l'épaississement ou l'atrophie chez le fœtus accompagnent certaines difformités.

Signalons enfin les ossifications trouvées dans les ligaments, dans l'arthrite chronique (Broca, *Soc. anatom.*, 1850), et les dépôts uriques sous forme d'aiguilles très-fines dans la goutte.

Les *lésions traumatiques* des L. sont fréquentes et souvent graves par leur résultat. Les plaies des ligaments, leur contusion, alors que l'articulation n'est pas ouverte, sont par elles-mêmes dangereuses, car l'inflammation du ligament, sa destruction peuvent amener consécutivement l'ouverture de l'articulation. D'ailleurs dans l'entorse, les ligaments peuvent être en partie déchirés, et même arrachés avec une portion de l'os qui leur donne attache. Au genou la déchirure incomplète du ligament postérieur peut être le point de départ de hernie synoviale. Dans les luxations, les ligaments jouent un rôle important dans le mécanisme de la réduction; il suffit ici de rappeler le rôle des déchirures de la capsule, dans l'articulation scapulo-humérale, et des ligaments latéraux, dans la luxation de la phalange du pouce. (Jarjavay.) Dans les luxations anciennes, les ligaments prennent part à la formation des adhérences, et des fausses articulations.

Enfin, la rupture des ligaments constitue dans certains cas une lésion spéciale, qui, du reste, n'a pas encore été décrite avec détail. En dehors de la rupture du ligament rotulien, qui doit plutôt être considérée comme une rupture de tendon [*voy.* Rotulien (Tendon)], plusieurs auteurs ont signalé la rupture des ligaments du genou, et, en particulier, du ligament latéral interne du genou, et des ligaments croisés. Stark a cité deux exemples de rupture des ligaments croisés qui montrent la gravité de cette lésion, puisque pendant un an et demi et même deux ans, les malades durent garder le genou immobilisé. La rupture des ligaments est ordinairement le résultat de distorsions violentes; cependant Adams a rapporté un cas de rupture du ligament latéral interne du genou par choc direct.

La rupture ou les solutions de continuité des ligaments ne semble comporter d'autre indication que l'immobilisation dans le but d'obtenir la réunion, et l'on ne peut citer qu'à titre de curiosité historique la proposition faite par Kisner et Valentin, et reproduite par Heister, à savoir, la suture des lambeaux des ligaments.

A. Hénocque.

Bibliographie. — Paré (J. A.). (Édit. Malgaigne, t. Ier, p. 54, 127, 261. *Constitution et définition des L.*). — Heister. *Suture des L.* Traduction de Paul, 1770, t. IV, p. 328. — Weitbreicht. *Syndesmologia sive historia Ligamentorum corporis humani.* Petropoli, 1742. Ouvrage excellent. — *Desmographie ou description des ligaments du corps humain.* Traduction de l'ouvrage précédent, attribuée à Tarin, 1742. — Cf. Bichat, Bérard, Béclard et les traités d'anatomie de Cruveilher, Sappey. — Richet. *Annales de chirurgie*, t. XI. (Sensibilité et altérations des ligaments). *Nerfs des ligaments.* Cz. — Rüdinger. *Der gelenk Nerven des menschlichen Körpers.* Erlangen, 1857. — Räuber. *Vater'sche Körperchen des Bänder und Periostnerven*, 1865. Dissertation. — Du même. *Untersuchungen über die Vorkommen und die Bedeutung der Vater'schen Körper.* München 1867; analysé dans *Zeitschrift f. ration. Medicin*, vol. XXXII, 1868. — Kœlliker. *Handbuch der Gewebelehre*, édit. 1863 et 1867. — Du même. *Éléments d'histologie*, traduct. par M. Sée, § 40, 88, 91, 92. — Sappey. *Acad. des sciences*, 1866, 21 mai, et *Anatomie descriptive*, t. Ier, 1867. *Arthrologie.* — Linhart. *Ueber Erschlaffung der Atome der schneigen Gewebe.* In *Prager Vierteljahrsschrift*, t. XIV, 1859, et in *Schmidt's Jahrbücher*, t. CVII, p. 200. L'auteur traite des altérations des ligaments dans les difformités. — Stark. *Deux cas de rupture des ligaments croisés du genou.* In *Edinburgh Journal*, 1850, octobre. — Adams. *Rupture du ligament latéral interne de l'articulation du genou.* In *Gaz. hebdomadaire*, 1858, p. 54, et in *Medic. Times and Gaz.*, 1857, t. II, p. 603. — Rambaud et Renault. *Traité du développement des os.* Paris, 1864 (appendice sur les articulations transitoires). A. H.

LIGATURE. En laissant à ce mot toute l'acception qu'il comporte, on devrait comprendre sous le nom de ligature toutes les opérations et manœuvres chirurgicales qui consistent à entourer d'un lien plus ou moins serré une partie quelconque du corps.

La ligature circulaire des membres, employée déjà par Celse dans les cas de plaies empoisonnées, a été conseillée de nos jours pour arrêter dès leur début les attaques épileptiques, lorsqu'elles sont précédées de douleurs ou de convulsions vers la main ou le pied; pour faire cesser ou pour modérer les accès de névralgies; et, dans quelques parties de la France, le peuple y a encore recours comme à un moyen thérapeutique capable d'arrêter ou de guérir la fièvre intermittente.

C'est encore au moyen de ligatures qu'on fixe autour des articulations les liens qui permettent d'exercer sur un membre des tractions énergiques ou modérées, temporaires ou permanentes, dans le but de réduire des luxations, de redresser une ankylose, de maintenir dans un rapport exact les extrémités d'un os fracturé.

C'est par de véritables ligatures qu'on maintient réunies pour obtenir leur adhésion rapide les lèvres d'une plaie accidentelle ou chirurgicale.

Toutefois, dans le langage chirurgical, l'usage a prévalu de donner au mot ligature une acception plus restreinte, et l'on ne donne ce nom qu'aux opérations ayant pour objet d'entourer d'un lien constricteur une masse plus ou moins considérable de tissus normaux ou pathologiques, soit pour les diviser, soit pour en déterminer la mortification et la chute. La ligature circulaire des membres ne devra donc pas nous occuper, elle est du domaine de la thérapeutique médicale, et la valeur de cette méthode sera appréciée en faisant l'histoire de chacune des maladies pour le traitement de laquelle elle a été conseillée.

L'application des liens contentifs appartient à la déligation chirurgicale. (*Voy.* Déligation chirurgicale.)

La réunion au moyen de ligatures de parties accidentellement ou intentionnellement divisées, prend le nom de *suture*, et c'est à ce mot (*voy.* Suture) que seront traitées les questions importantes en pratique de la nature et de la grosseur des fils, de la manière de les arrêter et de les fixer.

La ligature des artères demande à être étudiée comme manœuvre opératoire, soit qu'il s'agisse de lier un vaisseau à la surface ou dans la profondeur d'une plaie, soit que, par une section méthodique, le chirurgien mette à découvert l'artère sur laquelle il veut jeter un lien constricteur; elle doit être aussi étudiée comme méthode thérapeutique des plaies artérielles et des anévrysmes. Mais, pour ce qui concerne le manuel de la ligature, il suffit de se reporter à l'article de notre collègue M. Legouest (art. Artères, vol. VI, p. 516); et, pour ce qui regarde la ligature des artères envisagée comme méthode thérapeutique, on la trouvera appréciée déjà par nous-même (art. Anévrysmes en général, Carotide, Axillaire, Brachio-céphalique, etc.), et elle le sera par la suite, à propos des autres artères en particulier (Tibiale, Sous-clavière, Poplité, etc.). Nous n'aurons donc à nous occuper ici que de la ligature envisagée comme méthode de diérèse.

Envisagée comme moyen de diérèse chirurgicale, la ligature appartient à la classe des sections mousses; elle tend à diviser les chairs avec une certaine lenteur, soit en agissant sur les tissus mêmes, qu'elle étreint violemment et qu'elle mortifie directement par une pression énergique, soit en arrêtant la circulation dans les parties à la base desquelles elle est appliquée et dont elle détermine la mortification et la chute d'une façon en quelque sorte indirecte.

Dans le premier cas, lorsqu'on l'emploie pour sectionner une bride, comme par exemple la portion de tissu comprise entre les deux orifices d'une fistule à l'anus, elle reste complétement dans les procédés de diérèse et se rapproche de l'incision ; dans le second cas, lorsqu'on y a recours pour déterminer la mortification et la chute d'une tumeur, elle doit prendre place parmi les procédés d'exérèse et se rapproche de l'excision.

Au lieu d'agir lentement, au lieu de déterminer la mort et ultérieurement la chute des parties dont elle étreint la base, la ligature peut agir rapidement et sectionner les tissus en quelques minutes; mais, employée de cette façon, elle constitue une méthode à part, l'*écrasement linéaire* (*voy.* ce mot).

L'expression, très-impropre du reste, de ligature extemporanée (car ce qu'il y a de particulièrement extemporané, c'est la chute de la partie liée et non la ligature) n'a été imaginée par M. Maisonneuve que pour voiler, d'une manière absolument insuffisante, la contrefaçon de la méthode inventée par M. Chassaignac, et la ligature extemporanée doit être décrite comme une modification, peu heureuse du reste, de l'écrasement linéaire.

La ligature peut être employée dans des régions facilement accessibles, comme sur le tégument externe ; mais on peut avoir à porter le lien constricteur sur des tumeurs plus ou moins difficiles à atteindre : au fond de cavités, telles que le vagin, le pharynx, le larynx ; dans ce dernier cas, on est obligé d'avoir recours à des instruments spéciaux, soit pour placer la ligature, soit pour la serrer au degré convenable. Occupons-nous d'abord du cas le plus simple, celui où la tumeur est placée à l'extérieur.

Avoir un lien solide et dont la résistance soit en rapport avec l'énergie des tractions qu'il devra supporter, telle est la première règle dont le chirurgien doit se préoccuper. Les fils de chanvre, de soie, de métal ont été conseillés et employés, mais leur emploi n'est pas indifférent. Les fils métalliques, excellents pour les *sutures*, parce qu'à volume beaucoup moindre ils possèdent une résistance plus grande que les fils de soie ou de chanvre, et parce que leur présence, facilement supportée par les tissus, n'amène pas aussi vite l'inflammation ulcérative, perdent déjà ici de leur utilité, puisque la ligature doit déterminer la section des tissus qu'elle embrasse. Les fils métalliques minces, usités pour les sutures, ne supporteraient pas sans se rompre les tractions que comporte l'application d'une ligature ; s'ils sont plus volumineux, c'est-à-dire d'un diamètre plus considérable; ils sont alors d'une trop grande rigidité pour qu'on puisse les nouer comme on ferait d'un fil ordinaire et il devient indispensable, pour opérer une striction suffisante, de se servir du serre-nœud; aussi, les fils métalliques ne trouvent-ils guère leur emploi pour les ligatures appliquées sur le tégument externe, mais ils présentent des avantages et reprennent leur supériorité lorsqu'il s'agit de ligatures pratiquées dans les cavités profondes. Les doigts guident plus facilement une anse métallique quelque peu rigide. De plus, s'il s'agit d'une tumeur à pédicule volumineux, exigeant quelque temps pour être sectionnée, outre qu'il est presque toujours nécessaire, dans ces circonstances, de laisser un serre-nœud à demeure, afin de pouvoir resserrer le lien constricteur au fur et à mesure que la section s'opère, il y aurait à craindre de voir le fil de chanvre ou de soie maintenir plusieurs jours en place au contact des liquides qui le baignent, se putréfier, perdre de sa solidité et se rompre sous de nouvelles tractions. Aussi, serait-il préférable, dans le cas où l'on porte la ligature dans des cavités profondes, d'employer les fils métalliques, si presque toujours aujourd'hui on ne donnait, dans ces circonstances, à l'écrasement linéaire la préférence sur la ligature.

Les fils de chanvre, de lin, de soie peuvent être indifféremment employés, mais il faut avoir soin, pour en faciliter le glissement lors de la formation du nœud et en même temps pour augmenter leur solidité, de les imbiber d'huile ou de les recouvrir d'une mince couche de cire.

Rien de particulier à noter ici quant à la manière d'arrêter le fil au degré de striction qui lui a été donné; le nœud double ordinaire suffit, à la condition qu'on prenne la précaution de s'opposer au relâchement de la première boucle au moment où l'on forme la seconde, en enroulant deux fois le fil sur lui-même en formant la première anse (fig. 1).

Mayor avait donné pour épigraphe à son mémoire sur la ligature en masse le vieux proverbe français : *Qui trop embrasse, mal étreint.* N'embrasser dans la ligature qu'une masse de tissus d'autant moins grande que leur résistance à la pression est plus considérable, est une règle dont on ne doit jamais se départir. Aussi, toutes les fois que la tumeur est un peu volumineuse, il ne faut pas chercher à l'étreindre dans une seule anse de fil, et les procédés de ligature varieront avec la consistance et le volume des parties sur lesquelles le fil devra exercer son action.

Supposons d'abord le cas le plus simple : une tumeur petite, supportée par un pédicule étroit. Une seule ligature, appliquée à la base du pédicule fortement serrée, et solidement maintenue par un nœud double, constituera toute l'opération (fig. 1).

Mais la tumeur, tout en étant peu volumineuse, n'a pas de pédicule, elle se continue avec les parties voisines sans ligne de démarcation bien tranchée, et sa

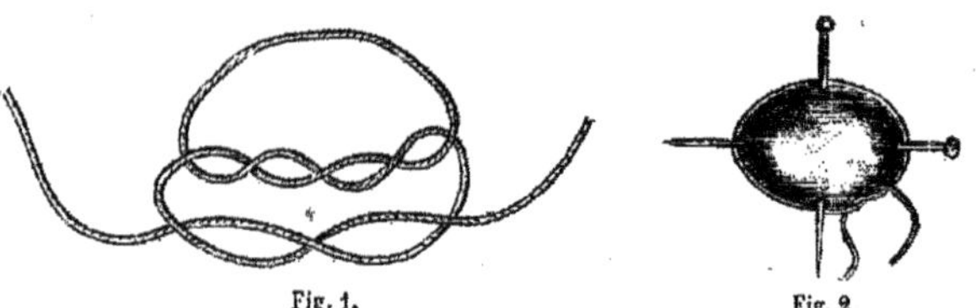

Fig. 1. Fig. 2.

forme hémisphérique ou conoïde fait que le fil appliqué à sa base glisse lorsqu'on veut le serrer. Rien de plus facile que de surmonter cette petite difficulté; il suffit pour cela de saisir la tumeur le plus près possible de sa racine avec des pinces à érignes au-dessous desquelles on applique le fil; ou bien encore de traverser de part en part sa base avec une ou deux aiguilles croisées à angle droit; les extrémités libres des épingles formeront une barrière solide qui empêchera tout glissement de la ligature circulaire placée au-dessus d'elles (fig. 2). On a encore conseillé, dans ces cas, de traverser la base de la tumeur avec une seule épingle et d'étreindre ses deux segments latéraux au moyen de deux fils appliqués comme dans la suture enchevillée; ce procédé est infidèle, car la traction énergique exercée sur les extrémités de l'épingle peut, si l'épingle n'est pas très-résistante et par conséquent fort grosse, la courber en arc du côté où la traction est le plus forte, et faire glisser la ligature qui perd son point d'appui.

Lorsque la base est plus large, une seule ligature circulaire ne suffit pas; on traverse alors la tumeur avec une aiguille entraînant après elle un fil double; on dégage l'aiguille, on coupe l'anse de fil et l'on a ainsi deux ligatures qui, étant serrées, étreignent chacune une moitié de la tumeur.

La tumeur est souvent trop volumineuse pour que deux ligatures puissent l'étreindre d'une manière suffisante; il faut alors les multiplier, et ici plusieurs procédés ont été imaginés pour faciliter le placement des fils en diminuant le nombre des piqûres. S'il suffit de poser trois ligatures, le moyen le plus simple consiste à passer une aiguille enfilée d'un long fil au-dessous de la tumeur et au niveau de son tiers moyen avec son tiers inférieur; lorsque l'aiguille a été retirée, on lui fait retraverser la tumeur à la jonction du tiers moyen avec le tiers inférieur, mais en sens inverse que primitivement, c'est-à-dire qu'on la réintroduit du côté où d'abord on l'avait fait sortir. Ceci fait et le fil étant coupé près de l'aiguille, on a d'un des côtés deux anses de fil (A et B), et de l'autre côté quatre fils libres, accolés deux à deux (fig. 3). Dans chacun de ces deux groupes on saisit les deux fils qui

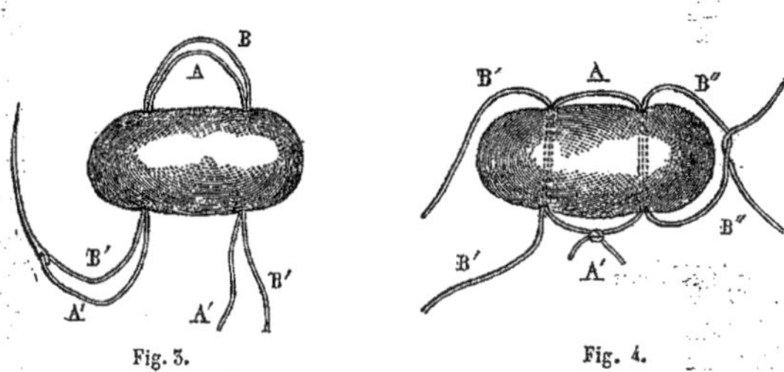

Fig. 3. Fig. 4.

correspondent à l'anse A, on les noue fortement, et l'on a ainsi étranglé la partie moyenne de la tumeur. On sectionne alors au point B l'anse B, laissée flottante, et l'on a quatre chefs libres : deux pour chaque extrémité de la tumeur ; il suffit de lier deux à deux ces fils formant deux anses cachées dans la profondeur des tissus pour compléter l'étranglement de la totalité de la tumeur (fig. 4).

Lorsqu'il est nécessaire de multiplier les ligatures et de segmenter davantage la striction pour la rendre plus énergique et plus sûre, on traverse la tumeur autant de fois qu'on veut appliquer de ligatures avec une aiguille enfilée d'un fil simple; l'aiguille, dégagée par la section de l'anse, laisse dans chacun des trajets qu'elle a suivis deux fils qu'on noue ensuite deux à deux (fig. 5).

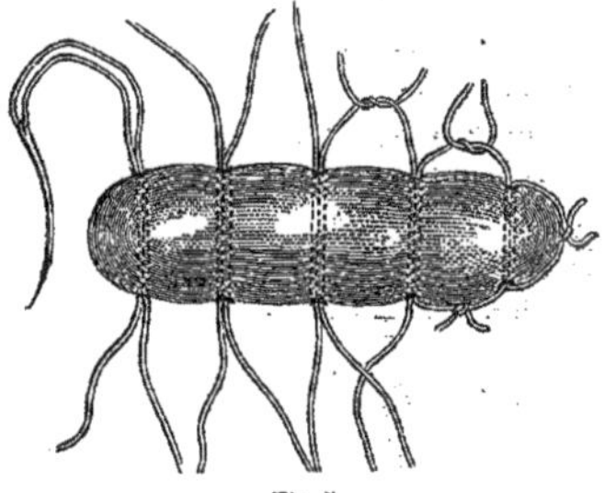
Fig. 5.

Cette manœuvre la plus généralement suivie n'est pas sans présenter quelques inconvénients; pour former les anses il faut nouer les deux fils les plus voisins et le premier nœud, fait ainsi sans point d'appui, est très-sujet à céder lorsqu'on noue et qu'on serre les extrémités opposées; de plus il est parfois assez difficile de se retrouver au milieu de ces bouts de fils, et il arrive assez souvent qu'on réunit par inadvertance deux chefs qui appartiennent à des anses différentes. Un procédé dû à Erichsen supprime une partie de ces inconvénients et diminue de moitié la quantité de nœuds qu'il faut faire lorsqu'on applique le procédé ordinaire.

Voici comment procède Erichsen : « Une longue aiguille est enfilée dans le milieu d'un fil blanc solide, long de 3 à 4 pieds, et dont une moitié a été colorée en noir avec de l'encre, l'autre moitié restant avec sa couleur primitive (fig. 6). A un demi-centimètre de l'extrémité de la tumeur, on forme (en A) un pli avec la peau saine et on en traverse la base avec l'aiguille ; l'aiguille retirée, mais portant toujours le même fil, est enfoncée (en B) sous la tumeur et ressort de l'autre côté (en C) ; lorsque cette manœuvre a été répétée plusieurs fois, on a ainsi de chaque côté de la partie qu'on veut enlever une série d'anses doubles dont les unes (I) sont blanches et les autres (K) noires. D'un côté on coupe toutes les anses noires (K), de l'autre toutes les anses blanches (I) ; on saisit deux à deux chacun des chefs voisins de même couleur, on les noue solidement et la tumeur se trouve ainsi étranglée dans toute sa longueur par des anses blanches et des nœuds noirs d'un côté, par des anses noires et des nœuds blancs de l'autre (fig. 7).

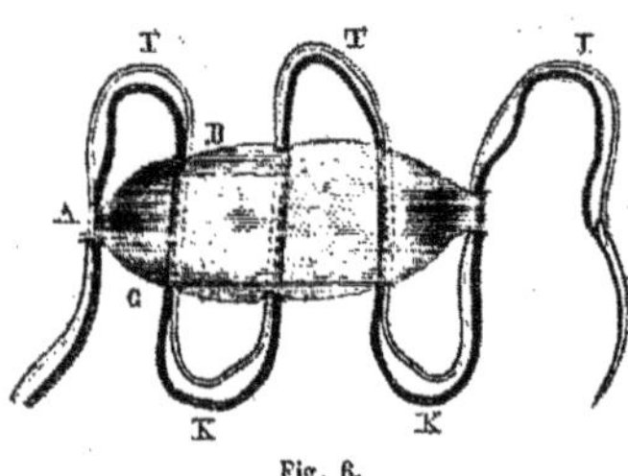

Fig. 6.

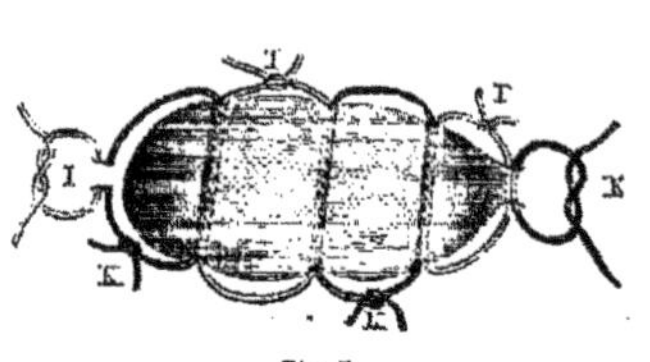

Fig. 7.

Quelle que soit la ligature à laquelle on ait recours, on a presque toujours à s'adresser une question préalable : Faut-il appliquer simplement le fil constricteur sur la peau ou faut-il pratiquer d'abord l'incision des téguments qui recouvrent la tumeur de manière à ce que le fil n'agisse que sur les tissus morbides ? Quoique variable avec les circonstances, la réponse est en général assez facile. La peau, par sa consistance et son élasticité, cède peu à la pression linéaire du fil, elle forme une sorte d'étui protecteur qui empêche cette pression de porter avec toute son énergie sur les parties sous-jacentes ; de plus elle résiste notablement à la mortification ou à l'inflammation ulcérative qu'amène la section des parties comprimées ; lors donc que la tumeur est placée au-dessous de la peau et que celle-ci a conservé ses caractères normaux, il est, sinon indispensable, du moins très-utile de l'inciser dans les points sur lesquels portera la ligature. Agir ainsi, c'est assurer davantage l'efficacité de la striction et accélérer la chute des parties à la base desquelles la ligature a été appliquée. Au contraire, si la peau est très-mince et la tumeur petite, cette précaution perd de son opportunité, et elle deviendrait préjudiciable lorsque les téguments qui recouvrent une tumeur érectile ont acquis une vascularité anormale, car la section préalable de la peau exposerait à l'ennui d'une hémorrhagie, sans gravité il est vrai, mais qu'il vaut mieux éviter.

Le passage des aiguilles peut amener un écoulement de sang quelquefois sérieux ; pour éviter cet accident, il faut autant que possible, lorsque la tumeur est très-vasculaire ou lorsqu'elle repose sur des vaisseaux qu'il est important de ménager, ne pas se servir d'aiguilles très-aiguës et tranchantes comme elles le sont d'ordinaires. En se servant d'un artifice très-simple on peut dans ces cas employer des aiguilles à peu près mousses. La peau étant la seule partie très-résistante, on peut, une fois la peau traversée, faire cheminer, sans grande difficulté, à travers les tissus sous-jacents une aiguille assez peu piquante pour qu'une artère fuie devant sa pointe; il faut donc, dans ce cas, faire avec un bistouri très-aigu une petite ponction à la peau, à l'endroit ou l'on veut faire pénétrer l'aiguille mousse, et lorsqu'elle reparaît de l'autre côté de la tumeur sous les téguments qu'elle soulève mais qu'elle ne peut perforer, une seconde ponction faite sur le point saillant permet à l'aiguille de sortir à l'endroit voulu. Si cependant, quelle qu'en soit la cause, le passage de l'aiguille déterminait une hémorrhagie, le mieux est de la laisser en place et de jeter sur elle un fil comme on le ferait s'il s'agissait d'une suture enchevillée. Si cette manœuvre ne réussissait pas on pourrait avec le fil mince que porte l'aiguille entraîner un gros fil ou une petite mèche imbibée de perchlorure de fer; et si enfin on avait lieu de croire que le vaisseau lésé se trouve non dans la partie du trajet qui correspond à la tumeur, mais à celle qui lui est opposée, il faudrait passer une aiguille plus profondément et enrouler, comme précédemment, sur elle un fil fortement serré.

On a proposé la ligature sous-cutanée des tumeurs, et Manec a imaginé un procédé rapporté dans presque tous les traités de médecine opératoire, mais que je ne crois pas devoir décrire. Cette méthode, loin d'avoir une utilité pratique, ne présente que des inconvénients et même des dangers. A quoi sert-il de sectionner la tumeur à sa base, à travers une mince ouverture faite à la peau, puisqu'il faudra ultérieurement pratiquer une incision pour l'extraire; lorsque, détachée par la ligature, privée de vie, elle ne constituera plus sous les téguments qu'un corps étranger en voie de putréfaction, baignant dans le pus dont sa présence détermine la sécrétion? La ligature sous-cutanée n'est bonne, et n'est utile, en tant que manœuvre opératoire, que dans les cas où elle doit agir comme procédé d'*incision* dans le varicocèle par exemple, pratiqué suivant la méthode de Ricord; elle doit être rejetée toutes les fois qu'elle doit agir comme procédé d'*excision*.

Nous n'avons eu en vue jusqu'à présent que les ligatures appliquées à la surface extérieure du corps, ou dans des régions où la partie sur laquelle le fil doit être appliqué est facilement accessible aux doigts du chirurgien, comme à l'orifice du vagin, à l'extrémité inférieure du rectum, à la langue, à la face interne des joues. Ces difficultés deviennent bien autrement grandes quand la ligature doit être portée au fond d'une cavité comme le pharynx, le larynx, le vagin; il est presque impossible alors de porter directement le fil à la place qu'il doit occuper et l'on a recours dans ces circonstances à l'usage des porte-ligatures. Ceux-ci peuvent être classés en deux variétés très-différentes : les uns consistant en un anneau dans l'intérieur duquel on place la ligature dont le premier nœud préparé d'avance est prêt à être serré; les autres sont des tiges, des pinces au moyen desquelles on cherche à contourner le pédicule de la tumeur et à l'entourer d'un fil simple qu'on noue ultérieurement.

L'anneau employé par Fabrice de Hilden (cent. 2, obs. XXI) reproduit par Heister (tabl. 21, fig. 6); modifié par Dallas en 1764 (*Essays phys. and litt.*, vol. III), pour lier un polype du pharynx, est à peu près inapplicable. Il faut, pour qu'il puisse être mis en usage, que la tumeur puisse s'engager dans l'intérieur même de l'anneau qui porte le fil; or, très-souvent pour peu que la tumeur ait un certain volume et qu'elle ait pu se développer assez librement dans la cavité au fond de laquelle elle est logée, la dimension de l'anneau devra être telle que son introduction sera à peu près impossible. De plus, on se trouve toujours, avec cet instrument, exposé à deux inconvénients de nature toute différente : le fil mal retenu dans l'anneau qui le supporte, glisse hors de sa place au moindre frottement que la tumeur ou les parties voisines exercent sur lui : ou bien ce fil est bien caché dans la rainure de l'instrument, suffisamment protégé contre tout déplacement ; mais quand on veut lui faire quitter l'anneau, il se refuse à l'abandonner et à se placer autour du pédicule de la tumeur.

Lorsqu'il s'agit de polypes assez petits pour pouvoir être engagés au milieu d'une anse formée d'avance, comme les polypes du larynx, on se sert de préférence d'un fil métallique qui conserve sa forme sans qu'il soit besoin de le loger dans la rainure d'un conducteur. Ce fil est supporté par une canule de courbure appropriée qui fait l'office de serre-nœud, lorsqu'on tire sur les extrémités libres de la ligature ; et presque toujours alors la striction suffit pour détacher immédiatement une tumeur ordinairement petite, de sorte qu'on pratique dans ces circonstances une ligature dite extemporanée, c'est-à-dire un véritable écrasement linéaire.

Une ou plusieurs tiges métalliques dont une extrémité se termine en forme de petite fourche dans laquelle on engage le fil est le type primitif des autres porte-ligatures ; mais le fil que rien ne retient d'une manière solide est très-exposé à glisser hors de cette rainure ; le porte-nœud de Levret, modifié par Floret, ne présente pas ces inconvénients. Il consiste en une tige recourbée à son extrémité libre, en forme de demi-anneau, et creusée en gouttière dans toute sa longueur. Dans cette rainure s'engage une tige métallique qui en venant s'appuyer sur l'extrémité du demi-anneau le convertit en un anneau complet dans lequel on engage le fil. Un premier porte-ligature amène le lien au niveau du point où il doit être appliqué ; un second instrument semblable contourne le pédicule et l'entoure d'une anse de fil (fig. 8) : ceci fait, on engage les deux chefs dans un serre-nœud, on le pousse jusqu'à ce qu'il soit arrivé au point voulu, on tire sur les extrémités du fil afin de le tendre, et il suffit de faire glisser chaque tige dans sa gouttière pour que l'anneau métallique, largement ouvert, rende le fil à la liberté. Nous n'avons pas à nous étendre davantage sur ce sujet, les instruments et les procédés varient suivant qu'il s'agit de tumeurs du vagin, de l'utérus, de la cavité naso-pharyngienne, du larynx ; ils sont ou seront décrits avec les maladies pour le traitement desquelles ils sont applicables.

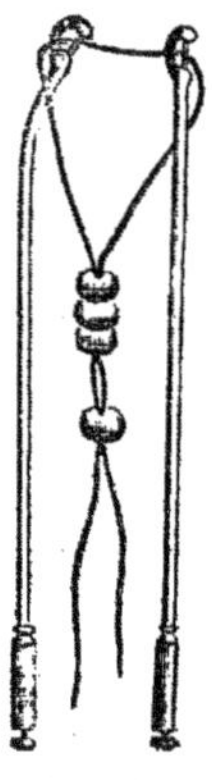
Fig. 8.

Un fil placé à une certaine profondeur ne peut être noué et serré directement par les doigts du chirurgien, il faut donc amener la ligature à l'extérieur. C'est ce que faisait Levret au moyen de son serre-nœud composé de deux canules accolées dans lesquelles passaient les deux chefs du fil, qu'on nouait à l'extérieur où ils prenaient point d'appui sur l'arête formée par la paroi intermédiaire aux deux tubes. Le serre-nœud de Levret avait un inconvénient : sa forme rectiligne et sa rigidité en rendaient l'application difficile dans certaines régions. Roderic imagina de faire passer les deux bouts de fil dans des petites boules d'os, d'ivoire, de corne, de nacre, percées d'un trou à leur centre, et dont on enfilait successivement un nombre plus ou moins considérable, suivant que la ligature avait à parcourir un trajet plus ou moins long pour arriver à l'extérieur.

La première et la dernière boule étaient percées de deux trous, le premier pour empêcher les boules de s'échapper et de se perdre après la section de la tumeur, le dernier pour offrir au nœud le point d'appui indispensable. Mais le serre-nœud de Roderic a les défauts de ses qualités; sa flexibilité est trop grande, et quand on exerce une traction un peu forte, il se contourne, se tord en tous sens, s'infléchit et rend toute striction énergique à peu près impossible, aussi a-t-il été peu à peu abandonné.

Ces instruments, improprement appelés serre-nœuds, puisqu'ils ne servent qu'à amener au dehors et non à serrer les chefs de la ligature, peuvent, comme le nœud double fait directement par le chirurgien, suffire lorsqu'il ne s'agit que de tumeurs peu volumineuses ou d'une consistance molle, qu'on peut étreindre suffisamment pour y arrêter toute circulation. Mais il est des circonstances où la résistance des tissus nécessite, pour que la constriction porte son effet jusque dans le centre du pédicule, un surcroît de force qu'on ne peut obtenir qu'à l'aide d'instruments; aussi a-t-on modifié les porte-ligatures de Levret, de Desault et de Roderic pour les convertir en de véritables serre-nœuds. Græfe fixa le nœud sur un petit curseur qu'une vis entraîne en arrière, en augmentant ainsi la tension de l'anse de fil qui entoure la tumeur; Mayor a ajouté un treuil mobile au chapelet de Roderic, et cette modification a rendu ces instruments, surtout le premier, d'un usage journalier, car ils répondent encore à une dernière indication dont il nous reste à parler.

Lorsque le pédicule a une certaine épaisseur, la section des couches superficielles fait que le lien, quoique primitivement très-serré, devient bientôt trop lâche et cesse de comprimer la partie dont il devait déterminer la section; il faudrait donc, dans ces cas, appliquer de nouvelles ligatures au fur et à mesure que cesse d'agir celle qui avait été primitivement placée.

Levret, qui s'était beaucoup occupé de la ligature des polypes, avait imaginé un serre-nœud formé par un arc d'acier à chaque extrémité duquel on attachait les chefs de la ligature, qui se trouvait ainsi constamment tendue. Mais ce serre-nœud avait un double inconvénient : son poids et son volume; aussi Levret avait-il eu en même temps l'idée d'employer, au lieu de fil ordinaire, un fil d'argent qu'il tordait plus ou moins les jours suivants, selon qu'il fallait resserrer la ligature. Le serre-nœud de Græfe répond plus simplement et plus efficacement à cette indication.

Dans ces dernières années, Trousseau a proposé, pour rendre la pression continue, d'employer un fil de caoutchouc enroulé plusieurs fois autour du pédicule, et A. Richard a eu recours à cette *suture élastique*. Ce moyen ne nous paraît présenter aucun avantage. Si la tumeur est petite, un fil ordinaire bien serré suffit à tout; si elle est volumineuse, on ne peut, avec un fil de caoutchouc qui ne saurait sans se rompre supporter une forte traction, serrer assez le pédicule pour arrêter la circulation jusque dans son centre; aussi ce procédé, que Debout disait avoir proposé quinze ans auparavant, n'est pas entré dans la pratique.

L'application de la ligature demande quelques précautions. Le fil doit être serré lentement, en observant son effet sur les tissus, qui quelquefois se laissent facilement couper, ce qui donnerait lieu à l'écoulement de sang qu'on cherche à éviter. Si, au contraire, la résistance est considérable, il faut user de ménagements et employer un fil qui ne soit pas susceptible de se briser. Règle générale, il faut serrer assez pour que toute circulation soit impossible dans la tumeur.

Que faut-il faire s'il survient une inflammation locale ou des symptômes nerveux inquiétants? Malgaigne, Sédillot conseillent, dans ces cas, de ne pas accroître la constriction et de la relâcher jusqu'à cessation des accidents. Nous sommes à cet égard d'un avis diamétralement opposé. Les accidents nerveux, en cas de ligature, sont dus à l'irritation des nerfs comprimés médiatement par le lien; ils ne paraissent pas si la striction est portée au point de désorganiser immédiatement les tissus. Il se passe ici quelque chose d'analogue à ce qui a lieu dans les hernies étranglées. L'intestin est serré dans un anneau normal ou accidentel; les accidents ordinaires existent et leur intensité augmente; mais aussitôt que la mortification de la partie comprimée est survenue, on voit les accidents dus à la réaction des nerfs de l'anse intestinale étranglée sur les plexus abdominaux disparaître presque subitement jusqu'au moment où pourront paraître les accidents de la péritonite; de même, des accidents analogues se montrent quelquefois dans la ligature en masse du cordon spermatique après la castration, à tel point que quelques chirurgiens repoussent ce procédé; or, pour notre part, sur sept ou huit cas dans lesquels nous l'avons pratiqué, nous n'avons observé aucun accident, même le plus léger, mais nous avions soin de serrer avec toute la force dont nous sommes capables la ligature formée par la réunion de trois ou quatre fils de soie très-solides, réunis en un seul faisceau.

Alors qu'ils conseillent de relâcher la ligature s'il survient des accidents légers, Sédillot et Malgaigne conseillent de la resserrer si ces accidents sont alarmants; nous croyons que, légers ou très-graves, ces phénomènes, véritables accidents d'étranglement, exigent une même conduite; serrer assez énergiquement la ligature pour détruire toute vitalité dans les parties qu'elle embrasse, afin de les désorganiser immédiatement. Ajoutons enfin, qu'aujourd'hui, la ligature n'est plus guère employée que pour des tumeurs peu volumineuses, car on lui substitue, dans les conditions opposées, l'écrasement linéaire, qui a presque tous les avantages de la ligature, et n'a pas comme elle l'inconvénient d'exiger un temps, quelquefois très-long, avant que ne se détache la tumeur dont on cherche à déterminer la chute.

Léon Le Fort.

LIGNES. Différentes dispositions anatomiques ont reçu le nom de *lignes*. On appelle, par exemple, *ligne âpre* du fémur le bord postérieur de cet os (*voy.* Fémur); *ligne blanche*, la bande verticale résistante que forment les aponévroses abdominales depuis l'appendice xyphoïde jusqu'au pubis (*voy.* Abdomen). La *ligne semi-lunaire* de Spiegel n'est autre chose que la terminaison en demi-cercle des fibres musculaires du transverse de l'abdomen (*voy.* Transverse). Enfin, sous le nom de *ligne semi-circulaire* de Douglas on a désigné une disposition du feuillet postérieur de la gaîne du muscle droit [*voy.* Droit de l'abdomen (muscle)]. Mais il importe de remarquer que cette même disposition est décrite par certains auteurs sous le nom de *pli de Douglas*, tandis que d'autres réservent cette dernière dénomination aux plis péritonéaux semi-lunaires qui relient la vessie et le rectum chez l'homme, l'utérus et le rectum chez la femme (*voy.* Péritoine).

LIGNES ISOTHERMES. A. de Humboldt a eu, le premier, l'idée de réunir par des courbes tous les points de la surface du Globe dont la température moyenne est la même; ces courbes, dont l'importance est très-considérable en météorologie, sont désignées sous la dénomination de *lignes isothermes*. Comme la température dépend à la fois de la latitude et de l'élévation du lieu d'observation au-dessus du niveau de la mer, il faut, dans le tracé des lignes isothermes, corriger les températures moyennes observées de l'influence de l'altitude, et ramener la température de chaque lieu particulier à ce qu'elle serait si ce lieu était situé au niveau de la mer. — Les météorologistes modernes ont voulu donner une plus grande extension à l'idée primitive et si féconde de A. de Humboldt; ils étudient avec grand soin le tracé de deux autres ordres de courbes, les *lignes isothères* et les *lignes isochimènes*. Les premières de ces courbes réunissent tous les lieux dont la température moyenne *estivale* est la même, les secondes passent par les lieux à même température moyenne *hibernale*. (*Voy.* CLIMATS et ISOTHERMES.) J. G.

LIGNUM. On employait souvent et l'on emploie encore quelquefois, pour les bois médicinaux, le nom latin de *Lignum*. Ainsi :

Les *Lignum Aquilæ, Aloes, Agallochum* sont les Bois d'Aigle, de Calambac, d'Aloès, etc. (*Voy.* ces mots.)

Le *L. benedictum* ou *L. sanctum* est le Gayac.

Le *L. indicum*, le *Myrtus acris* L. *Voy.* MYRTE.

Le *L. moluccanum*, le *Croton Tiglium* L. De même le *L. pavanum*.

Le *L. papuanum*, le *Lignidanbas* ou *Altingia excelsa* NORONH.

Les *L. rubrum* et *Fernambuci*, le Bois du Brésil.

On comprend suffisamment la valeur des mots *Lignum Sappan, Campechianum, Sassafras, Colubrinum* et *Santali*. H. BN.

LIGULE (*ligula*, petit lien). Genre de vers cestoïdes vivant pendant le jeune âge dans les batraciens et les poissons osseux, créé par Bloch, adopté par Zeder, Rudolphi, etc. Les Ligules sont des vers blancs, mous, aplatis en forme de bandelette, sans articulations distinctes, traversés par un sillon correspondant à des organes génitaux.

Ces vers paraissent et se développent premièrement dans la cavité abdominale des poissons fluviatiles et surtout dans celle des cyprinidés, par exemple dans le goujon commun. Les Ligules y atteignent une longueur excédant celle du poisson; le corps du ver, enlacé avec l'intestin de son hôte, est souvent plus gros que celui-ci.

Plus tard, on trouve les mêmes vers dans le tube digestif des oiseaux palmipèdes, surtout dans les harles, qui vivent de poissons; cependant les vers des oiseaux ne sont pas plus développés que dans les poissons eux-mêmes, contrairement à ce qu'on observe chez les autres vers qui changent de milieu. Brullé (de Dijon) a observé la viviparité des Ligules de l'ablette, d'où on est forcé d'admettre que les Ligules ne sont pas des vers agames.

Quand les Ligules sont arrivées à l'état strobilaire, leur corps ne présente pas de segments distincts, les proglottis restent unis sans se détacher à la manière des cucurbitains des tænias; toutefois la multiplicité de l'appareil sexuel laisse voir la limite exacte des individus composant le ver cestoïde.

L'espèce la plus connue de Ligule est la *Ligula simplicissima*. On la trouve communément dans l'abdomen des poissons d'eau douce, au milieu des viscères. C'est un ver blanc, aplati, un peu épais, effilé aux deux extrémités, ridé en travers du corps, surtout au milieu.

Les Ligules servent, dit-on, à l'alimentation dans quelques parties de l'Italie où elles sont très-abondantes. On les fait frire et on les mange comme un mets délicat. A. LABOULBÈNE.

LIGURES, peuple de race ibérienne. Ils sembleraient avoir très-anciennement occupé une grande partie de l'Europe occidentale. Car, selon Festus Avienus, ils auraient été refoulés par les Celtes d'une région maritime voisine des îles Œstrymniques, actuellement Sorlingues, situées au sud-ouest de l'Angleterre (*Oræ maritimæ*, vers 129 à 136); et, d'après Stéphane de Byzance, les Ligures auraient eu en Espagne une ville appelée Ligustine : Λιγυστίνη, πόλις Λιγύων, τῆς δυτικῆς Ἰβηρίας ἐγγύς... (Stéphane de Byz., Περὶ πόλεων, col. 180 de l'éd. de Guilielmi Xylandri, 1568, Basilæ).

Thucydide nous montre ces mêmes Ligures chassant à leur tour devant eux les Sicanes des bords du Σικανός, la Sègre, affluent de l'Èbre, *Iberus* (l. VI, ch. II, p. 165, éd. de 1833). Les Ligures paraissent s'être fixés principalement le long du littoral méditerranéen, entre les Pyrénées et la Tyrrhénie (Toscane actuelle), ainsi que l'indiquent de nombreux auteurs : Scylax (*Periple*, p. 2, § 3 et 4, éd. de Vossius, 1639), Scymnos de Chio (Periégès, *Fragments des poëmes géographiques de Letronne*, Paris, 1840, vers 200 et note, p. 183), Stéphane de Byzance (*l. c.*, Λίγυρος), etc., etc. Le nom de Ligurie sert encore actuellement à désigner la côte nord-ouest de l'Italie.

Antérieurement à la fondation de Rome, des Ligures auraient habité plusieurs régions de l'Italie centrale et méridionale (J. Ampère, *l'Histoire romaine à Rome*, t. I, ch. IV, p. 91 à 104; 1862).

Selon Philiste de Syracuse, cité par Denys d'Halicarnasse, et suivant Silius Italicus, quatre-vingts ans avant le siége de Troie, les Ligures de l'Italie méridionale, poussés par les Ombres et les Pélasges, sous la conduite d'un chef nommé Siculus, franchirent le détroit pour se fixer dans l'île depuis appelée Sicile (Denys d'Halicarnasse, *Antiquités romaines*, l. I, ch. IV, § 2, p. 54, trad. de Bellenger, 1723; — Silius Italicus, *les Puniques*, t. III, liv. XIV, p. 152-3, trad. de Corpet et Dubois, 1836).

Sénèque le Philosophe nous signale également le passage des Ligures dans l'île de Corse (*Consolatio ad Helviam*, t. IX, ch. VIII, p. 256-7, texte et trad. de La Grange, 1819).

Quant aux caractères anthropologiques des Ligures, la plupart des auteurs, MM. Nicolucci, Pruner-Bey et Carl Vogt s'accordent à leur donner une petite stature, un crâne brachycéphale et peu volumineux, un front globuleux, une face assez large, etc. (Nicolucci, *la Stirpe ligure in Italia ne' tempori antichi et moderni*, Napoli, 1864, in-4°; — Pruner-Bey et Carl Vogt, *Bulletins de la Société d'Anthropologie*, 1re série, t. VI, p. 458; 2e série, t. I, p. 88 et 442, etc.). Relativement aux Ligures, voyez les mots Basques pour l'ensemble des peuples ibériens, et France (Anthropologie), pour les Ligures du sud-est des Gaules.

Gustave Lagneau.

LIGUSTICUM. *Voy.* Livêche.

LIGUSTRUM. *Voy.* Troëne.

LILACINE. Principe amer extrait du Lilas (*voy.* Lilas).

LILAS. § I. **Botanique.** Genre de plantes de la famille des Oléacées, désigné par Tournefort sous le nom botanique de *Lilac*, et par Linné sous celui de *Syringa*. Ses caractères peuvent être résumés de la manière suivante. Arbres ou arbrisseaux à rameaux opposés, garnis de feuilles opposées, simples et entières.

Rameaux florifères portant à leur extrémité deux cymes opposées, thyrsoïdes, abondamment fournies de fleurs. Calice gamosépale, à quatre dents. Corolle gamopétale, hypocratériforme, à quatre lobes ovales plus ou moins étalés. Deux étamines, incluses dans le tube de la corolle. Ovaire libre surmonté d'un style inclus et d'un stigmate bifide. Capsule ovale lancéolée, comprimée, biloculaire, s'ouvrant en deux valves naviculaires, septifères. Deux graines dans chaque loge, pendantes, oblongues, comprimées, bordées d'une aile membraneuse étroite et contenant l'embryon dans l'axe d'un albumen charnu.

Les plantes de ce genre sont originaires de l'Orient. Deux espèces ont été transportées de Perse dans nos jardins, dans la seconde moitié du seizième siècle, et au commencement du dix-septième, et se sont si bien établies dans l'Europe centrale et méridionale qu'on les regarde en bien des endroits comme naturalisées. Elles font au printemps l'ornement des jardins par le nombre, la couleur et la suavité de leurs fleurs. Ces deux espèces, auxquelles se rattachent un grand nombre de variétés cultivées sont :

1° Le Lilas commun (*Syringa vulgaris* L.), qui forme un petit arbre pouvant atteindre 15 à 20 pieds de haut. Ses feuilles sont un peu cordées à la base, larges à leur partie inférieure, et se prolongent insensiblement en pointe vers le sommet : elles sont glabres et très-entières. Les lobes de la corolle sont concaves. Cette espèce donne des variétés à fleurs violettes, pourpres ou blanches.

2° Le Lilas de Perse (*Syringa persica* L.) qui est plus petit dans ses dimensions et ne dépasse guère 5 à 6 pieds. Les feuilles sont lancéolées, non cordées à la base; les capsules sont plus étroites et moins pointues que celles du Lilas, et les lobes de la corolle presque planes. A cette espèce se rapportent quelques variétés remarquables, entre autres : le *Lilas à feuilles laciniées*, vulgairement nommé *à feuilles de persil*, à cause des découpures nombreuses de ses feuilles supérieures, et le *Lilas Varin* ou *Lilas de Rouen*, dont quelques auteurs ont fait, sous le nom de *Syringa dubia* Pers., une espèce caractérisée par ses feuilles plus grandes, acuminées, aiguës à la base.

On désignait, sous le nom de *Lilas du Japon*, une espèce rapportée jadis au genre *Syringa*, mais qu'on en a séparé depuis pour en faire le type du genre *Forsythia* Vahl. C'est le *F. suspensa* Vahl.

Quant aux noms de *Lilas des Antilles*, *des Indes* et *de la Chine*, ils s'appliquent à une espèce d'un tout autre groupe, le *Melia Azedarach* L.

Toutes les parties du Lilas, mais surtout les feuilles et les fruits, sont douées d'une forte amertume, ce qui empêche les bestiaux d'y toucher. Cette saveur est due à la présence d'un principe âcre et amer que M. Kromayer a retiré des feuilles, et auquel il a donné le nom de *Syrinpycrine*.

Tournefort. *Inst.*, 601, tab. 372. — Linné. *Gener. Plant.*, n° 22. — Duhamel. *Traité des Arbres*, édit. 1825, II, 205. — Mérat et de Lens. *Dict. mat. méd.*, VI, 620. — D. C. *Prodr.*, VIII, 282. — Kromayer, *Archiv der Pharm.*, CX, p. 18, et *Journal de Pharmacie*, XLIII, 429.

Pl.

§ II. **Pharmacologie.** L'écorce, les feuilles, les fleurs, et particulièrement les *fruits* ont été employés en médecine.

L'écorce et les feuilles se traitent par décoction.

Les *capsules* ou fruits du lilas sont employées étant encore vertes, avec les semences imparfaitement mûres qu'elles contiennent, leurs propriétés médicales paraissant être plus actives à cette période de leur développement. On prépare avec ces capsules une *décoction* et un *extrait mou*.

Des extraits préparés avec les feuilles, avec l'écorce, ont été trouvés moins actifs que celui préparé avec les capsules.

L'analyse des capsules du lilas par Petroz et Robinet, a fourni : 1° une matière résineuse; 2° une matière sucrée; 3° une matière qui précipite le fer en gris; 4° une matière amère; 5° une matière insoluble ayant l'apparence d'une gelée, se rapprochant de la bassorine; 6° de l'acide malique; 7° du malate acide de chaux; 8° du nitrate de potasse; 9° quelques autres sels. (*Journal de pharmacie*, X, p. 139.)

MM. Milet, Leroy d'Anvers, Bornays ont isolé une substance, *lilacine* ou *syringine*, qui cristallise en prismes blancs, brillants, et possède une saveur particulière, nauséabonde, plutôt douceâtre et âcre qu'amère, insoluble dans l'éther, soluble dans l'eau et dans l'alcool. Avec l'acide sulfurique concentré, elle donne une belle dissolution violette. Elle ne paraît pas renfermer d'azote. (Bouchardat, *Annuaire de thérapeutique*, 1843, p. 206.)

La syringine est-elle le principe actif du lilas? Des expériences probantes manquent encore sur ce sujet.

§ III. **Thérapeutique.** Toutes les parties du lilas sont fortement amères, ce qui faisait lui supposer des propriétés toniques généralement possédées par les végétaux qui ont cette saveur. Néanmoins, la thérapeutique s'en était assez peu préoccupée, lorsque, en 1822, M. le professeur Cruveilhier, qui alors exerçait à Limoges, expérimenta avec un succès complet, qu'il consigna dans une note de son ouvrage (*Médecine éclairée par l'anatomie*, Paris, 1822), l'extrait des capsules de lilas sur six malades atteints de fièvres intermittentes. Quelques médecins de Bordeaux ayant répété ces expériences, déclarèrent le lilas nul comme fébrifuge. (*Notice des travaux de la Société de médecine de Bordeaux*, 1822, p. 9.) Il n'en fut plus question. Mais, plus tard, le docteur Clément (de Vallenois, Cher), reprit sur une plus large échelle (105 cas) l'application de l'extrait des capsules de lilas au traitement des fièvres intermittentes, et dit avoir réussi tout aussi bien qu'avec le sulfate de quinine. Ayant essayé comparativement l'extrait des feuilles, celui de l'écorce et celui des capsules, il reconnut la supériorité de ce dernier. (*Journal de médecine et de chirurgie pratiques*, 1855, t. XXVI, p. 261.) Enfin, Cazin dit avoir obtenu, par l'emploi de cette préparation, l'extrait, après avoir échoué avec la décoction, la guérison de trois fièvres tierces et d'une fièvre quotidienne.

Tout cela ne constitue qu'un nombre trop minime de faits pour déterminer la valeur du lilas comme succédané fébrifuge du quinquina.

Cruveilhier et Cazin ont administré 4 grammes d'extrait de capsules de lilas, soit en pilules, soit délayé dans du vin, pendant l'apyrexie; Clément : de 2 à 5 grammes du même extrait; Cazin : 30 grammes de capsules en décoction dans 700 d'eau réduits à 500.

Cazin (*Traité des plantes médicinales indigènes*) dit que, en Russie, le peuple traite le rhumatisme articulaire par une *huile de lilas* préparée à l'aide d'une sorte d'enfleurage, c'est-à-dire, en faisant macérer une forte proportion de fleurs fraîches dans de l'huile d'olives exposée pendant quinze jours au soleil. Ici le principe qui doit agir est l'huile essentielle de lilas, dont nous n'avons pu rien dire parce qu'elle est très-mal connue. Elle est en effet très-difficile à obtenir par la distillation des fleurs, et elle n'existe en parfumerie que dissoute dans l'alcool, à l'aide duquel on l'extrait des graisses enfleurées. Le pouvoir analgésique qu'elle pourrait posséder, si l'opinion populaire sur le remède ci-dessus est fondée, lui serait commun au surplus avec beaucoup d'autres huiles essentielles; et l'on a plus tôt fait, en cas de douleurs rhumatismales ou autres, de s'adresser à ceux de ces produits qu'il est plus facile de se procurer. D. DE SAVIGNAC.

LILIACÉES. Famille de plantes qui réalise le mieux le type ordinaire des monocotylédones et forme pour ainsi dire le centre de cette grande division des végétaux. Les traits principaux qui la caractérisent sont tirés de la considération des fleurs et des fruits. Les fleurs ont un périanthe pétaloïde à six divisions, placées sur deux rangs; 6 étamines, insérées sur le réceptacle ou à la base du périanthe; un ovaire libre à trois loges contenant, sur des placentas axiles, un grand nombre d'ovules anatropes ou semi-anatropes. Le fruit est une capsule (rarement une baie) triloculaire, à déhiscence en général loculicide. Les graines sont nombreuses, à testa d'apparence variée : tantôt membraneux ou subéreux de couleur pâle; tantôt crustacé, fragile et noir. Elles contiennent, dans un albumen charnu, un embryon droit ou courbé, à radicule rapprochée du hile.

Les plantes de cette famille sont en général herbacées, rarement ligneuses. Leurs parties souterraines varient suivant les divers genres : ce sont souvent des bulbes, quelquefois des tubercules, d'autres fois des rhizômes. Les feuilles sont simples et entières, le plus souvent linéaires et planes, plus rarement canaliculées ou cylindracées.

Les Liliacées fournissent un grand nombre de plantes ornementales et beaucoup d'espèces utiles. Les unes peuvent servir d'aliments ou de condiments, tels sont par exemple les *Allium;* d'autres renferment des principes amers et purgatifs qui les mettent au rang des médicaments très-actifs, tels sont la *Scille* et les *Aloès :* enfin l'une d'elles, le *Phormium tenax* ou *lin de la Nouvelle-Zélande*, donne à l'industrie les fibres extrêmement tenaces de ses feuilles.

ENDLICHER. *Gener. Plant.* — LINDLEY. *Nat. Syst.*, 351. PL.

LILIUM. *Voy.* LIS.

LILIUM DE PARACELSE. Dans son livre des *Archidoxes*, Paracelse (*voy.* ce nom), le triste héros de la médecine hermétique, parle longuement et emphatiquement d'un médicament qu'il désigne soit sous les noms de *physicorum tinctura*, soit sous ceux de *lili alchimiæ et medicinæ.* (*Aur. Ph. Theoph. Paracelsi Bombast ab Hohenheim... opera omnia.* Genev., 1658, in-fol., t. II, p. 117.) Les termes les plus pompeux, les plus extravagants ne sont pas de trop, sous la plume de ce fou étrange, pour porter aux nues la merveilleuse drogue : c'est la liqueur de longue vie, tant cherchée par les alchimistes, l'arcane par excellence, la quintessence de l'apothicairerie, « *in qua mysteriorum omnium ac operum fundamenta latent*; » c'est le *Leo rubens*, une perle fine, un trésor précieux, qui a fait vivre cent cinquante ans les premiers et les plus anciens médecins de l'Égypte, et qui guérit, consume, à l'instar d'un feu invisible, toutes les maladies, la lèpre, la vérole, l'hydropisie, le mal caduc, la colique, la goutte, le lupus, le cancer....

Mais Paracelse ne s'attribue pas l'invention de la *tinctura physicorum*, qu'il fait remonter à Hermès Trismégiste, et qu'il retrouve même dans les ouvrages d'Albert le Grand. Seulement il prétend que les formules données par ces deux auteurs ont été mal comprises, et que ceux qui les ont copiés n'ont écrit que des bévues. « Tous les philosophes, écrit-il orgueilleusement, ont cherché avec passion le *lili alchimiæ*, mais faute d'en bien connaître la préparation, ils ont échoué dans leurs tentatives ; ils ont touché presque au but, sans l'atteindre ; il était réservé à moi seul de parcourir toute la carrière... Grâce à mes longues expériences, j'ai corrigé les spagyristes, j'ai séparé le faux du vrai... »

Et vous croyez que Paracelse va vous donner clairement la manière de préparer sa prodigieuse panacée... ? Ce serait en vain que l'on chercherait à débrouiller le chaos qui règne dans son chapitre : *De processu veterum ad tincturam physicorum, et breviori per Paracelsum inventione.* Dans ce tourbillon d'invocations à Dieu, de jours néfastes ou heureux, de conjonctions de planètes, de maisons du soleil, et de toute la défroque de l'astrologie, on ne démêle qu'une chose, à savoir que la teinture des philosophes consistait dans un mélange bizarre de divers métaux et d'alcool. La preuve en est dans ces faits qu'il rapporte comme pour expliquer la formation des médicaments : qu'en Hongrie les paysans n'ont qu'à jeter du fer dans une source appelée Zipserbrunn, pour que ce fer, chauffé et fondu, se transforme en argent....

Quoi qu'il en soit, le *lili de Paracelse* a passé dans l'ancienne apothicairerie, mais changeant, non-seulement de nom, mais encore de formule. Dans la *Chymia rationalis*, publiée par un anonyme, à Leyde, en 1687, ce n'est plus le *lili Paracelsi* ni la *tinctura physicorum*, mais la *tinctura metallorum* et le *lilium*. Jean de Renou, dans son *Antidotarium*, parle d'un médicament nommé par Avicenne *lilium celeste*. On attribue même à ce célèbre médecin arabe un traité *de Tinctura metallorum*, qui a été imprimé à Francfort, en 1550, in-4°. Enfin, les anciens *Codex medicamentarius* de Paris donnent ainsi la manière de préparer cette teinture : Prenez : régules d'antimoine, martial de cuivre, d'étain, de chaque quatre onces. Après les avoir pulvérisés et mêlés, faites-les fondre ensemble en une seule masse pour former le régule des métaux. Ce régule pulvérisé, mêlez-y nitre purifié, tartre en poudre, de chaque 18 onces ; projetez à diverses reprises ce mélange dans un creuset, faites-le détoner et liquéfier à un feu fort ; tirez la matière du creuset, pulvérisez-la grossièrement, et l'introduisez toute chaude dans un matras ; faites digérer au bain de sable pendant plusieurs jours, en agitant de temps en temps ; quand la teinture est saturée, tirez-la au clair. Et... buvez-moi ça comme cordial... ! Vous ne boirez guère, en résumé, qu'une solution alcoolique de potasse, dans laquelle on pourrait tout au plus soupçonner quelques atomes d'oxydes métalliques.

Consultez pour le *lilium de Paracelse* : Nachet, in *Dict. des sc. méd. en 60 vol.*, t. XXVIII, p. 257, 1818. — Mérat et Delens, *Dict. univ. de matière médicale*, etc., t. IV, p. 115 ; 1832, in-8°, *Dict. de Nysten*, art. Lilium, etc.

Il n'est pas inutile de faire remarquer que ce nom de *lilium* donné à la teinture des métaux, et qui plaçait pour ainsi dire cette dernière sous le patronage de l'une des plus belles plantes des jardins, était comme un titre d'honneur pour exprimer ses merveilleux effets cordiaux et réconfortants. Un célèbre médecin de Montpellier, Bernard de Gordon (*voy.* ce nom), nous a laissé aussi sous le nom de *Lilium medicinæ*, un traité complet de médecine. On possède une *Rosa medicinæ*, une *Florida corona sanitatis*, etc., etc. A. C.

LILLE (Chrétien-Éverard de) naquit à la Haye en 1724, et se fit recevoir en 1756 à Leyde, où il avait fait ses cours de philosophie et de médecine. Avant même l'époque de sa réception, il s'était fait avantageusement connaître par un traité sur les palpitations de cœur, aussi fut-il immédiatement choisi pour aller occuper à Groningue la chaire de médecine et de chirurgie que venait de quitter l'illustre Camper, appelé à Amsterdam. Lille accepta cette lourde succession et sut mériter les suffrages du public par son zèle et son savoir ; il ne craignit pas, dans un de ses ouvrages, d'attaquer les opinions de Haller, plutôt par des raisonnements que par des faits, et avec une certaine violence que lui a reprochée le grand physiologiste.

Il a laissé les ouvrages suivants :

I. *De excessu motus circulatorii.* Lugd. Batav., 1752, in-4°. — II. *Tractatus de palpitatione cordis, quam præcedit præcisa cordis historia physiologica, cuique,* etc. Zwoll, 1755. — III. *Physiologicarum animadversionum secundum ordinem Halleri elementorum lib. I.* Frank., 1772, in-4°. E. Bgd.

LIMACE, LIMACIENS. Les Limaces sont des mollusques gastéropodes nus ou dépourvus de coquille calcaire extérieure, à corps allongé quand l'animal se meut, formant un ellipsoïde allongé, précédé par des tentacules céphaliques. La surface plane qui porte sur le sol est le pied, la face opposée, convexe, est le dos du mollusque ; sur le milieu du dos existe une partie saillante en bourrelet et sous laquelle l'animal peut cacher sa tête lorsqu'il la contracte ; cette partie, ordinairement striée en travers, porte le nom spécial de cuirasse. La tête petite, obtuse, séparée du pied par un sillon peu marqué offre en avant la bouche formée par une ouverture transversale et surmontée de quatre tentacules. Ces tentacules rétractiles présentent, quand ils sont allongés, la forme d'une petite tige arrondie, ils sont terminés par un petit renflement sphérique ; les tentacules supérieurs offrent un point noir qui correspond aux organes visuels, les deux tentacules inférieurs sont beaucoup plus courts. Vers la base du grand tentacule droit un mamelon obtus percé d'une ouverture peu visible, donne passage aux organes génitaux pendant l'accouplement. Le bouclier est percé, sous son bord droit, d'une ouverture large, très-contractile, donnant accès à l'air dans une cavité respiratoire. En arrière est l'orifice anal terminant l'intestin. La coquille très-rudimentaire des Limaciens est interne, placée sous le manteau, et se développe peu à peu dans les genres Testacelle et Vitrine, qui font le passage des Limaciens aux Hélices.

La peau des Limaces est revêtue d'une mucosité gluante qui facilite l'adhésion du corps de l'animal sur les surfaces où il rampe, même les plus lisses, et qui le protége contre l'excès de la chaleur en empêchant l'évaporation des humeurs. Les limaces se plaisent dans les endroits frais et humides, elles passent l'hiver sous terre dans un engourdissement complet et paraissent au printemps et dans l'été après la pluie et pendant la nuit. Dans les climats chauds les Limaces restent cachées pendant les chaleurs et ne sortent que pendant l'automne et l'hiver.

La nourriture de ces animaux consiste en matières végétales, aussi les limaces sont-elles très-nuisibles aux jardiniers en dévorant les jeunes pousses ou les feuilles des végétaux ; elles mangent aussi les matières animales décomposées, les lombrics morts et, dans les bois humides, les champignons, qu'elles recherchent avec avidité.

Les Limaces ont été employées en médecine. Une des grandes espèces du genre *Arion*, d'un rouge orangé a reçu le nom d'*Arion empiricorum*. La chair pilée et mélangée de sucre servait à préparer un sirop adoucissant. Dans quelques contrées de la France, principalement dans le Midi, des malades avalent des Limaces crues dans l'espoir de se guérir de maladies chroniques de l'appareil pulmonaire. (*Voy.* Limaçons et Hélix.) A. Laboulbène.

LIMACIEN (Nerf). C'est la branche cochléenne du nerf auditif, qui se distribue au limaçon.

LIMACINE. Substance extraite, par Braconnot, des limaces. Blanche, opaque, soluble dans l'eau chaude, très-peu dans l'eau froide, soluble aussi dans les alcalis et dans l'acide chlorhydrique, qui ne la colore pas en bleu. Le tannin, l'acétate de plomb, le sublimé, le sulfate de fer, l'acétate de cuivre précipitent la solution aqueuse froide de limacine.

LIMAÇON. (*Voy.* Oreille interne.)

LIMAÇONS. Nom vulgaire sous lequel on désigne diverses espèces du genre Hélix de nos climats, par opposition aux limaces vraies. Les mollusques gastéropodes à coquille calcaire qu'on appelle plus spécialement limaçons, se rapportent surtout aux *Helix pomatia*, *adspersa*, *nemoralis*, *sylvatica*, *vermiculata*, *algira*, etc., qui sont édules. (*Voy.* Hélix.) A. Laboulbène.

LIMANDE. Poisson à chair comestible, malacoptérygien, de la famille des pleuronectides et du genre Pleuronecte. (*Voy.* ce mot.) La *Limande* (*Pleuronectes limanda*, Linn.; Bloch., pl. 46, *Encyclop.*, p. 40, f. 158), vulgairement appelée Plie de mer, tandis que la Plie ordinaire porte les noms de Plie franche ou Carrelet, est longue de 30 centimètres, rarement plus; les yeux sont placés à droite de la ligne dorsale déviée; la couleur est brune en dessus ou brun jaunâtre avec des taches obscures. La ligne latérale est très-courbe sur la tête, les écailles sont dentelées et aspéruleuses ; on trouve des écailles sur les rayons des nageoires dorsale et anale; la nageoire caudale est noirâtre et tronquée, ou très-légèrement échancrée. Un piquant existe constamment près de l'orifice anal.

La Limande est commune sur les côtes de la France, elle remonte quelquefois la Seine jusqu'auprès de Paris, et la Loire jusqu'à Orléans; mais d'une manière accidentelle. C'est une espèce marine. La chair en est moins estimée que celle de la Plie franche. (*Voy.* Pleuronecte, Poisson.) A. Laboulbène.

LIME. Genre de mollusques acéphales, monomyaires, de la famille des Pectinides, dont la chair est édule. La coquille de ces mollusques est longitudinale, et parfois oblique, à côtes ou striée, souvent hérissée. Lorsque les valves sont encore jointes par le ligament à l'état frais, elles ne ferment pas complétement ; le côté antérieur forme une canule pour le passage d'un byssus ou du pied. Quoy et Gaimard ont décrit l'animal des Limes, et Delle Chiaje l'a également représenté; il ressemble aux *Pecten*, mais le manteau est très-ample avec le bord divisé en deux parties bien distinctes, dont l'une externe déborde la coquille et dont l'autre interne se développe comme un large voile, derrière lequel l'animal peut se cacher. Des tentacules flexibles s'attachent sur la première partie du bord. La bouche est placée sur la face antérieure du muscle adducteur des valves, les lèvres buccales sont soudées vers leur milieu et ouvertes seulement vers les deux commissures. De chaque côté, il existe une paire de larges feuillets branchiaux épais et striés, et entre ces feuillets est placé le pied, qui est coudé au sommet.

Les Limes nagent très-vite et par soubresauts, en frappant ou battant leurs valves l'une contre l'autre; cette locomotion rappelle le vol de quelques Lépidoptères diurnes. On trouve principalement les Limes dans les anfractuosités des rochers et dans les cavités que laissent les zoophytes.

Les Limes ne fournissent qu'un aliment de médiocre qualité. (*Voy.* Mollusques.)
A. Laboulbène.

LIMETTIER. Nom donné à un certain nombre de variétés d'une espèce du genre *Citrus* établie par Risso sous le nom de *Citrus Limetta*. Cette espèce n'est pas généralement admise et les divers éléments doivent en être répartis dans les autres espèces du genre. Le Bergamottier et ses diverses formes (*voy.* ce mot) font partie des Limettiers de Risso. Quant aux Limettiers proprement dits, Risso leur attribue, dans son ouvrage publié avec Poiteau, en 1818 : le port et les feuilles du Limonier; des fleurs blanches, petites, d'une odeur douce particulière; des fruits d'un jaune pâle, ovales, arrondis ou terminés par un mamelon; une pulpe douceâtre, fade ou légèrement amère. Leurs principales formes sont : le *Limettier ordinaire* ou *Lime douce* de Gallesio, le Limettier de Rome, le Limettier d'Espagne, le Limettier à fruit tuberculé, le Limettier des Orfèvres et le Limettier pomme d'Adam.

Ces diverses formes ne sont presque d'aucun usage dans la parfumerie. Leur pulpe est bien moins agréable que celle des oranges ; on en compose cependan des glaces assez parfumées.

Gallesio. *Traité du Citrus*, 1811. — Risso et Poiteau. *Histoire naturelle des Orangers*. Paris, 1818.

Pl.

Limnanthemum. Nom proposé par Gmelin (in *Act. Acad. petropol.*, 1769, XV, 567, t. 17), pour des Gentianacées voisines des *Villarsia*, dont elles ne différeraient que par leur fruit indéhiscent. Ce genre n'est généralement pas adopté; et les plantes amères, toniques, qu'il renferme, ont été rapportées par beaucoup d'auteurs aux *Villarsies*. (*Voy.* ce mot.) Le *L. indicum*, espèce comestible et médicinale, est le *V. indica* de Ventenat. Le *L. nymphæoïdes* Lk est le *Menyanthes nymphæoïdes* de Linné, ou *Villarsia nymphæoïdes* de Ventenat. H. Bn.

Limnophile (*Limnophila* R. Br.). Genre de plantes, de la famille des Scrofulariacées, tribu des Gratiolées, que Lamarck a nommé *Ambulia*. La fleur y est pentamère, avec une corolle bilabiée, quatre étamines didynames, à loges séparées, et un ovaire biloculaire, à loges multiovulées. Le fruit est une capsule loculicide. Les *Limnophila* sont des herbes des marais de l'Asie et de la Nouvelle-Hollande. Leurs feuilles sont opposées, et leurs fleurs sont solitaires ou réunies en grappes. Deux espèces sont recherchées dans la médecine des pays chauds.

I. *L. gratissima* Bl. (*L. Roxburghii* Don, *Gen. Syst.*, IV, 543. — *Capraria gratissima* Roxb., *Fl. ind.*, III, 92). Espèce de l'Inde, de Java, aromatique, tonique, recherchée au Malabar dans le traitement des fièvres.

II. *L. trifida* Spreng., *Syst.*, II, 802 (*L. gratioloïdes* R. Br., *Prodr. N. Holl.*, 442. — *Gratiola trifida* W., *Spec.*, I, 104. — *G. virginiana* L., *Spec.*, 25 (part.). — *Hottonia indica* L., *Spec.*, 208. — *Columnea balsamea* Roxb., *Fl. ind.*, III, 97. — *Hydropityon pedunculatum* Ser., in DC. *Prod.*, I, 44). Cette espèce, de l'Inde orientale (et non de l'Amérique du Nord), est aromatique, balsamique, excitante; elle s'emploie comme un bon fébrifuge, et dans le traitement des maladies de la gorge, de la poitrine. H. Bn.

Brown (R.), *Prodr. fl. N. Holl.*, 442. — Benth., *Scroful. ind.*, 23. — DC., *Prodr.*, X, 386. — Lamk, *Dict.*, I, 128. — Endl., *Gen.*, n° 3932. — Rosenth., *Syn. plant. diaphor.*, 476.

Limon. Fruit du Limonier, plante du genre *Citrus*, regardée par quelques auteurs comme une espèce distincte (*Citrus Limonum* Risso), par d'autres comme une simple variété du *Citrus medica* L. (*Voy.* Citronnier.)

Limonades. § I. **Pharmacologie.** Le nom de *limonade* a été d'abord donné à une boisson préparée avec le suc de citron étendu d'eau et édulcorée convenablement. Ce nom lui vient, soit de ce qu'on pouvait employer également le suc du limon pour obtenir cette boisson, soit plutôt parce que le fruit de l'arbre que nous appelons *citron* et *citronnier* sont appelés par tous les autres peuples *limon* et *limonier*. Aujourd'hui le nom de *limonades* est appliqué à des boissons acidules employées surtout dans les maladies inflammatoires. On les prépare tantôt avec le citron, l'orange ou d'autres fruits acides, comme les groseilles, les cerises, etc.; tantôt avec un acide végétal ou minéral, quelquefois avec un sel acide comme la crème de tartre, le citrate de magnésie, etc. Ces préparations se prennent froides. Elles ne doivent pas être renfermées dans des vases de métal qui puissent être attaqués par l'acide qu'elles contiennent. Les vases en verre ou en porcelaine sont ceux qu'il faut préférer.

Les limonades les plus employées sont les suivantes :

Limonade commune. La manière la plus ordinaire et la plus simple de faire cette limonade consiste à mettre un ou deux citrons coupés par tranches dans un litre d'eau à laquelle on ajoute 50 à 60 grammes de sucre, on laisse macérer pendant une ou deux heures. Quelquefois on enlève le zeste du citron; dans ce cas, il faut avoir soin de séparer en même temps le parenchyme blanc qui est sous-jacent, autrement cette partie communiquerait une saveur amère à la boisson; les semences doivent également être séparées. Souvent au lieu de composer la limonade à froid, comme il vient d'être indiqué, on se sert de préférence d'eau bouillante que l'on jette sur le citron. Cette limonade, qui est appelée *limonade cuite*, est moins acide au goût parce que l'eau a dissous une certaine quantité de mucilage.

La limonade à l'*orange* ou *orangeade* se prépare de la même manière, en remplaçant le citron par l'orange.

Les limonades à la *cerise*, à la *groseille*, à la *framboise*, etc., s'obtiennent en mêlant à 900 grammes d'eau, 100 grammes de chacun de ces sirops. Ces limonades sont gazeuses quand on remplace l'eau simple par de l'eau chargée d'acide carbonique. (*Codex.*)

La *limonade tartrique* se prépare en mêlant à 900 grammes d'eau, 100 grammes de sirop d'acide tartrique. Pour la *limonade citrique* et celle à l'*orange*, le sirop d'acide tartrique est remplacé par le sirop d'acide citrique aromatisé au citron ou à l'orange (*Codex*); ces limonades sont employées comme antiseptiques, rafraîchissantes et diurétiques.

Limonade lactique (Magendie). Acide lactique, 4 à 10 grammes; eau, 900 grammes; sirop de sucre, 100 grammes. Dans les cas de dyspepsie ou de simple affaiblissement des organes digestifs. Peu employée. [(*Voy.* Lactique (Acide).]

Limonade acétique ou *Oxycrat.* (Velpeau.) Vinaigre blanc, 30 grammes; eau commune, 900 grammes; sirop de sucre, 70 grammes. Boisson rafraîchissante employée dans les fièvres, les phlegmasies, etc.

Limonade alcoolique des hôpitaux. Alcool rectifié, 60 grammes; sirop tartrique, 60 grammes; eau, 880. Mêlez.

Limonade vineuse des hôpitaux. Vin rouge, 250 grammes; sirop tartrique, 60 grammes; eau, 700 grammes.

Limonade à la crème de tartre. Crème de tartre soluble, 20 grammes; eau bouillante, 900 grammes; sirop de sucre, 100 grammes. On fait dissoudre la crème de tartre dans l'eau, et on ajoute le sirop de sucre. (*Codex.*)

Limonade au citrate de magnésie (*voy.* Magnésie).

Limonade sèche. La limonade sèche est un mélange de poudres qui, mêlées avec l'eau donnent lieu à une boisson analogue à celle que l'on prépare avec le citron. Pour l'obtenir, on mélange 8 grammes d'acide citrique pulvérisé avec 125 grammes de sucre en poudre grossière aromatisé avec quelques gouttes d'oléo-saccharure de citron. On conserve dans un flacon qui ferme bien. La dose est d'une cuillerée pour un verre d'eau. Ce mélange peut être transformé en limonade gazeuse par l'addition de bicarbonate de soude qui, au moment de la dissolution dans l'eau, est décomposé par l'acide citrique avec dégagement d'acide carbonique. Voici alors la formule qu'il faut suivre pour l'obtenir : sucre rapé et aromatisé, 50 grammes; acide citrique, 3 grammes pour un paquet blanc. D'autre part, bicarbonate de soude, 2 grammes pour un paquet bleu. On fait dissoudre le contenu du paquet blanc dans un litre d'eau, puis on ajoute ce que renferme le paquet bleu. L'*orangeade sèche* se prépare de la même manière, mais en employant l'oléo-saccharure d'orange. On peut aussi préparer des limonades sèches avec d'autres acides.

Les limonades minérales sont celles dans lesquelles on fait entrer un acide minéral. La *limonade sulfurique* s'obtient en mélangeant 2 grammes d'acide sulfurique pur à 1,84 au densimètre, 900 grammes d'eau et 100 grammes de sirop de sucre. (*Codex.*) Cette limonade a été préconisée autrefois sous le nom d'*eau antiputride de Beaufort.*

On prépare de la même manière et aux mêmes doses les *limonades nitrique, phosphorique* et *chlorhydrique*, la première avec l'acide nitrique pur à 1,42, la seconde avec l'acide phosphorique pur à 1,45, et la troisième avec l'acide chlorhydrique pur à 1,17. Ces doses peuvent être augmentées ou diminuées selon le besoin.

T. GOBLEY.

§ II. **Hygiène.** Les limonades envisagées au point de vue de l'hygiène sont des boissons acidules gazeuses ou non-gazeuses, qui ont pour office d'étancher la soif. On en peut rapprocher de l'eau Seltz, dont on fait actuellement un usage si immodéré sur nos tables, et les eaux naturelles acidules gazeuses.

Les limonades sont des boissons rafraîchissantes; elles tempèrent la soif, produisent une sensation agréable de fraîcheur, calment l'excitation circulatoire et abaissent sensiblement la chaleur organique. Quelle est la cause de cet effet qui est de constatation journalière? Les acides végétaux tempéreraient-ils la chaleur en absorbant l'oxygène à leur passage dans le torrent circulatoire, pour se brûler et se transformer en dernière analyse en eau et en acide carbonique? (Délioux *Mém. sur les acides végétaux, Gaz. méd. de Paris*, 1851.) Les médecins qui ne reculent pas devant les interprétations chimiques, n'hésiteront pas à adopter celle-ci, que nous nous contentons de rappeler.

Le goût des boissons acidules est très-général; elles répondent à un appétit et à un besoin; mais leur usage doit, sous peine d'inconvénients très-sérieux, être maintenu dans de justes limites. Autrement elles débilitent l'estomac, produisent de la gastralgie, de l'inappétence, de la diarrhée par *indigestion aqueuse*, des flatulences, sans compter cette *ivrognerie des acides*, qui porte à acidifier de plus en plus ses boissons, pour satisfaire aux exigences d'un palais blasé par l'habitude. Ce dernier inconvénient, qui aboutit à des troubles graves de la nutrition, est surtout à craindre chez les gens nerveux, les femmes surtout, et principalement les chlorotiques, qui sont singulièrement disposées à cette appétence des acides. Les effets constatés à la suite de l'abus des boissons vinaigrées prises pour combattre un embonpoint disgracieux sont, à la mesure près, imputables à l'abus des limonades. Pour le dire incidemment, cette incartade hygiénique, arme de suicide plutôt que de coquetterie, ne date pas d'hier, puisque Guillaume Varignana, professeur à Bologne en 1302, connaissait les propriétés émaciantes du vinaigre, et l'employait dans ce but. (*Voy.* Sprengel, *Hist. de la méd.*, t. II, p 452.)

Les fruits acidules paraissent être l'un des besoins de la vie dans les pays chauds ; aussi la nature les a-t-elle multipliés, avec une véritable libéralité, dans les régions intertropicales; seulement (et c'est un enseignement dont l'hygiène doit profiter), le principe acide y est mitigé par des aromes variés, mais presque toujours fragrants, qui stimulent le goût et l'estomac, et préviennent l'état flatulent que ces boissons, auxquelles les gens du monde attribuent l'inconvénient d'être *froides*, sont disposées à produire. D'où aussi l'utilité des limonades, mais à la condition qu'elles soient prises avec discrétion. Celle, établissant, dans un ouvrage d'ailleurs très-bien fait, une distinction entre l'hygiène des climats chauds et humides, et celle des climats chauds et secs, admet que les boissons acidules, nuisibles dans les premiers et susceptibles d'augmenter la soif et de diminuer l'appétit, conviennent au contraire dans les seconds. (E. Celle, *Hyg. des pays chauds*, p. 216.) On ne saurait souscrire à cette distinction.

La question de l'opportunité de fournir aux équipages des bâtiments qui naviguent dans les pays chauds une boisson acidule propre à étancher leur soif, est peut-être une des plus graves de l'hygiène navale. Je l'ai longuement discutée dans un ouvrage spécial (*Traité d'hygiène navale ou de l'influence des conditions physiques et morales dans lesquelles l'homme de mer est appelé à vivre, et des moyens de conserver sa santé*, Paris, 1856, p. 546). Que la boisson soit simplement de l'eau acidulée par du vinaigre ; que ce soit la *posca* ou l'oxycrat des soldats romains ; que l'on substitue le jus de citron au vinaigre, quand les circonstances d'approvisionnement le permettent ; que ce soit de l'eau légèrement alcoolisée ; il n'en est pas moins vrai que le matelot ayant à disposition un *charnier* plein de ces breuvages est incité à boire, et qu'il arrive ainsi par l'habitude à une sorte d'ivrognerie des boissons aqueuses que je considère comme ayant sur la santé l'influence la plus déplorable. Mieux vaudrait certainement que chaque homme reçût par jour, et pour être consommé en dehors de ses repas, 1 litre d'une eau très-légèrement vineuse (au quart ou au cinquième, par exemple); on saurait ainsi ce que chaque matelot consommerait et on n'aurait pas à combattre à chaque instant ces diarrhées qui frappent quelquefois en même temps une grande partie d'un équipage, et qui tiennent à l'abus des boissons aqueuses ; on éviterait aussi ces troubles dyspeptiques qui ouvrent la porte à l'anémie et à son cortége de conséquences si graves.

Ce qui arrive pour les officiers qui abusent des limonades et qui ne savent pas maîtriser leur soif, est instructif à ce point de vue. Ces boissons acidules sont salutaires quand on les prend en petite quantité, mais dès qu'on se départ d'une modération nécessaire, elles deviennent une cause d'affaiblissement des plus fâcheuses, par l'abondance des sueurs qu'elles provoquent. Le corps transpirant sous les tropiques comme une sorte d'*alcarazas* poreux, se laisse traverser avec une rapidité incroyable par l'eau ou les boissons acidules qui s'échappent par la peau, entraînant avec elles les matières organiques qui entrent dans la composition de la sueur; d'où une déperdition et un affaiblissement inévitables, d'où aussi l'abondance de cette éruption papuleuse de bourbouilles (*lichen tropicus*), qui n'est pas l'une des moindres souffrances qui attendent l'Européen avant qu'il se soit *indigénisé*. Dans les pays où les citrons abondent, il est difficile de résister à la tentation d'en faire un usage excessif; on peut prévenir une partie des inconvénients attachés à cet abus, en additionnant les limonades d'une faible quantité de vin ou de quelques gouttes de rhum ou d'eau-de-vie. Dans les contrées chaudes, les boissons alcooliques très-diluées conviennent infiniment mieux que les boissons acidules, et surtout que les boissons aqueuses; mais l'eau, additionnée d'une très-légère quantité de café (*voyez* ce mot), est encore autrement salubre. Au lieu de provoquer la sueur, ce breuvage la modère; au lieu de fatiguer l'estomac, il le tonifie. Il est, au reste, un fait d'observation dans les pays chauds, et qui a son importance pratique; c'est qu'une résistance courageuse à l'appétit impérieux qui porte à boire une grande quantité de liquides entre les repas est récompensée bientôt par une diminution notable de la soif qui devient très-supportable. *Je suis convaincu que la moitié de l'hygiène des pays chauds réside dans l'abstention des boissons dans l'intervalle des repas*. J'ai dû à cette règle la conservation de ma santé pendant cinq ans de station au Sénégal, et j'y attache une importance capitale. (*Hyg. navale*, p. 430 et 549.) C'est là, du reste, une opinion partagée par beaucoup de médecins de la marine.

L'*eau vineuse* est, par le fait, une limonade, mais dans laquelle l'acidité est adoucie par les autres principes du vin. C'est la meilleure des boissons destinées aux malades. Elle peut les remplacer toutes, et nulle ne saurait la suppléer. On en gradue facilement la force, et suivant son degré de vinosité, elle est tout simplement ou tempérante ou tonique, enfin la diversité des vins qui peuvent servir à sa préparation, contribue encore à en faire varier la nature aussi bien que le goût. Le bourgogne, mais surtout le bordeaux sont les deux vins qui donnent la meilleure eau vineuse. L'addition de sucre et d'essence de citron, quelquefois d'une petite quantité du suc de ce fruit, ou le mélange avec l'eau de Seltz, concourent à rendre l'eau vineuse en même temps plus agréable et plus tempérante. Il n'est guère de malades qui ne recherchent avec avidité cette boisson, dans laquelle ils trouvent une diversion utile aux tisanes sucrées dont on les abreuve d'ordinaire.

Les *limonades gazeuses* (et l'eau de Seltz artificielle mérite ce nom, puisqu'elle n'est qu'une dissolution d'un acide gazeux dans l'eau) sont devenues depuis quelques années, grâce au perfectionnement des procédés de fabrication, un des besoins de l'alimentation. L'eau de Seltz, servie sur nos tables dans des cruchons siphoïdes, (dont le bec doit être en étain pur), ou préparée extemporanément dans nos maisons à l'aide des appareils gazogènes de Briet ou de Fèvre, l'eau de Seltz, dis-je, est consommée de nos jours avec une banalité et une intempérance qui doivent fixer l'attention de l'hygiéniste. (Fonssagrives, *Hyg. alim. des malades, des conval. et des valétud., ou du régime envisagé comme moyen thérapeutique*, 2e édit. Paris, 1867, p. 33. Voyez aussi Al. Aug. Legrand, *Sur l'eau de Seltz et la fabricat. des boissons gazeuses*. Paris, 1861.) L'inconvénient principal de l'usage journalier de l'eau de Seltz est d'habituer l'estomac à une stimulation sans laquelle il finira par ne plus pouvoir digérer, sans préjudice de l'excitation cérébrale produite par l'eau de Seltz, et qui se traduit par une ivresse très-passagère et très-faible, mais réelle.

Les eaux minérales naturelles de Saint-Galmier, Condillac, Schwalheim, entrent aussi dans nos habitudes alimentaires. Elles ont leur utilité sans doute, *mais ce sont des médicaments* à indications et à contre-indications nettement définies, et l'usage banal qu'on en fait, sans avis de médecin, a ses inconvénients.

Les *limonades gazeuses* ne sont que des limonades ordinaires diversement acidifiées et aromatisées et qui ont été chargées d'acide carbonique au moyen d'un appareil gazogène. Leur acidité, accrue par la présence du gaz, doit rendre très-réservé dans leur emploi. J'ai vu des gastralgiques qui ne pouvaient user de ces boissons sans en éprouver des crampes très-douloureuses.

Les limonades ne conviennent pas à tous les estomacs ; ceux qui sécrètent une quantité surabondante de suc gastrique s'en accommodent mal ; ils en éprouvent des pincements, si ce n'est des crampes douloureuses. Je crois même avoir trouvé dans la façon dont les acides et le sucre sont supportés par les malades un moyen de distinguer la dyspepsie acide de la dyspepsie par pénurie de sucs gastriques ou *apepsie*, comme l'appellent les Anglais. Le sucre et les acides déterminent du pyrosis dans le premier cas, ils facilitent la digestion dans le second. Si le sucre *fait digérer*, comme on le dit vulgairement, c'est parce qu'il favorise la dissolution des aliments en se transformant en acide lactique, mais il ne fait digérer que les *apeptiques ;* les dyspepsies avec acidités s'en trouvent au contraire très-mal. J'ai connu un malade qui ne digérait qu'à la condition de prendre, après ses repas, un verre de limonade concentrée ou quelques pelotes de sucre. Il y a là une question fort intéressante et qui, je le reconnais volontiers, appelle de nouvelles recherches cliniques.

§ III. **Thérapeutique.** I. LIMONADES ACIDULES. Ce sont celles dont nous venons de parler ; elles intéressent exclusivement l'hygiène alimentaire et ne sauraient être considérées comme des médicaments actifs ; elles sont désaltérantes, tempérantes, diurétiques. Leur action, en tout cas, n'étant qu'un diminutif de celles des limonades minérales, nous n'en dirons rien ; elles intéressent l'hygiène plus que la thérapeutique. Lorsque celle-ci veut obtenir un résultat médicamenteux, elle laisse de côté les limonades à sucs ou à acides végétaux, et s'adresse aux limonades minérales, qui sont bien autrement actives.

II. LIMONADES ACIDES MINÉRALES. On pourrait certainement, en exagérant les proportions des acides végétaux faibles qui servent à la composition des limonades, les faire rentrer dans la catégorie des *limonades acides ;* mais celles-ci peuvent être considérées comme exclusivement préparées avec les acides minéraux. Elles constituent en effet un groupe de médicaments à action physiologique et à indications nettement déterminées.

L'acide sulfurique, l'acide azotique, l'acide chlorhydrique, l'acide nitro-muriatique, l'acide phosphorique, isolés ou associés à d'autres principes médicamenteux, servent à la préparation de limonades minérales qui ont sensiblement la même action, et dont l'histoire thérapeutique peut être confondue dans une description générale, sauf à indiquer les applications spéciales qui ont été faites de chacune d'elles.

1° *Limonades minérales en général.* Les limonades minérales déterminent une sensation agréable de fraîcheur ; elles tempèrent la soif, causent à l'estomac une impression de vacuité qui ne se change en tiraillements que quand l'acidité dépasse une certaine limite ; dans ce cas, il se produit une sorte d'astriction, de pincements, et, chez les personnes délicates, de véritables spasmes gastralgiques. L'excitation de l'appétit et des aptitudes digestives, indiquée par quelques auteurs, Pereira entre autres, est un fait qui peut se rencontrer chez quelques dyspeptiques ou plutôt *apeptiques*, dont le suc gastrique manque d'acidité, mais qui est au moins douteux, dans l'état physiologique de l'estomac ; l'accélération des mouvements intestinaux, avec ou sans diarrhée, est aussi un des effets des limonades minérales. Leur action tempérante s'accuse par une diminution notable de la chaleur organique, un abaissement dans la force et la fréquence du pouls ; en même temps, les sécrétions apparentes sont modifiées; les sueurs diminuent; les urines augmentent et prennent un caractère anormal d'acidité. On avait contesté longtemps que les limonades minérales pussent produire ce dernier résultat, et on se fondait sur les affinités persistantes de leurs acides qui ne leur permettaient pas d'arriver en nature jusqu'aux urines; mais on sait maintenant que les réactions chimiques accidentelles dont notre organisme est le théâtre ne se passent pas toujours dans l'appareil circulatoire comme dans un verre, et que la présence des principes protéiques peut retarder, amoindrir, ou même empêcher certaines réactions d'éléments fort disposés par ailleurs à agir les uns sur les autres. L'albumine du sérum peut aussi s'opposer à la combinaison des acides avec les bases, la soude par exemple, et permettre aux premiers d'arriver jusqu'au rein qui les élimine; d'où une acidité anormale de l'urine, d'où aussi une plus grande quantité d'acides organiques, l'acide urique par exemple, que l'acide minéral a dégagés de leurs combinaisons salines. (*Voy.* l'article ACIDES, où cette question a été discutée.) Cette notion de la présence des acides minéraux en nature dans le sang rend compte de l action générale très-énergique exercée par les limonades préparées avec ces acides, action tempérante et astrictive à la fois, qui se fait sentir sur tous les organes et tous les tissus de l'économie.

Quand l'usage de ces limonades est accidentel, tout se borne aux effets que nous venons de signaler; mais se répète-t-il souvent, leur action est plus profonde et elle se traduit par cet ensemble de symptômes et de lésions que nous avons caractérisé par le mot d'*ivrognerie des acides*, à savoir : un état misérable de la nutrition, de l'amaigrissement poussé quelquefois jusqu'au marasme, une perte plus ou moins complète de l'appétit, une sorte de cachexie scorbutique, comme l'a indiqué Pereira.

Dans quel groupe thérapeutique doivent être rangées les limonades minérales? Mitscherlich les plaçait parmi les médicaments tempérants (*medicamenta temperantia*), dans le cinquième groupe de sa classification; Schultze en faisait des biolytiques (dissolvants), à action s'exerçant sur le sang (*hématolytiques*), et en particulier sur les globules (*hematolytica physoda*). Pour Giacomini, les acides dilués sont des hyposthénisants à action cardiaco-vasculaire, principalement portée sur le système veineux. Pereira les place dans le groupe des *hématiques* ou médicaments agissant sur le sang, et dans l'ordre des *spanémiques* ou médicaments altérants, *dysplastiques*. L'École pharmacologique française, s'attachant surtout à la dépression produite par les acides dilués sur le pouls et la chaleur, les classe dans le groupe des médicaments *tempérants*, et c'est là peut-être la moins défectueuse de ces caractérisations. Je ne dis rien de l'admission des acides dans le groupe ambigu des médicaments *irritants*, si ce n'est que l'autorité de Trousseau et Pidoux est impuissante à défendre un arrangement pareil, qui place la limonade sulfurique à côté du zinc, du cuivre, de la moutarde, des cantharides, de l'ortie, de la térébenthine, etc. L'ordre alphabétique vaut évidemment mieux qu'une pareille classification. S'il n'apprend rien, au moins il ne préjuge rien. Quelle est l'utilité *prouvée cliniquement* d'un agent thérapeutique contre une maladie ou un élément de maladie? telle est la question. Si la réponse éparpille un même médicament dans trois ou quatre groupes d'indications qu'il est susceptible de remplir, où est le mal? La bonne philosophie consiste à synthétiser ce qui peut l'être, et la mauvaise philosophie à synthétiser ce qui y répugne. Ainsi les limonades minérales seront, tour à tour, des tempérants ou *antiphlogistiques mineurs*, des *hémostatiques*, des *modificateurs de sécrétions*, etc., suivant qu'on se proposera cliniquement d'obtenir l'un ou l'autre de ces résultats, et qu'on emploiera les doses et la forme les plus convenables pour y arriver. C'est sous ces chefs principaux que nous allons ranger l'emploi thérapeutique des limonades minérales.

A. *Action tempérante.* Cette action leur est commune avec tous les acides dilués, mais les acides minéraux employés sous forme de limonades la produisent d'une façon bien plus apparente. J'appellerai *tempérants* les médicaments qui diminuent l'activité circulatoire et secondairement la chaleur organique, et qui ralentissant, par suite, les actes organiques interstitiels auxquels aboutit l'inflammation, peuvent être considérés comme des antiphlogistiques à action peu énergique, peu durable, mais très-réelle. Les limonades minérales remplissent à merveille cette indication. L'inflammation est le troisième acte d'une scène morbide dont le premier est constitué par un véritable orgasme circulatoire général, le second par une fluxion se localisant, le troisième par des changements nutritifs s'accomplissant dans l'organe ou le tissu fluxionné. Le premier peut manquer ou n'exister qu'à un degré peu appréciable. C'est le seul sur lequel les tempérants aient prise, c'est le seul aussi dans lequel il y ait opportunité à les employer.

Mais, en dehors de toute localisation, il peut y avoir intérêt à refréner le mouvement fébrile et à combattre certains de ses symptômes, tels que la chaleur, la soif, la véhémence du pouls. C'est ce qui se présente dans les fièvres essentielles graves, dans la fièvre typhoïde surtout. Les limonades minérales sont indiquées alors, non pas pour combattre la putridité, comme on le disait jadis, mais pour diminuer l'éréthisme circulatoire, faire tomber la chaleur fébrile et tempérer la soif. On défère en même temps à une autre indication importante : celle de soutenir les forces du malade en combinant l'action des amers, du quinquina, par exemple, ou du colombo (Pereira), avec celle des acides, c'est-à-dire en prescrivant des décoctions de ces plantes acidifiées par l'acide sulfurique.

B. *Action hémostatique.* Les limonades minérales sont extrêmement utiles dans les hémorrhagies internes non justiciables des moyens mécaniques ou chirurgicaux. Leur action me paraît être d'une double nature : elles modèrent la circulation et, par suite, diminuent la force d'afflux et de choc des colonnes sanguines sur les capillaires par lesquels se fait l'hémorrhagie, et puis aussi elles agissent par une action astrictive générale sur la contractilité des parois vasculaires qui, se resserrant, diminuent ou effacent la lumière des capillaires divisés ; peut-être aussi pourrait-on faire intervenir, dans une certaine mesure, une action des acides sur le sang lui-même dont les éléments seraient en quelque sorte coercés et qui deviendrait momentanément plus plastique, moins fluide. Les épistaxis, les métrorrhagies, les hémoptysies, les hématuries indiquent très-habituellement l'emploi de la limonade sulfurique. Dans cette dernière hémorrhagie, il y a évidemment une action topique dont il faut tenir compte. Les hémorrhagies passives survenant chez des individus faibles, épuisés, s'accommodent particulièrement de ce moyen.

C. *Action modificatrice des sécrétions.* Cette action des acides minéraux dilués explique leur utilité dans le groupe de maladies ou d'éléments morbides suivants :

a. Hétérocrinie des muqueuses. Les sécrétions muqueuses exagérées, quel que soit leur siége (catarrhe pulmonaire, utérin, vaginal, etc.), sont modifiées par les acides. Les muqueuses qui les fournissent sécrètent moins; elles deviennent plus sèches, et quand le but est dépassé, elles peuvent s'échauffer et devenir le siége d'une irritation subaiguë.

b. Hétérocrinies salivaires. La sialorrhée essentielle ou symptomatique est également justiciable de ce moyen, qui n'exclut du reste en rien les autres, employés simultanément ou concurremment.

c. Hétérocrinies gastro-intestinales. Je ne dirai rien ici de cette indication; je me réserve d'en parler plus bas à propos de l'emploi de la limonade chlorhydrique contre certaines formes de dyspepsie.

d. Hétérocrinies sudorales. C'est là l'une des meilleures et des plus utiles applications des limonades minérales. Les sueurs profuses des convalescents, des hectisiques, de la suette, indiquent ce moyen.

e. Hétérocrinies urinaires. Toutes les boissons acidules sont diurétiques; elles conviennent dès lors quand il faut pousser aux urines. Elles paraissent agir à la fois sur la quantité de l'élément aqueux de l'urine, constituer des *hydragogues rénaux* (Golding Bird), et augmenter en même temps les proportions d'acide urique éliminé dans un temps donné. J'ai dit plus haut que la décomposition des urates pouvait expliquer cette particularité. On a recommandé l'administration de la limonade sulfurique dans le cas de diathèse phosphatique. L'observation faite jadis par Brandes que les acides minéraux pris à l'intérieur sont susceptibles de transformer la gravelle blanche ou phosphatique en gravelle urique, est passible de l'explication donnée plus haut et mérite considération au point de vue pratique.

Toutes les indications des limonades minérales viennent se ranger sous l'un ou l'autre de ces chefs différents. Il serait superflu d'insister davantage sur ces généralités. Examinons l'emploi spécial de chacune d'elles envisagée en particulier.

2° *Limonades minérales en particulier.* Les acides sulfurique, azotique, nitro-muriatique, chlorhydrique, phosphorique peuvent entrer dans leur composition. Chacune de ces sortes de limonade minérale demande à être étudiée séparément au double point de vue de l'adaptation thérapeutique et de la posologie.

A. *Limonade sulfurique.* C'est, sans contredit, la plus usitée de toutes, et il est beaucoup de praticiens qui l'emploient d'une manière exclusive, ce qui, à mon avis, n'est pas justifié.

Sydenham en faisait un usage très-ordinaire et il considérait l'*esprit de vitriol* comme un agent usuel dans le traitement des fièvres et des varioles. La fièvre continue des années 1673, 74 et 75 lui fournit l'occasion d'expérimenter les bons effets des boissons acidulées par l'acide sulfurique. Il y avait recours principalement quand dominait la forme phrénétique, et il dit à ce propos : « Rien ne fit si bien dans cette occasion que l'esprit de vitriol mêlé par gouttes dans de la petite bière (on sait que c'était sa tisane favorite), que je donnais ainsi pour boisson ordinaire après une saignée, et un ou deux lavements. En peu de jours il procurait du sommeil, dissipait les symptômes et guérissait le malade. Aucune autre méthode ne me réussissait, à beaucoup près, autant. Un grand nombre d'expériences me persuadèrent de la bonté de ce remède. » (*Méd. prat.* de Sydenham, trad. Jault, Paris, 1774, p. 216). L'esprit de vitriol était aussi l'un des éléments de cette méthode rafraîchissante que Sydenham inaugura d'une manière si sagace et si hardie en même temps dans le traitement de la variole. Les petites véroles irrégulières des années 1674 et 1675 lui fournirent l'occasion d'expérimenter la limonade sulfurique, ou plutôt la *bière sulfurique*, sur une grande échelle. Il exprime en ces termes sa pensée sur ce moyen : « Je m'avisai enfin de l'esprit de vitriol et je crus qu'il serait en état de remplir les deux indications qui consistaient à détruire la putridité et à diminuer la violence de la chaleur. Je ne faisais rien aux malades jusqu'à ce que les douleurs et les envies de vomir qui ont coutume de précéder l'éruption eussent cessé et que toutes les pustules fussent sorties. Le cinquième ou le sixième jour de la maladie, je commençais à faire user de l'esprit de vitriol. On le mêlait dans de la petite bière jusqu'à une agréable acidité. Cette bière, ainsi préparée, était la boisson ordinaire du malade jusqu'à ce qu'il fût parfaitement guéri, et je l'obligeais d'en boire abondamment, surtout lorsque la suppuration approchait. *L'esprit de vitriol était le vrai spécifique de cette maladie, et il arrêtait merveilleusement tous les symptômes.* Le visage s'enflait de meilleure heure et beaucoup davantage. Les interstices des grains étaient plus rouges. Les plus petites pustules grossissaient, du moins autant que le permettait cette sorte de petite vérole. Les pustules, qui autrement auraient été noires, rendaient une matière jaune et couleur de miel... La suppuration et tout le reste se faisait plus tôt... J'ai parlé des bons effets de ce remède. Quant aux inconvénients, *je ne lui en ai jamais trouvé aucun.* A la vérité, il arrête presque la salivation le dixième ou le onzième jour, mais ce défaut est suppléé par quelques selles qui arrivent alors et qui sont moins dangereuses pour le malade que n'était la salivation. » (*Op. cit.*, p. 224.) J'ai tenu à reproduire ce passage, parce qu'il a une importance pratique considérable ; ce que Sydenham a vu au lit du malade est bien vu, et il y aurait certainement lieu de restaurer l'emploi de la limonade sulfurique dans les varioles graves. La crainte d'une répercussion cutanée est purement théorique. La petite vérole confluente, mais non maligne, lui paraissait également indiquer l'emploi de la limonade à l'esprit de vitriol (*loc. cit.*, p. 574 et 388).

Dans sa lettre touchant une nouvelle sorte de fièvre qui parut en 1685, Sydenham vante aussi l'emploi de l'acide sulfurique très-étendu; les médecins qui l'ont suivi employaient également les limonades sulfuriques contre les fièvres. « Les acides, disait Grimaud, comme rafraîchissants et comme antiseptiques, sont éminemment indiqués dans la fièvre ardente. » (*Cours des fièvres*, par feu M. de Grimaud, 2e éd., Demorcy-Delettre. Montpellier, 1815, t. III, p. 287.) Mais il est vrai que, réagissant timidement contre l'opinion de Massarias, qui redoutait les acides dans les fièvres à cause de leur qualité astringente, ce grand praticien s'en tenait aux seules limonades végétales. (*Op. cit.*, p. 288.) La limonade sulfurique n'en mérite pas moins une place importante dans le traitement complexe des fièvres graves, comme moyen de réfréner la chaleur fébrile et de faire baisser le pouls, et elle est encore mieux indiquée quand, ainsi que cela arrive souvent, il y a tendance aux hémorrhagies passives. Desbois (de Rochefort) la préconisait contre les fièvres adynamiques. (*Cours élém. de mat. médicale*, éd. Lullier-Winslow, Paris, 1817, t. I, p. 204.)

Alibert conseillait la limonade sulfurique dans le traitement des maladies cutanées; elle constituait, de son temps, une des tisanes les plus habituelles de l'hôpital Saint-Louis. (*Nouv. élém. de thérap. et de matière médicale*, Paris, an VIII, t. II, p. 129.) On ne saurait se contenter d'indications aussi vagues. Pereira a mieux spécifié en considérant la limonade sulfurique comme le meilleur moyen auquel on puisse recourir pour rafraîchir la peau, et éteindre l'ardeur et les démangeaisons qui accompagnent le lichen, le prurigo et l'urticaire chroniques. (*The Elem. of Materia Medica and Therapeutics*, London, 1854, fourth edition, vol. I, p. 371.) Encore une bonne indication à remettre en vue.

Entre les maladies hémorrhagiques il en est une, le purpura, qui semble indiquer naturellement la limonade sulfurique. L'auteur précité dit l'avoir employée sans avantage aucun. Tous les praticiens ne souscriront peut-être pas à cette condamnation sommaire.

Je signalerai enfin, pour être complet, l'emploi de la limonade sulfurique dans les diarrhées anciennes et dans le choléra. Les essais de Kox, de Kensaltown, de Fuller et de Millar, dans cette dernière voie, n'ont peut-être pas été suffisamment poursuivis.

La limonade sulfurique peut être préparée avec l'acide sulfurique, ou bien avec des mélanges divers dans lesquels intervient cet acide. Je citerai au premier rang l'*eau de Rabel* (acidum sulfuricum alcoolisatum), qui contient 1 partie en poids d'acide sulfurique, pesant 1,84, sur 3 parties d'alcool à 90°, et qui est colorée en rouge par des pétales de coquelicot; cette eau s'emploie à la dose de 6 à 8 grammes dans 1 litre de véhicule; l'élixir vitriolique de Mynsicht, qui renferme 1 gramme d'acide sulfurique par kilogramme; la liqueur acide de Haller, qui contient parties égales d'alcool et d'acide sulfurique et s'emploie à la dose de 4 grammes pour la confection de 1 litre de limonade.

L'acide sulfurique aromatique (*acidum sulfuricum aromaticum* de la pharmacopée d'Édimbourg) contient de l'acide sulfurique du commerce, de l'alcool rectifié, de la cannelle et du gingembre. Il s'emploie aux mêmes doses que l'*acide sulfurique dilué* des trois pharmacopées de la Grande-Bretagne, lequel est constitué par 1 partie d'acide sulfurique et 15 parties d'eau distillée.

On peut rendre la limonade sulfurique plus agréable en l'édulcorant avec des sirops de fruits acides, sirops de limons, de groseilles, de framboises, et en y ajoutant une ou deux gouttes d'huile essentielle de citron. La précaution de maintenir cette limonade dans du verre, carafe ou bouteille, est indispensable; elle dissout en effet énergiquement les métaux et l'émail contenant du plomb.

B. *Limonade azotique.* Indépendamment des usages généraux des limonades minérales et auxquels s'applique la limonade nitrique, il en est qui lui sont spéciaux et dont je dois parler ici.

Un médecin anglais, qui exerçait à Bombay à la fin du siècle dernier, le docteur Scott, a préconisé la limonade azotique dans le traitement des maladies chroniques du foie. Cette pratique, dont il paraît avoir obtenu les meilleurs résultats, n'a pas pénétré chez nous. Nos médecins de la marine ont, en fait de traitement de l'hépatite chronique, un vaste champ d'expérimentation au Sénégal, aux Antilles, dans l'Inde, etc., et il n'est peut-être pas inopportun de leur rappeler cette méthode. C'est également à Scott que l'on doit l'idée d'avoir recours à l'acide azotique très-étendu comme médicament antiphlogistique. Cruicshank, Rœderer, Holst (de Christiania), Samuel Cooper et d'autres, ont apporté leur témoignage, et il est considérable, en faveur de cette méthode. Pereira, qui invoque ces autorités, pense que, quand le mercure, l'iode, l'or, etc., viennent à échouer, il est loisible de tenter ce moyen, principalement chez les scrofuleux, qui sont souvent, c'est un fait d'observation, réfractaires à l'action des mercuriaux. (*Op. cit.*, vol. I, p. 430.) Ce même auteur conseille alors d'employer l'acide azotique dans une décoction de salsepareille. Je rappellerai enfin que la limonade azotique a été préconisée contre l'albuminurie. Le docteur Hausen (de Trèves) paraît avoir eu le premier l'idée de ce moyen, que la *Gazette des hôpitaux* signalait en 1846 à l'attention des médecins français; peu après, Forget, de si regrettable mémoire, lui consacrait, dans le *Bulletin de thérapeutique*, un travail intéressant (*du Traite-*

ment de l'albuminurie ou néphrite albumineuse par l'acide nitrique, 1847, t. XXXII, p. 5). Il relatait une observation « d'albuminurie avec anasarque, datant de deux mois, et qui s'amenda à partir du moment où on administra l'acide nitrique. » Le vingt-deuxième jour, les urines ne charriaient plus d'albumine. Forget expliquait ce résultat par une action topique exercée sur le rein par l'acide nitrique qu'y apporte le sang. La vérification clinique importe plus qu'une explication, mais je ne sache pas qu'elle ait prononcé depuis. L'albuminurie n'étant qu'un symptôme de causes, de durée et de mécanisme très-divers, les problèmes thérapeutiques qui s'y rapportent sont complexes et exigent une analyse très-attentive. Forget recommandait l'emploi d'une limonade contenant 2 à 4 grammes d'acide azotique pour 500 grammes ou 1 kilogramme d'eau convenablement édulcorée. Sa formule vaut mieux que celle de Hausen, qui recommande une potion très-acide et dont l'estomac doit difficilement s'accommoder.

Si l'on emploie l'acide nitrique alcoolisé (acide nitrique à 1,31, 1 partie en poids; alcool à 90°, 3 parties), il faut évidemment tripler les doses, c'est-à-dire employer pour 1 litre d'eau de 6 à 12 grammes de ce mélange.

C. *Limonade chlorhydrique*. La limonade chlorhydrique a les mêmes usages que les autres limonades minérales; elle est du reste moins employée qu'elles et peut-être à tort; elle a en effet l'avantage d'une homogénéité du principe acidifiant avec le suc gastrique, condition de tolérance facile; et d'ailleurs les expériences de digestion artificielle tentées dans les laboratoires de physiologie ont montré l'activité de son pouvoir dissolvant. Il y a de plus certaines incompatibilités chimiques qui doivent le faire préférer à la limonade sulfurique. C'est ainsi que j'ai vu prescrire simultanément dans des hémorrhagies graves une potion au perchlorure de fer et une limonade sulfurique, association éminemment incorrecte et qui n'est peut-être pas sans inconvénients; je prescris dans ce cas la limonade chlorhydrique.

L'emploi de cette limonade a surtout été vanté contre une certaine forme de dyspepsie, celle que l'on peut supposer entretenue par un défaut d'acidité du suc gastrique. Trousseau a surtout insisté sur l'emploi de l'acide chlorhydrique dans ce cas. On mélange quatre gouttes de cet acide avec un verre d'eau, et les malades prennent ce breuvage à la fin de leur repas. (*Gaz. des hôpit.*, 1848, p. 143, et *Clinique médicale de l'Hôtel-Dieu*, 2ᵉ édit., Paris, 1865, t. III, p. 58.) Le docteur Wells a indiqué comme signe différentiel de la dyspepsie acide et de la dyspepsie alcalescente le siége spécial de la douleur dans chacune d'elles. Dans la première, elle occuperait le cardia; dans la seconde, le pylore. De plus, l'acidité de l'urine serait un indice de l'opportunité des alcalins, tandis que l'abondance des phosphates et oxalates de chaux montrerait qu'il y a lieu de recourir de préférence aux acides (*Bulletin de thérapeutique*, 31 juillet 1860, p. 88). Ce sont là des signes assez vagues, et on peut dire que jusqu'à présent le tâtonnement peut seul servir à différencier ces deux indications. J'ai dit plus haut que le sucre et les limonades constituaient des pierres de touche à interroger.

D. *Limonade nitro-muriatique*. On sait que l'acide nitro-muriatique ou eau régale se prépare en chauffant au bain-marie un mélange de 1 volume d'acide azotique et de 3 volumes d'acide chlorhydrique. La réaction donne naissance à un liquide très-volatil, qui est l'acide hypochloroazotique AzO^2Cl^2. L'eau régale a une couleur jaune; elle constitue un poison corrosif des plus violents. On peut la faire entrer dans la confection d'une limonade, qui a les propriétés et les usages des autres limonades minérales : dermatoses avec prurit, maladies syphilitiques rebelles aux moyens ordinaires, maladies du foie. Je dirai cependant que, dans ce cas, on emploie moins l'acide nitro-muriatique à l'intérieur qu'en bains. Cette pratique, recommandée par le docteur Lendrick, est en usage dans l'Inde. Ces bains se préparent, au dire d'Ainslie, avec 1 once d'acide pour 1 gallon (environ 5 litres) d'eau. (*Voy.* Pereira, vol. I, p. 433.) Je ne sache pas que ni la limonade ni les bains nitro-muriatiques aient été employés chez nous.

E. *Limonade phosphorique.* Pereira s'exprime de la façon suivante au sujet de la limonade phosphorique : « Elle est plus douce que la limonade sulfurique, plus inoffensive pour les fonctions digestives. On lui a attribué divers effets, qui demandent à être vérifiés. C'est ainsi que Hecker lui concède une action spéciale sur le système nerveux, action à la fois sédative et antispasmodique ; que Leuten considère l'acide phosphorique comme ayant une utilité particulière dans les maladies du système osseux ; que Sandelin en fait un stimulant génital énergique, etc. » (*Op. cit.*, p. 349.)

On a préconisé la limonade phosphorique contre la lithiase phosphatique, dans l'espoir de suracidifier le phosphate de chaux et d'augmenter ainsi sa solubilité; dans le diabète, contre les troubles de l'hystérie, etc. Tout est à vérifier à propos de ce médicament ; mais s'il était bien constaté que l'acide phosphorique donne du ton au système et relève les forces, la limonade phosphorique serait préférable à la limonade sulfurique dans les fièvres graves avec dépression et adynamie. L'avantage qu'elle a d'être mieux et plus longtemps tolérée par l'estomac mérite aussi d'être pris en considération. FONSSAGRIVES.

LIMONIA L. Genre de plantes, de la famille des Aurantiacées, dont les fleurs, tétra ou pentamères, sont construites comme celles des Orangers, sinon qu'elles n'ont que huit ou dix étamines et des loges ovariennes uni ou biovulées, au nombre de quatre ou cinq. Ce sont des arbustes aromatiques des pays chauds, à feuilles trifiliolées ou imparipennées. Le *L. crenulata* ROXB. (*Pl. corom.*, 1, 86), ou *L. acidissima* L., est une espèce de l'Inde, aromatique, tonique, excitante. Ses feuilles sentent l'anis ; on les emploie contre les coliques, la dyspepsie, l'épilepsie. Le *L. madagascariensis* LAMK (*Dict.*, III, 517) a les mêmes propriétés stimulantes ; on l'appelle vulgairement *Bois d'Anis*. Le *L. lanceolata* fournit un parfum musqué.

Le *L. citrifolia* W. est un *Glycosmis*.

Le *L. trifoliata* L. est un *Triphasia*.

Le *L. monophylla* DC., plante indienne, usitée comme tonique, antirhumatismale, est l'*Atalanta monophylla* DC. H. BN.

L., *Gen.*, n. 534. — DC., *Prodr.*, I, 536. — RHEEDE, *Hort. malab.*, IV, t. 14. — MÉR. et DEL., *Dict.*, IV, 119. — H. BN., *De la fam. des Aurant.* Thèse de Paris (1855), 33, 54. — ROSENTH., *Syn. pl. diaph.*, 756.

LIMONINE. Principe amer renfermé dans les pepins des oranges et des citrons. La limonine se présente sous forme de petits cristaux plus solubles dans l'alcool, l'acide acétique, la potasse, que dans l'eau, l'éther et l'ammoniaque. L'acide sulfurique, en la dissolvant, prend une teinte rouge; si l'on verse de l'eau dans la dissolution, elle en précipite la limonine.

LIMONIUM. *Voy.* BEHEN.

LIMULE. *Voy.* XYPHOSURES.

LIN (*Linum* L.). § I. **Botanique.** Genre de plantes qui a donné son nom à la tribu ou famille des Linées ou Linacées, et dont les caractères sont les suivants. Les fleurs sont régulières et hermaphrodites. Sur leur réceptacle convexe s'insèrent : un calice de cinq sépales, disposés dans le bouton en préfloraison quinconciale, cinq pétales alternes, caducs, tordus dans la préfloraison, et un androcée de dix étamines monadelphes à la base. Cinq d'entre elles sont superposées aux sépales, et fertiles ; leurs filets, devenus libres, supportent chacun une anthère biloculaire, introrse, déhiscente par deux fentes longitudinales. Quant aux cinq étamines superposées aux pétales, elles demeurent stériles et ne sont représentées que par des petites languettes. Le gynécée est supère, il se compose d'un ovaire, surmonté d'un style à cinq longues branches dont le sommet est stigmatifère. A la base de l'ovaire se voit un disque hypogyne de cinq glandes oppositipétales. L'ovaire a primitivement cinq loges superposées aux pétales avec deux ovules collatéraux, insérés vers le haut de l'angle interne, descendants, le micropyle étant dirigé en haut et en dehors et coiffé d'un obturateur. Mais, plus tard, chaque loge se trouve subdivisée en deux demi-loges uniovulées par une fausse cloison qui, née de la périphérie, s'avance dans l'intervalle des deux ovules. Le fruit est une capsule quinquiloculaire, à déhiscence septicide, et chaque demi-loge renferme une graine descendante dont les téguments recouvrent un embryon entouré d'une couche ordinairement mince d'albumen. Les cotylédons sont charnus et la radicule supère. Les Lins sont des plantes herbacées ou suffrutescentes, qui croissent dans toutes les régions tempérées ou chaudes (extra-tropicales) des deux mondes. Leurs feuilles sont simples, alternes, rarement opposées, sans stipules. Leurs fleurs sont groupées en cymes, tantôt bipares, tantôt unipares et par suite, simulant des grappes. Plusieurs espèces sont employées en médecine, surtout la première de celles que nous allons énumérer.

I. LIN CULTIVÉ (*Linum usitatissimum* L., *Spec.*, 397.—DC., *Fl. franç.*, IV, 798. —BLACKW., *Herb.*, t. 180.—KERN., t. 100.—STURM., *Fasc.* 26, t. 12). C'est une plante annuelle, à racine grêle, surmontée d'une tige grêle, effilée, cylindrique, glabre, simple ou seulement un peu ramifiée dans sa portion supérieure, dressée. Les feuilles sont alternes, sessiles, linéaires-lancéolées, planes, aiguës, entières, à bords lisses, glabres, d'un vert glauque, avec trois nervures longitudinales peu visibles sur la face inférieure. Les feuilles supérieures sont souvent très-étroites, subulées. Les fleurs sont d'un bleu pâle, réunies en cymes corymbiformes au sommet des branches. Le calice est formé de cinq sépales, ovales-acuminés ou presque lancéolés, membraneux sur les bords, parcourus par trois nervures longitudinales, persistants. La corolle a de grands pétales, trois fois plus longs que le calice, atténués inférieurement en onglet, obovés, arrondis, obtus, échancrés ou crénelés au sommet, très-caducs. Les étamines sont toutes réunies à la base en un tube un peu renflé. Celles qui sont fertiles, sont bien plus courtes que la corolle ; leur anthère est sagittée. Celles qui sont stériles sont réduites à de très-petites languettes blanches, aiguës. L'ovaire est ovoïde, lisse, luisant, glabre, atténué au sommet et surmonté des cinq branches grêles et obtuses du style. Le fruit est une capsule globuleuse, acuminée, égalant à peu près le calice, brunâtre à la surface, spongieuse et blanchâtre à l'intérieur, et contenant jusqu'à dix graines descendantes. Celles-ci sont seules employées en médecine ; elles sont ovales-comprimées, à bords aigus, non marginés ; brunes, très-lisses et luisantes à la surface. Elles se composent d'un triple tégument, d'un albumen peu épais et d'un assez gros embryon, à radicule supère, à cotylédons légèrement charnus et huileux. Ce sont les portions intérieures de la graine, notamment l'embryon, qui, dans leur parenchyme, renferment la matière huileuse, unie à de l'aleurone. Quant au tégument superficiel de la graine, il est formé de cellules à paroi peu épaisse, qui sous l'influence de l'eau ont la propriété de se dilater instantanément. En même temps ces parois, fort écartées les unes des autres, se ramollissent et s'épaississent ; et c'est ce tissu cellulaire ainsi modifié qui constitue le mucilage des graines de Lin. On sait que la plante est surtout utile à l'industrie et à l'économie domestique, par la substance textile qu'elle fournit ; celle-ci est formée par les fibres libériennes de l'écorce. Le *Linum usitatissimum* est cultivé en France : il s'y trouve également à l'état subspontané; mais il n'est pas probable qu'il soit, comme on l'a dit, une plante réellement indigène. Les Lins chaud (ou Lin têtard), froid (ou grand Lin), moyen (*Linum medium* Desf.) et humble. (*Linum humile* Mill.) ne sont que des formes ou variétés de cette espèce.

II. Lin purgatif (*Linum catharticum* L., *Spec.*, 401.—DC., *Fl. franç.*, IV, 801. —Barrel., *Icon.*, 1165, fig. 1. —*Engl. Bot.*, t. 382. — *Cathartolinon pratense* Reichb., *Icon.*, VI, t. 325, fig. 5153) est le type d'une section particulière de ce genre (*Cathartolinum* Grisb., *Spicil. fl. rum.*, 115), caractérisée par des feuilles opposées, sans glandes à leur base. C'est une petite herbe annuelle, haute d'un ou quelques décimètres, à tige plus ou moins couchée à sa base, puis redressée, très-grêle, partagée à partir d'un niveau variable en branches dichotomiques ténues. Les feuilles sont étalées, planes, uninerves, bordées d'aiguillons menus, les inférieures oblongues-obovales; les supérieures linéaires-lancéolées. Les fleurs sont petites, blanches, réunies en cymes pauciflores, dichotomes, ou plus ou moins irrégulières. Leur calice est formé de cinq sépales elliptiques-subulés, bordés de glandes stipitées, parcourus par une nervure dorsale épaisse. Les pétales sont une fois plus longs que les sépales, obovales, souvent émarginés. L'ovaire, globuleux, est surmonté d'un style à branches capitées. Le fruit est une capsule globuleuse, égale au calice, renfermant des graines comprimées et non marginées. Cette petite herbe est commune en France, dans les prés humides, les clairières des bois, des plaines et des montagnes, le bord des chemins herbeux et des marécages; elle commence à fleurir en mai et en juin.

A côté de ces espèces, il faut en citer quelques-unes qui sont peu employées : les L. *Lewiskii* Pursh, de l'Amérique du Nord, *perenne* L. de Sibérie, *austriacum* L. (L. *aureum* DC. — L. *corymbulosum* Reichb.), d'Europe, qui sont des espèces textiles ; le L. *aquilinum* Mol. (L. *Chamissonis* Schid.) ou *Yango* du Chili, usité dans ce pays comme digestif, stomachique, carminatif; le L. *selaginoides* Lamk, employé dans les mêmes contrées comme apéritif et amer, digestif.

Le *Lin Radiole* est devenu le type du genre *Radiola*, dont les fleurs sont tétramères.

Le *Lin bâtard ou sauvage* est le Garou (*Daphne Gnidium*).

Le *Lin de la Nouvelle-Zélande* est le *Phormium tenax* Forst.

Le *Lin des marais* est une Linaigrette (*Eriophorum*).

Le *Lin de lièvre*, une Cuscute, le *Cuscuta Epithymum*, encore nommée *Lin maudit*.

La Linaire vulgaire et l'Achillée Ptarmique portent encore le nom de *Lin sauvage*.

H. Bn.

L., *Gen.*, n. 380 (part.). — Gærtn., *Fruct.*, II, 146, t. 112. — Lamk, *Illustr.*, t. 219. — Endl., *Gen.*, n. 6056. — Guib., *Drog. simpl.*, éd. 4, III, 599. — Mér. et Del., *Dict.*, IV, 122. — DC., *Prodr.*, I, 423.—Rich. (A.), in *Dict. de médec.* (en 30 vol.), XVIII, 117; *Élém.*, éd. 4, II,

403. — GREN. et GODR., *Fl. de Fr.*, I, 279. — PEREIRA, *Elem. Mat. med.*, éd. 5, I, p. 11. — LINDL., *Fl. med.*, 129. — ROSENTH., *Syn. pl. diaphor.*, 892. — RÉV., in *Fl. méd. du XIXe siècle*, II, 230. — H. BN, ap. PAYER, *Leç. sur les fam. nat.*, 595.

§ II. **Pharmacologie.** Dans le lin, les graines seules offrent ici de l'intérêt. Elles contiennent une très-grande quantité d'huile grasse et de mucilage. Ce mucilage existe spécialement dans le tégument propre de la graine, tandis que c'est l'amande qui fournit l'huile. La graine de lin contient : mucus végétal, extractif, sucre, amidon, cire, résine molle, matière colorante jaune, gomme, albumine, huile grasse et différents sels. La graine de lin est le médicament émollient par excellence; le mucilage et l'huile contribuent l'un et l'autre à ses propriétés. Le mucilage en forme la cinquième partie environ, et est composé de moitié gomme soluble dans l'eau froide, analogue à l'arabine, et moitié gomme non soluble se gonflant dans l'eau bouillante à la manière de la bassorine. La proportion d'huile varie, suivant M. Meurein, de 32 à 38 pour 100.

Voici les différentes formes pharmaceutiques sous lesquelles la graine de lin est employée.

Mucilage de lin. Graine de lin, 1 partie; eau, 5 parties. On fait digérer pendant quelques heures et on passe. (*Codex.*)

Tisane de lin. Graine de lin 10 grammes, eau bouillante 1000 grammes. On laisse infuser pendant une demi-heure, et on passe. (*Codex.*) Cette boisson peut être préparée à froid ou par macération; dans ce cas elle est plus agréable au goût. Le contact de la graine avec l'eau froide doit alors être prolongé plus longtemps.

Lotion ou lavement de graine de lin. On fait bouillir 10 grammes de graine de lin pendant un quart d'heure dans une quantité d'eau suffisante pour obtenir un demi-litre de produit; on passe.

Poudre ou *farine de graine de lin.* Pour la préparer on prend la graine séparée de la poussière à l'aide d'un crible métallique et privée par le triage des corps étrangers qui l'accompagnent quelquefois, et on la sèche à l'étuve. On la pile ensuite par contusion dans un mortier de fer où on la pulvérise à l'aide d'un moulin à noix d'acier et à arêtes tranchantes; on passe la poudre à travers un tamis en toile métallique. (*Codex.*) La farine de lin doit contenir toute la graine, amande et spermoderme; elle doit être récemment préparée pour éviter la rancidité de l'huile. Elle est douce au toucher et reste en masse quand on l'a pressée dans la main; elle forme émulsion avec l'eau, et ne bleuit pas quand on ajoute au mélange de la teinture d'iode.

Les pharmaciens doivent toujours faire préparer chez eux la farine de lin qui doit être employée à la préparation des cataplasmes. Celle du commerce est souvent falsifiée; on la mélange de tourteau de lin, de son, de sciure de bois, etc. La meilleure de toutes les épreuves consiste à épuiser la farine de lin par l'éther; elle doit fournir 35 pour 100 d'huile.

Cataplasme de farine de lin. Farine de lin récente 60 grammes, eau 250 grammes. On délaye la farine avec l'eau dans un poêlon; on agite sur le feu jusqu'à ce qu'elle soit cuite et qu'elle ait communiqué à la masse une consistance de pâte assez épaisse et tenace. Lorsqu'on ajoute à cette masse 10 grammes d'onguent basilicum, on obtient le *cataplasme maturatif*. Pour avoir le *cataplasme calmant*, on remplace l'eau ordinaire par une décoction de têtes de pavots et de feuilles de jusquiame, ou on arrose de laudanum la surface du cataplasme avant de l'appliquer.

Les *farines émollientes* sont un mélange, à partie égale, de farine de lin, de farine de seigle et de farine d'orge.

L'*huile de lin* qu'on retire à froid de la graine est quelquefois employée en médecine. L'huile de lin ainsi obtenue est douce et bien différente de celle qu'on fabrique par l'expression à chaud pour les besoins des arts. C'est une huile siccative qui s'altère promptement et qu'on doit renouveler souvent. Elle est limpide, d'un jaune foncé, d'une densité de 0,933; elle est émolliente et légèrement laxative, on la prescrit en lavement à la dose de 50 à 100 grammes. Elle sert aussi à la fabrication des bougies. (*Voy.* BOUGIES.)

T. GOBLEY.

§ III. **Thérapeutique.** 1° *Lin cultivé.* Bien que la graine de lin soit, dit-on, employée comme aliment chez certaines peuplades sauvages, on doit la considérer comme peu convenable pour l'alimentation. L'auteur de l'*Historia plantarum*, J. Bauhin, d'après Cazin, raconte que l'usage d'un pain fait avec les semences de lin, pendant une famine à Middelbourg, amena des troubles du côté des voies digestives, avec bouffissure de la face. Le tourteau de lin est néanmoins donné en nourriture aux bestiaux et aux volailles, et l'on comprend que chez les animaux qui le digèrent, les parties grasses assimilables dont il est imprégné le rendent propres à l'engraissement.

En thérapeutique, les graines de lin sont employées à l'intérieur et à l'extérieur.

La tisane de graines de lin est légèrement diurétique, propriété qu'elle doit surtout à la présence de quelques sels de potasse découverts par Vauquelin dans le mucus. Elle est aussi, et surtout, adoucissante. Sous ces deux rapports, elle convient principalement dans les affections gastro-intestinales de nature inflammatoire, et dans certaines maladies des voies urinaires, telles que la néphrite, la cystite, la blennorrhagie, etc. Enfin, on peut la considérer comme relâchante; mais c'est surtout l'huile de lin qui jouit de cette propriété. Aussi est-il souvent avantageux, quand l'emploi soutenu de la macération des semences n'amène pas la liberté du ventre, de recourir à l'ingestion de l'huile soit le matin à jeun, soit avant le repas, à la dose de une ou plusieurs cuillerées à bouche. Il est donc naturel qu'on ait eu recours à ce moyen, et qu'on s'en soit bien trouvé, contre les vers intestinaux et dans certains cas d'hémorrhoïdes, d'obstruction stercorale, d'iléus, etc.; mais il est permis de douter de son efficacité, sinon au titre banal de laxatif et d'adoucissant, dans les phlegmasies du poumon et de la plèvre, malgré l'autorité de Baglivi et de quelques autres.

La graine de lin, comme relâchante, peut être donnée en nature à la manière du son. On prend une cuillerée à dessert de semences, soit légèrement écrasées, soit entières, au commencement du repas ou le matin à jeun.

Les lavements de décoction de graines de lin sont précieux dans les cas de constipation occasionnée principalement par le durcissement des matières. Ils agissent également comme antiphlogistiques, surtout quand, donnés en petite quantité, ils peuvent être retenus par l'intestin. Il nous arrive assez fréquemment d'administrer en demi-lavement la farine de semences de lin elle-même à l'état de cataplasme semi-liquide. Cette bouillie, indépendamment de ses propriétés adoucissantes, a l'avantage de se mêler aux matières, de s'interposer entre leurs parties dures et de faciliter les garde-robes, mieux que la simple décoction. Elle réussit bien dans les cas de bourrelet hémorrhoïdal. Le lavement d'eau de graine de lin un peu épaisse est aussi un véhicule commode pour l'introduction, dans le rectum, de substances peu solubles, ou dont le contact trop direct avec la muqueuse pourrait avoir des inconvénients.

On connaît l'usage si fréquent de la farine de graine de lin sous forme de cataplasmes. Mais il ne sera question de ce mode d'emploi qu'à l'article où les divers genres de cataplasme seront étudiés et comparés. (*Voy.* CATAPLASME.)

Enfin, on prépare avec la décoction de graine de lin des bains locaux ou généraux. Les derniers sont peu employés, bien qu'ils soient de nature à rendre les mêmes services que l'eau de son; mais on a recours fréquemment aux premiers dans les cas d'affections cutanées plus ou moins compliquées d'inflammation. A cet égard il faut savoir que certains eczémas, certaines dartres, peuvent se trouver assez mal du contact prolongé de l'eau de graine de lin, tandis qu'ils seront favorablement modifiés par un autre liquide adoucissant, tel que l'eau de son ou d'amidon. C'est l'expérience individuelle, l'expérience du cas lui-même, qui devra guider le praticien.

2° *Lin cathartique.* Cette plante, recommandée surtout par Linné comme purgative, a été dotée par les auteurs de vertus médicinales très-diverses; on l'a notamment regardée comme antiarthritique et comme diurétique. Sa seule propriété incontestable est celle de purger, et les indications de son emploi se tirent uniquement des états pathologiques auxquels convient la purgation. Qu'elle ait réussi contre l'hydropisie, contre les vers intestinaux, contre la goutte, on peut le croire volontiers; mais il est douteux que le résultat n'eût pas été obtenu avec d'autres substances purgatives. En un mot, comme l'ont dit Coste, Wilmet, Wanters, Loiseleur-Deslongchamps, le lin cathartique est un bon succédané du séné.

Comme il passe, à tort ou à raison, pour déterminer aisément la flatulence, on l'associe fréquemment aux carminatifs, à la badiane, au cardamome, ce qui a d'ailleurs l'avantage d'en corriger le goût amer et nauséabond.

On l'emploie en feuilles à la dose de 8, 10, 15 grammes, infusée dans 1 litre d'eau bouillante, ou, comme en Irlande, dans la bière et le vin. La poudre se prend à la dose de 1 à 4 grammes. On prépare aussi un extrait aqueux qui peut être administré à la dose de 25 à 30 centigrammes. A. D.

LINACRE (THOMAS), en latin *Linacer*, mérite à plusieurs titres, comme nous allons le voir, la reconnaissance de la postérité. Né à Cantorbéry, vers 1460, il suivit d'abord les cours de l'université d'Oxford, puis se rendit en Italie pour se perfectionner dans la connaissance des langues anciennes. Là, il étudia le latin sous le célèbre Ange Politien et le grec sous Démétrius Chalcondylas, un des réfugiés de Constantinople, et devint le plus habile grammairien de son temps dans ces deux langues. Riche de ce premier fonds, il voulut approfondir la philosophie et la médecine grecques, surtout dans Galien, dont il devait, plus tard, traduire plusieurs ouvrages importants. De retour en Angleterre, il devint successivement médecin des rois Henri VII, Henri VIII et de la princesse Marie. En même temps qu'il se faisait, comme praticien, la plus brillante réputation, il s'occupait ardemment des progrès de la médecine, venant en aide, de ses conseils et de sa bourse, aux étudiants qui montraient d'heureuses dispositions. Mais ce n'est pas tout, il enleva au clergé, alors seul en possession de ce privilége, le droit de conférer les grades en médecine; dans ce but, il fonda avec l'aide du fameux cardinal Wolsey, le collége royal de médecine de Londres, dont la création fut autorisée par lettres patentes du roi datées de l'année 1518, et sanctionnées par le Parlement. Il fut expressément spécifié que personne ne pourrait exercer la médecine en Angleterre qu'il n'eût été, auparavant, examiné par le président du collége et trois des élus, ce dont il devait pouvoir présenter les preuves testimoniales. Étaient exceptés les gradués de l'une des deux universités d'Angleterre, ce qui leur conférait un titre pour pratiquer dans tout le royaume jusqu'aux limites d'un rayon de 7 milles de Londres. Le collége devait exercer une surveillance sur l'exercice de la médecine, mais particulièrement sur la vente des remèdes dans Londres. Premier président de cette Société, Linacre la réunissait dans sa maison, qu'il lui légua après sa mort. Enfin il fit le fonds de trois chaires de médecine, deux à Oxford et une à Cambridge, avec mission spéciale d'expliquer Hippocrate et Galien aux étudiants.

Par ses traductions, par ses tendances, Linacre peut être considéré comme un des restaurateurs de la doctrine hippocratique à cette belle époque si bien nommée époque de la Renaissance. Cet illustre savant succomba aux progrès d'une affection calculeuse le 20 octobre 1524, à l'âge de soixante-quatre ans.

Au point de vue de la médecine, Linacre n'a laissé que la traduction de quelques traités de Galien, écrits dans un style qui faisait l'admiration d'un juge sévère et autorisé, le savant Érasme. Nous ne citons que ces traductions, laissant de côté ses ouvrages grammaticaux. *De sanitate tuenda.* — *De methodo medendi.* — *De inæquali temperie.* — *De symptomatum differentiis.* — *De symptomatum causis.* — *De naturalibus facultatibus.* — *De pulsuum usu.* — *De temperamentis.* Quelques-uns de ces ouvrages ont été imprimés de son vivant, mais le plus grand nombre après sa mort. Ils figurent à leur place dans la plupart des traductions latines de Galien, à cause de leur élégance et de leur fidélité. E. Bgd.

LINAIRE (*Linaria* Tournef.) Genre de Dycotylédones appartenant à la famille des Scrophularinées. Établi par Tournefort, ce genre fut confondu par Linné avec les *Antirrhinum;* mais il s'en distingue par des caractères assez saillants pour que de Jussieu, de Candolle, et, après eux, les botanistes modernes, l'en aient séparé d'une manière définitive. La présence d'un éperon à la corolle et celle de deux ouvertures régulièrement percées au sommet ou sur les côtés de la capsule soit par la chute de petites valves, soit par celle d'opercules circulaires, sont les principaux caractères différentiels des Linaires. Elles ont d'ailleurs, comme les *Antirrhinum:* un calice quinque-partite; une corolle personée, le plus souvent fermée à la gorge par une sorte de palais; 4 étamines didynames; une capsule ovoïde ou globuleuse à 2 loges presque égales. Les graines sont oviformes ou discoïdes, entourées d'une aile membraneuse.

Les Linaires sont des plantes herbacées, rarement sous-frutescentes. Les espèces en sont nombreuses, mais quelques-unes seulement ont été regardées comme officinales. Les *Linaria triphylla* Mill., *spuria* Mill., *Elatine* Mill. et *cymballaria* Mill, étaient employées comme vulnéraires et résolutives. La plus usitée de toutes était le *Linaria vulgaris* Mill., abondamment répandue dans presque toute l'Europe. Ses propriétés diurétiques lui avaient fait donner le nom d'*Urinaria.* Aussi l'employait-on contre les obstructions des viscères : on en faisait aussi un onguent qu'on appliquait sur les hémorrhoïdes. C'est la seule Linaire qui soit restée encore dans quelques pharmacopées allemandes.

Tournefort, *Instit.*, 168. — Jussieu, *Gener. Plant.*, p. 120. — DC., *Flore Franç.*, III, 582. — Chavannes, *Monogr. des Antirrhinées*, p. 91. Planchon.

LIND (JAMES). Médecin anglais, qui eut, dans la seconde moitié du dernier siècle, une grande et légitime réputation. Après avoir été reçu docteur à Édimbourg en 1748, il navigua longtemps sur les vaisseaux de l'État, devint ensuite médecin de l'hôpital de Hasler et mourut à Gosport le 13 juillet 1794 dans un âge assez avancé. Doué d'un remarquable génie d'observation, Lind a su débrouiller le chaos dans lequel était plongée l'histoire du scorbut. Cette maladie, surtout depuis la déplorable élucubration d'Eugalen, était regardée comme une sorte de protée pathologique venant insidieusement compliquer la plupart des maladies. Lind fit voir qu'il s'agissait, au contraire, d'une maladie tout à fait spéciale, développée dans des conditions déterminées et sous des influences extérieures; il démontra que le froid humide en est la cause principale, que la mauvaise nourriture, les chagrins, la misère et les conditions hygiéniques fâcheuses qu'elle entraîne à sa suite, en sont les adjuvants ordinaires; enfin, il fit connaître avec une remarquable précision les symptômes et le traitement de cette maladie. A part quelques explications humorales, sacrifice indispensable aux idées du temps, le traité du scorbut est encore aujourd'hui l'une des meilleures monographies que l'on possède sur ce sujet.

Dans son essai sur les maladies des Européens dans les pays chauds, il insista beaucoup sur les effets nuisibles de l'air marécageux et montra les dangers de la saignée dans les fièvres de ces régions. Son traité sur les maladies des gens de mer a rendu d'immenses services à la marine et peut être mis à côté du célèbre ouvrage de son compatriote et contemporain John Pringle sur les maladies des armées.

On doit à Lind les ouvrages suivants, dont ceux que nous avons rappelés sont encore consultés avec fruit.

I. *De morbis venereis localibus*. Th. d'Edinb., 1748, in-8°. Réimpression dans le *Thesaurus disput. Edinensium* de Smellie, t. I, p. 381. Edinb., 1778, in-8°. — II. *A Treatise on Scurvy, in Three Parts, containing an Inquiry into the Nature, Causes and Cure of that Disease*, etc. Edinburgh, 1753, in-8°; Lond., 1756, in-8°; ibid., 1772, in-8°. Trad. fr. sous ce titre : *Traité du scorbut divisé en 3 parties*, etc. (avec la traduct. du traité du scorbut par Boerhaave et les comment. de van Swieten). Paris, 1756, 2 vol. in-12; ibid., 1771, 2 vol. in-12. Trad. allem. par J. N. Petzold. Leipzig, 1775, in-8°. — III. *An Essay on the most Effectual Means of preserving the Health of Seamen in the Royal Navy*. Edinb., 1757, in-8°; ibid., 1763, in-8°; ibid., 1774, in-8°. Trad. fr. Paris, 1758, in-12. — IV. *Two Papers on Fevers and Infections*. Lond., 1765, in 8°. Trad. fr. par Fouquet. Montp., 1781, in-8°; Genève, 1798, in-8°. — V. *An Essay on Diseases incidental to Europeans in Hot Climates with the Method of preventing their Fatal Consequences*. etc. Lond., 1768, in-8°; ibid., 1771, in-8°; ibid., 1775, in-8°; ibid., 1808, in-8°, etc. Trad. fr. par Thion de la Chaume (avec notes). Paris, 1785, 2 vol. in-12. Trad. allem par J. N. Petzold. Riga, 1773, in-8. — VI. *Treatise on the Putrid and Remetting Fen-Fever which raged at Bengal* (1762). Lond., 1772, in-12. — VII. Cinq ou six mémoires sur divers sujets de pathologie et de thérapeutique. In *London Universal Magazine*. E. Bgd.

LINDEN (JOH.-ANTON. VAN DER), médecin érudit du dix-septième siècle, naquit le 13 janvier 1609, à Enckhuysen, où son père exerçait la médecine et remplissait en même temps les fonctions de directeur du collége. Ses humanités terminées, Linden alla étudier la médecine à Leyde, et se fit recevoir docteur à Franeker en 1630; c'est dans cette ville qu'il fut rappelé neuf ans plus tard, alors qu'il s'était fait une bonne réputation de praticien à Amsterdam, et il fut chargé d'y enseigner les différentes branches de la médecine. Enfin, ses succès dans l'enseignement lui valurent l'honneur d'être choisi, en 1651, pour occuper la chaire de médecine dans la célèbre université de Leyde, et il remplit ces fonctions jusqu'à l'époque de sa mort, arrivée le 5 mars 1664.

Linden s'occupa beaucoup de bibliographie, et la science lui doit le premier recueil important de ce genre. Voici le jugement qu'en porte Haller, juge aussi compétent qu'impartial. Son livre, dit-il, ne donne que les titres des ouvrages en latin, laissant de côté les dissertations académiques. Bien qu'il soit un peu sec, puisque l'auteur ne dit pas un mot des ouvrages eux-mêmes, de leur contenu, de leur valeur, il n'en est pas moins très-utile. Linden fut puissamment aidé dans ce vaste travail par quelques amis, Pedro Neurat (de Madrid), Carlo Offredo (de Padoue), Fervaques (de Bruxelles), et quelques médecins allemands. Malgré le nombre des ouvrages qu'il relate, il y a cependant quelques omissions, quelques erreurs de dates, quelques répétitions; mais, au total, ces fautes sont rares, et Haller ajoute cette phrase remarquable de modestie : « *Neque ego unquam hanc bibliothecam tolerabilem* (la *Biblioth. med.-pract.*) *perfecissem nisi a Lindenio adjutus fuissem.* » On doit encore à van der Linden une édition gréco-latine d'Hippocrate, en 2 vol. in-8°, qui eut un grand succès, dû, il faut l'avouer, en grande partie à la commodité du format et à la beauté de l'impression. Il a donné aussi une édition de Celse assez médiocre. A l'exemple de de le Boë, son célèbre compatriote et collègue à l'université de Leyde, van der Linden, malgré son amour pour l'antiquité, s'était rattaché à l'école chimiatrique issue de Paracelse et de van Helmont. Aussi a-t-il reçu, comme praticien, quelques traits un peu émoussés, il faut le dire, du mordant Guy-Patin, qui lui portait quelque amitié en faveur, sans doute, de son grec et de son érudition, et le regardait « comme plus honnête homme qu'il n'était éclairé. »

Voici la liste de ses principales publications :

I. *Universæ medicinæ compendium, decem disputationibus propositum, addita est centuria*, etc. Franeker. 1630, in-4°. — II. *Manuductio ad medicinam.* Amstelod. 1637, in-8°. Lovani, 1639, in-12°. (La première édition de ce traité parut en tête de la première édition de l'ouvrage suivant.) — III. *De scriptis medicis* L. II. Amstelod, 1637, in-8, ibid., 1651, in-8, etc. (A été refondu par Mercklein sous le titre *Lindenus renovatus.*) — IV. *Medulla medicinæ partibus quatuor comprehensa. Præmissa sunt*, etc. Franeker, 1642, in-8. — V. *Dissert. de lacte.* Groningæ. 1655, in-16. — VI. *Selecta medica.* Lugd. Batav. 1656, in-4°. — VII. *De hemicrania menstrua.* Ibid., 1660, in-4°. — VIII. *Meletemata medicinæ hippocraticæ.* Ibid., 1660. in-4, et Francof. 1672, in-4. — IX. *Hippocratis de circuitu sanguinis.* Ibid., 1661, in-4°. — X. *Hippocratis coi opera omnia.* Ibid., 166 , 2 vol. in-8, et Venetiis, 1664, in-4. — XI. Édit. de Celse. Lugd. Batav. 1657, in-12, et ibid., 1665, in-12. — XII. Édit. de Spigel. Amstelod, 1645, 3 vol. in-fol., etc. E. BGD.

LINGUA. De même que plusieurs plantes médicinales portent, d'après la forme de quelqu'une de leurs parties, le nom vulgaire de Langue (*voy.* ce mot), de même on désignait en latin la Scolopendre officinale sous le nom de *Lingua cervina*, et le Bolet hépatique sous le nom de *Lingua bovina*. Le *L. avis* était le fruit du Frêne commun (*Fraxinus excelsior* L.). H. BN.

LINGUAL INFÉRIEUR ; LINGUAL SUPÉRIEUR (MUSCLES). (*Voy.* LANGUE).

LINGUAL TRANSVERSE (MUSCLE). *Voy.* LANGUE.

LINGUAL (NERF). *Voy.* MAXILLAIRE SUPÉRIEUR (Nerf).

LINGUAL DE HIRSCHFELD (NERF). C'est le rameau du nerf facial qui va aux muscles stylo-glosse et glosso-staphylin. [*Voy.* FACIAL (nerf).]

LINGUALES (ARTÈRE ET VEINES). § I. **Anatomie.** Il est peu d'organes supérieurs à l'organe du goût sous le rapport de la richesse vasculaire : aussi les vaisseaux artériels et veineux destinés à la langue présentent-ils un calibre relativement considérable.

I. ARTÈRE. § I. **Anatomie.** L'*artère linguale* naît sur la face antérieure de la carotide externe, entre la thyroïdienne supérieure et la faciale. On la voit souvent (7 fois sur 50 d'après Haller) se détacher de la faciale, beaucoup plus rarement de la thyroïdienne supérieure. Dans la majorité des cas, son origine est située sur le trajet d'une ligne qui prolongerait en arrière la grande corne de l'os hyoïde; mais il existe, à cet égard, d'assez nombreuses variétés. Sur 38 sujets examinés à ce point de vue, Mirault a trouvé que la linguale naissait 21 fois au niveau de la grande corne, 14 fois de 2 à 16 millimètres au-dessus et 3 fois seulement de 2 à 6 millimètres au-dessous. Quelle que soit, d'ailleurs, son origine, elle ne tarde pas à prendre se rapports normaux avec l'os hyoïde et le muscle hyo-glosse.

D'abord légèrement oblique en haut et en avant, l'artère linguale devient ensuite horizontale et parallèle au bord supérieur de la grande corne de l'os hyoïde, dont elle est éloignée de 1 à 2 millimètres; c'est dans cette portion de son trajet qu'elle s'engage au-dessous du muscle hyo-glosse. Arrivée vers la partie moyenne de la grande corne de l'hyoïde, un peu au delà du bord antérieur de l'hyo-glosse, elle change de direction, devient sensiblement ascendante, gagne l'épaisseur de la langue et s'applique sur la face externe du muscle génio-glosse, qu'elle suit en serpentant, jusqu'à la pointe de la langue, où elle se termine en s'anastomosant avec la linguale du côté opposé. Les nombreuses flexuosités qu'elle décrit dans tout son parcours lui permettent de s'accommoder, sans se rompre, aux changements de volume que l'organe du goût subit à chaque instant.

Dans sa première portion, c'est-à-dire depuis son origine jusqu'à la grande corne de l'os hyoïde, l'artère linguale est recouverte par le digastrique, le stylo-hyoïdien et le nerf grand hypoglosse. Au-dessus de l'os hyoïde, elle est comprise entre la face profonde du muscle hyo-glosse et le constricteur moyen du pharynx; on la voit cependant, quelquefois, s'engager dans l'épaisseur même des fibres de l'hyo-glosse, mais cette disposition est extrêmement rare et, pour ma part, je ne l'ai jamais rencontrée dans mes dissections. Dans la langue, où elle prend le nom d'artère *ranine*, l'artère linguale se trouve d'abord située entre le constricteur supérieur du pharynx et le basio-glosse, puis entre le génio-glosse et le lingual inférieur qui la recouvre toujours dans une certaine portion de son étendue. Les deux linguales ne sont plus alors séparées, jusqu'à leur terminaison, que par l'épaisseur des deux muscles génio-glosses, et s'envoient, à travers les faisceaux de ces muscles, des anastomoses transversales; leur face inférieure est en rapport avec le nerf lingual et la muqueuse.

Trois branches collatérales naissent de l'artère linguale. Ce sont, par ordre d'origine : 1° le rameau sus-hyoïdien, 2° l'artère dorsale de la langue, 3° l'artère sublinguale.

Le rameau *sus-hyoïdien* n'est qu'une artériole sans importance qui suit le bord supérieur de l'os hyoïde et va, sur la ligne médiane, s'anastomoser avec celle du côté opposé, dans l'espace celluleux compris entre les muscles génio-hyoïdien et génio-glosse.

L'artère *dorsale* de la langue est rarement d'un volume bien considérable; parfois elle manque complétement. Elle naît au niveau de la grande corne de l'os hyoïde, se dirige de bas en haut sur les parties latérales de la langue, à la hauteur du pilier antérieur du voile du palais, auquel elle donne quelques rameaux très-grêles; puis elle change de direction, se porte de dehors en dedans et d'arrière en avant, et se termine sous le V lingual, en s'unissant à sa congénère. Ses principaux rameaux sont destinés à la muqueuse de la langue, à l'amygdale et à l'épiglotte ; ces derniers s'anastomosent avec les branches terminales de l'artère laryngée supérieure.

L'artère *sublinguale* est la plus volumineuse des trois branches collatérales de la linguale. D'après Cruveilhier, elle provient aussi souvent de la faciale, par un

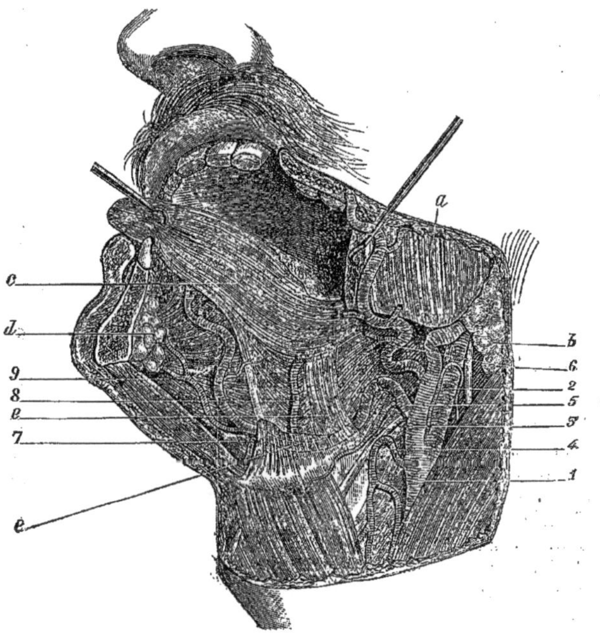

a. Muscle masséter. — *b*. Glande parotide. — *c*. Faisceau longitudinal du stylo-glosse. — *d*. Glande sublinguale. — *ee*. Muscle hyo-glosse. — 1. Tronc de la carotide primitive. — 2. Tronc de la carotide interne. — 3. Tronc de la carotide externe. — 4. Thyroïdienne supérieure. — 5. Linguale. — 6. Faciale. — 7. Rameau sus-hyoïdien de la linguale. — 8. Artère dorsale de la langue. — 9. Artère sublinguale.

tronc commun avec la sous-mentale, que de la linguale elle-même. Née au-devant du bord antérieur de l'hyo-glosse, elle se porte horizontalement d'arrière en avant, entre le mylo-hyoïdien et le génio-glosse, accompagne le canal de Wharton et suit e bord inférieur de la glande sublinguale, à laquelle elle fournit quelque rameaux. Très-flexueuse dans tout son parcours, elle se subdivise, un peu avant d'arriver au frein de la langue, en deux branches terminales. La plus volumineuse porte le nom d'*artère du frein ;* elle s'anastomose par arcade avec celle du côté opposé ; l'autre se ramifie dans la muqueuse buccale, traverse le ventre antérieur du digastrique et va s'unir à des rameaux de la sous-mentale.

A part les trois branches précédentes, la linguale donne encore un grand nombre dè rameaux innominés qui, presque tous, se détachent de sa face supérieure et montent verticalement au milieu des fibres musculaires de la langue, jusqu'à la muqueuse. La distribution de ces rameaux aux différentes papilles de l'organe du goût a déjà été exposée dans un autre article. (*Voy.* LANGUE.)

II. VEINES. En raison de sa très-grande mobilité et de la compression nécessairement exercée sur les vaisseaux pendant les contractions musculaires, la langue est pourvue d'un double réseau veineux destiné à mieux assurer la circulation de retour et à prévenir la stase sanguine. On y distingue donc, comme aux membres, des *veines superficielles* et des *veines profondes*.

Les premières tirent directement leur origine des réseaux sous-muqueux. Celles de la face dorsale forment, vers la base de la langue, un riche plexus en communication avec les veines tonsillaires et épiglottiques. De ce plexus part, de chaque côté, un gros tronc qui accompagne le nerf lingual et qui, après avoir reçu des branches venues de la langue et de la glande sublinguale, aboutit à la veine faciale ou à la pharyngienne, souvent même à la jugulaire externe. Ce tronc s'anastomose largement avec les veines superficielles de la face inférieure de la langue. Celles-ci portent le nom de veines *ranines*, et sont au nombre de deux, une pour chaque moitié de l'organe. Dirigées d'arrière en avant, en dehors du lingual inférieur, elles suivent le trajet du nerf grand hypoglosse, entre les muscles génio-glosse et hyo-glosse, reçoivent des rameaux de la glande sublinguale et font, de chaque côté du frein, une saillie bleuâtre. Les veines ranines communiquent avec un très-riche plexus situé sur les côtés de la langue; elles se jettent dans la veine faciale ou dans le tronc commun des veines dorsales.

Les veines profondes se résument en deux troncs de très-petit calibre qui accompagnent l'artère linguale et l'enlacent de leurs anastomoses, à la manière des veines profondes des membres. Ces deux troncs aboutissent à la veine faciale ou à la jugulaire interne, quelquefois au tronc commun des veines dorsales ou à la jugulaire antérieure, ainsi que Cruveilhier l'a observé une fois. Sur le tiers des sujets environ, l'artère linguale n'a qu'une seule veine collatérale.

Toutes les veines de la langue sont munies de valvules.

§ II. **Pathologie et médecine opératoire.** Malgré leur volume considérable, les vaisseaux de la langue n'ont qu'une importance très-médiocre au point de vue pathologique. La plupart de leurs lésions ne méritent pas une étude séparée, et presque toutes les considérations qui auraient pu, à la rigueur, être insérées ici, ont déjà été exposées dans un autre article. (*Voy.* LANGUE.) Il est douteux que l'on connaisse plus d'un cas d'anévrysme vrai de l'artère linguale, il a été cité par Collomb. Tous les autres paraissent plutôt se rapporter à des tumeurs érectiles, genre d'affection dont je n'ai point à m'occuper ici.

A. ARTÈRE. Par sa position profonde, l'artère linguale est peu exposée à l'action des corps vulnérants. Sa situation au milieu d'une masse musculaire peu résistante lui permet de céder à la pression des projectiles et d'échapper ainsi à une lésion qui semblerait *a priori* inévitable. On connaît un assez grand nombre d'exemples de balles, de chevrotines ayant traversé la langue ou s'étant logées dans son épaisseur; mais dans aucun de ces cas il n'est fait mention d'une hémorrhagie grave due à la section de la principale artère de l'organe du goût. J'en excepterai pourtant l'observation rapportée par Maisonneuve (*Clinique chirurgicale*, t. II) : une balle entrée par la région sous-hyoïdienne avait intéressé l'artère ranine du côté gauche et donné lieu à un écoulement sanguin qui nécessita la ligature de la linguale.

. . . .

Les plaies par instrument tranchant sont plus fréquentes, mais presque jamais accidentelles. Le plus souvent, en effet, elles succèdent à une opération chirurgicale et l'ouverture de l'artère est faite de parti pris.

On s'est beaucoup préoccupé d'éviter l'artère ranine en pratiquant la section du frein de la langue. N'y aurait-il pas eu à cet égard quelque exagération? Sans doute, la lésion de l'artère principale n'est point impossible à un opérateur malhabile ou à la suite d'un faux mouvement. Mais si l'on admet que le tranchant des ciseaux ne doit porter que sur la muqueuse du filet, on concevra sans peine que le seul vaisseau qui coure des risques sérieux soit l'artère du frein ou tout autre petite branche de l'artère sublinguale. En pareil cas, l'hémorrhagie, bien que peu abondante, n'en doit pas moins être attentivement surveillée, car, entretenue par les continuels mouvements de succion de l'enfant, elle pourrait devenir dangereuse par sa continuité même. Il est rare, d'ailleurs, qu'elle ne cède pas à une simple cautérisation au nitrate d'argent.

Toutes les fois qu'on attaque une tumeur de la langue avec l'instrument tranchant, on intéresse nécessairement l'une des artères linguales au moins, et l'on est exposé à un écoulement sanguin d'autant plus grave que l'on agit plus près de la base de la langue, c'est-à-dire sur un point plus rapproché de l'origine des vaisseaux. L'emploi des serre-nœuds ou de l'écraseur, tout en diminuant les chances d'hémorrhagie, n'en met cependant pas à l'abri d'une manière certaine. Porter une ligature sur l'extrémité divisée de l'artère est chose à peu près impossible, à cause de la profondeur de la plaie. D'ailleurs le vaisseau se rétracte constamment et disparaît au milieu des parties molles où l'on ne peut l'atteindre, à moins qu'on n'ait, au préalable, scié le maxillaire inférieur sur la ligne médiane. Le cautère actuel est alors le seul hémostatique vraiment utile dans la plupart des cas ; mais il ne réussit pas toujours, soit que l'hémorrhagie persiste malgré l'application du feu, soit qu'après avoir cédé momentanément, elle se reproduise à la chute des eschares. En présence d'un écoulement sanguin incoercible, il n'y a plus d'autre parti à prendre que d'aller lier l'artère linguale dans les parties saines, loin du siége de la blessure.

On a prétendu que Collomb, le premier, pratiqua cette ligature. C'est là une erreur qu'il importe de rectifier. Après avoir ouvert un anévrysme de la linguale, Collomb fit une ligature médiate dans l'épaisseur même de la langue. C'est à Béclard que revient l'honneur d'avoir le premier songé à porter un fil sur cette artère. Blandin décrivit ensuite un procédé qui permet d'arriver au but, par la région sus-hyoïdienne, mais il n'eut jamais occasion de l'appliquer sur le vivant. La première ligature de linguale fut pratiquée par Mirault (d'Angers), en 1834. Ayant à enlever un volumineux cancer de la langue, et craignant l'hémorrhagie, Mirault voulut lier préalablement les deux artères linguales, mais il ne put atteindre le vaisseau du côté gauche. Il fut plus heureux du côté droit et réussit à porter un fil sur l'artère, mais après avoir été obligé de couper, entre deux ligatures, la veine jugulaire externe et la veine pharyngienne; l'ablation de la tumeur se fit du reste sans hémorrhagie, bien que l'artère linguale gauche n'eût pas été liée. Peu après, Flaubert répéta la même opération dans des circonstances analogues, mais en produisant des délabrements plus considérables encore, car il excisa la portion inférieure de la glande sous-maxillaire qu'il avait d'abord prise pour un ganglion tuméfié, il coupa l'anse de l'hypoglosse et sectionna, entre deux ligatures, la veine jugulaire externe et le confluent des veines linguales et pharyngiennes. Viennent ensuite d'autres opérateurs parmi lesquels il faut surtout citer Demarquay qui, après avoir lié huit fois la linguale avec succès, a consigné le résultat de ses recherches dans un intéressant et consciencieux mémoire que j'ai mis à profit pour la rédaction de cet article. J'emprunte à ce mémoire le tableau suivant comprenant douze cas, dans lesquels la ligature de la linguale a été pratiquée dans des circonstances diverses.

A ces douze opérations, j'en ajouterai deux autres pratiquées par Malgaigne, dans le but de prévenir l'hémorrhagie pendant l'ablation de deux tumeurs cancéreuses de la langue étendues jusqu'au plancher de la bouche. (Malgaigne, *Médecine opératoire*, 7e édition, 1861, page 497.)

Il suffit d'un coup d'œil jeté sur ces quatorze observations, pour voir que l'artère linguale a été liée : 1° pour arrêter une hémorrhagie fournie par une blessure ou une ulcération de la langue ; 2° pour prévenir l'écoulement sanguin pendant l'ablation d'une tumeur cancéreuse de l'organe du goût ; 3° Pour arrêter le développement d'un cancer ou d'une tumeur érectile et atrophier la production pathologique.

Trois fois la ligature a été pratiquée pour arrêter une hémorrhagie. Une première fois par Maisonneuve, dans un cas auquel j'ai déjà fait allusion. La balle avait traversé de bas en haut la région sus-hyoïdienne et le plancher de la bouche, presque sur la ligne médiane. L'écoulement sanguin ne put être maîtrisé par le tamponnement, et il fallut se décider, au bout de plusieurs jours, à agrandir l'ouverture faite à la peau et à lier au fond de la plaie l'extrémité béante de l'artère divisée. Malgré la ligature, l'hémorrhagie se renouvela et emporta le malade.

Deguise fut plus heureux : appelé près d'un enfant de 2 ans et demi, dont la langue était le siége d'un nævus ulcéré par la surface duquel le sang s'écoulait en nappe, il employa d'abord la cautérisation, mais sans résultat. L'hémorrhagie continuant et l'enfant étant presque exsangue, le chirurgien lia la linguale du côté droit. Le sang s'arrêta immédiatement, mais il reparut le cinquième jour pendant quelques moments seulement. Le septième jour, nouvelle hémorrhagie très-abondante, qui cessa spontanément et ne se renouvela plus. L'enfant guérit.

Dans l'observation de Demarquay, le résultat ne laisse rien à désirer. Après l'ablation d'un cancer de la langue, l'artère s'était rétractée dans les tissus, et le cautère actuel fut insuffisant pour arrêter l'hémorrhagie. La ligature de la linguale fut pratiquée, et l'écoulement sanguin cessa immédiatement pour ne plus reparaître.

En somme, deux succès sur trois opérations, et encore, avant d'accuser la ligature, faut-il faire la part de toutes les circonstances qui ont précédé la mort du malade de Maisonneuve. Au reste, quand il s'agit d'une hémorrhagie incoercible, je ne crois pas que la question d'indication doive être posée. Lorsque tous les hémostatiques ont été vainement employés, lorsque le malade paraît voué à une mort certaine, la ligature s'impose au chirurgien ; c'est là une affaire de nécessité et non de choix.

Comme hémostatique préventif, la ligature préalable d'une ou des deux linguales a été pratiquée six fois avant l'ablation d'un cancer de la langue. Mirault, Flaubert, Roux, Sédillot, l'ont exécutée chacun une fois; Malgaigne l'a faite deux fois. Dans tous ces cas, l'interruption du cours du sang a permis d'achever l'extirpation de la tumeur sans accidents, et presque à sec. On est donc en droit d'en conclure avec Demarquay, que la ligature préalable de la linguale est avantageuse, lorsqu'on doit pratiquer une opération grave sur la base de la langue. Ceci soit dit, sans rien préjuger sur le choix que le chirurgien est toujours autorisé à

NUMÉROS.	NOM DE L'OPÉRATEUR.	NATURE ET SIÉGE DU MAL.	BUT DE L'OPÉRATION.	SEXE ET AGE DE L'OPÉRÉ.	PARTICULARITÉS DE L'OPÉRATION.	SUITES DE L'OPÉRATION.	SOURCES.
1	ROUX.	Carcinome. Moitié de la langue.	Prévenir l'hémorrhagie pendant et après l'opération.	Homme, 35 ans.	Ligature de la linguale gauche, puis ablation du cancer. Le malade a pu parler immédiatement après.	Pas d'hémorrhagie. Sortie du malade 10 jours après l'opération.	*Gazette médicale*, 1859, p. 489.
2	MIRAULT.	Carcinome. Les deux tiers antérieurs de la langue.	Prévenir l'hémorrhagie pendant et après l'opération.	Jeune fille, 23 ans.	Tentative infructueuse de la ligature de la linguale gauche. Ligature de la linguale droite.	Guérison 3 mois après.	*Gazette médicale*, 1854, p. 507.
3	DEGUISE fils.	Nœvus de la langue.	Hémostatique.	Garçon, 2 ans 1/2.	Linguale droite.	Guérison.	Th. de Foucher, 1862.
4	CH. MOORE.	Cancer limité.	Atrophier la tumeur.	?	Section préalable du nerf lingual.	Amélioration, amendement des symptômes locaux et fonctionnels. Plus tard recrudescence. Mort 6 mois 1/2 après l'opération.	*Medico - surgical Transactions*, t. LXV, 1862.
5	DEMARQUAY.	Cancer limité.	Atrophier la tumeur.	Homme, 18 ans.	Ligature successive des deux linguales.	Diminution de volume de la tumeur. Sortie du malade 1 mois 1/2 après l'opération.	*Société de chirurgie*, 1865.
6	DEMARQUAY.	Cancer de toute la langue.	Atrophier la tumeur.	Femme, 58 ans.	Ligature successive des deux linguales.	Amélioration rapide. L'opérée vit encore.	*Arch. gén. de méd.*, février 1868.

NUMÉROS.	NOM DE L'OPÉRATEUR.	NATURE ET SIÉGE DU MAL.	BUT DE L'OPÉRATION.	SEXE ET AGE DE L'OPÉRÉ.	PARTICULARITÉS DE L'OPÉRATION.	SUITES DE L'OPÉRATION.	SOURCES.
7	DEMARQUAY.	Cancer ulcéré.	Atrophier la tumeur.	Homme, 54 ans.	Ligature successive des deux linguales. Anomalie de la gauche.	Amélioration passagère. Pneumonie intercurrente. Mort 3 jours après l'opération.	*Arch. gén. de méd.*, février 1868.
8	DEMARQUAY.	Cancer de la partie gauche de la langue.	Hémostatique.	Homme.	Ligature d'une seule linguale après excision.	Guérison.	*Arch. gén. de méd.*, février 1868.
9	LISTON.	Tumeur érectile.	Atrophier et guérir.	?	Ligature des deux linguales.	Guérison.	*Operative Surgery*, 1858.
10	FLAUBERT.	Cancer de la moitié gauche de la langue.	Prévenir l'hémorrhagie pendant et après l'opération. Guérir par atrophie.	Homme, 68 ans.	Ligature suivie de l'excision de la tumeur.	Guérison.	Th. de Veranger, 1856.
11	MAISONNEUVE.	Plaie de la région sus-hyoïdienne.	Hémostatique.	Jeune homme.	Opération très-longue à cause du gonflement des parties.	Hémostase momentanée. Nouvelle hémorrhagie. Mort.	MAISONNEUVE, *Clin. chirurg.*, t. II.
12	SÉDILLOT.	Cancer limité.	Prévenir l'hémorrhagie pendant et après l'opération.		Ligature dans un cas d'amputation de la langue après section du maxillaire inférieur.	Excellents résultats.	*Comptes rendus de l'Acad. des sciences*, 19 février 1865.

faire entre l'instrument tranchant et les agents qui agissent par compression, et toutes réserves faites sur la question d'opportunité relativement à l'opération.

L'idée d'atrophier un produit pathologique en liant les vaisseaux nourriciers de la partie du corps où il siége, remonte à Harvey. Elle a été appliquée à la cure du sarcocèle par Maunoir et Moulinié; on a même guéri l'éléphantiasis par la ligature de l'artère crurale. Il était assez naturel qu'on songeât à user du même moyen pour guérir ou arrêter dans leur marche certaines tumeurs de la langue. C'est dans ce but que la linguale a été liée cinq fois: une fois par Liston, une fois par Moore, et trois fois par Demarquay. Le malade de Liston portait une tumeur érectile; l'opération était parfaitement indiquée, aussi donna-t-elle les plus heureux résultats, la tumeur ne tarda pas à disparaître après la ligature des deux linguales. Dans les quatre autres cas, il s'agissait de cancers plus ou moins étendus, dont l'ablation était impossible. Trois fois la ligature a été avantageuse, non pas que les malades aient guéri, car les chirurgiens qui ont eu recours à ce moyen n'ont jamais prétendu enrayer complétement cette fatale affection; mais une asphyxie imminente a été prévenue, l'écoulement sanieux a diminué, le développement de la tumeur s'est un peu ralenti. Le troisième malade de Demarquay ayant succombé à une pneumonie, trois jours après l'opération, ne doit évidemment pas entrer en ligne de compte.

Sans partager entièrement l'optimisme de Demarquay à ce sujet, j'admettrai volontiers que dans certains cas spéciaux, et principalement lorsque le patient est menacé d'asphyxie, il pourra y avoir avantage à tenter la ligature des artères linguales, d'autant plus que l'opération ne présente généralement pas de très-grandes difficultés, et qu'elle paraît inoffensive par elle-même. Pour en venir à bout, il importe seulement de connaître, d'une manière bien précise l'anatomie de la région sur laquelle on opère, car là plus qu'ailleurs, un écart de quelques millimètres peut avoir des conséquences fâcheuses. La description de la région sus-hyoïdienne au point de vue topographique sera faite en son lieu. Je me bornerai simplement à mentionner ici quelques données indispensables pour l'intelligence des procédés opératoires.

Sous-jacente à la peau et au peaucier, l'artère est à peu près horizontale depuis son origine jusqu'au niveau de la petite corne de l'hyoïde, point où elle change de direction pour devenir ascendante et pénétrer dans la langue. Dans ce trajet, elle n'est d'abord recouverte que par le stylo-hyoïdien et le ventre postérieur du digastrique, puis elle s'engage au-dessous de l'hyo-glosse et suit le bord supérieur de la grande corne de l'hyoïde. On peut donc l'atteindre dans trois points différents: 1° entre son origine et le bord postérieur de l'hyo-glosse; 2° sous l'hyo-glosse, au niveau du centre postérieur du digastrique; 3° toujours sous l'hyo-glosse, mais en avant du centre postérieur du digastrique, c'est-à-dire dans la concavité de l'arc formé par les deux faisceaux de ce dernier muscle. Je rangerai sous le premier chef les procédés suivis par Mirault, par Flaubert, et le procédé de Ditterich; sous le second, ceux de Blandin et de Malgaigne; sous le troisième enfin celui de Bell et Wise.

Voici le procédé de Mirault. Le malade a la tête renversée en arrière et le menton tourné du côté sain; on cherche d'abord l'os hyoïde, en embrassant la région supérieure du cou avec le pouce et l'indicateur de la main gauche; puis avec un bistouri de médiocre largeur, on fait une incision qui commence vers la partie moyenne de la grande corne à 2 centimètres environ de la ligne médiane, et qu'on dirige obliquement en dehors et en haut, jusqu'au bord antérieur du sterno-mastoïdien, en passant sous et près l'angle de l'os maxillaire inférieur. On intéresse successivement de l'extérieur à l'intérieur la peau, la couche cellulo-graisseuse, le peaucier dont les fibres sont divisées perpendiculairement à leur direction. La veine jugulaire externe est située ordinairement plus ou moins près de l'angle postérieur de la plaie. On la lie deux fois et on la coupe entre les ligatures. On coupe ensuite le feuillet du *fascia cervicalis* qui couvre la glande sous-maxillaire, et l'on ouvre ainsi la loge qui la contient. On détache la glande, et on la renverse en haut sur le corps de la mâchoire; alors s'offre à la vue le feuillet profond de l'aponévrose; son peu d'épaisseur permet de distinguer au travers les parties qui couvrent immédiatement la linguale. Ce feuillet étant incisé, on rencontre les veines pharyngienne, linguale et labiale; chacune d'elles est coupée en travers après avoir été liée deux fois. On écarte les bouts en haut et en bas; et prenant l'hypoglosse pour point de départ, on cherche l'artère de haut en bas, depuis la hauteur de ce nerf jusqu'au bord inférieur du stylo-hyoïdien uni au digastrique. On aperçoit bientôt celle-ci qui, après s'être recourbée, descend vers la grande corne de l'hyoïde, ou se porte transversalement, en formant en quelque façon la corde de l'arc que représente l'anse de l'hypoglosse. Il ne s'agit plus, dès lors, que de porter une ligature sur le vaisseau, à l'aide d'une aiguille courbe à manche, de petite dimension.

Flaubert suivit un procédé à peu près analogue, en agrandissant toutefois l'incision extérieure, ce qui lui donna plus de jour sans diminuer sensiblement les difficultés de l'opération, puisqu'il fut obligé de sacrifier plus de parties encore que Mirault.

Ditterich conseille une incision qui commence à 3 lignes du bord de la mâchoire inférieure et suit la même direction que si l'on voulait lier la carotide externe. Après avoir découvert les muscles digastrique et stylo-hyoïdien, on les recline et l'on aperçoit l'artère au point où elle se sépare de la carotide externe; la veine linguale l'accompagne. On écarte la veine en haut, le nerf grand hypoglosse en bas, et l'on charge l'artère.

Malgré la préférence donnée à ce dernier procédé par Dieffenbach (*Die operative Chirurgie*), qui le déclare préférable à tous les autres, je n'hésite pas à le rejeter, ainsi que ceux de Mirault et de Flaubert, et cela pour deux raisons. La première, c'est que les anomalies d'origine de la linguale sont assez fréquentes; or, ces anomalies ne portent jamais que sur la portion du vaisseau comprise entre sa naissance et la grande corne de l'hyoïde, de sorte que plus on se rapprochera de la carotide externe, plus on sera exposé à rencontrer une disposition anormale. Cette raison ne serait peut-être pas péremptoire, car avec du sang-froid, de l'habileté de main et en ayant soin de faire une grande incision, on pourrait certainement atteindre la linguale, alors même qu'elle se détacherait de la faciale. Le second motif est beaucoup plus sérieux et l'on en comprendra facilement toute la portée si l'on se rappelle que Mirault et Flaubert ont été contraints de couper, entre deux ligatures, plusieurs veines volumineuses, et que le premier de ces deux opérateurs dut renoncer à trouver la linguale du côté gauche sur son malade. C'est qu'en effet la carotide externe est entourée, à ce niveau, de gros troncs veineux, tels que la jugulaire externe, la faciale, la linguale, la pharyngienne, la thyroïdienne supérieure, troncs que l'on ne manquera certainement pas de découvrir si l'on se porte trop en arrière. Sans nul doute, le procédé de Ditterich est facilement exécutable sur le cadavre, où, la plupart du temps, les veines sont vides de sang;

mais je ne crains pas d'affirmer qu'employé sur le vivant il serait très-laborieux et exposerait à des dangers réels.

Pratiquée au-dessus de la grande corne de l'hyoïde et sous le muscle hyo-glosse, l'opération est de beaucoup préférable. Ainsi que je l'ai dit plus haut, c'est à Blandin que l'on doit les premières indications relatives à la ligature de l'artère linguale. Il proposait de découvrir le vaisseau au niveau du ventre postérieur du digastrique, et après avoir divisé l'hyo-glosse. Comme son procédé a été reproduit avec diverses variantes, il sera bon, je crois, de mettre le texte même sous les yeux du lecteur, le voici : « Si l'artère linguale avait été ouverte dans une plaie de la région sus-hyoïdienne, on pourrait en faire la ligature sous le muscle hyo-glosse, près de la grande corne de l'os hyoïde ; pour cela, il suffirait d'une petite incision parallèle à la grande corne hyoïdienne, que l'on sent aisément. Dans cette opération, on couperait successivement : la peau et le muscle peaucier ; on soulèverait les muscles digastrique et stylo-glosse[1] ; l'hyo-glosse serait intéressé ; et l'artère, ainsi mise à nu, pourrait être facilement saisie à l'aide d'une sonde cannelée. Dans la circonstance précédente, l'opérateur ne doit pas trop s'éloigner de la corne hyoïdienne, de peur d'atteindre le nerf grand hypoglosse. » (F. Blandin, *Traité d'anatomie topographique*, 2e édition, 1834, p. 179.)

Comme on le voit, Blandin recommande de se rapprocher de la grande corne, mais sans dire précisément qu'on doive aller chercher l'artère au-dessus de l'os hyoïde ; cependant, comme il recommande en même temps de couper la partie postérieure du muscle hyo-glosse, il en résulte implicitement que c'est bien à ce niveau, ou en un point très-rapproché, que le vaisseau sera lié. Son procédé, basé sur des données anatomiques parfaitement exactes, manque pourtant de cette netteté que nous sommes accoutumés à rencontrer lorsqu'il s'agit de manuel opératoire. En faisant disparaître ce vague, en donnant un procédé d'une précision pour ainsi dire mathématique, Malgaigne a rendu un véritable service à la chirurgie ; aussi ne saurait-on lui refuser le mérite d'avoir, non pas créé, comme il le dit lui-même, mais réglé dans tous ses détails une opération jusqu'alors très-hasardeuse.

Le procédé de Malgaigne, généralement adopté aujourd'hui, permet d'arriver sur l'artère avec certitude et presque sans aucune difficulté. « La grande corne de l'hyoïde, préalablement reconnue, il faut faire, à 4 millimètres au-dessus et parallèlement à elle, une incision d'environ 3 centimètres, comprenant la peau et le peaucier ; on tombe ainsi sur le bord inférieur de la glande sous-maxillaire : premier point de ralliement. Cette glande un peu repoussée en haut, on trouve au-dessous le tendon du digastrique, remarquable par son brillant nacré : deuxième point de ralliement. A 1 millimètre au-dessous se présente un cordon blanchâtre, quelquefois caché par quelques fibres du stylo-hyoïdien ; dégagez-le au besoin avec la pointe du bistouri : c'est le nerf hypo-glosse. Ce troisième point bien reconnu, à 2 millimètres au-dessous, divisez transversalement le muscle hyo-glosse, et vous tomberez exactement sur l'artère, qui n'est accompagnée d'aucune veine[2] ni d'aucun nerf. La veine faciale est plus superficielle, elle croise obliquement l'incision de dehors en dedans et de bas en haut ; il faut donc attaquer la peau et le peaucier avec précaution, et cette veine, qui est assez considérable, étant mise à découvert, la repousser en dehors. »

[1] Il y a ici une erreur typographique dans le texte de Blandin ; au lieu de *stylo-glosse*, c'est *stylo-hyoïdien* qu'il faut lire.

[2] Malgaigne commet une petite erreur anatomique ; l'artère linguale est ordinairement accompagnée par une ou deux veines collatérales.

Il arrive assez souvent, à l'amphithéâtre, qu'en voulant lier la linguale par ce procédé, on fait l'incision de la peau trop en avant. On parvient alors entre les deux chefs du digastrique, ce dont on s'aperçoit dès que l'on a découvert et soulevé la glande sous-maxillaire. Il est inutile dans ce cas d'abandonner le champ de l'opération pour se reporter plus en arrière; l'artère occupe toujours la même position par rapport à la grande corne de l'hyoïde et au muscle hyo-glosse. On se bornera donc à sectionner transversalement ce dernier muscle dans l'anse formée par le digastrique, et l'on découvrira le vaisseau comme à l'ordinaire. C'est à cela que revient, en définitive, le procédé de Bell et Wise, avec cette différence que leur incision, au lieu d'être horizontale, se porte un peu en haut et en dehors, dans la direction de l'apophyse mastoïde.

Chassaignac préfère, à l'incision de Malgaigne, une incision curviligne dont la convexité, tournée en bas, serait tangente à la grande corne de l'os hyoïde. D'après lui, cette incision s'adapte mieux à la forme de la glande sous-maxillaire; elle donne plus d'espace, permet d'éviter plus facilement la veine jugulaire externe et fournit un lambeau qui s'applique exactement par son propre poids.

Quel que soit le procédé suivi, il est toujours indispensable de prendre certaines précautions applicables à tous les cas, et que je vais indiquer en peu de mots. Avant tout, on doit s'assurer de la position de l'os hyoïde, ce qui n'est pas toujours facile lorsque les parties sont tuméfiées. Chez certains individus à cou gros et court, chez quelques femmes, cet os remonte si haut sous la mâchoire inférieure que la glande sous-maxillaire le recouvre complétement. C'est là une circonstance qui augmente beaucoup les difficultés de l'opération, mais qui ne doit pourtant pas la faire regarder comme impossible, surtout si l'on a le soin de donner à l'incision extérieure une étendue suffisante. Pour déterminer exactement le trajet de la veine jugulaire externe, on rendra cette veine apparente en exerçant une compression à la partie latérale et inférieure du cou. On fera coucher le malade en supination, la tête inclinée du côté opposé à celui sur lequel on opère et l'on recommandera à un aide de pousser l'os hyoïde vers le chirurgien; sans cette précaution, il devient très-difficile de percevoir les battements de l'artère. Bien qu'endormis par le chloroforme, les malades font de continuels mouvements de déglutition qui gênent beaucoup l'opérateur; à cette occasion, Malgaigne donne le judicieux conseil de fixer l'hyoïde avec un ténaculum.

Lorsque le cou du malade est très-long, la glande sous-maxillaire reste au-dessus du champ de l'opération; ce serait employer son temps en pure perte que de vouloir ouvrir quand même la gaîne de cette glande; on passera outre en négligeant ce point de ralliement. Le nerf grand hypoglosse présente aussi, dans sa position, quelques variétés qu'il est bon de connaître. Sur 31 sujets, Mirault a trouvé ce nerf 22 fois au niveau de l'os hyoïde, 8 fois de 2 à 6 millimètres au-dessus et 1 fois à 6 millimètres au-dessous. Pour diviser l'hyo-glosse en travers, quelques chirurgiens le chargent d'abord sur une sonde cannelée et l'incisent de dedans en dehors; d'autres prescrivent de soulever les fibres musculaires avec des pinces et de l'inciser directement avec le bistouri, dans la crainte que la sonde cannelée ne soulève, en même temps, le muscle et l'artère qui lui est immédiatement sous-jacente. Cette crainte me paraît mal fondée; lorsque la linguale suit son trajet ordinaire, la sonde glisse sans peine dans l'espace celluleux qui sépare le vaisseau de l'hyo-glosse. L'accident ne serait donc à redouter que lorsque l'artère s'engage au milieu des fibres du muscle, ce qui arrive bien rarement. L'artère une fois mise à nu, on arrive aisément à la charger; cependant, dans le cas de Roux, elle était tellement mobile qu'on eut beaucoup de peine à la saisir. On ramènera le fil dans un des angles de la plaie, et l'on réunira par un ou deux points de suture.

En résumé, la ligature de la linguale au-dessus de la grande corne de l'os hyoïde n'est pas une opération bien difficile. Les suites en sont des plus simples ; dans les huit cas qu'il a observés, Demarquay n'a pas noté d'autre symptôme qu'une légère dysphagie, occasionnée par le contact des fils sur la paroi du pharynx. Quant aux hémorrhagies consécutives, on peut dire d'une manière générale, et contrairement à l'opinion de Lisfranc, que les anastomoses des deux linguales entre elles et avec les artères voisines ne sont ni assez larges ni assez multipliées pour rétablir le cours du sang d'une façon trop rapide.

II. Veines. On pratiquait autrefois assez fréquemment la saignée des ranines, notamment dans les affections inflammatoires de la bouche et de la gorge. On a vu à l'article Langue que ce moyen était souvent mis en usage dans la glossite aiguë. Il est à peu près délaissé aujourd'hui, malgré les conseils tout spéciaux de Gonzalès Arejo.

La pratique de cette petite opération est très-simple. On saisit l'extrémité de la langue avac la main gauche munie d'un linge : la pointe de cet organe étant élevée, on voit apparaître les ranines, qu'on ouvre en travers avec une lancette, soit d'un seul, soit des deux côtés. L'ouverture des deux veines peut donner de 20 à 40 grammes de sang. Suivant les cas, on en facilite l'écoulement au moyen d'un gargarisme d'eau chaude, ou on l'arrête par l'emploi d'un gargarisme froid et astringent.

V. Paulet.

Bibliographie. — En outre des indications données dans le courant de cet article, on pourra consulter : Mirault. In *Mémoires de l'Académie de médecine*, t. IV, et in *Gazette médicale*, 1834. — Voranger. *Du cancer de la langue*. Thèse de Paris, 1836. — Letenneur. *Observation d'une tumeur carcinomateuse occupant toute la moitié gauche de la langue. Ligature préalable de l'artère linguale. Guérison.* In *Gazette médicale*, 1859. — Moore (Ch.). In *Medico-surgical Transactions*, vol. LXV, 1862. — Foucher (O.). *Des tumeurs érectiles de la langue*. Thèse de Paris, 1862. — Demarquay. *Mémoire sur la ligature de l'artère linguale*. In *Archives générales de médecine*, nº de février 1868.

V. P.

LINGUATULE (*linguatula*, languette, petite langue). Les Linguatules sont des animaux parasites réunis jusque dans ces derniers temps aux Helminthes et que Van Beneden a placés à la fin des Crustacés. Leur forme est celle de Vers plats, mais leurs rapports organiques les rapprochent manifestement des Crustacés dont ils représentent la forme helminthoïde. Ils rappellent ainsi d'une manière complète les *Demodex* qui sont des Arachnides à forme très-allongée et les Branchiostomes qui sont les derniers Vertébrés.

Les Linguatules formeront dans l'avenir plusieurs genres composant une petite famille, celle des *Linguatulidés*. La grosseur des adultes égale parfois celle d'une plume d'oie, et la longueur des femelles est de 7 à 8 centimètres. Ces animaux ressemblent à une langue renversée et allongée, d'où leur nom de Linguatules. Le corps est souvent articulé, la tête obtuse, l'extrémité postérieure atténuée, le canal intestinal complet, avec l'orifice anal terminal.

La bouche s'ouvre sur l'extrémité antérieure du corps, elle est munie de deux paires de crochets arqués et rétractiles ; la circulation rudimentaire a lieu par un vaisseau dorsal ; le système nerveux se compose d'un collier œsophagien sans ganglions cérébroïdes, mais pourvu d'un ganglion sous-œsophagien considérable et d'où partent deux filets principaux allongés. Les sexes sont séparés, l'ouverture génitale du mâle est placée en dessous et en avant ; l'orifice vulvaire est à l'extrémité postérieure près de l'anus.

Les Linguatules sont ovipares ; les individus sortant de l'œuf ont beaucoup d'analogie avec ceux des Lernées, qui sont des crustacés parasites. Les jeunes Linguatules vivent d'abord dans le corps des Vertébrés, dans les cavités intérieures, les sinus olfactifs, la trachée-artère, les poumons, le foie, le péritoine, etc. On les a observées sur les mammifères, les reptiles, les poissons et enfin sur l'homme. R. Leuckart s'est assuré que les Linguatules sont premièrement agames et vivent alors enkystées dans le corps d'animaux phytophages, et puis qu'elles passent à l'état adulte, et deviennent sexuées, dans les carnassiers qui mangent ces derniers : Les Linguatules enkystées du péritoine des Lapins apparaissent sexuées et ténioïdes dans les sinus olfactifs des Chiens.

Beaucoup d'espèces de Linguatules décrites par les auteurs sont nominales, n'étant que le jeune âge les unes des autres. L'espèce qu'on a trouvée sur l'homme paraît appartenir à la *Linguatula serrata* de Frœlich. La première observation a été publiée par de Siebold, en 1853, et se rapporte à un Ver observé en Égypte dans les intestins grêles des nègres et sur le corps d'une girafe ; ce ver fut décrit dans une note manuscrite de Pruner et puis revu par Bilharz, au Caire. Siebold appelait cet animal *Pentastomum constrictum*. Peu après Zenker observa à Dresde, sur dix cadavres, des kystes remplis par de véritables Linguatules. Des dix cadavres, huit appartenaient à des hommes ; trois manouvriers, un commerçant, un charpentier, deux ouvriers et un prisonnier ; deux appartenaient à des femmes, une mendiante et une ouvrière. L'âge variait de 21 à 74 ans. Trois de ces personnes avaient vécu à Dresde, quatre provenaient de diverses parties de la Saxe ; deux étaient de passage à Dresde.

Heschl a confirmé à Vienne les faits observés par Zenker.

Les jeunes *Linguatula serrata* trouvées sur l'homme et déjà observées chez plusieurs mammifères tels que la chèvre, le lièvre, le cochon d'Inde, le lapin, le cheval, le chien, le loup, etc., sont longues de 5 à 7 millimètres, larges de 2, à corps mou, oblong, renflé en avant, comme spatulé, aplati, ridé en travers, à bords denticulés.

L'action de ces curieux parasites, très-rares chez l'homme, est encore à étudier.

A. Laboulbène.

LINIMENTS. Les liniments (de *linire*, oindre, frotter), sont des médicaments destinés à l'usage externe, et dont on se sert pour oindre ou frictionner la peau, soit que l'on veuille agir sur la surface même, soit que l'on désire transmettre l'action à l'intérieur par voie d'absorption. La composition des liniments est extrêmement variée. On emploie comme tels de l'huile chargée de différents principes médicamenteux, des mélanges de matières grasses et de liquides spiritueux, des liquides alcooliques, de la glycérine, etc. On y fait entrer le savon, le camphre, l'opium, l'ammoniaque, le chloroforme, l'éther chlorhydrique chloré, etc.

La préparation des liniments est plus ou moins compliquée. Le plus souvent ils consistent en un mélange de différents liquides. Lorsque le liniment consiste en une huile (huile d'olive, huile d'amandes douces ou une huile médicinale) et un liquide insoluble dans l'huile comme le laudanum, la teinture d'opium, etc., on peut se contenter, il est vrai, de peser les deux substances dans une fiole et de recommander d'agiter chaque fois qu'on veut faire usage du liniment. Mais il est préférable, comme le recommande le Codex, d'ajouter une petite quantité de cérat pour faciliter la mixtion des liquides qui servent à préparer le médicament. 2 grammes de cérat suffisent pour 20 grammes d'huile. On met le cérat dans un mortier, on verse un peu d'huile dessus, on ajoute le liquide médicamenteux, et ensuite le restant de l'huile. Les liniments préparés de cette manière se conservent plusieurs jours sans avoir besoin d'être agités, et si une partie de l'huile surnage, la plus faible agitation suffit pour rétablir l'équilibre. Lorsqu'un extrait doit faire partie d'un liniment huileux, il faut dissoudre cet extrait dans une petite quantité d'eau, de manière à en faire un liquide sirupeux, et ajouter ensuite du cérat simple pour faciliter la suspension du soluté dans l'huile.

Le savon possède comme le cérat la propriété de rendre plus facile la suspension d'un liquide aqueux ou alcoolique dans un corps gras liquide. S'il entre du savon dans un liniment, il y a tout avantage à l'employer en poudre plutôt que mou ; on triture dans un mortier la poudre de savon avec un peu d'huile, on ajoute ensuite cette dernière, et enfin la teinture ou l'alcoolat. La teinture ou alcoolé de savon peut très-bien servir aussi à cet usage.

Les liniments sont le plus souvent liquides, mais quelquefois aussi leur consistance est la même que celle des pommades. On en fait l'application, soit à l'aide de la main nue ou gantée, soit avec un morceau d'étoffe qui est le plus souvent une flanelle.

La plupart des liniments sont prescrits extemporanément et préparés de même sur l'indication des médecins, aussi le nombre des liniments est-il très-considérable. Nous ne donnerons que les formules de ceux qui sont le plus employés. Pour les liniments à l'aconitine, à l'atropine, au camphre, au chloroforme, à la belladone, au phosphore, à la vératrine, etc., etc. (*Voy.* ces noms.)

Liniment antinévralgique. (Debout.) Baume tranquille 15 grammes, extrait de belladonne 0gr,50, extrait de jusquiame 0gr,50, laudanum de Sydenham 4 grammes, chloroforme 4 grammes. Mêlez et conservez dans un flacon à l'émeri. Une ou deux cuillerées à café en onction sur la partie douloureuse que l'on recouvre d'une carde de coton.

Liniment calcaire, liniment oléo-calcaire, savon calcaire. Huile d'amandes douces 100 grammes, eau de chaux 900 grammes. On introduit les deux liquides dans un flacon, et on agite fortement ; on verse le tout dans un entonnoir dont on a fermé la douille ; on laisse en repos pendant une minute ; on fait écouler l'eau accumulée à la partie inférieure, et on reçoit dans un flacon à large ouverture la masse crémeuse qui reste en dernier lieu et qui seule doit être employée. (*Codex.*) Quelquefois on se contente de donner pour liniment calcaire un mélange à partie égale d'huile et d'eau de chaux. Le liniment calcaire préparé comme l'indique le Codex, agit sur les brûlures d'une manière beaucoup plus efficace ; on en induit la partie brûlée et on le recouvre avec une couche de coton cardé ou avec du linge. Lorsqu'on ajoute du laudanum de Sydenham à ce liniment, la proportion doit en être toujours très-minime, car en raison de l'opium qu'il renferme, l'absorption par la peau pourrait être assez considérable pour produire des accidents.

Liniment camphré ou huile camphrée. (*Voy.* CAMPHRE.)

Liniment camphré opiacé. (*Voy.* CAMPHRE.)

Liniment contre les engelures non ulcérées. (Beasley.) Sulfate d'alumine et de potasse 8 grammes, vinaigre 200 grammes, alcool faible 200 grammes. On fait dissoudre l'alun dans le vinaigre, et l'on ajoute l'alcool ; on filtre. Cette solution est appliquée matin et soir sur les mains qui sont le siége des engelures.

Liniment contre les engelures. (Gofin.) Camphre 4 grammes, essence de térébenthine 30 grammes. On en frictionne les engelures avant la période ulcérative.

Liniment contre les engelures (Marjolin.) Baume du Pérou noir 5 grammes, alcool 125 grammes, acide chlorhydrique 4 grammes, teinture de benjoin 15 grammes. On fait plusieurs fois par jour des embrocations sur les parties malades et non ulcérées.

Liniment contre les engelures non ulcérées. (Richardin.) Camphre 2 grammes, ammoniaque liquide 2 grammes, alcool 30 grammes, essences de camomille et de genièvre, de chaque 30 centigrammes.

Liniment excitant du formulaire des hôpitaux de Paris. Alcoolat de Fioravanti 40 grammes, huile d'amandes douces 40 grammes, alcool camphré 15 grammes, ammoniaque liquide 5 grammes. On mêle dans un flacon bien bouché. (*Codex.*)

Liniment fortifiant (Double). Baume de Fioravanti, eau-de-vie camphrée, teinture de quinquina, alcool, de chaque : 15 grammes ; alcool de mélisse composé 30 grammes, teinture éthérée de digitale 60 grammes. Mêlez.

Liniment hongrois. Alcool 500 grammes, vinaigre fort 500 grammes, camphre 20 grammes, farine de moutarde 20 grammes, poivre en poudre 20 grammes, cantharides en poudre 5 grammes, ail pilé numéro 2. Après quelques jours de macération, on passe avec expression et on filtre Employé en frictions pendant l'épidémie de choléra comme excitant énergique.

Liniment hydrosulfuré. (Jadelot.) On le prépare en faisant fondre au bain-marie 500 grammes de savon ordinaire, on mêle ensuite par trituration 250 grammes huile de pavot ; on évapore entièrement l'humidité et on ajoute : sulfure de potasse sec en poudre 92 grammes, et huile de pavot 750 grammes. Employé contre la gale.

Liniment narcotique ou *liniment calmant.* Baume tranquille 80 grammes, cérat de Galien 10 grammes, laudanum de Sydenham 10 grammes. On délaye le cérat dans le baume tranquille, et on ajoute le laudanum. (*Codex.*) Employé comme calmant.

Liniment de Reil. Huile de laurier 15 grammes, huile de muscade 5 grammes, huile de girofle 2 grammes, baume du Pérou noir 10 grammes. En frictions sur les tempes et sur les paupières dans la blépharoplégie.

Liniment de Rosen. Huile concrète de muscade 5 grammes, huile volatile de girofle 5 grammes, alcoolat de genièvre 90 grammes. On triture dans un mortier l'huile de muscade avec l'essence de girofle, et on ajoute ensuite peu à peu l'alcoolat de genièvre. (*Codex.*) Employé en frictions, deux ou trois fois par jour, contre la chorée.

Liniment résolutif. Alcoolats de Fioravanti et de romarin : de chaque 50 grammes, teinture de cantharides 10 grammes. Employé à l'Hôtel-Dieu contre les affections rhumatismales.

Liniment sédatif. (Ricord.) Huile de jusquiame 200 grammes, camphre, laudanum de Rousseau, extrait de belladone, chloroforme, de chaque : 4 grammes. Employé en frictions, plusieurs fois par jour, toutes les fois que l'élément *douleur* domine.

Liniment sédatif de l'Hôtel-Dieu. Baume de Fioravanti 30 grammes, baume tranquille 15 grammes, laudanum de Sydenham 4 grammes.

Liniments savonneux, liniment savonneux camphré, liniment savonneux opiacé. (*Voy.* SAVON.)

Liniments térébenthinés. (*Voy.* ESSENCE DE TÉRÉBENTHINE.)

Liniment volatil, liniment volatil camphré. (*Voy.* AMMONIAQUE et CAMPHRE.)

T. GOBLEY.

LININE. Substance pulvérulente isolée, par Pagenstacher, du lin cathartique. Elle est amère, très-peu soluble dans l'eau, l'éther et les huiles, plus soluble dans l'alcool.

LINNÉ (CHARLES). Roshult est un tout petit village de la Suède, dans la province de Smaland. C'est là que naquit, dans la nuit du 22 au 23 mai 1707, Charles Linné, le héros des sciences naturelles, le génie le plus étonnant que la Suède ait produit. Son père, qui se nommait réellement Nils ou Nicolas Bengston, puisqu'il était fils de Ingemar Bengston, paysan de Stegary, dans le Smaland, avait pris, assure-t-on, le nom de *Linné* du mot suédois *Linden* (tilleul), à cause d'un magnifique tilleul qui abritait de ses ombres la porte de la champêtre demeure de la famille Bengston. La mère de l'immortel naturaliste était Christine Broderson, fille de Samuel Broderson, pasteur de la paroisse de Stenbrohult, dans le district de Cronoberg, sur la frontière de la Scanie.

Charles Linné, comme cela est arrivé à presque tous les grands hommes, se trouva dès son jeune âge aux prises avec l'adversité, et en lutte continuelle avec son père, qui, sans se soucier de la passion invincible de l'enfant pour l'étude des plantes, voulait lui faire apprendre une profession mécanique et en faire un cordonnier. Peu s'en fallut que le futur auteur du système sexuel ne fût réduit à tirer la manique. Les amis des sciences doivent payer un tribut de reconnaissance au docteur Rothmann, qui sut saisir les lueurs du génie, procurer à son protégé le pouvoir de suivre sa vocation, et le placer d'abord chez l'instituteur Tolander (1714), puis au gymnase de Wexio, enfin à l'université de Lund (1727), où il put, sous le professeur Stobœus, fortifier son goût pour la botanique, non sans gagner quelques sous comme copiste.

Tâchons de suivre maintenant Linné dans la brillante carrière qu'il était destiné à parcourir.

1728. Il se rend à Upsal, où il trouve d'utiles protecteurs dans le théologien Olaüs Celsius, et dans Rudbeck, professeur de botanique, et un condisciple dévoué dans la personne de Pierre Artedi, que l'étude des poissons devait illustrer.

1732. L'Académie royale des sciences d'Upsal l'envoie en Laponie, dans le but de mieux faire connaître qu'elles ne l'étaient encore les productions naturelles de cette région glacée. Linné, qui avait à peine vingt-cinq ans, part le 13 mai, à pied, sans suite, n'emportant que son journal, deux chemises, et les habits qu'il avait sur lui, une demi-toise pour prendre des mesures, et un petit porte-feuille renfermant du papier et des plumes. Le jeune voyageur visite tour à tour Gefle, le Gestrikland, le Helsingland, le Medelpat, Norby, Kuylen, Hernosand, Umna, Lycksèle, Olycksmira, Umea, etc., et revient à Upsal en novembre, après avoir fait pédestrement plus de 1,000 milles.

1734. Reutherholm, gouverneur de la Dalécarlie, le charge de faire un voyage dans cette province. C'est dans le cours de ce voyage, où il était cette fois accompagné de plusieurs jeunes savants, qu'il voit, à Falhun, Sara-Élisabeth, fille du docteur Jean Morœus. Il en devient amoureux. Mais comment, lui si pauvre, obtenir cette main chérie? Il lui fallut attendre cinq longues années pour voir ses vœux exaucés.

1735. Notre amoureux, accompagné de son ami Sholberg, quitte sa chère terre suédoise, ayant dans sa poche, pour toute ressource, trente-six écus d'or que lui avait délicatement glissés la tendre Sara-Élisabeth. Il traverse la mer, se rend à Lubeck, à Hambourg, atteint la Hollande, et se fait recevoir docteur en médecine à Hardewyk, le 13 juin 1735, après avoir soutenu une thèse portant ce titre : *Hypothesis nova de febrium intermittentium causa* (in-4°). Le nouveau docteur résiste au désir de revoir sa patrie ; il est retenu plus de deux ans en Hollande, protégé par Boerhaave, par Burmann, par Georges Cliffort, qui lui confie le soin du riche jardin qu'il entretenait à Hartecamp, si bien que c'est en Hollande que Linné publia ses principaux ouvrages qui établirent de suite sa réputation, le placèrent au premier rang parmi les savants, et le firent nommer (3 octobre 1736) membre de l'Académie des curieux de la nature, sous le nom de *Dioscorides secundus*.

1736. Il passe en Angleterre, non sans une lettre de recommandation adressée par Boerhaave à Hans-Sloane. On possède cette lettre, dans laquelle on lit ceci : « Linnæus, qui tibi has dabit litteras, est unice dignus te videre, unice dignus a te videri. Qui vos videbit simul videbit hominum par cui simile vix dabit orbis. » Notons que le protégé de Boerhaave avait alors à peine trente ans.

1738. Linné est pris de nostalgie ; son beau pays et sans doute les beaux yeux de Sara-Élisabeth le rappellent. Il quitte la Hollande ; mais il veut voir Paris. Là, il est reçu à bras ouverts par les deux de Jussieu, par Isnard, Surian, Laserre, Réaumur, Aubriet, avec lesquels il herborise dans les bois de Versailles, de Fontainebleau.

Enfin il revoit la terre natale, et va se fixer à Stockholm, comptant y vivre honorablement avec son diplôme de docteur en médecine.

Sa joie est immense ; il a enfin obtenu la main de sa chère Sara-Élisabeth (26 juin 1739). Mais on devine bien les sourdes menées de ses confrères, qui ne manquent pas d'employer sa réputation comme naturaliste pour nuire à ses succès comme médecin. Heureusement pour la botanique, les envieux réussissent complétement dans leurs abominables attaques. Linné ne peut se créer une clientèle suffisante pour vivre honorablement, c'est à peine s'il voit quelques malades par ci par là. Il était évident que son génie était détourné momentanément de sa source. Le comte de Tessin s'en aperçoit à temps, et use si bien de son influence qu'il fait nommer son illustre protégé botaniste du roi et président de l'Académie de Stockholm.

1740. Le gouvernement l'envoie dans les îles d'Oeland et de Gottland pour observer, avec le soin et la sagacité qu'on lui connaissait, l'histoire naturelle et même les antiquités.

1741. Linné est nommé professeur de botanique à Upsal, directeur du jardin botanique de cette ville.

10 janvier 1746. Il reçoit le titre de premier médecin du roi.

12 mai 1748. Il a la douleur de perdre son père.

29 avril 1749. Il part pour la Scanie, et en rapporte des notes qui font le sujet d'un ouvrage important.

1750. Il est chargé par la reine de Suède de coordonner le cabinet de conchyliologie et d'insectes de l'Inde établi à Drottningholm.

1753. Charles Linné est nommé chevalier de l'Étoile-Polaire.

1756. Il est anobli par une lettre du roi portant la date du 4 avril, et ne se fait plus appeler, suivant l'usage du pays, que *nobilis von Linné*.

La fortune, longtemps ingrate envers lui, le comble ainsi de ses faveurs ; et, satisfait des honneurs qu'il reçoit dans sa patrie, il refuse la chaire de botanique que lui offre le roi d'Espagne, avec un traitement de 2,000 piastres. Il refuse également les propositions non moins brillantes de l'impératrice de Russie, du roi d'Angleterre. De tous côtés on accourt à lui. L'Académie des sciences de Paris lui envoie, le 15 décembre 1762, le titre de membre étranger. L'Académie de Drontheim regarde comme un grand honneur de se l'associer, elle qui ne voulait pas dans son sein de membres étrangers. Gustave III, roi de Suède, veut voir lui-même le grand homme, et se rend en personne à la demeure champêtre de l'illustre naturaliste (1776). Louis XV, roi de France, lui fait remettre un paquet de 150 graines récoltées à Trianon.

1772. Mais Linné s'aperçoit de l'affaiblissement de sa santé, et passe la plus grande partie de ses dernières années dans la retraite, à sa maison des champs d'Hammarby.

1776. Il n'est plus que l'ombre de lui-même; ses admirables facultés sont brisées sous les coups de deux attaques d'hémiplégie.

10 janvier 1778. Charles Linné meurt à Upsal, à huit heures du matin, l'année même que moururent Haller, J.-J. Rousseau, Pitt, Burmann, Lekain, Voltaire, Terray, Séguier. Il était âgé de soixante-dix ans sept mois dix-sept jours.

La magnificence des obsèques de Linné, le tombeau que le roi lui fit ériger dans la cathédrale d'Upsal, la médaille qu'il fit frapper en son honneur, témoignèrent des justes regrets de la patrie qu'il avait illustrée. Le roi de Suède se rendit à l'Académie de Stockholm le jour où on y lut l'Éloge de Linné; lui-même, dans le discours qu'il prononça à l'ouverture des États, déplora la perte que venait de faire la science. Plus tard, en 1822, les étudiants d'Upsal ont voulu lui élever un monument. Le voyageur ne passe pas à Upsal sans faire un pieux pèlerinage vers le jardin botanique de cette ville célèbre, planté là où, dès l'année 1637, il y avait déjà un jardin des plantes, et où l'auteur de la *Philosophie botanique* composa ses immortels ouvrages. En face d'une pyramide formée par un pin sylvestre, vis-à-vis le château du gouverneur, se voit le temple grec consacré à Linné. Élevé au-dessus du sol de onze marches rapides, précédé d'un péristyle ouvert, à fronton supporté par huit colonnes, il abrite une statue en marbre blanc tenant un livre à la main : c'est l'image de la nature. Il y a une inscription votive ; elle est ainsi conçue : *Carolo a Linné, juventus Academiæ Upsaliensis, anno MDCCCXXII.*

Le voyageur n'oublie pas non plus de visiter, à 3 milles d'Upsal, Hammarby, demeure champêtre où Linné passa les dix dernières années de sa vie. Mais, hélas ! le jardin que le savant avait créé près de cette habitation, et qu'il appelait son *hortus sibiricus*, ne possède plus que quelques plantes communes ; les arbres et les fleurs que Linné y avait rassemblés ont disparu. Au bout de ce jardin, sur un monticule aride, il avait fait bâtir un pavillon destiné à renfermer des collections de plantes, d'animaux. On en trouverait à peine les traces, le tout ayant été autrefois acheté et emporté par un Anglais. Il y a cependant une relique qu'on est toujours sûr de rencontrer : c'est le *Linnæus borealis*, qui croît spontanément sur la colline, et qu'on aime à cueillir avant de quitter ce séjour.

Charles Linné, en mourant, laissa sa femme, sa chère Sara-Élisabeth, qui lui survécut longtemps, puisqu'elle ne mourut qu'en 1806, âgée de quatre-vingt-quatorze ans, et cinq enfants, savoir :

Élisabeth-Christine, qui épousa le capitaine Bergeneranz ;

Sophie, mariée à Duse, d'Upsal ;

Louise et Sara-Christine, qui restèrent célibataires.

Charles Linné, lequel, né à Fahlun, le 20 janvier 1741, devint professeur de botanique à Upsal (1763), docteur en médecine (1765), et mourut célibataire le 1er novembre 1783, laissant sur la botanique sept ouvrages très-estimés.

Dire que Linné fut le plus illustre des naturalistes connus, c'est se faire l'écho de tous les savants, à quelque nation qu'ils appartiennent. Personne encore n'avait embrassé d'un coup d'œil plus élevé et plus harmonieux la chaîne des créatures. On n'avait point défini exactement les espèces, ni bien établi leur coordination par des caractères d'organisation et de structure. On ignorait l'art méthodique qui rapproche leurs ressemblances naturelles ; on les distribuait arbitrairement, sans égard à leurs affinités. C'est surtout par sa *Philosophia botanica* que le grand homme opéra une véritable révolution dans l'étude des sciences naturelles, et ce fut avec enthousiasme que l'on adopta son *système sexuel*, basé sur le nombre et la distribution des étamines et des pistils. On ne songeait pas encore alors à la profonde et philosophique *méthode naturelle*, qui ne déchire pas, comme le faisait le Pline du Nord, plusieurs affinités naturelles... Aucun homme, peut-être, n'offre un plus heureux assemblage, un plus parfait accord de l'esprit des grandes vues et de celui des détails, de l'esprit d'observation qui recueille les faits et de celui qui en saisit les rapports les plus éloignés. En lui accordant au degré le plus éminent l'esprit d'ordre et de méthode, la nature ne lui refusa pas les dons brillants de l'imagination. Cette dernière qualité étincelle à chaque instant dans ses écrits, mais surtout dans ses *Sponsalia plantarum*, où il représente avec une grâce infinie la couche nuptiale voilée par les rideaux pompeux et parfumés des brillantes corolles...

Les écrits de Linné sont nombreux. Nous en donnons ici le catalogue, suivant les années de leur publication. Nous le croyons à peu près complet.

ANNÉE 1731. I. *Hortus Uplandicus, sive enumeratio plantarum exoticarum Uplandiæ, quæ in hortis vel agris coluntur, imprimis autem in horto academico Upsaliensi.* Upsal, 1731, in-8°, 100 pages. — ANNÉE 1732. II. *Florula Lapponica, quæ continet catalogum plantarum, quas per provincias Lapponicas Westrobothnienses observavit C. Linnæus* (*acta Litteraria Sueciæ*, 1732-1735). — ANNÉE 1735. III. *Systema naturæ, sive regna tria naturæ, systematice proposita, per classes, ordines, genera et species.* Lugd. Bat., 1735, in-folio, 14 pages. Il y a 15 éditions de cet ouvrage. — IV. *Hypothesis nova de febrium intermittentium causa.* Harderovici, 1735, in-4°. — ANNÉE 1736. V. *Fundamenta botanica, quæ majorum operum prodromi instar, theoriam scientiæ botanicæ per breves aphorismos tradunt.* Amstel., 1736, in-4° (huit éditions). — VI. *Bibliotheca botanica, recensens libros plus mille de plantis, huc usque editos secundum systema auctorum naturale, in classes, ordines, genera, et species dispositos, additis editionis loco, tempore, forma, lingua.* Amstel., 1736, in-8°. — VII. *Musa Cliffortiana, florens Hartecampi prope Harlemum.* Lugd. Bat., 1736, in-4°, 40 pages. — ANNÉE 1737. VIII. *Genera plantarum earumque characteres naturales, secundum numerum, figuram, situm et proportionem omnium fructificationis partium.* Lugd. Bat., 1737, in-8°, 1584 pp. (onze édit.). — IX. *Viridarium Cliffortianum.* Amstel., 1737, in-8°. — X. *Corollarium generum et methodus sexualis.* Lugd. Bat., 1737, in-8°. — XI. *Flora Lapponica*, etc. Amstel., 1737, in-8°, 372 pages, 12 planches. — XII. *Critica botanica*, etc. Lugd. Bat., 1737, in-8°, 220 pages. — XIII. *Hortus Cliffortianus.* Amstel., 1737, in-folio, 501 pages, 32 pl. — ANNÉE 1738. XIV. *Petri Artedi, Sueci medici Ichthyologia*, etc. Lugd. Batav., 1738, in-8°, 556 pages. — XV. *Classes Plantarum, seu systema plantarum ; omnia a fructificatione desumpta*, etc. Lugd. Bat., 1738, in-8°, 656 pages. — XVI. *Animalia regni Sueciæ* (*Acta Acad.* Upsal, 1738). — ANNÉE 1739. XVII. *Tal om märkwärdigheter uti Insecterne.* (Discours sur les merveilles des Insectes.) Holm, 1739, in-8°. — XVIII. *Cultura plantarum naturalis.* — *Gluten lapponum e perca.* — *Œstris rangiferinus.* — *Picus pedibus tridactylis.* — *Mures Alpini Lemures.* — *Passer nivalis.* — *Piscis aureus Chinensium.* — *Fundamenta œconomiæ* (*Acta soc. reg. scient.* Holm, t. II, 1739). — ANNÉE 1740. XIX. *Orchides, iisque affines* (*Act. Acad.* Upsal, 1740). — ANNÉE 1741. XX. *Orbis eruditi judicium de C. Linnæi scriptis.* Upsal, 1741. — XXI. *Decem plantarum genera nova* (*Act. Acad.*

Upsal, 1741. — XXII. *Formicarum sexus.* — *Officinales Sueciæ plantæ.* — *Centuria plantarum in Suecia rariorum* (*Act. soc. reg. scient.* Holm, 1741). — ANNÉE 1742. XXIII. *Plantæ tinctoriæ indigenæ.* — *Amaryllis formosissima.* — *Gramen Sœlting.* — *Fœnum Suecicum.* — *Phaseoli Chinensis species.* — *Epilepsiæ vernensis causa* (*Act. Acad.* Holm, t. III, 1742). — XXIV. *Oratio de peregrinationum intra patriam necessitate.* Upsal, 1742, in-4°. — XXV. *Euporista in febribus intermittentibus* (*Act. Acad.* Upsal, 1742). — ANNÉE 1743. XXVI. *Pini usus œconomicus* (*Act. Acad.* Upsal, 1743). — XXVII. *De uva ursi seu jackas hapuck sinus hudsonici* (*Act. soc. reg. scient. Holm,* t. IV, 1743). — XXVIII. *Betula nana* (*Amœnit Acad.*, t. I, 1743). — ANNÉE 1744. XXIX. *Abietis usus œconomicus.* — *Sexus plantarum.* — *Scabiosæ novæ species descriptio.* — *Penthorum.* (*Act. Acad.* Upsal, 1744.) — XXX. *Fagopyrum sibiricum.* — *Petiveria.* (*Act. Acad. reg.* Holm, t. V, 1744.) — XXXI. *Ficus.* — *Peloria.* (*Amœnit. acad.*, t. I, 1743.) — ANNÉE 1745. XXXII. *Flora suecica, exhibens plantas, per regnum Sueciæ crescentes,* etc. Lugd. Bat., 1745, in-8, 392 pages. Il y a 1140 plantes. — XXXIII. *Animalia Sueciæ.* Holm, 1745, in-8°. — XXXIV. *Euporista in dysenteria* (*Act. Acad.* Upsal, 1745). — XXXV. *Passer procellarius* (*Act. Acad. reg.* Holm, 1745). — XXXVI. *Corallia baltica.* — *Amphibia Gyllenborgiana.* — *Plantæ Martino-Burserianæ.* — *Hortus Upsaliensis.* — *Passiflora.* — *Anandria.* — *Acrostichum.* (*Amœnit. acad.*, t. I, 1755.) — XXXVII. *Oelandska och Gottländska resa* (Voyage dans l'île d'Oeland et dans l'île de Gottland). Stockholm, 1745, in-8°. — ANNÉE 1746. XXXVIII. *Fauna Sueciæ regni, mammalia, aves, amphibia, pisces, insecta, vermes,* etc. Holm., 1746, in-8°, 411 pages, 2 planches. — XXXIX. *Sexus plantarum usus œconomicus.* — *Theæ potus.* — *Cyprini pinnæ ani radiis undecim pinnis albentibus descriptio* (*Act. Acad.* Ups., 1746). — XL. *Limnia.* — *Claytonia Sibirica.* — *De vermibus lucentibus ex China.* (*Act. Acad. reg.* Holm, t. VII, 1746.) — XLI. *Museum Adolpho Fridericianum.* — *Sponsalia plantarum.* (*Amœnit. acad.*, t. I, 1746.) — ANNÉE 1747. XLII. *Flora zeylanica, sistens plantas indicas zeylonæ insulæ, quæ olim* 1670-1677, *lectæ fuere a Paulo Hermanno.* Holm, 1747, in-8°, 254 pages. — XLIII. *Wesgötha resa pa Riksens standers befallning förrättad* (Voyage en Westrogothie, fait par les ordres des états). Stockholm, 1747, in-8°, 224 pages, 5 pl. — XLIV. *Nova plantarum genera.* — *Vires plantarum.* — *Crystallorum generatio.* (*Amœnit. acad.*, t. I, 1747.) — ANNÉE 1748. XLV. *Hortus Upsaliensis,* etc. Holm, 1748, in-8°, 306 pages, 3 pl. — XLVI. *Tœnia.* — *Surinamensia Grilliana.* — *Flora œconomica.* — *Curiositas naturalis,* O. *Soderberg.* (*Amœnit. acad.*, t. II, 1748.) — ANNÉE 1749. XLVII. *Materia medica regni vegetabilis.* Holm, 1749, in-8°, 252 pages. — XLVIII. *Oratio de telluris habitabilis incremento.* Upsal, 1743, in-4°. — XLIX. *Coluber* (*Chersea*) *scutis abdominalibus centum quinquaginta squamis sub caudalibus triginta quatuor.* — *Avis « sommar guling » appellata.* — *Musc frit; insectum quod grana interius exedit.* — *Emberiza ciris.* (*Act. Acad. reg.* Holm, t. VIII, 1749.) — L. *Amœnitates academicæ,* t. I. Lug. Bat., 1749. — LI. *Œconomia naturæ.* — *Lignum colubrinum.* — *Radix senega.* — *Gemmæ arborum.* — *Pan suecus.* (*Amœnit. acad.* Upsal, t. II, 1749.) — LII. *Hæmorrhagiæ uteri sub statu graviditatis* (*Amœnit. acad.*, t. IX). — ANNÉE 1750. LIII. *Materia medica regni animalis.* Upsal, 1750. — LIV. *Splanchnum.* — *Semina muscorum.* — *Materia medica e regno animali.* — *Plantæ Camtschatcences rariores.* (*Amœnit. acad.*, t. II, 1750.) — ANNÉE 1751. LV. *Amœnitates academicæ,* t. II. Holm, 1751. — LVI. *Stanska resa förrätted* 1749 (Voyage en Scanie fait en l'année 1749). Stockholm, 1751, in-8°. — LVII. *Philosophia botanica,* etc. Holm, 1751, in-8°, 362 pages. — LVIII. *Sapor medicamentorum.* — *Nova plantarum genera.* — *Planta hybridæ.* (*Amœnit. acad.*, t. II, 1751, et t. III, 1751.) — ANNÉE 1752. LIX. *Materia medica regni lapidei.* Upsal, 1752. — LX. *Morbi ex hieme.* — *Obstacula medicinæ.* — *Plantæ esculentæ patriæ.* — *Euphorbia.* — *Materia medica e regno lapideo.* — *Noctiluca marina.* — *Odores medicamentorum.* — *Rhabarbarum.* — *Quæstio hist. nat. cui bono?* — *Hospita insectorum flora.* — *Nutrix noverca.* — *Miracula insectorum.* — *Noxa insectorum.* (*Amœnit. acad.*, t. III, 1752.) — ANNÉE 1753. LXI. *Species plantarum,* etc. Holm, 1753, in-8°, 2e vol., 120 pages. — LXII. *Museum Tessinianum, opera comitis C. J. Tessin, etc., collectum.* Holm, 1753, in-folio, 90 pages. — LXIII. *Novæ duæ tabaci species* (*Act. soc. reg. scient.* Holm). — LXIV. *Vernatio arborum.* — *Incrementa botanices.* — *Demonstrationes plantarum.* — *Herbationes upsalienses.* — *Instructio musei rerum naturalium.* (*Amœnit. acad.*, t. III, 1753.) — LXV. *Plantæ officinales.* — *Censura simplicium.* — *Canis familiaris.* (*Amœnit. acad.*, t. IV, 1753. — ANNÉE 1754. LXVI. *Museum regis Adolphi Suecorum,* etc. Stockh., 1754, in-fol., 145 p., 45 planches. Latin et suédois. — LXVII. *De plantis quæ Alpium suæcicarum indigenæ fieri possint.* — *Simiæ ex cereopithecorum genere descriptio.* (*Act. Acad. reg. Holm.*, t. XV, 1754.) — LXVIII. *Stationes plantarum.* — *Flora anglica.* — *Herbarium Amboinense.* — *Methodus investigandi vires medicamentorum chemica.* — *Consectaria electrico-medica.* — *Cervus Tarandus.* — *Ovis.* — *Mus porcellus.* — *Horticultura academica.* — *Chinensia lagerstrœmiana.* (*Amœnit. acad.*, t. IX, 1754.) — ANNÉE 1755. LXIX. *Mirabilis longifloræ descriptio.* — *Lepidii descriptio.* — *Ayeniæ descriptio.* — *Gauræ descriptio.* — *Lœflingia et*

Minuartia. (*Trans. Acad. reg.* Holm, t. XVI, 1755.) — LXX. *Centuria I plantarum.* — *Fungus melitensis.* — *Metamorphosis plantarum.* — *Somnus plantarum.* (*Amœnit. acad.*, t. IV, 1755.) — Année 1756. LXXI. *Flora palestina.* — *Flora alpina.* — *Calendarium Floræ.* — *Pulsus intermittens.* — *Centuria II plantarum.* — *Flora monspeliensis.* — *Fundamenta valetudinis.* — *Specifica Canadensium.* — *Acetaria.* — *Phalæna Bombyx.* (*Amœnit. acad.*, t. IV, 1756.) — Année 1757. LXXII. *Frederici Hasselquist, Iter Palestinum, ella resa til heliga landet.* Holm, 1757. (Ouvrage rédigé sur les manuscrits de Hasselquits, mort à Smyrne en 1752.) — LXXIII. *Migrationes avium.* — *Morbi expeditionis classicæ.* — *Febris upsaliensis.* — *Flora danica.* — *Panis diæteticus.* — *Natura pelagi.* — *Buxhaumia.* — *Exanthemata viva.* — *Transmutatio frumentorum.* — *Culina mutata.* (*Amœnit. acad.*, t. IV et V.) — Année 1758. LXXIV. *Petri Læfflingii Iter hispanicum*, etc. Stockh., 1758, in-8°. — LXXV. *Cortex peruvianus.* — *Spigelia anthelmia.* — *Frutetum succicum.* — *Medicamenta graveolentia.* — *Pandora insectorum.* (*Amœnit. Acad.*, t. IX. — Année 1759. LXXVI. *Oratio regia, coram rege reginaque habita*, 1759, in-fol. — LXXVII. *Entomolithus paradoxus descriptus.* — *Gemma, Penna pavonis dicta.* — *Coccus Uvæ Ursi.* (*Transact. Acad. reg. Holm.*, t. XX, 1759.) — LXXVIII. *Senium Salomoneum.* — *Auctores botanici.* — *Instructio peregrinatoris.* — *Plantæ tinctoriæ.* — *Animalia composita.* — *Flora Capensis.* — *Ambrosiacea.* — *Arboretum succicum.* — *Generatio ambigena.* — *Flora Jamaicensis.* — *Aer habitabilis.* — *Nomenclator plantarum.* — *Pugillus Jamaicensium plantarum.* (*Amœnit. acad.*, t. V, 1759.) — Année 1760. LXXIX. *Disquisitio quæstionis, ab Acad. imper. scient. Petropolitanæ in annum 1759, pro præmio propositæ : sexum plantarum argumentis et experimentis novis, præter adhuc jam cognita vel corroborare vel impugnare*, etc. Petrop, 1760, in-4°, 40 pages. — LXXX. *Amœnitates academicæ*, t. IV. Holm, 1760. — LXXXI. *Amœnitates academicæ*, t. V. Holm, 1760. — LXXXII. *Politia naturæ.* — *Plantæ Africanæ rariores.* — *Theses medicæ.* — *Anthropomorpha.* — *Flora belgica.* — *Macellum olitorium.* — *Prolepsis plantarum.* (*Amœnit. acad.*, t. VI, 1760.) — Année 1761. LXXXIII. *Diæta acidularis.* — *Potus coffeæ.* (*Amœnit. acad.*, t. VI, 1760.) — Année 1762. LXXXIV. *Inebriantia.* — *Morsura serpentum.* — *Termini botanici.* — *Planta Alstræmeria.* — *Nectaria florum*, — *Fundamentum fructificationis.* — *Reformatio botanices.* — *Meloë vesicatorius.* (*Amœnit. acad.*, t. VI, 1760.) — Année 1763. LXXXV. *Genera morborum.* Upsal, 1763, avec une nomenclature suédoise. — LXXXVI. *Amœnitates academicæ*, t. VI. Holm, 1763. — LXXXVII. *Raphania.* — *Lignum quassiæ.* — *Fructus esculenti.* — *Prolepsis plantarum.* — *Lepra.* — *Centuria insectorum.* — *Motus polychrestus.* (*Amœnit. acad.*, vol. VI et VII. — Année 1764. LXXXVIII. *Museum reginæ Louisæ Ulricæ*, etc. Holm, 1764, in-8°, 620 pages. — LXXXIX. *Observationes ad cerevisiam pertinentes* (*Trans. acad. reg. Holm*, t. XXIV, 1764). — XC. *Diæta ætatum.* — *Morbi artificum.* — *Hortus culinaris.* — *Spiritus frumenti.* — *Opobalsamum declaratum.* (*Amœnit. acad.*, t. VII.) — Année 1765. XCI. *Hirudo medicinalis.* — *Fundamenta ornithologiæ.* — *Potus chocolatæ.* — *Fervida et Gelida.* — *Potus theæ.* (*Amœnit. acad.*, t. VII. — Année 1766. XCII. *Clavis medica duplex, exterior et interior.* Holm, 1763, in-8°, 29 pages. — XCIII. *Purgantia indigena.* — *Necessitas hist. nat. Rossiæ.* — *Usus historiæ naturalis* — *Siren lacertina.* — *Cura generalis.* — *Usus muscorum.* (*Amœnit. acad.*, t. VII.) — Année 1767. XCIV. *Mantissa plantarum, generum editionis sextæ et specierum editionis secundæ.* Holm, 1767, in-8°, 142 pages. — XCV. *Mundus invisibilis.* — *Hæmoptysis.* — *Venæ resorbentes.* — *Menthæ usus.* — *Fundamenta entomologiæ.* — *Metamorphosis humana.* — *Fundamenta agrostographiæ.* — *Varietas ciborum.* (*Amœnit. acad.*, t. VII.) — Année 1768. XCVI. *Rariora Norvegiæ.* — *Coloniæ plantarum.* — *Medicus sui ipsius.* — *Morbi nautarum Indiæ.* — *Iter in Chinam.* (*Amœnit. acad.*, t. VIII.) — Année 1769. XCVII. *Amœnitates academicæ*, t. VII. Holm, 1769. — XCVIII. *Animalis Brasiliensis descriptio.* — *Viverræ Nariciæ descriptio.* — *Simia Œdipus.* — *Gordius medinensis.* — *Flora Akeroensis.* (*Trans. acad. reg.* Holm, t. XXIX, 1769.) — Année 1770. XCIX. *Calceolariæ pinnatæ descriptio.* — *Erica.* (*Trans. acad. reg. Holm*, t. XXXI, 1770.) — Année 1771. C. *Mantissa plantarum altera.* Holm, 1771, in-8°. 558 pages. — CI. *Dulcamara.* — *Pandora et Flora Nybiensis, D. H. Soderberg.* — *Fundamenta testaceologiæ.* — *Febrium intermittentium curatio varia.* (*Amœnit. acad.*, t. VIII. — Année 1772. CII. *Delicia naturæ* (discours prononcé en 1772). — CIII. *Respiratio diætetica.* — *Hemorrhagiæ ex plethora.* — *Fraga vesca.* — *Observationes in materiam medicam.* — *Suturæ vulnerum.* — *Nitraria, planta obscura explicata.* (*Amœnit. acad.*, t. IX.) — Année 1774. CIV. *Planta cimicifuga.* — *Esca avium domesticarum.* — *Marum.* — *Viola Ipecacuanha.* (*Amœnit. acad.*, t. VIII.) — Année 1775. CV. *Plantæ Surinamenses.* — *Ledum palustre.* — *Opium.* — *Medicamenta purgantia.* — *Perspiratio insensibilis.* — *Canones medici.* — *Scorbutus.* — *Bigæ insectorum.* (*Amœnit. acad.*, t. VIII.) — Année 1776. CVI. *Planta Aphyteia.* — *Hypericum.* (*Amœnit. acad.*, t. VIII.)

A. Chéreau.

LINNÉE (*Linnæa*). Genre de plantes, de la famille des Caprifoliacées, que

Gronovius a dédié au grand médecin-naturaliste suédois. Le type du genre est le *L. borealis*, humble herbe rampante, qui croît dans les deux mondes, sur les régions montagneuses de l'hémisphère boréal, et dont les feuilles sont opposées, persistantes, pétiolées, à peu près ovales. Les fleurs sont au nombre de deux, placées au sommet d'un pédoncule commun, et accompagnées chacune de courtes bractées. Leur organisation générale est celle des fleurs de certains Chèvrefeuilles; mais leurs étamines sont seulement au nombre de quatre, et didynames, quoique le calice et la corolle soient pentamères. Quant à l'ovaire, il a trois loges, et deux d'entre elles sont pluriovulées, mais stériles; tandis que la troisième, qui ne renferme qu'un seul ovule, est fertile, et que c'est cet ovule qui devient, dans la baie du *Linnæa*, une graine à embryon renversé, entouré d'un albumen charnu. En Suède, en Laponie, en Norwége, le *L. borealis* est employé comme remède, contre la goutte, la sciatique, les rhumatismes. On le prescrit en infusion, en cataplasmes, en fomentations. Ses propriétés curatives sont-elles bien réelles? Il est permis d'en douter, quoique la plante soit un peu amère et astringente. On a employé ses feuilles en infusion, en guise de thé.

H. Bn.

Gronov., in *Linn. Gen.*, n. 774; *Spec.*, 880. — Juss., *Gen. plant.*, 241. — Wahlenb., *Flor. lappon.*, 170, t. XI, fig. 3. — Siegesb., *Prim.*, 79 (*Obolaria*). — Lundmarck, *Dissert. de usu Linneæ medico*. Upsal, 1788. — Lamk, *Ill.*, t. 536; *Fl. de Fr.*, éd. 3, IV, 269. — Schkuhr, *Handb.*, t. 176. — Mér. et Del., *Dict.*, IV, 122. — DC., *Prodr.*, IV, 540. — Endl., *Gen.*, n. 5332. — H. Baillon, in *Adansonia*, II, et in Payer, *Fam. nat.*, 238.

LINYPHIES. *Voy.* Araignées.

LIOMYOME (λεῖος lisse, μυών muscle). Synonymie *Leiomyome*, *Myome lévicellulaire*, *Hystérome*. Les liomyomes sont des tumeurs constituées par des fibres musculaires lisses, comme élément fondamental, présentant par leur texture, une analogie plus ou moins prononcée avec le tissu musculaire lisse et siégeant à l'intérieur ou au voisinage des organes renfermant ce tissu.

Pendant longtemps ces tumeurs ont été confondues avec les tumeurs dites fibreuses, fibroïdes, desmoïdes et chondroïdes, et leur nature réelle est restée indéterminée jusqu'à l'intervention des études histologiques.

Cependant Hunter et Baillie en désignant sous le nom de *fleshy tubercles*, tubercules charnus, certains corps fibreux de consistance peu dense, semblent avoir pressenti leur analogie avec le tissu utérin. Lors même qu'on eut démontré la présence de fibres musculaires lisses dans les corps fibreux de l'utérus, on continua à ranger ces tumeurs dans le groupe des tumeurs fibreuses.

Ainsi, en 1842, Bidder et Waller avaient indiqué les moyens d'isoler les fibres musculaires lisses dans les corps fibreux; Vogel, en 1845, avait déjà vu que des fibres musculaires lisses se retrouvent dans des tumeurs dites fibreuses de l'estomac, de l'intestin et de l'utérus, et Lebert, en France, avait démontré la présence de ces éléments dans les corps fibreux; néanmoins ces auteurs, se conformant à un usage qui s'est conservé jusqu'à présent, avaient rapproché les tumeurs à fibres lisses, des fibromes, en formant une division à part à laquelle Lebert donnait le titre de fibroïde.

Ce n'est qu'en 1854 que Virchow proposa une expression rappelant l'élément fondamental de ces tumeurs, et se servit du mot général myome pour les désigner. Fœrster après avoir adopté cette expression en 1860, accepta, dans la dernière édition de son *Anatomie pathologique*, la dénomination de léiomyome inventée par Zenker.

Dès lors, les auteurs qui ont rapporté des exemples de ces tumeurs les ont tour à tour désignées sous l'un des titres précédents. L'expression liomyome nous semble exprimer avec précision la caractéristique histologique de ces tumeurs.

M. Broca, en les décrivant sous le nom d'hystéromes, a principalement eu en vue de montrer l'analogie des éléments qui les constituent avec ceux du tissu propre de l'utérus. Cette expression qui convient aux liomyomes de l'utérus ne nous semble pas assez générale pour désigner des tumeurs observées dans des organes très-différents, et dont les éléments reproduisent simplement ceux du tissu musculaire viscéral. Bien qu'en dehors des liomyomes de l'utérus et de ses annexes, le nombre des liomyomes observés soit encore restreint, nous croyons qu'à l'exemple de Fœrster et de Virchow il n'est pas sans intérêt de leur consacrer un article de description générale, mais l'importance exceptionnelle des Liomyomes de l'utérus exigeant une description spéciale, nous passerons rapidement sur les particularités qui concernent ces tumeurs, renvoyant à l'article CORPS FIBREUX DE L'UTÉRUS.

Siége. Les liomyomes ont été rencontrés dans la plupart des organes qui renferment du tissu musculaire viscéral. En dehors de l'utérus qui doit être considéré comme leur siége de prédilection, on les a signalés dans les annexes de l'utérus, les trompes, les ligaments larges, dans les ovaires et la paroi vaginale (Virchow, Ulrich, Demarquay); dans la prostate (Thompson), au voisinage de l'urèthre et adhérant au rectum (Broca); dans le foie, sur les conduits hépatiques (Robin, in *Dictionnaire de Nysten*); dans les diverses parties du tube digestif, l'œsophage (Albers, Rünge, Eberth), l'estomac (Vogel, Rünge, Virchow); l'intestin, soit dans le duodénum, soit dans l'iléon (Rokitansky, Fœrster, Virchow, etc.); dans la peau du mamelon (Virchow), du scrotum (Fœrster); sur le trajet de la veine saphène (Aufrecht); dans le tissu fibreux à fibres musculaires de l'orbite (A. Hénocque); dans l'intérieur de l'œil, au niveau de la choroïde et du cercle ciliaire (Ivanhoff).

A côté de ces observations dans lesquelles la nature de la tumeur a été constatée au microscope, on pourrait citer bien des cas de tumeurs fibreuses qui étaient probablement des liomyomes, mais une telle restauration souvent faite par Fœrster et par Virchow ne peut reposer sur des principes rigoureux.

Caractères généraux. Les liomyomes forment des tumeurs ordinairement arrondies, ou ovoïdes, ou formées de masses globuleuses superposées, tantôt parfaitement lisses, s'énucléant facilement des tissus voisins, et paraissant entourées d'une lamelle de tissu cellulaire, tantôt adhérant aux tissus voisins, soit accidentellement, soit par une union plus intime ; quelquefois ils prennent la forme de polypes. Leur volume et leur poids peuvent être considérables, dans l'utérus principalement, où ils ont atteint 60 livres (Voigtel) et même 40 kilogrammes (Broca), mais, en général, ils sont plus petits, ordinairement de la grosseur d'une noix, d'un œuf, dans le tube digestif ils ne dépassent pas ce volume. Le liomyome observé par M. Broca, au périnée, avait le volume d'un œuf. Celui que nous avons observé dans l'orbite avait les dimensions d'une grosse noix, le liomyome intraoculaire de M. Ivanhoff occupait le tiers environ du globe oculaire. Lorsque les liomyomes sont multiples, leur grosseur est en général moindre, on en trouve souvent du volume d'un pois et même d'un grain de mil.

Ces tumeurs quelquefois isolées ou réunies en une seule masse, peuvent être disséminées, ainsi qu'on l'observe dans l'intestin et surtout dans l'utérus où l'on en a compté jusqu'à quarante.

La couleur des liomyomes est grisâtre, comme tendineuse, ou rosée, rougeâtre suivant les variétés de texture et la vascularisation, leur odeur peut varier suivant le siége; en général elle est aigrelette, et rappelle l'odeur de l'intestin et de l'utérus.

Lorsque les liomyomes ne sont pas le siége d'altérations notables, ils ont une densité fibreuse, chondroïde même, et une élasticité prononcée, d'ailleurs leur consistance peut varier, d'où leur distinction en liomyomes mous et en liomyomes durs ou fibreux.

Résistants à la section, ils crient sous le scalpel à la manière des tissus fibreux. La coupe en est lisse, légèrement nacrée, simulant l'aspect fibreux ou restant manifestement charnue, on peut à l'œil nu leur distinguer une texture fibreuse; des faisceaux ondulés s'entrecroisant, s'enchevêtrant en sens divers, forment des sortes d'anneaux ou de larges bandes séparant des espaces arrondis à stries concentriques, et formant des tumeurs secondaires. Quelquefois, à l'intestin surtout, leur section montre une série de lamelles concentriques rappelant la section d'une bille d'agate.

Lehmann a signalé le premier la réaction acide de ces tumeurs, elles rougissent le papier de tournesol, tachent l'acier; M. Hayem a vérifié cette réaction qui présente une certaine importance.

Caractères microscopiques. L'aspect des coupes d'un liomyome est variable, suivant le sens dans lequel on les pratique; examinées à un faible grossissement elles reproduisent assez nettement l'aspect macroscopique.

On retrouve des faisceaux plus ou moins larges, de direction très-variée, disposés en sortes de séries concentriques ou en lamelles longues et larges.

A un grossissement plus considérable, on reconnaît la nature des éléments constitutifs, fibres musculaires lisses, tissu lamineux ou conjonctif, vaisseaux.

Les fibres musculaires lisses se présentent, réunies sous forme de faisceaux, et reconnaissables à leurs noyaux allongés, en bâtonnet. Les acides faibles (acétique, tartrique) mettent en relief les noyaux; la coction, la soude concentrée isolent les faisceaux en les gonflant. L'acide nitro-chlorhydrique dilué permet d'isoler les fibres lisses. Le perchlorure de palladium, signalé par Schultze, est un excellent réactif pour l'étude des fibres lisses, ainsi que nous avons pu nous en assurer, il colore à la fois les noyaux et toute la fibre-cellule en brun jaunâtre foncé, en même temps qu'il permet l'isolement facile des fibres lisses.

Les éléments ont ordinairement leur volume normal, mais souvent les éléments et les faisceaux sont hypertrophiés de façon à rappeler les fibres nouvelles qui se forment dans l'utérus pendant la grossesse. A côté de ces fibres lisses complétement développées, l'on retrouve des éléments qui représentent toutes les phases de développement des fibres musculaires lisses, tels sont de gros noyaux ovoïdes, arrondis même, finement granuleux, entourés d'une substance amorphe granuleuse ou protoplasma, se colorant en jaune par le palladium, en rouge par le carmin et la teinture de fuchsine, ces éléments se réunissent en groupes de 3 ou 4 ou plus, et quelquefois on les sépare difficilement les unes des autres. Autour d'eux se voient des éléments analogues dans lesquels le protoplasma devient ovoïde, et prend enfin un aspect fusiforme, tandis que le noyau a de plus en plus la forme de bâtonnet, et les granulations qu'ils renferment sont disposées régulièrement de façon à lui donner, dans certains cas, une apparence striée. Ce sont là des fibres lisses en voie de développement. On les retrouve en grande abondance dans les liomyomes mous, ils sont, en général, accumulés vers le centre des espaces circonscrits par les fibres lisses concentriques, les éléments les plus jeunes étant situés au centre. Nous les avons vus dans un liomyome polypeux enlevé par le docteur Nonat, formant des amas assez considérables à teinte foncée, qui à un faible grossissement rappelaient grossièrement les dépôts hétéradéniques.

Le tissu lamineux ou conjonctif existe en quantité très-variable dans les liomyomes, quelquefois à peine développé à la surface, le long des vaisseaux, ou dans l'interstice des faisceaux; il peut, au contraire, constituer une bonne partie de la tumeur, à ce point que l'on pourrait considérer l'élément musculaire lisse comme accessoire.

Les vaisseaux sont ordinairement rares; cependant on peut, suivant les cas, les distinguer en périphériques et interstitiels. Ceux-ci seraient de gros capillaires, ou même artériels suivant Virchow; les vaisseaux périphériques sont surtout veineux, mais le plus grand nombre d'entre eux serait développé dans les tissus voisins, comme l'a établi Albers de Bonn.

L'existence de nerfs n'a été signalée que par un seul auteur, le docteur Hertz qui a décrit dans un liomyome de l'utérus des nerfs et des terminaisons nerveuses. (Virchow's *Archiv*, 19 mars 1869, 46. Bd.)

Les différences de texture que présentent les liomyomes, suivant le développement plus ou moins prononcé des éléments accessoires, sont assez prononcées pour que l'on ait cru devoir établir un certain nombre de variétés. C'est ainsi que l'on admet des liomyomes durs et des liomyomes mous, ou des myofibromes ou fibromyomes, ou enfin des myomes purs, suivant qu'il y a prédominance de l'élément musculaire ou de l'élément lamineux. Le développement considérable des vaisseaux, signalé déjà par Cruveilhier, et qui rapproche les liomyomes des tumeurs érectiles, a décidé Virchow à admettre la variété de myomes télangiectodes.

Genèse et pathogenèse. L'origine et le mode de développement des liomyomes est encore sujet à discussion; il n'en saurait être autrement, puisque l'accord est loin d'exister sur la genèse de l'élément fondamental. Comme ce n'est pas le lieu, ici, de nous occuper des discussions doctrinales que soulève l'étude de chaque tumeur, nous nous contenterons d'exposer ce que l'on sait du siége initial des liomyomes et du développement des éléments qui les constituent. Dans tous les cas, les liomyomes occupent des régions dans lesquelles on trouve immédiatement en rapport avec eux des fibres musculaires lisses, et l'on sait maintenant que le ligament large, l'ovaire, la peau, le tissu fibreux qui entoure l'œil, etc., contiennent des fibres lisses. Il est donc certain que beaucoup de liomyomes naissent par hypergenèse. Mais si l'on considère la tumeur une fois qu'elle a acquis un certain développement, alors qu'elle a envahi les tissus voisins du point de départ, qu'elle s'est pour ainsi dire complétement isolée, qu'on la retrouve par exemple sous la muqueuse du tube digestif, à distance du tissu musculaire viscéral, il devient très-difficile d'affirmer le point de départ, la tumeur est, actuellement au moins, hétérotopique. La plupart des auteurs, constatant ces deux grands faits en faveur de chacun desquels on pourrait citer des arguments, ont admis que les liomyomes naissent par hypergenèse et par hétérotopie.

En effet, M. Broca range les hystéromes parmi les productions nouvelles homœomorphes et homologues, tout en reconnaissant que certains d'entre eux sont hétérotopiques. M. Robin admet l'hypergenèse et l'hétérotopie. M. Virchow, sans se prononcer nettement sur ce point qu'il ne croit pas encore élucidé, donne quelques arguments en faveur de l'hétéroplastie, c'est-à-dire qu'il semblerait disposé à admettre avec Fœrster qu'il y a formation nouvelle de fibres lisses dans le tissu conjonctif, indépendante des fibres lisses, plus ou moins voisines, déjà existantes.

Examinons, maintenant, si l'étude du développement des fibres lisses dans la tumeur permet des conclusions plus rigoureuses.

Ici encore nous rencontrons trois opinions contradictoires.

Moleschott et Piso Borme ont rapporté la formation des éléments nouveaux à une multiplication des éléments déjà existants.

Vogel, Robin admettent la genèse au sein d'un blastène, et s'appuient sur l'étude des noyaux et de la substance amorphe ou protoplasma que l'on trouve dans les liomyomes les plus purs.

Fœrster, J. Arnold et peut-être Virchow, croient à la transformation des éléments du tisssu conjonctif en fibres musculaires lisses.

Nous ne pourrions examiner tous les arguments en faveur de l'une de ces opinions sans étudier la genèse des fibres musculaires lisses, nous nous bornerons à chercher les conclusions qu'elles entraînent. Si l'on accepte la première opinion, les liomyomes ne seront qu'hypergenèse, ou même hypertrophie partielle d'un organe. Avec les deux autres opinions, il peut y avoir à la fois hypergenèse et hétérotopie. Au milieu de ces discussions, il est permis de rester dans la réserve et d'attendre que la lumière se fasse sur l'histoire anatomique et physiologique des fibres musculaires lisses.

Accroissement. Transformations. Les liomyomes, une fois formés, tendent à croître, indéfiniment même dans quelques cas, où ils atteignent des proportions colossales. L'accroissement paraît se faire surtout du centre à la périphérie ; il semble que chacune des masses composant la tumeur et renfermant les éléments en voie de formation repousse le tissu complétement formé de la tumeur, et le tissu voisin ; quelquefois plusieurs petites tumeurs se réunissent ensemble et même de nouveaux centres d'accroissement se forment dans une même tumeur. La tumeur tend le plus souvent à s'isoler, quelle que soit la position primitive qu'elle occupe, et les déplacements des liomyomes observés dans l'intestin constituent un des points les plus curieux de l'histoire des corps et polypes fibreux. Pour expliquer la cause de ces déplacements, on invoque l'augmentation de volume de la tumeur, l'action du tissu musculaire viscéral qui l'entoure ou l'avoisine, et, enfin, on est porté à croire que ces éléments ont conservé leurs propriétés spéciales, la contractilité, qui, une fois admise, expliquerait bien des particularités de leur texture et de leurs transformations. Virchow a montré que les changements de volume observés dans ces tumeurs peuvent tenir à des différences dans la vascularisation, une sorte d'érectilité (dans le liomyome télangiectode en particulier), mais seraient peut-être dus à la contractilité propre de la tumeur. L'accroissement des liomyomes constitue un caractère de permanence qui a son importance. On ne saurait cependant fixer la durée de chacune des fibres lisses en particulier, mais la tumeur est en elle-même permanente.

Dans la plupart des cas, l'accroissement n'est pas indéfini ; bien des transformations peuvent l'arrêter et modifier l'aspect de la tumeur. Nous n'insisterons pas sur ces faits observés surtout dans les liomyomes de l'utérus. L'arrêt de développement ou même l'atrophie peut tenir à une atrophie sénile progressive, analogue à celle qu'on observe dans l'utérus lui-même ; à une transformation fibreuse presque complète, désignée sous le nom d'induration, et la tumeur acquiert une dureté caractéristique, une densité, un aspect chondroïdes. La transformation calcaire, considérée autrefois comme très-rare, a été souvent démontrée dans les liomyomes utérins et intestinaux. La calcification se fait ordinairement par le tissu conjonctif; on trouve des concrétions crétacées irrégulières en divers points de la tumeur, en même temps qu'au microscope on retrouve, au voisinage de ces masses crétacées, un dépôt de grains calcaires assez régulièrement disposés le long des fibres lisses. Lorsqu'on traite ces parties par l'acide chlorhydrique, on peut voir réapparaître les fibres musculaires, et celles-ci ne semblent pas le siége de calcification. (Virchow.) La production du tissu osseux véritable n'a été signalée qu'exceptionnellement par Wedl et Bidder. Nous ne citons que pour mémoire la transformation graisseuse suivie de résorption, qui ne serait admissible que pour de très-petits liomyomes. Nous ne ferons que signaler les altérations nombreuses dont les liomyomes peuvent être le siége, et qui, jusqu'à présent, n'ont été décrites que dans les liomyomes de l'utérus ou des ovaires; telles sont l'infiltration œdémateuse, l'inflammation périphérique pouvant amener la gangrène et l'élimination de ces tumeurs, la formation d'épanchements sanguins à leur intérieur, accompagnée de destruction partielle, avec production de ces cavités ou géodes si bien décrites par Cruveilhier.

Quelles que soient ces transformations, il est bien démontré que les liomyomes ne se généralisent pas. On peut, il est vrai, trouver des liomyomes multiples, mais jusqu'à présent, on n'a pas trouvé de productions secondaires de ces tumeurs dans les viscères ni dans les ganglions. Cruveilhier avait insisté sur ce fait en établissant comme règle que les corps fibreux ne dégénèrent jamais en squirrhes. Cependant Virchow a réuni plusieurs faits qui démontrent l'existence des éléments de tumeurs malignes dans les liomyomes; le sarcome ou tumeur fibroplastique en particulier semble pouvoir se développer dans les tumeurs à fibres musculaires lisses, et il en serait de même du carcinome épithélial. Ces tumeurs observées surtout dans l'ovaire, formant le groupe des myosarcomes, myomes cystiques, myomes mixtes, sont encore fort mal connues, et probablement ne s'agit-il là, suivant la remarque de Virchow, que d'une hypertrophie analogue à celle des muscles lisses dans le cancer de l'estomac et de la vessie, ou bien de l'envahissement de la tumeur par une production nouvelle développée dans le tissu voisin.

Étiologie. Il faut avouer que l'on ne sait rien de précis sur les causes du développement des liomyomes. En dehors de l'irritation, cause en quelque sorte banale du développement des tumeurs, tout ce que l'on peut dire à ce sujet se rapporte à l'histoire des corps fibreux de l'utérus, l'étude des autres liomyomes ne nous apprend rien de précis. On peut toutefois limiter l'âge auquel ces tumeurs atteignent un développement qui les fait reconnaître, on peut dire qu'elles existent surtout après l'âge de 35 ans, et la plupart d'entre elles ont été trouvées chez des individus d'un âge avancé.

Il n'est pas nécessaire de faire remarquer la fréquence des liomyomes chez la femme, mais le plus grand nombre des liomyomes des divers organes a été observé chez l'homme, abstraction faite des liomyomes de la prostate qui, sous la forme des liomyomes vrais, sont tellement rares que leur existence reste un point discutable.

Symptômes. En laissant de côté les symptômes importants des liomyomes de l'utérus, on rencontre peu de notions sur les signes des liomyomes, et ce fait s'explique par cette circonstance que les tumeurs ont presque toujours passé inaperques sur le vivant; aussi ne peut-on les établir que par analogie avec les symptômes des corps fibreux. Ces signes se rapportent à la situation, au volume, aux déplacements de ces tumeurs.

Ainsi, au voisinage des cavités, les liomyomes peuvent produire des troubles manifestes : au périnée un liomyome peut comprimer l'urèthre et gêner la miction; dans le foie ou la vésicule biliaire, au voisinage des conduits hépatiques, dans le duodénum, ils pourraient être causes d'ictère, et de gêne dans l'excrétion biliaire; à l'œsophage, ils ont déterminé des troubles dans la déglutition, et se sont accompagnés d'expuitions fréquentes et abondantes de salive. Dans l'intestin, suivant la remarque de Rokitansky, les liomyomes pourraient combler en grande partie la cavité du tube digestif et donner lieu à une invagination. Dans un cas de liomyomes multiples de l'intestin, M. Leroy n'a pu retrouver d'autres signes intéressants que l'existence de coliques et de diarrhée ayant persisté depuis plusieurs années, et qui fut signalée par le malade. A l'orbite, la tumeur causait des douleurs vives, conséquences de l'exophthalmos qui en quatre ans était devenu considérable. Dans le fait de myome intra-oculaire, la vision resta longtemps assez bonne, les milieux de l'œil transparents permirent de reconnaître l'existence d'une tumeur, mais des douleurs très-violentes dans la région ciliaire rendirent l'énucléation nécessaire.

Les hémorrhagies paraissent spéciales aux liomyomes utérins.

On voit qu'il reste à élucider toute cette partie de l'histoire générale des liomyomes, et l'on comprend la difficulté, pour ne pas dire l'impossibilité, jusqu'à présent presque absolue d'établir le diagnostic de ces tumeurs. Lorsqu'elles seront accessibles aux divers procédés d'exploration par leur position superficielle ou par leur saillie dans une cavité, on pourra sans doute reconnaître une tumeur, tout au plus pourra-t-on en indiquer la consistance fibreuse, et jusqu'à présent on les a confondues avec des tumeurs fibreuses, avec l'hypertrophie de la prostate, le sarcome de la choroïde, une tumeur maligne de l'orbite.

L'examen histologique seul permettra d'établir la nature de la tumeur. D'ailleurs, au point de vue pratique, il n'y a pas d'inconvénient à confondre le liomyome avec une tumeur fibreuse, l'une et l'autre tumeur présentant des indications thérapeutiques analogues, et réclamant la même intervention chirurgicale. Quant aux liomyomes de l'utérus ou de ses annexes et du vagin, on consultera à leur égard les articles spéciaux. Le pronostic des liomyomes n'offre de gravité qu'en raison de leur siége ou de leur développement, ces tumeurs ne récidivant pas après l'ablation; ainsi à l'orbite, au mamelon, sur la veine saphène, au vagin, la guérison a suivi l'ablation.

A. Hénocque.

Bibliographie. — L'histoire générale des liomyomes, faite surtout au point de vue anatomo-pathologique, a été faite par Fœrster et Virchow dans des chapitres que nous avons largement utilisés. L'étude des liomyomes dans les divers organes est réunie dans un chapitre unique par Virchow, et disséminée dans le livre de Fœrster parmi les tumeurs de chaque organe. — Fœrster. *Handbuch der pathologischen Anatomie.* Édition 1865, t. I, p. 341 (glatte Muskelgeschwulst, Leiomyome), et Specieller Theil, *passim.* — Virchow. *Die krankhaften Geschwülste.* III Band, 1 Hälfte, leçon 23, p. 96 à 232.

Consultez en outre pour l'anatomie pathologique, le développement : Bidder et Walter. 1842. *Ueber fibröse Körper der Gebarmutter.* — Vogel. 1843. *Pathol. Anatomie des menschlichen Körpers.* Leipzig, 1845. — Rünge. *De musculorum vegetativorum hypertrophia pathologica.* Dissert. inaug. Berolini, 1857. — Lebert. *Comptes rendus de la Société de biologie.* 1852, t. IV, p. 68. — Du même. *Traité d'anatomie path. génér. et spéciale.* Paris, 1857. — Broca. *Traité des tumeurs,* t. II, Paris, 1869, chap. vii (Des hystéromes), p. 252 et suiv. Hystérome chez l'homme, p. 253. — Robin. *Programme du cours d'histologie,* p. 216. — Arnold. *Ueber die Neubildung von glatten Muskelfasern in pleuritischen Schmertzen.* In

Virchow's Archiv, Bd. XXXIX, p. 270, 1867 (Exemple de néoformation de fibres lisses à la surface de la plèvre).

Pour les liomyomes de l'œsophage Ch. — VOGEL. *Pathol. Anat. des mensch. Körpers*, p. 156 et ICONES, *Histol. Pathol.*, p. 30. — RÜNGE. *L. cit.* — ALBERS. *Atlas der pathol. Anat.*, t. II, Taf. 21, Erläuterung, p. 255. — EBERTH. *Grosse Myom des Œsophagus*. In *Virchow's Archiv*, t. XLIII, p. 137, 1868.

L. de l'estomac. — VOGEL et ICONES. *Hist. path.*, tab. VII, fig. 2 et 6, p. 30. — FŒRSTER (2 cas). *Wiener medizinische Wochenschr.*, 1851, n° 9, p. 131, et *Handbuch der path. anat.*, Bd. II, S. 79.

L. de l'intestin. — ROKITANSKY. *Pathol. Anat.*, vol. III, p. 250, 1861. — FŒRSTER. In *Virchow's Archiv*, Bd. XIII, p. 270 (L. de l'iléon). — HÆRING. *Würtemb. Corresp. blatt*, 29, 1857. — VIRCHOW. *Loc. cit.* (Liomy. du duodenum en partie calcifié). — HÉNOCQUE et LEROY. In *Gazette hebdomadaire*, 1869.

L. de la prostate. — THOMPSON. *Transactions of the Patholog. Soc. of London*, vol. IX, p. 208. — DU MÊME. *Diseases of the Prostate*, 3ᵉ édit. London, 1868, p. 116 (*Relations between the Tumours of the Uterus and Prostate*).

L. vaginaux. — DEMARQUAY et DUFOUR. *Gazette des hôpitaux*, 1860, p. 330. — VIRCHOW. *Loc. cit.*

L. de la peau. — FŒRSTER. *Handbuch der Path.*, vol. 2, p. 1012. — VIRCHOW. *Loc. cit.* (Myome télangiectode du mamelon).

L. de l'orbite. — HÉNOCQUE (A.). *Journal de l'anat. et de la physiologie*, 1868, p. 562.

Liomyome intraoculaire. — IVANHOFF. *Congrès d'ophthalmologie*, 1868. Comptes rendus, p. 118.

Myome de la veine saphène. — AUFRECHT. *Virchow's Archiv*, Bd. XLIV, 1 Heft, 1868.

A. H.

LION-SUR-MER (STATION MARINE DE), dans le département du Calvados, dans l'arrondissement et à 13 kilomètres de Caen, a un établissement confortable situé sur les bords de la Manche. La plage est très-belle à Lion ; aussi les baigneurs de Caen et des environs, qui fréquentent surtout cette station marine, s'y rendent-ils en assez grand nombre, quoiqu'elle laisse à désirer sous le rapport des excursions, et même des promenades. Le pays, en effet, n'est pas accidenté, il offre surtout très-peu d'ombrage. A. R.

LIONDENT. *Voy.* PISSENLIT.

LIOTHÉ. Genre d'animaux articulés, aptères, épizoaires, vivant sur les oiseaux et établi par Nitzsch, qui les a séparés des Philoptères et des Trichodectes. (*Voy.* Nitzsch, *in* Voigt, *Magaz. für die Naturk.*, t. XIII, p. 426, 1806 — et *Thierinsekten*, p. 38, 1818.)

Les *Liothés* ont la tête déprimée, scutiforme, la bouche infère, rapprochée du bord antérieur du front. Mandibules bidentées, courtes, dures ; des mâchoires ; les deux lèvres supérieures et inférieures échancrées à leur bord libre ; palpes maxillaires les plus longs, filiformes, mobiles, 4-articulés ; palpes labiaux très-courts, biarticulés. Antennes de 4 articles insérées sur le bord latéral de la tête et cachées dans une fossette ; yeux placés derrière les antennes. Thorax bi ou triparti. Abdomen à neuf ou dix anneaux. Tarses droits, disposés pour la course, biarticulés, chaque article pourvu de pelotes ; deux ongles à peu près droits, à pointe courbée, un prolongement placé entre les ongles.

Tous les Liothés connus vivent en parasites dans les plumes des oiseaux en société avec les Philoptères ; ils sont très-agiles, courent sur le corps des oiseaux et l'abandonnent à la mort de ceux-ci, dès que le refroidissement cadavérique se produit.

Les chasseurs et les naturalistes sont parfois très-incommodés par ces parasites, qui passent des oiseaux sur l'homme avec la plus grande facilité et qui se répandent sur les mains et, en se glissant sous les vêtements, sur tout le corps et la tête où ils font éprouver des démangeaisons.

Il est facile de se débarrasser de ces parasites accidentels au moyen de bains et de lotions alcalines ou légèrement chlorurées. La benzine ou une pommade hydrargyrique n'ont même pas besoin d'être employées, car les Liothés meurent peu après avoir quitté les oiseaux sur lesquels ils vivent.

A. LABOULBÈNE.

LIOTRIQUES (λεῖος, lisse, θρίξ, cheveu). Dénomination employée par Bory de Saint-Vincent pour désigner certaines races, ou plutôt certaines espèces humaines. Bory de Saint-Vincent était polygéniste.

Il classait les divers types humains en deux groupes d'espèces, prenant pour seule caractéristique l'aspect de la chevelure, savoir : le groupe des espèces à cheveux lisses (liotriques), et celui des espèces à cheveux crépus (ulotriques : οὖλος, frisé; θρίξ, cheveu).

Chaque espèce se subdivisait en races. Le groupe liotrique comprenait les espèces japétique, arabique, hindoue, scythique, sinique, hyperboréenne, neptunienne, austrasienne, colombique, américaine et patagone.

Le groupe ulotrique renfermait les espèces éthiopienne, cafre, mélanésienne, hottentote.

Il y a quelques années, M. Pruner-Bey a repris avec plus de soin l'étude des cheveux dans les divers types humains. Après avoir minutieusement comparé des coupes transversales de cheveux, il a pu constater que les cheveux droits, lisses, correspondent à la forme cylindrique, et les cheveux crépus à la forme elliptique plus ou moins régulière.

La section capillaire la plus elliptique serait fournie par la race papoue, que Bory de Saint-Vincent avait placée parmi les liotriques. La section cylindrique la plus parfaite serait donnée par les cheveux des Asiatiques jaunes, Chinois, Cochinchinois, et aussi les Américains et les Esquimaux. Les races ariennes seraient intermédiaires. Dans l'étude de l'homme, aucun détail n'est négligeable, mais aujourd'hui l'anthropologie est assez avancée pour que personne ne songe plus à baser une classification générale des divers types humains, races ou espèces, sur un caractère aussi secondaire que l'aspect ou la forme des cheveux.

LETOURNEAU.

LIPAROLÉS. Le nom de *Liparolés* (de λίπος, graisse) a été donné par Henri et Guibourt, à des médicaments qui résultent du mélange d'une graisse animale, mais plus particulièrement de celle du porc avec d'autres substances médicamenteuses. Ces préparations sont plus généralement connues sous le nom de pommades. (*Voy.* POMMADES.)

T. G.

LIPOMATEUSES (MASSES). *Voy.* LIPÔME.

LIPOME. § I. **Anatomie.** SYNONYMIE. Le mot de Lipome, de λίπος, graisse, a été employée par Littre (1709) pour désigner les tumeurs graisseuses que, depuis cet auteur, on eut soin de distinguer des *athéromes* ou *méliceris* (*voy.* le mot ATHÉROME) et des *stéatomes*. Ce dernier groupe de tumeurs, ainsi nommées parce qu'elles avaient la consistance du lard, renfermait des fibromes, des carcinomes, des enchondromes, etc.; aussi la dénomination de stéatome est-elle généralement abandonnée aujourd'hui. Cruveilhier a proposé le mot *adipome* comme synonyme de lipome, mais l'usage a prévalu en faveur de ce dernier.

Définition. Un lipome est une tumeur constituée par du tissu adipeux.

Le tissu adipeux (*voy.* le mot Adipeux) est la variété du tissu conjonctif dans laquelle les cellules plasmatiques sont le siége d'une accumulation de graisse. Celle-ci s'est déposée sous la membrane de la cellule qu'elle distend en rejetant à la périphérie le noyau et le protoplasma. Les vésicules adipeuses ainsi constituées, sont disposées en îlots et séparées les unes des autres par des fibres de tissu conjonctif et par un réseau de capillaires.

Une production nouvelle de tissu adipeux disposé sous forme de masse circonscrite, et n'ayant aucune tendance à disparaître spontanément, constituera une tumeur lipomateuse. Il faut bien se garder de confondre les tumeurs ainsi définies de l'engraissement : dans l'âge adulte, et dans des conditions déterminées de santé et d'alimentation, le tissu cellulo-adipeux sous-cutané, le grand épiploon, le tissu sous-séreux, intermusculaire, etc., se chargent d'une quantité plus ou moins considérable de graisse. Il en est de même dans la polysarcie, dans la première période de l'alcoolisme et dans l'engraissement artificiel des animaux voués à la boucherie. Mais dans tous ces cas l'engraissement est général, et, bien que ces états soient des conditions favorables au développement des lipomes, cependant il n'y a pas de tumeur circonscrite qu'on puisse appeler ainsi. Par exemple, un grand épiploon uniformément gras n'est pas un lipome, mais qu'un ou plusieurs appendices épiploïques du gros intestin se développent outre mesure, on pourra leur donner le nom de tumeurs lipomateuses. De même, une couche épaisse de graisse dans les parois abdominales et sous le péritoine est commune chez les individus gras et n'a rien d'anormal, mais qu'un lobule graisseux s'engage dans une éraillure de la ligne blanche et proémine à la peau comme une tuméfaction limitée, et on aura affaire à un lipome.

Ces tumeurs participent à cette propriété générale des tumeurs, en vertu de laquelle elles tendent à s'accroître et jamais à rétrograder spontanément : elles ne sont pas soumises aux variations du tissu adipeux sous l'influence des états pathologiques : elles possèdent une vitalité qui leur est propre. Ainsi, lorsque l'individu porteur d'un lipome maigrit, quel que soit le degré de l'amaigrissement, sa tumeur conserve le même volume.

Description anatomique du lipome. Quel que soit le siége de la tumeur, qu'elle fasse saillie sous la peau ou dans une séreuse, ou qu'elle siége profondément entre les muscles, elle est habituellement indépendante et très-facile à isoler. Elle est entourée par une atmosphère celluleuse lâche dont on peut l'énucléer, et elle n'est, le plus souvent, adhérente aux parties voisines, que par ses vaisseaux ou son pédicule. Sa forme est très-variable : tantôt le lipome est lobulé, ce qui est le cas le plus commun, tantôt il est étalé en nappe et forme une masse unique. Il peut proéminer et faire saillie sous forme de polype, et même comme cela a lieu dans les séreuses, présenter des saillies multiples, arborescentes. La tumeur est unique ou multiple : on a compté jusqu'à plusieurs milliers de lipomes sur le même sujet. (Broca, *Traité des tumeurs*, t. I, p. 304.)

Le volume des lipomes varie depuis celui d'un noyau de cerise jusqu'aux dimensions les plus colossales. J. L. Petit, Pelletan, Dupuytren, etc., ont enlevé des lipomes dont le poids atteignait 15 et 20 kilogrammes.

La consistance du lipome le plus commun fait qu'il donne à la palpation une sensation toute spéciale de mollesse et d'élasticité : il est dur lorsque le tissu fibreux prédomine, et, dans d'autres cas, il est mou et donne une fausse apparence de fluctuation telle, qu'un observateur inexpérimenté est tout étonné, en l'ouvrant, de n'y trouver ni kystes, ni collection de liquide.

La surface de section d'un lipome est gris jaunâtre ou jaune ; on y voit les tractus fibreux parcourus par des vaisseaux qui limitent les lobules graisseux; ces lobules eux-mêmes plus volumineux que ceux du tissu cellulo-adipeux normal, se laissent d'habitude facilement reconnaître à l'œil nu par leur reflet particulier, par leur semi-transparence spéciale, tout à fait semblable à ce qui s'observe normalement dans le tissu cellulo-adipeux sous-cutané. En regardant de près la surface de section ou le liquide raclé avec un scalpel, on y voit de petites gouttelettes graisseuses qui tachent le papier. L'examen à l'œil nu est, dans ces cas, suffisant pour asseoir le diagnostic anatomique, et l'on s'en rapporte sur ce point aux histoires particulières de malades que nous ont transmises nos devanciers. Cependant l'intervention du microscope est nécessaire pour préciser certaines variétés et modifications nutritives de ces tumeurs.

L'*examen microscopique* fait sur des sections minces de la pièce fraîche ou durcie dans l'acide chromique, dans l'acide picrique, ou dans l'alcool, montre des îlots de vésicules adipeuses entourées par des fibres du tissu conjonctif et des vaisseaux. Lorsqu'on a coloré au carmin et traité par l'acide acétique ces préparations, les vésicules adipeuses se montrent contenues dans une membrane, et dans un point de la périphérie de celle-ci on reconnaît un noyau ovoïde. La membrane et le noyau sont les vestiges des cellules plasmatiques que la graisse a envahies. Les vésicules adipeuses sont deux ou trois fois plus grandes que celles du tissu adipeux normal ainsi que l'a constaté Verneuil. (*Gaz. méd. de Paris*, 1854, p. 242.) Elles renferment parfois, comme cela a lieu à l'état physiologique, des cristaux de margarine. (Prat, *Considérations sur les lipomes*, Strasbourg, 1858, in-4°.) Les îlots de vésicules adipeuses sont eux-mêmes beaucoup plus volumineux qu'à l'état normal; de telle sorte que, lorsque le tissu conjonctif de la tumeur est peu développé, la graisse liquide domine dans sa constitution, et il en résulte une mollesse et une fausse fluctuation caractéristiques de ce genre de tumeurs. La présence de la margarine en grande quantité dans cette graisse lui donne plus de consistance : elle n'est jamais riche en stéarine, comme la graisse de mouton ou de bœuf.

Les *variations de la structure* du lipome dans les différents cas permettent de lui reconnaître les espèces suivantes :

Première espèce. Les *lipomes purs*, que nous avons pris pour types de la description précédente, possèdent des îlots adipeux volumineux et une faible quantité de tissu conjonctif. Ce sont les lipomes les plus communs, ceux qui donnent à la palpation une sensation de mollesse et de fluctuation.

Deuxième espèce. Le *lipome fibreux*, dans lequel le tissu conjonctif est devenu très-abondant. C'est la tumeur adipo-fibreuse de Cruveilhier, qui rentrait dans les stéatomes des anciens auteurs. Le tissu de la tumeur est dense et ferme : sur une section, elle présente une couleur grisâtre, avec des îlots irréguliers et petits de tissu adipeux. Pour déterminer la nature de cette variété, l'examen microscopique est nécessaire, car on pourrait, sans son aide, la confondre avec un fibrome pur, ou même avec un carcinome, car, ainsi que nous le verrons bientôt, les carcinomes fibreux avec tendance à l'atrophie montrent aussi de nombreux îlots adipeux.

Troisième espèce. Le *lipome myxomateux* est celui dans lequel le tissu conjonctif du lipome est remplacé par du tissu muqueux.

Le tissu muqueux qui constitue le cordon ombilical, et qui persiste chez l'adulte dans le corps vitré, s'observe, chez l'embryon, comme une des premières phases de développement du tissu fibreux et du tissu adipeux. Le tissu muqueux se caractérise par des cellules plasmatiques, étoilées et anastomosées entre elles, situées au milieu d'une substance fondamentale hyaline très-riche en mucine. (*Voy.*, pour les caractères chimiques de cette substance, l'article Mucine et la 15e leçon de la *Pathologie des tumeurs* de Virchow, t. I.)

Dans les lipomes myxomateux, les cellules adipeuses et les îlots qu'elles forment par leur réunion, sont séparés par du tissu muqueux.

La transparence et l'état colloïde du liquide riche en mucine qui entre dans leur composition donnent à toute la tumeur une apparence gélatiniforme; elle est tremblotante, semi-transparente et infiltrée de liquide. Le tissu muqueux qui s'y trouve peut être tellement abondant, relativement aux cellules adipeuses, que le mot de *myxome* lipomateux convienne mieux pour spécifier la tumeur. Les vaisseaux sont quelquefois très-développés et dilatés dans les lipomes de cette espèce qui peuvent aussi, bien que très-rarement, présenter des kystes pleins de mucus transparent ou sanguinolent.

Quatrième espèce. Lorsque dans un lipome les vaisseaux sont très-nombreux, volumineux et distendus, on a affaire au *lipome télangiectasique* ou *érectile.* Cet état s'observe dans les nævi lipomateux congénitaux et dans certaines tumeurs polypeuses libres et saillantes sur les muqueuses ou dans les séreuses.

Les transformations nutritives des éléments du lipome qui méritent un examen spécial et qui permettent d'établir des variétés sont :

a. La *transformation graisseuse*, mot qui là semble faire un pléonasme : les vésicules adipeuses se fragmentent, se réduisent en granulations fines, et, au lieu de grosses vésicules adipeuses distendant une cellule plasmatique, on n'a plus que des corps granuleux (corpuscules de Gluge). La cellule plasmatique est détruite, et on a affaire à la mort et à la transformation granulo-graisseuse des éléments. Dans ce cas le tissu altéré revêt, à l'œil nu, une opacité, une couleur grise et une consistance caséeuse qui le font ressembler à un sarcome ou à certains carcinomes en dégénérescence graisseuse.

b. La *gangrène* est possible dans les lipomes; par exemple, lorsqu'ils se pédiculisent, le pédicule plus ou moins mince peut être étranglé ou même se rompre : dans ce cas la tumeur peut tomber dans l'intérieur d'une cavité naturelle. C'est ce qui a lieu en particulier dans le péritoine où les franges épiploïques ont de la tendance à devenir, par leur hypertrophie, de petits polypes graisseux. Lorsque par une compression exercée sur le pédicule ou par le poids seul de la tumeur, le pédicule devient plus mince et que les vaisseaux s'atrophient, la graisse contenue dans la tumeur se désagrége et se réunit en une masse centrale presque liquide. Plus tard la décomposition de la graisse met en liberté de la cholestérine et des acides gras qui ont de la tendance à former des combinaisons saponiformes, notamment des sels calcaires à acides gras. Ces petites tumeurs peuvent, à un moment donné, se détacher et tomber dans le péritoine. Les corps libres de la cavité abdominale, dit Virchow (*Pathologie des tumeurs*, t. I, p. 381), sont, pour la plupart, des lipomes étranglés et sclérosés. Ces petites tumeurs sont composées alors par une enveloppe fibreuse presque toujours infiltrée de sels calcaires, au centre de laquelle se trouve un savon calcaire caséeux. Virchow cite un cas de ce genre où la mort avait été déterminée par une péritonite. Ces lipomes gangrénés et à coque calcifiée ne sont pas toujours sphériques : ils peuvent être irréguliers, rugueux et verruqueux, suivant la forme primitive de la tumeur.

c. La *calcification* ou transformation calcaire générale ou partielle s'observe quelquefois dans les lipomes. Suivant Virchow, un certain nombre des corps étrangers des articulations proviendraient de petits lipômes calcifiés des villosités synodiales. Broca a présenté à la Société anatomique un lipôme du muscle extenseur commun des doigts calcifié en partie. Il s'agit toujours d'une calcification pure et simple, et non, comme on l'a dit autrefois, d'une ossification vraie.

d. L'*inflammation et la suppuration.* Les cas de suppuration du lipome sont loin d'être rares : on conçoit facilement que cette complication survienne surtout dans les tumeurs extérieures exposées aux traumatismes et aux frottements répétés, par exemple dans les lipomes qui succèdent eux-mêmes à ces causes, comme ceux qui siégent à la nuque chez les porte-faix, et comme un lipome antérotulien observé par Broca chez une religieuse. (*Société de chirurgie,* 1860, t. I, p. 229.) L'inflammation peut revêtir là différentes formes : ainsi, dans l'exemple du lipôme antérotulien dû à de nombreuses et longues génuflexions, la peau était devenue, dans ce point, le siége d'une hypertrophie papillaire en crête de coq.

D'autres fois on observe une véritable inflammation phlegmoneuse plus ou moins étendue au centre du lipome. La suppuration a lieu ici comme dans le tissu cellulo-adipeux, par la prolifération des cellules plasmatiques, et, en particulier, de celles qui sont distendues par la graisse : celle-ci se résorbe peu à peu, et à sa place se forment de petits nids de cellules embryonnaires qui, mises en liberté par la résorption de la substance fondamentale solide, constituent autant de globules de pus.

On trouve dans la science plusieurs faits de lipomes profonds pris pour des abcès et ouverts comme tels par les chirurgiens les plus exercés et les plus habiles, par Velpeau et Michon. Le pus évacué, la tumeur ne s'affaissant pas, fut opérée séance tenante et l'on reconnut un lipome au centre duquel s'était formé un abcès. (*Gazette des hôpitaux,* 20 janvier 1846.)

Les anciennes observations, l'une entre autres, rapportée par Dupuytren où l'on relate des lipomes dégénérés en cancer, sont, ainsi que le remarque à juste raison Broca (*Traité des tumeurs*, t. II, p. 376), tout à fait dénuées de preuves sérieuses. Jusqu'à plus ample informé, on peut nier la dégénérescence du lipome en carcinome.

Mode de développement histologique du lipome. Le développement du lipome échappe d'habitude aux recherches histologiques, parce que la tumeur est généralement ancienne lorsqu'elle est enlevée par le chirurgien, et que, le plus souvent, elle n'est plus en voie de croissance active. Fœrster a pensé que les vésicules adipeuses du lipome proviennent de cellules embryonnaires (cellules indifférentes de Fœrster), cellules qui se laissent peu à peu distendre par de la graisse. Virchow, se fondant surtout sur le développement du tissu adipeux de l'embryon, pense que les cellules adipeuses procèdent des cellules plasmatiques du tissu muqueux, tissu si répandu partout à un moment donné du développement embryonnaire. Entre ces deux conceptions existe une grande parenté : le tissu muqueux n'est, en effet, qu'un degré plus avancé de développement du tissu embryonnaire : il y a, comme nous l'avons vu, des lipômes myxomateux, c'est-à-dire développés au sein d'un tissu muqueux ; et enfin, c'est toujours dans une cellule plasmatique jeune ou embryonnaire que se dépose la graisse qui transforme cette cellule en une vésicule adipeuse.

Une fois né, le lipome continue à grandir : Fœrster a donné du développement continu du lipome une autre théorie : pour lui, les vésicules adipeuses s'allongeraient, s'étrangleraient et se diviseraient en deux parties. Ce serait une prolifération des vésicules adipeuses. Nous croyons qu'il y a là une erreur d'interprétation : les cellules adipeuses se déforment en effet si facilement par compression réciproque qu'elles peuvent bien s'allonger, s'étrangler, sans être pour cela en voie de division.

Que des cellules embryonnaires ou muqueuses aient marqué le premier pas de la néoplasie, des cellules plasmatiques se montrent bientôt, et c'est dans leur intérieur que la graisse se dépose. Tel est le mode de développement le mieux constaté. Nous ferons remarquer que la naissance des vésicules adipeuses de cellules jeunes concorde avec ce fait étiologique que la tumeur succède souvent à des traumatismes, à des pressions ou à des frottements répétés.

D'après ce mode de développement aux dépens des cellules du tissu embryonnaire ou muqueux, le lipome serait presque toujours une tumeur hétéroplasique, c'est-à-dire née d'un autre tissu que le tissu adipeux dont elle est formée. Nous pouvons faire observer en passant ce fait sur lequel M. Ranvier et moi avons insisté ailleurs (*Manuel d'histologie pathol.*), que l'hétéroplasie, c'est-à-dire la naissance d'un tissu aux dépens d'un autre tissu, est un mode normal de formation de la plupart des tissus physiologiques, qu'il se reproduit aussi dans la naissance des tissus pathologiques et qu'il ne saurait entrer en ligne de compte pour permettre d'affirmer la nature bénigne ou maligne d'une tumeur. L'exemple de l'hétéroplasie physiologique le plus évident nous est fourni par le développement du tissu osseux. Lorsqu'il naît du cartilage, les cellules cartilagineuses passent d'abord par l'état embryonnaire et se transforment en tissu médullaire embryonnaire : c'est aux dépens des éléments de la moelle devenue embryonnaire que les corpuscules osseux se forment. Ce processus physiologique, aujourd'hui incontestable constitue une hétéroplasie manifeste : les faits les mieux connus de développement des tumeurs tendent tous à affirmer cette loi générale, que le tissu-mère de la tumeur revient à l'état embryonnaire et que les éléments du tissu morbide se développent aux dépens des éléments embryonnaires quelle que soit, du reste, la nature bonne ou mauvaise du néoplasme. On trouverait toujours à sa naissance une hétéroplasie.

Siége du lipome. Les lipomes siégent presque toujours dans un point de l'organisme pourvu, à l'état normal, de tissu adipeux. Dans ce cas la tumeur est dite *homologue*. Cependant il existe de nombreuses exceptions à cette règle ; lorsque, par exemple, on trouve des lipômes dans la substance corticale du rein qui ne contient jamais de graisse à l'état physiologique. Ces lipômes sont dits *hétérologues*. Mais ces derniers n'ont pas une malignité plus grande que les autres, exemple qui nous suffirait à lui seul pour démontrer le peu de fondement des doctrines qui font l'homologie des tumeurs synonyme de bénignité et l'hétérologie synonyme de gravité.

Le siége le plus commun du lipome est le tissu cellulo-adipeux *sous-cutané* ; le plus souvent il s'observe dans les points où la peau est lâche et peu tendue, par exemple aux alentours de l'aisselle, à l'épaule, au cou, à la nuque, au siége, aux cuisses ; mais on peut le rencontrer dans toutes les parties de la surface cutanée et même aux doigts, à la paume des mains et à la plante des pieds, où du reste, ils sont très-rares vu l'état de tension du derme. Les lipomes sous-cutanés polypeux peuvent se déplacer en obéissant aux lois de la pesanteur. Ainsi Virchow cite les observations de Lloyd et de Lyford, où la tumeur avait cheminé de l'aine au périnée dans l'une, de la région ilio-pubienne à la partie antérieure de la cuisse dans l'autre. Les lipomes sous-cutanés sont en effet unis lâchement aux parties voisines : on peut les déplacer en masse et ils s'énucléent facilement.

Ils peuvent venir faire saillie à la peau, bien que leur point de départ soit plus profond. Tel est le cas des lipomes herniaires qui sont tantôt de véritables hernies épiploïques, tantôt des appendices graisseux tenant à un sac herniaire oblitéré ou non, tantôt des lobules graisseux hypertrophiés provenant du tissu sous-péritonéal et s'engageant dans les trajets inguinal, crural ou ombilical ou dans les éraillures de la ligne blanche.

Les *mamelles* peuvent être le siége de lipomes circonscrits qui ne diffèrent en rien du lipome commun, mais il peut y avoir aussi une hypertrophie générale de toute l'enveloppe adipeuse de la glande telle qu'on ait affaire à une tumeur colossale. Ainsi Robert et Amussat amputèrent les deux seins d'une dame de 21 ans, l'un pesant 15k,500, l'autre 10k,500 ; le poids total du corps après l'opération était de 50k,500 ; le poids des tumeurs dépassait la moitié du poids total du corps. Dans ces cas, tantôt la glande elle-même est normale, tantôt elle est hypertrophiée : d'autres fois elle a subi une inflammation chronique ou *mastite chronique interstitielle* à la suite de laquelle les seins se sont atrophiés. Dans ce cas, la glande a diminué de volume et s'est indurée : la graisse a pris sa place et le mamelon s'est rétracté. (Virchow, *Pathologie des tumeurs*, t. I, p. 373.) Dans les tumeurs du sein qui contiennent de nombreux lobules adipeux l'examen doit être très-attentif, car il est très-commun de rencontrer des carcinomes, et en particulier des squirrhes autour desquels l'atmosphère adipeuse périglandulaire est très-développée. La conservation de la graisse dans le sein atteint de carcinome est la règle, si bien qu'à la simple vue d'une tumeur du sein ne présentant pas d'îlots graisseux, on peut exclure le carcinome.

Les lipomes sous-aponévrotiques acquièrent souvent un volume considérable : tels sont les lipomes développés dans la cuisse qui se prolongent parfois sous l'arcade crurale jusque dans le bassin. Les lipomes profonds de la partie antérieure du cou peuvent se continuer dans le médiastin.

Les lipomes siégent assez souvent entre les muscles, soit dans les membres, à l'avant-bras, au bras, à la cuisse, dans les muscles fessiers, etc., soit dans la langue, ainsi que Bastien (*Bull. de la Soc. anat.*, t. XXIX, p. 349, 1854), et plusieurs autres observateurs en ont montré à la Société anatomique.

Les os en sont rarement le siége : cependant Viard (*Bull. Soc. anat.*, t. XXV, 1850, p. 142) a présenté à la Société anatomique un lipome formé dans l'épaisseur du maxillaire supérieur, et nous en avons vu un développé dans le corps du fémur. Le tissu compacte de l'os était transformé en ce point en tissu spongieux.

Le tissu conjonctif sous-muqueux est rarement le siége de lipomes. Cependant Marjolin (cité par Cruveilhier, *Anat. path. gén.*, t. III, p. 312) a signalé un lipome sous-muqueux sur le plancher de la cavité buccale ; Thomas et moi, nous avons présenté une observation de lipome des gencives. (*Société de biologie*, 1865.) Rokitansky cite un lipome provenant d'un rameau bronchique. Il existe aussi des lipomes polypeux de l'estomac et de l'intestin dont Virchow donne une figure (*loc. cit.*, p. 379). Dans un cas rapporté par Sangalli, deux lipomes pédiculés, de la grosseur d'un œuf de poule, faisaient saillie dans le côlon descendant et avaient déterminé une invagination et un prolapsus de l'intestin.

Nous avons déjà mentionné les lipomes pédiculés qui font assez souvent saillie dans les cavités séreuses (péritoine, plèvre, articulations) et qui peuvent se détacher et devenir des corps étrangers libres dans ces cavités. On observe aussi quelquefois des lipomes développés dans le tissu conjonctif sous-séreux. C'est ainsi que Broca cite l'observation d'un énorme lipome développé sous le péritoine de la fosse iliaque, et remplissant presque tout l'abdomen. Moynier a présenté une pièce analogue à la Société de biologie (1851, p. 159).

L'atmosphère cellulo-adipeuse qui entoure à l'état normal un certain nombre d'organes, le rein, les ganglions lymphatiques, le globe de l'œil, etc., peut s'hypertrophier de façon à pouvoir être dénommée un lipome, *lipome capsulaire*.

L'hypertrophie de la masse adipeuse de l'orbite produit un degré plus ou moins prononcé d'*exorbitis*. L'accumulation du tissu adipeux autour d'un organe est souvent consécutive à la polysarcie : mais elle peut être aussi déterminée par des causes très-différentes; par exemple, elle coïncide avec une atrophie de l'organe, et dans ce cas la graisse vient combler le vide laissé par le retrait de l'organe, ou, au contraire, elle participe à une hypertrophie irritative de l'organe qu'elle entoure. Dans un cas cité par Godard (*Recherches sur la substitution graisseuse du rein*, 1859) la formation nouvelle de graisse s'était effectuée sous la muqueuse du bassinet et à la partie inférieure de l'un des reins.

Il existe aussi, dans la science, plusieurs cas de lipomes développés dans le système nerveux central. Meckel (*Handb. der path. Anat.*, 1818, t. II, p. 126) cite une tumeur graisseuse de la grosseur d'une noisette développée au-dessous du chiasma des nerfs optiques ; Klob (*Zeitschr. der Wien. Aerzte*, 1859) signale un lipome situé entre le pont de Varole et l'hémisphère cérébelleux gauche. Cruveilhier (*Anat. path. gén.*, t. III, p. 512), Obré (*Trans. of the Lond. Path. Society*, t. III, p. 248 ; 1851-52) ont vu des lipomes des enveloppes de la moelle. Ces cas se rapportent à des lipomes nés dans la pie-mère et l'arachnoïde, mais il est un point du tissu nerveux lui-même où l'on observe des productions pathologiques de tissu adipeux : c'est *le raphé du corps calleux et de la voûte à trois piliers*; Virchow (*loc. cit.*, p. 384) en a conservé deux pièces dans son musée, et Rokitansky (*Path. anat.*, t. II, p. 468, 1856) en cite une analogue. Wallmann (Virchow's *Archiv*, t. XIV, p. 385) et Hackel (Virchow's *Archiv*, t. XVI, p. 272) en ont vu de semblables dans les plexus choroïdes.

Nous nous bornons à ces considérations générales sur le siége des lipomes, cette question étant reprise ci-après au point de vue clinique. CORNIL.

§ II. **Chirurgie.** CLINIQUE. En présence d'un malade qui accuse un gonflement plus ou moins limité d'une partie du corps, sans traces de phénomènes inflammatoires, on pense naturellement à une tumeur. L'époque relativement éloignée du début, le développement régulièrement progressif et l'absence de douleur ou d'engorgement ganglionnaire feront songer à une tumeur bénigne, le siége aux alentours de l'aisselle et de l'épaule, aux fesses et aux cuisses, la forme aplatie ou saillante et pédiculée, l'aspect lisse ou mamelonné, l'état lobulé, la consistance flasque, mollasse, et la mobilité, tant du côté de la peau que du côté de l'aponévrose, éveilleront certainement, dans l'esprit du chirurgien, l'idée d'un lipome superficiel.

Mais, que de causes d'erreur ! S'il est fréquent de rencontrer des tumeurs de ce genre dans les régions abondamment pourvues de tissu graisseux, c'est aussi dans ces points que siégent habituellement les abcès.

La forme aplatie se voit surtout dans les lipomes mous au début de leur évolution; toutefois, elle expose encore à les faire prendre pour des abcès. La forme saillante se rapporte à une période plus avancée. Les lipomes hémisphériques sont très-communs; et, pour peu qu'ils offrent une certaine dureté, on pourra les confondre avec des fibromes. La forme pédiculée n'est qu'une exagération de la précédente; elle tient au volume et à la position de ces tumeurs et se rencontre à une période toujours très-éloignée du début; c'est la plus caractéristique de toutes les trois.

L'aspect lisse appartient plutôt au lipome de la première forme; nouveau motif de confusion avec les abcès. L'aspect mamelonné se remarque exclusivement dans les lipomes de la seconde et de la troisième forme.

L'état lobulé serait le plus important de tous le signes s'il était donné de l'apprécier exactement dans chaque cas; il est bien différent de l'aspect mamelonné, car, ce n'est pas seulement la surface, mais toute la tumeur qui paraît composée d'une multitude de masses glissant plus ou moins les unes sur les autres (*tout lipome est composé de lobules graisseux*). A cet effet, on a conseillé : soit de tendre la peau à la surface de la tumeur, souvent on voit alors se dessiner de petits lobules; soit de saisir celle-ci à pleines mains et de la malaxer, on perçoit ainsi une crépitation particulière.

La consistance flasque, mollasse, donne parfois une sensation qu'on a désignée sous le nom de fausse fluctuation; celle-ci offre toutes les nuances depuis la fluctuation véritable de l'abcès jusqu'à la dureté élastique du fibrome. Toutefois, il ne faut pas oublier qu'il existe des abcès à parois épaissies et des fibromes relativement mous. Au surplus, les lipomes offrent sous ce rapport de grandes différences.

Outre le *lipome mou* qui est le plus commun, il y a le *lipome dur* ou *fibreux* qui est déjà moins fréquent, puis viennent le *lipome télangiectasique*, le *lipome ossifié* ou *pétrifié*, et le *lipôme myxomateux*, qui sont plus rares et sur lesquels nous reviendrons à propos des modifications et des transformations que peuvent subir les lipomes. Quant au *lipome cystique*, il est congénital et se rapproche du molluscum.

Les lipômes profonds sont moins fréquents et ne présentent pas des caractères aussi tranchés que les lipomes superficiels. On peut les diviser, au point de vue clinique, en plusieurs catégories :

A. *Lipômes sous-aponévrotique et inter-musculaire.* Ceux de la cuisse, de l'avant-bras, de l'épaule et de l'aisselle sont les plus communs. Ils affectent deux formes distinctes : tantôt ils sont aplatis; mais, comme ils ont pu passer inaperçus durant la première période de leur évolution, leur volume est parfois considérable. On croit à une marche rapide; les signes tirés de la palpation, toujours très-incertains à cette profondeur, et l'âge souvent avancé des malades achèvent de faire croire à une tumeur maligne (myxome, sarcome, carcinome). Tantôt ils sont saillants; et alors ils offrent la plupart des caractères des lipomes sous-cutanés. La mobilité moins grande et l'existence de prolongements entre les muscles feront cependant reconnaître leur origine profonde. Il arrive parfois que les lipomes ont leur point de départ entre les fibres musculaires, il faudra prendre garde alors de les confondre avec des gommes syphilitiques, surtout à la langue, où ils sont du reste très-rares. Nous ne connaissons que les faits de MM. Laugier et Laroyenne.

Au cou, les lipomes profonds se rencontrent plus spécialement sur les parties latérales : en haut, au-dessous de la parotide, en bas, au-dessus de la clavicule. En admettant qu'on ait diagnostiqué une tumeur bénigne, il faudra compter encore avec les abcès, les anévrysmes et toute la série des tumeurs de nature également bénigne dont les glandes lymphatiques, le corps thyroïde et la parotide sont si souvent le siége.

Les lipomes sous-aponévrotiques du cuir chevelu et du front sont moins rares qu'on ne pense. M. Ollier nous a dit qu'il avait opéré deux tumeurs de ce genre. Dans un cas, il s'agissait d'un enfant de treize ans. Le début était postérieur à la naissance et le lipome occupait le milieu du front. L'autre cas se rapporte à un adulte, la tumeur occupait la fosse temporale. Chacune de ces tumeurs ne dépassait pas le volume d'une petite noix; ce qui est en rapport avec la disposition anatomique des parties. Le diagnostic avec les kystes athéromateux (loupes) sera parfois très-difficile; toutefois on rencontrera dans les environs ou dans d'autres régions (paupières, nez, scrotum, dos) des comédons ou des grains de mil, car l'état constitutionnel bien différent de l'état dyscrasique ne saurait être mis en doute dans le cas de kystes athéromateux. La dilatation des follicules pileux à la surface même de la tumeur n'a pas une grande importance. Il n'est pas rare, en effet, de constater ce signe dans le cas de lipome pour peu qu'il y ait un peu d'épaississement de la peau; or, on sait combien sont fréquentes, à ce niveau, les causes d'irritation. L'état lobulé se voit également dans certaines variétés de kystes athéromateux; il tient à l'agglomération de plusieurs kystes. Reste la mobilité qui est très-variable.

B. *Lipomes capsulaires.* Les lipomes de l'orbite reconnaissent une origine congénitale ou acquise. Ils sont très-rares. A mesure qu'elles augmentent, ces tumeurs se moulent sur le globe oculaire qu'elles coiffent en quelque sorte, et, dès qu'elles ont atteint un certain volume, elles ne tardent pas à le repousser au dehors; on dirait alors qu'elles font corps avec lui. La ponction est presque toujours nécessaire pour établir le diagnostic.

Les lipomes de la mamelle se présentent soit sous la forme circonscrite, soit sous la forme diffuse. Dans le premier cas, on pourra prendre le lipome pour un kyste ou un fibrome de même forme. Il arrive parfois que ces trois espèces de tumeurs existent ensemble; et alors le diagnostic ne laissera pas que d'être embarrassant. Dans le second cas, que la glande soit intacte ou altérée concomitamment (kystes multiples, fibromes diffus), le diagnostic sera toujours extrêmement difficile, sinon impossible. Au surplus, le chirurgien doit commencer par faire le diagnostic de la nature bénigne ou maligne de la tumeur; et, s'il parvient à établir qu'il ne s'agit pas d'un sarcome ou d'un carcinome coexistant avec un lipome diffus, le problème clinique le plus important, celui du pronostic, sera résolu. A ce point de vue, rappelons que les plus volumineuses tumeurs de la mamelle sont aussi relativement les plus bénignes, en admettant, bien entendu, qu'elles aient mis longtemps à se développer, qu'il n'existe pas d'adhérences profondes à l'aponévrose et aux muscles et qu'on ne constate aucun signe d'infection ganglionnaire. En outre les deux mamelles sont souvent prises en même temps. Les douleurs spontanées se montrent également dans le lipome capsulaire compliqué de mastite chronique interstitielle et dans le sarcome ou le carcinome avec polysarcie graisseuse; on ne saurait donc se baser exclusivement sur leur existence pour affirmer, comme le soutiennent encore quelques chirurgiens, qu'il s'agit en pareil cas d'une tumeur cancéreuse.

De même que les lipomes de la mamelle, les lipomes périnéphrétiques sont circonscrits ou diffus. A l'autopsie, on n'a pas toujours trouvé d'altération du parenchyme rénal; mais, d'ordinaire, il existe une lésion concomitante (atrophie, hydronéphrose, calculs), ce qui pourra faire discerner le point de départ de la production morbide; question capitale, lorsqu'en présence d'une tumeur abdominale, comme cela arrive si fréquemment chez la femme, on est mis en demeure de se prononcer sur l'opportunité de l'intervention chirurgicale. Constamment ces tumeurs ont donné lieu à des erreurs de diagnostic pendant la vie.

C. *Lipomes sous-séreux.* La plupart des tumeurs de la ligne blanche ne sont que des lipomes sous-péritonéaux qui, sous l'influence de la toux, des efforts, etc., sont parvenus au-dessous de la peau en passant au travers des ouvertures que présentent, à ce niveau, les aponévroses de l'abdomen.

A l'ombilic, sur le trajet du canal inguinal, le long du cordon, dans l'épaisseur des grandes lèvres chez la femme, au niveau du pli de l'aine, à la partie antérieure et à la partie postérieure du périnée, sur les côtés de l'abdomen, partout enfin où l'on rencontre des hernies intestinales, on peut voir des lipomes qui, primitivement développés en dehors du péritoine, se sont, plus tard, déplacés de la même manière; ce qui les a fait appeler, avec beaucoup de raison, *hernies lipomateuses*. Le siége insolite de ces tumeurs peut singulièrement induire en erreur. Le chirurgien ne devra pas oublier qu'elles entraînent parfois le péritoine de sorte que l'intestin pourra se trouver étranglé en arrière. Les conditions seront les mêmes dans le cas de lipome développé autour d'un vieux sac herniaire. Rappelons, pour mémoire, que l'épiploon hernié présente aussi, dans certaines circonstances, l'état lipomateux.

On a dit, sans plus de détails, que certains chirurgiens, en opérant des lipomes placés soit à la partie antérieure, soit sur les côtés de la poitrine, avaient ouvert la cavité pleurale. La connaissance de ces faits est de la plus haute importance, l'examen cadavérique ayant démontré depuis longtemps la fréquence des lipomes du médiastin. D'autre part, M. D. Mollière nous a communiqué l'observation d'une vieille femme à l'autopsie de laquelle on trouva plusieurs lipomes développés en dehors de la plèvre pariétale et qui faisaient saillie dans les espaces intercostaux; on voyait d'autres masses lipomateuses à la face supérieure du diaphragme. De tout cela il ressort, qu'avant d'opérer un lipome du thorax, on devra toujours rechercher s'il existe des adhérences profondes.

En 1844, Malgaigne a signalé au niveau du genou la présence d'un ou de plusieurs lobules graisseux qui s'hypertrophient fréquemment dans les cas d'hydarthrose et donnent lieu à de véritables lipomes du volume d'une amande ou d'une petite noix. Ils siégent plus spécialement en dehors et en dedans du tendon rotulien. Leur délimitation plus ou moins exacte, leur consistance tantôt dure, tantôt molle et leur mobilité réelle ou apparente les ont fait prendre, soit pour des corps étrangers, soit pour des fongosités articulaires.

A la partie antérieure de l'articulation tibio-tarsienne et en dedans de la tête du péroné, on rencontre parfois un lobule graisseux aplati qui peut en imposer au chirurgien non prévenu et faire croire à un commencement d'hydarthrose.

Depuis longtemps M. Ollier nous a fait remarquer l'hypertrophie d'un lobule graisseux du poignet qui se trouve en dehors du pisiforme et qu'on peut faire saillir à l'état normal en pressant transversalement un peu au-dessus de l'interligne articulaire. A ce sujet, on peut se demander si dans les observations, du reste très-rares, de lipomes de la main, qui ont été publiées, le point de départ n'avait pas été le tissu cellulo-graisseux qui se trouve en dehors des gaînes tendineuses : le lipome siégeait, tantôt à la face interne du pouce (Pelletan), tantôt, à la face palmaire de la main (Robert), tantôt, sur les faces antérieure, externe et postérieure du médius. (Follin.) Dans ce dernier cas, l'adhérence à la gaîne des tendons fléchisseurs a été spécifiée très-nettement. Il faudra donc tenir compte de ces données dans le diagnostic des tumeurs de la main et des doigts.

D. *Lipomes sous-muqueux*. Marjolin a rencontré un lipome qui s'était développé au niveau du plancher buccal. M. Cruveilhier résume ce fait de la façon suivante : « Un individu se présente à lui avec une tumeur sublinguale qui avait toutes les apparences de la grenouillette. Il introduit un bistouri, rien ne sort; il l'introduit de nouveau pour agrandir l'ouverture, il s'échappe du tissu adipeux. Il engage le malade à temporiser pour l'opération. Le malade étant allé consulter un autre praticien, celui-ci commit la même erreur de diagnostic, bien que le malade l'eût prévenu de ce qui s'était passé chez M. Marjolin : une ponction est pratiquée, et au lieu d'un liquide, il s'échappe par l'ouverture une portion de lipome, lequel fut extirpé immédiatement. » Follin a vu un lipome qui avait pris naissance dans l'épaisseur de la lèvre inférieure et faisait saillie du côté de la cavité buccale. M. Ollier a observé une tumeur semblable à la face interne de la joue; le début remontait à trois ans; elle avait le volume d'une petite noix et venait toujours se placer entre les dents pendant la mastication. Quand on la prenait entre les doigts, elle semblait fluctuante. Le malade était âgé de 55 ans. Immédiatement après l'incision de la muqueuse, la tumeur vint faire saillie à l'ouverture. Elle était libre d'adhérences, aussi l'énucléation fut-elle des plus faciles. A la coupe, on trouva un tissu graisseux presque gélatiniforme. Il s'agissait, par conséquent, d'un lipome très-mou qui, comme dans le cas précédent, pouvait faire croire à un kyste développé dans les glandes salivaires.

Il nous reste à parler des modifications et des transformations du lipome.

Lorsqu'une tumeur de ce genre fait fortement saillie à la surface du corps, elle est exposée à une foule d'insultes. Le frottement des vêtements et le contact avec les objets extérieurs ne produisent d'ordinaire qu'une irritation légère; à la longue on voit pourtant se former une sorte d'épaississement avec induration de la peau, et s'il s'agit d'un lipome de la fesse, par exemple, on peut rencontrer dans le point qui supporte le summum des pressions, une bourse séreuse accidentelle. Quand le malade fait une chute ou reçoit un coup violent sur sa tumeur, la chose est plus grave, et il est rare qu'on n'observe pas alors des phénomènes d'inflammation. Celle-ci peut être limitée ou diffuse, n'occuper que la peau ou gagner les couches profondes. Les conséquences seront très-variables : tantôt le lipome reprendra ses caractères primitifs, tantôt il deviendra plus dur et comme osseux. Ces modifications de consistance ne portent habituellement que sur une partie de la tumeur qui change aussi plus ou moins de forme; dans certaines circonstances, la totalité du lipome est envahie, il se ratatine, diminue considérablement de volume au point de faire croire, s'il est petit, à une guérison radicale. D'autres fois il se forme des abcès superficiels ou profonds qui peuvent singulièrement induire en erreur. Il en sera de même du passage à l'état huileux et du ramollissement partiel ou général du lipome. Les ulcérations offrent parfois des caractères inquiétants, surtout s'il s'agit d'une forme télangiectasique. La sécrétion abondante, les hémorrhagies répétées et la putréfaction incessante qui se fait à la surface ne laissent pas que de mettre parfois en danger la vie du malade.

Enfin, il est des cas où le processus gangréneux a amené la disparition complète du lipome.

Tels sont les effets les plus habituels de l'irritation ; mais il en est d'autres plus rares, plus éloignés qui sont un sujet de contestation pour la plupart des chirurgiens, et qui pour nous ne sauraient être mis en doute ; nous voulons parler de ceux qui amènent la transformation du lipome.

On a prétendu que si les tumeurs de ce genre offraient à une certaine période de leur évolution des caractères de malignité, c'est que dès le principe il y avait combinaison du lipome avec un myxome, un sarcome, etc. En demeurant sur le terrain de la clinique, nous demanderons pourquoi des lipomes restés exceptionnellement bénins pendant dix, quinze, vingt ans et même davantage, présentent tout à coup, sous l'influence d'un traumatisme ou même sans cause appréciable, des caractères incontestables de malignité? On objectera que les phénomènes inflammatoires peuvent prêter à confusion ; mais, dans les cas où l'autopsie a été faite, cet argument ne saurait être invoqué ; or le myxome et surtout le sarcome ont une évolution beaucoup plus rapide et offrent à une époque bien moins tardive des caractères de malignité. Comment dès lors expliquer qu'on ne constate pas plus tôt ces caractères, si dès le principe il y a combinaison du lipome avec un myxome ou un sarcome ? Il faut, dira-t-on, une cause d'irritation suffisante pour faire éclore ce qui n'était qu'à l'état de germe, sans doute ; mais de tous les lipomes qui sont soumis à des irritations continuelles, quelques-uns seulement finissent par présenter des caractères de malignité et l'on rencontre des tumeurs du même genre qui sans cause appréciable offrent également dans leurs dernières périodes, des signes de dégénérescence. Nous sommes loin de nier l'influence des causes d'irritation. Toutefois nous croyons qu'elles agissent d'une façon différente, suivant que le lipome s'est développé dans tel ou tel point de l'économie : ici, on n'observera que des modifications de nature inflammatoire ; là, on pourra en outre constater une véritable transformation de tissu. Ajoutons que ce sont les lipomes volumineux et profonds qui ont surtout de la tendance à passer à l'état myxomateux ou sarcomateux. Au surplus nous avons vu, dans le service de M. Ollier, un certain nombre de cas qui méritent d'être relatés ici au moins en abrégé. Dans le premier, il s'agissait d'un lipome de la région sous-claviculaire ; toutefois son pédicule remontait par-dessous la clavicule jusqu'à la partie inférieure du cou. Malade âgé de 45 ans environ. Début 10 ans auparavant. Développement progressif. Ce n'est que dans les derniers temps que la tumeur s'était mise à grossir. A la suite d'un érysipèle elle avait presque doublé de volume, et depuis cette époque elle était le siége de douleurs profondes. A sa partie inférieure, ulcération de mauvaise nature qui de loin en loin donnait lieu à des hémorrhagies plus ou moins abondantes. Extirpation. Poids 3^{k},500. A la coupe, on trouva au milieu des lobules graisseux, des masses blanchâtres, gélatineuses, qui présentaient au microscope les caractères du tissu muqueux. Dans le second, le lipome siégeait sur la partie latérale et inférieure du thorax et adhérait aux muscles. Malade âgé de 48 ans. Début remontant à 24 ans. Développement régulier. A la suite de cautérisations faites dans les derniers mois, la tumeur avait acquis un volume énorme. Après l'extirpation, elle pesait 12^{k},500. Au centre de quelques lobules graisseux on voyait des points ressemblant tout à fait à la chair de l'huître et que le microscope démontra être myxomateux.

Dans le troisième, le lipome était situé à la partie supérieure et interne de la cuisse. La malade avait 40 ans et faisait remonter le début à 5 ans. Ici encore développement plus rapide dans les dernières périodes mais sans cause appréciable. Opération très-laborieuse. Prolongement du côté de la branche ischio-pubienne. Poids de la tumeur 5k,750. A la coupe, on remarqua que plusieurs lobules graisseux avaient une teinte gris blanchâtre; le microscope permit de constater çà et là des points sarcomateux. Ce qui ne laissa pas que de faire craindre une récidive. Un an plus tard, la malade se présentait en effet avec une tumeur offrant des caractères identiques à la première. Toutefois elle se plaignait de troubles de la vue à droite et l'on constatait un peu d'exorbitis du même côté. La tumeur de la cuisse fut extirpée de nouveau. Poids 4k,500, mêmes caractères à l'œil nu, et au microscope. A cinq mois de là, la malade revenait encore pour être opérée ; car la tumeur de la cuisse avait reparu et celle de l'orbite avait en partie chassé le globe oculaire au dehors; perforation de la cornée. Sur les instances de la famille, on consentit à pratiquer l'extirpation de l'œil. Quant à la tumeur qui faisait corps avec lui, on ne put en enlever qu'une partie à cause des prolongements qu'elle offrait du côté du trou optique. Ses caractères étaient identiques à ceux des tumeurs de la cuisse. La malade est morte quelques mois après, sans qu'il ait été possible de faire son autopsie. (Pour plus de détails, voy. *Mémoires et comptes rendus de la Soc. des sc. méd. de Lyon*, t. IV, et VI, présentations faites par MM. Viennois, Marmuel et Fontan.)

Avant de terminer cet exposé clinique, nous rappellerons qu'on peut rencontrer plusieurs lipomes sur le même sujet. Dans certains cas, on les a comptés par centaines. La multiplicité de ces tumeurs indique une prédisposition évidente; mais, que celle-ci soit congénitale ou acquise, il est impossible de méconnaître l'influence des causes déterminantes. Enfin le lipome est héréditaire au même titre que la polysarcie.

Thérapeutique et Médecine opératoire. Le lipome peut-il guérir spontanément? Il est certain qu'on a vu des tumeurs de ce genre diminuer considérablement de volume, chez les phthisiques en particulier : ce fait d'observations aurait même poussé quelques praticiens à recommander la diète forcée et les altérants quand les malades seraient très-gras. Mais, de la diminution de volume à la disparition complète d'une tumeur semblable, il y a plus d'un pas et nous ne croyons pas qu'il ait jamais été franchi hors le cas d'inflammation concomitante. Comme cette complication tient d'ordinaire à une irritation de la tumeur, on comprend également qu'on ait pu vanter les irritants : tantôt, sous forme d'emplâtres ou de pommades; tantôt sous forme de broiement médiat (malaxation) ou de broiement immédiat (sections sous-cutanées) aidés ou non de la compression. Toutefois, si l'irritation est légère, elle ne provoquera pas d'inflammation et le lipome ne diminuera pas de volume; si l'irritation est, au contraire, considérable, elle occasionne une inflammation soit limitée soit diffuse ; or, la première sera nécessairement insuffisante dans le cas de lipome volumineux et la seconde pourra dépasser le but et devenir mortelle. Bonnet, auquel on doit le broiement sous-cutané, procédait en plusieurs temps pour éviter ce double écueil; mais, les résultats qu'il obtint ne furent pas toujours très-brillants, puisqu'il n'employait plus cette méthode dans les dernières années de sa pratique. Du reste, ce n'est pas impunément qu'on irrite une tumeur, quelque bénigne qu'elle soit ; souvent, au lieu de diminuer, elle augmente de volume et prend un caractère malin. Aussi, loin de recommander l'emploi des différents moyens proposés jusqu'ici pour la cure spontanée du lipome, nous sommes d'avis qu'il faut absolument les rejeter parce qu'ils sont presque toujours insuffisants et qu'ils peuvent devenir dangereux.

La *cautérisation* est une méthode longue et douloureuse. Avec elle, on n'est pas certain de détruire tout le tissu morbide. La graisse subit des transformations chimiques qui peuvent devenir de nouvelles causes d'infection. Enfin la cicatrice ultérieure est constamment plus ou moins irrégulière.

La *ligature* a toujours joui d'une certaine vogue dans les cas de lipome pédiculé. Tout d'abord, on l'appliquait directement sur la peau. Puis, comme les douleurs étaient très-vives, on conseilla de faire la section préalable des téguments : Louis se servait du bistouri, Chopart et Boyer préféraient les caustiques ; ce qui ne laisse pas que d'être toujours très-douloureux et d'entraîner une perte plus ou moins considérable des téguments. De nos jours, on n'emploie guère cette méthode que pour faciliter ou compléter l'extirpation. En effet, quand le lipome n'est pas volumineux, il est rare que le pédicule, pour peu qu'il soit étroit, contienne de gros vaisseaux.

L'*extirpation* est la méthode par excellence. S'agit-il d'un lipome superficiel ; s'il est peu volumineux, on fait une incision droite, courbe, ou deux incisions en T en + pour faciliter la dissection. Arrivé à la base de la tumeur, on cherche à l'énucléer avec les doigts ; ce qui est toujours facile dans le cas de lipome dit enkysté. Quand on éprouve quelque résistance, on fait saisir la tumeur avec une pince de Muzeux, et l'on coupe successivement, en se servant du bistouri ou des ciseaux, toutes les brides qui la retiennent encore. Il est exceptionnel de rencontrer des vaisseaux importants ; on a tout au plus quelques petites artérioles à lier.

Si le lipome est considérable, on voit d'ordinaire à sa base de grosses veines bleuâtres, qui ne laissent pas que de gêner beaucoup pour faire l'incision des téguments. Aussi, pour peu que la tumeur soit pédiculisable, il faut placer une ligature d'attente dont on confie les chefs à un aide ; et, le moment venu, celui-ci n'a qu'à serrer pour empêcher l'hémorrhagie. M. Ollier emploie, dans le même but, deux baguettes tout à la fois résistantes et flexibles, qu'il place, l'une au-dessus, l'autre au-dessous du point le plus rétréci de la tumeur ; elles sont suffisamment longues pour que l'aide qui est chargé de les maintenir à chaque extrémité puisse à volonté comprimer ou relâcher, en rapprochant ou en éloignant les mains. Ce procédé nous paraît préférable au premier, en ce qu'il permet d'agir d'une façon aussi sûre, mais plus rapide. Dans le cas où la tumeur n'est pas pédiculisable, il faut s'assurer du trajet de ces veines qui, comme nous l'avons déjà dit, donnent à la peau une coloration bleuâtre et se révèlent aussi par une sensation particulière de flot. Ce premier point bien établi, un aide placera les doigts de l'une et de l'autre main de manière à ce que chacune des veines soit comprimée au-dessus et au-dessous de la ligne de section des téguments ; comme, d'une part, la peau est toujours plus ou moins distendue, et que, d'autre part, elle peut être adhérente, ulcérée, on fera en sorte que cette ligne circonscrive la partie la plus altérée, quitte à la prolonger ensuite dans tel ou tel sens pour faciliter la dissection. Avant d'aller plus loin, l'opérateur procédera à la ligature de tous les vaisseaux béants ; et, tout danger d'hémorrhagie une fois écarté, il se comportera comme dans le cas de lipome peu volumineux, en redoublant toutefois d'attention lorsqu'il arrivera à la base de la tumeur, car il peut encore ici rencontrer des vaisseaux plus ou moins considérables (vaisseaux de la partie centrale du lipome).

L'extirpation des lipomes profonds, bien que plus difficile en général, à cause des connexions que ces tumeurs peuvent présenter avec des organes plus ou moins importants, est soumise aux mêmes règles. L'opérateur devra se livrer à une dissection minutieuse, afin de ne pas léser les vaisseaux et les nerfs principaux de la région. Il n'oubliera pas que ceux-ci se trouvent parfois englobés dans la masse morbide, d'autres fois seulement repoussés dans tel ou tel sens. La tumeur une fois mise à découvert, il cherchera à la contourner de manière à s'assurer s'il existe des prolongements latéraux. En supposant qu'il en trouve, il pourra avoir affaire à des lobes supplémentaires qui seront tantôt non adhérents et faciles à délimiter, alors rien de plus simple que de les énucléer avec les doigts ; tantôt adhérents et difficiles à délimiter. Dans ce cas, il se comportera comme s'il s'agissait de prolongements dits profonds. Après avoir isolé, toujours avec les doigts, tout ce qui est isolable, il se trouvera constamment en présence d'un ou de plusieurs pédicules, qu'il sectionnera soit avec le bistouri, mais entre deux ou plusieurs ligatures, soit et mieux avec l'écraseur de Chassaignac, en se conformant aux préceptes établis par ce chirurgien.

Dans le cas de lipome superficiel peu volumineux, on fera toujours en sorte d'obtenir une réunion immédiate, sauf à enlever ultérieurement quelques points de suture ou à faire des contre-ouvertures, suivant les indications. Dans le cas de lipome superficiel volumineux ou de lipome profond, on n'affrontera qu'une partie des bords de la plaie, afin de ménager un libre écoulement aux matières.

Dans tous les cas, si la peau avait subi une perte de substance considérable, il faudrait panser à plat.

Doit-on extirper tous les lipomes ? Nous n'hésitons pas à répondre par l'affirmative.

Il est certain que la multiplicité de ces tumeurs, le siége à la partie profonde de l'abdomen, le grand âge des malades et les maladies intercurrentes, pourront contre-indiquer l'opération : mais, en dehors de ces cas, il faut toujours intervenir. Toute tumeur, fût-elle des plus bénignes, a de la tendance à s'accroître, et mieux vaut opérer plus tôt que plus tard. Toutefois, comme les chances de succès diminuent singulièrement à l'hôpital, le chirurgien cherchera à se placer dans un milieu plus convenable, surtout s'il s'agit d'un lipome du cuir chevelu, du front, du cou, où les moindres plaies s'accompagnent si fréquemment d'inflammations secondaires. LÉON TRIPIER.

LIPOPSYCHIE (de λείπειν, manquer, et ψυχή, âme). (*Voy.* ADYNAMIE et ASTHÉNIE.) A. D.

LIPOTHYMIE (de λείπειν, manquer, et θυμός, cœur, sens). Synonyme de *défaillance*. (*Voy.* SYNCOPE.) A. D.

LIPPIA (L.). Genre de Verbénacées, autrefois confondu avec les Verveines elles-mêmes, dont l'organisation générale est en effet la même. Mais le gynécée et le fruit sont totalement différents dans les deux types. Tandis que les Verveines, ayant deux loges biovulées à l'ovaire, possèdent définitivement un fruit à quatre cavités monospermes, les *Lippia* ont, dans l'ovaire, une loge qui avorte, deux demi-loges antérieures uniovulées, et leur fruit ne se compose que de deux cavités séparables, monospermes. Les *Lippia* sont des herbes ou des sous-arbrisseaux à feuilles opposées ou verticillées : ils croissent dans toutes les régions du globe. Toutes sont aromatiques, et plusieurs sont employées comme excitantes. Le

L. *pseudo-thea* SCHAU. est usité en infusions stimulantes au Brésil. Le *L. citreodora* H. B. K., qu'on cultive dans nos orangeries et qui a des feuilles verticillées par trois (d'où son nom de *Vertena triphylla* LHÉR.), est une des Citronnelles employées quelquefois comme excitantes; on en prépare une infusion théiforme; on s'en sert aussi pour aromatiser des crèmes, etc. C'est l'*Herba Aloysiæ* de la pharmacopée espagnole. Le *L. nodiflora* RICH. (*Zappanio nodiflora* PERS., *Blairia nodiflora* GÆRTN.) se prescrit en infusion dans les cas d'affections catarrhales et dans les indigestions des enfants. Le *L. medica* FENSL., dans l'Amérique centrale, et le *L. graveolens* H. B. K., au Mexique, servent aussi à préparer des infusions excitantes et digestives. H. BN.

L., *Gen.*, n. 781. — ENDL., *Gen.*, n. 3684. — GUIB., *Drog. simpl.*, éd. 4, II, 441. — MÉR. et DEL., *Dict.*, VI, 865. — DUCH., *Répert.*, 79. — ROSENTH., *Syn. plant. diaphor.*, 425.

LIPPIK (EAUX MINÉRALES DE), *hyperthermales, bicarbonatées sodiques moyennes, iodurées calciques faibles, carboniques fortes*, en Hongrie, dans l'Esclavonie, à 12 kilomètres de Daruvar, à 1 kilomètre de Pakrocz, et sur le ruisseau le Pakra. Quatre sources émergent à Lippik, elles se nomment : 1° *Bischofsquelle* (source de l'Évêque) ; 2° *Csardackerquelle* (source de Csardack) ; 3° *Kleinbadquelle* (source du Petit-Bain), et 4° *Allgemeinbadquelle* (source du Bain-Commun). Le débit des quatre sources est de 3,456 litres en vingt-quatre heures. Leur eau, d'une composition à peu près identique, est claire, limpide et transparente ; elle est traversée par de nombreuses bulles de gaz ; elle est sans odeur, son goût est peu prononcé ; elle rougit au premier moment les préparations de tournesol, qui reprennent leur coloration première après avoir été laissées à l'air pendant un temps assez court. La température de l'eau de Bischofsquelle est de 46° centigrade, celle de Csardackerquelle est de 40° centigrade, celle de Kleinbadquelle est aussi de 40° centigrade, enfin celle d'Allgemeinbadquelle est de 43°,8 centigrade. La densité de l'eau des sources de Lippik est de 1,0026. Daniel Wagner a fait en 1839 l'analyse des deux sources principales ; ce chimiste a trouvé dans 1,000 grammes de l'eau de chacune d'elles les matières suivantes :

	BISCHOFSQUELLE	KLEINBADQUELLE
Bicarbonate de soude	1,481	1,370
— chaux	0,162	0,196
— magnésie	0,107	0,100
Sulfate de soude	0,689	0,759
Chlorure de sodium	0,674	0,693
— calcium	0,113	0,109
Iodure de calcium	0,044	0,029
Phosphate de fer et d'alumine	0,003	0,005
Acide silicique	0,119	0,127
Matière organique	quant. indéter.	quant. indéter.
TOTAL DES MATIÈRES FIXES	3,392	3,386

1,000 parties du gaz qui se dégage de l'eau de ces sources contiennent :

	BISCHOFSQUELLE	KLEINBADQUELLE
Acide carbonique	285,6	289,5
Azote	714,4	710,7
	1000,0	1000,0

Les eaux de Lippik sont remarquables parce qu'elles sont iodurées en même temps que bicarbonatées et hyperthermales. M. Lengyel de Przemsysl et surtout M. Seegen disent avec raison que ces eaux sont les seules en Europe à offrir cette particularité.

Deux établissements de bains ont été bâtis sur les deux bassins des eaux de

Lippik; on les nomme Bischofsbad, qui a une piscine où vingt personnes peuvent se baigner ensemble, et Csardackerbad, composé de trois baignoires isolées et d'une piscine qui peut recevoir vingt-cinq baigneurs à la fois.

EMPLOI THÉRAPEUTIQUE. L'eau de Lippik s'administre en boisson, en bains de baignoires et de piscines. Elle s'applique principalement dans les affections du foie et des reins accompagnées d'expulsion de sables ou de graviers. C'est l'eau en boisson qui fait la base du traitement alors; ce sont les bains de piscines qui sont prescrits aux rhumatisants et aux goutteux dont le dernier accès est déjà éloigné. Cette eau convient encore en boisson et en bains dans la cachexie syphilitique, dans les engorgements de l'utérus et de ses annexes. Elle réussit d'autant mieux que ceux qui en font usage présentent une constitution lymphatique ou scrofuleuse. L'eau de Lippik, enfin, donne de bons résultats chez ceux qui ont une hypertrophie splénique et hépatique, consécutive à l'existence de fièvres intermittentes paludéennes fréquentes dans la contrée.

Durée de la cure, vingt jours en général.

On *exporte* peu les eaux de Lippik. A. ROTUREAU.

BIBLIOGRAPHIE. — LENGYEL DE PRZEMYSL. *Die Heilquellen und Bäder Ungarns*, etc. Pesth, 1854, in-12, p. 88-90. A. R.

LIPPITUDE. *Voy.* BLÉPHARITE MARGINALE.

LIPPSPRING (EAUX MINÉRALES ET CURE DE PETIT-LAIT DE), *protothermales* ou *athermales*, *bicarbonatées calciques moyennes* ou *amétallites*, *carboniques moyennes* ou *azotées*, en Prusse, dans la province de Westphalie, à 10 kilomètres de Paderborn, au bord de la forêt de Teutoburg, près de la source de la Lippe, ainsi que son nom l'indique (*Spring*, origine). (Chemin de fer de Cologne, Hamm et Paderborn, de Paderborn à Lippspring une heure de voiture.) Le climat de cette station est assez doux; on y constate rarement en effet des changements brusques de la température. Les baigneurs n'ont point à se garantir de l'agitation violente de l'air, mais de l'humidité très-grande occasionnée surtout par le voisinage de la forêt. Deux sources émergent à Lippspring, car il faut regarder comme appartenant à cette station un filet d'eau minérale sortant de la terre à 1 kilomètre de Paderborn, et que l'on désigne par le nom de *Inselsquelle* (*source de l'Ile*). L'emploi que l'on fait à Lippspring de cette eau d'une température de 19°,1 centigrade nous engage à en donner l'analyse chimique faite par MM. Brandes et Witting. On en trouvera le tableau avec celui de la source suivante.

La source principale de Lippspring s'appelle l'*Arminiusquelle;* c'est elle qui alimente la buvette, les baignoires et la salle d'inhalation; elle émerge à 125 mètres au-dessus du niveau de la mer, d'un banc de craie recouvert d'une couche de terrain d'alluvion; son débit est de 265,800 litres en vingt-quatre heures. Son eau n'est ni claire, ni transparente, ni limpide; elle a une couleur laiteuse, blanchâtre; plus elle est longtemps au contact de l'air, plus elle se trouble; elle se couvre d'une pellicule irisée et elle laisse déposer un sédiment jaune brunâtre, ressemblant à de l'ocre; elle n'a pas d'odeur marquée; sa saveur est salée et surtout amère. Des bulles gazeuses la traversent par moments; lorsqu'on la reçoit dans un verre, on voit se former des perles assez petites dont les unes gagnent la surface de l'eau, les autres s'attachent aux parois. Sa température est de 21°,2 centigrade. M. Witting en a fait l'analyse en 1855. Ce chimiste a trouvé dans 1,000 grammes de l'eau de l'Arminiusquelle les principes suivants :

	ARMINIUSQUELLE	INSELSQUELLE
Carbonate de chaux	0,6861	0,205
— magnésie	0,0781	0,025
— oxyde de fer	0,0182	0,002
Sulfate de soude	0,6770	0,035
— chaux	0,5533	0,025
— magnésie	0,1041	0,010
Chlorure de sodium	0,1119	0,340
— calcium	»	0,009
— magnésium	0,1041	0,005
Bicarbonate de soude	0,2583	»
Iodures	traces	traces
TOTAL DES MATIÈRES FIXES	2,5911	0,656

100 parties du gaz qui s'échappe de ces sources contiennent :

Azote	83,25	97,00
Acide carbonique	15,25	3,00
Oxygène	1,50	»
	100,00	100,00

EMPLOI THÉRAPEUTIQUE. L'eau de l'Arminiusquelle s'administre à la dose de trois à huit verres, le matin à jeun, à un quart d'heure de distance. L'eau de la source de l'Ile est presque toujours conseillée en quantité moindre, il est rare que les malades dépassent trois verres. Les bains de Lippspring ont une durée d'une demi-heure et plus souvent d'une heure. Le séjour dans la salle d'inhalation est en général d'une demi-heure, mais il est assez fréquent qu'il faille y rester pendant une heure.

L'eau de l'Arminiusquelle en boisson est souvent laxative, en même temps qu'elle augmente notablement la quantité des urines et de la perspiration cutanée. Lorsque l'emploi de cette eau est externe et interne, il produit une action sédative marquée sur la circulation sanguine et sur l'innervation. L'eau de Lippspring a pour effet physiologico-pathologique incontestable de diminuer la toux et surtout les crachats. Lorsqu'on craint de produire des hémoptysies, ou lorsqu'on traite des personnes qui crachent le sang, il faut se garder de prescrire l'eau de l'Arminiusquelle, qui est alors trop excitante, quoiqu'elle diminue d'intensité et de fréquence les battements cardiaques et artériels. L'Inselsquelle convient alors ; son eau semble avoir une action élective sur la circulation pulmonaire, qu'elle calme assez promptement pour que les hémorrhagies qui se font par les bronches soient calmées au bout de quelques jours. Notons enfin que les bains de Lippspring déterminent assez souvent une éruption, à la peau des membres surtout, qui se recouvre de rougeurs accompagnées d'une démangeaison quelquefois insupportable. C'est ce qu'on appelle la poussée. La salle d'inhalation est alimentée par les gaz qui se dégagent de deux bassins à ciel ouvert pratiqués dans le sol de la pièce. Si l'on veut se reporter à l'analyse des principes gazeux contenus dans l'eau de la source d'Arminius, on verra que c'est l'azote qui est en proportion dominante. Nous nous contenterons d'indiquer que, ce gaz n'étant pas respirable, il est nécessaire, comme à PANTICOSA (*voy.* ce mot), d'ouvrir à Lippspring les fenêtres de la salle, afin de bien en renouveler l'air après chaque séance d'inhalation gazeuse.

Les affections des voies respiratoires sont plus particulièrement traitées à la station de Lippspring. Les malades qui souffrent de laryngites et de bronchites chroniques simples y sont surtout adressés. Les catarrheux et les tuberculeux y viennent aussi en assez grand nombre ; aussi plus de mille personnes y sont-elles observées chaque année. L'eau en boisson et surtout en inhalation est la base du traitement alors ; les bains ne sont ordonnés qu'à ceux qui ont une manifestation vers l'enveloppe extérieure que l'on ne redoute pas de ramener à un état aigu.

On peut suivre à Lippspring une cure par le petit-lait de vache, de chèvre ou de brebis. Comme l'application de ce traitement n'offre rien de remarquable dans cette localité, nous ne croyons pas devoir insister sur ses effets physiologiques et curatifs.

Durée de la cure, de vingt jours à un mois.

On *exporte* peu l'eau de Lippspring. A. Rotureau.

Bibliographie. — Pieper. *Ueber die Wirkungen der Arminiusquelle in Lippspring*. Paderborn, 1841. — Fischer. *Die Heilquelle zu Lippspring*. In *Balneologische Zeitung*, t. I. A. R.

LIQUEURS. Sous ce nom on désigne un grand nombre de préparations médicinales de composition très-diverse. On donne aussi le nom de *liqueurs* à des produits qui résultent du mélange de l'alcool avec le sucre et des eaux aromatiques. Peut-être devrait-on réserver ce nom à ces derniers, et désigner les liqueurs qui sont employées en médecine sous celui de solutions?

Les principales liqueurs employées en médecine sont les suivantes :

Liqueur anodine nitreuse ou *Éther nitrique alcoolisé*. Mélange à parties égales d'éther nitreux et d'alcool. (*Voy.* Éther nitreux.)

Liqueur anti-arthritique. (Eller.) Mélange à parties égales de liqueur de corne de cerf succinée et d'éther sulfurique. Employée contre la goutte et les rhumatismes invétérés à la dose de 20 à 40 gouttes dans de l'eau sucrée, 2 à 3 fois par jour. Cette liqueur, qui a joui autrefois d'une très-grande réputation, est peu employée aujourd'hui. (*Voy.* Corne de cerf.)

Liqueur antiscrofuleuse. (Hufeland.) Solution de 2 grammes de chlorure de baryum dans 30 grammes d'eau distillée. De 5 à 20 gouttes, trois fois par jour pour les enfants, et 50 à 60 gouttes pour les adultes.

Liqueur ammonicale anisée. Alcool, 96 grammes ; essence d'anis, 3 grammes; ammoniaque pure, 24 grammes. Dose : 10 gouttes, quatre fois par jour, dans un verre d'eau sucrée.

Liqueur arsenicale de Fowler (*voy.* Arsénite de potasse).

Liqueur arsenicale de Pearson (*voy.* Arséniate de soude).

Liqueur arsenicale de Devergie (*voy.* Arsénite de potasse).

Liqueur de Battley ou *Vinaigre d'opium* (*voy.* Opium).

Liqueur de Barreswill dite aussi *liqueur de Felhing*. Cette liqueur se prépare de la manière suivante. On prend : 1° 40 grammes de sulfate de cuivre cristallisé et 160 grammes d'eau distillée ; 2° 140 grammes de potasse caustique et 500 grammes d'eau distillée ; 3° 160 grammes de tartrate de potasse neutre et 100 grammes eau distillée. On dissout chaque sel séparément. Puis la solution de potasse étant placée dans une capsule, on y ajoute d'abord celle de tartrate de potasse et ensuite, *peu à peu et en agitant*, celle de sulfate de cuivre. Il se forme un précipité bleuâtre qui disparaît à mesure et en même temps que le liquide prend une belle couleur violette. On laisse refroidir. On complète le volume de 1,155 centimètres cubes, ou en poids, 1,353 grammes. 20 centimètres cubes de cette liqueur sont entièrement décolorés par 1 décigramme de glycose. Pour l'emploi de cette liqueur, *voy.* Diabète et Glycosurie.

Liqueur fumante de Boyle. Nom donné anciennement au sulfhydrate d'ammoniaque sulfuré, parce qu'il fume à l'air, et que Boyle est le premier qui l'ait préparée. (*Voy.* Ammoniaque.)

Liqueur des Cailloux. Dissolution aqueuse de 1 partie de silice fondue avec 3 parties de potasse hydratée.

Liqueur de corne de cerf succinée ou *succinate d'ammoniaque impur* (*voy.* CORNE DE CERF).

Liqueur de Donavan, ou solution d'iodure de mercure et d'iodure d'arsenic. Pour l'obtenir, on prend : iodure d'arsenic, 20 centigrammes ; eau distillée, 120 grammes. On dissout dans un matras en verre à l'aide de la chaleur ; on ajoute biiodure de mercure, 40 centigrammes ; iodure de potassium, 3 ou 4 grammes ; on filtre et on conserve dans un flacon bouché à l'émeri à l'abri de la lumière. La liqueur ainsi obtenue est limpide et possède une légère teinte paille. 4 grammes de cette préparation contiennent environ 6 milligrammes d'iodure d'arsenic et 12 milligrammes de biiodure de mercure. De 4 à 100 gouttes dans 90 grammes d'eau distillée, à prendre en trois fois dans la journée ; on augmente chaque jour de 1 ou 2 gouttes. Employé contre la lèpre, le lupus, le psoriasis, etc.

Liqueur de Gowland (*voy.* AMANDES AMÈRES).

Liqueur de Hoffmann ou *Éther sulfurique alcoolisé.* Mélange à parties égales d'alcool et d'éther sulfurique (*voy.* ÉTHER SULFURIQUE).

Liqueur des Hollandais (*voy.* ÉTHER CHLORHYDRIQUE).

Liqueur de Houtton ou *Vinaigre d'opium* (*voy.* OPIUM).

Liqueur iodo-tannique. Iode, 5 parties ; tannin, 10 parties ; eau, 85 parties. On commence l'opération par trituration ; on achève dans un matras à une douce chaleur. Appliquée en compresses sur les plaies, elle réussit très-bien. Pour les cavités séreuses et les vastes collections purulentes, le perchlorure de fer est préféré.

Liqueur de Kœchlin. Chlorure de cuivre, 4 grammes ; chlorhydrate d'ammoniaque, 15 grammes ; eau distillée, 150 grammes. Cette liqueur est administrée par gouttes à l'intérieur, contre l'épilepsie et la syphilis. A l'extérieur, elle est employée au pansement des ulcères vénériens. Cette préparation est très-usitée en Allemagne.

Liqueur de Labarraque (*voy.* CHLORURE DE SOUDE).

Liqueur fumante de Libavius ou *Deuto-chlorure d'étain.* Ainsi appelée parce qu'elle fume à l'air, et qu'elle a été découverte par Libavius. (*Voy.* ÉTAIN.)

Liqueur de Lampadius (*voy.* SULFURE DE CARBONE).

Liqueur de Potter (*voy.* OPIUM).

Liqueur de Purmann. Sulfate de cuivre, 40 grammes ; sauge, 60 grammes ; alun, 20 grammes ; vinaigre, 500 grammes ; solution de sel ammoniaque, 1000 grammes. On fait bouillir une demi-heure. Cette liqueur est appliquée tiède sur les articulations tuméfiées.

Liqueur des teigneux. Houblon et petite centaurée, de chaque 32 grammes ; écorce d'oranges amères, 8 grammes ; carbonate de potasse, 1 gramme ; alcool à 32° C. 580 grammes. On laisse en contact pendant huit jours ; on passe et on filtre. Cette teinture est employée pour le traitement de la teigne, dans les hôpitaux de Paris, à la dose de 32 grammes dans un véhicule approprié.

Liqueur de Van Swieten (*voy.* MERCURE).

Liqueur de Warner. Rhubarbe, 30 grammes ; séné, 15 grammes ; raisins de Corinthe, 500 grammes ; safran, 4 grammes ; réglisse, 15 grammes ; alcool, 1,500 grammes. Employée à la dose de 30 grammes comme cordial purgatif. Remède anglais.

Liqueur de Villate. (Notta.) Sulfate de zinc, 6 grammes ; sulfate de cuivre, 6 grammes ; sous-acétate de plomb liquide, 12 grammes ; vinaigre blanc, 80 grammes. Employée contre la carie et les trajets fistuleux.

Liqueur vulnéraire. (Schmalz.) Sulfate de cuivre, sulfate de zinc, acétate de cuivre, de chaque 15 grammes; miel rosat 90 grammes; eau, 200 grammes. Employée dans le traitement des fistules. T. Gobley.

LIQUIDAMBAR. (*Liquidambar* L.) Genre de Dicotylédones, formant à lui seul la famille des *Balsamifluées* de Blume. Les plantes qui le composent sont des arbres à exsudation balsamique, à feuilles alternes, stipulées, pétiolées, tantôt lobées comme celles des Platanes ou de certains Érables, tantôt simplement dentées sur les bords. Leurs fleurs sont unisexuées et groupées ou en chatons coniques, ou en têtes globuleuses, munies à leur base de quatre bractées membraneuses. Ces inflorescences sont les unes mâles, les autres femelles : mais les deux sexes se trouvent réunis sur le même pied. Les fleurs mâles n'ont pas de périanthe, elles sont simplement formées par des étamines réunies en grand nombre entre les bractées de l'involucre. Les fleurs femelles ont un calice infundibuliforme, résultant de la soudure d'un certain nombre d'écailles, et un ovaire semi-adhérent, biloculaire, contenant plusieurs ovules semi-anatropes, insérés sur deux rangs à l'angle interne de chaque loge. Le fruit est globuleux ; il est composé par les calices persistants indurés et soudés entre eux de manière à former des espèces d'alvéoles dans lesquelles sont placées des capsules biloculaires plus ou moins saillantes, et qui s'ouvrent à leur partie supérieure par déhiscence septicide. Les graines avortent pour la plupart : quelquefois il ne s'en développe qu'une seule. Les graines fertiles sont elliptiques, aplaties, terminées en bords membraneux à leur partie supérieure; elles contiennent un embryon à cotylédons planes, entouré d'un albumen extrêmement mince (nul d'après quelques auteurs).

Il n'existe qu'un petit nombre d'espèces de Liquidambar. Presque toutes ont un intérêt pour la matière médicale.

Ces deux baumes, qui ont les propriétés communes aux baumes naturels (*voy.* Baumes), ne sont guère employés en Europe. Ce sont :

1° *Liquidambar styraciflua* L. ou *Copalme.* C'est un grand et bel arbre, commun dans le Mexique et la partie méridionale des États-Unis, la Louisiane, la Virginie, le Maryland, la Pensylvanie. Ses feuilles longuement pétiolées ont 5 à 9 lobes allongés, aigus, divergents, bordés de dents inégales; elles sont d'un vert luisant à la face supérieure, d'un vert pâle inférieurement. Le fruit, de la grosseur d'une noix, est tout hérissé de tubercules aigus formés par l'extrémité saillante des capsules.

Cette espèce fournit le Baume de Liquidambar (*Ambra liquida* de certaines pharmacopées) dont on distingue deux formes : le *Liquidambar liquide* ou *huile de Liquidambar* et le *Liquidambar mou* ou *blanc.*

Le premier de ces baumes est la partie liquide du suc obtenu par des incisions faites à l'arbre, reçu immédiatement dans des vases, à l'abri du contact de l'air, et séparé par décantation d'une partie plus solide qui se dépose au fond. Il est transparent et a une couleur jaune d'ambre; son odeur est forte, sa saveur aromatique et âcre à la gorge. Il contient de l'acide benzoïque ou cinnamique en assez grande quantité.

Le *Liquidambar mou* est la partie épaissie ou concrétée à l'air du suc qui s'est écoulé des incisions. Il a la consistance d'une poix molle : il est opaque, blanchâtre ; il a, comme le précédent, une saveur parfumée et âcre à la gorge. Il contient également de l'acide benzoïque.

2° *Liquidambar orientale* L. Cette espèce, qui croît en Orient, se distingue du *Liquidambar styraciflua* par ses feuilles à 5 lobes obtus, subdivisés en lobes plus petits, peu profonds, inégaux, finement dentés sur les bords, et par ses fruits plus petits, dont les capsules sont moins saillantes en dehors des alvéoles.

Le Liquidambar oriental fournit une série de produits longtemps attribués à d'autres plantes et particulièrement à l'Aliboufier (*Styrax officinale* L.), de la famille des Styracinées. L'écorce intérieure de l'arbre, bouillie dans l'eau et soumise à la presse, laisse découler la substance connue sous le nom de STYRAX LIQUIDE (*voy.* ce mot). Le résidu de l'expression est encore aromatique : il est sous forme de lanières étroites, minces, sèches, rougeâtres : c'est le *Storax rouge* ou *écorce de Storax* : c'était, dans les anciennes officines, le *Tigname* ou *Cortex thymiamatis*. Enfin le Styrax liquide, mélangé de débris d'écorces du Liquidambar ou de matières résineuses étrangères, forme les produits décrits en matière médicale sous les noms de STORAX *noir* et de STORAX *en pain* (*voy.* ces mots).

3° *Liquidambar Altingia* Blume. Arbres de dimensions gigantesques (150 à 200 pieds de haut) croissant à Java, dans la Nouvelle-Guinée, en Cochinchine. Cette espèce est très-distincte des précédentes. Ses feuilles sont ovales, allongées, acuminées, dentées en scie, lisses et brillantes ; ses fruits sont recouverts de petites verrues grisâtres et poilues, résultant des écailles calycinales accrues et épaissies, entre lesquelles les capsules font à peine saillie. Le nom vulgaire de ces plantes est *Ras-sa-ma-la*, ou *Rosa-Malla*, qui rappelle celui de *Rosa mallas* donné par Petiver au Styrax liquide. Cette coïncidence de nom a fait supposer à plusieurs auteurs que le Styrax liquide était le produit de l'*Altingia*. Cette espèce produit en effet un suc balsamique, employé dans les pays d'origine comme parfum et comme stimulant, mais qui est peu abondant et n'arrive pas dans le commerce européen.

RUMPHIUS. *Herb. Amb.*, II, 60-61. — LINNÉ. *Gener. Plant.*, 878. — BLUME. *Flora Javæ.* — GUIBOURT. *Hist. nat. des drogues simples*, 6e édit., 305. — HANBURY. *On Storax. Pharmac. Journal*, XVI, 417 et 461 ; 2e série, IV, 436. PL.

LIQUIDE CÉPHALO-RACHIDIEN. *Voy.* CÉPHALO-RACHIDIEN (Liquide).

LIQUIRITA. *Voy.* RÉGLISSE.

LIRIODENDRON. *Voy.* TULIPIER.

LIS (*Lilium* Tournefort). § I. **Botanique.** Genre de Monocotylédones qui donne son nom à la famille des Liliacées. Il est caractérisé par un périanthe régulier, campanulé, à 6 divisions, ovales-oblongues, rétrécies à leur base, marquées à leur face interne d'un sillon glanduleux ; 6 étamines à filaments subulés portant des anthères versatiles ; un ovaire libre contenant de nombreux ovules bisériés, anatropes ; un style cylindrique plus long que les étamines et un stigmate épais trigone. Le fruit est une capsule triloculaire, s'ouvrant en 3 valves septifères et laissant échapper de nombreuses graines empilées sur deux rangs dans chaque loge, aplaties, marginées-ailées, à testa membraneux, fauve ou jaunâtre, contenant l'embryon dans un albumen charnu-cartilagineux.

Les espèces de ce genre sont de belles plantes herbacées, le plus souvent à bulbe écailleux, à fleurs brillantes, qui servent à l'ornement des jardins. La plus remarquable et la seule qui ait un intérêt médical est :

Le LIS BLANC (*L. candidum* L.). Cette espèce est connue de tout le monde.

Originaire de l'Orient, elle s'est répandue depuis longtemps dans nos jardins et est presque naturalisée en plusieurs points de l'Europe. La tige, droite, s'élève à la hauteur de 2 à 3 pieds : elle porte des feuilles éparses, sessiles, linéaires, lancéolées, ondulées sur les bords, se raccourcissant à mesure qu'elles sont plus supérieures ; elle se termine par une belle grappe de fleurs blanches, campanulées, à pétales dressés, glabres à l'intérieur.

Ces fleurs ont une odeur douce très-prononcée, et peuvent donner une eau distillée qui a été réputée comme antispasmodique et antiépileptique ; mais, depuis la fin du siècle dernier, on n'en trouve plus dans les officines. On peut en dire autant de l'*huile de lis*, qu'on préparait en faisant digérer les fleurs dans l'huile d'olive et qui, au dire de Murray (*Apparatus medicaminum*, p. 90), n'avait pas d'autres propriétés que celles de l'huile pure. La seule partie qu'on utilise encore est le *bulbe* ou *oignon de lis*. Il est arrondi et formé d'écailles imbriquées, épaisses, charnues, remplies de mucilage, auquel se joint en petite quantité un principe âcre. Cuit sous la cendre et appliqué en cataplasme, il est émollient et maturatif.

Tournefort. *Instit.*, 369. — Linné. *Gener. Plant.*, 329 ; *Species*, 433. — Jussieu, *Gener. Plant.*, 49. — Murray. *Apparat. medic.*, V. 88. Pl.

§ II. **Emploi médical.** On emploie en pharmacie les fleurs et les bulbes de lis. Les fleurs servent à préparer une eau distillée et une huile.

Pour obtenir l'*eau distillée de lis*, on met dans la cucurbite d'un alambic 1 partie de fleurs de lis récentes et 2 parties d'eau, et l'on distille jusqu'à ce qu'on ait obtenu un poids d'eau distillée égal à celui de la fleur. La distillation à la vapeur est préférable

L'eau distillée de lis est très-odorante lorsqu'elle vient d'être préparée, et elle passe pour être antispasmodique ; elle est peu employée aujourd'hui.

L'*huile de lis* constitue un remède populaire contre les maux d'oreilles, mais son efficacité paraît être due surtout à l'huile. Elle se prépare de la manière suivante : pétales récents de lis, 1 partie; huile d'olive, 4 parties ; on fait macérer dans une cruche en grès, au soleil, pendant deux jours ; on passe et on exprime ; on remet l'huile dans la cruche avec une nouvelle quantité de fleurs, et on laisse macérer comme la première fois. On fait une troisième macération ; on laisse reposer le produit exprimé ; on sépare l'eau par décantation, et on filtre l'huile au papier.

Les bulbes de lis sont employés en cataplasmes émollients et maturatifs. On les fait cuire sous la cendre ou à la vapeur. T. Gobley.

LISBONNE ou **LISBOA** (Eaux minérales de), *hypothermales* ou *mésothermales*, *chlorurées sodiques fortes*, ou *sulfatées calciques faibles*, *sulfureuses*, ou *carboniques faibles*, capitale du Portugal, chef-lieu de l'Estramadure portugaise, est une ville de 290,000 habitants, bâtie en amphithéâtre sur la rive droite du Tage, et près de son embouchure. Les dix sources minérales et les dix établissements de bains construits sur leurs griffons ou près de leur point d'émergence, ont reçu les noms suivants : 1° *source et établissement de la Miséricorde ou de l'Arsenal de la marine* ; 2° *source et établissement de Alcaçarias do Duque* ; 3° *source et établissement de Dona Clara* ; 4° *source et établissement de Chafariz del Rey* ; 5° *source et établissement de Dentro* ; 6° *Banhos del Doctor* ; 7° *Chafariz de Praia* ; 8° *Bica de Capato* ; 9° *Caes de Tojo* ; 10° *Caes dos soldados o quartel militar*.

1° *Source et établissement de la Miséricorde* ou *de l'Arsenal de la marine.* L'hôpital des enfants trouvés, dit de la Miséricorde, possède cette source et cet établissement, mais ce n'est qu'à titre provisoire : l'administration de la marine du Portugal à laquelle ils appartiennent en définitive, se propose de faire capter convenablement et d'exploiter elle-même la source sulfureuse et un nouvel établissement thermal. La source sulfureuse sort de terre à 10 mètres de la rive droite du Tage et son eau est reçue dans un puits de 4 mètres de profondeur. Un corps de pompe aspirante et foulante descend au fond de ce puits ; c'est au moyen de son piston que l'eau arrive à un canal qui la verse dans un verre, lorsqu'elle doit être employée en boisson, et dans une cuvette de bois, lorsqu'elle est emportée à l'établissement de bains, au moyen de tuyaux de plomb profondément altérés et presque complétement détruits par les substances liquides, et surtout gazeuses, que contient cette eau chlorurée sulfureuse. Elle est claire, limpide, transparente lorsqu'elle n'est pas mélangée ; d'une odeur et d'une saveur fortement hépatiques ; elle rougit légèrement la teinture de tournesol ; sa température est de 30° centigrade, celle de l'air étant de 21° centigrade ; sa sulfuration est de 92, et sa densité de 1002,5. Lorsque la marée monte au port de Lisbonne, dans le lit du Tage, l'eau de la source sulfureuse est immédiatement mêlée à l'eau de la mer ; ses propriétés physiques et chimiques ne sont plus les mêmes alors ; elle devient trouble, son odeur est beaucoup moins sulfureuse et sa saveur très-salée ; elle ne rougit plus la teinture ou le papier de tournesol, elle a une réaction neutre ; sa température est variable et subit l'influence de celle de la mer et du fleuve. Le 24 septembre 1862, la température de l'air étant de 21° centigrade, celle de l'eau de la source sulfureuse à la marée montante était de 20°,5 centigrade. Elle ne marquait que 36 au sulfhydromètre, son poids spécifique était descendu à 1,005. M. le docteur Jordao a donné dans sa thèse inaugurale soutenue à la Faculté de médecine de Paris en 1857, l'analyse suivante de l'eau de la source de la Miséricorde ou de l'Arsenal de la marine. Ce confrère a trouvé dans 1000 grammes d'eau les principes suivants :

Chlorure de sodium	15,428
— magnésium	5,281
Carbonate de chaux	0,571
Sulfate de chaux	0,485
— magnésie	0,714
Acide silicique	0,028
TOTAL DES MATIÈRES FIXES	20,507

Gaz	hydrogène sulfuré	28,5	centim. cubes.
	Acide carbonique	74,2	—
	Azote	12,2	—
	TOTAL DES GAZ	114,9	centim. cubes.

La saison commence le 1er juin et finit le 15 octobre à l'établissement de la Miséricorde. Les moyens balnéaires consistent en trente-huit baignoires dont vingt et une sont destinées aux hommes, et dix-sept aux femmes ; elles sont alimentées par l'eau à la température de la source et par la même eau chauffée dans une chaudière close. Tous les cabinets de bains de l'établissement de l'Arsenal sont inconfortables et mal tenus, on n'y trouve même pas une propreté suffisante. Aussi la plupart des habitants de Lisbonne envoient-ils un tonneau à la source, et se font-ils apporter chez eux l'eau nécessaire au traitement minéral qui leur a été prescrit. Ce qui les engage encore à faire venir à domicile l'eau de la source de la Miséricorde, malgré la déperdition notable de ses principes volatils et gazeux, c'est le personnel des gens du service des bains. Ainsi, chose à peine croyable, ce sont les forçats de la prison qu'il faut que les grandes dames portugaises acceptent comme auxiliaires à leur sortie du bain!

MODE D'ADMINISTRATION ET DOSES. L'eau de la source de la Miséricorde est prescrite à la dose de deux à trois verres pris le matin à jeun à un quart d'heure d'intervalle, lorsque la mer est basse et que le médecin veut obtenir les effets de la médication hydrosulfureuse. Les malades se rendent à la source pendant la marée montante, lorsqu'ils ont besoin de l'action combinée d'une eau à la fois chargée de chlorure de sodium et de principes sulfureux. Les bains sont le plus généralement conseillés avec l'eau à son plus haut degré sulfhydrométrique; mais, dans certaines indications déterminées, il est plus avantageux de se baigner dans une eau minérale à la fois chlorurée et sulfureuse.

EMPLOI THÉRAPEUTIQUE. La composition variable de l'eau de l'Arsenal fait prévoir ses effets physiologiques et curatifs; lorsque l'eau prise en boisson et en bains est chargée de son hydrogène sulfuré, elle est excitante; elle rougit la peau et détermine quelquefois la poussée, elle augmente la sécrétion salivaire, en diminuant l'expectoration. Les fonctions digestives se font mieux, l'appétit renaît; cette eau est diurétique, et elle stimule les organes génitaux. Lorsqu'elle est devenue chlorurée, elle détermine de la constipation si on la prend à faible dose; elle purge à dose élevée au contraire. Son usage intérieur et extérieur a une propriété essentiellement reconstituante.

Les effets thérapeutiques de l'eau sulfureuse de l'Arsenal de la marine de Lisbonne, en boisson et en bains, sont marqués dans les maladies humides de la peau et dans les affections catarrhales des membranes muqueuses, et spécialement celles des voies aériennes. Elles sont utiles dans les dyspepsies et dans les gastralgies provenant d'une altération de la sécrétion du foie ou du pancréas. Cette eau chlorurée sulfureuse convient dans les accidents produits par un lymphatisme exagéré et par la scrofule à tous ses degrés. Elle est indiquée encore lorsque l'on a à combattre une constipation opiniâtre, aisément vaincue ordinairement par quelques verres de l'eau de la Miséricorde.

Les *contre-indications* de cette eau simplement sulfureuse ou sulfureuse chlorurée résultent de ses indications. Il suffit de remarquer qu'elle doit être prescrite avec beaucoup de prudence aux personnes irritables et pléthoriques, chez lesquelles elle pourrait produire des accidents, d'ailleurs faciles à éviter.

Durée de la cure, de 15 à 20 jours.

On *n'exporte* pas l'eau de la Miséricorde.

2° *Source et établissement de Alcaçarias do Duque*. L'eau de cette source est aujourd'hui plus chaude qu'elle n'était autrefois; Travers disait en effet, en 1810, qu'elle marquait 26° centigrade, tandis que nous avons trouvé sa température en 1862 de 32°,5 centigrade. Son eau est claire, limpide et transparente; elle est inodore, sa saveur est fade; elle rougit légèrement la teinture de tournesol. L'établissement des bains du Duc est fréquenté surtout par les rhumatisants et par les dartreux qui y suivent un traitement presque exclusivement extérieur. Les malades qui viennent s'y soigner d'affections du larynx, des bronches ou du poumon, se contentent de prendre l'eau en boisson.

3° *Source et établissement de Dona Clara*. Ils sont situés à côté des bains du Duc, au bas de la montagne où se trouve le château de Saint-Georges, en face du terrain de Trigo, à la partie nord de la rue qui va au Fondiçano, à 50 mètres de la rive du Tage. La maison de bains se compose de neuf cabinets contenant chacun une baignoire profonde, spacieuse et en contre-bas du sol. Cet établissement est ouvert toute l'année ; on y prend des bains seulement ; il est très-convenablement installé et très-proprement tenu. L'eau de la source de Dona Clara a les mêmes caractères que l'eau de la source du Duc, seulement elle est moins chaude. Travers lui avait trouvé en 1809, 30° centigrade, elle n'a plus aujourd'hui que 28°,8 centigrade. Les bains de Dona Clara n'ont point de douches, et pourtant ils donnent de bons résultats, dans les affections rhumatismales et cutanées. Travers dit : « Quand on entre dans l'une ou dans l'autre des maisons de bains do Duque ou de Dona Clara, on sent une légère odeur de gaz hydrogène sulfuré. » Il ajoute que dans les tuyaux qui servent à faire couler la surabondance d'eau des réservoirs, se rencontre un dépôt ou boue jaunâtre. Ce dépôt brûle avec une flamme bleue, donnant une odeur suffocante particulière au soufre. A l'analyse, ce dépôt contient, outre les principes sulfureux, du gaz acide carbonique, de l'alumine, des sulfates, des muriates calcaires et magnésiens, un peu de carbonate et de muriate de soude, mais en proportion si minime, et dans une telle combinaison, que tous ces éléments n'altèrent presqu'en rien la saveur des eaux. Leur peu de calorique naturel fait qu'elles sont beaucoup moins actives probablement qu'elles ne le seraient si elles avaient une thermalité plus élevée. Elles sont très-sensiblement résolutives cependant, et très-notablement efficaces en bains, surtout dans les affections rhumatismales si fréquentes en Portugal, à Lisbonne en particulier ; dans certaines affections de la peau ayant résisté à des traitements variés, à l'emploi même des eaux sulfureuses de l'Arsenal ou d'autres sources hépatiques.

Nous ne croyons pas nécessaire d'entrer dans plus de détails sur les autres établissements des bains minéraux de Lisbonne. Nous n'aurions à constater que la différence de la température de l'eau de leurs sources. Cette température varie de 35°,5 centigrade (*Banhos do Duque*) à 23° centigrade (*Banhos do Doctor*). L'eau des sources de toutes les maisons de bains minéraux de Lisbonne a les mêmes caractères physiques et chimiques, et à peu près la même composition élémentaire. Tous ces bains sont conseillés pour la guérison des mêmes états pathologiques ; il servent aussi très-souvent de bains de propreté. A. ROTUREAU.

BIBLIOGRAPHIE. — TRAVERS. *Instrucções e cautelas praticas sobre a natureza differentes especies, virtudes en general et uso legitimo das aguas mineraes, principalmente de caldas ; con a noticia daquellas, que são conhecidas em cada huma das provincias do reino de Portugal, e o methodo de preparar as aguas artificiaes.* Coimbra, 1810. — JORDAO. *Agua d'Arsenal da marinha de Lisboa.* Thèses de Paris, 1857. A. R.

LISERON (*Convolvulus*). On donnait autrefois ce nom à presque toutes les plantes médicinales de la famille des Convolvulacées, notamment à celles qui fournissent les Jalaps, le Turbith végétal, les Scammonées, le Méchoacan, les Patates, le Bois de rose des Canaries, etc. Aujourd'hui cet ancien genre a été divisé, et les produits médicinaux dont nous venons de parler devront être étudiés isolément aux articles CONVOLVULACÉES, CONVOLVULUS, EXOGONIUM, IPOMÆA, etc. H. BN.

LISFRANC (JACQUES), célèbre chirurgien contemporain, dont la réputation a été vivement contestée. Il était né à Saint-Paul (Loire), le 2 avril 1790, et il étudia la chirurgie d'abord à Lyon, sous Viricel, puis à Paris sous Dupuytren. Reçu docteur en 1813, il entra immédiatement au service de santé militaire, et fit la dernière campagne d'Allemagne ; licencié en 1814, il revint à Paris et se livra à l'enseignement de la chirugie, mais surout de la médecine opératoire, qui lui dut de nombreux perfectionnements. Ses cours eurent beaucoup de succès, et la publication de divers mémoires sur la désarticulation de l'épaule, sur l'amputation partielle du pied, etc., attirèrent fortement l'attention. Nommé en 1818 chirurgien du Bureau central, il entra à l'hôpital de la Pitié, où, quelques années après (1826), il succédait à Béclard. Il était alors, depuis 1824, agrégé à la Faculté de médecine de Paris. L'enseignement clinique qu'il inaugura à la Pitié a été célèbre à divers titres. Animé d'un profond ressentiment contre Dupuytren, qu'il accusait de l'avoir desservi traîtreusement dans une circonstance importante, jaloux de la réputation d'émules qui le valaient bien et qu'il affectait de mépriser, Lisfranc donnait, dans ses leçons, libre carrière à des colères qui se traduisaient par des saillies, des boutades quelquefois spirituelles, mais le plus souvent triviales et grossières; sa haute stature, ses traits énergiques, sa voix retentissante donnaient à ces philippiques un caractère particulier de violence et d'emportement. Aussi, le succès de scandale qu'il obtenait à sa clinique a-t-il amoindri, pour bien des gens, le succès très-réel et très-sérieux que méritaient les progrès imprimés par lui à la chirurgie sur beaucoup de questions. Lisfranc était membre titulaire de l'Académie de médecine depuis la fondation, et il eut l'honneur de présider ce corps savant en 1835. Malgré la vigueur de sa constitution d'athlète, Lisfranc, usé tout à la fois par les fatigues de son hôpital, de son immense clientèle, de ses travaux de cabinet, mais surtout par la lutte que toutes les passions violentes se livraient incessamment dans son cœur, fléchit avant l'âge ; sa santé s'était altérée profondément, et, le 13 mai 1847, il succomba aux atteintes d'une angine couenneuse compliquée de fièvre pernicieuse ; il n'avait que cinquante-sept ans.

Quoi qu'on en ait pu dire, Lisfranc a marqué sa place parmi les chirurgiens distingués de notre siècle. Tout en faisant la part de l'exagération qu'il apportait dans ses opinions, il faut reconnaître qu'il a donné plus de précision et de rigueur aux procédés opératoires; qu'il a tracé des règles utiles surtout pour la pratique des ligatures et des amputations ; l'ablation du cancer du rectum reste acquise à la science. S'il a beaucoup exagéré la fréquence et la gravité des affections du col de l'utérus, il a contribué à attirer l'attention sur ces maladies trop négligées avant lui; l'amputation du col de l'utérus, dont il a certainement fait abus, est encore une opération qu'il a contribué à faire entrer dans le domaine de la chirurgie, et dont il a fixé les règles au point de vue des procédés à suivre.

Lisfranc a écrit les ouvrages suivants; nous laissons de côté un certain nombre de notes et de leçons cliniques, qui ont été d'ailleurs, reproduites pour la plupart, dans le premier volume de la *Clinique de la Pitié:*

I. *Quelques propositions de pathologie, précédées de recherches, réflexions et observations sur l'ampnt. de la mâchoire inférieure*, etc. Th. de Paris, 1813, n° 133. — II. *Mém. sur l'amputation du bras dans l'articulation de l'épaule* (avec Champesme). Paris, 1815, in-8°. — III. *Mém. sur l'amputation du pied dans son articulation tarso-métatarsienne*, etc. Paris, 1815, in-8°. — IV. *Mém. sur quelques points obscurs de la gonorrhée.* In *Journ. de méd. de Leroux*, etc., t. XXXIII, p. 42; 1815. — V. *Nouvelle méthode opératoire pour l'amputation du pied.* Paris, 1815, in-8°. — VI. *Mém. sur de nouvelles applications du stéthoscope du professeur Laennec, suivi d'un mém. sur une nouvelle manière de pratiquer la taille chez la femme* (pl. in-fol.), etc., et *Nouv. procédé pour l'amputation dans l'articulation des phalanges.* Paris, 1823, in-8°. — VII. *Nouvelles considérations sur la saignée du bras.* Paris, 1823, in-8°. — VIII. *Mém. sur des méthodes et des procédés nouveaux pour pratiquer l'amputation dans l'articulation scapulo-humérale.* In *Arch. gén. de méd.*, 1re sér., t. II, p. 18, pl.; 1823. — IX. *Mém. sur un nouveau procédé opératoire pour pratiquer l'amputation dans l'articulation coxo-fémorale.* Ibid., p. 161. — X. *An eadem contra varias urethræ coarctationis species medela?* Th. de conc. (agrég. chir.). Paris, 1824, in-4°; trad. fr. avec notes par

Vésigné et Ricard. Paris, 1824, in-8°, pl. — XI. *Mém. sur les règles générales des désarticulations*. In *Rev. méd.*, 1827, t. I, p. 373. — XII. *Mém. sur la rhinoplastie ou l'art de refaire le nez*. In *Mém. de l'Acad. de méd.*, t. II, p. 145; 1833. — XIII. *Mém. sur les cancers superficiels qu'on croyait profonds*. Ibid., t. III, p. 21; 1833. — XIV. *Mém. sur l'excision de la partie inférieure du rectum devenu carcinomateux*. Ibid., p. 191. — XV. *Des diverses méthodes et des divers procédés pour l'oblitération des artères dans le traitement des anévrysmes*, etc. (avec la polémique sur l'historique). Th. de conc. (ch. de clin. chir.). Paris, 1834, in-8°. — XVI. *Clinique chirurgicale de l'hôpital de la Pitié*. Paris, 1841-43, 3 vol. in-8°. — XVII. *Précis de méd. opérat.*, 3 vol. in-8° (le 3e tome est arrêté à la page 332). Paris, 1846-47, in-8°. E. Bgd.

LISIANTHUS, genre de Dicotylédones de la famille des Gentianées. Les espèces qui le composent habitent l'Amérique tropicale, particulièrement la Guyane, le Brésil, le Pérou. Ce sont des plantes herbacées ou de petits arbrisseaux. Elles ont des feuilles opposées, de belles fleurs, le plus souvent bleues ou rouges, disposées d'ordinaire en cymes lâches, dichotomes. Leur calice a 5 divisions; la corolle est infundibuliforme ou hypocratériforme et porte sur son tube 5 étamines à filets souvent inégaux. Le fruit est une capsule biloculaire, résultant de la soudure de deux carpelles dont les bords, fortement repliés en dedans, forment un double placenta, dans lequel se trouvent enfoncées les graines. Ces carpelles se séparent à maturité et s'ouvrent chacun par la suture ventrale.

Les espèces de ce genre ont des propriétés amères qui rappellent celle de nos Gentianées indigènes. La plante entière, pour les espèces annuelles; les racines, pour les espèces vivaces, sont employées en décoction dans les pays où elles croissent. Aublet cite en particulier, dans ses plantes de la Guyane, le *Lisianthus purpurescens*, le *L. alatus* dont il dit s'être servi avec succès contre les obstructions des viscères; les *L. grandiflorus* et *L. cœrulescens*, dont il compare l'amertume à celle de la petite Centaurée. Martius indique, aux mêmes titres, parmi les espèces du Brésil, les *L. pendulus* et *L. amplissimus*. Enfin, d'après Linné fils, le *L. chelonoïdes* passe pour un purgatif énergique.

Aublet. *Plantes de la Guyane française*, II, 201-208. — Martius. *Blantæ Brasil.*, II, 92, tab. 171-178. — Grisebach. *Prodr.* (*D.C.*), IX, 72. Pl.

LISIMAQUE. *Voy.* Lysimaque.

LISTER (Martin). Médecin et naturaliste anglais, né à Radcliffe, dans le comté de Buckingham, vers 1638, mort à Londres le 2 février 1711, après avoir été successivement élève à Cambridge, maître ès arts (1658), membre du collége de Saint-Jean (1660, praticien à York, membre de la Société royale de Londres membre du collége des médecins de Londres, (1704), médecin en second de la reine Anne (1709). Martin Lister s'est occupé un peu de tout, d'histoire naturelle, de médecine, de littérature. Ses recherches sur les coquilles sont estimées; la relation d'un voyage qu'il fit à Paris en 1698 est fort intéressante par les détails minutieux, les anecdotes qu'il donne sur l'état de la médecine et de la chirurgie en France, à l'époque où il vivait. Au reste, voici la liste de ces ouvrages :

I. *Historiæ animalium Angliæ Tractatus tres*. Lond., 1678, in-4°. Trad. en allemand par Gœze, 1778, in-8°. — II. *De fontibus medicatis Angliæ, exercitatio nova et prior*. York, 1683, in-8°. — III. *De fontibus medicatis Angliæ, exercitatio altera*. Lond., 1684, in-8°. — IV. *Johannis Gœdartii de Insectis, opus in methodum redactum, cum notalis*. Lond., 1685, in-8°. — V. *Historia conchyliorum*. Lond., 1685-1693, in-fol., 2 vol. — VI. *Exercitatio anatomica, in qua de cochleis maxime terrestribus et limacibus agitur*. Lond., 1794-1796, in-8°. — VII. *Sex exercitationes medicinales de quibusdam morbis chronicis*. Lond., 1694, in-8°. — VIII. *Exercitatio anatomica altera de buccinis fluviatilibus et marinis. Accedit exercitatio medicinalis de variolis.* Lond., 1795, in-8°. — IX. *Conchyliorum bivalvium utriusque aquæ exercitatio anatomica tertia. Accedit dissertatio medicinalis de calculo humano.* Lond., 1696, in-4°. — X. *A Journey to Paris.* Lond., 1690, in-8°. — XI. *Sanctorii de statica medicina aphorismorum sectiones septem, cum commentario.* Lond., 1701, in-12. — XII. *Dissertatio de humoribus.* Lond., 1701, in-12 (*vide : Journal des savants*, année 1710, t. II, p. 94). — XIII. *De scarabeis britannicis appendix.* Lond., 1710, in-4°. — XIV. *Letters concerning the Kind of Insects Kermes,* in *Philosoph. Transact.*, 1671, n° 71, p. 2165-66; 1671, n° 73, p. 2196-97; 1672, n° 87, p. 5050-80. — XV. *Letter concerning a Kind of Viviparous,* in *Philosoph. Transact.*, 1671, n° 72, p. 2170-77. — XVI. *A Considerable Account touching Vegetable Excrescensies and Ichneumon. Wors. Philosoph. Trans.*, 1671, n° 75, p. 2254-57; n° 76, p. 2281-85; n° 77, p. 3002-3005. — XVII. *Systema entomologiæ* (à la suite de l'ouvrage sur les Insectes, de Ray. Lond., 1710, in-4°). A. C.

LISTON (Robert), naquit en 1794, d'un ministre protestant de la paroisse d'Ecclesmachan, dans le comté de Linlithgow; ses humanités terminées à Édimbourg, il suivit les cours d'anatomie de John Barclay, dont il devint le prosecteur, position qu'il occupa jusqu'en 1815. C'est là qu'il acquit cette connaissance approfondie de l'anatomie chirurgicale, et cette dextérité qui le mirent au premier rang des opérateurs. Nommé en 1815 chirurgien résidant de l'Infirmerie royale, d'abord sous Georges Bell, puis sous le docteur Gillerpie, il se livra avec ardeur à l'étude de la pathologie chirurgicale ; le service des autopsies, dont il était chargé, lui fournissait en outre une mine féconde de connaissances en anatomie pathologique. Après un voyage à Londres en 1816, pendant lequel il suivit les cours de l'hôpital Saint-Georges, Liston revint à Édimbourg en 1817, et donna des leçons d'anatomie, en même temps qu'il se livrait à la pratique de la chirurgie avec beaucoup de succès, et se faisait surtout une brillante réputation comme lithotomiste. Un peu plus tard, ayant abandonné ses cours d'anatomie, il se borna à l'enseignement de la pathologie externe. L'Infirmerie royale se l'était attaché depuis quelques années comme opérateur, quand il fut appelé à Londres, en 1834, par le collége de l'Université pour professer la chirurgie.

Liston était un véritable chirurgien ; connaissance minutieuse des moindres détails de l'anatomie, habileté et sûreté de main vraiment admirables, détermination prompte, et ressources inépuisables dans les accidents imprévus, il réunissait toutes ces rares et heureuses qualités. Il était à l'apogée de sa réputation quand il succomba le 7 décembre 1847, aux progrès d'un anévrysme de l'aorte.

Liston a beaucoup écrit, voici la liste de ses principales publications :

I. *Memoir on the Formation and Connections of the Crural Arch, and other Parts in Inguinal and Femoral Hernia.* Edinburgh, 1819, in-4°, pl. 3. — II. *Elements of Surgery.* Edinb., 1831-32, 3 vol. in-8°; 2° édit., Lond., 1840, in-8°, fig.—III. *Practical Surgery.* Lond., 1837, in-8°; ibid., 1838, in-8°; 4° édit., ibid., 1846, in-8°. Plus un très-grand nombre de notes et mémoires insérés surtout dans le *Journal d'Édimbourg*, par exemple :—IV. *Cases of Aneurism.* In *Edinb. Med. and Surg. Journ.*, t. XVI, p. 66 ; 1820, pl. 1. — V. *Account of a Case of Fracture of the Neck of the Femur, in which the bony Reunion had taken Place,* etc. Ibid., p. 212. — VI. *Case of Aneurism, in the Axillary Portion of the left Brachial Artery, in which Ligature of the Subclavian,* etc. Ibid., p. 348, pl. 1. — VII. *Mode of operating in Cases of Diseased Bones.* Ibid., t. XVII, p. 155; 1821. — VIII. *Two Cases in which Tracheotomes was performed with Success,* etc. Ibid., p. 568. — IX. *Essay on Caries and its Treatment.* Ibid., t. XXI, p. 46 ; 1824. — X. *Remarks on the Operation of Lithotomy.* Ibid., t. XXIII, p. 26 ; 1825. — XI. *Surgical Cases* (*of Aneurysm*). Ibid., t. XXVII, p. 1 ; 1827. — XII. *Case in which a Lost Nose was restored by the Taliacotian Operation.* Ibid., t. XXVIII, p. 220 ; 1827. — XIII. *Notes of a Case in which the Canal of the Larynx after being nearly obliterated, was re-established,* t. XXIX, p. 118 ; 1828. — XIV. Divers mémoires sur la lithotritie, la restauration du nez, etc., etc. — XV. *On a variety of False Aneurism.* Lond., 1842, in-8°. E. Bgd.

LISUTANIENS. *Voy.* Ibériennes (Races).

LIT. § I. **Hygiène**. Le lit (*lectus, cubile,* κλίνη) se définit de lui-même; c'est le meuble fixe ou mobile, de forme et de composition très-diverses, dans lequel l'homme va goûter le repos après les fatigues de la journée. C'est aussi le théâtre étroit sur lequel se déroulent, quand il est malade, toutes les péripéties du drame pathologique dont il est l'objet et de la lutte secourable que l'art engage à son profit. Triller a consciencieusement énuméré tous les aspects du rôle que le lit joue dans la vie de l'homme. « C'est là, dit-il, qu'il est engendré et qu'il engendre, qu'il naît, qu'il s'élève, qu'il dort, qu'il se défatigue, qu'il perd son temps, qu'il fait la sieste, qu'il médite, qu'il est malade, qu'il guérit : *In lectis enim, homines, plerumque, generant et generantur, nascuntur, adolescunt, dormiunt, reficiuntur, otiantur, meridiantur, meditantur, ægrotant, revalescunt.* » (Danieli Wilhelmi Trilleri *Clinotechnia medica antiquaria sive de diversis ægrotorum lectis, secundum ipsa varia morborum genera convenienter instruendis commentarius medico-criticus.* Francoforti et Lipsiæ, 1774, in-4°, § 1, p. 1.)

C'est dire le soin avec lequel doivent être étudiées les conditions du couchage. Nous passons là un grand tiers, si ce n'est plus, de notre vie, il est donc d'un grand intérêt que nous y trouvions et les conditions d'un repos réparateur et celles d'une bonne hygiène. S'il était besoin de démontrer qu'il n'y a pas de petites choses en médecine, nul sujet ne conviendrait mieux au développement de cette proposition; il n'en est guère, non plus, qui puisse mieux faire ressortir les tendances hygiéniques des médecins des siècles passés, leur instinct pratique sous ce rapport, et par contraste le sans-façon avec lequel nous simplifions, quand nous ne les supprimons pas, ces petits détails que les plus grands esprits ne jugeaient pas autrefois indignes d'eux. Je ne veux pas renouveler ici (*non est hic locus*) des doléances que j'ai produites ailleurs sur ce sujet (*Hyg. alim. des Malades, des Convalesc. et des Valétud., ou du Régime envisagé comme moyen thérapeutique.* Paris, 1868, 2e édit. Introd., XVIII); mais je persiste à les croire fondées et j'envie aux médecins des siècles précédents qui les tenaient eux-mêmes de leurs devanciers de l'antiquité ce sens si exquis avec lequel ils dirigeaient l'hygiène de leurs malades.

Les médecins de nos jours qui comptent encore la tradition et l'érudition pour quelque chose, savent tout ce qu'il y a de matériaux immenses sur cette humble question du couchage dans les auteurs anciens, notamment dans les œuvres d'Hippocrate, de Cælius Aurelianus, de Celse, de Paul d'Égine, etc., et dans les notes érudites de leurs commentateurs. Bon aliment pour notre esprit et bonne humiliation pour notre orgueil; il y a donc double profit à faire ces recherches. L'abondance des emprunts, que je vais être conduit à faire aux médecins anciens et à ceux des seizième et dix-septième siècles, sera la justification de la thèse innocente et convaincue que je me propose de développer ici. « *De minimis non satis curat* medicus. »

J'étudierai successivement le lit au point de vue : 1° de l'hygiène pédagogique; 2° de l'hygiène générale; 3° de l'hygiène hospitalière; 4° de l'hygiène thérapeutique; 5° de l'hygiène maritime et de l'hygiène navale. Les lits chirurgicaux proprement dits et les lits orthopédiques restent ainsi en dehors de mon cadre; leur étude est d'ailleurs confiée à des plumes d'une irrécusable compétence, et le lecteur n'y perdra pas.

I. Hygiène pédagogique. Le berceau est la première demeure de l'homme. C'est là qu'il subit cette sorte de seconde incubation qui est une froide continuation de la première, et qu'il s'essaye à la vie individuelle; c'est le complément du foyer, le symbole de la perpétuité des générations, le pivot de la vie domestique, le centre des espérances, des joies et des regrets de la famille. Les poëtes l'ont entouré d'un charme singulier et l'ont chanté sur tous les tons; les Anciens partageaient entre lui et le lit nuptial *lectus genialis* cette sorte de piété respectueuse avec laquelle ils envisageaient tout ce qui touchait à la fécondité humaine. Ces aspects de la question m'attirent, mais l'utilité technique m'en éloigne, et je reviens, sans tarder davantage, au terre à terre de mon sujet.

Les Grecs donnaient des noms divers aux berceaux de leurs enfants; tantôt ils les appelaient σκάφη, à raison de la ressemblance de leur forme avec celle d'un navire; tantôt λίκνον, parce qu'ils se servaient d'un van (*vannus*) ou crible, dans la persuasion que ce berceau improvisé était pour l'enfant un gage assuré de richesse. C'est aussi un ordre d'idées analogues qui, à Sparte, faisait du bouclier inoccupé du père un berceau pour l'enfant, contraste gracieux en même temps qu'espérance virile. Je dois dire incidemment que le *clypeus* servait d'une façon plus ordinaire aux ablutions du nouveau-né; la vingt-quatrième idylle de Théocrite ne laisse aucun doute sur ce point. Le bouclier jouait l'office du *nurse-bath* des babys anglais. Admirable simplification de la vie adaptant le même objet à des fins très-diverses! Chez les Romains, les mots *cunæ*, *cunabula*, *cribrum* exprimaient le même objet.

La forme de ces berceaux était indiquée par leurs noms mêmes. Elle variait beaucoup et l'on en retrouverait encore aisément tous les types, si on les recherchait dans les différentes provinces, notamment à la campagne. Le berceau figuré par Antony Rich d'après Lambecius (*Dict. des antiq. romaines et grecques*. Paris, 1861, p. 214) et celui dont le dessin a été emprunté par Jean Alstorphe (*Dissertatio physiologica de Lectis, subjicitur ejusdem de Lecticis veterum diatribe*, Amstelodami, 1704, p. 85), est constitué par un carré de bois servant de support monté sur deux V en bois réunis par des tringles, forme qui rappelle celle des chaises à bascules (*rocking-chairs*) des Américains et qui indique la destination de ces berceaux à servir au berçage. Cette forme se retrouve dans quelques pays. En Bretagne, on se sert encore, chez les paysans, d'une sorte de tronc de pyramide quadrangulaire renversé dans lequel l'enfant est lacé par des lisières et qui, monté sur deux arcs en bois, est destiné à recevoir des mouvements d'oscillation latérale. Ces berceaux légers étaient susceptibles d'être portés d'un endroit à l'autre. Bartholin (*de Puerp. Vet.*, p. 150) en a figuré un et l'a encadré dans une scène de famille. Au reste, depuis le panier d'osier du paysan jusqu'à ces berceaux somptueux pour la confection desquels l'art épuise toutes ses délicatesses, et le luxe toutes ses recherches, il y a une variété en quelque sorte infinie de berceaux en présence desquels l'hygiène ne se sent pas complétement désintéressée.

Les berceaux *pleins* sont détestables; ils emprisonnent dans un espace étroit les miasmes des déjections, et pour peu que les enfants y soient plongés un peu profondément, ainsi que la sécurité l'exige, ils y vivent dans une atmosphère contaminée, alors même qu'on les entoure de la propreté la plus vigilante. Le *treillis* d'osier ou les tringles plus ou moins ornées, conviennent mieux; une garniture d'étoffe susceptible d'être changée concilie le double intérêt du renouvellement de l'air et de la conservation de la chaleur.

La literie du berceau doit être aussi simple que possible : une paillasse en balle d'avoine et des coussins de même nature en font tous les frais. La simplicité de ces accessoires en rend le renouvellement facile et la propreté y trouve son profit. Quant aux draps et aux couvertures, il faut songer, dans leur disposition, à garantir le double intérêt d'une légèreté très-grande et d'un défaut de conductibilité calorifique qui permette au nouveau-né de conserver sa chaleur propre.

La question des rideaux se présentera plus loin à propos de l'hygiène hospitalière, mais ici elle peut être tranchée aisément; il y a tout avantage à en environner les berceaux; l'enfant est garanti par eux contre le froid, contre la lumière qui aura pendant quelque temps sur sa vue une influence agressive, et contre le bruit; mais ces rideaux doivent être légers, disposés de façon à retomber sur la tringle qui les supporte et à disparaître ainsi à un moment donné; quant à cette habitude chère aux jeunes mères, qui consiste à abriter le berceau du nouveau-né sous l'un de leurs rideaux, le sentiment la protége, mais l'hygiène l'incrimine; l'enfant a besoin d'un autre air que celui qui est souillé par les émanations de l'état puerpéral.

Si nous ajoutons que le berceau ne saurait, sans inconvénient, être presque au ras du sol comme cela se pratique souvent, et qu'il faut sous peine de faire subir à l'enfant des courants d'air froid ou une humidité malsaine, l'élever par un support à une hauteur de 1 mètre environ, qu'il convient de le placer, par rapport aux fenêtres ou à une lumière artificielle fixe, de telle façon que l'enfant, n'ayant pas le jour en face, ne prenne pas des habitudes de strabisme, nous aurons épuisé ce que nous avons à dire sur ce point d'hygiène domestique.

J'ai eu souvent la pensée qu'il serait utile de mélanger à la balle d'avoine qui constitue la paillasse des berceaux un cinquième ou un sixième d'un mélange de poudre de tan et de charbon, de façon à absorber les gaz des déjections, ou à désodorer les liquides et à maintenir ainsi la garniture du berceau dans un état de propreté irréprochable. Ce moyen serait certainement plus sérieux que celui très en honneur dans certains pays, qui consiste à faire coucher les jeunes enfants débiles ou lymphatiques sur des sommiers d'herbes sèches, odorantes ou sur du fucus, dans l'espoir de les fortifier ou de les soumettre ainsi à des vapeurs iodiques.

Quand les nouveau-nés sont dans un état de débilité extrême, et surtout quand ils sont nés avant terme, il faut continuer pour eux l'incubation utérine et leur donner artificiellement une chaleur que l'inertie de leur respiration ne leur permet pas de développer. Je ne connais pas de pratique plus pernicieuse, je le répète, que celle qui consiste à placer le berceau sur deux tabourets devant une cheminée contenant un feu vif. Le tirage qui appelle l'air des portes ou des fenêtres plonge le berceau dans des courants froids; les enfants sont grillés d'un côté et gelés de l'autre, et de là un enchaînement plus complet de la respiration et souvent une mort prompte. J'ai vu deux jumeaux, nés à sept mois et qui, bien constitués en apparence, ont succombé sous l'influence très-probable de cette pratique routinière. Le procédé de l'enveloppement dans la ouate vaut infiniment mieux, mais il ne dispense pas de l'élévation de la température de l'air ambiant. Il faut songer en effet à la distance énorme qui sépare les 38 degrés de l'incubation utérine, des 10 ou 12 degrés que les nouveau-nés trouvent, pendant certaines saisons, dans la chambre maternelle. Il ne faut certainement pas la franchir, les besoins de la vie *séparée* n'étant pas, malgré l'imperfection de la respiration, ceux de la vie fœtale; mais il faut cependant isoler l'enfant de la chambre de sa mère qui ne s'accommoderait pas d'une chaleur de 20 à 28 degrés et le maintenir jusqu'à ce qu'il respire bien à une température approchant de celle-là.

Le froid est délétère pour les nouveau-nés, tous les physiologistes l'ont senti et l'un des plus profonds d'entre eux, Edwards (*De l'influence des agents physiques sur la vie*), a particulièrement, et avec raison, insisté sur ce point. La croisade hygiénique entreprise récemment pour faire rapporter l'article 55 du Code civil relatif à la présentation du nouveau-né à la mairie, était fondée précisément sur le sentiment du danger que l'influence de l'air froid fait courir aux enfants naissants. On a rapporté à cette cause la mortalité effrayante qui pèse sur les nouveau-nés en Russie. (*Voy.* Villermé et Milne-Edwards, *De l'influence de la température sur la mortalité des enfants nouveau-nés.* Ann. d'hyg. 1re série, t. III, 1830, p. 220.) Cette influence délétère du froid peut s'expliquer par les maladies que l'abaissement de température fait surgir (la pneumonie par exemple), mais elle s'accuse plus habituellement, comme chez l'adulte, par une asphyxie due à la rigidité contracturale des muscles respirateurs. Quoi qu'il en soit, le danger est grand dans certains cas et il faut s'ingénier à le conjurer. Denucé (de Bordeaux) a proposé, il y a quelques années, un *berceau incubateur* à l'aide duquel on peut, par la circulation d'un courant d'eau chaude dans un double-fond en zinc, maintenir une température déterminée et constante. Cet appareil ingénieux qui devrait être dans toutes les Maternités est destiné à sauver bien des enfants débiles ou nés avant terme.

La question du berçage est annexe de celle du berceau. Les étymologistes font dériver ce dernier mot du latin dégénéré *berciolus*, provenant lui-même de *vertere*, tourner. Si cette étymologie, que je ne garantis pas, bien qu'elle ait pour elle l'autorité de Ménage, est exacte, l'habitude de bercer les enfants ne serait pas nouvelle.

Chez les Romains, bercer était une profession qui se recrutait dans les deux sexes. Martial cite dans une de ses épigrammes le nom d'un certain Charidème, auquel il applique l'épithète de « *cunarum motor mearum* », mais la mission de bercer était plus habituellement confiée à une esclave qui prenait le nom de *cunaria*. La 311e inscription de Gruter concerne une certaine Rufine qui exerçait ces fonctions. Elles étaient placées sous l'invocation d'une déesse particulière, *Dea Cunina*, comme nous l'apprend une autre inscription du même auteur, déesse qui présidait à tous les soins du berceau et avait de plus pour mission d'éloigner les maléfices.

Les berceuses ont aujourd'hui disparu et le cérémonial immobile des cours a seul conservé ce fort inutile rouage ; mais si les *berceuses en titre* ont été congédiées, les *berceuses bénévoles* peuplent le monde et soumettent, en ses débuts, le roi de la création à des oscillations au moins inutiles.

La pratique du berçage, comme moyen de provoquer le sommeil, a été l'objet de récriminations très-vives qui, comme de raison, l'ont aidée à prospérer. Et, en saine raison, on ne voit guère l'avantage de cette habitude. Non pas que je considère l'action de bercer, quand elle est modérée, comme susceptible d'altérer très-gravement la santé et surtout, ainsi qu'on le croit dans le vulgaire, d'oblitérer l'intelligence ; on a débité bien des exagérations sur ce point : mais il est positif cependant que ces oscillations, quand elles atteignent un rhythme et une durée exagérés, ne sauraient être regardées comme entièrement inoffensives ; d'ailleurs c'est une habitude, et des plus impérieuses, et cela seul suffit pour la condamner. J'ai vu quelquefois à la campagne des enfants soumis, dans des berceaux construits à cet effet, à des balancements qui auraient fait éprouver à un adulte les angoisses du mal de mer. Est-ce inoffensif, j'en doute. Est-ce agréable ? L'enfant seul le sait, et malheureusement il ne le dit pas. Son apaisement n'est pas une réponse. Est-il content, est-il dompté ? (Voy. *Entret. fam. sur l'hygiène.* 4e édit. Paris, 1869, p. 110.)

Brouzet a été un des rares défenseurs du berçage (*Essai sur l'éducation médicinale des enfants*, Paris, 1754, p. 120). Il y a vu un de ces procédés de gymnastique familiers aux anciens et un moyen de faciliter la circulation des fluides. Ce secours est équivoque et il est difficile d'admettre qu'ils en aient besoin. Il suffit d'avoir assisté aux scènes violentes d'un enfant qui ne s'endort que de cette façon pour comprendre que le berçage fait en réalité plus de mal que de bien. J.-J. Rousseau a dit un mot que je voudrais voir gravé en lettres d'or sur tous les berceaux : « *La seule habitude qu'on doit laisser prendre à l'enfant est de n'en contracter aucune.* » (*Œuvres complètes. Compactes* Lefèvre, Paris, 1839, t. III; *Émile*, liv. I, p. 43.) Il est applicable au berçage. Il faut donc s'en abstenir. Les violences des nourrices mercenaires qui engourdissent les enfants chétifs ou exigeants par un rhythme d'escarpolette à toute volée, pratique qui, suivant l'opinion peu suspecte de Brouzet lui-même, peut produire chez certains enfants des troubles digestifs, notamment des vomissements, ressemblent un peu à cette machine tournante dans laquelle les Carthaginois faisaient périr des malheureux au milieu d'accidents cholériques; et à celle imaginée pour réduire les maniaques frénétiques. J'ai l'habitude de faire river la tige de fer qui maintient le corps du berceau à son support, pour éviter toute indocilité de la part des nourrices, et je n'ai jamais vu qu'il parût manquer quelque chose aux enfants qui sont privés de cet exercice. Ce n'est pas là évidemment un des besoins naturels et primordiaux de l'homme.

Un autre inconvénient est d'assoupir par un sommeil factice des cris dont l'expansion libre est un avertissement salutaire. « Peut-être que l'enfant crie de faim, dit à ce sujet Laurent Joubert, comment le voulez-vous endormir?... L'apaiser ou contenter d'une chanson, c'est une pure moquerie. Je voudrais bien sçavoir si la nourrice ayant bon appétit, en lieu d'une soupe, elle serait contente et bien satisfaite d'ouïr une chanson ou de danser un bransle de Champagne. Quelle fadaise ! » (Laurent Joubert, *Erreurs populaires au faict de la médecine et régime de santé*, Paris, 1578.) Quant à ces incantations monotones dont les nourrices de nos jours, comme les *cunariæ* de Rome, accompagnent le berçage, je n'y vois d'autre inconvénient que celui d'une habitude despotique, mais c'est déjà beaucoup.

Je ne dirai rien des berceaux placés verticalement, sortes de hottes dans lesquelles en certains pays, au Canada par exemple, les femmes transportent les nouveau-nés, ou des berceaux suspendus, comme ceux usités en Finlande et que la moindre oscillation met en branle; nous n'avons rien à envier à ces habitudes, non plus qu'à celles des Indiens. Les admirateurs de l'état de nature invoquent complaisamment en faveur de ces pratiques, et pour jouer un mauvais tour à l'hygiène, la vigueur d'enfants élevés de cette façon et l'heureuse conformation de leurs membres. J'attends les statistiques qu'ils ont recueillies sur ce point.

II. Hygiène commune. « Comme on fait son lit on est couché, et comme on est couché on dort, » a dit la sagesse des nations ; c'est une invitation à ne pas dédaigner cette partie de l'hygiène qui importe fort au maintien de la santé. En cette matière, les influences n'ont pas tant besoin d'être *actives* pour se faire sentir que d'être *prolongées*, et il règne là comme ailleurs beaucoup de routine, beaucoup d'incurie, beaucoup d'ignorance. La substitution de la recherche du luxe et du bien-être à celle de la salubrité fait le reste.

Il est toujours intéressant de remonter à l'origine des choses usuelles; c'est un délassement de l'esprit, mais il n'est pas purement spéculatif : le présent n'est pas en effet la quintessence de ce que le passé avait de bon; il lui a pris un peu capricieusement des choses inutiles, lui a laissé des choses qu'il eût dû lui prendre, et il est bien rare que la curiosité qui regarde en arrière reste complétement improductive.

Je ferai grâce au lecteur de ces couches trop primitives dont les feuilles sèches ou les toisons d'animaux faisaient tous les frais. Ces habitudes se retrouvent encore parmi les peuples de l'Afrique et de l'Océanie, qui attendent que la civilisation les tire de leur torpeur séculaire, les élève en dignité, et accroisse en même temps la sphère de leurs besoins.

Les lits des Égyptiens nous sont connus par des bas-reliefs, par des peintures et aussi par des descriptions. Ils paraissent n'avoir été fermés qu'à une des extrémités. Le kaffass ou sommier égyptien, formé par des pétioles de palmier entrelacés, en usage encore aujourd'hui, paraît remonter très-loin, puisque Porphyre en donne une description exacte.

Les lits des Assyriens et des Hébreux ressemblaient par leur forme à ceux des Égyptiens, mais le luxe présidait déjà à leur confection, et les bois, les métaux précieux, les fourrures y étaient prodigués chez les riches.

Cette recherche s'introduisit de bonne heure dans les mœurs des Grecs et des Romains, et chez ces derniers elle atteignit les dernières limites de l'extravagance. C'est ainsi que Carin, au dire de Vopiscus (*Hist. Aug.*, Les quatre tyrans, III), fit confectionner pour sa femme un lit, fabriqué avec deux dents d'éléphant longues de 10 pieds, et que Néron dépensa pour le même but 400,000 sesterces (environ 840,000 francs), faste qui, pour le dire en passant, a excité naguère l'émulation du sultan, dont le lit laisse derrière lui en magnificence ceux de Carin et de Néron.

Une première question, qui offre un intérêt archéologique réel, est celle-ci : les anciens connaissaient-ils les alcôves? On ne saurait en douter. On en a trouvé dans la villa Hadriani, à Pompéi. Au dire de Breton (*Pompeïa*, p. 282), on rencontre souvent dans les maisons de cette ville (celle de Castor et Pollux est dans ce cas) des demi-alcôves ou enfoncements ménagés dans le mur pour loger le dossier du lit, mais telle ne paraît pas avoir été cependant la disposition générale. L'alcôve (du mot espagnol, ou plutôt arabe, *alcoba*, chambre à coucher) a de nombreux inconvénients, et il est à désirer que l'habitude s'en perde. Elle circonscrit en effet une atmosphère dont l'air se renouvelle difficilement, où la lumière n'a guère accès et qui est un foyer d'humidité et de miasmes. Une porte placée dans le fond peut seule atténuer ces inconvénients, mais encore persistent-ils en grande partie. Les alcôves ou *ruelles* dans lesquelles les Mécènes du dix-septième siècle recevaient les beaux esprits avaient au moins l'avantage de proportions spacieuses qui sont inconnues aux nôtres. Le lit ne saurait baigner dans un air trop pur et trop renouvelé.

L'exclamation de Ramazzini à propos des alcôves est celle d'un hygiéniste convaincu « *quem gravem odorem exhalent cellulæ hujus modi norunt medici cum pedes immittunt ad ægros mane invisendos!* » Oui certes, les deux vers si connus du *Lutrin* résument le lit le plus antihygiénique :

> Dans le réduit obscur d'une alcôve enfoncée,
> S'élève un lit de plume à grands frais amassée.
>
> (*Le Lutrin*, chant I.)

Les Romains classaient leurs lits, suivant leur destination, en : *lecti cubiculares* (ce sont les seuls dont nous ayons à nous occuper) ; *lecti tricliniares* (ce sont les lits de table) ; *lecti funebres*, *lecti pensiles* (ou lits portatifs), etc.

Leurs lits étaient élevés ; on y montait par des escabeaux (*scamna*). Le *Virgile* du Vatican contient une figure du lit nuptial (*lectus genialis*) de Didon. On y montait par un *scamnum* de huit marches, placé à l'extrémité du lit opposée au chevet. Ils avaient la forme d'un de nos sofas avec dossier élevé (*pluteus*), et un montant (*anaclinterium*) servant de chevet. Quelquefois il y avait aussi un montant au pied, mais cette disposition était moins habituelle. La composition des objets de couchage, ou *stragula*, très-simple dans le principe puisqu'ils se réduisaient à des nattes tressées ou à des *culcita* ou matelas de paille et de feuilles, comme nous l'apprend Varron, se compliqua bientôt de matelas de laine teints des plus riches couleurs, quelquefois même de pourpre, comme ceux dont se vantait le fastueux convive de Trimalcion (*Satyricon* XXXIII, p. 19); des lits en plumes d'oie d'Égypte, des fourrures luxueuses, des *amphitapæ* ou étoffes velues des deux côtés qui servaient en même temps à amollir la couche et à défendre du froid, montraient que les Romains avaient fait du chemin dans la recherche du bien-être depuis Cincinnatus et Caton.

« Au moyen âge, les lits, dit M. Chéruel, étaient d'une grandeur démesurée. Quand ils n'avaient que 6 pieds en carré, on les appelait *couchettes;* lorsqu'ils en avaient 12, on les nommait *couches*. Ils se plaçaient sur une estrade. Des familles entières y trouvaient place. Il ne faut pas en chercher seulement la raison dans l'économie. Les chevaliers, accoutumés à partager leur tente, leur *lit* et leur table avec leurs frères d'armes pendant leurs campagnes, ne se refusaient pas pendant l'hiver à les recevoir dans leurs châteaux avec la même confiance et la même simplicité. L'amiral Bonivet couchait souvent dans le même lit que François Ier, qui l'appelait son frère d'armes. Coucher ensemble était la plus insigne marque d'amitié et de confiance que l'on pût se donner. Après la bataille de Dreux, en 1562, François de Guise partagea son lit avec son prisonnier, le prince de Condé. Les lits devinrent, par les draperies qui les décoraient, un des principaux ameublements. Les pauvres gens les garnissaient de serge ou de toile ; les riches, d'étoffes de soie, de damas et de velours. Il y avait, au dix-septième siècle, des *lits à l'ange* et *à la duchesse, à la polonaise* et *à la turque*. Les *lits à balustrade* étaient une marque d'honneur réservée aux souverains, aux princesses et aux très-grandes dames. » (A. Chéruel, *Dictionnaire des institutions, mœurs et coutumes de la France*, Paris, 1855, p. 670.)

De nos jours, les lits sont rentrés dans des proportions plus raisonnables, et ils ont d'ordinaire 2 mètres de longueur et de $1^{m},30$ à $1^{m},85$ de largeur. Leur hauteur est variable suivant la composition de la garniture, mais dans les modèles modernes elle tend à s'abaisser. La substitution du fer au bois dans la confection des lits a réalisé un immense progrès au point de vue de la propreté et de la salubrité. L'hygiène nosocomiale en a plus profité que l'hygiène domestique, mais celle-ci en a recueilli néanmoins un profit réel: grâce au fer, l'air a circulé plus librement, et cette génération immonde de parasites, qui était le fléau des anciennes chambres à coucher, a trouvé là une entrave que la découverte des poudres insecticides est venue rendre plus complète. J'ignore l'histoire de cette substitution si importante au point de vue de l'hygiène, mais je suppose que le signal a dû en venir de l'Amérique ou de l'Angleterre, pays dans lequel le fer remplace le bois pour une foule d'usages domestiques.

La paillasse et le lit de plumes sont en train d'aller rejoindre les bois de lit, et l'hygiène ne leur donnera pas un regret. Sans doute une paillasse dont le contenu, fait de paille de froment ou de feuilles de maïs, est remué tous les jours et renouvelé fréquemment, n'a d'autre inconvénient que de remplir la chambre de poussière, mais, dans des conditions opposées (et ce sont les plus communes), elle devient un réceptacle d'humidité, de mauvaises odeurs et de parasites; de plus, la paille se tasse; le plan de sustentation devient irrégulier et dur, et le sommeil est difficile dans ces conditions, même pour les gens les moins délicats.

Le lit de plumes (χηνοπλούματα) ne vaut pas mieux. Schenkius, Baillou, Forestus, Alexandre de Tralles surtout (lib. IX, cap. IV), ont fait ressortir les inconvénients des lits de plume pour les néphrétiques, les calculeux dont ils échauffent les reins : « *Quoniam istæ nempe renes valde calefaciunt,* » et reconnaissent que les gens sains eux-mêmes feraient bien de s'en passer. La difficulté de nettoyer les lits de plume est, après leur mollesse, leur inconvénient principal. On frémit quand on songe que des générations peuvent se transmettre, sans que le contenu en ait été changé, des lits de plume, réceptacles impurs de toutes espèces de miasmes. L'aptitude de la plume, comme de la laine, à s'imprégner des contages, est encore une raison de suspicion de plus. Il y a, du reste, des personnes qui ne peuvent coucher sur un lit de plume sans éprouver une agitation insolite, due peut-être au défaut de conductibilité électrique de cette substance. Il y a une trentaine d'années, les journaux de médecine enregistraient le fait d'un asthmatique qui était pris invariablement d'un accès quand il couchait dans un lit garni de plume.

Le sommier élastique, plus propre, plus aéré, conservant avec sa souplesse primitive l'uniformité de la surface de sustentation, tend à entrer dans les habitudes de toutes les familles aisées. Il en est de trois sortes : 1° le sommier à ressorts métalliques en spirale; 2° le sommier Tucker, constitué par des bandes minces de bois fixées sur une corde rigide par des ressorts; 3° les sommiers dans lesquels l'élasticité est produite par des arcs-boutants en fer munis de bandes de caoutchouc.

Le premier est le plus employé. Composé de substances inaltérables, n'offrant nulle prise aux parasites, d'une réparation facile quand après un long usage les ressorts ont fléchi, ce sommier entre de plus en plus dans les habitudes domestiques. Le sommier Tucker est moins usité, quoiqu'il ait aussi sa valeur. Le sommier à ressorts de fer et de caoutchouc est d'une simplicité séduisante, et il permet, chose importante au point de vue de l'économie, de ne faire intervenir qu'un seul matelas. J'ai expérimenté, il y a dix ans, à l'hôpital de Cherbourg, un sommier de ce genre dont le modèle avait été proposé au ministre de la marine. La paillasse y était remplacée par un système élastique composé de seize arcs-boutants en fer formés de deux montants garnis à leur partie inférieure d'un mentonnet sur lequel s'adaptait une forte bande de caoutchouc. Ces arcs-boutants étaient disposés quatre par quatre; ils s'accrochaient par en haut à un cadre de feuillard entre-croisé sur lequel portait le matelas, et s'appuyaient en bas, par leur caoutchouc, sur une tringle de fer ménagée à cet effet. Le poids du corps faisait fléchir les bandes de caoutchouc, et l'élasticité se produisait par ce mécanisme. J'ai trouvé ce sommier excellent, et le témoignage des malades qui l'ont expérimenté déposait en sa faveur; le seul reproche qu'on pût lui adresser était de laisser entre le fond du lit et le matelas un espace vide que traversait l'air, et par conséquent d'exposer les malades à se refroidir pendant l'hiver, mais cet inconvénient peut être masqué par un supplément de couvertures, et pendant l'été l'avantage hygiénique de cette circulation d'air serait incontestable. Je n'ai pas su que ce lit ait été adopté.

La question des matelas (*culcita, stragula, instrata*) offre aussi un certain intérêt hygiénique. Les lits des anciens ne furent primitivement, comme je l'ai dit, que des couches d'herbes et de feuilles sur lesquelles ils étendaient quelquefois des étoffes diverses et des fourrures. Les *stragula* comprenaient l'ensemble des garnitures du lit; on leur donnait aussi quelquefois le nom de *toralia*. Le matelas était parfois remplacé par des fourrures ou des tapis étagés les uns sur les autres et débordant de chaque côté les extrémités du lit. Un lit étrusque représenté sur un sarcophage en terre cuite, trouvé dans un tombeau à Cervetri et placé dans le musée grégorien (voy. *Mag. pittoresque*, 1865, t. XXXIII, p. 384) montre ce genre de garniture. Un autre lit, figuré dans une peinture du même musée, offre à l'hygiène archéologique un intérêt réel en ce sens que le châssis inférieur du lit sur lequel repose le mateles est formé de bandes de métal entre-croisées en losange; c'est sans doute là le premier essai de l'application du fer à la confection des garnitures intérieures du lit. Une peinture égyptienne figurant le tombeau de Ramsès II représente un matelas fortement rembourré recouvert d'une étoffe violette parsemée d'étoiles brodées; mais on ne peut faire que des conjectures sur la matière dont il était rempli. Sénèque parle de matelas assez durs pour ne pas prendre l'empreinte du corps. S'agissait-il de *culcita* fortement garnis ou de matelas élastiques? En tout cas le matelas se confondait avec la paillasse. Le stragulum de tous les lits antiques, dont le dessin nous est parvenu, se compose d'une seule pièce appliquée directement sur le châssis. Une peinture de Pompéi, rapportée par A. Rich (*op. cit.*, p. 211, art. *Culcita*), donne une idée de cette disposition. C'est un lit bas, à deux montants pleins verticaux, tout à fait semblable à l'un des modèles de nos lits modernes en fer.

Chez les anciens les matelas étaient garnis de diverses manières; on appelait *tomentum* la substance qui les remplissait. C'était tantôt de la paille de froment, du foin, des feuilles de palmier, des plumes de poules ou d'oies (*Alstorphii dissertatio*, p. 37), des aigrettes de roseaux (*ex coma arundinum*). Suétone (*Histoire des douze Césars*) raconte que Drusus, privé d'aliments vécut, neuf jours en mangeant le *tomentum* de son matelas fait de roseau ou de gnaphalium. (*Voy.* Marius Grapaldus, *De partibus œdium* Parmæ, 1516, lib. II, p. 98.) Quelquefois on le garnissait de poil de lièvre, de duvet, de chardon à foulon, etc. Le matelas d'Héliogabale était bourré de duvet de perdrix (*plumæ perdicum subalares*), et il en changeait fréquemment. D'autres empereurs, au contraire, se piquaient d'une austérité antique et couchaient, comme Louis-Philippe, sur des lits bas et durs; mais c'était le petit nombre. Les anciens changeaient, du reste, de matelas suivant la saison; l'hiver ils préféraient le matelas de plume, l'été celui de laine et de coton (*culcitra gossypio repleta*). Je n'ai vu indiqué nulle part les matelas de crin.

Les matelas et les coussins à air paraissent d'invention toute moderne, il n'en est rien; c'est encore du *vieux neuf*. Les Romains se servaient de coussins et peut-être de matelas de cette nature « *Culcitram e corio ventosis follibus* (*chalumeau*) *spiritu tumefactam ad cubitum substernunt.* » (Marius Grapaldus, *op. cit.*, lib. II. *Cubiculum*, p. 98). » Le mot *follis* signifiait coussin à air et tirait son origine de cette pratique. On sait la facétie d'Héliogabale qui invitait des gens à dîner, les faisait asseoir sur des coussins vides et prenait plaisir à les voir rouler sous la table quand on distendait brusquement ces coussins avec de l'air.

Le crin, la laine, l'air et des substances végétales diverses sont actuellement les moyens à l'aide desquels on distend les matelas. Le crin vaut mieux que la laine, il est plus propre, se résoud moins en poussière et de plus il a l'avantage fort apprécié par l'hygiène, de s'imprégner moins facilement des miasmes avec lesquels il est en contact; enfin il se tasse moins, d'où une condition de moindre dureté et de plus grande uniformité du plan de sustentation. Les matelas à air réuniraient toutes les conditions favorables si l'enveloppe restait toujours imperméable et si leur prix était moins élevé. Diverses substances végétales sont également utilisées dans le même but. Nous avons parlé plus haut de la balle d'avoine (réservée pour les sommiers d'enfant), de la paille des céréales. Les feuilles de maïs déchirées dans le sens de leur longueur et réduites en lanières minces remplissent très-bien cet office. Il en est de même de diverses algues et fucus : le crin végétal n'est autre chose que l'une de ces plantes. Mérat (*Dict. en 60 vol.*, art. *Matelas*, t. XXXI, p. 137) indique comme pouvant fournir un coucher sain et commode : les tiges des *Festuca ovina* et *Glauca* L., le *Poa cristata*, le duvet de l'apocyn à la ouate (*Apocynum syriacum* L.), la soie des fleurs de la linaigrette (*Eriophorum polystachion*), les barbes soyeuses du *Stipa pennata*. Peut-être les fibres ligneuses qui enveloppent la noix de coco (*Cocos nucifera*) constitueraient-elles aussi une bonne garniture de matelas.

« Les matelas, dit judicieusement Mérat, demandent pour la santé un entretien presque continuel réclamé aussi par l'économie. On devrait chaque matin, avant de faire le lit, les exposer quelques heures à l'air. Cette simple précaution éviterait bien des inconvénients qui résultent de son oubli, et dont le moindre est l'odeur désagréable que le lit et la chambre conservent. Tous les ans il faut faire rebattre les matelas et lessiver la toile; mais cette opération mériterait d'être faite avec plus de soin qu'on n'y en apporte ordinairement. On devrait, après avoir cardé la laine, la laisser exposée plusieurs jours au grand air pour laisser échapper les miasmes et les odeurs qu'elle contient au lieu de la replacer de suite dans la toile de manière à resservir dès le même jour. Toutes les laines devraient être battues à la baguette avant le cardage, ce qu'on ne fait qu'à la très-vieille laine qui en a, à la vérité, plus besoin que la neuve. Enfin les matelas de trop vieille laine brisée, pelotonnée, devraient être mis au rebut, parce qu'ils ne font que des galettes informes et dures. » (*Loc. cit.*, p. 138.)

A Rome les ouvriers qui fabriquaient les matelas s'appelaient *stragularii*; ils formaient une corporation et avaient un collége. L'hygiène professionnelle était peu avancée chez les anciens, et nous ne savons s'ils étaient exposés aux mêmes accidents que les ouvriers de la même catégorie chez nous. (*Voy.* MATELASSIERS.)

Les anciens remplaçaient souvent les matelas par des fourrures. Celles du Quercy étaient particulièrement estimées. (Montfaucon, *Antiquité expliquée*, 1719, vol. III, 1re part., p. 107.) Ils attribuaient de graves inconvénients à quelques-unes d'entre elles. C'est ainsi qu'ils croyaient que les peaux de chèvre pouvaient produire l'épilepsie. (D. W. Trilleri *Dissertatio*, p. 90.) Hippocrate et Cælius Aurelianus se sont donné la peine de discuter et de combattre cette opinion qui ne valait guère de pareils jouteurs.

Les oreillers (*culcitra*, *pulvinaria*) complètent le plan de sustentation du lit. Quelques dessins de lits égyptiens et étrusques montrent que les oreillers étaient souvent remplacés par une bourrure plus forte de l'extrémité du *stragulum* qui correspondait à la tête. On a trouvé, à Pompéi, des lits de pierre destinés vraisemblablement à des pauvres ou à des esclaves, et présentant un seuil en maçonnerie pour la tête. (*Voy.* Breton, *Pompeïa*, p. 212.) Mais le plus habituellement on se servait de coussins de forme et d'aspect différents qui s'appuyaient sur le dossier ou *anaclinterium*. (*Voy*. A. Rich., p. 30.) J'ai dit plus haut de quelles matières étaient gonflées ces coussins, qui étaient quelquefois des coussins à air. L'*oreiller de plumes*, très en usage chez nous, est certainement tout ce qu'on peut imaginer d'antihygiénique. Les taies éblouissantes de propreté dont on les recouvre cachent leur sordidité intérieure, et leur mollesse, en même temps que le peu de conductibilité calorifique de leur contenu entretiennent vers la tête un afflux congestif dont les conséquences peuvent être fort graves. Le nombre des apoplexies et des méningites fomentées par cette cause est plus considérable qu'on ne le croit. Les oreillers de balle d'avoine, de crin, et les oreillers à air devraient remplacer définitivement les oreillers de plume.

Les enveloppes immédiates du corps pendant le coucher sont les *draps*, les *couvertures*, les *édredons* et les *rideaux*.

Les draps de toile étaient inusités chez les anciens, comme l'était le linge de corps; j'ai trouvé cependant dans l'*Odyssée* un passage qui montre que les princes au moins se permettaient quelquefois cette mollesse. Au moment où Ulysse laisse Alcinoos pour s'embarquer, « les rameurs, dit le poëte grec, emportent des couvertures et *des tissus de lin* pour que le héros goûte un inaltérable sommeil..... Ulysse s'embarque et s'étend en silence sur cette couche moelleuse. » (Homère, *Œuvr. compl.*, trad. Giguet; *Odyssée*, chant XIII, p. 492.) Chez nous les draps de lit sont de toile ou de coton; les premiers conviennent particulièrement pour l'été à raison de leur fraîcheur, les seconds doivent être réservés pour l'hiver.

Les draps sont au couchage ce que la chemise est au costume, c'est une condition de préservation pour la literie, de propreté et par conséquent de salubrité.

Chez les Grecs les couvertures étaient, dans le principe, des fourrures de chèvre, de mouton, ou de bêtes fauves. C'est ainsi qu'Homère nous montre Télémaque s'enveloppant, pour passer la nuit, « dans une toison moelleuse. » (*Odyssée*, chant Ier, p. 362.) De même aussi les Hébreux se servaient de peaux d'animaux. Nous lisons au livre des Rois (cap. XIX, v. 13) que Michol voulant favoriser la fuite de David, recouvrit *pelle pilosa* la statue que, par subterfuge, elle avait mise à sa place. Varron (*De lingua latina*, lib. V) nous apprend qu'à Rome on désignait les couvertures d'une manière générique par les mots *pallia*, *operculum*. Le *sagum*, l'*amphimallum*, le *toral* étaient des couvertures particulières (*ibid*). Les *amphitapæ* étaient des couvertures velues des deux côtés, comme sont aujourd'hui certaines couvertures de voyage et dont on se servait pour rendre les lits plus moelleux ou pour se garantir du froid.

Le bien-être et l'hygiène sont d'accord en même temps pour réclamer des couvertures légères, sauf à en accroître le nombre. Elles interceptent entre elles une couche d'air, mauvaise conductrice du calorique, et réchauffent sans accabler par leur poids. D'ailleurs une literie de ce genre peut être renouvelée plus souvent d'une manière partielle et la propreté y trouve son profit.

L'édredon est une superfluité dangereuse. C'est une mollesse dont on doit se passer; son plus grand inconvénient est de rendre singulièrement impressionnable au froid; la plume d'eider vrai ou faux qui le remplit est d'ailleurs passible des reproches que l'on peut adresser aux lits de plumes, en y joignant de plus l'encombrement de l'alcôve et la réduction du peu d'air respirable qui s'y trouve déjà. Les couvertures légères interceptant entre deux doubles une couche mince de cette soie effilée que le luxe du costume cède à l'utilité, remplit le même office de préservation contre le froid et avec plus de légèreté.

Les rideaux paraissent n'avoir pas été employés par les anciens. Cette question délicate des rideaux, qui a soulevé bien des discussions, sera examinée un peu plus loin à propos du couchage dans les hôpitaux. Les *moustiquaires* étaient, au contraire, usités chez eux. C'étaient, comme encore aujourd'hui, des étoffes légères qui entouraient le lit et préservaient contre les agressions des moustiques. Les Hébreux (*Rois*, XX, 28) se servaient de moustiquaires. Les Grecs les appelaient *conopées* (κωνωπεῖον) et en avaient rapporté l'usage d'Égypte. Properce et Varron en parlent en plusieurs endroits comme d'une habitude romaine. Sans anticiper sur ce que j'aurai à dire plus loin des rideaux, je puis, dès à présent, les incriminer dans l'hygiène domestique. Ce n'est pas impunément, en effet, qu'ils créent dans l'atmosphère déjà trop confinée de la chambre à coucher une atmosphère circonscrite et stagnante, et qu'ils constituent autant de toiles d'araignées tendues à tous les miasmes et à toutes les émanations. Il faut donc éviter *le double contour de ces quatre rideaux somptueux* dont parle le chantre du *Lutrin*. Le sybaritisme et la santé ont généralement des intérêts divergents.

En hygiène le lit *vaut* par lui-même, c'est-à-dire par sa simplicité, la propreté scrupuleuse dans laquelle il est entretenu, le renouvellement fréquent de la literie, la rigidité sans dureté et l'égalité du plan de sustentation, mais il *vaut* aussi par la nature de la chambre dans laquelle il est dressé. Et à ce point de vue l'hygiène ne peut que déplorer les conditions habituelles des chambres à coucher, même dans les familles aisées. Ces pièces devraient être les plus spacieuses, les plus aérées, les plus *ensoleillées* d'un appartement; ce sont d'ordinaire les plus étroites, les plus encombrées et les plus obscures. Le salon absorbe tout. Nous imitons en cela les mœurs des Romains dont les *cubicula nocturna* étaient extrêmement exigus et n'avaient souvent d'autre ouverture que celle qui donnait sur l'*impluvium* ou piscine du péristyle, ouverture qui donnait en même temps passage à l'air et à la lumière. Il est vrai que les poumons des Romains, mis ainsi à la ration congrue par cet emprisonnement nocturne, trouvaient un ample dédommagement dans la vie active et au grand air qu'ils menaient pendant le jour. Cette compensation nous manque dans nos villes, et les médecins savent par expérience ce que sont les trois quarts des chambres à coucher dans lesquelles leur ministère les conduit. Un cubage suffisant pour subvenir d'une manière large aux besoins de la respiration; les meubles indispensables et rien de plus; une propreté minutieuse; l'éloignement des linges souillés et des eaux de toilette; une cheminée ouverte pour établir une circulation aérienne; une fermeture pas trop hermétique des joints des fenêtres et des portes; un renouvellement assez fréquent des peintures et des papiers; une large ouverture des fenêtres et des portes pendant la journée et toutes les fois que le temps la rend possible, etc.; tel est, dans ce qu'il a d'essentiel, le programme de l'hygiène d'une chambre à coucher convenablement saine. Il faut y ajouter aussi une exposition qui permette l'accès du soleil. On sait combien les chambres à coucher des appartements parisiens sont mal partagées sous ce rapport. L'idée que le soleil n'a rien à y faire puisqu'on ne les habite que la nuit est une idée fausse. Un proverbe italien dit : « Là où le soleil n'entre pas, le médecin entre, » et ce proverbe s'applique aussi bien aux chambres à coucher qu'aux autres; il faut que cet infatigable chimiste en visite tous les coins, qu'il y brûle, qu'il y oxyde, qu'il y détruise tout principe organique et s'oppose à cette génération immonde des moisissures qui cherchent l'obscurité, y répandent leur odeur fade et y dressent des embûches sourdes contre la santé. La physiologie et la pathologie nous enseignent que dans le sommeil, les absorptions des matériaux extérieurs se font avec plus d'activité; raison de plus pour tâcher de respirer dans une atmosphère salubre et renouvelée. Et que sera-ce quand, aux exigences de la vie *convenue*, viennent s'ajouter celles de la vie *gênée*, quand l'incurie et la nécessité se donnent la tâche que font ailleurs le luxe et la vanité et transforment les chambres à coucher en étouffoirs malsains ! On pourrait appliquer, sans exagération, le mot de Pringle à l'air des chambres à coucher : « *Plures occidit quam gladius.* » Et l'on passe le tiers de sa vie dans une pareille atmosphère !...

III. HYGIÈNE HOSPITALIÈRE. Le couchage des malades est une des questions d'installation intérieure des hôpitaux qui offre le plus d'intérêt pratique. Le principe de la supériorité des petites salles sur les grandes commence fort heureusement à prévaloir ; les questions de chauffage, d'éclairage, de ventilation des salles approchent d'une solution pratique ; il n'y a donc, au point de vue de la salubrité du couchage dans les hôpitaux, qu'à étudier le lit nosocomial en lui-même.

L'hygiène peut ici envisager d'un œil pleinement satisfait le progrès qui a été accompli depuis le siècle dernier, et quand on compare le couchage des malades dans nos hôpitaux actuels, à ce qu'il était autrefois, on a la mesure de cet accroissement progressif du respect pour la souffrance qui est le meilleur indice de l'élévation croissante du sens moral. Le rapport de la Commission instituée par l'Académie des sciences en 1786 est singulièrement éloquent en ce qui concerne l'amélioration du couchage... « un malade arrivant placé souvent dans le lit et dans les draps d'un galeux qui vient de mourir... la gale ainsi perpétuée à l'Hôtel-Dieu... les femmes enceintes, légitimes ou de mauvaise vie, parquées ensemble, dans la même salle, et couchant trois ou quatre dans le même lit... la paille des lits rarement changée et quand elle l'était, cette opération insalubre se faisant au milieu même de la salle, et y dégageant une odeur méphitique... des lits de paille réservés dans chaque salle pour les agonisants et pour les galeux ; réunissant quatre ou cinq de ces malheureux ou servant de dépôt temporaire pour les nouveaux venus trouvant toujours une salle encombrée, une odeur infecte, une humidité putride, une pullulation incroyable de parasites de toute espèce, des nichées de rats élisant domicile dans les paillasses, etc. ; » tels sont, en ce qui concerne les lits, quelques traits de ce tableau dont l'évocation donne en même temps la nausée du dégoût et le frisson de la pitié. On comprend à merveille l'inspiration de Milton qui, pour dérouler sous les yeux d'Adam prévaricateur, la longue chaîne de misères qui attend sa descendance, n'a rien trouvé de mieux que de lui ouvrir les lugubres perspectives d'un hôpital. « Notre civilisation, dit M. Roubaud, plus en harmonie avec l'humanité, a fait cesser de pareilles infamies et les hôpitaux d'aujourd'hui consolent par leur spectacle la pensée attristée par les infirmités sans nombre qu'ils renferment. » (F. Roubaud. *Des hôpitaux au point de vue de leur origine et de leur utilité*. Paris, 1853, p. 80.)

Le couchage dans les hôpitaux s'est progressivement amélioré, mais c'est surtout dans ces derniers temps que l'hygiène nosocomiale, suivant ou précédant les progrès de l'hygiène commune, a apporté dans cette partie de son installation les modifications les plus heureuses. Ce n'est pas cependant, comme nous allons le voir, que tout soit pour le mieux sous ce rapport, et qu'il n'y ait plus rien à innover.

La matière, la forme, les dimensions, la hauteur, la composition, le nettoyage, et les accessoires des lits d'hôpitaux sont les particularités à passer successivement en revue.

L'adoption du fer pour la literie a constitué, je l'ai dit, un inappréciable progrès et il n'y a maintenant (le nombre en diminue tous les jours) que quelques hospices de petites villes singulièrement attardées qui en sont encore au couchage primitif des lits en bois. L'hôpital des Cliniques a été en 1790, le berceau de cette utile innovation, qui mit, comme toutes les choses utiles, un certain temps à se généraliser. L'auteur de l'article HOPITAL du *Dict. des Sciences médicales* (t. III, p. 451), regrettait cette lenteur en 1817, et citait le Grand-Hôpital de Marseille, l'Hôtel-Dieu de Lyon et plusieurs hôpitaux de Piémont et d'Italie comme plus avancés sous ce rapport que ceux de Paris. L'hygiène des hôpitaux a aujourd'hui opéré complétement cette réforme et elle peut se dire plus avancée que l'hygiène domestique qui ne la réalise que partiellement et d'une manière lente.

La forme du lit est traditionnelle: elle satisfait en même temps le bien-être et les habitudes. La position verticale ou légèrement inclinée du montant qui répond à la tête appelle seule l'attention de l'hygiéniste. La première a prévalu pour les lits d'hôpitaux parce qu'elle se prête mieux à l'installation de la planchette-étagère dont le lit est muni, mais elle est moins favorable que l'autre à l'établissement du plan incliné régulier que les oreillers doivent fournir pour soutenir doucement et sans fatigue la tête du malade.

Les *dimensions* des lits dans les hôpitaux ne sont pas de nature à satisfaire complétement. Et tout d'abord, il devrait y avoir deux ou trois types au moins, au point de vue de la longueur, de façon à ne pas perdre de place d'une part et d'une autre part à ne pas condamner les malades de grande taille « au supplice de Procuste » suivant la très-juste expression de Coste (*loc. cit.*, p. 450). La longueur de 2 mètres n'est que suffisante, si l'on tient compte de la taille exceptionnelle de certains malades, de leur disposition dans quelques cas à glisser vers le pied du lit (*pronum fieri et subinde deorsum ad pedes prolabi, malum. Prænot.* 10; *Coac.* 497) et surtout de l'espace perdu à l'extrémité de lits qui n'ont pas de montant au pied pour draper les garnitures. Cette dernière disposition, pour le dire incidemment, est mauvaise en ce sens que les malades n'ont pas de point d'appui pour remonter vers le haut du lit ou pour se retourner. La *largeur* est encore plus importante. Coste demandait que les lits d'hôpitaux eussent trois pieds et demi de large ($1^m,15$). Ce n'est pas trop quand il s'agit de malades, ayant besoin de se mobiliser, pouvant dans l'état de délire tromper la surveillance des infirmiers et tomber d'un côté ou de l'autre. Les lits des hôpitaux anglais sont plus larges que les nôtres, et ils n'en valent que mieux.

Les anciens lits de bois étaient très-bas. Autrefois, à l'Hôtel-Dieu de Paris, ils s'élevaient à un pied seulement ou à un pied et demi pour les salles du rez-de-chaussée. On est tombé depuis dans une exagération opposée, et j'ai vu des hôpitaux très-bien tenus par ailleurs, où lorsque le sommier de paille était neuf, il aurait fallu le *scamnum* des Romains pour les escalader. Les malades ne sont ni assez ingambes ni assez forts pour pouvoir suffire à une gymnastique pareille. Dans les hôpitaux anglais (Ch. Sarazin, *Essai sur les hôpitaux de Londres*, in *Ann. d'hyg.* 1866, t. XXV, p. 48), les lits sont très-bas, je dirai même qu'ils le sont trop, si j'en juge par quelques modèles que j'ai vus, car s'il faut tenir compte du bien-être des malades, il ne faut pas abstraire non plus les facilités de l'observation clinique. Ici encore rien d'absolu; il faut pour déterminer utilement la hauteur des lits tenir compte de leur destination et ne pas se borner, comme Tison le recommandait déjà, à un type uniforme Un lit de fébricitant, un lit d'obstétrique, un lit de chirurgie répondant à des besoins divers ne sauraient être de même modèle.

J'ai dit plus haut ce que je pensais de la paillasse, et j'en voudrais encore moins dans les hôpitaux que dans nos maisons. Le sommier est appelé sans doute à remplacer ce couchage primitif qui est cependant encore celui de nos hôpitaux les mieux tenus. M. Roubaud pense qu'il sera difficile d'opérer jamais cette réforme et il conseille l'introduction de quelques lits à sommiers élastiques ménagés dans chaque salle pour les malades les plus graves (*loc. cit.*, p. 144). Espérons que les sommiers se fabriqueront bientôt dans de telles conditions d'économie que ce changement s'opérera de lui-même. Au reste, les paillasses ont déjà disparu des hôpitaux anglais dont les lits, un peu sommaires peut-être ne se composent que d'une sangle bien tendue, d'un matelas de crin et d'un traversin de plume. (Sarrazin, p. 48.) J'ai indiqué plus haut un sommier à ressort de fer et de caoutchouc comme se présentant dans de bonnes conditions de simplicité et de bon marché.

Les matelas de crin valent mieux que les matelas de laine, mais il en faut deux pour que le couchage soit convenable et encore convient-il de les faire refaire de temps en temps pour les empêcher de trop durcir par le tassement.

La disposition des traversins et des oreillers importe beaucoup au repos des malades. Je les ai vus généralement dans nos hôpitaux se plaindre de cette partie de la literie. Le traversin cylindrique qui la constitue seul, dans quelques hôpitaux est insuffisant; les hôpitaux de Paris y joignent un oreiller. En Angleterre, le traversin est en plume, disposition peu hygiénique et qui est à supprimer aussi bien que l'édredon, qui, par une délicatesse aussi singulière que superflue, est encore conservé dans quelques hôpitaux de Londres. Les couvertures y suppléent aisément, même dans le cas où l'on a à combattre des accidents d'algidité.

Les accessoires du lit nosocomial offrent aussi un certain intérêt: la *planchette*, le *tourniquet suspenseur* et les *rideaux* les constituent.

La planchette de fer supportée à angle droit par les montants est destinée à recevoir les objets d'utilité et de traitement que l'on y dépose; c'est une mauvaise installation. Cette planchette est habituellement sale et en désordre, on y répand des liquides qui distillent ensuite goutte à goutte sur la tête des malades comme je l'ai vu souvent, souillent leur literie et les maintiennent mouillés. La table de nuit adoptée dans beaucoup d'hôpitaux vaut mieux ; les objets qu'elle supporte sont plus à la portée des malades et elle leur apporte une sorte de souvenir du comfort des habitudes domestiques.

Le tourniquet suspenseur ne date pas d'hier. Hippocrate en a ainsi raconté l'origine. « Celui qui tressait des sarments, souffrant cruellement dans le décubitus saisit l'extrémité d'une cheville fixée au-dessus de lui et se trouva soulagé. » (Hipp., VIe livre des *Epid.*, 3e section. Édition Littré, t. V, p. 297.) Cette installation, réservée d'ordinaire pour les lits chirurgicaux devrait, à un moment donné, pouvoir s'appliquer à tous. Le carré supérieur qui réunit les quatre montants, ou un col de cygne, peuvent fournir un appui solide à ce moyen de suspension ou tout au moins de mobilisation. Il n'est guère de malades qui, s'arc-boutant des pieds contre l'extrémité du lit et se soulevant légèrement en prenant le tourniquet entre les mains, ne puisse se déplacer de lui-même et prévenir ainsi, mieux que ne peuvent le faire les infirmiers, les inconvénients d'un décubitus prolongé.

Vient enfin la question des rideaux qui a divisé, divise encore, et divisera toujours les hygiénistes et cela se conçoit. C'est une question hybride, mi-partie physique, mi-partie morale (tout ce qui touche à l'hygiène a ce caractère) et chacun, suivant la complexion de son esprit est disposé à abstraire l'une de ses faces pour ne voir que l'autre. A l'étranger les lits d'hôpital sont habituellement sans rideaux. En France bon nombre de médecins et d'administrateurs sont favorables à cette installation qui est considérée par d'autres comme portant préjudice à la facile aération des salles. Les discours prononcés à l'Académie de médecine (*voy.* t. XXXVII du Bulletin de cette Compagnie) et à la Société de chirurgie (voy. *Discussions sur l'hygiène et la salubrité des hôpitaux*. Paris, 1865) ont reflété cette divergence. M. Bonnafont s'est montré partisan, mais sous conditions, des rideaux de lit. M. Trélat, au contraire, en a été l'adversaire décidé, et en fin de cause, la Société de chirurgie adoptant une opinion éclectique a demandé que la suppression des rideaux de lit fût facultative pour les chefs de service(*loc. cit.*, p. 130); à merveille, c'est en effet affaire d'indication. Un jeune médecin de talent, M. H. Jacquemet, qui a récemment traité les questions principales relatives à l'hygiène hospitalière, s'est rallié dans son livre à cette opinion conciliatrice. (*Des hôpitaux et des hospices, des conditions que doivent présenter ces établissements au point de vue de l'hygiène et des intérêts des populations. Mémoire couronné par la Société impériale de médecine de Bordeaux*. Paris, 1866, p. 86.) Je suis, quant à moi, partisan des rideaux (dans les hôpitaux), mais il y a rideaux et rideaux, comme il y a salle et salle, saison et saison. Le système de rideaux utilisé dans les hôpitaux de Paris est certainement le meilleur. En toile et par conséquent susceptibles d'être souvent nettoyés, divisés en quatre parties dont chacune glissant sur sa tringle peut s'appliquer exactement sur le montant de fer qui lui correspond et dont elle augmente à peine le volume, sans ciel de lit, ces rideaux peuvent, *suivant l'indication*, fonctionner ou disparaître; ils individualisent le malade et ne sauraient être sérieusement considérées comme des obstacles à l'aération de la salle. Certainement aussi les avantages des rideaux sont mieux marqués dans certaines salles. Celles destinées aux femmes les réclament plus impérieusement que les autres, et l'intérêt de ménager leur pudeur vaut la peine qu'on en tienne compte; comme l'a remarqué Tenon qui a jeté sur toutes ces questions la lueur d'un esprit singulièrement sagace, autres sont les besoins, sous ce rapport, d'un hôpital de matelots ou de soldats et d'un hospice civil; la population du premier est rompue par la promiscuité de la vie de navire ou de caserne aux incommodités de l'existence en commun; celle du second est d'une impressionnabilité toute autre. « Les rideaux qui entourent les lits, a dit à ce propos M. Raige-Delorme, sont convenables sous le rapport de la décence, surtout pour les femmes; ils sont favorables au repos et au sommeil des malades; ils les mettent à l'abri de ces courants d'air auxquels sont exposés surtout les malades dont les lits sont près des portes; enfin ils permettent de soustraire à la vue le spectacle horrible de l'agonie ou celui que présentent les attaques de certaines affections convulsives. Ces considérations sont d'une telle importance qu'elles prescrivent de conserver les rideaux malgré les inconvénients qu'on leur a reprochés avec quelque exagération et que diverses précautions permettent de faire disparaître presque entièrement. (*Dictionn.* en 30 vol., art. Hôpital, t. XV, p. 370, 1837.) J'ajouterai que si l'utilité des rideaux était contestée l'été, elle ne saurait l'être pour l'hiver; un autre avantage, c'est de permettre, sans péril de refroidissement, cette ouverture des fenêtres dont les avantages hygiéniques ont été, et sans trop de paradoxe, opposés aux systèmes de ventilation. Cette question n'est pas susceptible de la même solution dans l'hygiène domestique et dans l'hygiène hospitalière.

La propreté et l'assainissement des lits exigent, cela va de soi, une surveillance attentive. M. Husson a signalé dans sa belle Étude sur les hôpitaux, l'avantage que présente la peinture vert clair des lits, qui est plus douce pour la vue et plus récréative pour l'esprit. Quoi qu'il en soit de la préférence à lui accorder sur la peinture noire, il est, au moins, avantageux que les lits soient repeints de temps en temps, condition d'assainissement et de propreté. A mon avis, le principe du chômage temporaire des salles après un certain temps de service indiscontinu devrait être appliqué aux lits qui ne seraient remis en usage qu'après un nettoyage exact. M. Raige-Delorme demande que les matelas de crin et de laine soient cardés ou rebattus tous les six mois; que les couvertures de laine et les courtes-pointes d'été soient dégraissées et lessivées exactement au bout du même temps (*loc. cit.*, p. 370). Ce n'est pas trop exiger. « En Angleterre, dit M. Lefort (*Aperçu général sur la salubrité des hôpit. anglais. Gaz. hebd.* 1862, et *Ann. d'hyg. publique.* 2e série, t. XVII, p. 232), on accorde un soin tout particulier aux objets de literie. Lorsqu'un malade vient à mourir, les matelas sont toujours enlevés de la salle, la laine en est lavée, cardée, et c'est en quelque sorte, un matelas nouveau qu'on rapporte dans la salle. » Nous devrions y mettre le même soin, mais, hélas! combien de fois n'ai-je pas vu et dans les meilleurs hôpitaux, un lit que la mort avait vidé le matin admettre le soir un nouvel hôte; il n'y avait eu, comme dans une auberge, que les draps de changés. Il faut qu'on y songe; à côté des souillures apparentes qui frappent les yeux et offensent l'odorat, il y a le méphitisme invisible qui franchit sans se révéler la barrière des sens et va droit à la santé qui s'aperçoit bien vite de sa présence. L'air d'une salle vaut ce que valent les atmosphères partielles qui entourent chaque lit et une propreté hollandaise est de rigueur. Coste demandait en 1817 (*loc. cit.*, p. 452) que les lits fussent faits tous les jours; le système d'un lit de réserve permet toujours de mobiliser le malade et de lui donner le bien-être d'un lit convenablement fait. Mais, entre *faire* un lit, c'est-à-dire l'aérer, le gonfler, l'égaliser, et en remuer les pièces sur place et par simple formalisme il y a une différence que les infirmiers font volontiers disparaître, mais que le malade le moins nerveux sent à merveille.

IV. Hygiène thérapeutique. J'ai, à l'article Alitement (*voy.* ce mot), indiqué les effets physiologiques d'un séjour prolongé au lit, la mesure dans laquelle il doit être prescrit, les inconvénients de l'abus qu'on en fait, et son emploi comme moyen thérapeutique. J'ai à compléter ces considérations en indiquant ici les procédés divers d'installation du lit et les artifices à l'aide desquels on peut rendre l'alitement inoffensif.

Un mot au préalable sur les *lits médicamenteux*. Les anciens faisaient usage de ce moyen dans une foule de maladies et lui attribuaient des vertus souvent imaginaires. Le vulgaire, dépositaire habituel des vieilles pratiques médicales, voue encore à celle-ci un culte tout gratuit. Pline et Dioscoride racontent que dans les Thesmophories (fêtes de Cérès) les matrones, condamnées à une continence volontaire, couchaient sur des lits d'*agnus castus*. Eustathe et Matthæus Sylvaticus indiquent aussi cette pratique comme habituelle dans certains couvents d'hommes. Celse (lib. IV, cap. II) signale des lits médicamenteux de diverses natures : « *Cubilibus decumbere quæ instruenda sunt foliis vitis, rubi,* » etc. Les sommiers aromatiques et les paillasses remplies de fucus sont encore des moyens employés dans certains pays, mais leur efficacité est plutôt affaire de tradition que d'expérience.

On a été plus loin dans cette voie, et, au lieu de faire du lit installé d'une certaine façon un auxiliaire du traitement ou de l'hygiène des malades, on a imaginé le *lit-panacée*. Tel était le lit céleste de Graham, qui au dix-huitième siècle faisait profession de prolonger la vie et rivalisait avec le baquet magique de Mesmer. Il consolidait les santés chancelantes, rallumait la vie prête à s'éteindre et assurait en même temps et la longévité et la fécondité des patriarches. Tout Paris y courait de raison, comme il y courrait encore. Hufeland nous apprend que ce lit « consistait en une réunion d'émanations électriques (?), de stimulations exercées sur les organes des sens, de vapeurs odoriférantes, des sons de l'harmonica, » attrait ajouté à celui de l'absurde; la location de ce lit coûtait fort cher, et il eût fallu la fortune d'un nabab pour y dormir en permanence. Graham gagna beaucoup d'argent dans le principe, mais il en dévora plus encore, et finalement les exempts vinrent faire main basse sur son mobilier. Le *lit céleste* ne put jouir du privilége stipulé plus tard par l'article 592 du code de procédure civile, et il fut saisi comme un lit vulgaire.

Les *clinologistes*, et Daniel Wilhem Triller en tête, ont singulièrement subtilisé la partie de l'hygiène thérapeutique qui concerne le lit, et, exagérant une idée d'Hippocrate qui choisissait les lits destinés à ses malades suivant la nature de leur affection, ils en ont décrit un pour chaque maladie. Triller a eu raison de se plaindre de la façon expéditive dont les médecins de son temps (qu'eût-il dit s'il avait vécu du nôtre?) s'affranchissaient du souci de ces détails, il a eu le défaut de ne pas *savoir se borner*, et je fais grâce au lecteur de la description qu'il donne du lit des : phrénétiques, comateux, apoplectiques, pleurétiques, pneumoniques, des cholériques, des asthmatiques, des tétaniques, des catarrheux, des maniaques, des femmes trop menstruées, des varioleux, etc., etc. J'ai relevé, dans cette singulière débauche d'érudition que Triller s'est permise à plus de 80 ans, soixante-neuf sortes de lits adaptés par leur forme, leurs dimensions ou la manière dont on les faisait, au traitement d'autant de maladies. Avec plus de sobriété, il aurait exprimé une idée juste, c'est que ce détail, pour minime qu'il soit, mérite d'appeler la sérieuse attention du médecin. Le mode de couchage influe en effet sur le sommeil, le repos musculaire, la température du malade, la déclivité des organes par rapport les uns aux autres; et qui pourrait nier l'importance pratique de toutes ces choses qui semblent aux médecins négligents de pures et vaines minuties?

La question du couchage pour les malades est plus complexe qu'on ne se l'imagine au premier abord; il faut en effet tenir compte des habitudes (c'est souvent une question de sommeil ou d'insomnie), des exigences particulières que fait naître l'état spécial du malade, du résultat thérapeutique auquel le lit doit concourir, de la chambre dans laquelle il est dressé, etc. Cette dernière considération a une importance que l'on pressent. Dimensions spacieuses, ordre et propreté, aération, bonne dispensation de la chaleur et de la lumière, tranquillité, isolement relatif : tels sont les éléments de la bonne installation d'une chambre de malades. Je les ai étudiés ailleurs (*Le rôle des mères dans les maladies des enfants*, Paris, 1868, p. 117, Dixième entretien, *la Chambre d'un enfant malade*), et ce que j'en ai dit à un point de vue spécial est applicable à tous les cas. Au reste, c'est chose admirable que de voir le sentiment profond de l'importance de ces détails dans les ouvrages des médecins des siècles passés. Écoutons plutôt Aretée (de Cappadoce) sur ce point : « Ægrotum cubare convenit in conclavi mediocris amplitudinis, aeris temperati, hyeme tepidi, æstate frigidioris, vere autem et autumno, secundum temporum naturas, conjectura uti decet. » (*De Morb. acrat. curat.*, lib. I, Curat. phrenetic., cap. I, in *Principes artis medicæ* Halleri.) » Voilà pour les conditions générales de la chambre qui convient aux délirants; viennent ensuite des détails encore plus minutieux : « Parietes leves sint, æquales, neque supereminentes, neque festucas aut aliquid exertum habentes, neque picturis exornentur, pictura enim parietum mentem turbat. » (*Ibid.*, p. 52.) Cælius Aurelianus ne s'est montré ni moins attentif, ni moins exigeant (*Morb. chroniç.*, lib. I, Mania, cap. v). Huxham s'est inspiré de ces modèles pratiques, et, dans son *Essai sur les pleurésies et les péripneumonies* (Paris, 1765, p. 277), il s'est élevé surtout contre ces *chambres d'hôpital* que l'on crée dans nos maisons en y réunissant plusieurs malades (p. 227). Je pourrais multiplier les textes, mais c'est assez pour montrer combien nous aurions de chemin à faire pour nous élever à ce sentiment de l'importance des petits détails qui respire dans les œuvres pratiques des médecins qui nous ont précédés. Décidément, tout n'est pas à dédaigner dans ce qu'ils nous ont laissé.

Les *lits* ou *procédés de soulagement* méritent une attention particulière; ils ont pour but de permettre au malade de se soulever lui-même pour varier son décubitus aussi bien que pour satisfaire à ses besoins, ou tout au moins d'aider les personnes qui les assistent. Est-il hors d'état de faire des mouvements ou l'immobilité absolue lui est-elle prescrite, il y a des lits mécaniques et des appareils qui répondent à cette condition particulière. Il faut enfin rapporter à cette catégorie les moyens ou les procédés employés pour maintenir propres les gâteux, qu'ils le soient par le fait de la maladie, d'une infirmité ou de l'aliénation.

Le tourniquet hippocratique dont j'ai parlé plus haut est le plus simple et le plus efficace des moyens de cette nature. Coste (*Dict.* en 60 vol., t. XXI, p. 452) a émis la crainte que ce moyen de suspension ne fit naître dans quelques cas des idées de suicide et ne permît de les réaliser. Je crois cette appréhension purement théorique. La hauteur des plafonds rend malheureusement son installation difficile dans nos maisons. Un cadre rectangulaire en bois fort, à pieds solidement fixés au plancher, peut passer au-dessus du lit du malade, dont il coupe l'axe perpendiculairement, et fournir un point d'appui à une corde. Serait-il d'ailleurs superflu d'avoir dans chaque famille un lit de fer susceptible de recevoir au besoin un col de cygne? La maladie frappe-t-elle donc si rarement à notre porte, que nous n'ayons pas à songer à sa venue probable?

Les bras des garde-malades et des coussins de formes diverses peuvent varier plusieurs fois par jour le décubitus et les attitudes, déférant dans une certaine mesure au besoin qu'ont les malades, surtout les malades amaigris, de changer souvent le point de sustentation du corps; mais on ne préviendrait pas sûrement dans une foule de cas les plaies de poitrine, les ulcères du siége (ἑλκώδεις τῆς ἕδρης, Hippoc.) ou le sphacèle des parties saillantes, si on ne recourait à divers artifices, indépendamment des soins minutieux de propreté, etc.

L'industrie du caoutchouc a été singulièrement profitable à tous les arts, et la médecine en a profité largement. Les coussins de balle d'avoine ou de cuir percés au centre et même les coussins à air ne remplissaient qu'incomplétement l'office de préservation qu'on leur demandait. On a maintenant dans les matelas ou coussins de caoutchouc gonflés d'eau (*water-mattress* ou *cushion-mattress*) des moyens qui atteignent parfaitement le but et dont on ne saurait trop répandre l'usage. En Angleterre, cette habitude se généralise de plus en plus, et un industriel de Londres, Hooper, fabrique à des prix abordables des matelas hydrostatiques entiers (*full length water-mattress*) ou des demis ou des quarts de matelas (*half-size or three quater-size*), qui, ajoutés au couchage des malades, et à demi gonflés par de l'eau à diverses températures, rendent les plus grands services. Dans beaucoup de villes, les pharmaciens louent des *water-mattress*, de sorte que les personnes peu aisées peuvent à un moment donné profiter de ce bien-être. Le matelas hydrostatique de Galante, présenté à l'Académie de médecine en 1846, est installé sur le même principe. Il peut contenir environ 60 litres de liquide. Le lit hydrostatique d'Arnott de Londres est fondé sur le principe de l'incompressibilité de l'eau; le malade est suspendu dans une enveloppe imperméable à la surface d'une cuve pleine d'eau. Le lit à eau de Hebra, de Vienne, a une destination thérapeutique spéciale; c'est de maintenir les malades dans un bain tiède continu. Il ne se rapproche que par le nom des appareils précédents. M. G. Gaujot a figuré dans son livre les appareils hydrostatiques de Hooper dont le journal anglais, *the Lancet*, reproduit d'ailleurs les dessins d'une façon en quelque sorte permanente. (*Voy.* G. Gaujot, *Arsenal de la chirurgie contemporaine*, Paris, 1867, t. I, p. 480.)

Cet auteur a décrit avec le plus grand soin les principales espèces de *lits de soulagement* employés dans les cas de fractures ou après des opérations graves. Il les divise ainsi :

1° *Lits à cadre indépendant avec mécanisme de suspension* :

a. Lit de Leydig, dans lequel le malade était soulevé au moyen de sangles fixées à un cadre superposé au lit ordinaire;

b. Lit de Tober. Le cadre et le support étaient indépendants, les cordes supportant le cadre sur une pièce du support tournant sur elle-même au moyen d'une manivelle.

c. Le lit de Daujon. C'était un cadre à sangles, susceptible d'être élevé au-dessus du lit au moyen d'un système de suspension consistant en poulies et en quatre cordes fixées aux angles du cadre.

d. Le nossiropheline ou appareil Filhol.

e. Le lit de Josse, d'Amiens.

f. Le lit de Nicole-Bertholet.

g. Le nosophore de Rabiot, le lit de Thomas, celui de Poullien, celui de Cros, de Dijon.

2° *Lits à cadre dépendant avec mécanisme de soulèvement* :

a. Lit mécanique de Luke, dans lequel le cadre est soulevé au moyen de leviers articulés et d'une manivelle.

b. Lit mécanique de Crosby, dans lequel la couchette est mobile et le cadre à sangles est libre.

c. Le lit à sommier brisé de Kissel, dont le cadre sanglé offre trois brisures et la couchette deux.

d. Lit mécanique de W. Hooper, dans lequel le cadre est fixé au lit par des leviers obliques qui les écartent l'un de l'autre en devenant verticaux. Ce lit est muni d'un matelas hydrostatique.

J'ajouterai à cette énumération les lits à dossier mobile et susceptible, au moyen d'une crémaillère, de faire avec le corps du lit des angles qui varient de 10° à 90°. J'ai vu fonctionner à Brest, dans mon service, un de ces lits, et les malades s'y trouvaient à merveille. La manœuvre, toujours fatigante, des oreillers est ainsi évitée.

J'ai dû me borner à une simple indication de ces lits, dont l'invention a singulièrement multiplié les types. Je ne puis que renvoyer le lecteur au livre technique que je citais tout à l'heure, et dans lequel M. Gaujot a décrit, dans tous leurs détails, ces lits mécaniques et a comparé leurs avantages et leurs inconvénients respectifs. L'auteur (*op. cit.*, p. 465) semble considérer le *Nosophore* Rabiot, qui appartient à la catégorie des lits à cadre indépendant avec mécanisme de suspension, comme offrant les meilleures conditions, tout en reconnaissant cependant qu'il est un peu encombrant et dispendieux. Gellé, de Paris, a modifié heureusement le système Rabiot et l'a adapté aux fonctions principales que doivent remplir ces appareils ; il s'en sert pour changer le malade de lit, pour renouveler la literie, pour donner des bains au moyen d'un hamac suspendu, pour panser les eschares, pour déposer le malade de son lit dans un fauteuil, pour le remonter dans son lit, etc. On peut affirmer maintenant que, grâce à ces dispositions ingénieuses, les dangers quelquefois terribles de la gangrène du siége et des trochanters peuvent, dans l'immense majorité des cas, être facilement et sûrement conjurés.

On sait combien les malades ou les aliénés gâteux exigent de soins de propreté pour atténuer l'infection de l'atmosphère qui les entoure. Dans beaucoup d'établissements d'aliénés on en est arrivé, à force de vigilance et en soumettant les fonctions intestinales de ces malheureux à une discipline attentive, à supprimer presque complétement les gâteux. C'est le but auquel doivent tendre et arriver les directeurs d'asiles d'aliénés. Mais les malades eux-mêmes peuvent, dans certains états du cerveau ou dans quelques paraplégies, ne pas retenir leurs évacuations, et il faut parer aux dégoûts ou aux inconvénients qu'amène cet état de choses. Entre les moyens qui ont été proposés (en dehors des matelas percés, des enduits imperméables, etc.), il en est un imaginé par Howel et qui se recommande par son extrême simplicité, c'est l'emploi de sacs de charbon pulvérisé sur lesquels porte le siége du malade. Il cite un cas où l'odeur fétide disparut presque instantanément, grâce à l'emploi de coussins de cette nature. (*Monthly Journal*, 1852, et *Bull. gén. de thérap.*, 1852, t. XLIII, p. 41.)

Le couchage, envisagé au point de vue thérapeutique, n'a pas seulement à s'occuper des conditions du lit et de la chambre dans laquelle il est dressé, il doit aussi songer à l'influence des attitudes que l'on donne aux malades ou qu'ils prennent d'eux-mêmes. Les anciens ont longuement étudié le décubitus au point de vue de la séméiologie et du pronostic. Les *Prénotions* et les *Coaques* d'Hippocrate sont remplis d'observations ingénieuses sur ce sujet ; le décubitus de bon augure et le décubitus de sinistre présage y sont peints de main de maître, et il faut bien le reconnaître, l'observation moderne n'a ni beaucoup retranché, ni beaucoup ajouté à ces tableaux dans lesquels étincelle ce génie essentiellement grec de l'étude des aspects extérieurs qu'Hippocrate a jeté à pleines mains dans son œuvre; mais on n'y trouve rien sur l'influence curative des diverses espèces de décubitus. Chaque maladie a son décubitus particulier ; autre en effet est le décubitus qui convient à un asthmatique, à un sujet atteint d'une lésion du cœur, d'une hémorrhagie, d'une disposition syncopale, d'une toux convulsive, d'une maladie de tel ou tel côté de la poitrine, etc., etc. On pressent la multiplicité des vues pratiques à laquelle conduit cette idée. Je ne puis que la formuler, et je renvoie le lecteur au mot Alitement.

V. Hygiène nautique et militaire. Le hamac est le lit *nautique* par excellence, il devrait aussi, nous le dirons tout à l'heure, devenir le lit *militaire*. C'est aussi le lit en usage dans certaines colonies et chez quelques peuplades encore primitives qui y tiennent, parce qu'il concilie avec l'avantage du bien-être celui d'une installation et d'un transport faciles.

Le hamac convient très-bien aux besoins de la vie nautique ; son arrimage facile, la rapidité de sa mise en place, la possibilité de désencombrer les batteries ou le faux-pont, en réunissant au même croc les deux extrémités des hamacs inoccupés, lui assurent sur tous les autres moyens de couchage une véritable supériorité.

Le hamac est constitué essentiellement par une enveloppe rectangulaire de forte toile ayant à peu près $2^m,10$ de longueur et bordée, à ses deux extrémités, d'œillets dans lesquels se serrent des cordes allant se réunir à un anneau de suspension. Un morceau de bois à échancrures terminales écarte les deux cordes ou araignées les plus distantes et transforme ainsi le hamac en un véritable berceau, dont les bords sont relevés. Dans l'intervalle des deux toiles qui constituent le hamac se glisse un matelas, et une couverture donnée à chaque matelot lui sert d'abri contre le froid.

Les matelots n'ont pas encore de draps. Cette amélioration trouve-t-elle dans les conditions de la vie nautique des obstacles qui la rendent irréalisable? Je n'en crois rien. Les relâches sont actuellement assez fréquentes pour que ces draps puissent être portés aux aiguades en même temps que le linge de corps, et d'ailleurs on dispose maintenant à bord des navires, grâce à la grande quantité d'eau douce qu'on y fabrique, et à la possibilité d'utiliser pour le lessivage du linge la vapeur d'eau des chaudières, on dispose, dis-je, de ressources suffisantes pour rendre possible cette inestimable amélioration. Les matelas et les couvertures seraient dans un état convenable de propreté et la santé y trouverait son profit. Quand nous userons des bains aussi largement que les Romains le faisaient, nous aurons le droit de nous passer, comme eux, de draps de lit. Quand j'ai publié mon *Traité d'hygiène navale* en 1856, je ne parlais de la concession de draps de lits aux matelots que pour regretter l'impossibilité de cette mesure; mais les choses ont marché depuis douze ans, ce qui était impraticable est devenu possible, et je signale, comme bien désirable, cette amélioration aux hommes qui administrent la marine et qui ont à cœur le bien-être et la santé du matelot (voy. *Traité d'hygiène navale*, Paris, 1856, p. 150). Je ne puis que renouveler ici les conseils que j'ai donnés pour entretenir le hamac du matelot dans un état convenable de salubrité, c'est-à-dire de nettoyer fréquemment les couvertures qu'imprègne la sueur, principalement dans les pays chauds, de les priver de leur humidité par l'aération, le battage et l'exposition au soleil aussi souvent qu'on le pourra, et de les laver tous les deux mois au moins. Il ne faut pas oublier que les tissus de laine, retenant fortement l'air dans leurs porosités, se débarrassent avec peine des miasmes qu'ils recueillent, deviennent, au premier chef, des véhicules de contagion. Le matelas du hamac n'est presque jamais refait, quelle que soit la longueur de la campagne; aussi l'humidité et la sueur lui donnent-elles une odeur désagréable qu'on ne saurait considérer comme inoffensive. Les matelots voiliers, alors qu'ils ne sont pas employés aux travaux du bâtiment (et la vapeur leur fait des loisirs aujourd'hui), ne pourraient-ils pas carder et refaire un matelas de temps en temps de manière à procurer annuellement à chaque homme l'avantage de cette réparation? Si le hamac est soumis au nettoyage mensuel que prescrivent les règlements, cela tient peut-être un peu, tout esprit de critique à part, à ce qu'il contribue, quand il est placé dans les bastingages, à cette propreté d'apparat à laquelle on tient tant. Son lavage est moins essentiel cependant que celui de la couverture, qui peut, grâce à sa couleur brune, dissimuler sa sordidité réelle. La vigilance de l'autorité surveillerait plus efficacement des couvertures blanches et en fin de compte, ses efforts doivent tendre plutôt à combattre la malpropreté qu'à la cacher à l'œil là où elle existe. Disons qu'il y aurait lieu d'embarquer un double jeu de couvertures, comme on embarque un double jeu de hamacs, autrement il serait souvent impossible de les faire sécher dans l'intervalle des deux branle-bas. (*Op. cit.*, p. 151.)

Le couchage des matelots a été singulièrement amélioré, la concession d'un hamac séparé pour chaque homme les a affranchis des dégoûts et des inconvénients moraux de l'amatelotage ; il faudrait aller jusqu'au bout dans cette voie et songer qu'il s'agit là d'un intérêt d'hygiène du premier ordre.

Le hamac suspendu par ses deux extrémités dans le sens de l'axe du navire suit les mouvements d'oscillation latérale et de tangage du navire ; il atténue pour les marins novices les souffrances du mal de mer et épargne aux initiés des secousses dont la violence pourrait quelquefois compromettre leur sommeil. On a cherché, à plusieurs reprises, à imaginer pour les hamacs un système de suspension plus parfait que celui qu'on utilise actuellement. Pingeron, en 1780 (*Santé des marins*, Paris, 1780, p. 106) en a proposé un excessivement ingénieux et que j'ai reproduit dans mon Traité d'hygiène navale (p. 149) ; mais, comme il l'avoue lui-même, il pourrait tout au plus être employé pour les cadres des officiers et des malades. Il y a là évidemment une amélioration possible; mais la complication du mécanisme la ferait payer trop cher. Les paquebots à passagers pourraient utiliser ce système de suspension. Il y a quelques années, on délivrait encore des crocs suspenseurs à double articulation pour le cadre des officiers supérieurs.

Les hamacs en pitre, en fil d'ananas ou en coton peints de couleurs diverses sont entrés dans les mœurs coloniales, mais ils servent plutôt à la méridienne qu'au sommeil nocturne.

Le *cadre* est une invention anglaise qui réunit au comfort de nos lits ordinaires les avantages nautiques du hamac ; il rend de grands services aux malades, et les officiers, soucieux de leur bien-être, le substituent très habituellement à ces couchettes inamovibles qui leur enlèvent une partie de l'air de leur chambre.

Les soldats en sont encore pour le couchage aux lits ordinaires avec paillasse. Je ne cesse de me demander pourquoi l'on ne substitue pas à ce couchage dispendieux et encombrant le hamac qui figure aussi bien dans nos casernes de matelots qu'à bord des navires, et qui permettrait, dix minutes après la diane, d'avoir des chambres complétement vides et parcourues de bout en bout par un courant d'air purificateur; économie, propreté, éloignement des poussières que le remuement des paillasses répand dans l'air, tout se réunit pour demander cette modification dans le couchage du soldat. Et qu'on ne vienne pas opposer à cette idée la diversité des mœurs des militaires et des marins, qui rendrait étrange pour les premiers un couchage que les seconds acceptent à merveille. Cet argument a peu de valeur aujourd'hui que les matelots et les soldats ont vécu si souvent de la même vie ; d'ailleurs ce serait pour ceux-ci une initiation à l'existence nautique qu'ils exercent si souvent pendant les traversées coloniales et les expéditions de guerre. J'appelle la sérieuse attention de mes confrères de l'armée sur cette idée, qui serait bien vite réalisée s'ils s'appliquaient à la faire prévaloir.

FONSSAGRIVES.

BIBLIOGRAPHIE. — ALSTORPHII (Joannes). *Dissertatio philologica de lectis ; subjicitur ejusdem de lecticis veterum diatribe.* Amstelodami, 1704. — TRILLERII (Danielis Wilhelmi). *Clinotechnia medica antiquaria sive de diversis ægrotorum lectis secundum ipsa varia morborum genera convenienter instruendis, commentarius medico-criticus.* Francofurti et Lipsiæ, 1774, in-4°. — GAUJOT. *Arsenal de la chirurgie contemporaine.* Paris, 1867, t. Ier, chap. VIII, p. 452, Lits mécaniques.

F.

§ II. **Orthopédie.** Les lits orthopédiques ont été appelés aussi *lits à extension, lits mécaniques*. Cette dernière dénomination a l'inconvénient de s'appliquer aussi aux lits d'un tout autre genre, au moyen desquels des malades condamnés à l'immobilité sont soulevés avec le plan qui les supporte, pour les besoins des excrétions, pour le pansement des plaies de la partie postérieure du tronc, etc.

Les lits orthopédiques sont à peu près exclusivement consacrés au traitement des déviations de la colonne vertébrale, et spécialement de la scoliose ou déviation latérale. Employés d'abord seulement la nuit, ils ne tardèrent pas, au commencement de ce siècle, à être mis également en usage une partie du jour, et même pendant toute la durée du jour, exagération de leur emploi qui ne pouvait se soutenir devant la plus simple observation des faits.

Venel et Darwin, à la fin du dernier siècle, ont imaginé les premiers lits de ce genre ; mais ils ne les conseillaient que pour la nuit, et ils se servaient dans le jour de machines extensives et compressives analogues à celles de Levacher et de son parent Levacher de la Feutrie. Darwin, néanmoins, avait bien établi les avantages de la position horizontale gardée une partie du jour, pour agir favorablement sur la marche des difformités de l'épine, en supprimant momentanément la pression supportée par la colonne vertébrale. Il ne s'était pas non plus dissimulé la difficulté de redresser l'épine pendant que les muscles sont en action, et c'est ce qui l'avait conduit à pratiquer l'extension pendant le repos de la nuit.

De ces vues de Darwin à l'emploi des lits extenseurs dans le jour, il n'y avait qu'un pas.

L'Allemagne d'abord, puis la France, donnèrent l'exemple d'une application plus prolongée de l'extension horizontale le jour et la nuit. Le lit suisse de Venel, le lit anglais de Darwin, furent corrigés, modifiés de cent façons. Les lits orthopédiques devinrent le remède par excellence de la courbure latérale de l'épine. De grands établissements s'ouvrirent pour administrer le traitement, difficile à bien suivre dans les familles. Les corsets, les fauteuils orthopédiques, toutes les machines portatives ne furent plus qu'un accessoire destiné à soutenir le tronc dans les courts intervalles de l'action des lits.

Mais il y eut bientôt une réaction. On s'aperçut que les lits orthopédiques ne donnaient pas tout ce qu'on s'en était promis. Les appareils portatifs reprirent faveur ; on alla jusqu'à les mettre au-dessus des appareils à lits, et ceux-ci furent abandonnés par une partie des médecins qui les avaient le plus favorablement accueillis.

Si l'on s'en tient à l'observation sévère des faits, on reconnaît que les deux sortes d'appareils ont leur utilité propre, leurs indications spéciales. Au lieu de faire de leur emploi deux méthodes rivales, il faut les associer dans la pratique, soit qu'on leur assigne une part à peu près égale dans la cure, soit que, suivant les cas, on accorde la prééminence à l'une ou à l'autre. Nous reviendrons sur ce point important en traitant des courbures de l'épine ; nous n'avons à nous occuper pour le moment que des lits orthopédiques.

La caractéristique de ce genre d'appareils, au seul point de vue de l'orthopédie est la facilité de son effet réel, qui ne rencontre pas, de la part de la pesanteur et de l'action musculaire, la même résistance que dans la station. Avantageux sous ce rapport, le décubitus, nécessité par l'usage de ces appareils, peut au contraire devenir nuisible, au point de vue dynamique, par l'inaction qui l'accompagne, comme par l'influence que cette position du corps exerce sur diverses fonctions. Ajoutons que l'attitude du coucher gêne la plupart des actes habituels de la vie, ceux qui font partie de l'éducation de la jeunesse, et que, par cela seul, elle répugne aux enfants et à leurs familles.

Il suit de là : 1° que l'emploi des lits orthopédiques doit être combiné avec des moyens dynamiques qui remédient à leurs inconvénients; 2° qu'il convient de réserver cette méthode pour les cas où les appareils portatifs ne peuvent conduire au même résultat, soit que l'insuffisance de ces derniers ait été constatée par un premier essai, soit qu'on la prévoie d'avance d'après les conditions dans lesquelles se présente la difformité.

On a dénié, à la vérité, aux lits orthopédiques le pouvoir de modifier favorablement les déviations rachidiennes, alors même que certains appareils portatifs les feraient disparaître en tout ou en partie, et à plus forte raison, dans cette hypothèse, refuse-t-on à ces lits toute efficacité lorsqu'on ne peut rien obtenir à l'aide des appareils portatifs. D'autres ont enveloppé dans la même proscription les deux ordres d'appareils, et ont soutenu qu'une gymnastique spéciale était le seul moyen à opposer à la courbure latérale de l'épine. Ces opinions, souvent renouvelées depuis quarante ans, seront discutées ailleurs. Nous nous contenterons d'examiner ici les arguments de l'un de leurs derniers représentants en ce qui concerne les lits orthopédiques en particulier.

Malgaigne (*Leçons d'orthopédie*, 1862) a reproduit la plupart des reproches adressés aux extensions et aux pressions employées par l'orthopédie rachidienne dans la position horizontale.

1° « Les extensions, dit-il (p. 395),... se répartissent sur toute l'étendue de la tige rachidienne, aussi bien sur les parties saines que sur les parties malades. ..... Ce n'est donc que *très-indirectement* que l'on peut arriver, par cette méthode, à agir sur les difformités elles-mêmes. »

C'est *très-directement*, dirons-nous, que l'extension agit sur les courbures lombaires, au moins du côté du bassin. Elle se transmet même, de là, à la région dorsale, sans traverser aucune *partie saine*. L'objection n'a donc de valeur que pour l'extrémité opposée du rachis. C'est là seulement que la force extensive n'agit sur la difformité que par l'intermédiaire d'une partie *saine*, de la totalité ou d'une portion de la région cervicale. Mais si le thorax est plus ou moins bien fixé par les pièces de l'appareil, la région du cou est plus ou moins complétement soustraite à l'effort de traction, qui s'exerce alors principalement sur la moitié inférieure du rachis. Et de ce que la région cervico-dorsale ne peut être étendue que par l'intermédiaire des premières vertèbres cervicales, est-on en droit d'en conclure que l'effort d'extension doit nécessairement se produire dans ces vertèbres, sans arriver jusqu'au siége du mal? Non sans doute; l'effet produit, dans ce cas, sur la partie *saine* et sur la partie malade sera en rapport avec le degré de résistance de chacune d'elles. Il y a là assurément une difficulté réelle, mais elle n'est pas absolue; elle est relative au degré de la déviation, au plus ou moins de mobilité, de souplesse des parties déviées. Cette difficulté varie même aux différentes périodes du traitement, parce qu'au début de l'extension, les parties cèdent avec plus ou moins de facilité, et que, lorsque leur mobilité est épuisée, le raccourcissement ou la dépression des tissus ligamenteux et osseux à la concavité des courbures crée un obstacle de plus en plus difficile à surmonter.

2° « Les extensions, dit Malgaigne (*loc. cit.*, p. 404), en allongeant les ligaments du côté concave (des courbures), tendent aussi bien *à les distendre du côté convexe*, agissent en somme beaucoup plus sur les ligaments sains que sur ceux à qui les progrès du mal ont enlevé leur souplesse, de telle sorte que *j'ai vu ainsi obtenir des élongations extraordinaires* presque sans aucun bénéfice pour la déviation. »

Ainsi, après avoir presque refusé à l'extension du rachis le pouvoir d'agir *sur la difformité elle-même* (p. 395, 396), on l'accuse de *distendre* les ligaments du côté *convexe* des courbures *aussi bien* que ceux du côté *concave*, et d'avoir produit, en agissant sur les ligaments *sains*, des *élongations extraordinaires* presque sans redressement.

Il est aisé de voir, avec un peu de réflexion, qu'une extension *parallèle* à la corde d'une courbure de l'épine ne peut pas distendre les fibres ligamenteuses de la *convexité* sans allonger bien plus encore celles de la *concavité;* que, si ces dernières cèdent, le redressement de l'arc tend plutôt à relâcher les ligaments du côté opposé, et que, si les tissus fibreux de la concavité résistent, ceux de la convexité ne peuvent être distendus par un effort de ce genre.

Quant aux *élongations* extraordinaires dont il est ici question, nous verrons ailleurs ce que l'expérience a appris sur les accroissances du corps en hauteur à la suite de l'emploi des lits orthopédiques. Disons seulement que l'*allongement* des ligaments *sains* ne saurait produire un pareil accroissement, car il en résulterait bien plutôt un affaissement du tronc sur lui-même, dans la station, par le relâchement des liens qui unissent les pièces du rachis, par le diastasis et les inclinaisons des vertèbres qui en seraient l'effet.

5° Les pressions latérales sont, suivant Malgaigne, un bon moyen; « mais par malheur, ajoute-t-il, la courbure dorsale, entraîne habituellement deux courbures secondaires sur lesquelles l'opérateur *n'a aucune prise* pour appliquer les pressions latérales..... De plus, les muscles restent inactifs (quand on emploie ces pressions dans la position horizontale). » Or, dit plus loin Malgaigne, il faut « *simultanément et non successivement* remplir l'indication dynamique et l'indication mécanique, c'est-à-dire *à la fois* soutenir et redresser la colonne vertébrale, exercer et par conséquent fortifier les muscles qui concourront ainsi à opérer le redressement et seront aptes ensuite à le maintenir » (p. 405).

La multiplicité des courbures, dirigée en sens inverse, impose, en effet, des bornes à l'action des pressions latérales; mais lorsqu'il existe deux courbures égales, on n'a pas moins de *prise* sur l'une d'elles que sur l'autre au moyen de pressions disposées alternativement en sens contraire, et lorsqu'on n'a affaire qu'à une seule grande courbure accompagnée de deux petites courbures secondaires, celles-ci peuvent être négligées sans inconvénient dans certaines limites et sont d'ailleurs contenues par l'extension parallèle jointe aux pressions. Cette difficulté se retrouve évidemment toute entière dans les pressions opérées par des appareils portatifs, et, lorsqu'on lit dans les *Leçons* de Malgaigne (p. 406) qu'au moment où, pour imiter l'action de la ceinture Hossard, on exerce avec la main « une pression latérale sur la *convexité* de la courbure dorsale », le sujet étant debout, les mêmes muscles qui inclinent le tronc instinctivement « du côté de la main qui le presse » redressent les *courbures de compensation* en même temps que la *courbure principale,* on ne peut voir dans cette assertion qu'un de ces *lapsus linguæ* qui échappent si facilement dans une brillante improvisation, telles que celles dont l'éminent professeur nous a laissé le souvenir.

Les muscles restent inactifs ! Et il est, prétend-on, de toute nécessité de les faire agir sur le rachis au même moment que les moyens mécaniques, faute de quoi, si l'on vient à bout de redresser l'épine, elle ne pourra se maintenir droite.

Cette conséquence ne nous paraît pas rigoureusement déduite; elle est en opposition avec presque tous les faits de l'orthopédie, où l'on voit sans cesse des redressements des membres effectués sans le concours des muscles se maintenir avec leur aide, quand la cause du mal n'a pas porté une atteinte irrémédiable à leur contractilité ou à leur équilibre d'action.

Un seul argument de mon ancien et illustre collègue est, au premier abord, spécieux. Employer successivement le lit mécanique et des exercices musculaires qui livrent de nouveau le rachis à l'influence de la pesanteur, c'est jusqu'à un certain point, dit-il, « mettre en lutte les deux ordres de moyens; c'est l'ouvrage de Pénélope, où la nuit on défait le travail du jour » (p. 403). Mais Malgaigne n'a pas tenu compte ici de la nature des exercices adoptés dans cette circonstance. Le poids du corps y est presque toujours supporté par les membres supérieurs, de sorte que la force de la pesanteur, au lieu de détruire l'effet des extensions, continue leur action et concourt avec elle au redressement du rachis. Malgaigne lui-même indique parfaitement ailleurs (p. 384) cette manière d'agir des exercices gymnastiques orthopédiques.

Quand bien même on associerait, par intervalles, à l'emploi des lits des exercices dans l'attitude de la station sur les pieds, n'est-il pas évident que, si l'action musculaire développée par ces exercices tend à redresser les courbures comme l'extension sur les lits, il n'y aura aucune incompatibilité entre les deux moyens, tendant l'un et l'autre au même but ?

Rappelons, en terminant cette discussion, que, malgré ses préventions en faveur de l'appareil Hossard, Malgaigne conseille de joindre à l'usage de cet appareil le décubitus horizontal une partie du jour, d'*attacher* même les jeunes malades sur leur lit pour leur faire garder « une bonne position ». Rappelons que l'éloquent écrivain déclare, en outre, que dans les « cas prévus, où l'application de la ceinture Hossard est inutile ou nuisible », il faut recourir à la position horizontale, et que « il n'est guère qu'un moyen d'utiliser entièrement les ressources qu'offre le décubitus, c'est d'y joindre l'*extension* » (p. 413). Malgaigne pose ensuite des préceptes judicieux, auxquels nous nous associons pleinement, sur les moyens d'éviter les inconvénients qu'il a reprochés aux extensions.

Les lits orthopédiques offrent à considérer : 1° le lit; 2° les moyens d'extension; 3° les agents de pression latérale.

I. Lit. Il doit être un peu plus long que les lits ordinaires et assez étroit pour que l'on manœuvre facilement d'un côté à l'autre. Les matelas sont remplacés par un plan un peu résistant, composé d'un cadre ou châssis solide, rempli par une espèce de sommier, le plus souvent élastique, assez souple pour qu'on y soit couché commodément, et assez ferme pour ne pas se déformer par le poids du corps. On le recouvre d'un tissu de laine épais pour éviter le froid pendant l'hiver. Ce sommier est plus élevé à la tête qu'aux pieds, et fixé de manière qu'on puisse faire varier son inclinaison qui est, en moyenne, de 12 à 15 centimètres. Excepté pour des motifs particuliers, on n'y met ordinairement ni traversin ni oreiller; seulement la garniture du sommier est plus épaisse et plus bombée du côté de la tête.

On n'a pas conservé dans la pratique le procédé de Mitchell, qui faisait, chaque jour, tourner ce plan de support autour d'un axe pour obtenir une suspension momentanée du sujet, ni le procédé de Pravaz, par lequel le malade lui-même imprimait au plan ce mouvement de balancement.

Nous indiquerons plus loin quelques constructions particulières du lit nécessitées par le mécanisme de certains appareils.

II. Moyens d'extension. La tête et le bassin sont les deux points désignés par l'anatomie pour l'application des forces extensive et contre-extensive destinées à exercer des tractions en sens inverse aux deux extrémités du rachis. Mais l'anatomie fait voir aussi combien de parties délicates ou importantes à la vie sont à ménager dans cette application, et à quel point les lumières du médecin doivent constamment guider ici les efforts les plus intelligents du bandagiste ou du fabricant d'appareils, ce qui, il faut le dire, a trop souvent été oublié dans la pratique.

Venel (*Mém. de la soc. des sc. phys.* de Lausanne, 1788) laissait la face libre et ne saisissait la tête que par le crâne au moyen d'un serre-tête lacé au front; il secondait cette traction par des lacs placés sous les aisselles. A la partie inférieure, il entourait l'abdomen d'une ceinture munie de longues courroies faisant corps avec des liens fixés le long des membres inférieurs, afin de répartir l'effort sur un plus grand nombre de points.

Darwin (*Zoonomie*, 1793) prenait la tête sous le menton et sous l'occiput; il n'appliquait aucun bandage aux parties inférieures, dont le poids seul lui paraissait suffisant pour produire l'extension du rachis. Pour favoriser le glissement du corps sur le plan de support, il donnait à ce plan une forte inclinaison, d'environ 25 à 30 centimètres. C'était une véritable suspension par la tête et par les membres supérieurs, retenus par des liens axillaires.

Depuis Feiler (*voy.* Schreger, *Versuch*, etc., ou *Essai sur un appareil extenseur de nuit*, Erlangen, 1810), on fixe généralement la tête au moyen d'une sorte de collier ovale, exactement ajusté à sa circonférence inférieure, depuis le haut de la nuque jusque sous le menton. On a à peu près renoncé aux liens axillaires comme moyens de traction, parce qu'ils donnent aux épaules une hauteur disgracieuse, qu'ils peuvent comprimer outre mesure les vaisseaux et nerfs de l'aisselle, et qu'enfin ils n'agissent sur le rachis qu'après avoir allongé et distendu à l'excès les muscles qui s'étendent du thorax à l'omoplate et à l'humérus. On ne se sert de liens analogues que pour retenir dans une bonne position des enfants délicats ou très-jeunes qui supporteraient mal le collier.

A l'autre extrémité du tronc, on a conservé la ceinture de Venel, mais en supprimant toute attache des membres inférieurs, qui restent entièrement libres.

Pour faire agir les courroies extensives qui partent de la tête et du bassin, Venel les faisait aboutir par un trajet réfléchi à un même treuil fixé sur la couchette, muni de dents et d'un cliquet, de telle sorte qu'en tournant doucement le treuil à l'aide d'une manivelle, on produisait à la fois l'extension du rachis à ses deux extrémités et on l'arrêtait au degré convenable au moyen de l'encliquetage, qui donnait aussi toute facilité pour diminuer ou supprimer l'extension à volonté, en soulevant le cliquet et en tournant la manivelle en sens inverse.

Ce mécanisme simple et commode a été presque généralement adopté dans les appareils postérieurs. Quelques-uns, comme Delpech, ont conservé l'action simultanée du treuil sur la tête et le bassin. Le plus grand nombre préfère fixer les courroies de la tête au chevet du lit, et ne faire agir la manivelle que sur les courroies de la ceinture. Cela revient à peu près au même, l'extension et la contre-extension devenant bientôt égales dans le second cas, une fois que le poids du corps a cédé à la traction des courroies extensives du bassin.

Il restait néanmoins au lit à extension, ainsi constitué, un inconvénient sérieux: c'est la fixité, l'invariabilité des points d'attache, qui ne permettent au tronc aucun mouvement tendant à rapprocher ses deux extremités, si ce n'est par le glissement des pièces d'appareil sur le corps du sujet. Il pouvait en résulter, dans les mouvements volontaires ou involontaires, pendant la veille ou pendant le sommeil, des tiraillements fort incommodes ou même dangereux. La faculté que Humbert (de Morley) donnait aux malades de régler eux-mêmes l'extension avec un levier, ne remédie qu'imparfaitement à cet inconvénient.

Il fallait, pour le faire disparaître, douer l'appareil extenseur d'une extensibilité et d'une force de réaction qui le fissent céder aux efforts du malade et revenir ensuite à son premier état. C'est ce qu'a fait Heine (de Wurzbourg) en interposant entre les courroies de la tête et le chevet du lit d'une part, entre les courroies de la ceinture et le treuil ou moulinet d'autre part, des ressorts d'acier ayant la forme d'un X, dont les branches croisées s'infléchissent par un effort de traction et se relèvent quand l'effort cesse. Importés à Paris en 1821, par M. de Milly avec tout l'appareil de Heine, à une époque où l'orthopédie rachidienne était fort peu connue chez nous, les ressorts de Wurzbourg furent adoptés aussitôt par beaucoup de praticiens. Plus tard, tout en conservant le principe, on leur a substitué d'autres genres de ressorts qui offraient l'avantage, soit d'être moins cassants ou moins dispendieux, soit d'occuper moins de place dans l'agencement du lit, soit enfin d'avoir plus de *champ* ou de *course* dans leur développement, ce qui procurait aux malades une plus grande facilité de mouvements. F. Martin, l'un de ceux qui se sont le plus attachés à perfectionner les moyens d'extension, fit des ressorts elliptiques, composés de deux arcs unis à leurs extrémités, qui sont encore très-usités, et d'autres contournés sur eux-mêmes comme un ressort de montre, et renfermés dans un petit barillet en cuivre, qui joignent à un petit volume une grande étendue de développement. Stœss, de Strasbourg, tournait un fil de laiton en spirale, comme nos élastiques de bretelles, passait dans le cylindre ainsi formé une petite tringle de fer arrêtée à une de ses extrémités, enfermait le tout dans un tube en cuivre, et obtenait de cette façon, à peu de frais, un très-bon ressort à boudin.

La force de ces ressorts, quels qu'ils soient, est en rapport avec la force des sujets, déterminée par l'âge, le sexe, la constitution, etc. Elle est, en moyenne, de 8 à 10 kilogrammes, c'est-à-dire qu'au delà de cette limite, ils ne résistent plus que comme des points fixes. On ne les tend, en général, que d'environ la moitié de leur course totale.

Au lieu de ressorts, on peut employer des poids pour éviter les effets d'une attache fixe des liens extenseurs, qui, réfléchis au besoin sur des poulies, suspendent ces poids, devenus la puissance extensive. On a seulement craint, non sans raison, qu'après avoir obéi aux mouvements du sujet et être remonté plus ou moins haut, le poids ne retombe trop brusquement et ne détermine des secousses nuisibles. Le *plan incliné* modère cette chute dans le lit extenseur de Maisonabe, qui faisait rouler un petit chariot chargé du poids dans des *rails* qu'on inclinait à divers degrés; mais ce mécanisme, un peu compliqué, n'a pas survécu à son inventeur. Pravaz avait imaginé de suspendre le poids à un levier qui recevait l'attache du cordon extenseur; il a lui-même abandonné plus tard ce procédé. F. Martin avait parfaitement réussi à rendre la descente du poids, après son ascension, aussi lente et aussi douce que possible, en plaçant sur le trajet du cordon extenseur des rouages d'horlogerie, que le poids mettait en mouvement tant qu'il n'était pas au bout de sa course; mécanisme toutefois trop compliqué et trop coûteux pour devenir usuel.

L'usage des poids, suivant la juste remarque de M. Chassaignac (*Appréciation des appareils orthopédiques*, 1841, p. 15), a un autre inconvénient : leur action constante, toujours la même, devient trop forte, relativement à la résistance des parties, quand celles-ci ont plus ou moins cédé, et peut causer des tiraillements pénibles, s'ils ne sont dangereux ; elle fatigue les malades en pure perte. Les ressorts, au contraire, se détendent à mesure que les parties cèdent, et leur action diminue en raison de l'effet obtenu, de manière à se proportionner à la résistance des organes.

Aujourd'hui que Rigal (de Gaillac), MM. Duchenne (de Boulogne), Anger, nous ont fait connaître les avantages du caoutchouc et des tissus élastiques pour la construction des bandages orthopédiques, nous possédons un moyen excellent de remplacer les poids et les ressorts métalliques des lits à extension : c'est de faire entrer ces substances dans la composition des liens extenseurs. Ces liens seraient simplement attachés à des boucles qui se trouveraient à la tête et au pied du lit. On graduerait la force extensive en les serrant plus ou moins, ainsi qu'en faisant usage, selon les circonstances, de tissus plus ou moins épais et plus ou moins résistants.

Le treuil à manivelle et à encliquetage disparaîtrait dans ce système ; mais il n'est réellement nécessaire que dans les fortes extensions, peu employées maintenant, ou quand les liens extenseurs sont inextensibles ; je l'ai supprimé depuis plusieurs années dans mes appareils à ressorts métalliques, comme Blœmer l'avait déjà fait longtemps avant moi. (*Voy.* Heidenreich, *Orthopædie*, t. II, Berlin, 1831.)

Deux pièces du lit à extension, le collier et la ceinture, réclament une attention toute spéciale.

a. Collier. Maisonabe et Delpech ouvraient leur collier ou mentonnière par derrière ; il s'appliquait ainsi exactement autour du menton et se bouclait à la nuque. On a généralement préféré une disposition contraire ; le collier en usage embrasse par son plein la partie inférieure de l'occiput et s'ouvre sous le menton. Cette pièce doit être non circulaire, mais allongée suivant la forme de la tête, plus large en arrière, et finir presque en pointe en avant. Le coussinet ou bourrelet en crin dont elle est garnie doit se mouler en quelque sorte sur toutes les parties osseuses de la tête qui débordent le cou, sur la région occipitale inférieure, sur les apophyses mastoïdes, sur les angles et la base du maxillaire inférieur. Il ne doit pas exercer sur ces parties de pression capable de léser les téguments, de produire de la douleur sur le trajet des filets nerveux sous-cutanés ou de l'irritation dans le tissu des ganglions lymphatiques. La pression doit être dirigée de manière à agir avec plus d'intensité sur la région occipitale, à être moins forte aux apophyses mastoïdes, et plus faible encore sous la mâchoire, où elle deviendrait plus facilement nuisible si elle appliquait trop fortement les arcades dentaires l'une contre l'autre. La garniture de ce collier doit être supportée par un cuir assez épais et peu flexible, qui l'empêche de se déformer. On taille avec soin cette espèce de support solide sur la mesure de la tête ; trop large, il remonterait trop haut et comprimerait les oreilles qui pourraient en éprouver quelque trouble dans leurs fonctions ; trop étroit, il déterminerait une pression dangereuse autour du cou. La disposition du collier doit être telle que la région cervicale antérieure, en particulier, soit à l'abri de la compression, et que le cours du sang dans les vaisseaux de cette région, le passage de l'air dans le conduit aérien, n'en soient nullement gênés.

Le collier a été relié de différentes façons au cordon de la contre-extension. Delpech a donné la figure d'une pièce qu'il appelle *palonnier*, à laquelle se fixent d'un côté les courroies latérales du collier, et de l'autre le cordon contre-extenseur. J'ai adopté la construction de Heine, un peu modifiée par M. de Milly, telle qu'elle est représentée plus loin. Les courroies du collier, au nombre de trois de chaque côté, sont ici attachées à des boutons en cuivre que porte une sorte de couronne surmontée, vers son milieu, d'un arc transversal. Cet arc est mobile d'arrière en avant et d'avant en arrière sur le cercle auquel il est uni, et, au moyen de deux petites tiges ou échelles percées de trous pour recevoir une pointe fixée sur l'arc, on donne à volonté à celui-ci une inclinaison déterminée sur le cercle. Ce mécanisme a pour but, en relâchant ou en tendant davantage certaines courroies, de faire porter la traction, suivant le besoin, plus ou moins en avant, ou du côté du menton, ou en arrière, vers l'occiput, de manière à ne pas trop presser sur les dents et à ne pas faire trop remonter le collier par derrière, ce qui le ferait appuyer sur la partie antérieure du cou. Le cordon qui aboutit au ressort de la contre-extension se fixe au milieu de l'arc transversal de cette couronne.

On appelle quelquefois *casque* la réunion du collier et de la couronne dont je viens de parler. Certains lits orthopédiques présentent un véritable *casque* ou plutôt un large capuchon solide, qui reçoit la tête et lui communique l'action de la puissance extensive.

Le médecin doit surveiller attentivement les effets du collier, surtout dans les premiers temps de son application, examiner l'état de la face et du cou, s'enquérir de toutes les sensations que le malade peut éprouver, et s'attacher à reconnaître les susceptibilités individuelles. La courroie bouclée sous le menton offre un moyen commode de ménager ces susceptibilités, en la relâchant plus ou moins suivant les indications.

b. Ceinture. On a quelque peu varié la forme, la matière, le mode de fermeture de la ceinture d'extension. La plus simple est une bande de cuir souple de 7 à 8 centimètres de large, d'une longueur proportionnée à la circonférence du bassin, munie d'une boucle à l'une de ses extrémités, rétrécie et percée de trous à l'autre extrémité, et doublée d'un coussin mollet en crin, dépassant les bords du cuir, plus large surtout au bord inférieur, où il forme une sorte de bourrelet un peu aplati. Les courroies d'extension sont fixées sur les côtés de cette ceinture et un peu en arrière. On la place autour du ventre, au-dessus des crêtes iliaques, en la bouclant par devant et en la serrant fort peu. La force extensive la fait glisser sur la face externe des os iliaques et sur la partie supérieure du sacrum, où elle est bientôt arrêtée par la saillie des hanches et des fesses. Le bourrelet se moule sur le haut de ces régions proéminentes, et l'abdomen ne supporte qu'une très-faible pression. Cependant, quand le bassin est peu développé, le grand trochanter peu saillant, comme chez les petites filles et chez les sujets du sexe masculin, et surtout si l'embonpoint est médiocre, il arrive que la ceinture, peu serrée, est déplacée par la traction et entraînée le long des membres inférieurs. On est alors obligé de la serrer davantage, et, afin d'adoucir la pression de l'abdomen en la rendant plus étendue et plus uniforme, on emploie les ceintures *en cloche*, c'est-à-dire en forme de cône tronqué, adoptées par divers praticiens, et fixées par plusieurs boucles ou au moyen d'un lacet. Si l'on avait quelque sujet de redouter la compression, même modérée, des viscères abdominaux, on tiendrait la ceinture écartée de la paroi abdominale par un arc métallique qui entrerait dans sa construction.

Outre l'attention qu'il faut apporter, dans l'emploi de la ceinture, à ce qui peut se manifester, dans certains cas, du côté des organes digestifs et urinaires, on doit encore se préoccuper d'un fait déjà signalé par Delpech, de la compression des filets superficiels du plexus lombaire, à laquelle on peut ajouter celle des filets sous-cutanés provenant des branches postérieures des nerfs lombaires. Quand cette compression est trop forte, ce qui a lieu plus facilement chez les sujets maigres, il peut en résulter des douleurs, des engourdissements et même des anesthésies partielles, que l'on fait cesser aisément à leur début en diminuant ou en suspendant l'extension, et dont on prévient le retour en variant le point d'application de la ceinture, de manière qu'elle porte tantôt plus haut, tantôt plus bas, et au besoin, en pratiquant un vide au-dessous d'elle vis-à-vis du point sensible.

Le mode d'application de l'appareil extenseur est très-simple quand il s'y trouve un treuil à cliquet, l'extension n'étant mise en jeu que lorsqu'on a attaché le collier et la ceinture. On pourrait procéder de la même manière avec les lits sans treuil, en détachant les courroies d'extension pour coucher les malades et en les rattachant ensuite. Mais, afin d'éviter cette double manœuvre, on place d'abord le sujet sur la ceinture, qu'on attache un peu haut; puis il remonte en faisant céder les ressorts ou les poids jusqu'à ce qu'il puisse commodément saisir et appliquer le collier. L'effort d'extension se produit ensuite de lui-même.

Il convient de donner moins d'intensité à la force d'extension du côté de la tête que du côté du bassin, en mettant un poids ou un ressort plus faible dans le premier sens que dans le second. La construction plus délicate de la région cervicale, le poids plus considérable des parties inférieures du corps, motivent suffisamment cette différence.

La puissance de traction varie peu avec les poids ; mais il n'en est pas de même avec les ressorts. Quand le corps a glissé par l'effet de la pente du sommier, le ressort de la tête, plus tendu, réagit plus fortement que le ressort des pieds, qui est relâché. Le malade lui-même y remédie en se servant des membres supérieurs pour se remonter et relâcher de nouveau le ressort de la tête. Il n'y a en général aucun inconvénient à ces alternatives, si le sommier n'a pas trop de pente ; l'exercice qui les accompagne n'est même pas sans quelque avantage.

Si pourtant il y avait lieu de craindre, surtout pour la nuit, trop de tiraillement du cou, de pression du collier, si l'on avait quelque motif de faire agir l'extension presque exclusivement sur la région lombaire, on fixerait le thorax sur le sommier à une hauteur déterminée au moyen de liens passés autour des épaules et de larges bandes en peau, ou d'une sorte de corset entourant la poitrine et retenu par des courroies attachées sur les côtés du lit. Malgré un peu de glissement qu'on ne pourrait éviter à cause de la réserve que commande la constriction du thorax, ces lacs fixes opéreraient la contre-extension tout à la fois par rapport à l'extension exercée sur les lombes et le bas du dos, et à celle qui agit sur le cou et sur la partie supérieure de la région dorsale. Ces deux extensions seraient ainsi, jusqu'à un certain point, indépendantes; on donnerait à peu près à chacune d'elles isolément autant et aussi peu de force que l'on voudrait; elles seraient, comme on a dit, *localisées*.

C'était pour obtenir un effet semblable que Shaw avait imaginé de mettre le malade sur trois plateaux roulants, placés l'un au-dessus de l'autre, en attachant la tête au plateau supérieur et la poitrine au plateau moyen, afin de faire agir séparément sur les régions supérieure et inférieure du rachis des poids qui écartaient en sens contraire les plateaux supérieur et inférieur. (J. Shaw, *on the Nature and treatment*, etc., ou *de la Nature et du traitement des distorsions de l'épine*, 1825, p. 240.) Cette complication dans la construction du plan de support nous paraît tout à fait superflue, de même que celle du lit analogue inventé par Pravaz après le lit à levier que j'ai rappelé plus haut.

. . . .

Nous plaçons ici, pour l'intelligence de ce qui précède, la figure d'un lit extenseur à ressorts métalliques, avec le dessin séparé et grandi de ses principales pièces (fig. 1 et 2).

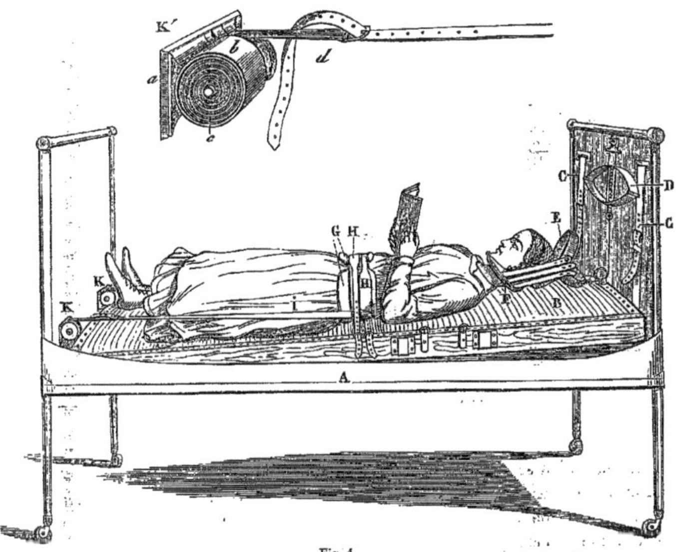

Fig. 1.

EXPLICATION DE LA FIGURE 1.

A, Couchette en bois ou en fer.
B, Sommier élastique.
C, C, Courroies qui suspendent le sommier.
D, Ressort elliptique pour la contre-extension.
E, Couronne métallique placée au-dessus de la tête de la malade et recevant d'un côté la corde du ressort, et de l'autre les courroies du collier.
F, Collier ouvert par devant et bouclé sous le menton.
G, Ceinture rembourrée, placée autour des hanches.
H, H, Bandes de cuir mince, dites *doubles ceintures*, terminées par des courroies et appliquées par-dessus la ceinture, pour les tractions latérales sur le bassin à droite ou à gauche.
I, Une des courroies qui descendent de la ceinture aux ressorts d'extension.
K, K, Barillets contenant des ressorts qui opèrent l'extension.
K', L'un de ces barillets grandi et ouvert pour faire voir le ressort spiral d'extension. *a* plaque qui porte le barillet et qui se fixe sur le lit; *b* cylindre creux ou boîte renfermant le ressort; *c* ressort spiral enroulé autour de l'axe mobile du barillet, sur lequel est fixée une de ses extrémités; *d* courroie entourant le prolongement de cet axe, fixée sur lui par l'une de ses extrémités et unie par l'autre, au moyen d'une boucle, à la courroie de la ceinture, de manière à tendre le ressort en se déroulant, quand on tire sur elle ou que l'on raccourcit la courroie d'extension.

III. Pressions latérales. On n'a pas songé, dès l'abord, à associer à l'extension, dans les lits orthopédiques, les pressions, impulsions ou tractions latérales, dont le principe, appliqué par Levacher, en 1768, dans la position assise, a été clairement exposé, quelques années après, par son homonyme, Levacher de la Feutrie. (*Traité du Rakitis*, 1772, p. 362.) Heine, en Allemagne, Humbert, en France, paraissent avoir fait les premiers cette addition aux lits extenseurs. Delpech, et plus tard, Mayor (de Lausanne), en ont particulièrement fait ressortir l'utilité, en développant, pour la position horizontale, les principes posés par les deux Levacher pour l'attitude verticale du tronc.

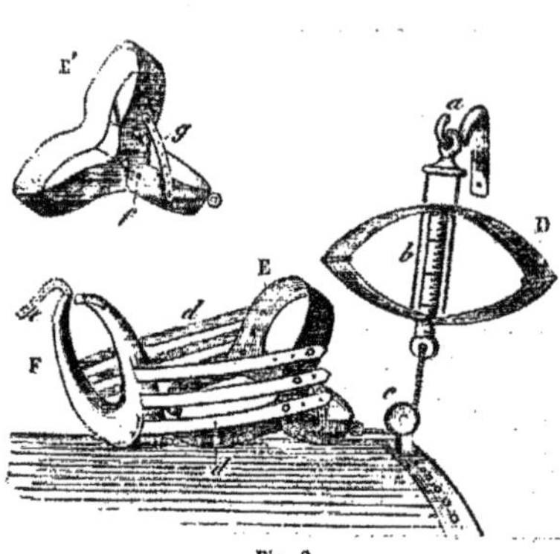

Fig. 2.

EXPLICATION DE LA FIGURE 2
(qui reproduit plus en grand les détails des pièces servant à la contre-extension).

D, Ressort elliptique de contre-extension, suspendu au crochet *a*, traversé dans son milieu par une tige graduée *b*, et uni au casque par une corde à boyau qui se réfléchit sur la poulie *c*.

E, Couronne du casque.

FE', Collier; *d*, *d*, courroies qui le fixent à la couronne; *e*, petite courroie pour fermer le collier par devant.

E', La couronne du casque représentée à part; on y voit les boutons d'attache des courroies du collier, et de plus, en *f*, l'articulation mobile des deux parties de la couronne, et en *g*, une petite échelle mobile sur le cercle inférieur et percée de trous pour l'accrocher à une goupille du demi-cercle supérieur et arrêter ainsi ces deux parties de la couronne sous un angle déterminé.

Le but qu'on se propose, dans l'emploi de ces pressions, est d'exercer sur la courbure du rachis un double effort transversal, c'est-à-dire perpendiculaire à l'axe de la colonne vertébrale, pour repousser ou attirer en sens inverse le milieu et les extrémités de l'arc qu'elle décrit, et pour les éloigner le plus possible de leur direction vicieuse.

Les moyens d'atteindre ce but rencontrent un obstacle sérieux dans la situation profonde des vertèbres, dans le nombre, le volume, l'importance des organes qui leur sont annexés. Leur pouvoir est donc renfermé dans certaines limites que la prudence ne permet pas de dépasser, et leur action n'exige pas moins de surveillance que celle des agents d'extension.

Les côtes, par la solidité de leurs articulations vertébrales, se prêtent assez bien à l'application de pressions latérales, qu'elles transmettent au rachis. Il faut en excepter toutefois les plus inférieures, que ces pressions pourraient déplacer avant d'agir sur les vertèbres. Appliquées aux côtes plus élevées, les pressions, en même temps qu'elles servent au redressement de la courbure latérale de l'épine, sont encore utiles pour modifier directement la forme vicieuse du thorax, en diminuant ses voussures exagérées dans les points sur lesquels elles portent.

Heine, et après lui Delpech, ont préféré avec raison une force élastique à une puissance fixe pour exercer et graduer ces pressions. Les longs ressorts de Heine sont des barres d'acier trempé, fixées par un bout dans des mortaises ou des gâches sur les côtés du sommier, et munies à l'autre bout d'une boucle qui reçoit la courroie de traction. La longueur de ces ressorts est destinée à leur donner plus de course et à rendre, par là, la pression plus douce et plus supportable.

Pour agir tout à la fois sur l'excès de convexité postéro-latérale des côtes qui constitue la gibbosité et, par l'intermédiaire de ces arcs osseux, sur le point correspondant de la courbure rachidienne, c'est-à-dire sur le milieu de son côté convexe, on place ordinairement sous le malade une plaque métallique garnie d'une pelote plus ou moins ferme, légèrement recourbée pour s'adapter à la forme arrondie des côtes, fixée sur le sommier par un de ses bords, et soulevée du côté opposé par des courroies qui, passant au-dessus du malade, vont s'attacher à l'extrémité de deux longs ressorts de Heine.

On comprend qu'il est telle autre disposition qui ne serait pas moins convenable, et, en effet, cet appareil simple ne manque pas de variantes, dans le détail desquelles il nous paraît inutile d'entrer. Nous mentionnerons seulement une autre plaque à ressorts assez commode en ce qu'elle dispense de surmonter le lit des longues barres métalliques de Heine. Elle se compose de deux lames superposées, articulées en charnière par un de leurs bords. La lame supérieure porte la pelote, l'inférieure est posée sur le sommier. Entre ces deux lames sont deux petits ressorts d'acier recourbés, dont l'élasticité les tient écartées l'une de l'autre en soulevant celle qui soutient la pelote. Le poids du corps fait céder les ressorts, qui réagissent et le pressent à leur tour. De petits rouleaux de cuivre qui se trouvent à l'extrémité des ressorts facilitent le glissement incessant de cette extrémité sous la lame métallique supérieure. Nous donnons plus loin la figure de cette plaque, connue sous le nom de *plaque à soufflet*. Elle convient surtout pour les pressions très-douces, chez les individus délicats ou fort jeunes. On ne peut guère reprocher à ce mécanisme qu'un inconvénient : c'est de ne pouvoir être gradué que par la substitution d'autres ressorts à ceux qui entrent dans la construction des plaques, ou par l'emploi successif d'une série de plaques portant des ressorts de forces diverses.

Les tractions sur les extrémités de la courbure du rachis, du côté de sa concavité, s'exercent, d'une part, sur le bassin, et de l'autre, sur le haut du thorax ainsi que sur l'épaule correspondante.

Au bassin, rien de plus facile que d'embrasser l'une ou l'autre hanche avec une bande de peau terminée par deux courroies bouclées au bord du lit, et d'attirer ainsi transversalement l'extrémité inférieure du tronc et les vertèbres inférieures par une impulsion contraire à celle que la plaque communique aux vertèbres moyennes. (*Voy.* l'explication de la figure 1, où ces bandes sont désignées sous le nom de *doubles ceintures*.)

La chose n'est pas tout à fait aussi simple vis-à-vis des vertèbres dorsales supérieures. On peut bien les attirer, comme les lombaires, avec des bandes analogues à celles des hanches, appliquées soit au moignon de l'épaule, soit sur le haut de la poitrine, au-dessous de l'aisselle ; mais, dans le premier cas, on gêne les mouvements du bras, on le comprime plus ou moins fortement contre le tronc, et le lien est sujet à se déplacer fréquemment ; dans le second cas, on a à craindre la pression des côtes déjà affaissées par l'effet de la courbure de l'épine, celle du creux axillaire ou du sein chez les jeunes filles. Je me sers habituellement, pour éviter ces inconvénients, d'une bande de peau matelassée, en forme d'anse ou de *croupière*, dans laquelle on passe le membre supérieur, et qu'une courroie fixe à l'extrémité d'un ressort de Heine. (*Voy.* plus loin les figures.)

Ces tirages latéraux aux deux extrémités du rachis dévié empêchent le corps d'être jeté de côté par l'obliquité de la plaque de pression ; ils l'appuient sur cette plaque, dont ils augmentent l'action sur la courbure de l'épine comme sur la déformation du thorax.

On peut agir plus fortement encore sur les déformations de la poitrine, en ajoutant à toutes ces pièces une large bande de peau désignée sous le nom de *tablier*, ayant la forme d'un triangle très-allongé, dont la base est fixée sur le lit près du côté rentrant du thorax, répondant à la concavité de la courbure. On passe cette bande obliquement au-devant de la poitrine, au-dessous du sein, et on attache la courroie qui la termine à un long ressort de Heine, de manière à la faire presser sur la gibbosité antéro-latérale du thorax et à accroître en même temps la pression de la plaque sur la gibbosité opposée. L'emploi de cette bande, qui n'est pas représentée dans nos figures, exige une certaine réserve à cause de la gêne de la respiration qu'elle pourrait produire ; l'élasticité est ici fort utile en permettant aux agents compresseurs de céder à la contraction des muscles élévateurs des côtes à chaque mouvement d'inspiration.

Ce système de pressions à une seule plaque s'applique, non-seulement aux cas fort rares dans lesquels la colonne vertébrale ne présente qu'une seule courbure latérale, située dans la région dorsale, mais encore aux cas très-nombreux où la courbure principale, occupant la même région, est accompagnée d'une ou de deux courbures accessoires dans les régions lombaire et cervico-dorsale. On néglige alors celles-ci dans l'emploi des pressions, et on ne leur oppose que l'extension longitudinale.

Il ne peut en être de même lorsqu'il existe deux courbures alternes à peu près égales, ou quand c'est la courbure dorsale qui est la moins prononcée. On exerce dans ce cas deux pressions opposées sur la convexité des deux courbures, en ajoutant à l'appareil une seconde plaque portant obliquement sur le côté saillant des lombes et sur les dernières côtes qui constituent la gibbosité lombaire. Cette plaque *lombaire* est, en général un peu plus étroite que la dorsale ; quand elle n'est pas *à soufflet*, elle n'a qu'une longue courroie attachée à un seul ressort de Heine placée du même côté du lit. Plus peut-être qu'à la région dorsale, il importe de surveiller les effets de cette pression, qui, trop forte ou mal placée, peut déplacer les fausses côtes ou léser la paroi latérale molle de l'abdomen et les viscères subjacents.

On conserve, dans l'appareil ainsi modifié, le tirage latéral supérieur, agissant en sens contraire de la pression dorsale. Le bassin est également soumis à une traction latérale, mais inverse, devant être opposée à la pression de la plaque lombaire pour seconder son action. Les impulsions latérales répondant aux extrémités continues des deux arcs opposés décrits par le rachis sont produites par l'action des deux pelotes elles-mêmes.

La troisième courbure ou la courbure cervico-dorsale prend quelquefois assez de développement pour qu'il convienne aussi d'agir directement sur elle. On remplit cette indication au moyen d'une bande de peau matelassée, qu'on applique à la partie inférieure du cou, vis-à-vis de la convexité de la courbure, en même temps que l'on déplace un peu de côté l'attache du casque contre-extenseur au chevet du lit, ce qui, en inclinant la tête et le cou, produit une traction inverse à l'extrémité supérieure de la courbure. Une impulsion analogue sur l'extrémité inférieure résulte de la pression de la plaque qui correspond à la convexité de la courbure dorsale.

On a reproché à cet ensemble de bandes, de courroies, de plaques plus ou moins mobiles, de ressorts plus ou moins souples, le peu de fixité de ces pièces, la facilité avec laquelle elles glissent et se déplacent en divers sens, au détriment de de la force que l'on veut déployer.

Mais d'abord, il est aisé de donner, au besoin, plus de fixité à ces pièces en les retenant par de petits liens du côté d'où elles tendraient à s'éloigner.

En second lieu, leur facile déplacement est, à certains égards, un avantage plutôt qu'un inconvénient; il permet aux jeunes malades de faire varier les points où porte la pression, de manière à la répartir sur une plus grande surface, à la rendre plus supportable et à en prévenir plus sûrement les dangers. Je ne saurais, pour mon compte, mettre au-dessus de ce genre d'appareils ces plaques à vis inflexibles, immobiles, qui rappellent la trop fameuse presse à linge de Ranchin, dont parle Lazare Rivière. Quand il s'agit d'un membre tordu à redresser, les appareils mécaniques ne sauraient être trop fixes, ni trop rigides; mais il en est tout autrement au rachis. Ici, il n'est plus question, comme aux membres, de surmonter, pour ainsi dire, à tout prix la résistance des parties difformes; la première condition est de ne point léser les organes placés entre les points comprimés et le siége de la difformité; on ne doit pas aller plus loin que ne le veut la susceptibilité de ces organes, et il faut se contenter des résultats que l'on peut obtenir dans cette limite.

De même que pour les tractions longitudinales, on peut substituer des poids aux ressorts dans les tractions perpendiculaires ou latérales. C'est ce qu'a fait Mayor, en plaçant aux bords du lit des montants sur le haut desquels se réfléchissent les lacs compresseurs, tendus par des poids qu'ils suspendent de l'autre côté des montants. (Mathias Mayor, *Nouveau système de déligation chirurgicale*, 1832, p. 221 et 304, fig. 46.)

On associe habituellement les pressions latérales à l'extension longitudinale; mais ce serait une erreur de les croire, avec Delpech, dépourvues de toute efficacité sans l'extension. On les applique seules avec avantage, lorsque quelque circonstance relative à l'âge, à la constitution, à l'état de santé des sujets, exclut l'emploi de l'extension. On y ajoute seulement des liens axillaires, disposés de manière à ne point exercer de traction de bas en haut sous les aisselles, comme dans l'extension de Venel, et uniquement destinés à fixer le corps sur le dos. La ceinture d'extension n'a plus alors de longues courroies; elle ne sert plus qu'aux tirages latéraux des hanches, pour lesquels elle porte sur les côtés des courroies transversales ou plus ou moins obliques.

Il est quelquefois indiqué de réduire le bandage des lits orthopédiques à cette ceinture à traction latérale et au double lien axillaire ou *double épaulette*, dont je viens de parler. Ces deux pièces sont représentées plus loin, réunies dans une même figure, aux principaux moyens de pressions latérales.

Combinées avec l'extension, les pressions latérales modifient quelque peu les effets de cette dernière; fixant plus ou moins la partie supérieure du tronc, elles diminuent l'effort supporté par la région cervicale et augmentent celui qui s'exerce sur les lombes, comme les bandes thoraciques dont il a été question plus haut, et qui partagent en deux tractions longitudinales distinctes l'extension générale du rachis.

Au lieu de fixer sur le lit les différentes pièces des appareils de pression et d'extension, Valérius a tenté de les réunir toutes dans son *corset-lit*, sorte d'armure qui entoure la tête et le tronc, et dont le support en bois se pose sur un lit quelconque, de sorte que l'appareil est tout à fait indépendant de la couchette.

Bonnet (de Lyon) employait aussi, mais la nuit seulement, un appareil indépendant du lit : c'était simplement une gouttière rembourrée, recevant le tronc, sans autre instrument de pression ni d'extension.

M. J. Guérin, au contraire, a fait du lit même l'agent essentiel des pressions et des extensions. Renchérissant sur l'idée de Schaw et de Pravaz, il a décrit, sous le nom d'*extension sigmoïde*, un procédé dans lequel on écarte les plateaux du sommier brisé par un mouvement d'arc de cercle qui leur fait former un angle, dirigé en sens contraire dans les deux séparations du lit. Les plaques de pression sont placées au sommet de chacun de ces angles, vis-à-vis la convexité de chaque courbure. Il résulte de ce mécanisme et de la disposition des liens qui assujettissent le tronc des impulsions obliques opposées, tendant à redresser les deux courbures principales du rachis, ainsi qu'on le fait avec des moyens plus simples, sans risquer de produire, comme avec cet appareil, de nouvelles courbures au-dessus et au-dessous de celle que l'on veut effacer.

Il nous resterait, pour compléter cet article, à retracer les règles qui doivent présider à l'emploi des lits orthopédiques, les effets immédiats de leur action, ainsi que les résultats qu'on en obtient dans la cure des déviations latérales de l'épine. Mais, afin d'éviter un double emploi, nous devons renvoyer ces différents points à l'article où il sera question du traitement des courbures pathologiques ou déviation de la colonne vertébrale.

Voici les figures des principaux moyens de pression et de traction latérales décrits plus haut. (*Voy.*, ci-contre, fig. 3.)

Applications diverses, lits orthopédiques. Nous n'avons encore considéré les lits orthopédiques qu'au point de vue du traitement de la scoliose ou courbure latérale de l'épine ; mais on a aussi fait usage de ce genre d'appareils dans d'autres affections ; nous indiquerons brièvement les principales, en les rangeant sous quatre chefs.

1° *Courbures antéro-postérieures du rachis.* L'extension parallèle a été appliquée autrefois aux courbures spinales à convexité postérieure (*excurvation, cyphose*) cervico-dorsale ou dorso-lombaire, ainsi qu'aux courbures à concavité exagérée des lombes (*lordose lombaire*); on y a aujourd'hui bien rarement recours dans ces circonstances.

Il est quelquefois utile d'agir par pression ou impulsion perpendiculaire, dans la position horizontale, sur la voussure dorsale ou sur la convexité anormale des lombes. C'est ce que l'on pratique au moyen d'un sommier un peu bombé au milieu, d'un coussin ou pelote, placé sous la saillie postérieure des vertèbres, de la double épaulette, de la ceinture à double tirage latéral, décrites plus haut et, au besoin en outre, au moyen d'une large pièce en peau ou en toile, d'une sorte de *tablier*, qui appuie sur la partie antérieure du tronc, surtout vers les extrémités de la courbure. On peut aussi remplacer ces liens par un corset peu serré, mais tendu par des tirages latéraux.

Une disposition inverse est applicable à certain cas de cambrure excessive des lombes. Un lit mou, faisant le creux vers le milieu de sa longueur, ou formant deux plans inclinés l'un vers l'autre; une large bande pressant modérément sur le milieu du tronc vis-à-vis de la convexité lombaire antérieure ; quelques liens doux, propre à fixer le corps sur le dos : voilà ce qui constitue alors tout l'appareil orthopédique.

La cyphose symptomatique du mal vertébral de Pott a été combattue par la position horizontale dans différentes attitudes, qui seront appréciées ailleurs. On lui a aussi opposé des lits orthopédiques analogues à ceux qu'on emploie dans la voussure simple du dos ou des lombes. Tel est l'appareil de F. Martin pour maintenir le tronc immobile sur le dos dans le mal de Pott. Tel est celui que M. Gillebert (d'Hercourt) a fait connaître plus récemment, et dans lequel un ballon de caoutchouc, placé dans une ouverture du coussin postérieur adoucit la pression exercée sur la gibbosité. Bonnet employait dans un but semblable sa gouttière du tronc, simplement posée sur le lit.

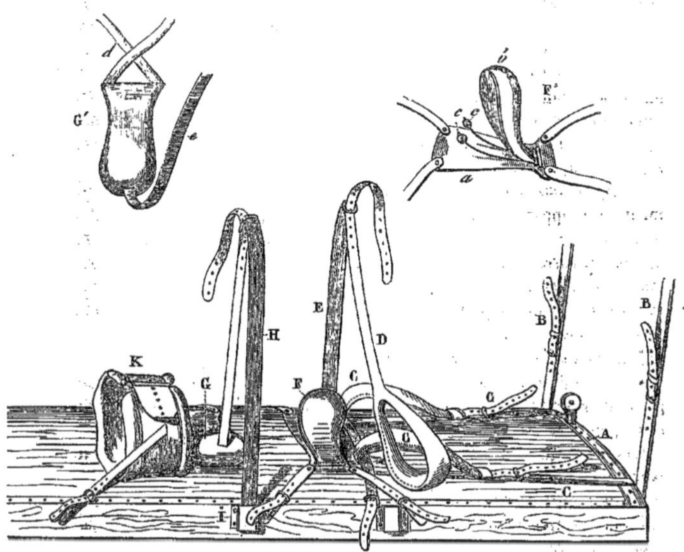

Fig. 3.

EXPLICATION DE LA FIGURE 3.

A, Sommier.
B, B, Courroies du sommier.
C, C, Double épaulette formant par les courroies de dessus, bouclées à celles de dessous, deux anses qui constituent des *liens axillaires*.
D, Épaulette simple, en forme de croupière, qui reçoit le bras gauche et qui s'attache par une longue courroie à l'extrémité du ressort E.
F, Plaque double, dite *à soufflet*, qui correspond au côté droit du dos.
G, Plaque simple, qui correspond au côté gauche des lombes, et qui est fixée par une longue courroie à l'extrémité supérieure du ressort H, retenue par l'autre extrémité dans la gâche *i*.
K, Ceinture à courroies latérales obliques, pour agir sur le bassin tout à la fois dans un sens parallèle à l'axe du corps et perpendiculairement à cet axe.
F' Plaque à soufflet représentée à part; *a*, première plaque ou plaque de dessous, avec les courroies qui la fixent sur le sommier; *b*, seconde plaque, à pelote articulée, en charnière avec la première; *c*, *c*, petits ressorts d'acier placés entre les deux plaques et terminés à leur extrémité libre par une petite roulette en cuivre qui facilite le glissement réciproque des deux plaques.
G' Plaque simple lombaire, représentée à part; *d*, petites courroies croisées qui la fixent sur le sommier; *e*, portion de la longue courroie qui s'attache au ressort de Heine. Les plaques dorsales de la même forme ont deux courroies semblables, fixées à deux longs ressorts placés au côté opposé du lit.

Nous ne voulons pas proscrire entièrement l'emploi de ces moyens mécaniques dans le mal vertébral ; mais nous les croyons rarement nécessaires et parfois dangereux.

2° *Difformités rachitiques.* Celles qui affectent le rachis et le tronc sont comprises dans les paragraphes précédents. Les courbures rachitiques des membres, les déviations rachitiques de leurs jointures, sont traitées, pour la plupart, à l'aide d'appareils portatifs. Cependant, lorsqu'il existe en même temps une courbure de l'épine pour laquelle on fait usage du lit orthopédique, celui-ci peut également servir au redressement des courbures des membres. On y ajoute, à cet effet, vis-à-vis des parties affectées, des plaques, des pelotes, des courroies, etc., qui exercent les pressions et les tractions nécessaires, et qui trouvent des points d'appui solides dans la charpente du lit et du sommier. Jalade-Lafond, connu en orthopédie par sa méthode d'extension dite *oscillatoire*, a représenté un modèle de ce genre de lit à double fonction. (*Recherches pratiques sur les principales difformités*, 1829, t. II, pl. XX.)

3° *Affections et déformations articulaires.* C'est encore, le plus ordinairement, aux appareils portatifs que l'on donne la préférence dans les difformités produites par les affections articulaires, même lorsqu'on veut agir pendant le décubitus, parce qu'ils ont l'avantage de permettre au malade de se mouvoir en tout sens et de ne pas le retenir, comme les appareils de lit, dans une position fixe. On suit la même pratique pour la plupart des vices de conformation articulaires, accidentels ou congénitaux, du cou et des membres.

Néanmoins l'articulation de la hanche fait un peu exception à cette règle, en raison de la difficulté de trouver ici un point d'appui suffisant pour les appareils portatifs, et de l'utilité d'une position fixe du corps dans plusieurs affections de cette jointure.

C'est ainsi que, dans la coxalgie, on pratique souvent une véritable extension parallèle, au moyen de lacs extenseurs et contre-extenseurs fixés à la tête et aux pieds du lit. La grande gouttière de Bonnet, d'un usage si fréquent dans cette affection, remplit l'office des lits orthopédiques, agissant, comme eux, par pression et par extension.

C'est surtout dans les luxations congénitales du fémur que l'articulation de la hanche a été soumise à l'action de lits orthopédiques non moins compliqués, non moins puissants que ceux qu'on a imaginés pour le redressement des courbures de l'épine. Malheureusement de tels efforts, on le sait, sont restés vains jusqu'à ce jour, et malgré les louables et nombreuses tentatives de Humbert, de Pravaz, de F. Martin et d'autres, la réduction de ces luxations est encore la pierre philosophale de l'orthopédie. Nous nous abstenons, par ce motif, d'exposer la construction de ces appareils réducteurs, qui ne sont point entrés dans la pratique, et dont la description, dans l'état actuel de nos connaissances, n'appartient qu'à l'histoire de l'art.

4° *Contractures et rétractions musculaires.* Dans ces lésions, de même que dans les précédentes, hors les cas d'autres difformités coexistantes, qui nécessitent l'emploi du lit orthopédique, on n'a recours aux appareils de lit que si le siége de la difformité est tel que les appareils portatifs n'ont pas facilement prise sur elle. On exerce alors des tractions en sens contraire sur les deux extrémités des muscles raccourcis, on les tend le plus possible en éloignant les parties qu'ils ont rapprochées, en redressant, en retournant quelquefois en sens inverse celles qu'ils ont infléchies, à l'aide de lacs extenseurs, de tirages perpendiculaires, de plaques de pression mues par des vis, ou de toute autre façon. On trouve dans l'*Orthomorphie* de Delpech (atlas, pl. 71) un exemple de ce genre de lit, construit pour un cas de rétraction des psoas-iliaques; les indications y sont parfaitement remplies; seulement le mécanisme pourrait en être simplifié. BOUVIER.

LITCHI. *Voy.* EUPHORIE.

LITHARGE. *Voy.* PLOMB.

LITHIASE (de λίθος, pierre). Formation de calculs dans les voies urinaires. On a aussi donné ce nom à des concrétions pierreuses formées sous la peau ou à la surface de la peau (comme on le voit dans la goutte), ou encore dans le tissu des paupières. A. D.

LITHINE. *Voy.* LITHIUM.

LITHIQUE (ACIDE). *Voy.* URIQUE (Acide).

LITHIUM ET SES COMPOSÉS. § I. **Chimie.** Poids atomique, 7; symbole Li. Le lithium est un corps simple appartenant à la classe des métaux alcalins. Il a été isolé pour la première fois par Brandes; mais on doit principalement à Bunsen l'étude de ses propriétés physiques. (Poggen., *Ann.*, CXVI, p. 512.) L'oxyde de lithium ou lithine est connu depuis 1817, grâce aux travaux d'Erfvedsom.

Le lithium a été trouvé dans quelques minéraux provenant de la mine de fer d'Uto, tels que la péhalite et le spodumen, qui sont des silicates doubles d'alumine et de lithine, et qui en contiennent le premier 5 pour 100, le second 8 pour 100. Le même métal a également été retiré de la tourmaline apyre, l'amblygonite (11 p. 100), le tryphillin (3 à 4 pour 100), le lépidolithe (espèce de mica), quelques eaux minérales de la Bohême. La source la plus abondante de lithine a été découverte en 1864 par A. Miller dans une eau minérale de Cornouailles. Elle se rencontre encore, mais en petites quantités, dans l'eau de la mer, dans les micas et les feldspaths, dans la cendre de plusieurs variétés de tabacs, dans la météorite de Juvenas (Bunsen), dans celui du Cap. L'emploi du spectroscope a permis en effet de retrouver la raie caractéristique de ce métal dans une foule de minéraux où il avait passé inaperçu.

Bunsen isole le métal en décomposant le chlorure pur maintenu à l'état de fusion par un courant électrique de 4 à 6 piles. L'opération se fait dans un creuset de porcelaine étroit chauffé sur une lampe à gaz. L'électrode positive est en charbon de cornue, l'électrode négative en fil de fer de la grosseur d'une aiguille à tricoter. Le métal mis en liberté adhère au fil de fer et se trouve préservé de l'oxydation par le chlorure fondu. M. Troost s'est servi du même procédé, mais il modifie avantageusement l'appareil. Il se sert d'un creuset de fonte de 12 centimètres de haut sur 52 millimètres de diamètre supérieur. Ce creuset est fermé par un disque de fer ajusté au tour et percé de deux ouvertures. L'une, de 5 millimètres, laisse passer le pôle négatif; l'autre a 31 millimètres, et est garnie d'un cylindre de tôle qui descend jusqu'à la moitié de la hauteur du creuset. Ce cylindre est muni intérieurement d'un tube en porcelaine dans lequel plonge le pôle positif. L'appareil peut marcher plusieurs heures. Le lithium ainsi obtenu est solide, blanc d'argent, plus dur que le potassium et le sodium; c'est le plus léger de tous les métaux; densité 0,5936; aussi flotte-t-il sur l'huile de naphte. Il fond à 180°. L'air et l'oxygène secs ne l'altèrent pas, même à la température de fusion. A une température plus élevée, il se volatilise et brûle à l'air avec une flamme blanche. Il décompose l'eau à la température ordinaire sans fondre. Le chlore, le brome, l'iode s'y combinent à froid; le soufre et le phosphore à des températures peu élevées. Il attaque l'or, l'argent et le platine, et s'allie assez facilement au fer.

L'acide azotique fumant agit sur lui avec une grande énergie et détermine son ignition.

COMPOSÉS DU LITHIUM. *Chlorure*. LiCl. On le prépare soit en combinant directement le métal au chlore sec, soit en dissolvant la lithine ou le carbonate de lithine dans l'acide chlorhydrique. Sa solution aqueuse, évaporée au-dessus de 15°,5, laisse déposer le sel anhydre sous forme de cubes doués d'une saveur salée rappelant le sel marin; suivant Troost, le chlorure de lithium cristallise en octaèdres réguliers. Il est moins volatil que le chlorure de potassium, plus que le chlorure de sodium. Chauffé au rouge sombre dans des vases ouverts, il se volatilise lentement et se change partiellement en carbonate. Au-dessous de 10°, les solutions concentrées de chlorure de lithium abandonnées à elles-mêmes laissent déposer des cristaux prismatiques rectangulaires, surmontés de quatre facettes contenant 2 molécules d'eau $ClLi + 2H^2O$. Ces cristaux sont très-instables et s'altèrent dès qu'on les touche avec les doigts; ils deviennent opaques et tombent en bouillie laiteuse; ils fondent facilement dans leur eau de cristallisation.

D'après M. Troost, on obtient le mieux ce sel en utilisant les sulfates alcalins provenant du traitement de la lépidolithe (*voy.* plus loin). A cet effet, on précipite par le chlorure de baryum, on filtre, on sépare le manganèse et l'alumine par l'ammoniaque et le sulfhydrate d'ammoniaque. La magnésie est éliminée par la chaux; l'excès de chaux est précipité par l'oxalate d'ammoniaque. Enfin, on calcine et on traite le résidu par un mélange d'alcool absolu et d'éther qui ne dissout que le chlorure de lithium.

Le bromure, l'iodure et le fluorure de lithium n'offrent pas de propriétés marquantes; on les prépare par saturation directe de la base ou carbonate par l'acide correspondant.

Sulfure de lithium. Li^2S. Composé jaune, soluble dans l'eau et l'alcool. Se prépare par union directe ou par la réduction du sulfate par le charbon.

Oxyde de lithium ou lithine. Li^2O. L'oxyde anhydre se présente sous forme d'une masse spongieuse jaune; il s'obtient en brûlant le métal dans l'oxygène et en laissant le produit se refroidir dans un courant de ce gaz; mais il renferme toujours une certaine proportion de peroxyde. L'hydrate de lithine LiHO se sépare de sa solution aqueuse concentrée sous forme de petits grains cristallins. Il a la saveur caustique de la potasse, mais est moins soluble; il fond aisément au-dessous du rouge et ne se volatilise pas. La lithine fondue attaque assez énergiquement le platine; cependant, d'après M. Troost, ce caractère n'appartient pas aux sels de lithine pure, mais à des mélanges de sels de lithine, de césium et de rubidium.

On a proposé un grand nombre de procédés pour séparer la lithine qui l'accompagnait dans ses divers minerais; nous nous contentons d'indiquer le mode de préparation de M. Troost au moyen de la lépidolithe.

Voici la composition de ce minéral :

	LÉPIDOLITHE DE ROSENA.	LÉPIDOLITHE DE CORNOUAILLE.
Silice	52,25	50,82
Alumine	28,33	21,53
Protoxyde de manganèse	3,66	»
— fer	»	9,08
Potasse	6,90	9,86
Lithine	4,79	4,05
Acide fluorhydrique	5,07	1,81
Eau	traces	»

Si l'on mélange de la lépidolithe avec du carbonate et du sulfate de baryte en proportions convenables, la masse chauffée dans un bon fourneau à vent fond et subit une espèce de liquation qui laisse à la partie inférieure du creuset un verre fondu, mais visqueux, et au-dessus un liquide fluide que l'on peut enlever par décantation ou séparer de la couche vitreuse après refroidissement. La masse saline supérieure est une combinaison de sulfate de baryte avec les sulfates de potasse et de lithine ; traitée par l'eau, elle cède à ce liquide les sulfates alcalins. Le même traitement s'applique à la pétalite d'Uto. Nous avons vu plus haut comment on retire le chlorure de lithium pur du mélange des deux sulfates. On peut aussi obtenir le nitrate en précipitant par le nitrate de baryte le mélange des deux sulfates. L'azotate de potasse se sépare par cristallisation ; enfin la calcination du nitrate de lithine dans un creuset d'argent fournit l'oxyde.

La lithine est une base salifiable énergique. Les caractères distinctifs de ces sels sont les suivants :

1° *Réaction par la voie sèche.* Ils sont incolores, plus fusibles que les sels de potasse et de soude correspondants. Fondus sur une lame de platine avec du carbonate de soude, ils laissent une tache jaune. Ils colorent en rouge cramoisi la flamme du chalumeau et la flamme de l'alcool. Les sels de lithine examinés au spectroscope se distinguent nettement par une belle raie cramoisie placée entre les bandes B et C du spectre, et une bande mince jaune située un peu en avant de la bande P du sodium.

2° *Réaction par la voie humide.* Tous les sels de lithine sont solubles dans l'eau. Le carbonate, le phosphate de lithine et le phosphate double de lithine et de soude sont peu solubles. En solution concentrée, ils donnent des précipités peu solubles avec les carbonates et les phosphates alcalins. Le carbonate de soude ne précipite qu'au bout d'un certain temps. Le phosphate de soude ordinaire ne précipite à froid qu'après un long repos, à moins que l'on n'ajoute de l'ammoniaque. Un mélange de sels de lithine et de phosphate de soude se trouble par l'ébullition. Le résidu de l'évaporation traité par l'eau laisse du phosphate double peu soluble.

La lithine se dose sous forme de carbonate, de sulfate ou de chlorure. On la sépare des métaux proprement dits, des métaux terreux et alcalino-terreux au moyen de l'hydrogène sulfuré, du sulfhydrate et du carbonate d'ammoniaque. Le chlorure de platine permet d'isoler le potassium. Pour éliminer la soude on convertit les deux alcalis en chlorures que l'on fait digérer à sec avec un mélange d'alcool et d'éther. Le chlorure de lithium se dissout seul.

Bunsen fait cependant observer que cette opération ne peut donner des résultats exacts, les chlorures de potassium et de sodium n'étant pas tout à fait insolubles dans le mélange d'alcool et d'éther. Il indique comme plus convenable la voie indirecte qui consiste à épuiser par l'alcool éthéré le mélange sec des chlorures alcalins. La solution est évaporée à sec, le résidu est dissous dans l'eau. On dose par le nitrate d'argent la totalité du chlore. Le liquide filtré, débarrassé d'argent en excès par l'acide chlorhydrique permet de doser directement le chlorure de potassium au moyen du platine. La différence entre le poids total des chlorures et le poids trouvé de chlorure de potassium est égale à la somme des chlorures de lithium et de sodium.

On a $\quad A = xty \qquad x = \mathrm{ClLi} \qquad y = \mathrm{ClNa}.$

D'un autre côté, si l'on retranche le poids de chlorure d'argent correspondant à ClK du poids total du chlorure d'argent trouvé, on a une différence B qui permet d'écrire une seconde équation entre x et y, et de ces deux équations on tire

$$x = 1{,}0823B - 2{,}6525A.$$

PRINCIPAUX SELS DE LITHINE. *Azotate.* AzO^5LO. Sel déliquescent très-soluble dans l'eau et l'alcool. Se dépose de ses solutions concentrées et refroidies à 15° en gros cristaux anhydres (rhomboèdres basés). On l'obtient directement en saturant le carbonate par l'acide azotique.

Carbonate de lithine $LiOCo^2$. Poudre blanche légère, peu soluble dans l'eau. 1 litre d'eau dissout 12 grammes de carbonate de lithine et cette solubilité ne change pas beaucoup avec la température. La présence d'un excès d'acide carbonique augmente la dose de carbonate et peut l'élever à 52gr,5 par litre.

Le sel fond au rouge et perd une grande partie de son acide.

On prépare le carbonate de lithine en décomposant l'azotate par le cuivre et en faisant passer un courant d'acide carbonique dans la dissolution de lithine obtenue en traitant par l'eau la masse calcinée.

On peut aussi transformer en azotates (par l'azotate de baryte) les sulfates alcalins retirés de la lépidolithe. Évaporer et calciner avec de l'acide oxalique. Le résidu lavé à l'eau cède le carbonate de potasse et celui de soude, tandis que le sel de lithine reste. Le carbonate de lithine entre comme principe actif dans la composition de certaines eaux minérales naturelles et artificielles.

Sulfate de lithine. SO^3LiOHO. Sel très-fusible, saveur salée. Il possède un maximum de solubilité situé au-dessous de zéro. Il cristallise dans le système du prisme oblique symétrique et forme avec les sulfates de potasse ou de soude des sels doubles facilement cristallisables.

On ne connaît pas de sulfate acide de lithine. SCHÜTZENBERGER.

§ II. **Pharmacologie.** Les sels de lithine sont employés en médecine; le plus recommandé et le plus employé pour les usages thérapeutiques, est le *protocarbonate.* Mais, comme nous l'allons voir, par suite du mode ordinaire d'administration de ce sel, c'est en réalité du bicarbonate que l'on emploie; et, en outre, par suite aussi de diverses associations, on emploie concurremment du *phosphate de lithine* ou du *citrate de lithine*; ce dernier sel, selon quelques-uns, mériterait même la préférence.

Le protocarbonate de lithine est peu soluble; 1 litre d'eau n'en dissout que 12 grammes. Il se dissout beaucoup mieux dans l'eau chargée d'acide carbonique, en se transformant en bicarbonate. Cette solution constitue l'*eau de lithine*, qui se prépare dans les proportions suivantes : protocarbonate de lithine, 0gr,20; eau gazeuse, 500.

A cette eau de lithine on ajoute parfois du bicarbonate de soude (Stricker), du nitrate de potasse, du carbonate de potasse ou du phosphate d'ammoniaque (Garrod); en employant ce dernier sel, il se forme un phosphate de lithine qui est encore moins soluble que le protocarbonate, et qui exige conséquemment l'intervention d'une plus grande quantité d'eau.

On peut, et avec avantage d'après quelques praticiens, remplacer l'eau gazeuse par la limonade citrique pour dissoudre le protocarbonate de lithine, ou plutôt pour le transformer en citrate plus soluble.

En Angleterre, on emploie la lithine sous forme de granules effervescents; chaque dose de 3 grammes, que l'on prend dans un peu d'eau sucrée, renferme 10 centigrammes de carbonate de lithine. On fait aussi des granules renfermant chacun 1 centigramme de carbonate de lithine. (Reveil.)

HISTORIQUE. Une expérience de Lipowitz ayant constaté l'action dissolvante remarquable que le carbonate de lithine exerce sur l'acide urique, A. Ure (de

Londres), en 1843, appela l'attention sur ce fait, et fit prévoir le parti qu'on en pourrait tirer pour dissoudre les calculs d'acide urique. Quelques années après, Garrod expérimenta sur une plus grande échelle cette action dissolvante, l'étudia comparativement avec celle des composés de soude et de potasse, et reconnut que les sels de lithine l'emportent de beaucoup par leur influence sur les concrétions d'acide urique et d'urate de soude. Il devint ainsi le principal initiateur des applications thérapeutiques de la lithine, et l'introduisit dans le traitement de la gravelle et de la goutte. (Voy. *La goutte, sa nature et son traitement*, par Garrod, trad. Ollivier, 1867.)

Action physiologique. Le carbonate de lithine, ingéré à petites doses, 10, 20, 30 et même 50 centigrammes, ne produit d'autre phénomène physiologique appréciable que la diurèse et la diminution, bientôt même la disparition, des sables ou graviers uriques charriés par les urines. Si l'on dépasse quelque peu les doses précitées, ce sel ne paraît pas offrir d'inconvénient sérieux. Ainsi M. Charcot en a donné jusqu'à 2 et 3 grammes en vingt-quatre heures, et, au moins dans les premiers jours, il n'en a vu résulter aucun accident. Toutefois, lorsque ces doses élevées ont été soutenues pendant plusieurs jours, il est survenu des symptômes de dyspepsie cardialgique qui ont obligé à suspendre le médicament. C'est donc une substance plus active, plus énergique que les composés de soude et même de potasse, et qui demande une certaine réserve dans son emploi. Au reste, pour le genre d'applications auxquelles les préparations de lithine ont été destinées jusqu'ici, de petites doses suffisent. En effet, l'équivalent de la lithine étant faible, elle neutralise puissamment les acides, et conséquemment sature l'acide urique en plus fortes proportions que ne le font la potasse et la soude. Enfin elle alcalinise le sang bien plus que ces deux bases, et en se substituant à la seconde dans les produits tophacés de la goutte, elle tend à rendre ceux-ci plus solubles et plus facilement éliminables.

Action thérapeutique. Les propriétés chimiques des préparations de lithine justifiaient donc leur application au traitement des maladies liées à l'existence d'un excès d'acide urique dans l'économie. La goutte, qui se trouve dans cette condition, a été ainsi très-heureusement traitée par Garrod. Tout en conservant au colchique un rang plus élevé dans le traitement de cette maladie, il voit, dans le carbonate de lithine, un moyen très-utile pour atténuer, prévenir les accès, attaquer et faire disparaître les conséquences et restes de la maladie. Ainsi, il a pu, pendant son cours, favoriser l'élimination et diminuer la production de l'acide urique, et ultérieurement faire disparaître les dépôts tophacés par un long usage des sels de lithine. C'est d'ailleurs dans la goutte chronique que ces sels se sont montrés le plus avantageux. Ils ont été d'un effet nul ou très-peu marqué contre le rhumatisme et même contre le rhumatisme dit goutteux.

Des applications locales de solutions de lithine ont quelquefois calmé les douleurs articulaires des goutteux.

L'action des sels de lithine sur la goutte n'a pu encore être assez étudiée, et leur emploi n'a pu non plus se généraliser assez pour que l'on soit fixé sur leur valeur réelle. Peut-être n'attaquent-ils que l'un des éléments de cette maladie; mais si du moins ils en triomphent mieux que d'autres médicaments par une dissolution et une élimination plus facile des urates alcalins du sang, ils réaliseront un progrès dans une thérapeutique qui jusqu'ici a laissé beaucoup à désirer.

Il est bon de remarquer, d'ailleurs, que dans toutes les eaux minérales réputées utiles aux goutteux, les analyses ont successivement démontré la présence de la lithine ; telles sont les eaux de Carlsbad, Aix-la-Chapelle, Marienbad, Kissingen, Ems, Tœplitz, Bilin, Kreuznach, Vichy, Bade, etc.

Quant à l'influence de la lithine sur la gravelle urique, elle n'est pas contestable, en ce sens du moins que nous possédons, dans les sels de cette base, un moyen assuré de dissoudre les dépôts d'acide urique entraînés par les urines. Depuis MM. Ure et Garrod, et grâce à leurs expériences, plusieurs cliniciens ont été à même de vérifier ce résultat; nous citerons entre autres MM. N. Guéneau de Mussy et Moutard-Martin, qui ont bien voulu nous communiquer à cet égard des observations concluantes. Reveil dit avoir également recueilli plusieurs preuves des bons effets de la lithine dans la diathèse urique. Enfin nous-même, dans les cas de cette nature où nous l'avons expérimentée, nous avons pu en constater la parfaite efficacité.

M. Ure a proposé d'employer le carbonate de lithine en injections dans la vessie, pour tenter la dissolution des calculs urinaires.

Il est présumable que les thérapeutistes trouveront à faire de nouvelles applications des sels de lithine ; par exemple, si à un haut degré d'alcalinité correspondait un pouvoir fluidifiant analogue, sinon même supérieur à celui des autres alcalis, ne pourrait-on pas les utiliser pour la dissolution et la résorption de certains produits plastiques de l'inflammation ?

Ce sont, en définitive, des composés qui paraissent intéressants, et qui demandent des études variées et suivies pour éclairer les praticiens sur toutes leurs propriétés, sur toutes leurs applications possibles.

Doses. Le carbonate de lithine se donne à la dose de 5 à 30 centigrammes, répétée deux ou trois fois par jour (Garrod) ; à la dose de 5 à 10 centigrammes par jour (Aschenbrenner). Charcot l'a donné jusqu'à 2 et 3 grammes en vingt-quatre heures. En injections dans la vessie, on l'a prescrit depuis 1gr,50 jusqu'à 4 grammes. (Ure, Aschenbrenner.) D. de Savignac.

LITHOBIE (λίθος, pierre, βίος, vie; qui vit sous les pierres). Genre de myriapodes, de l'ordre des Chilopodes créé par Leach, avec des *Scolopendra* de Linné, et sur lequel Newport a établi une famille sous le nom de *Lithobiidæ*. Ces animaux ont pour caractères génériques d'avoir le corps formé de dix-sept segments non compris la tête, alternativement plus petits et plus grands, imbriqués en dessus, presque égaux en dessous; arceau supérieur distinct pour le segment forcipulaire. Antennes de vingt à quarante articles décroissants; yeux nombreux, petits et réunis sur les côtés de la tête ; quinze paires de pieds, les postérieurs les plus longs, autant d'écussons dorsaux que de pieds.

Ce genre renferme un grand nombre d'espèces, dont plusieurs se trouvent en France. La plus connue est la Lithobie à tenailles (*Scolopendra forcipata*, de Géer), d'un brun foncé et luisant, avec la tête, les antennes et le dessous du corps roussâtres. Pattes d'un brun clair. Du reste, plusieurs espèces ont été confondues sous cette désignation.

Les *Lithobies* vivent dans les lieux humides, sous les abris, les pierres, les mousses, les feuilles tombées, etc. Elles ont la démarche assez vive et cherchent par leur morsure à échapper à la main qui les saisit. Cette morsure n'a rien de redoutable pour l'homme ; elle n'est nuisible que pour les très-petits animaux que recherche la Lithobie pour en faire sa nourriture. A. Laboulbène.

LITHOCLASTIE (de λίθος, pierre, et κλάειν, écraser. (*Voy*. Lithotritie.)
A. D.

LITHOFELLIQUE (Acide). Il forme la base du bezoard dit *oriental*, qu'on trouve dans la caillette de la chèvre sauvage et dont les vertus thérapeutiques étaient autrefois si célèbres. (*Voy.* BEZOARDS.) Cet acide, qu'on obtient des calculs en les traitant plusieurs fois à chaud par l'alcool, et décolorant par le charbon, cristallise en petits prismes hexaédriques, insolubles dans l'eau. A. D.

LITHOLABE (de λίθος, pierre, et λαμβάνειν, saisir). Nom donné aux pinces destinées à saisir un calcul dans la vessie. Il désigne et les *tenettes* employées dans la taille et la *pince à trois branches* des instruments lithotriteurs. (*Voy.* LITHOTRITIE). A. D.

LITHOMYLEURS (de λίθος, pierre, et μύλη, meule). Nom donné aux instruments destinés à réduire en poudre les calculs de la vessie. A. D.

LITHONTRIBION. *Voy.* TURQUETTE.

LITHONTRIPTIQUE (de λίθος, pierre, et τρίψις, broiement). Se dit des médicaments auxquels on prête la propriété de dissoudre les calculs, soit pris par les voies digestives, soit injectés directement. (*Voy.* CALCULS.) A. D.

LITHOPHYTON. *Voy.* CORALLINE.

LITHOPRISIE (de λίθος, pierre, et πρίσις, sciage). On avait donné ce nom à l'opération, non réalisée, qui eût consisté à scier les calculs dans la vessie. A. D.

LITHOSPERMUM. Les plantes auxquelles ce nom appartient actuellement en propre, sont des Borraginées, du genre GRÉMIL (*voy.* ce mot). Le *Lithospermum* de Pline et de quelques autres auteurs anciens, est, à ce qu'on suppose, une Graminée, le *Coix Lacryma* L.

Le *L. tinctorium* DC., ou *Anchusa tinctoria* L., est devenu le type du genre *Alkanna*. (*Voy.* ORCANETTE.) H. BN.

LITHORINEUR (de λίθος, pierre, et ῥινεῖν, limer). Instrument proposé par Tanchou pour limer la pierre dans la vessie. A. D.

LITHOTOMIE. Mauvaise expression qui signifie *section* de la pierre (de λίθος, pierre, et τομή, section). (*Voy.* TAILLE.) A. D.

LITHOTRIPSIE (de λίθος, pierre, et τρίψις, broiement. (*Voy.* LITHOTRITIE.) A. D.

LITHOTRITIE. L'opération qui consiste à briser un calcul dans la vessie et à en faire sortir les fragments par le canal de l'urèthre a reçu les noms de *lithotripsie*, *lithoprinie*, *lithocénose* et *lithotritie*. Aucune de ces expressions n'en donne une idée exacte; la moins défectueuse, dans l'état actuel de la science, est celle de *lithotripsie*, cependant je me servirai du mot de *lithotritie* parce qu'il est le plus généralement usité.

La définition que je viens de donner de la lithotritie, la différentie essentiellement d'une manœuvre opératoire très-anciennement connue par laquelle, dans la taille périnéale, on brisait le calcul quand il était trop volumineux et on le retirait en morceaux par la plaie du périnée.

Je distinguerai trois périodes dans l'étude de la lithotritie : 1° une période *historique;* 2° une période de *transition;* 3° une période *pratique*.

A. *Période historique.* Depuis les premiers âges de la chirurgie jusqu'au commencement de notre siècle, on avait considéré la taille comme le seul moyen de guérir les calculeux. Aussi n'a-t-on fait mention d'aucune autre opération dans nos traités d'histoire de la chirurgie. Mais du moment où on s'occupa sérieusement de la lithotritie, plusieurs savants se mirent à fouiller les vieux livres pour y découvrir quelques traces de cette opération nouvelle, et aujourd'hui nous possédons des documents assez intéressants sur ce sujet.

Le document le plus ancien remonte au neuvième siècle. Il a été publié dans l'*Abeille médicale d'Athènes* par M. Olympios, qui l'a découvert dans le panégyrique du moine Théophanès. En voici la traduction telle que l'a donnée M. René Briau, dans le neuvième numéro de la *Gazette hebdomadaire*, 1858. « ...Théophanès se rendit auprès de Léon l'Arménien, quoiqu'il fût tourmenté par une maladie chronique des reins et par une dysurie. En effet des instruments avaient été introduits dans la vessie par le conduit naturel, et, après avoir broyé les pierres qui s'y trouvaient les apportaient au dehors et permettaient à l'urine la libre sortie, autant que possible. »

On a également rapporté un passage curieux d'Alsabaravius (Albucasis), écrivain du douzième siècle, sur la rétention d'urine. « ...Curatio ejus, quando fuit lapidus parvus, vel si habuerit grossitudinem et impulsus est jam ad collum vesicæ aut ad aliquem transitum virgæ et impedit urinam, est quod sedeat patiens in aquâ decoctionis aneti, meliloti, camomillæ, radicis alteæ, fenugrec, seminis lini, et liniatur virga cum pinguedine gallinæ, vel cum oleo syrag, vel oleo camomillæ et clisterizetur virga cum oleo aneti, vel cum oleo scorpionis quod fortius omnibus est; et si cum hoc regimine non exierit studeat implere ipsum cum instrumento quod nominatur anul apud viam transitus, vel accipiatur instrumentum subtile quod nominant masbaba rebilia et suaviter intromittatur in virgam et volve lapidem in medio vesicæ et si fuerit mollis frangitur et exibit. Si vero non exiverit cum iis quæ diximus, oportet incidi..... » (*Liber theoricæ necnon practicæ*, in-4°, f. XCIV, 1519.)

Au quinzième siècle, Benedetti (Alexandre), médecin de Padoue, publia les lignes suivantes dans son ouvrage ayant pour titre *De singulis corporum morbis* : « Cum vero his præsidiis (dissolventibus) lapis non comminuitur, nec nullo modo eximitur, curatio chirurgica adhibeatur, et per fistulam, priusquam humor profusus dolores levet, aliqui intus sine plagâ lapidem conterunt ferreis instrumentis, quod equidem tutum non invenimus. »

Près d'un siècle plus tard Sanctorius, dans ses *Commentaires sur Avicenne*, écrivait sur ce même sujet ce passage remarquable. « Quod si calculus per ureteres, ad vesicam dejectus spatio hebdomadæ circiter cum urinâ non ejiciatur, extrahendus est, ne per moram magnus evadet, quod ut fieret. Excogitavimus syringam quæ in vesicam immittendo est quando lotio est referta (longitudo syringæ in viro est unius spithaminis cum dimidia) eâ immissâ, tunc instrumentum quod unit tres cuspides (dum est in syringa) aliquanto plus impellitur ut tricuspides separentur et dilatentur : deinceps extrahitur instrumentum. Quo peracto, statim ab urina lapis cum impetu ad sinum syringæ ferri solet : qui inclusus inter illas cuspidines statim extrahitur per syringam. Si vero accideret quod urinæ impetus non ferret lapillum ad tricipitis sinum : tunc cum syphone per vim vacui attrahetur. » (*Commentaria*, fasc. 1, libri *canonis Avicennæ*. Vienne, 1626.

Déjà Leroy (d'Étiolles) père, commentant les derniers textes que je viens de citer, avait montré combien la signification qu'on a voulu leur donner est forcée, que le grand Haller lui-même a commis une erreur singulière en regardant comme un perforateur la tige métallique dont Sanctorius se servait pour tenir réunies ou pour écarter les branches de son *tricuspides*. Je puis en dire autant du document produit par M. Olympios. Le panégyrique du moine Théophanès a été écrit par un homme étranger à la chirurgie qui, dans l'opération dont il parle, n'a vu que des pierres broyées, tirées par le canal et dont l'extraction permit, autant que possible, la libre sortie des urines. Mais d'où venaient ces pierres? Étaient-elles dans la vessie ou dans la partie profonde de l'urèthre? Le chirurgien qui a opéré Théophanès ne s'est-il pas borné à employer le procédé si bien décrit par Albucasis pour extraire les pierres du canal? Que les anciens aient eu l'idée de briser des calculs dans la vessie, cela est très-vraisemblable. Mais, en l'absence de faits détaillés et de toute description d'instruments, il est impossible de prouver que la lithotritie leur était connue. Plus on examine les textes, plus on y réfléchit et plus on demeure convaincu que tout ce qu'ils ont écrit sur le broiement des calculs se rapporte aux calculs de l'urèthre.

Deux faits appartenant presque à notre époque ont une importance beaucoup plus grande. C'est d'abord un moine de Cîteaux qui, pour se guérir de la pierre, s'était imaginé de se servir d'une sonde creuse et flexible qu'il introduisait dans sa vessie. Puis il faisait glisser dans cette sonde une longue lime d'acier ronde ayant le bout taillé en biseau et, lorsqu'il parvenait à rencontrer sa pierre, il la limait ou en détachait des morceaux en frappant à petits coups secs le talon de l'instrument avec un marteau d'acier. C'est encore un colonel Martin qui avait entrepris de se limer une pierre située dans la vessie à l'aide d'une canule flexible par laquelle passait un long stylet d'acier qui présentait sur sa convexité une lime bien trempée.

Ces deux malades portaient évidemment des calculs vésicaux. Le premier avait été examiné par Hoin père, chirurgien de Dijon, qui voulait le tailler, et le second avait été vu par le chirurgien Scott. Mais ces faits, sur lesquels nous ne possédons que des détails très-incomplets, étaient passés inaperçus.

B. *Période de transition.* Le premier qui a conçu nettement la possibilité de la lithotritie et imaginé des instruments pour la pratiquer est Gruithuisen, médecin bavarois. Son travail fut publié dans la *Gazette médico-chirurgicale de Saltzbourg* en 1813; mais, ainsi qu'il le dit lui-même, il s'en occupait depuis cinq ans, attendant l'occasion de pratiquer sur le vivant l'opération telle qu'il l'avait conçue. Sans perdre de vue la dissolution de certains calculs, ce qui était l'objet principal de ses recherches, il avait tenté également de les broyer. Après avoir montré, dans des expériences publiques, que rien n'était plus facile que d'introduire un cathéter droit dans la vessie, il avait inventé un appareil composé de pièces assez compliquées pour *perforer* les calculs et les *briser*. « ...On introduira, dit-il, dans une grosse sonde préalablement engagée dans la vessie, une vrille en fer de lance ou une espèce de petite couronne de trépan dont la tige sera contenue dans un second tube; celui-ci, destiné à être passé à travers le tube principal, remplira exactement ce dernier. L'intérieur du petit tube sera assez large pour laisser passer, par les parties latérales de la tige qu'il renferme, les deux extrémités d'un fil de métal d'un diamètre semblable à celui d'une corde de piano de grosseur moyenne, lequel sort par deux ouvertures pratiquées en devant sur les côtés du petit tube, pour aller former une anse au-devant de la vrille ou de la couronne de trépan... C'est avec cette anse de fil métallique, qui peut être agrandie à volonté, que l'on doit chercher à saisir la pierre... La pierre étant engagée dans l'anse, on la tire vers la grosse sonde et on la fixe ainsi contre la vrille ; puis on se met à faire jouer celle-ci au moyen d'un archet... Le calcul étant percé d'un premier trou on retire le perforateur pour faire sortir de la vessie, par une injection, la pierre et les débris de la pierre. Cela fait, on cherche à retourner le calcul à l'aide d'un fil d'archal un peu recourbé en avant, en même temps qu'on relâche un peu l'anse de fil qui le retenait. »

Gruithuisen cherchait ainsi à perforer la pierre dans plusieurs points. « Si, ajoute-t-il, on réussissait à réduire la pierre en morceaux au moyen de la vrille et de la couronne de trépan, ce qui n'est nullement une chose impossible, on essayerait d'en diviser les fragments en parties plus petites au moyen du brise-pierre introduit dans la grosse sonde. » — Il voulait encore, dans les cas difficiles, favoriser la désagrégation de la pierre par des injections et l'emploi du galvanisme. (Heurteloup, *De la lithotripsie sans fragments*, traduction du mémoire de Gruithuisen, 1846.)

Il est facile de voir, par l'inutilité évidente de ces derniers moyens et par l'imperfection des instruments dont je viens de donner un aperçu que la conception de Gruithuisen était toute théorique et d'une application très-douteuse. Mais il n'en est pas moins vrai que la lithotritie existe dans ce court exposé.

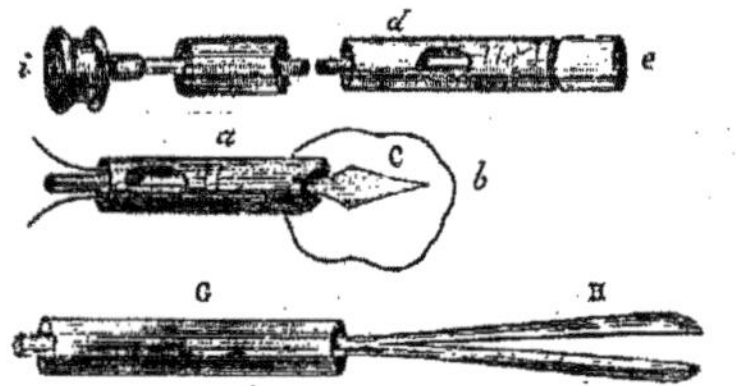

Fig. 1. — Instruments de Gruithuisen.

a Canule double dont les deux tubes s'emboîtent exactement.
b Fil métallique formant une anse pour saisir le calcul et le fixer contre l'extrémité de la canule.
c Fer de lance pour perforer le calcul.
d Canule double.
e Petite couronne de trépan.
i Talon de l'instrument sur lequel on applique l'archet.
G Canule d'une pince destinée à écraser les petits fragments.
H Branches de la pince.

A cette époque, dans le fond d'une province de France, un jeune médecin, Fournier de Lempdes, se proposait le même but que Gruithuisen ; mais il ne publia alors aucune note qui puisse infirmer les titres de priorité du médecin Bavarois. Cependant, pour être juste, je dois dire que des certificats authentiques des hommes les plus honorables de Clermont-Ferrand prouvent qu'en l'année 1812 Fournier de Lempdes fit fabriquer par deux ouvriers mécaniciens de cette ville un instrument pour détruire les pierres dans la vessie, composé : 1° d'un tube très-mince en acier destiné à renfermer une pince ; 2° d'une pince à cinq branches élastiques pouvant être rapprochées au moyen d'un fil passant par un trou percé à l'extrémité de chacune d'elles ; 3° d'une tige d'acier terminée par trois branches triangulaires pouvant être réunies comme celles de la pince au moyen d'un fil et taillées en râpe pour limer le calcul. — D'autres certificats de Richerand et de Biett attestent qu'en 1817 Fournier de Lempdes essaya plusieurs fois ses instruments à l'hôpital Saint-Louis.

Ces essais avaient été publics et, pour tout dire, il est probable qu'ils servirent de point de départ aux recherches d'Amussat, Leroy (d'Étiolles) et Civiale, qui faisaient alors leurs études médicales. Ce qui tendrait encore à le faire croire, c'est l'inexpérience avec laquelle ces jeunes chirurgiens procédèrent, imaginant instruments sur instruments sans s'inquiéter de ce qui avait été fait avant eux. Ainsi Amussat, en 1822, donne et fait accepter comme chose nouvelle la possibilité de pénétrer dans la vessie avec une tige droite, tandis qu'il lui aurait suffi des moindres recherches pour voir que le cathétérisme droit était connu depuis longtemps. Joseph Rameau avait écrit, en 1729, que la structure de l'urèthre se prêtait parfaitement au passage de sondes droites. Trente ans plus tard, Lieutaud donnait même la préférence aux sondes droites sur les sondes courbes. Thomassin, Santarelli, Lassus, Gruithuisen, non-seulement disaient qu'on pouvait se servir d'instruments droits, mais encore ils enseignaient, dans ses moindres détails, la manière de pratiquer ce mode de cathétérisme. — Civiale et Leroy (d'Étiolles) inventaient à grand'peine des pinces informes et inapplicables sur le vivant pour saisir les calculs dans la vessie, tandis qu'en ouvrant les ouvrages de Ferri, Franco, André de la Croix, Thomassin, F. de Hilden, Halles, Hunter, ils eussent trouvé le modèle de pince qu'on a été obligé d'adopter un peu plus tard.

Cette pince, dite pince à trois branches, sur laquelle on fondait alors tout l'avenir de la lithotritie, a été revendiquée par Civiale et Leroy (d'Étiolles) ; elle a été l'objet d'une polémique ardente à laquelle plusieurs membres éminents de l'Institut ont été mêlés. Aussi suis-je dans la nécessité d'en parler avec quelques détails.

Le premier travail de Civiale sur l'affection calculeuse date de 1823 ; il a pour titre : *Nouvelles considérations sur la rétention d'urine*. L'auteur y donne la description, avec figures, d'une pince composée de deux cylindres métalliques creux et s'emboîtant. Le plus petit porte à son extrémité vésicale quatre branches ou plus. Chacune d'elles est fixée au cylindre par une charnière et formée de deux petites tiges métalliques, articulées entre elles de la même façon. Elles n'ont, dans toute leur longueur, ni la même forme, ni la même direction. — Il est facile de voir que ces branches reliées par des charnières manquaient presque entièrement d'élasticité. — Aussi Civiale ajoute-t-il : « Le stylet constitue une partie fort essentielle dans notre lithotriptique. Il a deux objets principaux à remplir : aider l'élasticité des branches pour en opérer l'écartement et attaquer le calcul quand on est parvenu à le saisir... De son mode d'action sur les branches, en le tirant à soi, résulte à volonté l'écartement qu'on désire. » (Pages 149 et suiv.)

Treize ans plus tard (*Parallèle des divers moyens de traiter les calculeux*, 1836), Civiale, oubliant la date de son premier ouvrage, écrit qu'en 1820, il ne donna plus que trois branches à sa pince au lieu de quatre (p. 36); qu'il recourba l'extrémité des branches en forme de crochet (p. 37). Il omet, ajoute-t-il, quelques détails sur la forme et la disposition des branches, sur l'appareil extérieur destiné tant à mouvoir les diverses parties de l'instrument qu'à faire agir le perforateur et empêcher l'écoulement du liquide pendant l'opération, enfin sur la substitution de l'archet à la manivelle à rouage... (p. 41). — Il omet ces détails pour ne point parler des articulations à charnières dont il avait sans doute compris le vice, du stylet dont la tête servait à écarter les branches, de l'action de la main pour enfoncer le stylet dans le calcul, et qu'il avait déclarée meilleure que la manœuvre avec un archet. (*Nouv. considér. sur la rétent. d'urine*, p. 159.)

Et cependant il ne craint pas de dire : « *Tel était, en 1823, l'appareil instrumental à l'exécution duquel près de cinq années avaient été consacrées.* — Il suffit de jeter un coup d'œil sur les ouvrages que je viens de citer et de comparer les dates pour voir quelle foi on doit accorder à de telles assertions. Sans contredit c'est une tâche pénible d'avoir à signaler de pareils faits, mais c'est aussi un devoir.

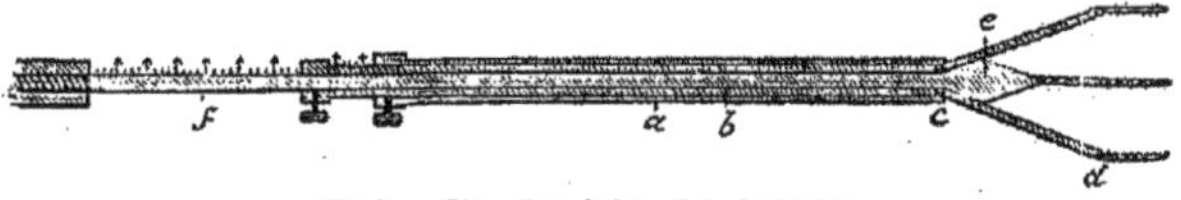

Fig. 2. — Pince à trois branches de Civiale.

a. Première canule extérieure.
b. Seconde canule intérieure portant trois branches à son extrémité vésicale.
c. Charnière articulant les branches sur la canule.
d. Charnière articulant les sections des branches.
e. Stylet en fer de lance.
f. Corps du stylet.

Leroy (d'Étiolles) imagina, à la même époque, 1821 et 1822, son *lithoprione*, instrument composé de deux tubes emboîtés et laissant entre eux un intervalle d'une demi-ligne séparé en quatre coulisses pour le glissement d'autant de ressorts de montre qui sont fixés à un bouton mobile formant l'extrémité du second tube, comme le bouton de la sonde de Bellocq. Quand on chasse en avant le second tube, les ressorts se développent par leur élasticité naturelle et forment une cage destinée à renfermer le calcul; mais l'intervalle qui existe entre eux ne permettant pas le passage de la pierre, un des ressorts est mobile et peut être plus développé que les autres pour augmenter cet intervalle.

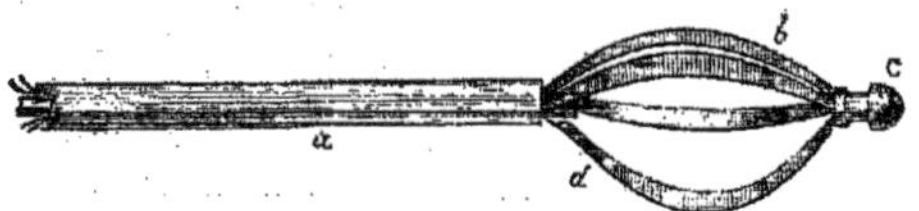

Fig. 3. — Instruments de Leroy (d'Étiolles) père.

a. Canule extérieure ou gaine renfermant une seconde canule.
b. Ressorts de montre terminant l'extrémité de la canule intérieure.
c. Bouton sur lequel sont fixés les ressorts.
d. Ressort mobile dont on peut augmenter la courbure à volonté.

Cet instrument très-imparfait ne valait pas la pince de Civiale. Leroy le reconnut lui-même, et, dans un mémoire qu'il présenta à l'Académie de chirurgie, le 15 avril 1823, il s'exprime ainsi : « Des expériences sur le cadavre ont démontré que l'on peut, avec cet appareil, saisir une pierre, la perforer à plusieurs reprises et la mettre en morceaux... Des craintes ont été élevées sur la solidité des ressorts de montre, et ces craintes n'étaient pas sans fondement. De plus, leur vacillation pouvait faire appréhender que la couronne de trépan dépassât la pierre et, ne rencontrant pas le bouton, blessât la vessie. Je reconnus sans difficulté la justesse de ces reproches et je cherchai dans l'arsenal de la chirurgie si quelque instrument pourrait me fournir les idées et les moyens de parer à ces inconvénients; je reconnus bientôt que je m'étais donné beaucoup de peine pour trouver ce que j'avais pour ainsi dire sous la main. En effet, le tire-balle d'Alphonse Ferri me fournissait un moyen simple et solide de saisir la pierre; et pour faire arriver jusqu'à elle le perforateur il suffisait de transformer en une canule creuse la tige qui, dans le tire-balle, porte les branches. C'est ce que j'ai fait, et voici le nouveau *lithoprione* que j'ai obtenu. »

Ce passage, que j'ai cité textuellement, ne peut laisser aucun doute : Leroy, comme il le dit lui-même, n'a pas inventé la pince à trois branches, qui était connue depuis longtemps; mais il a eu le mérite, en la modifiant, de la faire servir à la pratique de la lithotritie. — Civiale fut le premier qui ait appliqué cet instrument sur le vivant; là doivent se borner ses prétentions[1].

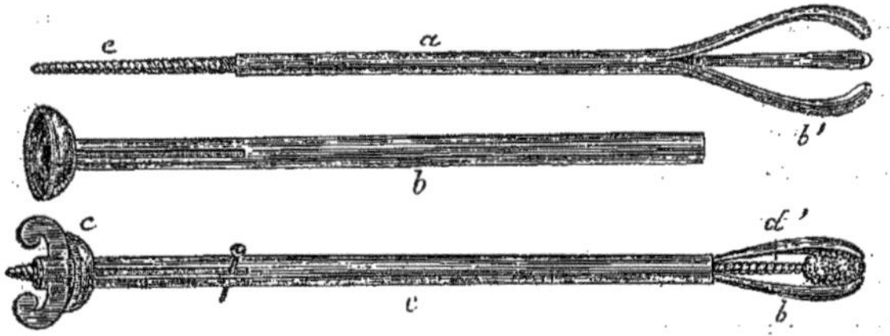

Fig. 4. — Instruments de Fabrice de Hilden pour briser les calculs de l'urèthre.

a. Pince à trois branches.
b. Canule servant de gaîne à la pince.
c. Instrument complété par un tire-fond avec écrou destiné à briser le calcul saisi dans la pince.

A dater de ce moment, la lithotritie fut acceptée comme une opération capable de rendre, dans l'avenir, de véritables services; mais pour la substituer à la taille et pour obtenir des résultats heureux et incontestables, il restait beaucoup à faire. Il ne suffisait pas d'être parvenu à saisir la pierre solidement, il fallait encore trouver le meilleur moyen de la détruire et de la retirer de la vessie. C'est sur ce point que se concentrèrent les efforts de tous ceux qui s'occupaient de ce sujet. Pendant quelques années on imagina une foule d'instruments dont la plupart sont tombés dans l'oubli, et beaucoup de procédés que je réunirai sous trois chefs : 1° la *perforation* et l'*éclatement*; 2° l'*évidement excentrique*; 3° la *destruction concentrique*.

1° *Perforation*. — *Éclatement*. Je décrirai ce procédé avec quelques détails, parce qu'il a été employé pendant plus de dix ans, constituant à lui seul presque toute la lithotritie.

L'appareil nécessaire pour pratiquer la perforation se compose 1° d'une pince à trois branches; 2° d'un perforateur; 3° d'un tour en l'air avec son archet et de quelques autres instruments accessoires.

a. La *pince à trois branches* est formée de plusieurs pièces : c'est d'abord une canule extérieure ou gaîne; elle est très-mince, longue de 30 à 33 centimètres, avec un calibre de 7 à 8 millimètres. A son extrémité vésicale, elle est garnie d'un cercle d'acier qui se confond avec ses parois dont elle augmente la solidité. A son talon existe un renflement carré avec des languettes, qui doit être reçu dans la lunette du tour, et une boîte à cuir servant à empêcher le liquide contenu dans la vessie de s'écouler au dehors pendant l'opération. C'est ensuite une seconde canule en acier, moins grosse que la première, dans laquelle elle doit entrer, et plus longue de 8 à 9 centimètres. Elle se termine en avant par trois branches très-

[1] M. Charrière, qui a fabriqué la plupart des instruments imaginés à cette époque, m'a assuré que Civiale se servit, pour opérer sur le vivant, d'une autre pince que celle représentée dans son livre; qu'il incline à croire ses droits mieux fondés que ceux de Leroy (d'Étiolles); et enfin que la décision de l'Institut en faveur de ce dernier doit être attribuée à l'influence de Dupuytren qui avait eu à se plaindre de Civiale...

Je me crois obligé de rapporter ici ce témoignage désintéressé tant je suis désireux de rendre à chacun ce qui lui appartient. Mais il est facile de comprendre qu'on ne peut faire l'histoire de l'art que d'après des documents écrits.

élastiques qui s'écartent fortement les unes des autres quand elles ne sont point renfermées dans la première canule. Ces branches sont légèrement excavées en dedans, crochues à leur extrémité pour mieux embrasser le calcul. Comme cette dernière disposition les aurait empêchées de se rapprocher, on leur a donné une longueur un peu inégale afin que les crochets chevauchent les uns sur les autres. Le talon de la canule porte un pas de vis et est reçu dans une rondelle servant de poignée. Il est aussi garni d'une boîte à cuir.

b. Le *perforateur* est une tige d'acier, ronde, de 5 centimètres; il est plus long que la seconde canule, dans laquelle il doit entrer aisément. Sa tête est armée de dents et creusée sur les côtés de rainures destinées à recevoir les branches de la pince qui, de cette façon, n'augmentent pas de volume par leur rapprochement. Son talon se termine en pointe. On y adapte, à l'aide d'un tourne-vis ou d'une clef, un cuivrot ou poulie brisée destinée à limiter sa course dans la canule, et permettant de lui imprimer des mouvements de rotation.

c. *Tour en l'air*. Cette pièce de l'appareil ne présente rien de particulier; c'est le tour dont se servent les horlogers, avec quelques légères modifications. Il en est de même de l'archet.

Outre ces instruments principaux, il est important d'en avoir d'autres, tels qu'une pince de Hunter, plusieurs perforateurs de volume et de forme divers pour les cas où surviendrait quelque accident pendant la manœuvre.

Manuel opératoire. Le malade est placé sur un lit dans le décubitus dorsal. Sa tête doit être soutenue par un traversin, son bassin un peu élevé au moyen d'un coussin enveloppé d'un drap, et ses cuisses légèrement fléchies.

Le chirurgien, placé à la droite du malade, commence par introduire une sonde dans la vessie et y pratique une injection d'eau tiède simple ou mucilagineuse, afin de pouvoir manœuvrer facilement dans la cavité de cet organe. Cela fait, il arme le lithotriteur de la façon suivante : « Pour réunir les différentes pièces, dit Civiale, après avoir enduit le litholabe d'un corps gras, on le glisse dans la gaîne, puis on place sa rondelle; ensuite on introduit le perforateur, sur l'extrémité pointue duquel on fixe la poulie, de telle sorte que la tête du foret ne dépasse point l'extrémité des branches de la pince; on s'assure que les boîtes à cuir embrassent exactement le litholabe et le perforateur sans rendre le jeu de l'instrument difficile; on fait rentrer la pince dans la gaine jusqu'à ce que les branches du litholabe soient logées dans les entailles latérales du perforateur; enfin avec un mélange de cire et d'huile on couvre les inégalités qui résultent du rapprochement des branches. L'instrument étant ainsi monté, on l'introduit dans la vessie, on charge la pierre, on l'écrase, ou, si l'on ne peut y parvenir, on adapte la partie carrée de l'instrument au tour en l'air portant une contre-poupée ou lunette qui sert de moyen d'union, et une poupée ou pièce mobile à laquelle est adaptée une boîte à pompe dont le ressort en spirale a pour usage de pousser le perforateur contre la pierre à mesure qu'il est mis en mouvement par l'archet. » (*Parall. des divers moyens de traiter les calculeux*, p. 57.)

L'introduction de l'instrument dans la vessie est assez facile quand l'urèthre a été suffisamment dilaté. Le chirurgien saisissant la verge avec la main gauche, comme dans le cathétérisme ordinaire, la soutient dans une direction perpendiculaire au tronc. Avec la main droite il introduit le lithotriteur dans l'urèthre et le laisse pour ainsi dire descendre de lui-même jusqu'au-devant de l'aponévrose moyenne. Alors, il abaisse doucement l'instrument entre les cuisses, en même temps qu'il l'enfonce dans le canal et, par ce double mouvement, qui est d'autant plus prononcé que la partie profonde de l'urèthre est plus courbe, il le fait pénétrer dans la vessie.

La manœuvre nécessaire pour saisir le calcul est très-différente suivant qu'il est plus ou moins volumineux. S'il est assez gros, l'extrémité de l'instrument le rencontre facilement et va butter contre lui. Le chirurgien ne doit pas enfoncer le lithotriteur plus profondément. Il desserre la vis qui réunit les deux canules et tire la plus extérieure en arrière, en même temps que le perforateur. De cette façon il dégage les branches de la seconde canule qui s'écartent et forment une sorte d'entonnoir dans lequel le calcul vient se loger de lui-même. On peut encore favoriser son entrée dans la pince en poussant celle-ci vers le bas-fond de la vessie quand ses branches sont suffisamment développées. On achève de saisir fortement la pierre en chassant la gaîne sur la seconde canule, dont les branches sont ainsi rapprochées; alors on serre la vis qui, placée sur le talon de l'instrument, réunit fortement les deux canules.

Reste à pratiquer la perforation. Pour cela on enfonce le foret jusque sur la pierre; on le fixe au tour en l'air, qu'un aide est chargé de tenir solidement, et, avec l'archet, on lui imprime un mouvement de rotation qui doit être continué jusqu'à ce que sa course soit arrêtée par le point d'arrêt marqué d'avance. Puis le chirurgien ramène le perforateur en arrière, desserre la vis qui réunit les deux canules, retire un peu la première pour relâcher les branches de la seconde. Par un léger mouvement il cherche à changer le calcul de place et recommence la manœuvre que je viens de décrire, pour le perforer sur un autre point. Il arrive ainsi à le cribler de trous, de manière qu'une pression un peu forte de la pince suffit pour le briser en fragments assez nombreux.

L'opération n'est point terminée. La poussière produite par le perforateur et les petits morceaux sont entraînés en dehors par les urines. Quant aux fragments plus gros, il faut aller les saisir et les écraser avec la pince s'ils sont peu résistants, ou les broyer avec le perforateur comme on l'a fait pour le calcul lorsqu'il était entier.

Si le calcul est petit, on le rencontre rarement avec l'extrémité de l'instrument, et il faut quelquefois des recherches prolongées pour le saisir. Dans ce cas, après avoir développé les branches de la pince, on les promène lentement dans le bas-fond de la vessie, afin que le calcul s'engage dans leur intervalle, et, lorsqu'on croit qu'il s'y est engagé, on les resserre doucement. Quand on a réussi à le prendre, on le perfore comme je viens de le dire.

Il est facile de voir par ce seul exposé que la lithotritie par perforation est une opération des plus laborieuses; encore n'est-elle pas toujours aussi simple que je l'ai décrite. Tantôt le calcul plat s'engage dans les intervalles qui séparent les branches de la pince, et il est très-difficile de l'en dégager; tantôt, après l'avoir attaqué, on ne peut le changer de position, et le perforateur tombe constamment dans les premiers trous qu'on a pratiqués; d'autres fois le calcul est dur, et sa perforation exige beaucoup de temps. Il faut bien le dire, ces manœuvres longues et répétées ne sont pas sans inconvénients sérieux.

2° *Évidement excentrique*. Pour éviter un des principaux inconvénients que je viens de signaler, l'étroitesse des trous produits par le perforateur, et, comme conséquence, la multiplicité des séances, on a imaginé l'évidement. On a donné ce nom à un procédé par lequel on cherche à creuser le calcul et à en faire une sorte de coque qu'il serait facile de briser par la seule action des branches de la pince. Pour obtenir ce résultat, Civiale avait donné une légère courbure à la tige du perforateur, tout près de la tête. Leroy avait fait confectionner plusieurs forets connus sous le nom de *forets à développement*. L'un d'eux était formé de deux parties réunies par une canule; le calcul perforé, il suffisait de retirer la canule pour que ces deux parties s'écartassent l'une de l'autre par leur élasticité et élargissent de plus en plus le trou déjà creusé. Dans un autre, les deux moitiés de la tête du forêt s'écartent par l'introduction entre elles d'une pièce moyenne agissant à la manière d'un coin. Plusieurs forets articulés ont encore été proposés par Amussat, Heurteloup, Greiling, Charrière, etc.; mais ils ont tous l'inconvénient d'avoir une solidité beaucoup moins grande que les forets simples, et sont par conséquent très-sujets à se briser.

3° *Destruction concentrique*. Je me bornerai à mentionner ce procédé imaginé dans le but d'éviter le morcellement de la pierre. Il consiste à attaquer le calcul par sa surface et à l'user peu à peu, jusqu'à ce qu'il n'en reste qu'un noyau qu'il serait possible d'écraser. Les instruments, ingénieux du reste, proposés par Tanchou, Meyrieux, Récamier, etc., sont oubliés; il serait même difficile d'en retrouver les modèles.

C. *Période pratique*. Si la lithotritie n'avait eu à son service que les procédés dont il vient d'être question, elle serait restée une opération exceptionnelle et utile seulement dans quelques cas simples. Le plus souvent, et surtout dans les cas compliqués, la taille aurait conservé toute sa supériorité.

Mais, en 1832, Heurteloup commença la publication de plusieurs mémoires, qui présentèrent la lithotritie sous une face toute nouvelle : il avait trouvé la lithotritie par *percussion* et par *écrasement*.

Sans doute, quelques tentatives dans ce genre avaient déjà été faites, mais sans grand succès. Comme je l'ai déjà dit, il arrivait souvent, après la lithotritie par perforation, d'achever l'opération, en écrasant avec la pince à trois branches les petits fragments restés dans la vessie. Amussat avait imaginé une forte pince à deux branches, qui, par un mouvement de va-et-vient, pouvait briser des pierres de petit volume, par une double action d'usure et de pression. Rigal avait modifié cet instrument, en le faisant agir au moyen d'une vis de rappel, pour éviter le mouvement de va-et-vient. Colombat, pour le rendre plus facile à manier, y avait ajouté des volants, et avait fixé une petite chaîne à l'extrémité de ses mors, afin de les ramener au dehors sans danger, dans les cas où ils se seraient brisés. Velpeau raconte qu'un habile coutelier, sir Henry, avait fabriqué une pince à trois branches sans crochets, mais garnie de dents, et pourvue d'une telle force, qu'elle pouvait briser les pierres les plus dures. Enfin, Heurteloup lui-même avait donné, sous le nom de *brise-coque*, une pince dont les mors frottent l'un sur l'autre avec un encliquetage qui permet de les faire rentrer dans une gaîne avec une telle force, qu'ils font voler en éclats les calculs les plus résistants. Tous ces instruments n'étaient guère employés. Le volume qu'on était obligé de leur donner pour en augmenter la puissance et en prévenir la rupture, rendait difficile leur introduction dans la vessie; leur forme droite était un obstacle sérieux à la recherche du calcul; quelques autres défauts secondaires, tels que la difficulté de garder le calcul entre les mors de la pince et la rupture possible des branches, justifient encore l'oubli complet dans lequel ils étaient tombés.

Une seule exception doit être faite en faveur du brise-pierre articulé de Jacobson, présenté à l'Académie des sciences en 1830. Cet instrument a la forme et le volume d'une grosse sonde. Il est composé d'une canule ou gaîne en argent et d'une tige d'acier. Celle-ci est divisée dans toute sa longueur en deux lames qui sont rattachées, à leur extrémité vésicale, par une charnière à goupille. Cette sorte d'articulation forme le bec de l'instrument. La lame antérieure fixe est d'une seule pièce, et s'étend jusqu'au talon de la canule, où elle est arrêtée par un renflement. La postérieure mobile dépasse beaucoup le talon de la canule; dans cette partie, elle est cylindrique, creusée d'un pas de vis pourvu d'un écrou ailé, et présente une échelle graduée; son extrémité vésicale est brisée en deux pièces articulées, au moyen de deux fortes charnières. Quand cette lame posté-

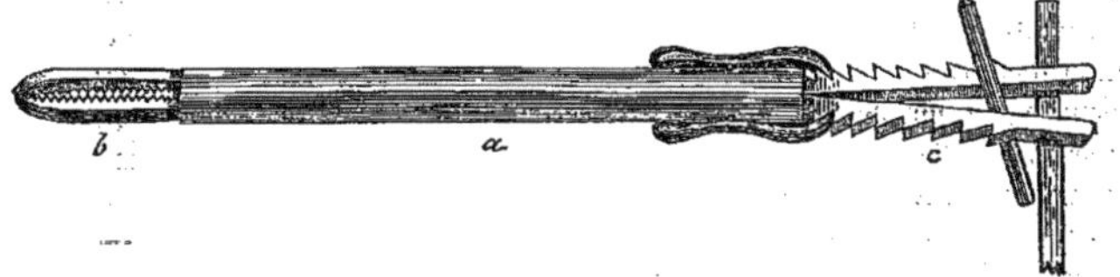

Fig. 5. — Pince d'Amussat.

a. Canule.
b. Mors de la pince dentelés et très-solides.
c. Encliquetage destiné à imprimer aux mors un mouvement de va-et-vient.

rieure est appliquée sur l'extérieure, l'instrument est fermé et présente la forme d'une sonde à petite courbure. C'est dans cet état qu'on l'introduit dans la vessie, et on l'incline de divers côtés pour rechercher le calcul. Quand on l'a trouvé, on pousse en avant la lame mobile dont la portion articulée se développe et forme une anse qu'on abaisse transversalement dans le bas-fond de la vessie, ou qu'on porte sur les côtés pour embrasser la pierre. On peut s'assurer que le calcul est pris en faisant rentrer dans la canule la lame mobile, car on éprouve de suite une résistance, et au moyen de l'échelle graduée placée sur le talon du lithotriteur, on voit approximativement quel est le volume du corps étranger. Si l'instrument n'a saisi la pierre que par un de ses bords et la laisse échapper, il faut l'ouvrir plus largement et plonger davantage son anse dans le bas-fond de la vessie, en élevant la main. Lorsque la dépression du bas-fond de la vessie est considérable, et qu'il faut aller chercher la pierre derrière le col, le mouvement de rotation de l'anse doit être plus marqué, et ce n'est qu'en lui faisant décrire un demi-cercle qu'on parvient à saisir le calcul. Alors on commence par faire marcher l'écrou ailé sur le pas de vis pour diminuer l'ouverture de l'anse et embrasser la pierre solidement. Par un léger mouvement de rotation on ramène celle-ci dans le milieu de la vessie, et, pour la briser, il suffit de continuer à faire marcher l'écrou en avant. On reprend les fragments de la même façon, et l'opération est terminée.

Le brise-pierre de Jacobson, quoique préférable aux autres instruments du même genre, présentait de notables inconvénients. L'espèce de chaîne, formée par les brisures de la branche mobile, pouvait se rompre quand le calcul était trop résistant, et les deux bouts, plus ou moins faussés, seraient rentrés difficilement dans la canule. Leroy remédia à ce défaut, en modifiant la charnière de la branche fixe. Quand la pierre brisée, formant un épais mastic, s'accumulait dans l'angle des deux branches, celles-ci ne pouvaient être entièrement rapprochées, et l'écrou devenait impuissant à les ramener dans la gaîne. C'est encore Leroy qui para à cet inconvénient, en plaçant à la face interne de la branche fixe une espèce de râteau qui enlève les débris du calcul. Malgré ces perfectionnements, le lithotriteur de Jacobson était encore assez défectueux, car, s'il permettait facilement de prendre une pierre entière, il exigeait des recherches nombreuses pour en saisir les fragments.

Cependant Heurteloup, sortant inopinément de la fausse voie dans laquelle on était engagé depuis des années, et renonçant aux tiges droites qui semblaient indispensables à la plupart des chirurgiens pour pratiquer la lithotritie, imagine une sorte de pince coudée, à branches très-solides, semblable au podomètre dont se servaient les cordonniers. Avec cet instrument il saisit la pierre avec la plus grande facilité, et la réduit en nombreux fragments, à l'aide d'une force appliquée directement sur une des branches de la pince. Mais avec le marteau il peut imprimer des secousses dangereuses pour la vessie, et il invente un lit à plusieurs plans mobiles permettant de varier les positions du malade qui est couché dessus. Il y fixe un étau qu'il immobilise à volonté; quand il a saisi la pierre, il fixe, à son tour, le lithotriteur dans l'étau, et il peut alors frapper sur son talon avec force, sans imprimer aux organes le moindre ébranlement. — De ce moment, la lithotritie, la véritable lithotritie pratique, était trouvée.

On a dit, depuis, que cet instrument n'était pas nouveau, qu'il avait été vu entre les mains d'un médecin de Vienne; qu'il se trouvait dessiné dans le catalogue d'un fabricant d'instruments de Londres. Je ne sais ce qu'il y a de vrai dans ces assertions. Mais ce qu'on oublie de dire, c'est l'objet précis pour lequel l'instrument avait été fabriqué. Leroy s'est montré beaucoup plus juste envers Heurteloup, et je l'en félicite. Car on éprouve un sentiment pénible à voir con-

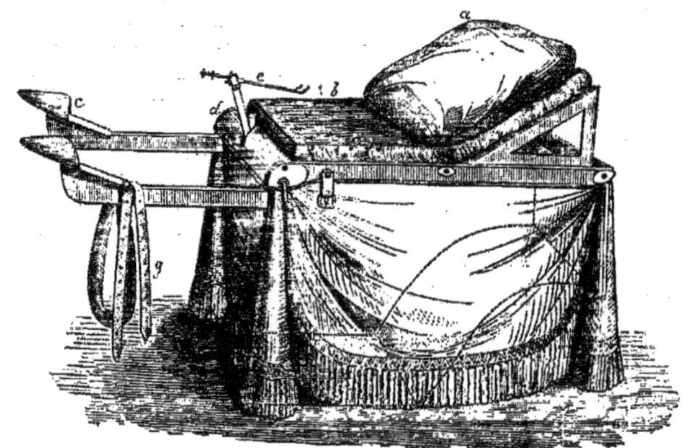

Fig. 6. — Lit rectangle d'Heurteloup.

a. Oreiller reposant sur un plan oblique.
b. Plan mobile sur lequel le bassin repose.
c. Sandales pour les pieds du malade.
d. Support transversal de l'étau.
e. Lithotriteur placé dans l'étau.
g. Courroies pour fixer le malade.

tester, sans preuve, son invention à un homme qui a rendu à la chirurgie un si grand service. Voici le procédé auquel Heurteloup a donné pour titre : *Lithotritie par percussion* pratiquée avec un *percuteur courbe à marteau*.

« Le percuteur est extrêmement simple, et ressemble beaucoup à un cathéter. Il est en acier, composé de deux pièces, dont l'une, dite branche femelle, est creusée d'une gouttière en forme de queue d'aronde destinée à recevoir l'autre branche, dite branche mâle. Son extrémité vésicale recourbée présente deux mors garnis de dents. La branche femelle porte vers son talon un renflement carré destiné à être placé dans un étau; la branche mâle est garnie à son talon de deux rondelles.

« Le lit rectangle, ou plutôt l'appareil par lequel il a été remplacé, se compose de deux plans inclinés : l'un, horizontal, sur lequel on place le bassin du malade, et l'autre, incliné à 45°, sur lequel son dos repose. Les pieds sont supportés par deux sandales qui se rapprochent ou s'éloignent à volonté, suivant que le malade se trouve avoir les muscles de l'abdomen, des cuisses et des jambes dans le relâchement le plus complet... Ces deux plans peuvent s'élever ou s'abaisser alternativement, car ils sont mobiles sur deux tourillons placés au point d'intersection, et qui, fixes, commandent à ces plans un mouvement toujours uniforme. Le plan sur lequel repose le bassin du malade trouve un point d'appui fixe quand il arrive à la position horizontale; celui sur lequel repose le dos trouve aussi un point d'appui, mais seulement quand il arrive à faire avec la ligne horizontale un angle égal à celui que fait avec la même ligne le plan sur lequel repose le bassin.

« Le point d'appui qui sert à asseoir le plan qui correspond au dos du malade n'est pas solide comme celui qui correspond au bassin; au contraire, il est rendu élastique au moyen de deux ressorts droits, qui permettent de donner à l'appareil des secousses légères, qui se communiquent aux pierres que contient la vessie. Ces deux plans sont calculés de manière qu'ils se balancent mutuellement avec une très-petite force; le malade opéré, lorsqu'il est en position, est aussi balancé avec la plus grande facilité. » (Heurteloup, *De la lithotritie sans fragments*, p. 106. 1846.)

Fig. 7. — Pièces du lit rectangle propres à fixer le lithotriteur.

a. Montant de l'étau.
b. Vis destinée à fixer le lithotriteur dans l'étau.
c. Coin fixant l'étau sur son support.
d. Le même coin sorti du support de l'étau.
e. Partie supérieure de l'étau avec la vis.
f. Lithotriteur placé dans l'étau.

A l'extrémité du plan sur lequel repose le bassin, se trouve un étau, qui est fixé à volonté dans la position qu'on juge convenable, et c'est dans cet étau que le percuteur, enchâssé par son talon carré, se trouve immobilisé. Quand la pierre a été placée entre les mors du percuteur, il suffit de quelques coups de marteau, appliqués sur le talon de l'instrument, pour la briser.

Plus tard, Heurteloup imagina un autre instrument, destiné à extraire les morceaux de calcul de la vessie, et lui a donné le nom de *percuteur à cuillers*. « En place des aspérités, dit-il, dont était armé l'intérieur des branches de mon percuteur, j'ai fait pratiquer des excavations dans toute la longueur et dans toute la largeur des plans. Ces excavations donnent aux deux branches la forme de deux cuillers, dont les creux, marchant l'un vers l'autre, tendent à emprisonner une quantité de pierre proportionnelle à leur capacité. Si la pierre ou les pierres sont très-petites, elles se trouvent emprisonnées sans être brisées; si elles sont plus volumineuses, une portion est retenue entre les cuillers, et l'autre portion s'échappe. Si on rapproche ces deux cuillers après avoir saisi un fragment de pierre volumineux, au moyen d'une pression morte, telle que celle que produit une vis tournant dans un écrou, elles ne peuvent se fermer, quelle que soit la force employée. Si la force est trop grande, elles s'écartent, se faussent ou se brisent; si, au contraire, on les rapproche au moyen d'une force *vive* et *alternative*, comme celle que fournit un marteau, on voit les cuillers se rapprocher avec un mouvement progressif en proportion de rapidité avec la force employée. Le trop-plein s'évacue par petits jets de poudre si la pierre est sèche, et sous la forme d'une pâte fine et liquide quand la pierre est humide. Après quelques moments d'une percussion faite à coups pressés, mais puissants, les bords des cuillers s'affrontent en coupant les fragments qui les dépassent, et l'instrument, plein de pierre et fermé, présente exactement le même volume, la même forme, le même poli qu'avant de l'avoir mis en usage. » (Heurteloup, *De la lithotritie*, etc., p. 99.)

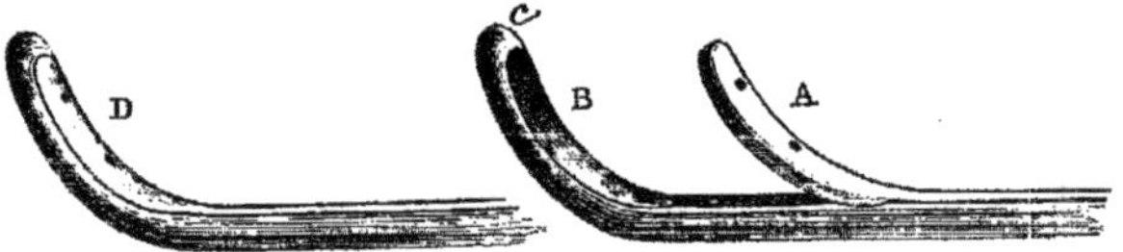

Fig. 8. — Lithotriteur à cuillers d'Heurteloup.

A. Lithotriteur ouvert. — Branche mâle.
B. Branche femelle en forme de cuiller.
C. Extrémité arrondie.
D. Lithotriteur fermé.

Le brise-pierre d'Heurteloup était primitivement composé de trois pièces. Modifié ou plutôt perfectionné très-habilement par M. Charrière, il présentait des avantages si évidents, qu'il se trouva accepté immédiatement. Il n'en fut pas de même du lit rectangle, qui était coûteux, embarrassant et d'un maniement difficile. On tenta de le remplacer par des supports de toute sorte. Celui d'Amussat, remarquable par sa simplicité, est formé d'une sphère métallique de la grosseur d'une bille de billard, s'ouvrant en deux parties pour s'adapter à la portion carrée du lithotriteur, et muni de trois branches que devaient soutenir des aides. Un autre de Leroy est composé de deux pièces de fer qui ressemblent à l'outil au moyen duquel les tonneliers écartent les douves d'un tonneau pour en placer le fond. Le brise-pierre est reçu dans une rainure qui règne dans une portion de la longue branche, laquelle s'engage sous une planche carrée qu'on place sous le siége du malade. On a imaginé d'autres supports qui ont été bientôt délaissés. On croyait remplacer avec ces instruments le lit d'Heurteloup, tandis que leur mode d'action était entièrement différent. Ils avaient les inconvénients du point fixe sans en avoir les avantages. Le seul support dont on se sert encore quelquefois est celui d'Amussat.

Les calculs durs n'étant pas très-communs, et beaucoup de petites pierres pouvant être écrasées par la seule action de la main sur l'instrument, on songea bien vite à remplacer, par une pression puissante, la percussion dont l'exécution avait toujours quelque chose d'effrayant pour les malades et même pour les chirurgiens.

M. Touzai est le premier qui, en 1832, fit fabriquer par M. Greiling un appareil à pression, qui consistait dans un écrou s'adaptant par deux prolongements sur le pavillon de la pièce fixe du brise-pierre à coulisse, et dépassant l'extrémité de la branche mobile sur laquelle agit, par une pression directe, une vis munie d'une poignée. Heurteloup prétend avoir imaginé, en 1831, une compression semblable, mais il ne l'a publié qu'en 1833. Du reste, l'écrasement de la pierre par compression était connu ; peu importait l'instrument avec lequel on devait le pratiquer, à moins que cet instrument n'apportât dans l'exécution de l'opération un véritable avantage. Aussi ne tiendrai-je aucun compte des divers compresseurs qui ont été proposés à cette époque, et ne parlerai-je que du brise-pierre à pignon et de l'écrou brisé, que l'on doit l'un et l'autre à notre habile fabricant d'instruments, M. Charrière.

Dans le premier de ces instruments, une crémaillère creusée sur la face supérieure de la branche mobile, un anneau fixé sur l'extrémité de la branche fixe,

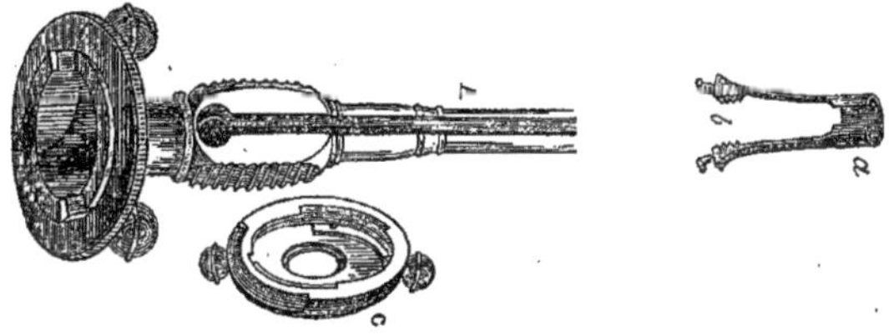

Fig. 9. — Écrou brisé de M. Charrière.

A. Talon de la tige femelle avec rondelle fixe.
C. Rondelle mobile complétant la boîte où se trouve renfermé l'écrou brisé.
a. Partie annulaire de l'écrou brisé.
b. Les deux moitiés de l'écrou écartées.

interrompu au niveau de la crémaillère et destiné à laisser passer une clef à pignon, constituent l'appareil à pression. La branche mâle est indépendante, et avec la main on peut la faire mouvoir à volonté pour aller à la recherche du calcul. Quand celui-ci est saisi, on maintient immobiles les branches avec la main gauche ; avec la droite, on introduit la clef à pignon dans l'anneau pour l'engrener sur la crémaillère ; et, en lui imprimant un mouvement de rotation, on rapproche avec une grande force les mors du brise-pierre.

La pression qu'on obtient avec le pignon est moins puissante qu'avec une vis et un écrou. Mais l'écrou avait l'inconvénient d'enlever à la branche mâle la mobilité nécessaire pour saisir le calcul dès qu'on l'avait rencontré. On a corrigé ce défaut au moyen de l'écrou brisé, dû à M. Charrière, qui a rendu, par ce perfectionnement, un véritable service à la lithotritie. Un écrou est ordinairement formé d'une seule pièce; il l'a séparé en deux moitiés qui, étant supportées par des lames élastiques, tendent à s'écarter l'une de l'autre. Quand elles sont libres, elles s'éloignent de la vis de la tige mâle du lithotriteur, et celle-ci peut alors glisser facilement dans la tige femelle. Mais, à l'aide d'un mécanisme fort simple, il est facile de rapprocher les deux moitiés de l'écrou, et de les appliquer sur la vis de la tige mâle du brise-pierre qui ne peut plus avancer ou reculer que si on imprime un mouvement de rotation à la vis placée sur son talon.

Ce changement, dans l'éloignement ou le rapprochement des deux parties de l'écrou, s'opérait en tournant à droite ou à gauche une rondelle mobile qui, adaptée à une autre rondelle fixe de la tige femelle, formait une sorte de boîte. MM. Robert et Collin ont substitué à la rondelle mobile une sorte de petit levier en forme d'anneau, qu'il suffit d'abaisser ou de relever pour réunir ou écarter les pièces de l'écrou. M. Tompson rend l'écrou mobile au moyen d'un bouton qu'on pousse ou qu'on retire en arrière à volonté. Mais le principe de l'écrou brisé reste le même; le mécanisme de la manœuvre est seulement un peu plus simple.

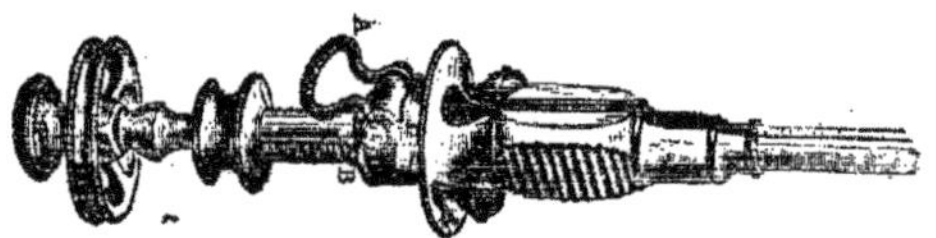

Fig. 10. — Écrou brisé, de MM. Robert et Collin.

A. Anneau en forme de levier, pour rapprocher ou écarter les deux moitiés de l'écrou brisé. | B. Vis de la branche mâle du lithotriteur.

Les mors du lithotriteur ont également subi de nombreux changements. Leur volume varie généralement avec celui du corps du lithotriteur. J'ai déjà parlé des mors dentelés et des doubles cuillers imaginés par Heurteloup. On a proposé de remplacer son premier instrument, destiné à broyer les calculs par un *brise-pierre à cisaille*. Ici la cuiller est remplacée par deux lames plates latéralement et garnies de dents très-fines sur leurs bords du côté de leur concavité. Elles laissent entre elles une large fenêtre destinée à recevoir l'extrémité de la branche mâle. Celle-ci est pourvue sur sa convexité de dents taillées en biseau. Quand l'instrument est fermé, les dents des deux mors sont cachées, et ne peuvent léser les parois de l'urèthre. Ce lithotriteur jouit d'une grande puissance, et on peut se servir de l'écrou avec force et même du marteau sans trop risquer de le briser. Heurteloup l'a vivement critiqué, mais sa critique est exagérée.

Civiale se servait très-souvent d'un brise-pierre dont les mors étaient courts et larges. Il voulait que la cuiller fût presque plate avec des rebords très-peu prononcés, et que le mors de la branche mâle fût assez étroit pour laisser un intervalle, une sorte de rigole sur son pourtour entre lui et les bords de la cuiller. Cette disposition avait pour but de chasser, autant que possible en dehors de l'instrument, les débris écrasés de la pierre.

Le nombre et la grandeur des trous dont quelques chirurgiens ont voulu que la cuiller du lithotriteur fût percée sont très-variables. Ces sortes de fenêtres sont ordinairement longitudinales et quelquefois arrondies; elles correspondent à des saillies, le plus souvent taillées en biseau, qui existent sur la partie convexe du mors de la branche mâle. MM. Robert et Collin ont fabriqué un brise-pierre dont la cuiller a six ouvertures, assez ingénieusement disposées pour diminuer très-peu sa solidité. Le mors de la branche mâle présente autant de dents saillantes taillées en coin, de manière à chasser les morceaux de pierre par les ouvertures, et prévenir l'engouement de la cuiller.

Je n'en finirais point s'il fallait décrire toutes les innovations qui ont été proposées, et je me suis borné à citer les plus importantes. J'aurai, du reste, à revenir sur ce sujet, à propos des accidents de la lithotritie.

La lithotritie est toujours une opération sérieuse; dans certains cas, elle est même aussi grave que la taille. Si on a vu quelquefois la simple introduction d'une sonde ou d'une bougie dans l'urèthre déterminer des accidents mortels, à plus forte raison faut-il se mettre en garde contre ces tristes résultats et ne négliger aucune précaution quand il s'agit d'introduire dans la vessie des instruments volumineux, et d'opérer des manœuvres répétées et souvent longues pour saisir une pierre, la broyer et l'extraire.

Avant tout, le chirurgien devra rechercher si le malade ne présente pas une affection organique qui contre-indique l'opération et s'il a une santé qui lui permette de résister aux accidents qui peuvent se manifester dans le cours du traitement; dans le cas contraire, il lui donnera tous les soins nécessaires pour le mettre dans des conditions meilleures. En même temps, il étudiera l'état des reins, de la vessie, de la prostate et de l'urèthre, car il trouvera, dans cet examen, des notions utiles et presque indispensables. Chacun de ces organes peut se trouver dans des conditions pathologiques qui constituent des complications sérieuses sur lesquelles j'aurai à revenir. Mais supposons, pour l'instant, le cas le plus simple où ils sont à l'état normal, et où l'on a affaire à un calcul de médiocre volume et peu dur; voici comment la lithotritie doit être pratiquée.

Le lit sur lequel le malade sera couché ne doit pas être trop bas, parce que le chirurgien, obligé de se courber, se trouverait dans une position fatigante, et serait moins libre de ses mouvements; il sera plat et assez dur pour que le corps n'y enfonce pas, car alors il est très-difficile de bien se rendre compte de la position du malade. Celui-ci est couché sur le dos, les épaules et la tête soutenues par des oreillers, les cuisses et les jambes à demi fléchies pour relâcher les muscles. Son bassin doit être élevé au moyen d'un coussin épais et solide. Cette position est très-importante en ce qu'elle abaisse le bas-fond de la vessie par rapport au col, et permet au calcul d'y glisser comme sur un plan incliné; elle permet aussi au chirurgien de manœuvrer plus facilement le lithotriteur dont le talon, qu'on est toujours forcé d'abaisser pour pénétrer dans la vessie, ne risque plus de toucher le plan formé par le lit.

Le chirurgien, placé à la droite du lit, saisit la verge du malade au-dessous du gland, entre l'annulaire et le médius de la main droite, tandis qu'avec le pouce et l'index il écarte les lèvres du méat urinaire; avec la main gauche il tient le brise-pierre comme une sonde et l'introduit dans l'urèthre, en suivant les règles du cathétérisme ordinaire. L'instrument, étant assez lourd, descend, pour ainsi dire, de lui-même jusque dans le cul-de-sac du bulbe. Alors on abaisse les deux mains entre les cuisses du malade, en même temps qu'on enfonce doucement le brise-pierre, dont le bec, en se relevant, suit la direction courbe du canal. Ce dernier temps est assez élégant, mais il faut, pour l'exécuter, une assez grande habitude du cathétérisme; autrement, il est préférable de changer l'instrument de main.

Lorsqu'on est arrivé dans la vessie, on embrasse tout le talon du brise-pierre avec les doigts allongés, de manière que son extrémité réponde au creux de la main droite, et on va à la recherche du calcul. Si on le trouve directement en arrière, on saisit la branche femelle sur les côtés avec le pouce et l'index de la main gauche, et tandis qu'on l'enfonce doucement, de façon à déprimer le bas-fond de la vessie, on tire avec la main droite la branche mâle en arrière. Dans beaucoup de cas, il suffit de cette simple manœuvre pour que le calcul vienne se placer de lui-même entre les mors du lithotriteur. Alors on le saisit en poussant la branche mâle avec la paume de la main droite, et avec le pouce et l'indicateur, ou le médius de la même main, on tourne et on ferme l'écrou. Il ne reste plus qu'à faire marcher le pas de vis pour briser la pierre. Ce mouvement doit être exécuté lentement et avec beaucoup de précautions pour ne pas s'exposer à briser l'instrument ou à faire éclater la pierre avec trop de force. Puis on va à la recherche des fragments qu'on brise de la même façon, en ayant toujours soin de ramener le bec du lithotriteur dans le centre de la vessie avant d'en serrer la vis, afin d'éviter de léser les parois vésicales.

Quand le calcul se trouve dans un des côtés de la vessie, on ouvre le brise-pierre dans la mesure qu'on juge convenable, et, par un léger mouvement de rotation, on incline son bec à droite ou à gauche pour engager le corps étranger entre ses mors. Si celui-ci est placé immédiatement en arrière du col vésical et dans une sorte de poche, il suffit de pousser plus loin le mouvement de rotation jusqu'à ce que le bec du lithotriteur soit porté directement en arrière. Une fois qu'on a saisi le calcul, on le ramène dans le centre de la vessie, et on l'écrase comme je viens de le dire.

Cependant la pierre présente quelquefois une dureté telle, qu'il est dangereux ou impossible de l'écraser, et la percussion devient nécessaire. Le principal inconvénient de ce procédé consiste dans l'ébranlement qu'on imprime à la vessie et surtout à la prostate. C'est alors qu'on comprend bien l'utilité du lit imaginé par Heurteloup ; car, avec lui, le lithotriteur est rendu tellement immobile, que les malades ressentent à peine l'ébranlement produit par le choc du marteau. Mais il n'est presque aucun chirurgien qui possède ce lit ; et, pourrait-on se le procurer, il serait assez dangereux de s'en servir, à moins d'avoir une grande habitude de la manier. J'en dirai autant du lit modifié par Leroy (d'Étiolles) père.

Le plus souvent on se sert d'un étau à main, dans lequel on fixe solidement la partie carrée que la branche femelle du brise-pierre présente vers son talon. Il est pourvu de trois fortes branches, dont deux, transversales, sont confiées à un aide qui les tient immobiles, en ayant soin de prendre un point d'appui solide sur le lit avec les coudes. Le chirurgien saisit le talon de la branche femelle dans la paume de la main gauche ; et, comme l'écrou n'est point fermé, il tient entre le pouce et l'index, de la même main, la branche mâle pour l'empêcher de reculer ; puis, avec la main droite armée d'un marteau, il frappe de petits coups secs et répétés sur l'extrémité de l'instrument. Il est bien rare qu'on ne vienne pas à bout de briser le calcul par ce moyen.

Il y a loin de cet étau au lit d'Heurteloup. Avec quelque soin qu'il soit maintenu par les aides, il n'offre pas un grand degré de fixité, et en appuyant sur le lit sa branche inférieure, non-seulement on n'a pas un point d'appui bien solide, mais encore on risque de porter l'extrémité de l'instrument contre les parois de la vessie. Quand on a la main assez ferme, il est préférable de s'en servir pour immobiliser le brise-pierre, parce qu'on a mieux conscience de sa position et des déplacements de son bec. Mais il faut, comme je l'ai dit, ne frapper avec le marteau que des petits coups secs, ne produisant qu'un médiocre ébranlement.

Quand la pierre est brisée, ses fragments ne présentent pas une résistance qui ne soit facilement surmontée par la puissance de la vis.

Je reviendrai maintenant sur les différents temps de la manœuvre opératoire, et j'examinerai en même temps les circonstances qui peuvent modifier la conduite à tenir.

A. *Étroitesse de l'urèthre.* Il n'est pas rare de rencontrer un méat urinaire assez petit pour empêcher le passage d'une sonde de volume ordinaire. Dans ces cas, il faut l'ouvrir largement, en pratiquant une incision dans son angle inférieur avec un bistouri boutonné. Cette petite opération est indispensable, et ne présente aucun danger. — D'autres fois, il existe un véritable rétrécissement siégeant sur un point variable du canal, et, avant tout, on doit en avoir raison pour pratiquer la lithotritie avec quelque sécurité. Car il ne suffirait même pas qu'on pût introduire un brise-pierre dans la vessie, il faut encore que la route soit largement ouverte pour le manœuvrer avec facilité, soit en procédant à la recherche du calcul, soit en le retirant lorsque ses mors, écartées par de petits fragments, présentent un plus gros volume. Quant au traitement du rétrécissement, il variera avec l'étroitesse et les autres conditions de structure de celui-ci. On emploiera, suivant les cas, la simple dilatation, la divulsion ou l'uréthrotomie. (*Voy.* URÈTHRE et RÉTRÉCISSEMENTS.) Mais il ne faut pas oublier qu'on aura un grand avantage à agir rapidement, parce que tout retard tend à aggraver l'état de la vessie.

B. *Irritabilité de l'urèthre.* Quelquefois l'urèthre est parfaitement libre, mais il a acquis une sensibilité telle, que l'introduction d'un corps étranger dans sa cavité détermine des contractions douloureuses et violentes, qui deviennent un obstacle sérieux au passage des instruments. Il est indispensable de faire cesser ce spasme que l'on combattra à l'aide des moyens que nous connaissons, tels que les émollients généraux et locaux, les opiacés, des cautérisations légères de la muqueuse, et l'introduction dans le canal de bougies de plus en plus volumineuses, laissées à demeure pendant quelques instants. Quoique dans beaucoup de cas le spasme ait pour principale cause la présence d'une pierre dans la vessie, et que la meilleure manière de le calmer soit l'extraction de ce corps étranger, les moyens que j'ai indiqués sont loin d'être inutiles, et, en les employant avec discernement et patience, on vient presque toujours à bout de rendre le canal assez tolérant pour permettre la lithotritie.

C. *Hypertrophie de la prostate.* Lorsqu'il existe une hypertrophie de la prostate, le chirurgien doit l'avoir reconnue dans les premiers examens qu'il a faits du malade. Si, portant principalement sur la portion la plus reculée de la glande, elle n'a eu pour résultat que de courber brusquement la fin du canal, elle n'apportera pas un grand obstacle au cathétérisme. On n'aura besoin pour franchir le col de la vessie qu'à abaisser assez fortement le talon du brise-pierre. Mais si l'hypertrophie est considérable, et a compris toute la glande, de façon à augmenter notablement la longueur de la portion prostatique de l'urèthre, le cathétérisme devient assez difficile, parce que le bec de l'instrument presse fortement contre la paroi supérieure du canal. Dans ces cas, il ne faut abaisser le talon de l'instrument qu'avec lenteur, et à mesure qu'on le sent cheminer vers la vessie. Quelquefois même il vaut mieux se servir d'un lithotriteur, dont l'extrémité, pliée moins brusquement, suit plus facilement la courbe allongée du canal.

D. *Petitesse de la vessie.* Il est de règle de ne commencer la lithotritie qu'après s'être assuré que la vessie peut contenir assez de liquide pour permettre la manœuvre facile du brise-pierre. Cette quantité varie de 200 à 300 grammes. Quand le malade se trouve dans cette condition favorable, il est inutile de recourir aux injections ; il suffit de lui recommander de boire assez copieusement et de retenir ses urines pendant les deux ou trois heures qui précèdent le moment de l'opération.

Quelques praticiens, au lieu d'essayer de ce moyen très-simple, conseillent de vider la vessie au moment de l'opération et de remplacer l'urine par une quantité égale d'eau. Cette conduite ne me paraît pas rationnelle. Si on n'injecte qu'une quantité de liquide égale à celle de l'urine qu'on a retirée, on n'a rien gagné. De plus, une injection, avec quelque lenteur qu'elle soit pratiquée, produit toujours un certain ébranlement de la vessie et provoquera ses contractions bien plus que l'urine qui s'est amassée lentement dans sa cavité. Si l'on a des raisons de croire que la quantité d'urine n'est pas assez considérable, il vaut encore mieux, au lieu de vider la vessie, y injecter la portion de liquide dont on croit avoir besoin.

Mais chez les calculeux, surtout quand la maladie date de loin, la vessie est ordinairement petite, à cause des envies fréquentes d'uriner que provoque la présence d'un corps étranger sur son col. Quelquefois elle n'a plus que la capacité nécessaire pour contenir le calcul qu'elle coiffe exactement. On comprend combien il est difficile, alors, de développer les branches du lithotriteur assez largement pour saisir le calcul. Cette manœuvre devient même impossible quand les parois vésicales sont, en même temps, hypertrophiées, ce qui n'est pas rare. Le chirurgien devra s'armer de patience, car ce n'est qu'à l'aide de soins assez longs et en combinant avec un grand tact divers moyens, qu'il finira par rendre à la vessie, non sa capacité normale, mais une capacité suffisante pour permettre l'opération.

Dans beaucoup de cas, on a un double obstacle à vaincre ; car la vessie n'a pas seulement perdu l'habitude de se laisser dilater par l'urine, elle a encore acquis une contractilité pathologique analogue au spasme de l'urèthre. Voici comment j'ai coutume de combattre ces dispositions fâcheuses. Je recommande au malade de prendre, le matin, un lavement simple pour vider le rectum, et, immédiatement après, un quart de lavement opiacé qui sera gardé. Une heure après, quand je suppose que l'action narcotique du laudanum, qui a été donné à la dose de 10 à 12 gouttes, est complète, j'introduis dans la vessie une sonde qui me sert à y faire une injection d'eau tiède, car un liquide chaud ou froid serait moins bien supporté. L'injection doit être poussée très-lentement, pendant qu'on cherche à distraire le malade ; mais, dès qu'elle provoque des douleurs, il ne faut pas la continuer, sous peine d'amener une légère hémorrhagie. J'insiste beaucoup sur ce point, parce que j'ai vu souvent ces exsudations sanguines de la muqueuse suivies, après vingt-quatre ou quarante-huit heures, d'urines purulentes. Chaque jour, on augmente peu à peu la quantité de liquide injecté, mais toujours en prenant pour guide la tolérance de la vessie.

Quand celle-ci oppose une résistance considérable, j'injecte dans sa cavité un liquide narcotique composé ordinairement de 100 grammes d'eau et de 1 décigramme d'hydro-chlorate de morphine. L'action stupéfiante de cette solution, étant plus directe, est aussi plus énergique et donne les meilleurs résultats. Chez quelques personnes, on peut augmenter sans danger, en la graduant, la dose de la morphine et la porter, pour la même quantité d'eau, à 2 décigrammes et plus. En même temps, je recommande au malade de rester couché pendant quelques heures. Souvent même, je laisse pendant tout ce temps la sonde à demeure pour tenir, autant que possible, le calcul éloigné du col de la vessie.

Dans ces cas difficiles, des chirurgiens, au lieu de recourir à ces moyens d'un emploi toujours assez lent, préfèrent *opérer à sec*. Il m'est arrivé plusieurs fois de pratiquer la lithotritie de cette façon pour des calculs peu volumineux et assez faciles à briser, mais ce ne fut qu'après avoir essayé inutilement de dilater la vessie. Pour être juste, je dois dire que je n'ai pas eu d'accidents. Mais je me garderais bien d'ériger en règle ce procédé. Non-seulement on éprouve de grandes difficultés à bien saisir le calcul, mais encore on court trop de risques de blesser la vessie. Il n'est permis d'agir ainsi que dans les cas d'absolue nécessité. Il faut alors se servir d'un brise-pierre à cuillers très-courtes, car il serait difficile et dangereux d'employer les instruments ordinaires.

Dans quelques cas exceptionnels et quand les moyens que je viens d'indiquer ont échoué, on peut employer le chloroforme qui permet de faire dans la vessie une injection plus abondante que si le malade était éveillé. Mais il ne faut pas oublier que cet agent ne diminue que très-peu les contractions vésicales. L'injection sera rejetée avec force si on ne confie pas à un aide le soin de serrer la verge sur le brise-pierre. La lithotritie, dans ces conditions défavorables, est assez difficile à pratiquer. On comprend surtout que les séances doivent être très-courtes. Cependant je ne rejette pas complétement l'emploi du chloroforme, parce que dans plusieurs circonstances il m'a été très-utile et m'a permis de conduire l'opération à bonne fin.

E. *Durée et nombre des séances*. La durée de chaque séance n'a rien de fixe. Ordinairement de dix à quinze minutes, elle peut être beaucoup plus courte ou plus longue. Chez certains malades, les moindres manœuvres provoquent des contractions de la vessie : les urines s'échappent avec violence le long du lithotriteur qu'il faut se hâter de retirer, quoiqu'on ait eu à peine le temps de briser quelques fragments du calcul. Chez d'autres, la vessie, très-dilatée et peu irritable, permet des manœuvres prolongées sans inconvénients. Il faut profiter de cette tolérance, car, mieux on aura écrasé les fragments du calcul, moins on aura à craindre les accidents inflammatoires qui résultent souvent des premières tentatives de lithotritie. Il m'est arrivé plusieurs fois de débarrasser un malade d'une pierre grosse de 10 à 15 centimètres en une seule séance.

Il en est du nombre des séances comme de leur durée. On ne peut le connaître à l'avance, parce qu'il varie suivant la tolérance de la vessie, le volume du calcul, la difficulté que présente la sortie des fragments. En général, il vaut mieux multiplier les séances que de les faire trop longues. Mais des circonstances nombreuses et tout à fait imprévues, que le chirurgien appréciera, peuvent modifier cette règle de conduite.

Que dirai-je encore de l'intervalle de temps qu'il faut laisser entre les séances? Il est évident qu'il n'y a aucun inconvénient à les rapprocher si le malade supporte parfaitement l'opération, puisqu'il y a un grand avantage à débarrasser la vessie le plus vite possible. Mais si des accidents se manifestent, il est indispensable de les calmer avant de recommencer les manœuvres.

F. *Sortie des fragments*. Quand on a brisé un calcul, et même quand on est parvenu à le réduire en fragments nombreux, on est loin d'avoir tout fait ; il reste encore à en débarrasser la vessie, et ce n'est pas la partie la moins délicate de l'opération. J'ai vu plus d'un malade dont la vessie était parfaitement saine, l'urèthre large et peu irritable, rendre, après chaque séance, des débris abondants et des morceaux assez volumineux de calcul, se lever et continuer ses occupations quelquefois assez pénibles et guérir sans avoir éprouvé le plus petit accident. Mais ces faits sont exceptionnels. Dans les cas qui se présentent comme les plus simples, on doit encore être en garde, car il n'est pas rare de voir se manifester tout à coup et au moment où on s'y attendait le moins, les complications les plus graves. C'est qu'en effet un malade qui vient d'être soumis à une première séance de lithotritie se trouve momentanément dans de moins bonnes conditions que celles où il était d'abord. Avant l'opération il n'avait dans la vessie qu'un calcul, généralement arrondi, tandis qu'après il a plusieurs calculs présentant des arêtes, des pointes plus ou moins aiguës et capables de léser sérieusement les parois de la vessie quand ils sont pressés contre son col, ou de déchirer les parois de l'urèthre quand ils s'y engagent.

Dans l'espérance de remédier à ces inconvénients, Heurteloup recommandait, dès l'année 1847, de briser le calcul en fragments aussi nombreux que possible dans la première séance, de laisser les malades couchés sur le dos afin qu'au moment de la miction les urines n'entraînassent qu'une poussière fine ou de très-petits débris, tandis que les gros fragments devaient rester dans le bas-fond de la vessie. De plus, il cherchait à extraire une grande partie de la pierre avec son lithotriteur dont les mors encavés, pleins et s'affrontant par leurs bords formaient une sorte de boîte oblongue capable de renfermer une assez grande quantité de débris. Il avait, en agissant ainsi, la prétention de terminer l'opération sans que des morceaux de calcul un peu gros eussent à traverser l'urèthre. Mais je sais que, dans beaucoup de cas, il se comportait tout différemment.

A vrai dire, il n'y a pas de règle de conduite absolue ; on peut seulement donner des conseils généraux qui varient avec les circonstances.

Quelques chirurgiens, après avoir retiré le brise-pierre, engagent les malades à uriner pour amener l'expulsion de fragments de calcul. En cela ils commettent une double faute. D'une part, l'urèthre et le col de la vessie ébranlés par les manœuvres auxquelles ils viennent d'être soumis se contractent avec force et ne laissent passer que des détritus insignifiants; d'autre part, si la muqueuse du canal a été légèrement déchirée, comme il arrive souvent, au moment où on a retiré le lithotriteur, le passage de l'urine sur ces déchirures peut produire des accidents.

Ordinairement c'est après un, deux ou trois jours que les organes reposés permettent la sortie de fragments quelquefois assez nombreux et volumineux. C'est donc cette détente des organes qu'il faut favoriser par tous les moyens ; et on l'obtiendra en recommandant au malade de rester couché sur le dos et de n'uriner qu'avec une sonde. Celle-ci doit être assez grosse pour bien remplir le canal et pourvue d'yeux assez grands pour laisser passer les morceaux de pierre les plus petits. Placée à demeure pendant plusieurs jours, elle a l'avantage d'écarter du col de la vessie les fragments de calcul ; mais sa présence prolongée dans l'urèthre peut déterminer des ulcérations graves surtout chez des vieillards dont les forces sont épuisées. On éviterait ce dernier accident en pratiquant le cathétérisme toutes les fois que le malade aurait besoin d'uriner ; mais ces envies sont souvent très-fréquentes et l'introduction répétée d'une sonde a également ses dangers.

En présence de ces inconvénients on a voulu réduire le calcul tout entier en une poussière assez ténue pour passer dans l'urèthre sans le blesser ou encore retirer tous les fragments avec un lithotriteur. — Le premier de ces moyens exigerait, pour peu que le calcul fût gros, des manœuvres prolongées que la vessie ne pourrait tolérer. — Le second n'est pas d'une exécution plus facile. Il n'est pas de praticien qui ne sache combien on a de peine à extraire un calcul par morceaux sans déchirer l'urèthre, tantôt parce que les détritus amassés entre les mors du lithotriteur les tiennent écartés outre mesure, tantôt parce qu'ils dépassent les bords des cuillers et présentent des pointes très-aiguës. Heurteloup avait très-bien compris cette double cause d'accidents, et, pour la prévenir, il avait imaginé l'instrument dont j'ai parlé plus haut. Au moyen du marteau, il tassait les détritus entre les deux cuillers, qu'il parvenait à rapprocher, et comme celles-ci s'affrontaient par leurs bords, les fragments de calcul se trouvaient coupés et ne faisaient aucune saillie. Aussi, pouvait-il dire avec raison que son lithotriteur ne présentait pas, au moment où on le retirait du canal, plus de volume qu'au moment de son entrée. Mais cette manœuvre, si bien exécutée qu'elle soit, ne laisse pas d'imprimer à la vessie un ébranlement fâcheux.

Dans un but semblable et surtout pour éviter l'engorgement qui empêche de rapprocher entièrement les deux mors, M. Guillon a placé dans la cuiller de la tige femelle de son lithotriteur à levier une lame d'acier qu'on peut soulever au moyen d'un stylet qui se prolonge jusqu'au talon de l'instrument. On soulève ainsi les détritus tassés dans la cuiller et on les rejette dans la vessie.— M. Mathieu a simplifié très-heureusement ce brise-pierre en articulant à l'extrémité du mors de la branche femelle une languette d'acier qui reste couchée dans le fond de la cuiller au moment où l'on brise le calcul et qui se relevant par sa propre élasticité, lorsque l'on tire en arrière la branche mâle, soulève les détritus et les jette de côté. — J'ai moi-même imaginé de fixer sur la branche mâle, à l'endroit où elle se coude, un petit ressort de montre de 2 à 3 centimètres qui glisse dans le fond de la cuiller de la branche femelle et la débarrasse très-facilement. — On a reproché à la plaque d'acier de MM. Mathieu et Guillon de diminuer la profondeur de la cuiller du lithotriteur; on a dit encore qu'elle pouvait être faussée ou brisée sous la pression énergique exercée par la branche mâle. Il est probable que l'on ferait ce dernier reproche à la modification que j'ai proposée.

On emploie encore, pour extraire les débris de calcul, des sondes dites évacuatrices. L'instrument le plus simple en ce genre est une sonde élastique de gros calibre, percée de grands yeux. Il suffit d'injecter dans la vessie une certaine quantité de liquide qui, en s'échappant, entraîne la partie de la pierre réduite en poudre et quelquefois des fragments d'un petit volume. Leroy (d'Étiolles) un des premiers a fait construire une sonde en argent assez grosse, présentant au commencement de sa courbure une ouverture oblongue fermée par un clapet. Un stylet articulé avec ce clapet et mû par un bouton placé sur le talon de l'instrument permet de fermer et d'ouvrir à volonté l'ouverture de la sonde. Les détritus sortent assez facilement par cette voie; mais comme des débris dépassant le calibre de la sonde pouvaient se trouver arrêtés dans sa cavité, l'instrument est armé d'un mandrin à tête fraisée pour les briser.

M. Mercier a transformé, pour le même usage, sa sonde à courbure brusque en une sonde à double courant, portant, au commencement de sa courbure, une ouverture qui se trouve fermée par l'extrémité d'un mandrin de baleine. Quand l'instrument est dans la vessie, on retire le mandrin et on injecte par le second conduit de l'eau, qui, passant par plusieurs petits trous dont le bec de la sonde est percé, établit un courant destiné à entraîner les détritus calculeux en dehors. — Cette sonde, moins compliquée que celle de Leroy, vaut aussi beaucoup mieux. Mais on peut adresser à l'une et à l'autre, le même reproche, c'est que leur ouverture vésicale, ne dépassant pas le calibre de la sonde, est évidemment trop petite.

Pour éviter cet inconvénient, j'ai imaginé une sonde toute différente. Elle se compose de deux gouttières qui, en glissant l'une sur l'autre, se complètent pour former un instrument cylindrique courbe à son extrémité. La gouttière inférieure, formée d'une double paroi pour en faire une sonde à double courant, est beaucoup plus profonde que l'autre ; elle porte sur ses bords une rainure, dans laquelle on fait glisser la gouttière supérieure comme un tiroir. Mais il fallait que celle-ci pût se plier à la courbure que présente l'autre gouttière. M. Mathieu est parvenu très-habilement à résoudre cette difficulté en formant son extrémité de plusieurs petites pièces transversales semblables à celles de certains bracelets et mobiles les unes sur les autres. Quand l'instrument est fermé, il représente une sonde ordinaire de gros calibre. Après l'avoir introduit dans la vessie on tire à soi la pièce supérieure qui est garnie d'un anneau sur son talon, et la gouttière inférieure se trouve découverte dans toute sa portion courbe qui est dans la vessie. Alors, au moyen d'un petit tube disposé pour recevoir l'extrémité d'une seringue, on injecte, dans le conduit formé par la double paroi de la gouttière inférieure, de l'eau qui, s'échappant par de petits trous dans la vessie, forme une espèce de remous qui entraîne les détritus de calcul dans la sonde.

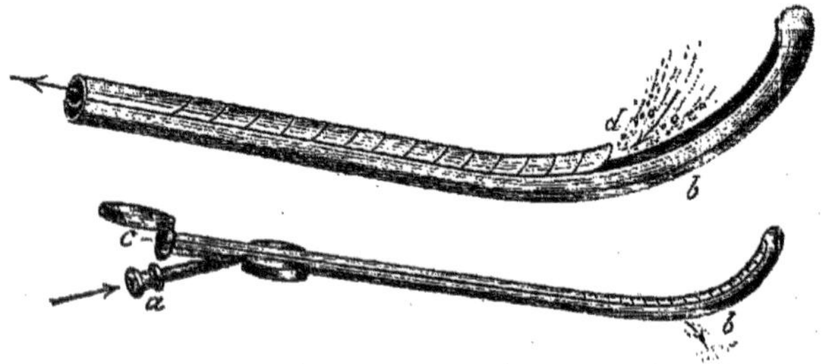

Fig. 11. — Sonde évacuatrice de M. Voillemier.

a. Tube servant à injecter de l'eau dans la vessie.
b. Ouvertures par lesquelles l'eau s'échappe dans le bas-fond de la vessie.
c. Segment supérieur de la sonde, garni d'un anneau à son talon et formé de pièces articulées en avant.
b'. Gouttière ouverte du segment inférieur de la sonde.
d. Direction du liquide sortant de la vessie pour entrer dans la sonde.

Dans ces derniers temps on a fabriqué en Angleterre un instrument avec lequel on extrait les fragments de calcul par aspiration. Il se compose d'une sonde ordinaire dont l'extrémité vésicale courbe dans la longueur de 3 centimètres et dépourvue de paroi supérieure forme une sorte de gouttière. On remplace cette paroi par un mandrin de baleine légèrement aplati au moment où on pratique le cathétérisme afin de ne pas blesser le canal. La sonde une fois placée dans la vessie, on retire la baleine et on adapte à son talon une poche de caoutchouc dont on a rapproché les parois ; celles-ci s'écartent dès qu'on les abandonne à elles-mêmes et aspirent les liquides chargés de détritus. — MM. Robert et Collin ont remplacé la poche de caoutchouc, dont la force d'aspiration ne leur paraissait pas suffisante, par un gros tube de verre auquel est attaché un corps de pompe dont on fait marcher le piston au moyen d'une crémaillère et d'une roue. A l'aide de cet appareil on peut injecter du liquide dans la vessie et l'en retirer à plusieurs reprises avec une force qu'il est facile de graduer. Chaque aspiration du liquide ramène des débris dans le tube de verre où ils se déposent sans pouvoir être repoussés dans la vessie, le tube ayant dans son milieu un diamètre plus grand que celui des ouvertures placées à ses deux bouts.

Toutes ces sondes évacuatrices sont peu employées. Elles exigent des manœuvres fréquentes et longues qui ne sont pas exemptes de danger ; de plus, elles ne donnent ordinairement passage qu'à de la poussière ou à de petits fragments de pierre qui auraient pu sortir d'eux-mêmes et sans inconvénients pour l'urèthre. Elles ne sont véritablement utiles que si, par suite d'une paresse de la vessie ou d'une hypertrophie de la prostate, les fragments s'accumulent en arrière de cette glande sans pouvoir sortir.

Dans la grande majorité des cas on est obligé de combiner, suivant les circonstances, l'emploi de plusieurs moyens. Lorsqu'on a brisé un calcul et broyé plusieurs de ses morceaux on en extrait une partie avec le brise-pierre après avoir eu soin de dégorger les cuillers en les agitant légèrement au milieu du liquide de la vessie et de tasser fortement ce qui reste dans leurs cavités au moyen de l'écrou. Après un jour ou deux de repos et d'un traitement émollient, si l'on juge que le calme des organes est assez grand, on peut permettre au malade d'uriner, et souvent il

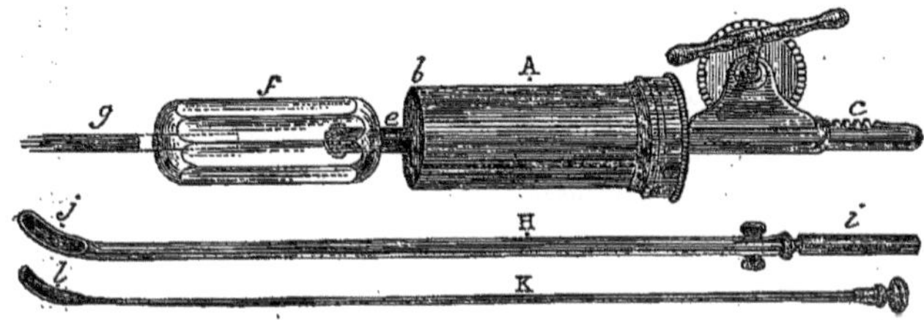

Fig. 12. — Appareil évacuateur de MM. Robert et Collin.

A. — Appareil aspirateur.
b. Corps de pompe.
c. Tige de fer garnie d'une crémaillère.
d. Roue destinée à mouvoir cette tige.
e. Extrémité du corps de pompe pénétrant dans un manchon de verre.
f. Manchon de verre percé à ses deux bouts.
g. Talon d'une sonde pénétrant dans le manchon.
H. — Sonde évacuatrice.
i. Talon de la sonde.
j. Bec de la sonde aplati et formant gouttière.
K. — Mandrin de baleine.
l. Extrémité aplatie remplissant la gouttière de la sonde quand on introduit celle-ci dans la vessie.

se débarrasse d'une notable quantité de fragments. Cette expulsion spontanée cause rarement des déchirures dans le canal. Ce qui est plutôt à craindre, c'est qu'un morceau de pierre un peu gros ne s'engage dans l'urèthre sans pouvoir le traverser. Le chirurgien doit alors intervenir soit pour repousser le corps étranger dans la vessie avec une sonde ou une injection faite directement dans le canal, soit en le brisant et en le retirant avec les instruments usités en pareil cas. Cette complication est sans doute fâcheuse, mais son éventualité est largement compensée par les avantages qu'on retire de l'expulsion spontanée des fragments. (*Voy*. Urèthre ; Calculs dans l'urèthre.)

G. *Rupture du brise-pierre*. J'ai déjà indiqué plusieurs des raisons pour lesquelles on doit apporter la plus grande prudence dans la manœuvre des instruments. Il en est encore une qu'il est important de connaître, c'est la possibilité de la rupture du brise-pierre. Cette accident, heureusement assez rare, est très-grave. C'est presque toujours la branche mâle qui se brise, et la rupture porte sur le point où la portion droite se recourbe. Le fragment n'a donc pas plus de 2 à 3 centimètres de longueur. Si l'on s'aperçoit, en examinant l'instrument, que la rupture est due à un défaut dans l'acier, on peut essayer de retirer le mors brisé de la vessie; si on y parvient on devra continuer l'opération en se servant d'un brise-pierre plus solide. Au contraire, si l'accident est dû à la résistance du calcul, il vaut mieux recourir de suite à la taille qui permet de retirer, du même coup, et la pierre et le morceau d'acier.

Quelquefois les mors du brise-pierre, au lieu d'être brisés, se faussent et restent écartés l'un de l'autre. Avec un peu d'habitude, on s'en aperçoit facilement, car on sent que la pierre n'a pas été brisée, bien qu'on ait fait avancer la vis de plusieurs tours. Il faut s'arrêter immédiatement, puis ramener la vis en arrière pour dégager le calcul, et enfin retirer l'instrument. On sera exposé, en pratiquant cette manœuvre, à violenter l'urèthre; pourtant on pourra l'exécuter, sans trop de danger, dans la plupart des cas. Mais si l'écartement des mors est très-considérable, il ne restera d'autre ressource que la taille sus-pubienne. Cette opération permettra de retirer le brise-pierre dont on aura scié tout le talon et dont on tournera le bec en haut. On procédera ensuite à l'extraction du calcul.

Je n'ai dû insister, dans cet article, que sur les accidents appartenant en propre à la lithotritie. Mais cette opération peut être accompagnée ou suivie de complications graves dont chacune constitue une véritable maladie exigeant une description particulière. Tantôt on observe des troubles nerveux ou fébriles, tantôt une inflammation intense envahit une portion ou la totalité de l'appareil urinaire et surviennent une uréthrite, des abcès de la prostate, une cystite, une néphrite dont la gravité est bien souvent au-dessus des ressources de l'art. (*Voy.* Prostate, Reins, Urèthre, Vessie, etc., etc.)

Chez la femme, la lithotritie est une opération plus simple que chez l'homme. La capacité de la vessie, la brièveté du canal, l'absence de prostate, enfin les dispositions anatomiques entièrement différentes permettent de manœuvrer facilement les instruments, soit pour briser la pierre, soit pour en extraire les fragments.

Chez les enfants de sexe masculin, la possibilité de la lithotritie dépend beaucoup de l'âge. Quelques chirurgiens rejettent cette opération en alléguant l'indocilité des petits malades qui sont difficiles à maintenir solidement, la nécessité d'employer des instruments peu volumineux exposés à se briser, la fréquence des accidents produits par l'arrêt de fragments dans le canal, et, enfin, les résultats, presque toujours heureux, fournis par la taille. Toutes ces raisons ont une certaine valeur, mais elles ne suffisent pas pour faire rejeter la lithotritie. Sans déterminer d'une façon absolue les cas où cette opération convient, on peut dire qu'en général elle peut être pratiquée sur des enfants arrivés à l'âge de sept ans, affectés d'un calcul de consistance médiocre et dont le volume ne dépasse pas 2 centimètres de diamètre.

Voillemier.

Bibliographie. — Sous peine de rendre cette bibliographie aussi longue que l'article auquel elle doit servir de complément, nous avons dû en éliminer une multitude d'observations particulières dans lesquelles la lithotritie avait été employée avec ou sans succès; nous avons également négligé les mémoires, thèses et discussions académiques relatifs au parallèle entre la lithotomie et la lithotritie, ce parallèle devant être renvoyé au mot Taille. Enfin nous avons entièrement laissé de côté l'interminable série des notes et communications concernant les modifications apportées aux divers instruments, ainsi que les revendications de priorité auxquelles elles ont donné lieu ; on les trouvera dans les journaux du temps, mais surtout dans les bulletins de l'Académie de médecine et dans les comptes rendus de l'Académie des sciences (ces dernières restrictions sont particulièrement applicables aux écrits polémiques de Civiale, Leroy (d'Étiolles) et Heurteloup). Nous nous sommes donc presque exclusivement attaché aux monographies et aux mémoires d'une certaine étendue, ou renfermant des circonstances importantes.

Gruithuysen (Fr. von Paula). *Ob man die alte Hoffnung aufgeben sollte, den Stein aus der Blase auf mecanische oder chemische Weise einst noch wegschaffen zu können?* In *Salzb.'s Ztg.*, 1813, t. I, p. 289, 305, 321. — *Destruction of the Stone in the Bladder* (cas du général Martin). In *Edinb. Med. and Surg. Journ.*, t. IX, p. 133; 1813. — Elderton (John). *Description of an Instrument for destroying Urinari Calculi within the Bladder, with Remarks*, etc. In *Edinb. Med. and Surg. J.*, t. XV, p. 261; 1819, fig. — Civiale (I.). *Nouvelles considérations sur la rétention d'urine suivies d'un traité sur les calculs urinaires, sur la manière d'en connaître la nature dans l'intérieur de la vessie et la possibilité d'en opérer la destruction sans l'opération de la taille.* Paris, 1823, in-8°, pl. 2. — Du même. *De la lithotritie ou broiement de la pierre dans la vessie.* Ibid., 1826, in-8°, pl. 5. — Du même. *Lettres sur la lithotritie ou broiement de la pierre dans la vessie* (6 lettres). Paris, 1827-48, in-8°, fig. — Du même. *Traité pratique et historique de la lithotritie.* Paris, 1827, in-8°, pl. 7. — Du même. *Traité pratique et historique de la lithotritie.* Paris, 1847, in-8°, pl. 7. Plus, les comptes rendus annuels sur les opérations pratiquées à l'hôpital Necker. — Percy et Chaussier. *Rapp. fait à l'Acad. des scienees sur le nouveau moyen du Dr Civiale pour détruire la pierre dans la vessie sans l'opération de la taille.* Paris, 1824, in-8°. — Leroy (d'Étiolles). *Exposé des divers procédés employés jusqu'à ce jour pour guérir de la pierre, sans avoir recours à l'opération de la taille.* Paris, 1825, in-8°, pl. 6. — Du même. *Tableau historique de la lithotritie.* Paris, 1831, 1 f. in-fol. — Du même. *De la lithotripsie* (divers mém.). Paris, 1836, in-8°, fig., tabl. hist. Du même. *Histoire de la lithotritie précédée*, etc. Paris, 1839, in-8°, fig. 65. — Delattre (Ch.). *Quelques mots sur le broiement de la pierre dans la vessie par des procédés mécaniques.* Paris, 1825, in-8°. — Rittler (A. G.). *Comment. de methodo lithontriptica seu de ratione calculum removendi sine operatione.* Jenæ, 1825, gr. in-4°, pl. — Kern (Vinc. von). *Bemerkungen über die neue von Civiale und Leroy verübte Methode, die Steine in der Harnblase zu zermalmen und auszuziehen.* Wien, 1826, in-8°. — Seifert (Phil.). *Ueber die neue französische Methode, Blasensteine ohne Steinschnitt zu entfernen.* Greifswald, 1826, in-8°, pl. 1. — Meyrieux. *Nouveaux instruments pour le broyement de la pierre dans la vessie.* In *Arch. de méd.*, 1re série, t. X, p. 628; 1826, et ibid., t. XIII, p. 459; 1827. — Heurteloup. *Examen de l'ouvrage du Dr Civiale « De la lithotritie ou broiement*, etc. » (1re lettre). Appréciation, etc. Paris, 1827, in-8°. — Du même. *Principles of Lithotrity or a Treatise on the Art*, etc. Lond., 1831, in-8°, pl. 5. — Du même. *Mém. sur la lithotripsie par percussion et sur l'instrument*, etc. Paris, 1833, in-8°, pl. 1. — Du même. *Trois époques pour servir à l'histoire de la lithotripsie*, etc. Paris, 1846, in-8°. — Du même. *De la lithotripsie sans fragments au moyen des deux procédés de l'extraction immédiate et de la pulvérisation immédiate*, etc. Paris, 1847, in-8°, pl. 2. — Medicus (Fr.). *Geschichtliche Darstellung der unblutigen Steinzerstörungsmethoden* (moy. chim. et lithotr.). Würzburg, 1828, in-8°. — Gerson. *Ueber die vom Hrn. Professor L. Jacobson erfundene Methode den Stein in der Blase zu zermalmen.* In *Gerson und Jul. Magaz.*, t. XX, p. 401; 1830 (d'après une note de Jacobson insérée dans l'*Oversigt* d'Œrsted en 1828 et 1829). — Fournier de Lempdes. *Lithotritie perfectionnée, sondes droites et injections forcées*, etc. Paris, 1829, in-8°. — Bancal. *Manuel pratique de la lithotritie, ou Lettres*, etc. Paris, 1829 in-8°, pl. 5. — Rigal. *De la destruction mécanique de la pierre dans la vessie, ou considérations nouvelles sur la lithotritie.* Paris, 1829, in-8°. — Drouineau (P.). *Considérations sur la lithotritie.* Th. de Paris, 1829, n° 261. — Bürer (Fr. W.). *Ueber Blasensteinzermalmung.* Nürnberg, 1829, in-4°, pl. 1. — Wänker (Ludw. von). *Ueber die verschiedenen Methoden den Stein ohne Schnitt aus der Blase zu entfernen, mit besonderer Rücksicht*, etc. Freiburg, 1829, gr. in-4°, pl. 11, et 2e édit. sous ce titre : *Geschichte und prakt. Werth der Lithotritie oder Beschreibung der Methoden*, etc. Ibid., 1837, in-4°, pl. 11. — Thiaudière (P. D.). *Considérations nouvelles sur la lithotritie.* Th. de Paris, 1830, n° 113. — Tanchou (S.). *Lettre... sur un nouveau procédé pour détruire la pierre dans la vessie.* Paris, 1830, in-8°. — Giniez (A.). *De lithotritia, de casibus in quibus celebranda vel non.* Th. de conc. (agrég. chir.). Paris, 1830, in-4°. — Miller (Alex). *Inquiry into Average Mortality in Lithotomy Cases; with a few Remarks on the Operation of Lithotrity.* Edinb., 1831, in-8°. — Ségalas (P. S.). *Obs. sur la lithotritie suivies*, etc. Paris, 1831, in-8°. — Du même. *Opérations de lithotritie pratiquées avec un brise-pierre à pression et à percussion.* In *Mém. de l'Acad. de méd.*, t. IV, p. 215. Paris, 1835, in-4°. — Du même. *De la lithotritie considérée au point de vue de son application*, 2e édit. Paris, 1856, in-8°. — Amussat (J. Zul.). *Table synoptique de la lithotritie et de la cystotomie hypogastrique*, pl. Paris, 1832, in-4°. — Adelmann (G. Fr. Bl.). *De dignitate lithotritiæ.* (Diss. inaug.). Fuldæ, 1832, in-8°. — Benvenuti. *Essai sur la lithotritie.* Paris, 1833, in-8°, pl. 1. — Ladat (P. Aug. L.). *Traité historique de la lithotritie.* Paris, 1833, in-8°. — Momme. *De calculis urinariis corpore non inciso e vesica urinaria auferendis.* Halæ, 1833, in-4°. — Blasius. Art. *Lithotritie* in *Theor.-prakt. Handb. der*

Chir. von Rust, t. XI. Berlin, 1834, in-8°. — Randolph (I.). *Account of six Cases of Stone in the Bladder, in which the Lithotripsy was successfully performed.* Philadelphia, 1834, in-8°. — Franc (I.). *De la lithotritie et de l'extraction des calculs entiers de la vessie par la ponction hypogastrique.* Paris, 1834, in-8°. — Bacciolini (Crist.). *Antica pergamena figurata che represente una operazione calcolifraga simile al metodo del dott. Civiale, scoperta ed illustrata.* Vercelli, 1834, in-8°. — Fergusson (Wm.). *On Lithotrity, with a Description of the Instrument used.* In *Edinb. Med. and Surg. J.*, t. XLIV, p. 80; 1835. — Trochon (Hect.). *De la lithotritie.* Th. de Paris, 1835, n° 54. — Zölsmann (H. Gtl.). *Vergleichung des Steinschnittes mit der Steinzermalmung.* (Diss. inaug.) Würzburg, 1835, in-8°. — Wattmann (Chr. Jos.). *Ueber die Steinzerbohrung, und ihr Verhältniss zum Blasenschnitte.* Wien, 1835, in-8°. — Brünninghausen. *Ueber die Lithotritie.* In *Græfe's und Walther's Journ.*, t. XXIII, p. 226; 1835. — Kieter (Alex. de). *De lithotripsiæ methodo percussionis præsertim de apparatu Heurteloupiano ad eam commendato.* Dorpati, 1836, in-8°, pl. lith. — Hecker (C. Fr. F.). *Die Indicationen der Steinzertrümmerungsmethode.* Freiburg, 1836, in-8°. — Lenoir (A.). *Lettre sur la lithotritie.* Paris, 1837, in-8°. — Belinaye (H.). *Compendium of Lithotripsy; or an Account*, etc. London, 1837, in-8°; 45 fig. interc. tabl. — Ammon (F. A. v.). *Fall einer gelungenen Lithontripsie, verrichtet*, etc. In *Rust's und Walther's Journ.*, t. XXV, p. 455; 1837. — Key (Aston). *A Practical View of Lithotrity.* In *Guy's Hosp. Rep.*, 1re sér., t. II, p. 1; 1837, pl. 1. — Avé-Lallemant (Rob.). *De lithotritia.* (Diss. inaug.) Kiliæ, 1837, in-8°. — Marjolin. Art. *Lithotritie*, in *Dict. en 30 vol.*, t. XVIII, 1838. — Simonson. Art. *Lithotritie*, in *Encyclopäd. Wörterbuch.* Berlin, t. XXI, 1839. — Schleiss von Löwenfeld (M. J.). *Die Lithotripsie in Bezug auf Geschichte, Theorie und Praxis derselben unter Benützung der neuesten Erfahrungen*, etc. München, 1839, in-8°, pl. 8. — Guersant (Paul). *Sur le parti que l'on peut tirer du seigle ergoté pour déterminer l'expulsion des fragments du calcul après la lithotritie.* In *Bull. de thérap.*, t. XVII, p. 88; 1839. — Dieffenbach. *Beiträge zur Lithotritie.* In *Casper's Wchnschr.*, 1840, nos 7, 8. — Günther *Lithotritie durch das Instrument von Jacobson mit glücklichem Erfolge*, etc. In *Pfaff's Mittheil.*, Ne Folge, t. VI, nos 3 et 4, et *Schmidt's Jahrbb.*, t. XXIX, p. 85; 1841. — Ivanchich (Victor). *Kritische Beleuchtung der Blasensteinzertrümmerung, wie sie heute dasteht*, etc. Wien, 1842, in-8°, pl. 4. — Du même. *Ein und zwanzig neue Fälle von Blasensteinzertrümmerung* Ibid., 1846, in-8°. — Du même. *Neuer Bericht über 19 Fälle*, etc. Ibid., 1851, in-8°, et : 26 *neue Fälle*, ibid., 1854, in-8°, etc. — Chaumet. *Revue ou aperçu statistique des principaux cas de lithotripsie observés dans le service de la clinique chirurgicale de l'hôpital Saint-André de Bordeaux.* Bordeaux, 1844, in-8. — Pertusio (Gaet.). *Alcune considerazioni intorno alla litotripsia, ricavate da casi*, etc. In *Annali univ. d'Omodei*, t. CXIV, p. 316; 1845. — Warren (J. C.). *Case of Lithotrity in the Female.* In *Lond. Med. Gaz.*, t. XXXVIII, p. 1058; 1846. — Crampton (Sir. Phil.). *On Lithotrity.* In *The Dubl. Quart. Journ.*, t. I, p. 1; 1846. — Brünner. *Die Blasensteinzerpulverung, eine kritische Beleuchtung der hauptsächlichsten Todesursachen bei der jetzt*, etc. Erlangen, 1847, in-8°, pl. 1. — Langlade (Ern.). *Études cliniques sur les indications et les contre-indications de la lithotritie.* Th. de Montp., 1848, in-8°. — Bouisson (F.). *De la lithotritie par les voies accidentelles.* In *Gaz. méd.*, 1849, p. 378, 398. — Mercier (L. A.). *Mém. sur un malade affecté d'un calcul dur et volumineux guéri par la lithotripsie.* In *Gaz. méd.*, 1850, p. 702. — Du même. *Mém. sur l'extraction des calculs ou des fragments de calculs arrêtés dans l'urèthre.* Ibid., 1861, p. 395. 407. — Cazenave (J. J.) *Observations exceptionnelles de taille et de lithotritie, suivies*, etc. Paris, 1850, in-8°. — Du même. *Histoire de trois lithotrities et de trois tailles bilatérales exceptionnelles.* Paris, 1856, in-8°. — Pollock. *Portions of Calculi impacted in the Bladder after the Operation of Lithotrity.* In *Transact. of the Pathol. Soc.*, t. III, p. 119; 1850 — Pétrequin (I. E.). *Mém. sur les principaux accidents qui peuvent compliquer la taille et la lithotritie*, etc. In *Gaz. méd.*, 1850, p. 546, 578, 628. — Pancoast. *On Lithotrity.* In *Phil. Med. Examin.*, t. VII, p. 166; 1851, et *Brit. Med. Chir. Rev.*, 2e sér., t. IX, p. 266; 1852. — Barrier (F.). *Remarques sur la lithotritie et en particulier sur les injections d'huile*, etc. In *Gaz. méd. de Lyon*, 1852, p. 177. — Wilmot (Sam. G.). *Observat. on Lithotrity illustrated by Cases.* In *The Dubl. Quart. Journ.*, t. XIV, p. 337; 1852. — Bujalsky (El.). *Tabulæ anatomico-chirurgicæ operationem Lithotomiæ et Lithotritiæ exponentes.* Saint-Pétersb., 1852, in-fol., pl. 10. — Coulson (W.). *On Lithotrity and Lithotomy.* Lond., 1853, in-8°. — Demaniel. *Obs. d'un calcul vésical guéri en une séance par la litholibie.* In *Bull. de thérap.*, t. XLVII, p. 171; 1854. — Brodie (sir Benj.). *Notes on Lithotrity with an Account of the Results*, etc. In *Med. Chir. Trans.*, t. XXXVIII, p. 169; 1855. — Robinson (G.). *On Electrolithotrity; or the Application of the Mechanical Force of Electrical Discharge to the Desintegration of Stone in the Bladder.* Lond., 1855, in-4°. — Swalin (Ol. A.). *Contribution à la statistique de la lithotritie.* Stockholm, 1858, in-8°. — Moutet. *Examen des principales contre-indications de la lithotritie.* In *Montpell. medical*, t. I, p. 339; 1858, et t. II, p. 35, 415; 1859. — Briau (R.). *Fait relatif à l'histoire de la lithotripsie.* In *Journ. hebd.*, 1858,

p. 145. — Wallentowitz (C.). *De Lithotripsia*. (Diss. inaug.). Berolini, 1859, in-8°. — Porta (Luidgi). *Della litotrizia*. Milano, 1859, in-8°. — Jobert (de Lamballe). *Réflexions cliniques sur la lithotripsie chez les enfants*. In *Compt. rend. de l'Acad. des sc.*, t. LV, p. 157; 1862. — Ségalas (fils). *Des difficultés et des accidents de la lithotritie*. Th. de Paris, 1862, n° 59. — Santopadre (Ferd.). *Sul valore degli accidenti che accompagnano la litotripsia, e sui mezzi*, etc. In *Ann. univ. d'Omodei*, t. CLXXXIII, p. 30; 1863. — Alquié. *De la combinaison du broiement de la pierre et de la taille*. In *Bull. de thérap.*, t. LXV, p. 159, 199; 1863. — Cattenoz (L.). *Nouvel appareil pour la lithotritie*. Paris, 1863, in-4°. — Thompson (Henry). *Practical Lithotomy and Lithotrity; or an Inquiry*, etc. Lond., 1863, in-8°. — Du même. *Lithotrity without Injection*. In *The Lancet*, 1864, t. I, p. 209, 339, 387. — Du même. *The Proofs that Lithotrity is an eminently successfull Operation*. Ibid., 1865, t. I, p. 199, 225, 254, 281, 367. — Pollock. *Lithotrity without Injection*. Ibid., 1864, t. I, p. 295, etc. — Bryk (A.). *Beiträge zur Lithotripsie mit Ausziehung der Steinfragmente und fremder Körper*, etc. In *Œsterr. Ztschr. für prakt. Heilk.*, 1866, et *Schmidt's Jahrbb.*, t. CXXXII, p. 99; 1866. — Wood (I.). *New Instrument for removing the Smaller Fragments of Calculus*, etc. In *Med. Times*, 1866, t. II, p. 394. — Porter (I. H.). *On Lithotrity and its Aftertreatment*. In *Dublin Quart. Journ.*, t. XLIII, p. 30; 1867, pl. 1. (*Voy.* Taille.)

E. Bgd.

LITHUANIE. Sous le rapport de la *Géographie médicale*, il sera question de la Lithuanie au mot Pologne; mais il n'est pas sans intérêt d'en dire un mot ici au point de vue de la linguistique.

La langue lithuanienne appartient à la famille arienne, ou indo-européenne; elle est, par conséquent, comme telle, apparentée aux langues antiques et modernes de l'Inde et de la Perse. Elle offre de plus une particularité fort remarquable, et qui a frappé de bonne heure l'esprit des philologues. Les analogies de forme avec la langue sanscrite y sont souvent plus frappantes que dans le latin et le grec; c'est à ce point qu'un philologue a pu dire, avec un peu d'exagération peut-être, que les Lithuaniens parlent encore aujourd'hui presque le sanscrit. Ce fait méritait d'autant plus d'attirer l'attention, que les documents écrits en lithuanien, parvenus jusqu'à nous, sont relativement modernes : le plus ancien est un catéchisme qui date du milieu du seizième siècle.

Le lithuanien appartient à la branche slave des langues indo-européennes. Max Müller, qui désigne cette classe de langues sous le nom de classe *windique*, fait entrer le lithuanien dans le rameau *lette*, lequel comprend le *lette* proprement dit, parlé dans la Courlande et la Livonie, le *borussien*, ou *ancien prussien*, qui a disparu au dix-septième siècle, étouffé par les langues germaniques, et le *lithuanien*. Ce dernier est parlé non-seulement dans les provinces russes occidentales de Kowno et de Vilna, où on estime que, sous la forme d'un dialecte moderne, sensiblement différent du catéchisme de 1547, il est encore la langue habituelle d'environ 11,000,000 d'âmes, mais encore dans certaines parties de la Prusse ducale (provinces de Kœnigsberg et de Gubinnen, par 200,000 personnes à peu près. La langue lithuanienne a été étudiée soigneusement par le savant philologue Schleicher que la science vient de perdre.

G. Liétard.

Bibliographie. — Schleicher (A.). *Handbuch der litauischen Sprache*. 2 vol. in-8° : — T. I, *Litauische Grammatik*. Prague, 1856. — T. II, *Litauisches Lesebuch und Glossar*. Prague, 1857.

G. L.

LITMUS. Même mot que *Lacmus*. (*Voy.* Orseille et Tournesol.)

LITSEA (J.). Genre de plantes, de la famille des Lauracées, dont les fleurs dioïques ont six étamines quadriloculaires et introrses, et dont les styles filiformes sont terminés par une dilatation discoïde et stigmatifère. Leur fruit est entouré à sa base d'une dilatation du réceptable ou du pédoncule. Ce sont des arbres aromatiques de l'Asie et de l'Australie. Le *L. glauca* Nees est le *Camphora glauca* Don ; il produit une huile camphrée très-odorante. Le *L. Myrrha* Nees et le *Laurus Myrrha* Lour., ou Arbre à Myrrhe de la Cochinchine, dont le suc résineux s'emploie comme anthelminthique, excitant, emménagogue. A Java, il y a un *Litsea* qui donne une sorte de cire. Blum l'a nommé *L. Sebifera*. Les *L. Thimbergi* Sieb. et *monopetala* Roxb. sont des Tetranthera. (*Voy.* ce mot.) Le *L. Zeylanica* J. est le *Cannellier-Tambour*. H. Bn.

Juss., in *Dict. des sc. nat.*, XXVII, 79 (part.). — Nees, *Syst. Laurin.*, 621. — Endl., *Gen.*, n. 2060. — Meissn., in DC. *Prodrom.*, XV, sect. I, 220. — Guib., *Drog. simpl.*, éd, 4, II, 374. — Rosenth., *Synops. plant., diaphor.*, 236.

Littorine (*Littoralis*, qui vit sur le rivage). Genre de mollusques gastéropodes univalves, établi par de Férussac aux dépens des Paludines. Ces mollusques ont une coquille ovale et un peu globuleuse, à spire ne dépassant pas la longueur du dernier tour; l'ouverture est généralement semi-lunaire. L'animal rampe au moyen d'un pied ovalaire, arrondi, court, entièrement caché par sa coquille; en avant est une grosse tête, ridée en travers, fendue dans toute sa longueur par la bouche; à l'extrémité postérieure du pied, on trouve un opercule corné, avec une faible spire et pouvant boucher la coquille. La cavité cervicale de l'animal présente en avant à droite l'anus et les organes génitaux, et, à gauche, un organe branchial assez développé.

Les Littorines s'éloignent des *Trochus* et des *Turbo* et sont voisines des Paludines, des Scalaires et des Turritelles d'après Deshayes. Ces mollusques marins, communs sur nos côtes, vivent attachés aux rochers près du niveau de la mer et reçoivent l'eau des marées ainsi que celle des pluies. Les habitants du littoral les mangent après les avoir fait bouillir dans l'eau salée. (*Voy.* Mollusques.)

A. Laboulbène.

Littre (Alexis). Un des anatomistes les plus méritants de la France, né à Cordes (Tarn-et-Garonne), le 21 juillet 1658, mort à Paris le 4 février 1726, et enterré à Saint-Merri. Il fut successivement professeur libre d'anatomie pendant quinze ans à Paris, licencié en médecine (2 août 1690), docteur en médecine de la faculté de Paris (23 janvier 1691), membre de l'Académie des sciences (1699). Passionné pour les recherches anatomiques, on le vit, en 1684, disséquer à la Salpêtrière plus de deux cents cadavres, nombre vraiment extraordinaire, à une époque où il était si difficile d'obtenir des sujets d'études. On le vit encore, inquiété, traqué par les chirurgiens et les médecins, se réfugier dans le Temple, et là, protégé par le grand-prieur, se livrer encore à son étude favorite. Alexis Littre n'a laissé, je crois, aucun ouvrage, mais il a enrichi les recueils de l'Académie des sciences d'un grand nombre de mémoires et observations qu'il est bon de rappeler :

I. *Observation sur une espèce de hernie*, in Ibid., 1700, p. 300.—II. *Description de l'urèthre de l'homme*. Ibid., p. 311. — III. *Observation sur un fœtus humain monstrueux*. Ibid., 1701, p. 90. — IV. *Observations sur les ovaires et les trompes d'une femme, et sur un fœtus trouvé dans l'un de ses ovaires*. Ibid., 1701, p. 111. — V. *Observations sur le corps d'une femme grosse de huit mois de son premier enfant, morte subitement d'une chute*. Ibid., 1701, p. 294. — VI. *Observation sur deux pierres trouvées dans les parois de la vessie d'un garçon de vingt ans*. Ibid., 1702, p. 26. — VII. *Observation sur un fœtus humain trouvé dans la trompe gauche de la matrice*. Ibid., 1702, p. 208. — VIII. *Histoire d'un fœtus humain tiré du ventre de sa mère par le fondement*. Ibid., 1702, p. 234. — IX.

Observation sur une hydropisie particulière. Ibid., 1703, p. 90. — X. *Observations sur des plaies de ventre.* Ibid., 1705, p. 32. — XI. *Observations sur les reins d'un fœtus de neuf mois.* Ibid., 1705, p. 111. — XII. *Observations sur la matrice d'une fille de deux mois.* Ibid., 1705, p. 382. — XIII. *Observation sur la glande pituitaire d'un homme.* Ibid., 1707, p. 125. — XIV. *Observation sur une hydropisie du péritoine.* Ibid., 1707, p. 502. — XV. *Sur un fœtus humain monstrueux.* Ibid., 1709, p. 9. — XVI. *Observations sur la gonorrhée.* Ibid., 1711, p. 1799. — XVII. *Observation sur une espèce d'enflure appelée emphysème.* Ibid., 1713, p. 5. — XVIII. *Sur l'hydropisie appelée tympanite.* Ibid., 1713, p. 235. — XIX. *Sur une hernie rare.* Ibid., 1714, p. 200. — XX. *Sur des vaisseaux particuliers observés dans les corps morts de perte de sang.* Ibid. 1714, p. 327. — XXI. *Sur une difficulté d'avaler.* Ibid., 1716, p. 183. — XXII. *Observation d'un fœtus monstrueux qui n'avait qu'un œil.* Ibid., 1717, p. 285. — XXIII. *S'il y a du danger de donner par le nez des bouillons, de la boisson, ou tout autre liquide.* Ibid., 1718, p. 298. — XXIV. *De la dissolution des pierres de la vessie dans les eaux communes.* Ibid., 1720, p. 436. A. Ch.

LIVÈCHE (*Levisticum* Koch). Genre de la famille des Ombellifères, établi par Koch pour une seule espèce, le *Levisticum officinale* (*Ligusticum levisticum* L.), détachée du genre *Ligusticum* de Tournefort et de Linné. Les caractères génériques sont ainsi indiqués par Koch : calice à limbe presque nul; pétales orbiculaires, entiers, portant un lobule infléchi en dedans; fruit comprimé à section transversale ovale; méricarpes à 5 côtes membraneuses ailées, les 3 dorsales égales et rapprochées entre elles, les 2 latérales plus distantes et plus largement ailées que les autres; une seule bandelette résineuse dans les vallécules; involucres et involucelles polyphylles.

L'espèce unique de ce genre, la *Livèche* ou *Ache des montagnes*, croît dans les Pyrénées, les Cévennes, les Alpes de Savoie, les Apennins et la Transylvanie. Dans les régions plus septentrionales, elle est fréquemment cultivée dans les jardins, et se trouve même quelquefois subspontanée en Allemagne et en Suisse. Elle se fait remarquer par sa tige épaisse et fistuleuse, haute de 4 à 5 pieds, garnie à son sommet de rameaux opposés ou verticillés. Ces rameaux portent des ombelles de 6—12 rayons, terminés par des ombellules denses, à fleurs brièvement pédicellées, jaunes verdâtres. Les feuilles sont grandes, d'un vert luisant, bi ou tripinnatiséquées, à segments rhomboïdaux, larges, cunéiformes à la base, incisés, lobés dans leur moitié supérieure.

La Livèche donne à la matière médicale ses fruits aromatiques et surtout ses racines vivaces, qu'on récolte quand la plante a 2 ou 3 ans et qui se vendent en morceaux généralement coupés en deux dans leur longueur. L'écorce est à l'extérieur d'un gris brun, profondément marquée de sillons longitudinaux, et çà et là de cicatrices irrégulières, provenant de la chute des rameaux latéraux. La coupe transversale montre une partie corticale, dont la largeur égale à peu près la moitié du rayon et qui, par le ramollissement dans l'eau, devient plus épaisse que le bois. Cette écorce, d'un blanc sale, est parcourue dans la partie intérieure par des lignes rayonnantes brunes, qui se rapprochent près de la couche génératrice de manière à former une zone continue de couleur brunâtre : ces lignes contiennent un nombre considérable de vaisseaux remplis d'une substance oléo ou gommo-résineuse. Le corps du bois est spongieux, formé d'un grand nombre de faisceaux ligneux jaunâtres, ayant l'aspect de feuillets distincts, minces, rayonnant vers l'extérieur, anastomosés entre eux vers la partie médullaire. La racine sèche conserve une odeur agréable : elle a une saveur aromatique sucrée et en même temps un peu âcre. Elle contient de la résine, une huile essentielle qui lui donne son odeur particulière, du sucre, de la pectine, de l'acide malique (surtout au moment de la floraison) et de l'acide angélique.

La Livêche est entrée dans la thérapeutique comme stimulante, stomachique et emménagogue. (Infusion de racine, de semences et de feuilles, 10 à 15 grammes par kilogramme d'eau ; extrait, 2 à 4 grammes ; teinture, 2 à 6 grammes.)

Koch. *Umbell.*, 101, fig. 41. — DC. *Prodr.*, IV, 165. — Berg et Schmidt. *Offizinelle Gewächse*, IV, planche 26 d. Pl.

LIVIDITÉS. Taches de couleur violette plus ou moins foncée. Sur l'homme vivant, les lividités se confondent avec les ecchymoses, les extravasations sanguines (*voy.* Blessures, Contusion, Ecchymoses) ; mais on réserve plus spécialement cette dénomination à des taches qui apparaissent sur le cadavre et qui sont connues en anatomie pathologique et en médecine légale sous le nom de *lividités cadavériques*. (*Voy.* Cadavres.) A. D.

LLAMAPANUI. *Voy.* Mucuna.

LLÉDONE. *Voy.* Micocoulier.

LLO (Eaux minérales de), *hypothermales, sulfurées sodiques faibles, azotées faibles.*

Dans le département des Pyrénées-Orientales, dans l'arrondissement de Prades, à 1 kilomètre du village qui leur a donné son nom, émergent du granit les trois sources de cette station. Leurs eaux ont les mêmes propriétés physiques et chimiques, à l'exception de leur température qui varie de 27°,5 centigrade à 29°,1 centigrade. La source principale, dont le débit est le plus abondant, se nomme la *source de Llo*. L'analyse chimique de ces sources n'est pas bien connue; Anglada a indiqué seulement la richesse quantitative du sulfure de sodium, du sulfate de chaux, du chlorure de calcium, de la barégine et du gaz azote que ces eaux renferment.

Cet auteur ajoute que les eaux des sources de Llo ont une composition élémentaire à peu près pareille aux sources d'*Escaldas* (*voy.* ce mot), éloigné pourtant d'un peu plus de 16 kilomètres.

L'eau de Llo est employée en boisson ; on l'utilise quelquefois en bains généraux ; les habitants du pays s'en servent aussi pour le blanchissage de leur linge, auquel elle communique une extrême blancheur. Les maladies de la peau et des membranes muqueuses sont celles qui sont traitées avec le plus de succès à la station de Llo, qui n'occupe certainement pas le rang qu'elle mérite et qu'elle aura le jour où une administration éclairée voudra exploiter convenablement ses eaux minérales. A. R.

LOBAIRES (Artères). *Voy.* Carotide interne et vertébrale (Artères).

LOBB (Théophile), médecin anglais né en 1678 ; il pratiqua à Londres et mourut en 1763. Lobb s'est fait connaître par des ouvrages justement estimés, et qui portent ces titres :

I. *A Treatise on the Small-pox, in two Parts....* London, 1731, in-8°. Traduit en français sous ce titre : *Traité de la petite vérole, par Théophile Lobb. Traduit de l'anglais sur la seconde édition par M. B. P.* (Boyer de Prébrandier), *docteur en médecine.* Paris, 1749, in-12, 2 vol. — II. *National Methods of curing Fevers, deduced from the Structure of Human Body.* Lond., 1734, in-8°. — III. *Practical Treatise of Painful Distempers, with some Effectual Methods in curing them.* Lond., 1739, in-8°. — IV. *A Treatise on dissolvants of the Stone, and curing the Stone and Gout by Aliments.* Lond., 1739, in-8°. Trad. franç. Paris, 1744, in-12. — V. *An Address to the Faculty of Physic relating to miss Stephen's Medecine.* Lond., 1739, in-8°. — VI. *Letter Relative to the Plague and the Contagious Distempers.* Lond., 1745, in-4°. — VII. *Compendium of Practice of Physik.* Lond., 1747, in-8°. A. C.

LOBEL (MATTHIEU DE). Tout le monde connaît cette charmante plante de la famille des Campanulacées, appelée *Lobelia*. Plumier, en adoptant ce nom, a voulu rendre hommage aux travaux de Matthieu de Lobel, qui s'est montré en effet, au seizième siècle, un botaniste distingué, à une époque où cette science ne reposait guère que sur les livres de Dioscoride et de Matthioli. La vie de Lobel fut assez agitée. Né à Lille, en 1538, de Jean de Lobel, jurisconsulte distingué, on le voit se faire recevoir docteur à Montpellier, voyager ensuite en Allemagne, en Suisse, dans le nord de l'Italie, pratiquer la médecine à Anvers, à Delft, être attaché au prince d'Orange, se rendre ensuite en Angleterre, parcourir le pays en herborisateur, être honoré de l'amitié du roi Jacques, et mourir à Highgate, le 2 mars 1616, âgé de soixante-seize ans. Voici les titres des ouvrages qu'il a laissés et qu'on recherche encore aujourd'hui.

I. *Stirpium adversaria nova.* Lond., 1570, in-fol., etc. — II. *Plantarum seu stirpium historia, cui annexum est adversariorum volumen.* Anvers, 1576, in-fol., 1486 figures. — III. *Icones stirpium, seu plantarum tam exoticarum quam indigenarum, in duas partes digestæ.* Anvers, 1581, in-4°, 2116 figures. — IV. *Balsami, opobalsami, carpobalsami, et xylobalsami cum suo cortice explanatio.* Lond., 1598, in-4°. — V. *Stirpium illustrationes plurimas elaborantes inauditas plantas. J. Parkinsonii rapsodiis sparsim gravatæ.* Lond., 1655, in-4°. — VI. *Nova stirpium adversaria; auct. Pet. Pena et Matt. de Lobel.* 1576, in-fol.

A. C.

LOBÉLIE (*Lobelia* L.). § I. **Botanique.** Genre de plantes, à corolle gamopétale, qui a donné son nom au groupe des Lobéliacées. Les Lobéliacées, considérées par beaucoup d'auteurs comme formant une famille distincte, sont simplement des Campanulacées à corolle irrégulière et ne doivent pas plus être séparées des Campanulacées que les Rhododendrées des Éricacées, les Chicoracées des Composées, etc. Les Lobélies ont les fleurs irrégulières, hermaphrodites et résupinées. Leur réceptacle est concave et porte dans sa concavité un gynécée en partie infère, et, sur ses bords, un périanthe à verticilles pentamères. Le calice est gamosépale, à lobes presque égaux. La corolle est gamopétale, ordinairement allongée et tubuleuse, irrégulière. Son tube est ordinairement fendu jusqu'à la base du côté antérieur de la fleur. Quant à son limbe, il forme deux lèvres, la postérieure composée de trois lobes, l'antérieure, de deux; ces lobes sont valvaires dans la préfloraison, ou plus ou moins indupliqués. Les étamines sont au nombre de cinq, alternes avec les divisions de la corolle sur laquelle elles ne s'insèrent pas. Portées par le réceptacle, elles se composent chacune d'un filet aplati à sa base et d'une anthère biloculaire, introrse, s'ouvrant par deux fentes longitudinales, plus ou moins barbue. Les anthères sont très-souvent syngénèses, c'est-à-dire unies entre elles par leurs bords en une sorte de tube qui entoure le style. Le gynécée se compose d'un ovaire en partie infère, surmonté d'un style dont l'extrémité stigmatique est plus ou moins bilobée ou déprimée en forme de sac et renferme à l'intérieur les papilles stigmatiques. L'ouverture est entourée d'une couronne plus ou moins développée de poils. L'ovaire est ordinairement à deux loges, l'une antérieure et l'autre postérieure; et chaque loge contient, dans son angle interne, un gros placenta chargé d'un nombre indéfini d'ovules anatropes. Le fruit est une capsule loculicide, dont la déhiscence, souvent incomplète, commence par la partie supérieure et s'étend souvent dans une portion variable de la cloison. Les graines sont nombreuses et renferment, sous leurs téguments, un embryon charnu dont l'axe est occupé par un embryon à cotylédons courts. Les Lobélies sont des herbes, annuelles ou vivaces, qu'on trouve dans toutes les régions tropicales et sous-tropicales du globe, surtout dans l'Amérique équinoxiale. Leurs feuilles sont alternes, simples, sans stipules. Leurs fleurs sont ordinairement disposées en grappes ou en épis; leur pédicelle se tord un peu avant l'époque de l'épanouissement, et la lèvre inférieure de la corolle devient de la sorte supérieure. Presque tous les organes des Lobélies sont gorgés d'un latex blanc ou jaunâtre auquel ces plantes doivent leurs propriétés âcres et vénéneuses. Plusieurs espèces doivent être étudiées comme poisons ou comme médicaments.

I. LOBÉLIE BRULANTE (*Lobelia urens* L., *Spec.*, 1321). Cette espèce indigène est une herbe vivace, haute de 2 à 5 ou 6 décimètres. Sa tige est dressée, anguleuse, feuillée, pubérulente ou glabrescente, simple ou rameuse. Ses feuilles sont variables de forme : les radicales sont ovales-oblongues, atténuées inférieurement en pétiole, réunies en rosette lâche; les caulinaires sont ovales-lancéolées et sessiles. Toutes sont découpées sur les bords en dents inégales et brièvement pubérulentes. Les fleurs, d'un bleu clair ou légèrement violacé, sont nombreuses, réunies en une longue grappe terminale. Leur pédicelle est plus court de moitié que leur tube calicinal. Les bractées dont elles occupent l'aisselle sont linéaires, égales au pédicelle et au calice. Le tube réceptaculaire est étroit, allongé. Les sépales sont acuminés, linéaires; ils n'arrivent pas jusqu'au milieu de la hauteur de la corolle. Celle-ci a un tube en entonnoir, et cinq lobes lancéolés, aigus, presque égaux. Elle est pubérulente, ainsi que les anthères. Cette espèce croît dans les endroits humides, dans les landes des marais; elle est commune dans le centre et dans l'ouest de la France, rare dans les environs de Paris; elle fleurit à la fin de l'été. Sa saveur est extrêmement âcre et brûlante; et ce caractère suffirait à la distinguer de la Petite-Centaurée avec laquelle on dit qu'on l'a parfois confondue avant la floraison et dont le goût est simplement amer. D'ailleurs, elle a des feuilles opposées et non alternes comme celles du *Lobelia urens*.

II. L. SYPHILITIQUE (*L. syphilitica* L., *Spec.*, 1302). Cette espèce est herbacée, vivace. Sa tige est haute d'un quart à un demi-mètre, anguleuse, velue, principalement dans sa portion inférieure. Ses feuilles sont alternes, sessiles, rapprochées, étalées, irrégulièrement lancéolées. Ses bords sont irrégulièrement sinueux et denticulés. Les fleurs sont d'un bleu plus ou moins violacé, solitaires à l'aisselle des feuilles ou des bractées qui les remplacent dans les portions supérieures. Elles ont un court pédoncule, et leur réunion forme au sommet des branches une longue grappe feuillée. Leur réceptacle a la forme d'une coupe assez profonde dont la moitié environ de l'ovaire occupe la concavité, l'autre moitié étant libre. Sur les bords de cette coupe s'insère un calice à cinq sépales lancéolés, très-aigus, foliiformes, ciliés, se prolongeant au-dessous de leur insertion sur le réceptacle, et formant, par le rapprochement de leurs bords, de profondes gouttières. La corolle est allongée, gamopétale, tubuleuse, un peu dilatée à la base, arquée dans sa portion supérieure, irrégulière, bilabiée, une de ses lèvres étant formée de trois lobes, et l'autre, l'inférieure, de deux lobes; de plus, elle est fendue inférieurement dans toute sa longueur. Les étamines sont unies, et par leurs anthères, et par une portion de leur filet; on les dit symphysandres. Elles viennent faire saillie en haut, au-dessus du limbe de la corolle. Leurs filets sont blanchâtres ou violacés, libres seulement dans leur portion inférieure, là où ils sont le plus larges et le plus membraneux. Leurs anthères forment, par leur rapprochement, un tube court, arqué; deux d'entre elles, les supérieures, sont un peu plus longues que les autres; elles sont surmontées d'un petit pinceau de poils. L'ovaire est biloculaire; il s'atténue supérieurement en un style cylindrique, glabre, un peu plus long que les étamines, dans le tube desquelles il est longtemps renfermé. Il se recourbe et se renfle un peu à son sommet; là il présente un orifice bordé de deux petites lèvres, l'une supérieure et l'autre inférieure, entouré d'un petit cercle de poils blanchâtres et soyeux. L'orifice donne accès dans une cavité stigmatifère assez profonde. Dans chaque loge de l'ovaire on observe sur la paroi interne un gros placenta axile, chargé d'un nombre indéfini de petits ovules anatropes. Le fruit est une capsule anguleuse, munie à sa base du réceptacle persistant, et, plus haut, des débris du calice. Elle s'ouvre, dans sa partie supérieure, par deux fentes verticales qui, non-seulement descendent jusqu'à une certaine distance du sommet des parois, mais encore partagent supérieurement la cloison en deux portions qu s'écartent l'une de l'autre en laissant entre elles un large sinus à concavité supérieure. La Lobélie syphilitique est originaire de l'Amérique septentrionale. Kalm, dit-on, l'y a le premier observée, dans les forêts marécageuses. Elle croît depuis la Caroline jusqu'au Canada et aussi dans les environs de la Nouvelle-Orléans. Le *Rapuntium syphiliticum* de Miller (*Dict.*, n. 2) se rapporte à cette espèce. Toutes ses parties sont excessivement âcres; elles contiennent un latex abondant, de couleur jaune pâle. On en distingue plusieurs variétés : le *Ludoviciana*, dont les feuilles sont glabres et presque entières, et le *maculata*, dont les feuilles, tachées de brun, sont finement denticulées.

III. L. CARDINALE (*L. cardinalis* L., *Spec.*, 1300). Cette espèce, dont toutes les parties sont finement pubescentes, a une tige simple dressée, des feuilles oblongues-lancéolées, atténuées aux deux extrémités, aiguës, irrégulièrement dentées. Les fleurs sont disposées en grappes allongées. Les bractées, lancéolées, étroites, sont découpées en dents en scie glanduleuses. Les inférieures sont plus longues que le pédicelle de la fleur axillaire; les supérieures sont plus courtes. La fleur a un calice à sépales linéaires-lancéolés, acuminés, plus longs que le réceptacle hémisphérique qui les supporte. La corolle, d'un rouge éclatant, est à peine plus longue que les sépales. Les étamines sont exsertes, et les anthères des inférieures sont barbues. Cette plante est le *Rapuntium cardinale* de Pursh (*Prodr. Lobel.*, 26) et le *Flos cardinalis Barberini* de Hernandez (*Mex.*, t. 880). Elle se trouve dans les régions méridionales de l'Amérique du Nord, depuis la Caroline jusqu'à la Nouvelle-Angleterre.

IV. L. ENFLÉE (*L. inflata* L., *Spec.*, 1320). La tige de cette espèce se présente avec des dimensions très-variables, tantôt haute de 2 à 4 décimètres et souvent alors simple, tantôt haute de près de 1 mètre, et alors ramifiée. Ses racines sont fibreuses. Sa tige est dressée, angulaire, couverte de poils. Les feuilles sont également velues, ovales, découpées en dents de scie; elles n'ont pas la même forme sur toute l'étendue de la tige. Ainsi, les inférieures sont oblongues, obtuses, avec un pétiole court, et les moyennes sont ovales-aiguës, sessiles. Les fleurs sont réunies en grappes, avec des pédicelles plus courts que les bractées, qui sont acuminées. Le réceptacle est glabre, ovoïde. Les sépales sont subulés, linéaires, presque égaux en longueur à la corolle, qui est d'un bleu teinté de pourpre, et dont les divisions sont inégales. Les anthères sont purpurines, unies en un tube pourpré, avec des filets blancs. Le style est filiforme, arqué et caché par les anthères dans sa portion stigmatique. Le fruit est une capsule biloculaire, turgide, ovale, comprimée, couronnée par le calice et portant dix angles saillants. Les graines sont nombreuses, petites, brunes. Toute la plante est gorgée d'un latex extrêmement âcre. C'est le *Rapuntium inflatum* de Miller (*Dict.*, n. 5). Elle croît communément dans les champs et sur les bords des routes, dans l'Amérique du

Nord, depuis le Canada jusqu'à la Caroline et au Missouri. On l'appelle aux États-Unis *Indian Tobacco*.

V. Les *Lobelia spendens* W. (*Hort. berol.*, t. 86), *fulgens* W. (*loc. cit.*, t. 85), espèces mexicaines, voisines du *L. cardinalis*, servent aux mêmes usages que lui. Le *L. decurrens* CAV. (*Icon.*, VI, 13, t. 521), du Chili, est employé dans son pays natal comme fébrifuge. Au Brésil, on considère comme narcotiques, vénéneux, le *L. coccinea* W.; aux Antilles, les *L. cirsiifolia* LAMK, et *stricta* LEV. passent pour avoir les mêmes propriétés. Le *L. Dortmanna* L., espèce voisine du *L. urens* et qui croît, comme lui, en Europe, n'en diffère pas non plus par ses propriétés.

Le *L. longiflora* L. est un *Isotoma*.

Le *L. Feuillæi* L. est un *Tupa*.

Les *L. barbata* CAV. et *Caoutschouc* H. B. K. sont des *Siphocampylus*.

H. BN.

L., *Fl. lappon.*, 227; *Gen.*, n. 1000 (part.). — JUSS., *Gen. plant.*, 165. — LAMK, *Dict.*, III, 581. — MÉR. et DEL., *Dict.*, IV, 130. — GUIB., *Drog. simpl.*, éd. 4, III, 9. — RICH. (A.), in *Dict. de méd.* (en 30 vol.), XVIII, 174; *Elém.*, éd. 4, II, 28. — A. DC., *Prodr.*, VII, 357. — BIGEL., *Med. Bot.*, I, t. 19. — LINDL., *Fl. med.*, 403. — PEREIRA, *Elem. Mat. med.*, ed. 5, II, p. II, 8. — ROSENTH., *Syn. pl. diaph.*, 514. — CAZIN, *Pl. méd. indig.*, éd. 3, 500. — H. BN, ap. PAYER, *Fam. nat.*, 248.

§ II. **Emploi médical**. On emploie principalement la lobélie enflée et la lobélie syphilitique.

1° LOBÉLIE ENFLÉE. *Lobélia inflata; Indian Tobacco* des Anglais; *asthma-weed*, herbe à l'asthme; *emetic weed*, herbe émétique.

PHARMACOLOGIE. Toutes les parties de cette plante possèdent une grande activité, qui paraît due principalement à un alcaloïde particulier, la *lobeline*, dont il sera question plus loin. Les parties les plus actives sont les semences; viennent ensuite la racine; puis les feuilles. Ce sont ces dernières néanmoins qui sont le plus usitées.

Les feuilles de lobélie enflée sont récoltées en Amérique aux environs de New-Labanon, au mois d'août, et mises sous forme de carrés longs comparables à ceux du tabac de Virginie livrés par la *Régie*, fortement comprimés et du poids de 250 à 300 grammes. Telles qu'elles arrivent en France, elles sont d'un vert jaunâtre, mélangées d'une assez forte proportion de pédoncules d'une odeur légèrement aromatique, d'un goût un peu âcre, rappelant celui du tabac. Fumées dans une pipe, comme les emploient les sauvages de l'Amérique du Nord, elles ont encore une saveur et une odeur analogues à celles du tabac, mais plus douces.

Ces feuilles s'emploient : En *poudre*, rarement prescrite;

En *fumigations* : dans une pipe, ou sous forme de cigarettes;

En *infusion* : 25 à 50 centigrammes, 1 ou 2 grammes pour une quantité d'eau susceptible de varier, selon que l'on veut en faire une potion ou une tisane;

En *teinture* : teinture éthérée, peu usitée; teinture alcoolique, laquelle est le mode d'administration le plus ordinaire de la *lobelia inflata*.

La pharmacopée des États-Unis donne pour formule de la *teinture de Lobélie : Lobelia inflata* (feuilles), 120 grammes; alcool dilué, 900. — Si nous suivions les prescriptions du codex français, nous préparerions dans les proportions de 1 partie de feuilles et 5 parties d'alcool à 85°. — Mais pour cette teinture comme pour d'autres analogues à base de feuilles ou de fleurs, la quantité d'alcool est vraiment insuffisante, et je conseille de préparer, avec les proportions de 1 de feuille et 10 d'alcool, la *teinture de lobélie enflée*.

Il y aurait lieu de mettre au nombre des préparations officinales de *Lobelia inflata* la *teinture alcoolique des semences*, et de l'expérimenter comparativement avec la teinture des feuilles.

ANALYSE CHIMIQUE; LOBÉLINE. La lobélie enflée contient, d'après Procter : un principe odorant volatil (huile essentielle?), un alcaloïde spécial, la *lobéline*, signalée antérieurement par Reinsch et par Colhoun; un acide spécial (déjà reconnu par Pereira), l'acide lobélique ; une huile fixe, presque incolore, très-siccative ; une résine ; de la gomme; de la chlorophylle ; du ligneux ; des sels de chaux et de potasse et de l'oxyde de fer.

Procter a obtenu la lobéline en traitant les semences avec de l'alcool acidulé au moyen de l'acide acétique, pour enlever le principe âcre ; la teinture fut ensuite évaporée. L'extrait résultant fut trituré avec de la magnésie et de l'eau, et, après une agitation répétée pendant quelques heures, la liqueur, tenant la lobéline en dissolution, fut filtrée ; celle-ci fut ensuite reprise par l'éther, et la nouvelle solution, après avoir été bien décantée, fut abandonnée à l'évaporation spontanée. Le résidu, qui était d'une couleur rouge brunâtre et de la consistance du miel, fut débarrassé de sa matière colorante en le dissolvant dans l'eau et en y ajoutant un petit excès d'acide sulfurique, faisant bouillir avec du charbon animal, et saturant avec la magnésie. Après filtration, agitation avec l'éther et évaporation de celui-ci, le liquide restant est la lobéline.

William Bastick, de Londres, ignorant sans doute le procédé de Procter, a publié, en décembre 1850, un procédé pour l'obtention de la lobéline, en faisant macérer pendant quarante-huit heures 2 livres de la plante dans un gallon d'alcool auquel on a préalablement ajouté 3 onces d'acide sulfurique ; il traite ensuite par la chaux caustique en poudre, et, après différents lavages, par une solution concentrée de carbonate de potasse. On traite alors par l'éther, et l'on obtient la lobéline comme dans le procédé de Procter. (Victor Guibert, *Hist. nat. et méd. des nouveaux médicaments*, etc., Bruxelles, 1860.)

La *lobéline* ressemble, dit-on, par plusieurs de ses propriétés, à l'hyoscyamine. Elle en diffère, cependant, en ce qu'elle est liquide et incristallisable. Sous ce rapport, elle se rapproche plutôt de la nicotine, avec laquelle, d'ailleurs, elle a aussi des analogies d'action pharmacodynamique. La lobéline se présente sous forme d'une huile visqueuse, un peu jaunâtre, plus légère que l'eau, à réaction fortement alcaline, d'une odeur aromatique qui rappelle celle de la plante. Elle est volatile (Procter, Bastick), mais finit par s'altérer en se volatilisant. (Pereira.) Elle est un peu soluble dans l'eau, et complétement dans l'alcool et dans l'éther, Les alcalis caustiques la décomposent. Elle forme des sels solubles et cristallisables avec les acides sulfurique, azotique, chlorhydrique, et un sel double mais incristallisable avec l'acide acétique. Le tannin précipite la lobéline et ses sels. La chaleur décompose la lobéline ; mais lorsqu'elle est combinée avec un acide, elle peut supporter l'ébullition sans être altérée.

La lobéline est très-toxique, dès la dose de 1 à 5 centigrammes; elle hyposthénise profondément les sujets de l'expérience ; elle dilate la pupille. (Procter.)

HISTORIQUE. La lobélie enflée jouissait depuis longtemps d'une réputation populaire aux États-Unis ; mais elle y était surtout connue, et employée par les indigènes, pour ses propriétés vomitives, lorsque vers 1820 le docteur Cutler la recommanda spécialement contre l'asthme, après en avoir fait l'épreuve avec succès sur lui-même. Bientôt de nombreux travaux, publiés dans les journaux de médecine des États-Unis, d'Angleterre et d'Allemagne, confirmèrent les propriétés anti-asthmatiques de cette plante, et étendirent encore le champ de ses applications. Elle restait presque complétement méconnue en France ; on ne pouvait guère citer, à son sujet, qu'une notice de Bidault de Villiers (*Nouvelle Bibliothèque médicale*, t. V, p. 226) ; l'article succinct de Mérat et Delens, dans leur *Dictionnaire de matière médicale* (tome IV, 1832), suivi de quelques renseignements nouveaux dans leur *Supplément* (1846) ; une note de Sigmond, sur les propriétés des *Lobelia inflata et syphilitica*, dans le *Journal de chimie médicale* (1833, t. IX, p. 587). Enfin, en 1860, le docteur Michéa publia dans le journal l'*Observation* un fait constatant l'efficacité de la *lobelia inflata* contre l'asthme ; et en 1864 parut dans le *Bulletin général de thérapeutique* le mémoire du professeur Barrallier, de Toulon, sur les *effets physiologiques et l'action thérapeutique de la lobelia inflata*, mémoire le plus important qui ait été jusqu'ici publié en France sur cette question, et doublement intéressant par les expériences propres à l'auteur, et par les renseignements qu'il contient sur les diverses et récentes applications du médicament dont il s'agit. Aussi est-ce principalement à cette dernière source que nous puiserons pour la rédaction du présent article.

Action physiologique. Dans les expériences physiologiques instituées sur l'homme par Barrallier, la teinture de lobélie étant administrée depuis 25 centigrammes jusqu'à 2 grammes, toujours en une seule dose et le matin à jeun sur des sujets sains, les phénomènes observés ont été : une sensation de picotement désagréable dans la bouche, surtout à la pointe et vers la base de la langue ; une autre sensation d'âpreté, de sécheresse dans la gorge ; plus ou moins de constriction dans le pharynx, allant parfois jusqu'à la dysphagie ; une constriction thoracique et laryngée, avec gêne de la respiration ; de l'irrégularité dans les mouvements du cœur et du pouls, de la diminution dans le nombre des pulsations ; de l'engourdissement cérébral, de la céphalalgie, de la tendance au sommeil ; la dilatation des pupilles.

Ces phénomènes, s'accusant d'autant plus que la dose de teinture de lobélie avait été plus élevée, sont considérés par Barrallier comme spéciaux, et notés par lui comme ayant été à peu près constants dans ses expériences ; en outre, il a constaté, en les jugeant accessoires, les phénomènes suivants : la fatigue musculaire ; les troubles des fonctions digestives, tels que nausées, inappétence, coliques, diarrhée, ces deux derniers symptômes ayant été plus rares que les autres.

Malgré le soin avec lequel ces expériences ont été conduites, elles ne nous révèlent cependant que d'une manière incomplète l'action du médicament en question. Ainsi, par exemple, si, au lieu d'une dose administrée d'un seul coup, on fractionne les doses, on obtient des effets moins perturbateurs que dans les expériences relatées plus haut. Si, au lieu d'introduire la lobélie dans un organisme sain, on la fait intervenir dans le traitement d'une maladie où elle a paru être indiquée, on recueille certaines actions modificatrices opposées, en apparence du moins, à certains résultats de l'expérimentation physiologique. Ainsi, administrée, à doses minimes et fractionnées, par les médecins anglais et américains contre les affections catarrhales de la muqueuse bronchique, loin de produire la dysphagie et la sécheresse de la gorge, elle excite l'expectoration. Prescrite contre certains états dyspnéiques, au lieu d'exagérer l'angoisse respiratoire, elle la diminue, elle la supprime même, non plus en déterminant une sensation de constriction du thorax, mais en amenant une détente dans le spasme qui enraye la respiration, ou en excitant, non plus une contraction exagérée, mais le jeu normal des puissances auxiliaires de cette fonction.

Le docteur Noach (de Leipzig) pense que la lobélie enflée agit d'une manière spéciale sur le système nerveux pneumogastrique, et que par suite elle exerce une influence remarquable sur la membrane muqueuse des bronches. S'il est vrai, comme l'admet le professeur Germain Sée, que le nerf pneumogastrique soit un nerf modérateur de l'impulsion donnée au cœur par les ganglions cardiaques, et que tout agent qui excite ce nerf tend à diminuer cette impulsion, l'irrégularité et le ralentissement circulatoire observés par Barrallier, justifieraient jusqu'à un certain point l'opinion de Noach. Mais la seule spécialité d'action de la lobélie enflée sur le nerf pneumogastrique ne suffirait pas à expliquer ses autres effets physiologiques et surtout ses effets thérapeutiques. Ceux-ci proviendraient plutôt, à mon avis, d'une influence exercée sur le nerf grand sympathique, du moins lorsque l'on opère avec de minimes doses de lobélie enflée, ainsi que semble le démontrer la contractilité excitée : dans les fibres lisses des bronches, pour le cas des accès d'asthme ; dans les couches musculaires de l'intestin, ce qui peut expliquer les coliques, le relâchement du ventre, la réduction d'étranglements herniaires ; dans les plans musculeux de l'utérus, d'où se déduit son opportunité comme agent obstétrical ; enfin, dans les muscles vasculaires, comme le prouve son action mydriatique.

A doses élevées, à doses toxiques surtout, la lobélie enflée envahit incontestablement le système nerveux cérébro-spinal ; de là des vomissements, des superpurgations, des convulsions bientôt suivies d'une résolution générale des forces avec sueurs profuses, parfois avec des symptômes de congestion du cerveau. Alors aussi on peut voir survenir, au lieu de l'excitation salutaire de la contractilité des muscles, leur rigidité tétanique avec l'angoisse thoracique qui rappelle celle produite par les strychnées.

Et ce ne sont pas encore les seuls phénomènes que cette plante éminemment active puisse déterminer. Ainsi on la voit encore, d'après Elliotson (*The Lancet*, 23 février 1835 ; Gubler, *Comment. thérap. du Codex*), provoquer des étourdissements, de la céphalalgie, de la toux, un fourmillement général sous la peau, des douleurs aiguës dans les voies urinaires pendant la miction.

La lobélie enflée offre donc une échelle pharmacodynamique très-développée. Elle présente, en outre, cette particularité d'avoir de frappantes similitudes d'action avec d'autres plantes très-éloignées d'elle dans la série physiologique.

Ainsi, elle est vomitive comme l'ipécacuanha. Elle peut être maniée de façon, néanmoins, à ce que l'on n'obtienne que des effets expectorants ; elle est susceptible aussi d'appeler la diaphorèse ; elle a cela de commun, comme le fait remarquer le professeur Gubler (*loc. cit.*), avec toutes les substances émétiques qui excitent un état nauséeux favorable à la sécrétion des liquides buccaux et bronchiques ainsi qu'à celle de la sueur. Elle ralentit les mouvements du cœur, comme la digitale, comme la vératrine : action qui n'a pas encore été assez remarquée, mais dont je crois que l'on pourra tirer quelque parti. Mais c'est surtout avec les solanées vireuses qu'elle offre d'intéressantes ressemblances. Elle provoque au sommeil comme la jusquiame, et paraît avoir des manières de calmer qui, sous ce rapport, la rapprochent plus de cette solanée que de ses pareilles. Elle délie la respiration comme le datura stramonium, auquel elle peut disputer la prééminence dans le traitement des dyspnées. A l'instar de la belladone, elle tend à produire la sécheresse de la gorge, la dysphagie, des hallucinations, la dilatation pupillaire ; elle excite la contraction des muscles de la vie organique, favorise la liberté du ventre, l'émission urinaire, la parturition. Son alcaloïde a les caractères physiques de celui du tabac; la lobéline a des propriétés toxiques de bien peu inférieures à celles de la nicotine; elle donne à la plante qui la recèle la faculté de remplacer le tabac dans l'usage de fumer, et, ce qui nous importe plus, de lui servir, pour l'emploi médical, de succédané plus doux, moins dangereux, avec une grande analogie dans l'effet thérapeutique. Enfin, quoique avec un bien moindre degré d'énergie, la lobélie enflée se montre susceptible d'influencer la moelle épinière à la manière de la noix vomique, au point de convulser, de tétaniser même les muscles placés sous la dépendance des nerfs spinaux.

Action thérapeutique. Les indigènes du nord de l'Amérique emploient la Lobélie enflée comme émétique. En France, Bidault de Villiers la proposa à ce titre. (Notice sur l'emploi du *Lobelia inflata* dans l'asthme et comme émétique, in *Nouv. biblioth. méd.*, V, 226.) Mais elle n'a aucun avantage sur les autres substances vomitives, et elle a l'inconvénient de provoquer des vomissements violents au milieu d'un état nauséeux persistant et très-pénible, suivis quelquefois de purgation, de sueurs copieuses, de débilitation extrême. Il n'y a donc pas lieu de patronner ce médicament comme agent de la médication vomitive.

C'est dans le traitement de l'asthme, et par extension contre toutes les dyspnées, quelle qu'en soit la cause, qu'il paraît appelé à rendre le plus de services; non pas qu'il doive en être considéré comme la panacée, mais il peut réellement, par son action spéciale sur les puissances nervo-musculaires de la respiration, rendre à cette fonction son libre exercice, ou diminuer au moins l'angoisse résultant de tout obstacle qui la compromet. En général, les médecins qui ont fait usage de la lobélie enflée disent avoir reconnu qu'elle réussit particulièrement contre l'asthme nerveux. (Voy. *Journ. de chim. et de pharmacie*, I, 454, 2e série.) Toutefois, là même où cette névrose n'existe pas dans sa pureté, se complique par exemple de catarrhe pulmonaire ou de lésion organique du cœur, la lobélie peut encore être utile, ne fût-ce qu'en soulageant momentanément. Plusieurs médecins anglais l'ont donnée contre d'autres maladies des organes respiratoires, les laryngites, les bronchites aiguës et chroniques, la coqueluche, tant à titre de calmant qu'à titre d'expectorant. Barrallier l'a employée contre la dyspnée des phthisiques, contre celle des anémiques et des chlorotiques, contre l'oppression qu'éprouvent les sujets atteints de catarrhe pulmonaire, de maladies du cœur, de pneumonie, de pleurésie; et dans ces divers cas il a presque constamment vu les symptômes dyspnéiques s'amender.

En dehors du cercle tracé par les dyspnées, et qui laisse déjà un champ assez large aux applications de la lobélie, la thérapeutique n'a pas encore acquis de preuves suffisantes de son utilité dans d'autres maladies.

Ainsi on l'a proposée contre les maladies convulsives, telles que la chorée, le tétanos.

Le docteur Eberle a administré une fois, avec succès, une forte décoction de cette plante, en lavement, dans un cas de hernie étranglée.

Aux États-Unis, le docteur Livezey a popularisé l'emploi de l'infusion, en injections, contre la rigidité du col utérin pendant le travail de l'accouchement; de nombreux faits en faveur de l'efficacité de cette méthode ont été relatés dans les journaux américains. Antérieurement, on l'y avait recommandé contre la leucorrhée.

On a aussi, en Allemagne et en Angleterre, employé l'infusion de lobélie, en fomentations, dans le traitement des plaies douloureuses.

En somme, il s'agit ici d'un médicament sérieux, trop peu expérimenté dans notre pays, et qui demande une étude complète. Je m'en suis servi plusieurs fois et j'ai toujours eu à me louer, plus ou moins, de ses propriétés antidyspnéiques. Malheureusement, je n'ai eu à ma disposition que la teinture alcoolique des feuilles et je crois que, avec celle des semences, on arriverait à des résultats plus énergiques et plus constants. Je crois même qu'il faudrait varier davantage les formules et les expériences, préparer et employer comparativement poudre, infusion, décoction, extrait, et cela tant à l'extérieur qu'à l'intérieur.

Un jour peut-être, la mode ou quelque spéculation y aidant, la feuille de lobélie pourrait bien être accueillie par les fumeurs et lutter contre la vogue actuelle du tabac. Alors surgirait une question d'hygiène dont la solution n'aurait d'intérêt, quant à présent, que pour quelques tribus sauvages de l'Amérique du Nord, à savoir, si l'usage de la lobélie est plus ou moins dommageable pour la santé que celui de la nicotiane.

Les *doses et modes d'administration* sont si mal déterminés qu'ils ne doivent être indiqués ici que sous toutes réserves.

La *poudre* se donne, comme expectorant, à la dose de 5 à 20 centigrammes; comme émétique à la dose de 50 centigrammes à 2 grammes.

L'*infusion* ou la *décoction* se feraient sur 2 à 4 grammes de feuilles pour obtenir des vomissements, à doses moindres si l'on voulait les éviter; à doses supérieures pour l'emploi externe.

La *teinture alcoolique des feuilles au dixième* se donnera progressivement de 50 centigrammes à 2 grammes, terme moyen 1 gramme, par doses fractionnées, pour vingt-quatre heures; au delà il peut survenir des accidents, en présence desquels on diminuera la dose, ou bien on la suspendra.

On peut enfin faire fumer les feuilles de lobélie enflée, dans une pipe ou en cigarettes, comme celles de datura, de belladone, de nicotiane; ce dernier mode d'emploi ne paraît pas avoir été essayé dans la thérapeutique de l'asthme, et il mérite de l'être; on peut y recourir, du reste, en même temps qu'à l'administration interne de la *teinture de Lobélie*, préparation la plus usitée jusqu'à présent.

2° LOBÉLIE SYPHILITIQUE OU ANTISYPHILITIQUE, *Lobelia syphilitica*. PHARMACOLOGIE. *Partie usitée*, la racine. Celle-ci est d'une saveur d'abord sucrée, puis âcre et nauséeuse persistante. Les racines sèches provenant du Nord-Amérique sont grosses comme le petit doigt, d'un gris cendré, striées longitudinalement; la cassure en est jaune, comme feuilletée, offrant beaucoup de cavités rayonnantes. (Mérat et Delens.)

Boissel, qui a analysé cette plante, y a trouvé : une matière grasse, de consistance butyreuse; une matière sucrée; du mucilage; du malate acide de chaux et du malate de potasse; des traces d'une matière amère très-fugace; quelques sels inertes et du ligneux. (*Journal de pharmacie*, t. X, p. 623, 1824.)

La racine de *Lobelia syphilitica*, importée autrefois de l'Amérique septentrionale (on paraît avoir peu utilisé celle de la plante que l'on a acclimatée dans nos jardins d'Europe : aurait-elle moins de vertus?) s'employait particulièrement en *décoction;* on en faisait aussi parfois une *teinture alcoolique* et un *extrait*.

EMPLOI MÉDICAL. Les indigènes du Canada, dès avant leurs relations avec les Européens, considéraient et appliquaient cette plante comme un spécifique antivénérien. Selon les uns, Johnson, médecin anglais qui vivait au milieu d'eux, surprit ou acquit ce secret et le transmit au voyageur suédois Kalm; selon d'autres, la révélation en fut faite, par un vieux chef de sauvages, à Kalm. Toujours est-il que c'est ce dernier qui donna la première publicité à ce remède antisyphilitique dont il crut pouvoir certifier l'efficacité. (*Description d'un spécifique contre le mal vénérien, in* Mém. de l'Acad. de Stockholm, XII, 1750, traduit du suédois et inséré dans l'ancien *Journal de médecine*, t. XII, p. 174.) D'autres voyageurs vinrent bientôt confirmer ses éloges. La racine canadienne était déclarée susceptible de guérir aussi bien, sinon mieux que le mercure, et même encore plus rapidement, tous les symptômes de la syphilis. Le traitement consistait en une décoction qui se buvait largement, en même temps qu'on l'opposait localement à toutes les manifestations extérieures du mal.

La racine de *Lobelia syphilitica*, à faibles doses, agit comme diurétique, à hautes doses comme éméto-cathartique ; on lui attribuait aussi des propriétés sudorifiques. Peut-être la purgation qui survenait sous l'influence de son emploi, dans la méthode canadienne, contribuait-elle à une sorte de dépuration dont bénéficiait la diathèse syphilitique. Néanmoins, malgré l'appui donné à cette nouvelle médication vers le milieu du dix-huitième siècle, par Kalm et Linné en Suède, Havermann en Allemagne, Dupau en France (*Journal de Paris*, 1780), elle ne put prévaloir contre l'usage des mercuriaux et finit par être complétement mise de côté. Desbois de Rochefort dit l'avoir vu essayer sans beaucoup de succès. (*Mat. méd.*, t. II.) Tout au plus serait-il admissible, et quelques anciens praticiens en avaient ainsi jugé, que la racine de lobélie fût utile à titre d'adjuvant dans les traitements antisyphilitiques, à l'instar de la salsepareille, et susceptible de servir de succédanée à celle-ci.

La racine de lobélie syphilitique se prescrivait depuis 15 jusqu'à 30 grammes par jour, en décoction, pour 1 ou 2 litres d'eau ; l'extrait de cette racine, à la dose de 10 à 20 centigrammes par jour.

5° La LOBÉLIE BRULANTE, *Lobelia urens*, ainsi nommée parce que le suc laiteux, âcre et caustique, commun à toutes les lobélies, est dans celle-ci plus abondant et plus actif encore que dans les autres, a été, par suite de cette activité même, essayée dans la médecine populaire de nos contrées contre les fièvres opiniâtres. (Bonté, ancien *Journal de médecine*, t. XIV, p. 350.) Mais si parfois les fièvres ont guéri, plus souvent sont survenus de graves accidents gastro-intestinaux.

Bodard (*Cours de botanique comparée*, Paris, 1810, t. II, p. 144) l'a conseillée comme succédanée du gaïac et de l'espèce précédente, *L. syphilitica*, dans le traitement de la syphilis ; peut-être en effet son énergie supérieure la rendrait-elle plus utile dans cette maladie ; mais, même en la dosant avec plus de réserve, peut-être aussi courrait-on plutôt le risque d'accidents sans profit, que la chance d'avantages réels.

C'est le suc laiteux de la *lobelia urens* que Bodard conseillait en pareil cas, depuis demi-grain jusqu'à un grain de ce suc, tempéré avec quelque substance acide ou mucilagineuse, en augmentant peu à peu suivant l'effet.

Quelque oubliées que soient aujourd'hui les deux plantes dont il vient d'être question (*L. syphilitica* et *L. urens*), il pourrait être avantageux de les expérimenter, ne fût-ce qu'en désespoir de cause, contre certaines dermatoses invétérées, notamment les syphilides, qui ont résisté aux préparations de salsepareille, aussi bien qu'aux autres altérants ou dépuratifs, tant végétaux que minéraux. Nous dédaignons peut-être trop aujourd'hui, pour des substances minérales très-actives et fort recommandables sans doute, des plantes non moins actives qu'ont su utiliser nos prédécesseurs.

Toxicologie. Les lobélies sont plus ou moins toxiques. Leur suc, âcre et corrosif, agit localement comme poison irritant; l'absorption de ses principes et de ceux des autres parties de la plante produit des phénomènes généraux, plus graves encore, et dont les principaux caractères ont été indiqués en parlant de l'*action physiologique* (*voy.* plus haut) de la lobélie enflée.

Si un cas d'intoxication de cette nature se produisait, spécialement par la lobélie enflée, il faudrait recourir d'abord au tannin ou à une préparation tannifère, afin de tâcher de précipiter et d'amener à l'état de combinaison insoluble la lobéline dans l'estomac, puis faire vomir.

Si les symptômes de l'intoxication avaient pris leur cours, on leur opposerait les moyens ordinairement mis en usage contre les accidents déterminés par les Solanées, en se guidant par ailleurs, et comme dans tout empoisonnement, d'après la nature des symptômes et l'état du malade. L'analogie d'action de la lobélie avec le tabac autoriserait à employer le café, lequel est, dans une certaine mesure, antagoniste du tabac. Mais une analogie d'action non moins marquée avec la belladone justifierait l'essai de l'opium, antagoniste si remarquable de la belladone; il y aurait, en pareil cas, une intéressante expérience à instituer. S'il survenait enfin des phénomènes convulsifs et tétaniques, nous conseillerions, ainsi que contre le strychnisme, les inhalations, soit de chloroforme, soit d'éther, et l'éther à hautes doses en potion.

Dans les expertises médico-légales, il nous semble que l'on pourrait se comporter, pour la recherche de la lobéline, comme pour celle de la nicotine dans les cas d'empoisonnement par cet alcaloïde ou par le tabac. (*Voy.* ces mots.)

D. DE SAVIGNAC.

LOBÉLINE. Extrait de la *lobélia inflata;* oléagineuse; très-soluble dans l'eau, l'alcool et l'éther; en partie volatile. (*Voy.* LOBÉLIE.) A. D.

LOBERA (LUIZ) ou LLOBERA DE AVILA. Se trouve mentionné par plusieurs historiens et bibliographes sous ce nom de Avila, qui est celui d'une localité de la Castille vieille, où il vint au monde vers la fin du quinzième siècle. On croit qu'il fit ses études médicales en France, et, ici, Morejon, l'historien de la médecine en Espagne, commet une singulière méprise. Au commencement d'un livre sur l'anatomie, Lobera a placé en note marginale, autour du texte espagnol, presque tout le chapitre écrit en latin sur cette science par Guy de Chauliac, et dans lequel le chirurgien de Montpellier parle de son maître Bertruccius (*voy.* BERTRUCCIO). Morejon, qui ne s'est pas aperçu de cette addition, la rapporte à Lobera et se demande sérieusement quel peut être ce Bertruccius?... Quoi qu'il en soit, de retour en Espagne, Lobera se livra pendant quelque temps à la pratique de son art, à Ariza; mais bientôt, appuyé par le crédit de don Juan de Palafox, il prit du service dans les armées de Charles-Quint, dont il parvint à captiver la confiance et dont il devint le premier médecin. Il suivit ce prince dans ses campagnes et dans ses voyages en Europe et même en Afrique, et rassembla de nombreuses observations. Voulant reconnaître l'accueil bienveillant que lui avaient fait les grands personnages qui entouraient l'empereur, il écrivit un Traité des maladies des gens de cour; il les rapporte à quatre principales qui sont : le catarrhe, la goutte, la pierre et... la maladie vénérienne, désignée sous le nom de *bubons*. Cette dernière partie est fort intéressante; outre les bubons, dont il fait, l'un des premiers, un des symptômes de la syphilis, il s'occupe des abcès du périoste avec carie de l'os; insiste beaucoup sur l'usage des frictions mercurielles à l'intervalle de deux jours, sur l'utilité du gaïac, etc. Lobera a écrit sur le régime, sous le titre assez original de *Banquet de cavaliers*. On ignore l'époque de sa mort.

Il a laissé les ouvrages suivants :

I. *Remedios de cuerpos humanos, y silva de esperiencias, y otras cosas utilissimas*. Alcala de Henarès, 1542, in-fol. (C'est dans le livre I, qui traite de l'anatomie, que se trouve l'intercalation du chapitre de Guy de Chauliac.) — II. *Vergel de Sanidad, que per otro nombre se llamara, Banquete de Caballeros*, etc. Alcala, 1542, in-fol. — III. *De pestilencia Libro del regimiento preservativo y curativo*, etc. A la suite du précédent, sans lieu ni date (probablement à Alcala, 1542), in-fol. — IV. *Libro de las cuatro infermedades cortesanas que son : Catarro ; gota artetica, sciatica ; mal de Piedra ; y mal de bubas*. Toledo, 1544, in-fol. Trad. ital. par P. Lauro. Venezia, 1558, in-8°. — V. *Libro de esperiencias de medicina, y muy agrobado por sus efectos*. Toledo, 1544, in-fol. — VI. *Libro de regimiento de la salud, y de la esterilidad de los hombres y Meyeres*. Valladolid, 1551, in-fol. E. Bgd.

LOBES (Edm. Vinc. Guldener von). Naquit à Pilsen (Bohême) en 1765, et prit le bonnet de docteur à Prague en 1785. Après avoir longtemps pratiqué à Vienne où il avait le titre de médecin pensionné, il devint ensuite proto-médecin de la Basse-Autriche, et mourut le 30 mars 1827. Lobes était un observateur distingué ; on lui doit un important travail sur la gale, dont il avait recueilli les éléments à Prague, dans la maison de force de cette ville.

I. *Positiones medicæ*. Prag. 1785. — II. *Beobachtungen über die Krätze, gesammelt in dem Arbeitshause zu Prag*. Ibid., 1791, in-8°, et ibid., 1795, in-8°. — III. *Sammlung der Sanitäts-Verordnungen für das Herzogthum Oesterreich, etc., enthaltend die Verordnungen vom Jahre 1807 bis Ende d. Jahres 1824*. Wien, 1824-1825, in-8°, pl. 1. E. Bgd.

LOBSTEIN (Les). Famille de savants qui a donné à Strasbourg deux de ses plus grandes illustrations.

Lobstein (Jean-Frédéric). Naquit le 30 mars 1736 à Lampertheim, près de Strasbourg. Après de solides études médicales dans cette dernière ville, et qui eurent surtout l'anatomie pour objet, il prit le bonnet de docteur en 1760, et fit quelques voyages scientifiques en France et en Hollande. Étant revenu à Strasbourg, il commença des cours d'anatomie et avec un succès tel, qu'en 1764 il fut nommé démonstrateur public; quelques années après il passe professeur extraordinaire d'anatomie, en même temps que la mort d'Eisemann le mettait en possession de la chaire de chirurgie. Ces diverses fonctions et la pratique civile occupèrent tous ses instants jusqu'à sa mort, arrivée en 1784 ; il n'avait alors que quarante-huit ans.

Lobstein était réputé pour son habileté comme chirurgien, il avait surtout conquis une grande renommée pour ces opérations de la taille et de la cataracte, que les chirurgiens du moyen âge abandonnaient aux opérateurs ambulants. Malgré la roideur de son caractère, l'estime dont il jouissait était tellement profonde que, par deux fois, il fut désigné pour les fonctions de recteur de l'université de Strasbourg, et que dix fois il présida les actes de la faculté de médecine en qualité de doyen.

Absorbé par ses nombreuses occupations, Lobstein a peu écrit par lui-même : outre les dissertations qui lui servirent d'actes probatoires et que nous allons mentionner, il avait composé des ouvrages (*Anatomicæ institutiones*, et *Commentarii physiologici*) qui servaient de base à ses leçons. (Ces deux ouvrages n'ont pas été publiés. Mais ses découvertes, ses idées n'ont pas été perdues pour cela, elles ont été exposées par ses élèves et se trouvent dans une cinquantaine de thèses soutenues sous sa présidence. Des dissertations composées par lui la première est intitulée : *De probatissima extrahendi calculum methodo.* Argentorati, 1759, in-4°; et l'autre, *De nervo spinali ad par vagum accessorio*, ibid., 1760, in-4°; réimprimée dans le *Thesaurus* de Sandifort.

Lobstein (Jean-Frédéric-Daniel). Fils du précédent. Nous devons en parler, bien qu'il n'ait pas fait beaucoup d'honneur à la famille, parce que ses écrits ont été confondus par quelques bibliographes avec ceux de son illustre cousin, qui va nous occuper bientôt. Daniel était né à Strasbourg en 1777 et fut privé, bien jeune encore (en 1784) de l'appui et de la direction de son père. Il remplissait déjà les fonctions de médecin et d'accoucheur adjoint à l'hospice de Strasbourg, quand il vint à Paris, au commencement de ce siècle, pour suivre les leçons d'Alph. Leroy et de Baudelocque, et se faire recevoir docteur, dans cette même ville, le 4 vendémiaire an XII; il était alors membre de la Société médicale d'émulation. Pendant toute la durée de l'empire, il suivit les armées en qualité de chirurgien militaire et retourna à Strasbourg vers 1815. Là, malgré un savoir très-réel, une intelligence incontestable et le nom qu'il portait, il ne fit que végéter. D'après une note que je dois à l'obligeance de notre savant collaborateur M. Tourdes, Daniel Lobstein s'établit bandagiste, mais son défaut d'ordre et ses prodigalités le conduisirent à la ruine; il fit faillite et se réfugia en Amérique, à New-York, où il traîna péniblement son existence dans un état voisin de la misère, jusqu'à l'époque de sa mort, vers 1840.

Il a laissé :

I. *Leçons du cit. Alph. Leroy sur les pertes de sang pendant la grossesse, lors et à la suite de l'accouchement.* Paris, an IX, in-8°. — II. *Dissertation sur la fièvre puerpérale.* Thèse de Paris, an XII, n° 63. — III. *Recherches et observations sur le phosphore.* Strasb., 1815, in-8°. — IV. Traduction du *Traité* de Lœbenstein-Lœbel *sur l'usage et les effets du vin.* Strasb., 1817, in-8°, et du même auteur, *Tableau de la séméiotique de l'œil à l'usage des médecins.* Strasb., 1818, in-8°.

Lobstein (Jean-Georges-Chrétien-Frédéric-Martin). Neveu de Jean-Frédéric et cousin du précédent, célèbre chirurgien et anatomo-pathologiste, naquit à Giessen le 8 mai 1777. Sa famille étant venue vers 1790 habiter Strasbourg, il se voua, à l'étude de la médecine. Entraîné par les événements de cette grande époque, il assista, pendant quelques années, comme chirurgien militaire, aux premières campagnes sur le Rhin, puis il revint à Strasbourg où il se fit recevoir docteur en 1802; il était déjà, depuis 1799, professeur à l'École de médecine de cette ville. En 1804, il possédait le titre de médecin accoucheur adjoint à l'hôpital civil de Strasbourg, titre qu'il échangeait pour le grade de titulaire en 1806. Malgré son mérite exceptionnel, il succomba, en 1814, dans la compétition de la chaire de médecine légale, devant un adversaire que recommandaient surtout des titres antérieurs, devant Fodéré. Cet échec, si c'en est un, fut bientôt réparé; Cuvier, juste appréciateur des rares talents de Lobstein, fit créer pour lui la chaire de médecine légale où il monta en 1819. Deux ans après, à cette chaire, il joignait celle de pathologie interne, double enseignement qu'il mena de front avec le même zèle et le même succès. Lobstein succomba le 7 mars 1835, à peine âgé de cinquante-huit ans, aux progrès d'une maladie des reins compliquée d'accidents diphthériques.

Lobstein a donné une vive impulsion à l'anatomie pathologique qu'il envisageait d'une manière large et tout à fait scientifique. Suivant lui, ce n'est pas l'organe altéré *mort* que le médecin veut connaître, c'est cet organe *vivant*, agissant et exerçant les fonctions qui lui sont propres. Il fait donc intervenir la physiologie, c'est-à-dire l'*histoire de la vie envisagée dans toutes ses conditions* pour éclairer les questions qui se rattachent à l'origine des maladies organiques. Il a ainsi réuni l'histoire biologique ou vitale des organes malades à leur histoire anatomique. La marche qu'il a suivie est celle de Bichat : décomposer l'organe altéré en ses tissus élémentaires ou primitifs, et, pour en étudier les propriétés vitales, se rappelant celles qui appartiennent à chaque tissu, déterminer si ces propriétés étaient exaltées ou affaiblies, perverties ou entièrement éteintes. Mais comme les propriétés vitales, isolées dans les tissus primitifs se trouvent pour ainsi dire noyées dans les *propriétés spéciales* d'organes dont la structure est plus compliquée, les considérations générales sur les propriétés des tissus primitifs seraient insuffisantes pour la partie raisonnée de l'anatomie pathologique et incapables d'en hâter les progrès. On n'atteindra ce but, suivant lui, qu'en réunissant les observations cliniques les plus précises aux expériences physiologiques les mieux constatées.

On a de Lobstein :

I. *Recherches et observations anatomico-physiologiques sur la position des testicules dans le bas-ventre du fœtus et leur descente dans le scrotum.* In *Arch. des accouchements*, de Schweighäuser, t. I, p. 260 ; 1801, et Strasbourg, 1801, in-8°. — II. *Notice sur une distribution particulière des vaisseaux du cordon ombilical.* Ibid., p. 320. — III. *Essai sur la nutrition du fœtus.* Th. de Strasb., an X, n° 11, in-4°, pl. — IV. *Rapp. sur les travaux exécutés à l'amphithéâtre d'anatomie de Strasbourg pendant le 1er semestre de l'an XII.* Strasbourg, 1803, in-4° ; ibid., 1804, in-4°. — V. *Nachricht über eine Privat-Entbindungs-Anstalt.* In Siebold, *Lucina*, t. I, p. 250, 1803. — VI. *Fragment d'anatomie pathologique de l'organisation de la matrice dans l'espèce humaine.* In *Magas. encyclop.*, an 1803, et Paris et Strasb., 1803, in-8°. — VII. *Obs. anatomico-physiologiques sur la circulation du sang dans l'enfant qui n'a pas respiré.* Ibid., 1804. — VIII. *Mém. sur l'ossification des artères.* In *Mém. de la Soc. d'agric. et des sc. et arts*, 1811. — IX. *Mém. sur la nature et l'importance de la sueur habituelle des pieds.* In *Journ. de Corvisart*, t. XXXIV, p. 162 ; 1815. — X. *Note sur une espèce particulière d'hémorrhagie qui succède quelquefois à l'accouchement.* Ibid, t. XXXV, p. 71 ; 1816. — XI. *Mém. sur la première inspiration de l'enfant nouveau-né.* Ibid., p. 298. — XII. *Observat. d'accouchements recueillies*, etc. Ibid., t. XXXVI, p. 125, 219 ; 1816. — XIII. *Obs. d'anat. comparée sur le phoque à ventre blanc.* Ibid., t. XXXIX, p. 20 ; 1817. — XIV. *Ann. cliniques d'accouchements, de maladies des femmes*, etc. Ibid., t. XL et XLI, 1817. — XV. *Sur l'inclinaison vicieuse du bassin de la femme considérée comme cause d'accouchement laborieux.* In *Bull. de la fac. de méd.*, t. II, 1817 (rapp. de Dubois et Desormeaux). — XVI. *Vues générales sur l'anatomie pathologique.* In *Journ. compl. des sc. méd.*, t II, p. 3, 311 ; 1818. — XVII. *Discours sur la prééminence du système nerveux dans l'économie animale.* Strasb., 1821, in-8°. — XVIII. *De nervi sympathetici humani fabrica, usu et morbis, commentatio*, etc. Paris, 1823, in-4°, pl. 10. — XIX. *Handbuch der Hebammenkunst zum Gebrauche für seine Vorlesungen*, etc. Strasbourg, 1827, in-8°. — XX. *Traité d'anatomie pathologique.* Strasb., 1829-33, 2 vol. in-8° atlas. — XXI. Divers articles sur quelques points d'anatomie pathologique ou de clinique dans le *Répertoire* de Breschet, l'article *Trisplanchnique nerf* dans le *Dictionnaire des sc. méd.*, etc., etc.

E. Bud.

LOCALISATION MORBIDE. On appelle *localisation*, en pathologie, la détermination d'accidents en un point particulier de l'organisme, sous l'influence d'un état morbide antérieur et plus général ; soit que cet état morbide s'étende à l'économie toute entière, comme dans la diathèse ; soit qu'il occupe seulement la totalité ou une grande partie de l'organe au sein duquel se produira consécutivement une lésion circonscrite, comme dans le cas d'une vaste congestion pulmonaire amenant ou laissant après elle un point d'hépatisation.

Le fait de la localisation a servi de base à une doctrine qui assigne à toute maladie, quelque générale qu'elle soit, un point de départ dans une altération anatomique locale. C'est, comme on le voit, une dépendance de la doctrine de l'anatomisme. (*Voy.* ce mot et ORGANICISME.) A. D.

LOCATELLI (LOUIS). Né à Bergame dans le Lombard-Vénitien, à la fin du seizième siècle, célèbre praticien de Milan, ce médecin fut un partisan enthousiaste de la secte chimique; aussi inventa-t-il plusieurs remèdes parmi lesquels il en est un qui est resté dans nos dispensaires. On prescrit encore quelquefois aujourd'hui, pour le pansement de certaines plaies de mauvaise nature, le *baume de Locatel*, composé d'huile d'olive, de cire jaune, de vin de Malaga, de térébenthine, de santal rouge et de baume du Pérou. Louis Locatelli, qui sauvait si bien les autres au moyen de son iatrochimie, ne put cependant se préserver de la peste qui l'enleva à Gènes, en 1637, à la fleur de l'âge. On ne lui connaît que cet ouvrage :

Theatrum Arcanorum chemicorum, sive de Arte chemico-medicâ, Tractatus exquisitissimus. Francof., 1656, in-8°. A. C.

LOCHE. Nom vulgaire des diverses espèces de LIMACES.

LOCHE. Genre de Poissons, à chair comestible, de l'ordre des malacoptérygiens abdominaux et de la famille des Cyprinides, établi par Linné, et adopté par tous les ichthyologistes. Les Loches ont le corps allongé, couvert d'écailles très-petites, et enduit d'une matière gluante; la tête petite, avec les yeux rapprochés; les lèvres épaisses, entourées d'appendices charnues ou barbillons; des dents pharyngiennes nombreuses, disposées sur une seule série de chaque côté; l'ouverture des ouïes, peu fendue, ouverte seulement jusqu'à la nageoire pectorale; enfin, une seule nageoire dorsale, la nageoire caudale plus ou moins arrondie à l'extrémité.

Il existe en France trois espèces de ce genre qui habitent exclusivement les eaux douces. Ces poissons, de petite taille, offrent un fait physiologique très-remarquable, en ce que la respiration branchiale paraît être chez eux insuffisante, et le canal intestinal remplit la fonction d'un deuxième organe respiratoire. Les Loches avalant de l'air par la bouche à la surface de l'eau, cet air, expulsé par l'orifice anal, se trouve converti en acide carbonique. Ce fait, observé sur la Loche d'étang par Erman (de Berlin), en 1808, a été confirmé par G. Bischof et par de Siebold.

Les Loches, surtout la Loche d'étang, produisent une sorte de sifflement, dont la physiologie n'a pas encore rendu compte. Elles montent à la surface des eaux quand le temps est lourd et orageux.

Loche franche (*Cobitis barbatula* Linn. E. Blanchard. *Les Poissons des eaux douces de la France*, p. 280, fig. 52 et 53, 1866). La plus commune en France, connue sous les noms vulgaires de Rion, Barbotte, Barbette, Petit-Barbeau, Franche-Barbotte, Dormille, Montoile, Montelle, Mulette, Moustache. Corps allongé, arrondi, de 8 à 10 centimètres de long; tête assez massive, le reste du corps avec des taches et des points bruns irréguliers, sur un fond d'un brun jaune clair; six barbillons, deux à la lèvre supérieure et quatre à l'inférieure, les deux latéraux plus longs; — se plaît dans les ruisseaux et près des rivages où l'eau est peu profonde; très-craintive, se cache au moindre bruit; nourriture consistant en vers, insectes aquatiques, petits mollusques; fraie en mars et avril.

Loche de rivière (*Cobitis tænia* Linn. E. Blanchard, *loc. cit.*, p. 285, fig. 54), dont les noms vulgaires sont Lotte, Barbotte, Chatouille, Satouille, Grande-Montelle. Corps comprimé, de 15 à 18 centimètres de longueur; une épine bifurquée et mobile en avant de l'œil de chaque côté, placée dans une petite fissure de la peau. Couleur jaunâtre, avec quatre séries de taches et de points noirâtres en dessus, les plus grandes au-dessous de la ligne latérale; six barbillons, moins volumineux que chez la Loche franche. La Loche à queue tachetée de Hollande (*C. spilura*) n'est qu'une variété de cette espèce propre à la Moselle; — vit dans les eaux courantes, bien moins commune que la précédente.

Loche d'étang (*Cobitis fossilis* Linn. E. Blanchard, *loc. cit.*, p. 289, fig. 55 et 56). Vulgairement Misgurne, Loche de marais; en Alsace Mürgrundel ou Goujon grondant. Corps un peu comprimé, long de 20 à 25 centimètres, couleur d'un brun verdâtre ou jaunâtre sur le dos et la tête, avec deux larges bandes noirâtres sur les côtés, une ligne plus étroite et brune au-dessus des précédentes; dix barbillons, quatre à la lèvre supérieure, un à chaque commissure buccale, et quatre très-petits à la lèvre inférieure; nageoires peu développées relativement à la grosseur du corps. — Espèce propre aux étangs de la Lorraine et de l'Alsace, vit dans les endroits vaseux, et fraye pendant les mois d'avril et de mai.

La chair de la Loche franche est très-estimée, elle est grasse et délicate. Dans certaines contrées on engraisse les Loches avec du sang caillé, et on les conserve dans des fossés ou de petites rivières. La Loche de rivière est coriace et difficile à manger, à cause de ses nombreuses arêtes. (*Voy.* Poissons.)

A. Laboulbène.

LOCHER (Les). Il y a deux médecins de ce nom qui ont laissé quelques ouvrages dignes d'être connus.

Locher (Maximilien), médecin d'un des hôpitaux de Vienne, a publié :

I. *Observationes practicæ circà luem veneream, epilepsiam et maniam, et circà cicutæ usum.* Vienne, 1762, in-8°. — II. *Observationes practicæ circà inoculationem variolarum in neonatis institutam.* Vienne, 1768, in-8°.

Locher (Jean-Georges), né à Zurich en 1739, mort dans cette ville en 1787, après avoir été membre du grand conseil, a laissé ces deux opuscules :

I. *Dissertatio de secretione glandularum in genere.* Leyde, 1761, in-4°. — II. *Verzeichniss einiger essbaren Pflanzen, die dem Landmann zur Nahrung dienen.* Zürich, 1771, in-8°.

A. C.

LOCHIES (λοχεῖα, accouchement; λοχεῖος, qui a rapport à l'accouchement; λοχός, femme en couches). Écoulement sanguinolent qui a lieu après l'accouchement. (*Voy.* Couches.) A. D.

LOCHNER (Les trois).

Lochner (Michel-Frédéric), le plus célèbre, né à Turth, près de Nuremberg, le 28 février 1662, mort le 15 octobre 1720, s'est surtout fait connaître par ses travaux en botanique; docteur d'Altorf (1684), membre du collége des médecins de Nuremberg (1685), médecin de l'hôpital de cette ville (1712), membre de l'Académie des curieux de la nature, sous le nom de *Périandre*, il passa la plus grande partie de sa vie dans l'étude des plantes, et Scopoli lui dédia, sous le nom de *Lochnera* un genre placé aujourd'hui parmi les Apocynées. On connaît de Michel-Frédéric Lochner les ouvrages suivants :

I. *Dissertatio de nymphomania.* Altdorf, 1684, in-8°. — II. *Memoria J. Michealis Fehr.* Altdorf, 1690, in-4°. — III. Μηκονοπαίγνιον, *seu papaver ex omni antiquitate erutum.* Nuremb., 1713, in-4°. — IV. *Mungos animalculum et radix.* Nuremb., 1715, in-4°. — V. *Nerium, seu rhododaphne veterum et recentiorum, quo Amyci laurus, saccharum alhaschar, planta badsamur, et daphne constantiniana explicuntur.* Nuremb., 1716, in-4°. — VI. *De Ananasâ, sive Nuce pineâ, indicâ, vulgo pinhas.* Nuremb., 1716, in-4°. — VII. *Dissertatio de novis et exoticis theæ et coffeæ succedaneis.* Nuremb., 1717, in-4°. — VIII. *Belilli indicum.* Nuremb., 1717, in-4°.

Lochner (JEAN-HENRI), fils du précédent, mort le 2 janvier 1715, avait laissé un manuscrit que le père a publié sous ce titre :

Rariora Musæi Besleriani. Nuremb., 1716, in-fol.

Lochner (WOLFGANG-JACQUES), ne nous est connu que par cette dissertation :

De præcipuis sanguinis qualitatibus ad nutritionem corporis humani facientibus. Heroldsberga-Norico, 1741, in-4°, planches. A. C.

LOCOMOTION. Ce terme étant le plus général parmi ceux employés pour désigner les questions qui ressortissent à la mécanique de l'être vivant dans les actes de la vie de relation, nous groupons sous ce chef toutes les questions qu se rapportent à ce vaste sujet, comme celles qui auraient trouvé naturellement leur place aux mots : *attitudes physiologiques*, *station*, *mouvement*, *équilibre*, etc., etc.

I. STATIQUE ANIMALE OU ÉTUDE DE L'ÉQUILIBRE DE REPOS. 1. *Conditions statiques du décubitus.* Quand un animal, quadrupède ou bipède, est couché, qu'il repose sur le sol, la masse de son corps, considérée comme un bloc inerte, dont la forme correspond à une certaine relation de tonicité entre son enveloppe extérieure et le contenu de cette enveloppe, se trouve en contact avec le sol par une proportion considérable de sa surface, proportion en rapport elle-même avec la forme de la masse.

Le maintien de ces rapports de contact n'a, comme pour un corps inanimé, d'autres facteurs que la gravité d'une part, les frottements qu'elle développe sur la surface d'appui, et de l'autre, la tonicité de tissu des éléments qui froment le corps animé.

Aucune force active, développée sous l'influence de l'instinct ou de la volonté, n'intervient dans cet équilibre, entièrement passif.

Tel est le décubitus.

La position que prennent les animaux en se couchant est extrêmement variée ; les modifications qu'elle présente permettent de distinguer trois espèces principales de décubitus, savoir : le décubitus sternal, le décubitus sterno-costal et le décubitus latéral comprenant plusieurs variétés.

Quant au décubitus dorsal, il est presque exclusif à l'homme, à cause de l'aplatissement de la poitrine et la largeur du dos et des reins, conditions qui manquent à la généralité des autres animaux.

L'attitude du décubitus n'est pas également fréquente ni prolongée dans toutes les espèces. Les carnassiers, les ruminants se couchent très-souvent, surtout après le repas ; le cheval et les autres solipèdes, à de rares intervalles ; l'éléphant peut rester debout pendant des mois entiers. Nous ne parlons pas des animaux dont l'attitude de repos diffère le plus souvent du décubitus. (Colin.)

2. *De la station droite chez les animaux.* De cette situation passive, l'animal veut passer à une attitude active, point de départ de tous les actes de sa vie de relation. Il s'élève alors du décubitus à la *station*.

Cette station est quadrupède (ou quadrupédale, si l'on aime mieux), bipède, dans certains cas même, unipède. A l'instant où l'animal se dispose à réaliser ce changement dans son attitude, il se trouve en présence d'une force qu'il doit vaincre, la pesanteur. Comme moyens de lutter contre cette force et de lui faire équilibre, il a ses membres, c'est-à-dire des leviers (os), diversement disposés, auxquels sont appliquées des forces d'une espèce particulière (muscles).

L'objet de ce chapitre est d'exposer les conditions de cette lutte et comment en résulte la station droite en équilibre.

Voyons d'abord ce qui se passe du côté de la pesanteur ou de la résistance.

3. *Du centre de gravité en général.* Toutes les molécules égales d'un corps pesant pouvant être considérées comme sollicitées par de petites forces égales, parallèles et de même sens, on étend aux forces qui proviennent de la gravité les lois qui conviennent aux forces parallèles appliquées à un assemblage de points liés entre eux d'une manière invariable.

La première de ces lois consiste en ceci, que la résultante de toutes les forces parallèles de la pesanteur leur est parallèle, c'est-à-dire est *verticale*.

En second lieu, elle est égale à leur *somme*.

On sait enfin que tout système de forces parallèles a un *centre*, c'est-à-dire un point *unique*, par lequel passent continuellement leurs résultantes successives lorsque l'on incline successivement tout le groupe de ces forces dans diverses positions : il s'ensuit qu'il existe toujours, pour un corps pesant, un point unique par lequel passe continuellement la direction du poids, lorsque l'on *tourne successivement* le corps dans diverses positions à l'égard du plan horizontal.

Ce point unique, par lequel passe toujours la direction du poids, quelle que soit la position du corps à l'égard du plan horizontal, se nomme *le centre de gravité.*

4. *De l'aire ou base de sustentation.* Un corps pesant n'est en équilibre vis-à-vis de la gravité, autrement dit en repos, qu'autant que la verticale, passant par son centre de gravité, rencontre sa surface de contact avec le sol ou le support horizontal — au cas où cette surface est continue, — ou tombe dans l'intérieur du polygone, sans angles rentrants, qui encadre les différents points d'appui du corps, s'ils sont multiples.

On comprend en effet que, s'il en était autrement, au moment même où le centre de gravité cesserait d'être soutenu, le corps basculerait autour du dernier élément rectiligne de son périmètre de contact avec le sol ou le support.

La surface du polygone, sans angles rentrants, qui embrasse tous les points d'appui du corps sur le sol ou le support horizontal, s'appelle « *l'aire ou la base de sustentation.* »

La condition d'équilibre qui permettra la station droite se formulera donc, au point de vue de la pesanteur, comme il suit :

« La ligne de gravité doit tomber dans l'intérieur de la base de sustentation. »

5. *Ce qu'est le vertébré au point de vue mécanique.* Considéré au point de vue des forces qui doivent faire équilibre à l'action de la gravité, le corps du vertébré représente un ensemble de leviers se fournissant mutuellement appui, et susceptibles de se déplacer les uns sur les autres dans des limites angulaires données.

Ces leviers sont constitués par les os.

Autour de ces leviers se trouvent disposées les forces destinées à les mouvoir. Appliquées, dans la plupart des cas, en long tout autour d'eux, par suite du plan même de la construction de l'animal, ces forces sont généralement insérées à l'os qu'elles doivent mouvoir, sous des angles très-aigus. Cette disposition, très-favorable sous le rapport de l'étendue du mouvement produit ou de l'arc parcouru par l'extrémité mobile du levier, est, au contraire, très-peu avantageuse sous le rapport du bras de levier de la puissance ou de l'intensité d'action que doit déployer la force motrice.

Quoi qu'il en soit, ces leviers et ces forces sont les instruments au moyen desquels l'organisme devra faire équilibre à l'action de la pesanteur, la tenir en échec, pour réaliser la condition de statique qui vient d'être formulée, et celles de dynamique que nous aurons à étudier à leur tour.

Ces forces ne sont d'ailleurs que d'une espèce.

On peut les envisager comme on ferait de cordes susceptibles de distension passive de la nature de l'élasticité, et de contraction active ou faculté de raccourcissement spontané, déterminée par un influx nerveux placé sous l'influence de la volonté, de l'instinct ou des actions réflexes.

Le levier ou os, placé partout entre des forces musculaires disposées en relation mutuelle d'antagonisme, prend, en toute circonstance, une situation déterminée par le degré de la contraction ou du raccourcissement actifs de certains groupes de muscles et la distension passive ou tonicité des groupes musculaires opposés.

L'existence d'un certain état, dit « *de situation fixe des muscles* » et dans lequel la situation d'équilibre des leviers animés pourrait être produite par une sorte de répulsion moléculaire se manifestant dans le muscle en sens contraire de son raccourcissement, et comme par une élongation active, ne repose sur aucun fait d'observation. C'était là une simple production de l'esprit d'induction scolastique.

Nous allons faire toucher du doigt cette vérité en jetant un coup d'œil sur les forces motrices reconnues aujourd'hui comme seules aptes à naître et à se manifester dans l'organisme vivant.

6. *De la force motrice animale.* La biologie ne nous révèle que trois états qui réalisent le mouvement dans la série animale : le mouvement sarcodique ou cellulaire, ou brownien ; le mouvement vibratile ou ciliaire ; le mouvement musculaire.

Les deux premiers, du domaine exclusif de la vie de nutrition ou animale, se passent dans les cellules ou à la surface des épithéliums, et ne se manifestent point par des déplacements ou translations de l'animal, ou des modifications dans l'attitude de son ensemble. Nous ne nous en occuperons donc point dans cet article où l'unique objet en vue est la locomotion proprement dite de l'animal.

Celle-ci est sous la dépendance exclusive du système musculaire.

Toute machine est un levier ou une association de leviers. La machine vivante offre pour leviers les os, son squelette; pour forces motrices, le système musculaire.

Chaque levier ou os, avons-nous dit, se trouve constamment sollicité en différents sens par différents groupes de muscles, et la direction qu'il affecte alors est la résultante de ces actions diverses.

Ces actions sont de deux sortes, suivant que l'animal (ou le levier que l'on considère) est au repos ou en mouvement.

La propriété du tissu musculaire qui maintient chaque levier dans l'équilibre de repos consiste en une sorte de *tension permanente* du tissu ; c'est une force de la nature de l'élasticité, mais d'une élasticité vivante, car elle disparait par la mort du sujet ou du muscle sur lequel on l'a constatée. On la met en évidence par la section du muscle : on voit alors les deux bouts libres de la corde musculaire s'éloigner l'un de l'autre. Elle se manifeste encore spontanément dans les paralysies à divers degrés, par le mouvement qu'impriment alors au levier, sans intervention de la volonté, les muscles antagonistes de celui paralysé.

La tonicité, c'est ainsi qu'on l'appelle, consiste donc en une tendance au raccourcissement, constante, insensible, involontaire, cessant avec la vie du sujet et du tissu, en même temps que toutes les propriétés physiologiques de ce tissu.

L'état d'équilibre de repos fait place à l'équilibre de mouvement ou dynamique, lors de l'intervention de la seconde propriété, éminemment sensible, de la fibre musculaire : *la contractilité active.*

Cette contractilité consiste dans le raccourcissement plus ou moins marqué de la longueur du muscle, avec augmentation correspondante de son épaisseur ; c'est une corde qui se raccourcit sous l'influence d'un excitant, comme la volonté, ou tout centre d'influence nerveuse, comme les actions réflexes sympathiques ou synergiques. Des excitants physiques sont également de nature à la faire apparaître, l'excitation électrique, par exemple, la chaleur, de petits coups répétés, etc.

En dehors de ces deux propriétés, actives sous des formes et à des degrés divers, le muscle possède en outre une certaine élasticité physique que montrera encore le tissu privé de vie.

Voilà les forces dont les os seront les leviers, formule de tout système de mécanique.

La contraction musculaire, dans son mode élémentaire, est un acte instantané, une pure secousse. Cette contraction n'acquiert l'apparence et les effets d'un acte de quelque durée que par la fusion de secousses successives qui disparaissent les unes dans les autres, lorsqu'il s'en produit plus d'une trentaine par seconde. (Marey.)

Le type le plus élevé de cet état ne serait autre chose que le tétanos.

Il semble résulter de là que la contractilité ne serait que la secousse imprimée à la tonicité, propriété vitale et permanente, par la cause, volonté ou autre, agissant sur l'irritabilité musculaire.

La tonicité est donc la véritable base de la mécanique animale, contenant à la fois son régulateur et son principal moteur; sur elle repose l'équilibre permanent, stable. Les effets de la continuité d'action sur cette propriété sont peu ou point marqués. La fatigue paraît ne suivre directement que la contractilité, c'est-à-dire les *secousses* prolongées et répétées. On peut observer la différence de ces deux états dans la façon dont les muscles obéissent à la volonté ou réagissent contre l'électricité, soit après ou avant un long exercice, soit après une série plus ou moins longue de secousses tétaniformes provoquées artificiellement.

Ces dernières, outre le sentiment de fatigue et d'accablement qu'elles laissent après elles, ont en outre rendu le tissu impropre à obéir, avant plus ou moins de temps de repos, à de nouvelles excitations.

L'absence du sentiment de fatigue se reconnaît au contraire dans l'absence de sensation inhérente à la contraction permanente (tonique) de certains muscles : les sphincters, par exemple.

Le mouvement, déterminé par la contraction musculaire, se rattache, comme tous les autres effets de ce même ordre, à la loi générale de l'équivalence des forces physiques. Les muscles, l'analyse moderne le démontre chaque jour plus positivement, transforment, au moment de leur contraction, en travail mécanique la chaleur produite dans les phénomènes de combustion connus sous le nom de respiration musculaire. En un mot, le muscle n'est qu'une machine destinée à convertir l'énergie potentielle (de la chaleur) en travail mécanique. A ce point de vue, la machine animée ne diffère point des autres machines, et a sa place, comme organe intermédiaire dans les échanges ou transformations de forces qui composent le système du monde.

7. *Équilibre en station des quadrupèdes.* Quand nous regardons un quadrupède debout, dans l'immobilité, nous observons que l'axe de son tronc est plus ou moins horizontal, sa tête suspendue soit redressée, soit pendante, à l'extrémité et dans le prolongement de cet axe, et que le tout repose sur quatre membres qui sont tout autre chose que des colonnes droites (fig. 1).

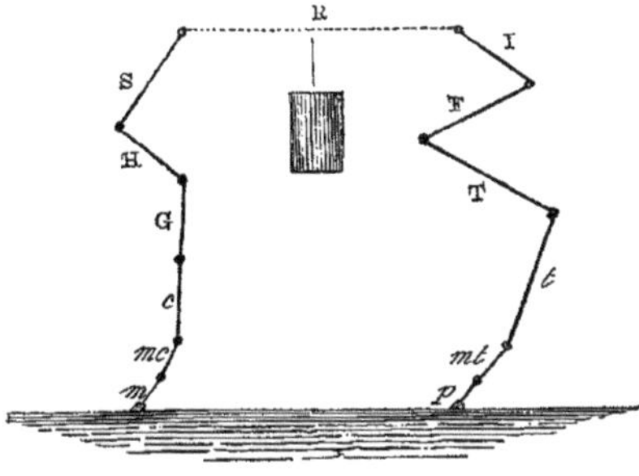

Fig. 1.

Envisagés d'une manière générale, ces quatre membres représentent une série de leviers coudés en zigzags, c'est-à-dire faisant chacun avec le précédent (et le premier avec le tronc, comme le dernier avec le sol) un angle très-accusé sur l'horizontale ou sur la verticale. D'après les principes de la statique, le poids du corps, partagé suivant une certaine loi entre les quatre sommets de ces supports, est transmis par chacun d'eux, d'articulation en articulation pour arriver ainsi intact au sol lui-même. Nous supposons ici, il est sous-entendu, les membres eux-mêmes sans pesanteur.

Cette loi de partage du poids du corps entre les sommets des quatre membres est une loi exclusivement géométrique, et qui règle la part de chacun d'eux, suivant la raison inverse de sa distance au centre de gravité du tronc.

Nous venons de dire tout à l'heure (§ 5) que, dans toute circonstance, un levier quelconque du corps affectait une position déterminée par l'antagonisme des groupes musculaires destinés à le mouvoir.

Dans le cas qui nous occupe, le degré de flexion, l'angle d'un des articles de membre sur le suivant, angle qui demeure constant, pendant tout le temps, souvent fort long, que dure cette attitude de l'animal, cet angle, disons-nous, est déterminé par la lutte établie entre les forces qui tendraient à l'ouvrir et celles qui tendent à le fermer. Les forces qui tendent à fermer ces angles ont reçu le nom de fléchissantes (muscles fléchisseurs); celles qui tendraient au contraire à les ouvrir, sont dites extensives (muscles extenseurs).

Aux forces naturelles de la flexion se joint évidemment la pesanteur : il est visible qu'elle aussi, en se transmettant intacte d'articulation en articulation, aurait pour effet la fermeture et non l'ouverture de ces angles.

Il suit de là que chacun de ces états statiques est la résultante de l'équilibre entre les forces extensives d'une part, et de l'autre les muscles fléchisseurs unis à la pesanteur.

En aucun point, si ce n'est à quelques exceptions près, entre les deux articles successifs constitués par le cubitus et le canon, il n'y a transmission directe, et suivant la longueur de l'os, du poids supérieur à l'os inférieur. Mais on remarquera que de part et d'autre, en deçà et au delà de ces extrémités, le poids est communiqué à angle ouvert dans le même sens, la pesanteur agissant encore à ces deux extrémités comme une force fléchissante.

La transmission du poids du tronc au sol a donc, en définitive, lieu par l'intermédiaire de cordons élastiques, absolument comme le poids de la caisse d'une voiture à quatre roues est transmis à ces supports par l'intermédiaire de l'élasticité des ressorts sur lesquels elle est suspendue.

Nous reviendrons ultérieurement sur ce point.

8. *Passage de la station sur quatre pieds à la station bipède considérée au point de vue statique.* Dans tous les états d'équilibre en station droite, l'animal pourra exécuter tous mouvements que lui suggérera l'instinct de sa défense ou des nécessités diverses qui le presseront, c'est-à-dire donner aux articles successifs qui forment son squelette toutes les inclinaisons mutuelles compatibles avec la condition fondamentale de son équilibre, à savoir, le maintien constant de son centre de gravité sur une verticale tombant dans l'aire de sustentation.

Supposons par exemple que, cédant à un caprice ou une inspiration quelconques, le quadrupède éprouve le besoin de se dresser sur ses pieds de derrière. Il pourra, à cet effet, rapprocher graduellement les quatre extrémités de ses membres l'une de l'autre, de façon à mettre les deux sabots antérieurs en contact par leur partie postérieure avec la pointe des sabots postérieurs. Il réduira ainsi son aire de sustentation à un rectangle égal à la somme des surfaces des quatre sabots juxtaposés, et pourra demeurer encore en équilibre, s'il a soin, dans cette nouvelle attitude, de maintenir sa ligne de gravité dans ce petit rectangle formé par les quatre sabots (cette attitude est celle d'un cheval qui se sent glisser). Maintenant le moindre mouvement, le moindre changement dans les relations mutuelles des leviers sustentateurs, va lui permettre de faire passer la ligne de gravité dans la surface moitié moins grande offerte par les deux sabots postérieurs : et s'il sait s'y maintenir, il pourra faire abandonner à ses membres antérieurs leur contact avec le sol.

Fig. 2.

Le voilà dressé, le voilà en état de se cabrer. En cet état, il pourra même donner à ses leviers toutes les inclinaisons mutuelles compatibles avec leur étendue et celle de leurs surfaces articulaires, se maintenir même droit sur ses deux pieds de derrière, en prenant soin d'obéir toujours à cette seule condition de maintien de la ligne de gravité dans l'aire réduite de sa sustentation (fig. 2).

Dans cette nouvelle situation, comme dans la première, l'équilibre qui la résume est toujours l'équivalence d'action entre les puissances extensives d'une part, et de l'autre, les forces fléchissantes unies à la pesanteur.

Or, plus est grand l'angle de chaque article avec la verticale, plus est grande la puissance de la pesanteur agissant à l'extrémité de cet article, plus devra donc être énergique l'action antagoniste développée par l'extenseur de cet article.

Le minimum d'effort imposé à ces puissances correspondrait donc à la nullité desdits angles, c'est-à-dire à la transmission du poids en ligne droite d'un levier sur l'autre et dans le sens de sa longueur.

Suivant le degré d'ouverture de ces angles successifs, l'animal occupera soit l'attitude active désignée sous le nom du « cabrer », soit la station bipède de l'oiseau, dont les articles demeurent plus ou moins inclinés les uns sur les autres, soit enfin la station bipède de l'homme, dans laquelle les articles de sustentation se rapprochent plus ou moins du prolongement rectiligne suivant la verticale.

Dans les deux premiers cas, un plus ou moins grand déploiement de force est imposé aux extenseurs ; dans le dernier, cette action se rapproche du minimum ou peut l'atteindre, si la transmission, exactement rectiligne suivant les éléments osseux eux-mêmes est réalisable.

9. *Influence de la station sur la forme du pied.* Les diverses conditions de la station doivent se révéler dans celles à remplir par la base de sustentation.

Dans l'aire formée par quatre points d'appui, la solidité de maintien offre tous les avantages possibles eu égard à la vaste surface offerte à la projection verticale du centre de gravité. Il importe donc fort peu que l'extrémité de contact de l'animal soit développée ou, au contraire, étroite. Se réduisît-il à un point, l'élément de contact déterminerait néanmoins une surface de même étendue. Les extrémités des membres ou pieds peuvent donc être très-déliés chez les quadrupèdes.

Dans l'attitude bipède, au contraire, pour que le maintien puisse avoir stabilité, la surface de sustentation ne peut plus être indépendante de l'étendue de l'élément de contact. Les extrémités des membres inférieurs doivent être plutôt notablement développées dans le sens antéro-postérieur, direction générale des mouvements de locomotion.

L'observation consacre cette remarque : les quadrupèdes ont généralement de petits sabots quelquefois pointus. Les bipèdes offrent des pieds ou des pattes présentant de grandes dimensions dans le sens antéro-postérieur.

10. *Position du centre de gravité chez l'homme.* Le corps humain, étant traité comme une masse inerte, suivant les conditions expérimentales de la formule du paragraphe 3, c'est-à-dire mis en équilibre sur un appui ferme représentant un fléau de balance, on trouve que le centre de gravité est situé dans un plan perpendiculaire à l'axe du corps et qui diviserait la dernière vertèbre lombaire vers la moitié de son corps, c'est-à-dire à une hauteur de 1 centimètre environ au-dessus du promontoire. (Borelli.)

On a reconnu encore, par des expériences non moins précises, que la distribution de sa masse en poids égaux relativement à un plan vertical, qui couperait le corps humain en deux parties, l'une antérieure, l'autre postérieure, se ferait suivant un plan qui passerait par le trou occipital, couperait les quatre premières vertèbres supérieures, les quatre premières vertèbres lombaires, en passant enfin par l'axe de suspension du tronc sur les têtes fémorales. D'autre part, la symétrie droite et gauche du corps lui assigne un plan médian vertical, qui comprend tous les centres de symétrie ; ce plan contient donc aussi le centre de gravité qui, dès lors, se trouve au point d'intersection commune de ces trois plans. (D'après Weber, si l'on sépare du tronc les deux membres inférieurs, le centre de gravité remonterait au niveau de l'extrémité inférieure du sternum.)

11. *Station droite chez l'homme : conditions de l'équilibre instable et de l'équilibre stable.* Cette détermination du centre de gravité du corps humain répond, avec toute l'exactitude que comporte la considération d'éléments aussi mobiles que ceux qui composent l'organisme vivant, à une position très-voisine de celle qu'il occupe en réalité dans *la station droite*.

Au lieu dont il s'agit, c'est-à-dire à 1 centimètre environ au-dessus de l'axe commun des têtes fémorales, et dans le plan médian du corps, il semble devoir être tenu aisément en équilibre, par l'un des procédés suivants :

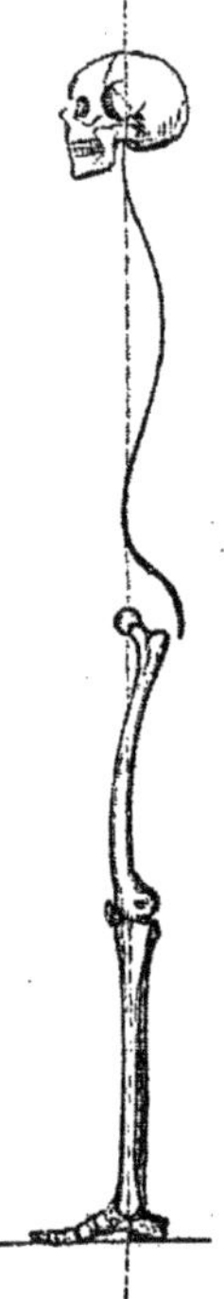

Fig. 3.

Ou bien, placé exactement au-dessus de la ligne de suspension du tronc sur les têtes fémorales, il serait maintenu dans cette position oscillante par la lutte la plus éveillée, la plus attentive des extenseurs et des fléchisseurs, chaque groupe se montrant alerte à le ramener dans sa situation, s'il s'en écarte (fig. 3).

C'est l'équilibre *instable* des géomètres; *ou bien*, en le supposant porté habituellement quelque peu en avant de cette ligne de suspension, la gravité aurait pour antagoniste la *contraction active des extenseurs* du tronc sur les fémurs, agissant sur l'extrémité opposée du levier.

Cela serait un équilibre plus stable, mais évidemment producteur d'une grande fatigue dans ces muscles continuellement en jeu.

12. *De la station sur la pointe des pieds.* La station sur la pointe des pieds peut être prise pour le type de la station droite en équilibre instable, fondée sur une lutte, une situation antagonistique permanente et attentive des fléchisseurs et des extenseurs.

D'une part, en effet, le corps est dans son maximum d'extension possible ou de rectitude. La ligne de gravité qui suit le long du tronc et jusqu'aux cavités cotyloïdes, le chemin dessiné plus haut (§ 10), n'est susceptible d'aucune oscillation qui n'entraîne le corps dans un sens ou dans l'autre.

Quoiqu'il puisse se passer dans les articulations supérieures, il est, dans cette attitude, au moins une articulation qui témoigne manifestement de la contraction active des extenseurs : c'est l'articulation tibio-tarsienne. Ici, il n'est pas besoin de discussion ; l'extenseur de l'articulation est dans un état violemment actif.

D'autre part, la base de sustentation, formée de deux petits triangles à sommets antérieurs et à base postérieure (les triangles formés par le gros orteil et les têtes des métatarsiens), est réduite à son minimum. La moindre défaillance des extenseurs va permettre à la ligne de gravité d'en franchir les limites. Voilà bien, comme nous l'exprimions, le type de la station droite en équilibre instable. Nul ne sera tenté d'en disconvenir.

Un tel état d'équilibre, fondé sur une oscillation constamment détruite et renouvelée, est-il en rapport avec ce que nous observons chaque jour ? Un soldat en faction, au port d'armes, qui conserve une parfaite immobilité pendant bien des minutes, est-il en réalité en oscillation latente perpétuelle ? Cela nous paraît difficile.

D'autre part, la contraction active, permanente, sans relâche, des extenseurs, supportant, pendant des espaces de temps vraiment prolongés, l'action de la pesanteur, est-ce une conception plus physiologique ?

Dès que nous prenons une de ces positions dans lesquelles les extenseurs sont positivement chargés de tout le travail — la position de la garde simple dans l'escrime, par exemple, — la pouvons-nous conserver longtemps? Chacun sait ce qu'il en est. Au bout de quelques minutes, les plus forts abdiquent.

Et cependant, on reste debout quasi indéfiniment et sans autre oscillation que le temps du transport du poids du corps d'une jambe sur l'autre.

Il y a donc assurément une sorte d'équilibre qui répond à cette absence de fatigue réelle et qui, par conséquent, ne repose point sur la contraction active perpétuelle des muscles, non plus que sur les conditions mécaniques de l'équilibre instable.

Quand nous considérons l'équilibre de l'oiseau sur la branche, quand nous observons un quadrupède paisiblement en repos sur ses quatre membres, nous nous assurons que la nature a en son pouvoir un moyen de procurer une attitude fixe des membres soutenant le centre de gravité en l'air, sans des fatigues rapidement épuisantes.

Étudions donc la station droite chez l'oiseau.

13. *De la station bipède chez les oiseaux.* A première vue, la station droite des oiseaux se différencie de la nôtre par le caractère général d'une inclinaison mutuelle beaucoup plus grande des leviers ou articles les uns sur les autres.

Les causes finales ne doivent point figurer dans nos appréciations ; nous ne rechercherons donc point pourquoi la station des oiseaux se fonde sur cette succession en zigzag des articles des membres inférieurs et du tronc lui-même.

Ce qui appert, cependant, à première vue, c'est que cette disposition les rend tout préparés pour le saut, acte préliminaire du premier temps du vol proprement dit.

Les oiseaux qui ont perdu ou n'ont jamais atteint la qualité d'animaux volants, — les pingouins, par exemple, ne présentent point cette inclinaison successive des articles et du tronc lui-même. Celui-ci est droit comme le nôtre et les membres inférieurs très-courts. Les oiseaux coureurs, les échassiers présentent aussi des articles presqu'en ligne droite.

Une conséquence première de cette inclinaison considérable des articles de l'oiseau sur la verticale, pendant la station droite, est l'exagération d'énergie que doivent déployer ou que doivent posséder les extenseurs de ces différents articles (n° 11).

La nature a-t-elle accepté cette condition désavantageuse, — ou bien y a-t-elle obvié par quelque artifice ?

L'analyse des conditions de l'équilibre de l'oiseau en station droite, en répondant à cette question, peut jeter quelque lumière sur les conditions générales de la station bipède.

Or un premier fait très-remarquable frappe à cet égard l'observateur : l'oiseau dort debout ; l'oiseau dort perché. Dans cette dernière condition, les mouvements les plus inattendus du support (les branches agitées par les vents) ne troublent ni son équilibre, ni son sommeil. L'échassier dort immobile sur une seule jambe.

Combien cet état diffère du nôtre ! Dans la station droite, le sommeil vient-il à nous surprendre, la rectitude successive des articles est interrompue, leur flexion mutuelle s'accomplit, — le corps s'affaisse. On observe cependant des circonstances fortuites où le sommeil, surprenant un individu debout, mais appuyé contre un mur, celui-ci a pu demeurer droit.

Quoi qu'il en soit, dans le cas général, le sommeil survenant dans la station droite, la tête s'infléchit sur le tronc, et à sa suite le corps lui-même s'affaisse.

Il semblerait que l'on fût en droit de conclure de cette opposition que, dans la station droite de l'homme, la contractilité des extenseurs serait active, tandis que dans le cas de l'oiseau, elle serait passive. L'influx nerveux continu serait nécessaire dans un cas au maintien de l'attitude droite; la tonicité du tissu suffirait dans le second.

Si nous jetons les yeux sur la disposition des muscles des extrémités inférieures chez l'oiseau, cette vue du sujet acquiert plus de valeur. Nous voyons, par exemple, que dès qu'on plie la *patte* (articulation tibio-tarsienne) d'un oiseau peu de temps après sa mort, les doigts se fléchissent eux-mêmes pendant ce mouvement, et avec assez d'énergie pour s'appliquer avec force et serrer entre eux un objet rond qu'on leur présenterait.

L'équilibre naturel entre les muscles de la flexion et de l'extension du tarse sur le tibia, dans cette classe, correspond donc à la flexion des doigts.

Dans la station droite, l'articulation tibio-tarsienne étant fléchie, les doigts reposant ouverts et étendus sur le sol, les muscles fléchisseurs des articles (lesquels s'insérant à la face postérieure du tibia et même, suivant quelques-uns, envoient une insertion supérieure jusqu'au-devant du fémur), ces muscles, dis-je, sont distendus passivement et jouent, *étendus sur les convexités de ces articulations angulaires*, le même rôle que des lanières élastiques pourraient remplir sur les ressorts en C d'une voiture suspendue.

Dans ces circonstances, le maintien de l'attitude droite de l'oiseau, soit sur le sol, soit perché et enserrant la branche qui le supporte, est réalisé par la lutte établie, entre la gravité d'une part, agissant à l'extrémité supérieure du tibia, et d'autre part par la résistance tonique des muscles étendus et distendus *passivement* sur les convexités des articulations. Nulle intervention active n'y paraît nécessaire : la simple action élastique du tissu musculaire y est réclamée. On ne peut douter, en un tel exemple, de l'absence de toute fatigue de la part des muscles.

Chez l'oiseau, ou du moins chez l'oiseau apte au vol, le centre de gravité du tronc se trouve toujours à une certaine distance *en avant* du point de suspension du tronc sur les têtes fémorales. Le poids du tronc agit donc, dès le premier segment articulaire, avec un bras de levier plus ou moins long, dans le sens de la flexion des articulations. C'est ce que nous avons reconnu également dans le plus grand nombre des articulations, chez les quadrupèdes en station droite.

14. *De la station chez les quadrupèdes* (*Complément*). Cette manière d'envisager le mécanisme de la station droite chez le bipède, trouve dans l'examen sommaire de la construction du quadrupède des arguments non moins puissants pour l'étendre à la station droite de ce dernier (fig. 4).

Ainsi l'on remarque d'abord que le tronc, dans sa région antérieure, se trouve, chez les quadupèdes non claviculés, comme les solipèdes et autres animaux taillés pour la course et la station droite, *suspendu* sur les membres thoraciques comme sur une *sangle élastique*. Le rôle de cette sangle est rempli par les grands dentelés, muscles aplatis s'insérant, en haut, au bord supérieur du scapulum, en bas par leurs digitations inférieures aux côtes, dans la région sternale.

Ces muscles, dans la station, agissent *de toute évidence* par leur *distension passive*, leur contractilité de tissu. Cette disposition est commune à tous les animaux quadrupèdes.

En descendant du sommet du scapulum au sol, d'importantes différences s'observent, en rapport avec les attitudes ordinaires et le genre de mouvements les plus familiers à l'espèce.

Chez les grands animaux primitifs, exempts des nécessités de la course rapide ou des sauts répétés, l'éléphant, par exemple, les membres, par leur volume et la disposition de leurs articulations, se rapprochent éminemment de la forme des colonnes les plus massives : tous les articles se prolongeant sur une même droite. Les inclinaisons mutuelles ne commencent que dans la région digitée, au pied. Cette masse est en rapport et avec le poids de l'animal, et l'absence chez lui de tous chocs violents, résultant par exemple de la retombée du saut. On comprend ainsi que ces animaux puissent demeurer, selon les naturalistes, *des mois durant* debout !

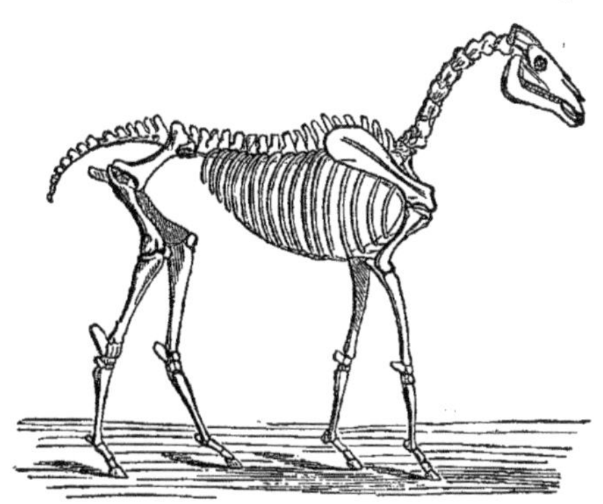

Fig. 4.

Chez les solipèdes, chez les ruminants, le membre lui-même, l'antérieur du moins, considéré dans la station droite, peut être réduit mécaniquement à trois sections principales : deux extrêmes, une intermédiaire. Cette section intermédiaire est composée par l'avant-bras, le carpe, le métacarpe ; elle est droite, verticale, et on peut admettre qu'elle transmet le poids du corps suivant sa longueur et par la résistance osseuse : elle agit à la façon d'une colonne.

Si cette colonne portait directement ainsi sur le sol, elle éclaterait évidemment sous un choc moyen, comme celui de la course rapide. Mais les efforts qu'elle reçoit ou qu'elle communique ne sont jamais transmis sans décomposition : elle se relie effectivement à angle avec les deux articles qui la prolongent, soit en haut, soit en bas. Cet angle est ouvert en avant, en haut comme en bas, de sorte que, dans le plan vertical antéro-postérieur qui les comprend toutes trois, elles représentent un arc à concavité antérieure. De plus, l'articulation complexe qui l'interrompt dans le milieu de sa longueur contribue assurément à sa résistance par le partage des efforts entre les ligaments du carpe.

A cette colonne rectiligne et verticale en avant, mais en zigzag sur toute sa longueur en arrière, le poids du corps est transmis par deux articles fléchis l'un sur l'autre, le scapulum, l'humérus en avant ; l'os des iles, le fémur en arrière.

Le degré de ces inclinaisons, lors de l'équilibre, repose évidemment sur l'action des extenseurs de ces articulations en conflit avec la pesanteur, laquelle agit aux extrémités opposées de chaque article. Cette action des extenseurs est-elle active ou passive ; les extenseurs y sont-ils contractés ou distendus ? Nos connaissances en anatomie comparée sont trop peu étendues pour nous permettre d'avancer à cet égard une proposition formelle; mais considérant que lors d'une extrême fatigue, les animaux se mettent dans le décubitus sur le flanc et *étendent* leurs articles de façon à en faire disparaître les principaux angles, nous sommes portés à croire que les extenseurs des articulations scapulo-humérale, huméro-cubitale en avant, et leurs correspondants en arrière, sont lors de la station droite, plutôt dans une situation *de distension passive*.

Nous soumettons ce desideratum aux anatomistes compétents.

Mais à l'extrémité inférieure apparaît manifestement la réalisation des conditions dont nous poursuivons ici inductivement les recherches.

Au pied, dit M. Colin, « les tendons fléchisseurs se trouvent transformés en ligaments de suspension, et peuvent en remplir l'usage, à l'insu, si l'on peut dire, — oui, certes, on peut le dire — de la fibre charnue, sous la dépendance de laquelle ils demeurent toutefois comme agents de transmission du mouvement. »

Au pied, dit Ch. Bell, dont le mécanisme réclame à la fois solidité et élasticité, les articles présentent une direction oblique, et un fort ligament élastique les revêt en arrière, venant s'attacher en bas à l'os le plus extrême.

Du solipède ou du ruminant, passons-nous aux carnassiers, chez lesquels l'élasticité paraît, pour l'exécution du bond sur la proie, une condition d'ordre commun, les inclinaisons mutuelles augmentent dans les articles; mais aussi diminue, par rapport aux familles précédentes, la durée de la station droite chez ces animaux. Dès qu'ils ne sont plus en chasse, ils se reposent dans le décubitus, ne gardant pas, comme les pachydermes et les ruminants, la station droite pendant de longues heures.

15. *Station droite unipède chez les échassiers.* Chez les échassiers, la station quelque peu différente dans son mécanisme, n'est pas moins intéressante à étudier. Si, en ce qui concerne l'extrémité inférieure du membre, son mode d'appui sur le sol, les choses se présentent comme dans le cas qui précède, il n'en est point de même en ce qui regarde la direction générale du membre et son extrémité supérieure. Ici le corps de l'animal est supporté comme un bloc parfaitement en équilibre sur une colonne régulière; et dans cette situation qui semble le type de l'équilibre instable, l'animal demeure des heures sans nul mouvement, sans oscillation, endormi, et même sur une seule patte.

Dans ce cas, la distension passive de certains muscles résultant de l'attitude, semble jouer un rôle moins prononcé que celui rempli par la réciprocité des surfaces articulaires et l'*élasticité* des ligaments qui maintiennent ces surfaces en rapport.

Ainsi, dans cet exemple, le condyle du fémur offre une encoche dans laquelle est reçue l'épine très-développée du tibia; mais cette disposition n'est pas la seule à signaler.

Il s'y joint un véritable *ressort*.

Chez ces animaux dont l'articulation fémoro-tibiale ressemble en profil à la nôtre, les ligaments latéraux beaucoup plus longs et doués d'une notable élasticité, au lieu de s'insérer en haut, aux deux tubérosités latérales des condyles, s'attachent plus ou moins au-dessus de ces apophyses. Celles-ci, plus saillantes que dans notre espèce, présentent une dépression plus ou moins profonde en avant et en arrière; elles sont arrondies et portent une bourse synoviale. A chaque passage de l'extension extrême à la flexion, ou inversement, les ligaments latéraux élastiques se trouvent distendus lors de la rencontre desdites tubérosités et retombent ensuite, grâce à leur élasticité, dans la dépression antérieure ou postérieure, y font entendre un bruit sec en revenant à leurs dimensions normales. Il faut donc pour chacun de ces mouvements un effort spécial et actif de la part de l'animal, assez grand pour vaincre cette élasticité.

Cette force, morte pendant le repos, est donc chargée de toute la résistance à laquelle est dû le maintien de l'article en rectitude rigide. (Ch. Bell.)

16. *Station droite chez l'homme, mécanisme de l'équilibre stable.* Voilà donc deux mécanismes sensiblement différents et aboutissant au même effet final. Dans l'un, la pesanteur a pour antagoniste l'extrême et passive distension de certains groupes musculaires ; dans l'autre, la force équilibrante est fournie par l'élasticité ligamenteuse.

Résistances mortes, dans les deux cas.

L'un de ces deux systèmes trouve-t-il sa place dans le maintien de l'homme en attitude droite?

L'examen du squelette humain, frais, enveloppé de ses ligaments articulaires, a permis de penser logiquement que, dans la station droite, l'effort constant de la gravité venait s'épuiser, après redressement du tronc, sur la résistance finale offerte par l'inextensibilité ligamenteuse.

Cet effet paraissait très-légitime à l'articulation du genou, dont les ligaments propres, latéraux et croisés, sont considérés en général, par les anatomistes, comme imposant à l'articulation la limite des mouvements d'extension.

Les mouvements du fémur sur le bassin sont aussi, au dire des anatomistes, rapidement limités, du côté de l'extension, par la tension de la capsule articulaire et de son faisceau de renforcement antérieur. M. Cruveilhier ajoute cependant, et nous en prendrons note, que le muscle psoas-iliaque se joint à cette action en remplissant le rôle d'un simple ligament.

L'angle sacro-vertébral trouve une limite à son ouverture, dans la résistance de la portion antérieure du dernier disque intervertébral.

Enfin, si l'on jette les yeux sur la colonne vertébrale elle-même, on voit que, étant posée debout, l'action qu'elle éprouve de la part de la pesanteur tendrait naturellement à exagérer les trois courbures que sa longueur dessine. La limite de ce mouvement, ou la résistance à cet accroissement des diverses courbures, serait encore dans les résistances offertes par les ligaments et les muscles qui s'étendent, disent les auteurs, sur les convexités de ces trois courbures.

Ces propositions sont-elles, au premier aperçu, plausibles, démontrées expérimentalement ! Non.

Sont-elles réalisées dans le sujet vivant? non encore; selon toute apparence du moins, et en voici les raisons.

Premièrement, cette loi générale reçoit un premier démenti dans l'observation de la statique de l'articulation tibio-tarsienne; en deçà et au delà de la position moyenne reconnue être celle de l'équilibre en station droite, les mouvements d'extension et de flexion du pied sur la jambe jouissent encore d'une très-notable étendue, dans le sens antéro-postérieur.

Cette articulation importante ferait donc une exception considérable dans la formule de la loi posée.

Secondement, ce qui s'observe ici du premier coup d'œil et sans longue analyse à l'articulation tibio-tarsienne, MM. Weber frères ont démontré que c'était encore la loi pour toutes les autres articulations. Partout, suivant ces observateurs, *les muscles fléchisseurs, passivement étendus, arrêtent les mouvements d'extension bien avant la limite apportée par les ligaments articulaires.*

Cette notion admise peut singulièrement éclaircir la question, obscure encore, de mécanique qui nous occupe.

Admettons pour un instant cette proposition, que les fléchisseurs ont atteint les limites de leur extensibilité avant le degré extrême de la mobilité permise par les tissus ligamenteux : la question de l'équilibre stable en station droite devient des plus simples.

Le centre de gravité du corps humain, lors de la station droite, en équilibre instable, est situé exactement au-dessus de la ligne de suspension du bassin sur les têtes fémorales (§§ 10 et 11).

Sans risque d'être entraîné en dehors de l'aire de sustentation, il jouit d'une certaine latitude dans sa position; il peut être porté un peu en avant, ou un peu en arrière, de la droite horizontale de suspension du bassin sur les cavités cotyloïdes. Dans le premier cas, les extenseurs doivent être en contraction active plus ou moins intense, chargés de la lutte contre l'action de la gravité. — Ils ont alors à soutenir l'effort de cette force d'une part, et de la tonicité des fléchisseurs de l'autre.

Faisons maintenant, par la pensée, passer le centre de gravité en arrière de cette ligne horizontale de suspension; voilà la gravité qui agit *avec les extenseurs dans le sens de l'extension*. Celle-ci n'aura donc pour limites que la tension des fléchisseurs, tension passive, force à laquelle la fatigue semble infiniment plus étrangère, force quasi morte.

Nous ne pouvons point suivre ce mécanisme avec une rigueur absolue dans toute la série articulaire; partant, notre proposition tient plus de l'induction que de la démonstration expérimentale. C'est une lacune qu'il appartiendra à nos successeurs de combler.

Cependant cette disposition est si clairement formulée dans l'agencement de l'articulation du pied et de la jambe, que nous ne pouvons nous empêcher d'y revenir.

Remarquons d'abord la position qu'affecte le pied sur la jambe pendant le sommeil, cet angle si fort ouvert antérieurement ! Y a-t-il meilleure démonstration de la position moyenne du levier, constitué par le pied, entre les fléchisseurs et les extenseurs? Quand nous voyons cet angle fermé au contraire dans la station droite, pouvons-nous douter de la distension subie par les jumeaux et soléaires.

Mais examinons ceux-ci et comparons leur mécanisme à celui qui a le même objet chez les oiseaux.

Chez l'homme, la masse des jumeaux et du soléaire confondue inférieurement en un seul tendon, a pour effet, comme on sait, d'étendre le pied sur la jambe. Mais cet effet, le soléaire seul, dont l'insertion supérieure se voit à la face postérieure du tibia suffirait à le produire. Quant aux jumeaux, leurs chefs supérieurs s'attachent à la face postérieure du fémur : ils sont donc relâchés lors de la flexion du fémur sur la jambe, dans cette attitude, sans action possible sur l'extension du pied. Mais étendons la jambe sur le fémur, les jumeaux viennent alors en aide au soléaire, et les uns et les autres, si une force extensive est appliquée au sommet du fémur, lutteront contre elle ou seront en distension passive.

Chez les oiseaux, chez qui la station repose sur la flexion des articles, la disposition, identique en bas, varie en haut, mais de façon à produire le même effet dans des circonstances contraires.

Les jumeaux *extenseurs du tarse* ne sont point fléchisseurs du fémur; au lieu de s'insérer à la *face postérieure* de cet article, comme chez nous, contournant les faces latérales de la jambe et les têtes des deux os, ils vont de bas en haut s'insérer au fémur sur sa *face antérieure*.

La contraction de cette masse musculaire, en même temps qu'elle étend le pied sur la jambe, étend donc en même temps le fémur sur elle, fait disparaître *d'un même coup*, l'angle tibio-tarsien et l'angle tibio-fémoral.

Chez l'homme, au contraire, en agissant de même manière sur l'angle *tibiotarsien*, elle agirait en sens contraire sur l'angle fémoro-tibial. Mais, *dans les deux cas*, le muscle, *dans son entier*, est distendu passivement dans la station, et cette distension supporte tout l'effort développé (fig. 5).

Fig. 5.

En résumé, dès que la ligne de gravité du tronc vient à tomber en arrière de l'axe de suspension inter-cotyloïdien, les muscles, jusque-là contractés activement, les extenseurs, cessent d'agir. Cette ligne de propension, de tangente qu'elle était, devient sécante à la concavité lombaire. Dès lors cette courbure tend à s'exagérer sous l'empire de la gravité maintenant, et non plus des extenseurs. D'autre part, au contraire, les muscles fléchisseurs (psoas-iliaques-pectinés), premièrement relâchés, se voient distendus.

Descendant au-dessous de la cavité cotyloïde, ladite ligne de gravité coupe le membre inférieur vers l'articulation du genou, rencontrant le pied plus ou moins *en avant* de l'articulation tibio-astragalienne.

Si nous ne nous trompons, cette position correspond exactement à celle réalisée dans l'attitude réglementaire du soldat au port d'armes, attitude qui doit être le résultat de quelques siècles d'expérience.

Dans nos habitudes ordinaires, nous suivons instinctivement la même loi, avec cette modification, que pour diminuer encore la fatigue qui suit cette attitude prolongée, nous faisons porter le poids du corps sur chaque jambe alternativement. Le centre de gravité est ainsi porté un peu en arrière de l'une des cavités cotyloïdes, la jambe de ce même côté étendue (on est hanché de ce côté); l'autre jambe est avancée en relâchement dans une demi-flexion, de façon à reposer les soléaire, jumeaux et psoas-iliaque de la distension précédente.

Chacun pourra se convaincre de l'exactitude de cet exposé, en demeurant dans la station droite immobile aussi longtemps quece sera possible sans trop de fatigue. Au moment où on la suspendra pour cette raison, on pourra reconnaître, d'après le siége de la sensation éprouvée, que notre théorie est conforme aux faits. Cette sensation sera perçue à l'attache supérieure des jumeaux, des soléaires, un peu dans les aines. Mais on ne *sentira* ni les muscles sacro-lombaires, ni les fessiers, ni les triceps.

Que l'on compare ensuite avec la position classique de l'escrime, et on fera la différence.

En somme, la contractilité musculaire tonique préside à la statique ou équilibre de repos, comme la contractilité active préside à la dynamique animale ou équilibre du mouvement.

17. *Station droite chez l'homme : transmission des chocs à travers le*

bassin. Ayant essayé de pénétrer les conditions de transmission du poids du tronc au sol, à travers les membres inférieurs, celles de l'équilibre des forces autour de ces articles, remontons plus haut et suivons le développement du mécanisme de la station depuis le bassin jusqu'à la tête.

Dans cette étude, informons-nous en même temps des dispositions au moyen desquelles la nature aura pu parer aux chocs en retour, aux réactions menaçant l'intégrité du mécanisme ou des viscères, lors des épuisements brusques du mouvement.

En remontant, nous trouvons en première ligne le bassin.

Le poids des parties supérieures du corps est communiqué aux extrémités abdominales par l'intermédiaire d'un levier d'une forme particulière, l'anneau osseux du bassin.

Cet anneau est suspendu lui-même au-dessus ou entre les têtes fémorales, comme un treuil sur ses tourillons.

Il reçoit l'effort de la gravité par le sacrum, qui tendrait à faire basculer le levier en arrière dans certaines situations, en avant dans d'autres cas, c'est-à-dire suivant que la ligne de gravité tomberait en arrière ou en avant de l'axe inter-cotyloïdien.

Dans ces circonstances, les extenseurs ou les fléchisseurs sont alternativement chargés de faire équilibre au poids du corps.

Les points d'appui de ce levier sont, avons-nous dit, les têtes fémorales roulant dans les cavités cotyloïdes.

Il y a là un point obscur : la pression est-elle transmise directement et de corps dur à corps dur, du bassin aux fémurs, ou bien, au contraire, et suivant ce que la logique indiquerait, l'effort s'épuise-t-il sur les ligaments ronds distendus, comme le professent MM. Weber.

Gerdy pensait que dans la position inclinée du fémur, de haut en bas et d'arrière en avant qui correspond à l'attitude du corps arrivant à terre après un saut, l'effort transmis au tronc par le fémur, au contact des pieds avec le sol, porte sur les ligaments ronds distendus, et n'est point directement communiqué par la tête du fémur aux parois de l'acétabulum.

Cette condition est-elle effectivement réalisée? Les anatomistes donneraient à penser que non, puisqu'ils constatent la grande inconstance d'existence et de qualité du ligament rond qui, suivant eux, serait souvent absent.

A ce fait il n'y aurait rien à objecter; mais sa présence et son rôle de support (comme dans le cas d'une voiture suspendue) seraient, en apparence au moins, bien satisfaisants pour l'esprit.

Passons à un autre point :

Tous les anciens anatomistes et physiologistes présentent le sacrum comme pénétrant dans l'espace intercoxal postérieur, à la manière d'un *coin*, dirigé par son sommet de haut en bas et d'avant en arrière, qui tendrait à *écarter* les os coxaux.

Les rapports mutuels du sacrum et de la cavité dans laquelle il s'encastre sont bien tels, en effet, quand le bassin est étudié *dans la position assise sur une table*.

Dans la station droite, il n'en est plus ainsi; les frères Weber ont fait voir que, dans l'attitude droite, la surface supérieure du sacrum faisait avec la verticale un angle de 52° ouvert en bas, ou de 128° ouvert en haut.

Dans cette situation, les surfaces de contact du sacrum et des os coxaux offrent un angle dièdre ouvert en bas et en avant, le sacrum étant ainsi *suspendu* aux énormes ligaments *sacro-sciatiques* comme un coin à *angle supérieur* et non plus à *angle inférieur*. Sous l'influence de la pesanteur, ce serait donc un coin qui tendrait à s'échapper et non pas à s'encastrer.

Dans la retombée du saut, cette situation est plus prononcée et plus nécessaire encore.

Cette proposition a été établie d'abord par MM. Valerius et Hubert (de Louvain), par nous-même ensuite.

Dans la position assise ou dans une chute sur les tubérosités ischiatiques, il n'en est plus ainsi, et le sacrum se rapproche de la situation indiquée par les auteurs classiques.

L'anatomie comparée est en rapport avec cette donnée. Chez la plupart des quadrupèdes, le sacrum est *suspendu* entre les os iliaques : sa face large regardant en bas.

Il n'est pas besoin d'insister sur les avantages d'une pareille disposition lors de la communication des ébranlements et commotions. Voyez la différence des retentissements ressentis lors d'une chute sur les pieds physiologiquement exécutée, ou lors d'une chute sur les tubérosités ischiatiques. Dans celle-ci, même modérée comme force vive, la commotion s'étend jusqu'au crâne lui-même.

18. *Station droite chez l'homme. Statique de la colonne vertébrale.* Nous avons, dans les développements qui précèdent, considéré la colonne comme un levier un et régulier. Chacun sait que cette unité ou rigidité n'est elle-même qu'un résultat d'équilibre. Examinons rapidement les conditions de cet équilibre.

Considérons la colonne en un point quelconque de son étendue, étudions-la dans une coupe horizontale. Cette coupe porte sur la vertèbre, élément osseux, de forme cylindrique, offrant en avant et en arrière des prolongements soit arqués, soit droits, mais, en somme, représentant pour nous des bras de leviers.

Les bras antérieurs, destinés à servir d'appuis à la force de gravité et de la flexion en avant (les côtes, la face antérieure des corps des vertèbres).

Les bras postérieurs (apophyses épineuses, transverses), étant les éléments sur lesquels porte l'action des extenseurs de la colonne.

Quant au point d'appui de chacun de ces leviers, pris isolément, on le voit dans le disque intervertébral, lenticulaire, élastique et fibreux à la fois, qui résiste aussi bien à la pression qu'au tiraillement, et sur lequel la vertèbre est en équilibre comme un fléau de balance sur ses coussinets.

Le volume ou les dimensions de ce levier sont en rapport avec deux conditions mécaniques des plus simples. Plus une vertèbre est inférieurement placée dans la série, plus elle devra être volumineuse et ses bras de leviers puissants, puisqu'elle aura à subir l'intégrale des actions supérieures, toutes fonctions de la gravité.

D'autre part, les bras de leviers postérieurs ou de la puissance, devront être, tout étant égal d'ailleurs, d'autant plus développés que les organes de la résistance (ou antérieurs) seront plus denses ou pesants.

C'est ainsi que les épines dorsales auront moins de longueur horizontale que les épines lombaires ou les épines cervicales, les poumons étant moins denses que les viscères abdominaux ou que la tête.

La forme de la région considérée n'aura pas moins d'influence sur le volume et la disposition des corps et des apophyses des vertèbres.

Est-il besoin de démontrer que les leviers devront être les plus volumineux et les plus étendus, là où la force extensive aura le plus d'action à développer. Or, où cette action extensive aura-t-elle plus d'efforts à déployer qu'à la région lombaire, et, comme nous le verrons plus loin, qu'à la région cervicale, toutes deux concaves en arrière?

Au point de vue de l'ensemble, la forme à courbures opposées que présente la colonne n'est autre chose que la reproduction de la série d'inflexions que nous avons constatées dans les membres destinés à soutenir le corps.

La présence des disques intervertébraux et la qualité amortissante de leur tissu eussent bien pu être insuffisantes à l'épuisement des chocs, s'ils avaient dû se transmettre directement de l'un à l'autre, et suivant la verticale, les forces vives acquises par les parties supérieures.

Dans ces alternatives de convexités et de concavités successives, apparaissent, au contraire, des forces successivement extensives ou fléchissantes, dont les composantes verticales viennent partager la dissémination de l'effort.

Et quant à la condensation des masses musculaires ou des leviers destinés à procurer et à maintenir la station droite, imaginons ce qu'eût été la forme du primate, si les leviers lombaires eussent dû prolonger une convexité postérieure! Cette forme est sans doute celle la plus favorable à l'extinction des forces vives, car nous retrouvons ces concavités, surtout celle de la région lombaire, partout où, dans la série animale, se manifeste plus ou moins de disposition momentanée ou durable à la station en attitude droite.

Nous y trouvons aussi une assez grande abondance de tissu jaune élastique (les ligaments jaunes), servant de liens entre une vertèbre et une autre, dans la région même des leviers, c'est-à-dire entre les lames vertébrales.

La présence de ce tissu, si propre à être substitué, au point de vue de la durée de l'action, dans les régions où cette durée devra être prolongée, à l'action musculaire active, a fait penser à nombre de physiologistes que sur lui reposait même en entier l'équilibre stable de la colonne.

Un anatomiste distingué, M. Ludovic Hirschfeld, a fait voir que c'était à ce tissu qu'était spécialement due la forme doublement incurvée de la colonne. Dans ce fait, on aurait pu trouver la démonstration du rôle absolu des ligaments jaunes dans l'équilibre de la station, si MM. Weber n'avaient, de leur côté, fait voir que les muscles, dans leur extrême distension, limitaient les mouvements dans ces régions comme dans les autres, avant que les ligaments n'atteignissent leur extrême distension (§ 16).

19. *Station droite chez l'homme. Equilibre de la tête sur le rachis.* L'étude à laquelle nous venons de nous livrer sur les conditions générales de l'équilibre du tronc en station droite n'a tenu aucun compte de la manière dont ce même équilibre s'établit entre la tête et le tronc. Nous sommes partis de cette supposition que l'extrémité supérieure était fixée à son support d'une façon invariable, et c'est leur ensemble que nous avons considéré comme un levier unique dans les développements qui précèdent.

Entrons maintenant dans l'analyse des conditions spéciales à l'équilibre de cette région considérée isolément.

La tête est mise en rapport avec la colonne vertébrale par un grand nombre de muscles, qui se relient avec un non moindre nombre de vertèbres (de la région cervicale), mais plus spécialement avec les deux premières.

En contact direct, elle n'est en rapport qu'avec une seule d'entre elles, la supérieure, l'atlas. Avec cette vertèbre, son contact s'établit par la réception, dans deux cavités pratiquées sur l'atlas, et de chaque côté de son axe, de deux tubérosités arrondies qui se moulent sur ces cavités, et portent le nom de condyles de l'occiput.

Chez les quadrupèdes, les condyles de l'occipital sont situés à l'extrémité postérieure du crâne. En supposant leur axe optique parallèle à l'horizon, un plan vertical qui raserait, en arrière, la surface de l'occipital, laissant toute la tête en avant de lui, raserait également la surface la plus postérieure des condyles.

La tête est donc ainsi suspendue tout entière au cou par sa face postérieure. Il n'y a d'exception que chez le singe, qui se trouve, par cette particularité, comme par bien d'autres, tenir une place intermédiaire au quadrupède et à l'homme.

L'habitude bipède de l'oiseau se révèle, comme elle va le faire également chez l'homme, par une dérogation complète à ce caractère. La tête, chez les oiseaux, s'articule horizontalement sur la première cervicale. Mais, contrairement à ce qui s'observe chez nous, et à l'avantage de la mobilité vraiment exceptionnelle de l'organe, l'articulation consiste dans un seul pivot osseux sphérique (énarthrose), roulant dans une cavité demi-sphérique, à circonférence horizontale. Quand on a vu l'intérieur de cette articulation, on n'est plus surpris de la facilité rare avec laquelle l'oiseau tourne sa tête en tous sens, sans mouvoir sensiblement la région cervicale.

L'homme participe à la fois des dispositions anatomiques propres aux quadrupèdes et de l'horizontalité de connexion constatée chez l'oiseau. Cependant cette horizontalité n'est pas absolue. Lorsque la ligne de gravité de la tête tombe dans sa base de sustentation sur l'atlas, les axes optiques sont dirigés plus ou moins de bas en haut et d'arrière en avant; circonstance anatomique en rapport avec le fait d'observation physiologique bien connu, qu'au moment où le sommeil vous surprend en attitude droite, le menton tombe brusquement sur la poitrine.

L'équilibre de la tête sur le rachis est donc un des plus instables, s'il repose sur les seules connexions articulaires, ou bien il se fonde sur l'énergie active des extenseurs de la tête sur le cou.

L'aspect de la région peut faire penser que c'est bien sur ce second genre d'équilibre que repose, en effet, l'attitude droite de la tête. La région cervicale postérieure, concave ainsi que la région lombaire, donne place à une masse musculaire considérable, formant une sorte de pyramide de muscles à base supérieure, laquelle semble rattacher le crâne à la colonne, comme la masse sacro-lombaire relie celle-ci à ses soutiens sacro-iliaques.

Ce sont deux pyramides qui se regardent par leurs sommets, et qui comblent chacune le vide formé par les régions postérieurement concaves de la colonne.

La pyramide supérieure remplit, chez l'homme, le rôle du ligament cervical supérieur, qui soutient la tête chez les grands quadrupèdes. Elle remplit ce rôle, en dérogation à la loi de l'équilibre stable que nous avons cru lire dans les parties inférieures du système, et qui se fonderait sur le balancement établi entre la gravité d'une part, et des muscles passivement distendus de l'autre. Peut-être est-ce à cette nécessité que sont dus le volume, le nombre, la diversité de directions et d'insertions de ces muscles, la nature compensant ici, par la multiplicité des forces accumulées dans un même objet, la durée imposée à leur activité.

Malgré cela, la nature nous semblerait avoir laissé là un desideratum mécanique. Une analyse plus attentive va nous montrer cependant un palliatif des plus délicats, introduit par elle dans ce mécanisme si difficile à réaliser.

Qu'on n'oublie pas, en effet, qu'il s'agit ici de procurer à cette immense vertèbre, qui contient le cerveau, toutes les ressources possibles de mobilité dans tous les sens, sans compromettre l'intégrité du mécanisme, sans compromettre, surtout par pression ou par choc, la délicate susceptibilité de la substance encéphalique, sans risque de compression pour cet isthme intéressant, la moelle allongée, le siége du centre vital animal, situé là tout juste au centre du mouvement. Étudions donc avec soin ce curieux problème, le plus étonnant peut-être de la mécanique animale.

Rapports de contiguïté de la tête avec le rachis. Destruction de la vitesse acquise dans une chute sur les pieds, au point de contact des condyles occipitaux avec les surfaces articulaires de l'atlas. Remontant du bassin à la colonne vertébrale, nous avons vu par quel mécanisme la portion des forces vives, mise en évidence dans ces chocs, et non amortie, se transmettait, à son tour, le long du rachis, de vertèbre en vertèbre, perdant, à chacun de ces passages, une nouvelle fraction de leur somme, épuisée sur les ligaments interosseux fibreux ou lenticulaires. L'effet amortissant de cette élasticité, vingt-deux fois répété, ne laisse pas de réduire sensiblement ce qui peut en parvenir jusqu'à la région supérieure, plus que toute autre digne de ménagement.

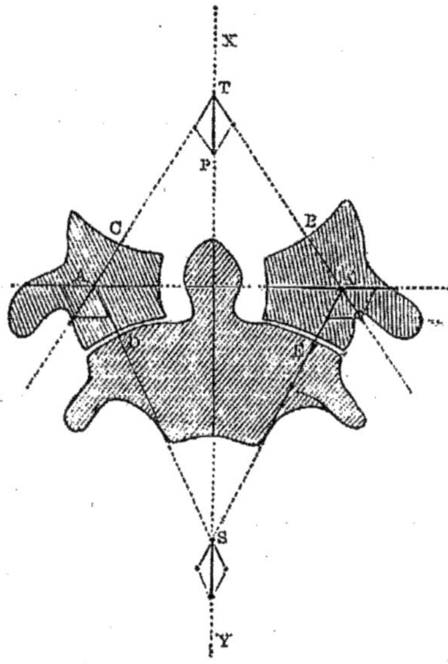

Fig. 6.

Or, ici, singulière anomalie, dans la région de cette communication suprême, disparaissent ces coussins articulaires élastiques ; les condyles occipitaux sont en rapport direct avec les cavités supérieures de l'atlas, les faces inférieures de l'atlas en rapport direct avec les faces supérieures de l'axis. Les coussinets articulaires ne se retrouvent plus au-dessus de la deuxième vertèbre cervicale (fig. 6).

L'échange ou la transmission des forces vives vont-ils se faire d'os à os, et perpendiculairement, comme il semble devoir, être au premier aspect?

Voici, si nous ne nous trompons, comment les choses se passent et comment la nature a pu se dérober à une fatalité menaçante.

Le poids de la tête est, dans la station droite, transmis au rachis de la deuxième à la troisième cervicale, suivant la loi déjà connue, et par l'intermédiaire des coussinets intervertébraux ; mais perpendiculairement et, d'os à os (ou du moins à travers de minces cartilages d'encroûtement), de l'occipital à la première cervicale et de celle-ci à la seconde. Les forces vives de réaction, déterminées par une chute sur les pieds, suivent le même chemin en sens inverse, cela n'a pas besoin de commentaire ; et si l'on tombait droit sur les talons, ou sur les tubérosités de l'ischion, ce choc ne serait pas sans un cruel effet sur les surfaces presque horizontales qui servent de passage de l'axis à l'atlas, de l'atlas à l'occipital.

Mais, lors d'une chute sur les pieds, lors de la retombée du saut, les extrémités inférieures sont instinctivement pliées et s'offrent au choc sous forme de ressorts préparés à la détente ; ainsi en est-il du rachis dont l'axe général est également incliné à l'horizon ; les chocs, par suite de cette disposition, sont partout amortis. — Reste à considérer la tête.

Celle-ci est fortement redressée en arrière ; la concavité cervicale du rachis est, de son côté, nettement incurvée en arrière. Dans cette situation des éléments ultimes du système, la force vive transmise à l'axis se transmet sous une certaine obliquité aux masses latérales de l'atlas, destinées, à leur tour, à la transmettre à l'occipital.

Or, si l'atlas et l'axis sont déjà un peu inclinés de haut en bas et d'avant en arrière, les surfaces cylindriques qu'offrent les condyles de l'occipital sont, elles, tout à fait inclinées sur l'horizon : l'effort qu'elles reçoivent de la colonne leur est bien plutôt *tangentiel que normal :* ce sont donc encore les ligaments et les muscles qui s'offrent pour l'épuisement de la dernière quantité de la force vive.

L'observation nous apprend effectivement que, dans la chute sur les pieds, le corps se place instinctivement dans l'inclinaison mutuelle de tous ses articles, rachis compris, les membres inférieurs pliés, les pointes des pieds présentées au sol, la tête enfoncée dans les épaules, etc.

Telles sont donc, en définitive, les conditions mécaniques de l'échange des réactions et de l'annulation des forces vives : si la transmission du poids et la réaction avaient lieu en ligne droite, verticale, la relation anatomique qui unit les premières vertèbres cervicales, à la tête, devrait faire redouter, au premier chef, le mode de communication établi entre ces leviers. Mais il n'en est point ainsi : lors d'une chute, non subite, lors du saut, ces leviers, y compris celui représenté par l'occipital, sont à l'état d'inclinaison mutuelle : dans ce cas, les condyles occipitaux sont à proprement parler *dans la verticale.* Nul choc n'y est donc à redouter : Il faudrait supposer une surprise des plus rapides pour que cette inclinaison n'eût point lieu.

On peut même observer que dans l'attitude droite, au repos, ou dans la marche, les condyles sont aussi plus ou moins inclinés, et peut-être devons-nous reconnaître là l'objet de la projection normale du centre de gravité de la tête en avant du rachis, et de cette anomalie apparente qui fonde leur équilibre sur l'énergie active des extenseurs.

20. *Mouvements sur place. Force d'où résulte le maintien de l'équilibre en station droite.* Nous avons vu un peu plus haut quelle condition devait remplir un corps grave, animé ou non animé, pour demeurer stable en sa place : Sa ligne de gravité doit tomber dans l'aire de sustentation, supposée parfaitement horizontale. Si la surface d'appui n'est pas absolument horizontale, le corps grave demeurera cependant encore en place tant que la tangente de l'inclinaison de la surface d'appui sur l'horizon est inférieure au coefficient de frottement.

Dans les conditions où s'exerce le domaine de la physiologie, la surface d'appui se rapproche le plus souvent de l'horizon : mais elle n'est pas toujours exactement horizontale. Le maintien en place du corps vivant est donc généralement accompli par la puissance du frottement, c'est-à-dire par la résistance que les aspérités des corps opposent à leur glissement mutuel.

Un corps animé diffère, au point de vue mécanique, du corps inerte, en ce que ce dernier demeure immobile tant qu'une force extérieure ne vient point le solliciter.

Le corps vivant, au contraire, possède en lui-même des forces qu'il peut mettre en évidence et au moyen desquelles il peut modifier les conditions de son propre équilibre et celles des corps avoisinants.

Mais toute force, pour produire un effet, a besoin d'un point d'appui. L'être animé trouve le sien dans le sol sur lequel il repose, dans cette adhérence à la surface d'appui que mesure le poids de son corps multiplié par le coefficient de frottement.

Sur cette base, il peut exécuter tous les mouvements que son organisation lui permettra et que nous allons sommairement passer en revue.

21. *Conditions auxquelles le corps doit obéir dans l'exécution des mouvements sur place.* Dans l'étude qui précède, le centre de gravité de l'homme a été déterminé en partant de cette condition préalable, que le sujet se trouvât en attitude parfaitement droite, les bras collés au corps, les deux jambes réunies en parallélisme. Le centre de gravité de chaque membre est lié, dans cette situation, avec celui du tronc par une relation fixe qui entre dans la détermination du centre de gravité de tout le système. Nous ne pouvons dès lors imaginer le moindre mouvement isolé de l'un ou l'autre de ces appendices, sans concevoir qu'il s'ensuive un dérangement plus ou moins notable du centre de gravité de l'ensemble.

Ainsi, portons un bras en avant; son centre de gravité sort, dans ce sens, du plan vertical médian parallèle à la direction des épaules qui contenait celui du système entier. Alors le poids du bras, appliqué en son propre centre de gravité, devient une force agissant sur le système total avec un bras de levier qui mesure la distance du centre de gravité de ce membre au plan de gravité du tronc. Cette force tend donc à faire basculer le système en avant, dans ce cas-ci.

Un raisonnement semblable nous conduirait à une conclusion analogue pour toutes les directions que nous pouvons donner à notre bras en l'étendant. Cette projection tend évidemment à déplacer, dans sa direction, le centre de gravité de l'ensemble. Dès lors tout mouvement de cette sorte, exécuté dans un but direct, devra nécessiter, de la part des muscles qui servent au maintien de l'équilibre du tronc, une action ou un supplément d'action de nature à déplacer en sens inverse le centre de gravité ainsi sollicité.

Tous nos mouvements de défense ou d'attaque, exercés sur place, reposeront donc sur des modifications dans l'attitude du tronc, compensatrices des altérations dont ces mouvements partiels menacent la position du centre de gravité du tronc.

Inversement, si une cause quelconque, un mouvement involontaire ou erroné des muscles, un relâchement dans leur contractilité, amenaient une tendance momentanée à la chute, en permettant au centre de gravité de s'écarter de la verticale, le mouvement d'un membre dans le sens opposé à celui pris par le centre de gravité, sert à l'instant à reconstituer l'équilibre détruit. C'est là l'office du balancier entre les mains du danseur de corde.

Il en est exactement de même du déplacement volontaire ou involontaire du centre de gravité de l'un des membres inférieurs. Imaginons le corps porté momentanément sur un seul de ses supports, l'autre devient un balancier, comme nous venons de le reconnaître pour le bras. Ainsi, lorsque le corps est menacé de renversement en arrière, la projection de l'un des membres abdominaux en avant, déplaçant le centre de gravité, sert à la restitution de l'équilibre.

Toutes ces considérations sont trop simples pour exiger de plus longs développements. On peut, à la lumière de ce principe, se rendre compte d'une multitude de nuances dans l'exécution d'une foule de mouvements, soit étendus, soit limités, dans nos diverses attitudes, et se résolvant tous dans cet unique objet : la restitution de l'équilibre.

Aux mêmes principes répond la solution des questions qui naissent de la considération de l'addition d'un poids industriel à celui du sujet.

Ainsi :

Un soldat est en faction, le sac au dos ;

Une marchande ambulante stationne avec un *éventaire ;*

Un homme soutient un poids quelconque à l'une de ses mains.

Chacun de ces éléments pesants ajoutés à l'ensemble, en arrière, en avant, latéralement, porte le centre de gravité du système plus ou moins de ce même côté.

L'équilibre ne pourra donc être maintenu que par une inclinaison compensatrice du corps ou de l'une de ses parties.

Dans le premier cas, le soldat avancera la ceinture jusqu'à dépasser la pointe de ses pieds.

La marchande ambulante cambrera sa région lombaire en arrière, pour maintenir le centre de gravité en arrière de la ligne inter-cotyloïdienne.

Le portefaix chargé d'un seau à droite porte son corps vers la gauche et même étend le bras libre, l'éloigne plus ou moins du corps, pour ajouter au déplacement du centre de gravité.

L'objet de toutes ces modifications apportées dans la position du centre de gravité est toujours de le maintenir au-dessus de la base de sustentation.

22. *Station assise.* Dans la station assise, la base de sustentation est représentée par la vaste surface qui circonscrit les faces postérieures des cuisses et des fesses. Il n'y aura donc pas lieu à de grandes attentions de la part du système musculaire pour conserver la ligne de gravité dans une de ses nombreuses situations d'équilibre.

Ajoutons à cela que le poids des extrémités abdominales est éliminé de la question proprement dite de l'équilibre, puisqu'elles sont directement soutenues par le sol ou la surface fixe formant appui.

D'autre part, au moment où le sujet s'assoit, le bassin dont le plan de l'anneau était antérieurement plus ou moins incliné (plutôt plus que moins) sur le plan de l'horizon, se redresse pour se porter dans ce plan, se mettant en contact avec l'appui par les ischions et presque le coccyx.

Un premier résultat de cette modification dans l'orientation du bassin est le redressement de la concavité postérieure de la région lombaire qui se change presque en convexité faisant suite à la convexité dorsale.

Dans cette situation, les extenseurs n'agissent plus que passivement et par leur distension ; l'action de la gravité paraît tout entière du côté du fléchisseur du tronc et représente la puissance qui fléchit — la tonicité des extenseurs sert d'antagoniste ; — à l'extrême limite, cet équilibre serait amené à l'état fixe par la résistance des ligaments jaunes.

23. *De l'effort.* Dans les circonstances où doit être déployée en peu de

temps une grande énergie, soit dans les mouvements sur place, soit dans l'exécution de certaines fonctions, soit dans la translation rapide du centre de gravité d'un point à un autre, les muscles chargés de fournir à cette énergie exceptionnelle ont besoin de trouver dans le tronc un point d'appui solide. L'immobilité, la rigidité temporaire de la cage thoracique, deviennent la condition préalable de ce point d'appui.

Or, cette portion étendue du squelette est, par destination, vouée à une mobilité périodique offrant exactement les conditions contraires à celles réclamées ici par la dynamique ; une révolution complète doit donc être apportée dans sa manière de se comporter. Pour fournir un point d'appui fixe à tant de muscles qui, affectés à des leviers divers, doivent concourir cependant au même objet, l'enveloppe osseuse qui circonscrit le thorax commence par se dilater largement : l'air inspiré vient donc en remplir toute la capacité ; la glotte alors se ferme. Tout est dès lors stable et fixe. L'air répandu dans les cellules et les bronches dilatées fournit aux côtes et au diaphragme un support élastique tenant en équilibre la réaction musculaire des expirateurs et la pression extérieure. Tant que peut se prolonger la tolérance de l'économie pour le sang désoxygéné, renfermé dans les veines et dont la quantité croît avec la durée de l'effort, autant durera cette stabilité, aussi longtemps pourront s'y fonder les exigences qui provoquent l'effort.

Tel est l'effort dans son expression la plus complète ; mais elle n'est pas toujours réalisée dans son entier. Ainsi, l'occlusion absolue de la glotte n'y est pas nécessaire, inévitable. D'abord elle ne peut être tolérée longtemps ; puis, lorsque l'énergie musculaire doit se perpétuer dans ses manifestations périodiques, l'oxygénation du sang devient un élément non moins important de la production de la force motrice, et la glotte doit s'ouvrir. Il est visible en effet que la stase du sang veineux, déterminée par l'acte de l'effort, est incompatible avec sa continuité.

L'effort, plus ou moins soutenu, sert de base à l'accomplissement de plusieurs fonctions naturelles : le vomissement, la défécation, le chant, les cris, la toux, l'accouchement, le saut, la course, etc.

II. Dynamique animale, ou Locomotion proprement dite. 24. *De la locomotion chez l'animal. Comment y agit la force motrice.* Nous venons d'exposer, dans le chapitre *Station*, les conditions statiques auxquelles l'homme obéit à l'état de repos et celles auxquelles il doit satisfaire quand il veut, sans se déplacer, exécuter tel ou tel mouvement, exercer telle ou telle action sur les corps à sa portée.

Nous allons ici nous occuper des recherches analogues pour les cas où l'homme se transporte d'un point à un autre de l'espace. Ce nouveau chapitre concernera donc l'homme à l'état de mouvement, ou mieux, aura pour objet la détermination des conditions dynamiques présidant à ses mouvements.

Et d'abord, par quel principe de dynamique l'homme ou l'animal peuvent-ils se déplacer, peuvent-ils, plus expressément, transporter leur centre de gravité d'un point à l'autre de l'espace ? Par la mise en jeu des forces intérieures dont ils disposent, par leur puissance musculaire.

Mais alors que devient ce principe absolu qui préside à la cinématique, et en vertu duquel « un corps sollicité uniquement par des forces *intérieures* est impuissant à modifier en rien la situation de son centre de gravité ? »

Un corps dans lequel une force *intérieure* peut, en se développant, donner naissance, *par le fait de son contact avec un autre corps*, à une force nouvelle, telle que la force de *frottements*, n'est plus sollicité « *uniquement* » par des forces intérieures. Entre le point du corps voisin et sur lequel s'exerce ladite force de frottement, et le centre de gravité du premier corps considéré, la force intérieure en question agit comme les deux bras d'un homme repoussant à droite et à gauche deux murailles qui tendraient à l'écraser. Ce corps voisin et le centre de gravité du premier, reçoivent en sens inverse l'un de l'autre, la même quantité de mouvements, mv (la masse multipliée par la vitesse).

Dans la question qui nous occupe, celle du mouvement que peut se donner un corps animé sur le sol, le corps voisin, de la phrase précédente, c'est le sol, la terre ferme, avec lesquels le poids de l'animal établit une connexion, une adhérence de frottement; le MV qui lui est imprimé, et qui égale le mv impulsion subie par le centre de gravité du corps animé, n'a pas les mêmes symptômes apparents. La masse M de la terre est infinie par rapport à celle m du corps de l'animal, la vitesse V imprimée à la terre sera donc nulle par rapport à celle v reçue par le centre de gravité du corps animé.

En ce sens nous pourrons dire, contrairement à la formule de cinématique rappelée plus haut, que prenant appui sur le sol, par le fait du frottement, la force musculaire *intérieure* du sujet déplace, dans le sens qu'il lui plaît de lui imprimer, son centre de gravité.

Telle est l'origine de tout déplacement spontané du corps animé.

Depuis la reptation jusqu'au vol, le point d'appui (engendrant frottement) sur le sol ou le milieu ambiant, est celui sur lequel la force intérieure développée par le sujet, s'exerce en un sens ou se détruit sur une masse équivalente à une résistance absolue, et agit, dans l'autre sens, sur le centre de gravité du sujet qu'elle déplace. Le mécanisme est ici le même que celui qui accomplit le mouvement d'une barque s'éloignant de la rive sous la pression de la perche ou gaffe du batelier; la force motrice est tout entière dans l'action musculaire développée par le marinier, laquelle se déploie en quantités égales en deux sens opposés, l'une s'épuisant sur la résistance fixe de la rive, l'autre déplaçant le centre de gravité du système; c'est là ce que l'on a désigné quelquefois improprement sous le nom d'*action réflexe*, de réaction du sol et de la rive. Cette expression, qu'on emploie encore souvent, ne devra point donner lieu à malentendu, mais être comprise dans le sens du commentaire qui précède, toutes les fois qu'il s'agira d'un appui fixe.

Cette action réflexe se manifeste, au contraire, et devient une force active, quand le point d'appui est pris sur les molécules plus ou moins mobiles d'un milieu fluide. Alors sous toute pression, naît une *réaction* égale et contraire à l'action, agissant et mesurée perpendiculairement à la surface de contact mutuel du milieu et du corps animé. Dans la natation et le vol, tel sera l'appui que nous aurons à considérer.

25. *Du ramper ou de la reptation.* Le mécanisme le plus simple que l'on puisse concevoir pour le mouvement de translation d'un corps animé d'un point de l'espace à un autre, par des forces individuelles, peut être exprimé par l'antagonisme entre les idées d'*attraction* et de *répulsion*. L'attraction, prenant en un point du sol un appui, condensera en une région de l'individu la masse des parties postérieures; l'appui changeant alors de sens et se prenant en arrière de cette masse condensée, une *répulsion* qui se manifestera entre ces parties condensées poussera, portera, projettera ces mêmes parties en avant.

Dans ces quelques lignes se trouve résumé le principe de la locomotion la plus élémentaire. Voici, par exemple (fig. 7, 8 et 9), l'observation du déplacement d'une chenille :

« Les chenilles se meuvent ainsi pour la plupart : elles commencent par retirer et recourber un peu leur extrémité postérieure, en formant une petite bosse en haut, et en serrant les deux ou trois anneaux correspondants, en dessous. Par ce moyen, la dernière paire de jambes fait un pas et se cramponne ; et ce renflement se coule par un mouvement ondulatoire, c'est-à-dire par une suite de mouvements semblables, le long du corps jusqu'à la tête. En sorte que chaque paire de jambes soit membraneuses, soit écailleuses, lorsque le renflement passe par-dessus, peut s'avancer et se cramponner à une nouvelle distance. Enfin la tête peut se porter en avant en relâchant à son tour ses anneaux contigus et serrés. » (Weiss. Acta. Helvetica.)

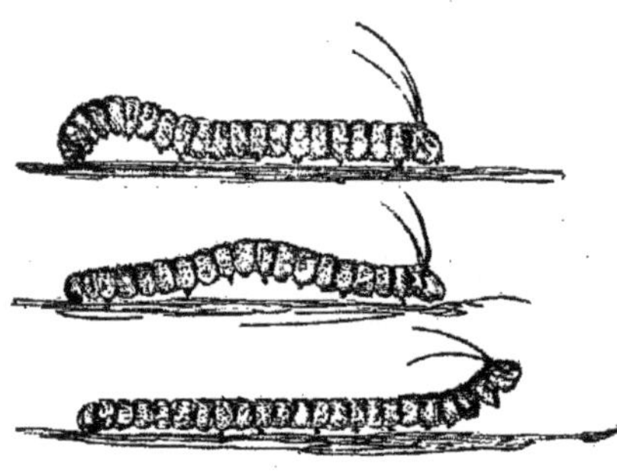

Fig. 7, 8 et 9.

A part l'absence de pattes, remplacées chez eux par des écailles, imbriquées d'avant en arrière, les serpents se portent en avant par un mouvement ondulatoire calqué en principe sur le précédent.

Dans cette description, il est visible que le mouvement qui fait passer l'onde du renflement, d'arrière en avant, est une force de projection par élasticité. Pour s'en assurer, on n'a qu'à prendre l'onde arrivée à la première paire de pattes en avant ; il est clair que celle-ci ne pourra être, avec la tête qui la précède, portée plus antérieurement que par un fait de *répulsion* nécessairement du genre de l'élasticité rendue libre.

Les naturalistes, il est vrai, nient l'existence d'un tissu élastique entre les anneaux plus ou moins cartilagineux des annelés ou les rondelles osseuses des ophidiens. Nous ne pouvons contredire la science d'observation. Cependant comment expliquer autrement que par une force d'extension élastique, la propriété qu'ont les sangsues, par exemple, de s'étendre en longueur en s'amincissant d'arrière en avant, sans autre point d'appui que leur base postérieure !

Nous avons, après Barthez, cherché nous-mêmes à expliquer ce mouvement de projection par la contraction alternative des fibres longitudinales dorsales ou ventrales des annelés. Mais si la contraction ventrale rend aisément compte du rapprochement des pattes correspondant à la bosse dorsale au point, ondulant, il n'en est plus de même quant à l'intelligence du mécanisme inverse. On conçoit assurément qu'il se forme, par la contraction des fibres dorsales succédant à celles des fibres opposées, une bosse à convexité inférieure ; mais on ne comprend plus que celle-ci puisse servir à la progression puisque, si son premier effet est de pousser en avant, les pattes antérieures à la tête, le second effet est de les redresser ou de leur enlever la possibilité de prendre appui au sol.

La reptation, contrairement à l'étymologie, n'est point l'allure des reptiles en général, mais celle des seuls ophidiens dans cette classe et des annelés en général.

Les reptiles ont en effet pour la plupart de véritables membres, trop courts, il est vrai, pour empêcher leur abdomen de toucher ou au moins de raser la terre, mais enfin ce sont des membres et leur allure ressortit sur le sol à un mécanisme du genre de celui des quadrupèdes. Il en est qui sautent, d'autres qui glissent, nagent, enfin volent !

Quant aux annelés armés de pattes, ce ne sont point en général de véritables membres, en ce sens qu'ils ne jouent point le rôle de leviers obéissant à des forces particulières. Ce sont de simples appendices accrochant aux inégalités et aspérités du sol, les parties que l'animal doit fixer pour prendre son appui.

26. *De la marche chez l'homme.* — A. *Définition.* — *Faits d'observation.* Parmi les différents modes de translation de l'homme d'un point à un autre, le plus simple, évidemment, le premier qui doive attirer notre attention, c'est la *marche.*

L'analyse du mécanisme de la marche chez l'homme, comme chez les animaux, est un des problèmes physiologiques les plus complexes. L'observation, seule, des différents *temps* qui constituent cet acte, et, par suite, sa simple description, sont elles-mêmes un travail des plus délicats. Avant d'en entreprendre la synthèse, essayons donc tout simplement d'exposer les faits d'observation physiologique qui ne peuvent offrir matière à doute.

Premièrement, la marche est une allure de translation spontanée du corps, composée de *pas*, c'est-à-dire de temps successifs égaux entre eux, pendant chacun desquels une jambe, en contact avec le sol, sert au tronc de support et de moteur; l'autre, à l'état de suspension ou d'oscillation, étant portée en avant, à la rencontre du sol pour y servir, à son tour, d'appui et de moteur.

Au moment où a lieu cette rencontre, la jambe, premièrement à l'appui, quitte alors le sol ; elles ne sont jamais en l'air ensemble, et le temps de leur appui simultané est inappréciable.

Telle est donc la caractéristique de la *marche.* Si rapide qu'on puisse être l'allure, le corps *n'abandonne jamais complétement le sol.* Ce caractère, nous le verrons plus loin, différencie expressément la marche du *saut,* ou de la *course,* laquelle est une combinaison de la marche et du saut.

B. *Mouvement du centre de gravité pendant la marche. Suite des observations.* Deuxièmement, *pendant* le cours de la marche (sur un plan horizontal), le tronc, ou du moins son centre de gravité, est transporté *presque en ligne droite.* Il *oscille* cependant, suivant la verticale, sur une hauteur de 30 à 32 millimètres environ, entre son point le plus élevé et son point le plus bas.

La situation la plus inférieure du centre de gravité correspond aux environs du moment où la jambe postérieure va quitter le sol, et où l'antérieure va la rencontrer.

Que les pas soient longs, qu'ils soient courts, ces oscillations demeurent comprises approximativement dans les mêmes limites. Seulement dans les pas longs, les deux plans horizontaux, distants de 32 millimètres, entre lesquels s'opèrent les oscillations, sont plus rapprochés du sol que pendant les pas courts, et d'autant plus que le pas est plus long.

A mesure que les pas augmentent de longueur, le tronc s'incline davantage sur le bassin, et la jambe suspendue affecte une flexion plus grande dans ses articulations.

En même temps qu'il oscille de haut en bas et de bas en haut, et qu'il se porte en avant, le centre de gravité est porté du côté de la jambe appuyée, pendant les trois premiers quarts du pas (approximativement), pour passer sur l'autre au moment où elle arrivera à l'appui.

Pendant cette première phase du mouvement, le côté du bassin auquel est suspendue la jambe oscillante, est porté *en avant*, en tournant horizontalement sur le sommet de la jambe d'appui, et en même temps *en haut*, autour d'un centre de rotation que représente la tête du fémur d'appui. Le mouvement inverse commence vers le moment où l'autre jambe vient à l'appui.

En résumé, le centre de gravité, qui parcourt durant un pas, et d'*avant en arrière*, l'espace que mesure ce pas, est, en même temps, dès le début de la période, porté *en haut et en dedans*, pour revenir à la hauteur initiale, à la fin de cette période.

On peut reconnaître là une des conditions nécessaires pour que la jambe oscillante ne rencontre point le sol dans son mouvement de projection en avant.

Voilà pour le bassin.

C. *Analyse du premier temps ou de la première phase du pas. Propulsion.* On peut conclure de ce qui précède que la marche peut être décomposée par l'analyse en deux temps ou deux phases mécaniques : le premier (appelé premier temps) est l'acte par lequel le centre de gravité du corps est poussé en avant ; — le second, l'acte de préparation à l'alternance d'action des moteurs, c'est-à-dire la translation du membre inerte, destiné à devenir actif à son tour.

La phase de propulsion, la phase d'oscillation.

Il y a même lieu d'y considérer un troisième temps, ou plutôt un temps préalable ou de préparation : celui qui fait passer le sujet de la station proprement dite à l'attitude propre à la marche.

1° *Période de préparation.* Observons-nous au moment, où, de l'état de repos, sur les deux jambes parfaitement droites, nous allons passer à celui de mouvement dans la marche, nous voyons :

Le corps, l'épaule, s'inclinent sur l'un des côtés (droit, par exemple), élevant la moitié opposée du bassin (gauche, par conséquent), tant par l'action des muscles spinaux et latéraux du tronc, que par l'impulsion (extension) de la jambe qui quittera le sol la première (la gauche). Bientôt, en effet, cette jambe devient mobile, et se porte en avant, en même temps que le bassin exécute, autour de la tête fémorale fixe, les mouvements décrits plus haut (B). Pendant ce temps, on voit que les mouvements d'extension précédemment observés, ou plutôt ébauchés, dans la première jambe, s'accomplissent graduellement dans celle appuyée, mais d'une manière plus complète. L'articulation du pied sur la jambe, puis celle du genou, s'ouvrent et s'étendent successivement ; la jambe postérieure *pousse* ainsi *en avant* le centre de gravité suspendu au-dessus d'elle, jusqu'au moment où l'autre jambe, arrivant à l'appui, passe du rôle passif à la fonction active.

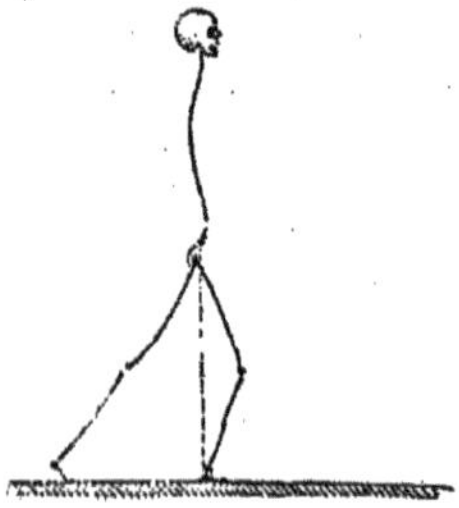

Fig. 10.

A la fin de ce premier pas, qui se trouve être le commencement du pas suivant, la ligne de propension du centre de gravité vient donc porter sur le talon de la jambe antérieure, ou même plus en avant (fig. 10). Or, comme, en ce moment même, la jambe postérieure est étendue et touche encore au sol par l'extrémité antérieure du pied, on reconnait qu'au moment très-court où les deux jambes touchent simultanément le sol, la jambe postérieure forme l'hypoténuse d'un triangle rectangle, dont les deux autres côtés sont la longueur du pas, et la hauteur du centre de gravité au-dessus du sol.

Deuxième phase. Projection. Pendant que s'accomplissent, dans la jambe appuyée ou postérieure, les actes successifs d'extension des articulations du pied, puis du genou, propulseurs du centre de gravité, l'autre jambe abandonne le sol pour se porter sur ce centre, et rencontre le sol au moment de l'extension finale de la jambe motrice, au moment où la pesanteur tend à faire décliner ce centre des mouvements du corps.

Cette période s'exécute par un mécanisme inverse à celui de l'extension des articles : la jambe se fléchit aux articulations du bassin, du genou, du pied, dans une mesure en rapport avec l'espace offert à son passage entre le sol et le centre de gravité, c'est-à-dire d'autant plus que le centre de gravité oscille autour d'une ligne plus rapprochée de terre, c'est-à-dire que le pas est plus grand.

Ce sont donc les fléchisseurs de la cuisse sur le bassin, de la jambe sur la cuisse, du pied sur la jambe, qui sont préposés à ce mouvement, comme celui de la jambe motrice est confié à l'action successive et simultanée des extenseurs de ces mêmes articles.

Quant aux mouvements du bassin et des épaules, on voit qu'ils sont dus aux actions respectives des muscles disposés et étagés autour du tronc et des épaules.

D. *Mouvements simultanés qui se passent dans les parties supérieures.* Si l'on considère maintenant l'extrémité supérieure du tronc, on observe que :

La poitrine, les épaules surtout, tournent horizontalement autour d'un axe vertical, qui semble passer par la colonne vertébrale. Dans ce mouvement, l'épaule *droite avance* en même temps que le côté *gauche* du bassin, et réciproquement.

En même temps encore, chaque bras exécute *simultanément avec la jambe du côté opposé* deux demi-oscillations : l'une *antérieure*, correspondant à la période de suspension et de projection de cette dernière; l'autre, *postérieure*, isochrone avec sa période d'appui et d'extension.

Gassendi avait cru remarquer que dans ce mouvement oscillatoire du bras, celui qui vient d'être porté en avant ne rétrograde jamais; qu'il s'arrête à la limite de la demi-oscillation antérieure, et comme s'il s'y fixait. Le tronc, suivant lui, venait l'y retrouver, puis l'autre bras partait à son tour.

L'observation nous paraît inexacte; le bras exécute bien deux demi-oscillations. C'est sous l'influence d'une suggestion spéculative que Gassendi avait conçu ou cru surprendre ce mouvement comme coupé en deux. Il étendait au bras de l'homme ce qui se passe chez le quadrupède : chez ce dernier, lors de la marche, le bras *droit* (pied droit antérieur) est suivi de très-près dans son mouvement par le pied postérieur *gauche*, et pas plus que ce dernier, une fois posé, ne rétrograde (ce qui est simple, puisqu'il repose à terre, et y devient à son tour appui et même moteur).

Chez l'homme, les mouvements de projection du bras droit et de la jambe gauche se suivent de plus près encore; jusqu'ici il y a grande analogie. Mais ne rencontrant pas d'appui, de frottements, ni d'obstacles, le bras droit n'est jamais *arrêté*, et revient dès lors en arrière, complétant son oscillation. L'observation de Gassendi était donc incomplète. La pathologie, d'ailleurs, en démontre l'inexactitude. M. Duchenne (de Boulogne) a établi que, dans l'atrophie de la moitié antérieure du deltoïde qui fait disparaître la moitié antérieure de l'oscillation, la demi-oscillation postérieure continue à s'observer en arrière, sous l'influence de la partie saine du muscle, et *vice versa*.

Les bras sont-ils, au contraire, fixés au corps par la volonté, le mouvement de projection des épaules n'a point lieu ou change de sens. Dans ce cas, l'épaule gauche avance avec le côté gauche du bassin, et *vice versa*. L'allure rappelle l'*amble des quadrupèdes*.

La rapidité de l'allure est alors particulièrement entravée. On l'observe, dans la course, chez les sujets amputés d'un bras, obligés alors de s'incliner latéralement du côté allégé.

E. *De l'assimilation de la jambe mobile à un pendule.* Arrêtons-nous quelques instants sur cette phase du mouvement ; elle offre quelque intérêt, ayant été l'objet de théories et de controverses qu'on ne saurait passer sous silence.

Se fondant sur le rôle de centre de rotation que joue dans la cavité cotyloïde la tête fémorale, des auteurs, plus mathématiciens que physiologistes, ont cru pouvoir avancer que, dans la marche, le mouvement de projection de la jambe mobile était un fait tout passif, physique, dépendant de la seule action de la pesanteur sur la jambe, considérée elle-même comme un simple pendule dérangé de sa position d'équilibre.

« La jambe, a-t-on dit, pendant la marche, descend de sa position extrême d'extension, ou plutôt de l'élévation légère qui suit cette extension, au moment où elle abandonne le sol, à la position stable de contact avec le sol, *absolument comme un pendule et suivant la même loi.* » Les muscles, dans la pensée de ces auteurs, ne semblent prendre dans ce résultat qu'une part faible ou nulle : « Le mouvement peut se continuer uniformément, ajoutent-ils, alors même que le marcheur ou le coureur *ne dirige pas continuellement son action vers ce but...* »

Bien des objections se présentent à cette idée spéculative étrange :

Premièrement, comment fera la jambe oscillante pour passer, sans l'intervention musculaire et celle de la volonté par conséquent, entre le sol et son point de suspension, elle dont la longueur représente, eu égard à son extension précédente, l'hypoténuse du triangle rectangle dont la hauteur de son point de suspension représente le côté perpendiculaire au sol ? (C) N'y a-t-il pas là nécessité absolue d'un raccourcissement que, seuls, les fléchisseurs de la cuisse sur le bassin, de la jambe sur la cuisse, du pied sur la jambe, sont en état de produire ? Car ce ne sont pas les propriétés physiques du pendule qui seront aptes à amener ce raccourcissement.

De plus, dès que le pas n'est pas des plus courts, la jambe flottante arrive au sol, à l'état de flexion marquée ; en tous cas, elle y arrive plus courte qu'au moment de son passage à l'aplomb de la jambe d'appui. Est-ce encore le pendule qui la raccourcit, et non pas les muscles fléchisseurs de la cuisse sur le bassin ?

La physiologie pathologique ne laisse non plus de doute sur l'intervention nécessaire dans cet acte de l'action musculaire ; M. Duchenne (de Boulogne) a démontré par de nombreuses observations que :

1° Consécutivement à la paralysie ou à l'affaiblissement des muscles *fléchisseurs de la cuisse sur le bassin*, le mouvement oscillatoire d'avant en arrière du membre inférieur, pendant la marche, ne se fait plus normalement, ni complétement ; il faut, pour l'accomplir, que la hanche et l'épaule du même côté soient élevées considérablement pour détacher le pied du sol, et qu'un mouvement de totalité du tronc *projette* avec plus ou moins de vigueur le membre en avant, en imprimant au bassin un mouvement de rotation sur le membre fixe. »

« 2° Consécutivement à la paralysie des muscles fléchisseurs de la jambe sur la cuisse, la flexion du genou, qui a lieu immédiatement avant que le pied se détache du sol, se fait difficilement et incomplétement; il en résulte un retard et de la difficulté dans la production du deuxième temps de la marche. »

3° enfin, l'abolition du mouvement de flexion du pied sur la jambe occasionne un grand trouble dans ce même temps de la marche. Il s'accuse par la nécessité où se trouve cette catégorie de malades d'exagérer, dans la marche, le mouvement de flexion de la cuisse sur le bassin, de manière que le membre puisse être porté en avant sans rencontrer le sol.

L'analyse des modifications introduites dans cette fonction par l'inclinaison du sol, pendant la montée ou la descente, apportera plus loin des éléments non moins probants à l'encontre de cette théorie antiphysiologique.

27. *De la marche en montant.* Dans la marche en montant, en sus des actions nécessaires pour porter en avant le centre de gravité, le système musculaire a encore à mettre en jeu celles qui doivent, à chaque pas, élever ce centre de gravité d'une quantité donnée.

Pour avoir une idée de ces dernières, observons-nous le long d'un escalier : notre jambe antérieure repose sur la marche supérieure, la jambe postérieure appuie sur celle de dessous et lui est perpendiculaire (fig. 11). Restons dans cette situation droite. Pour peu que le degré soit élevé au-dessus de la hauteur que peut atteindre l'extrême extension de la jambe postérieure, nous demeurons cloués. Impossible d'avancer si nous persistons dans notre attitude droite. Le poids de notre corps (tronc, membre abdominal d'appui, moitié supérieure du membre antérieur) se trouve suspendu tout entier sur le genou comme point d'appui au bout d'un bras de levier que mesure la longueur entière du fémur en situation horizontale.

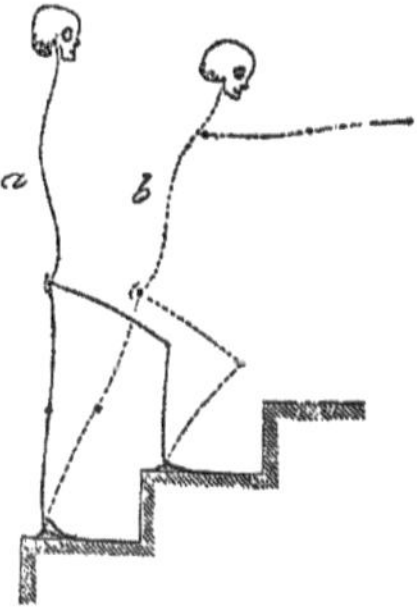

Fig. 11.

Le bras de levier de l'extenseur (triceps), destiné à équilibrer cette action, n'a pour toute longueur que le rayon des condyles fémoraux.

Alors, sans nous en rendre compte, nous inclinons le corps en avant, la jambe postérieure pousse en avant le bassin ; l'articulation du genou, celle du pied de la jambe antérieure se plient ; la ligne de propension de la gravité s'approche ainsi du genou, puis de la verticale qui passe par l'appui antérieur. Dans cette situation, le poids du tronc, agissant par un bras de levier moins étendu, cède à l'action du triceps et s'élève d'un degré.

Pendant ce second mouvement, celui de l'ascension du centre de gravité, la jambe postérieure demeure libre et mobile, quitte le sol, et est enlevée tant par le fait de l'élévation du bassin, que par l'action des muscles propres qui vont eux-mêmes la fléchir sur le bassin. Cette flexion, d'autant plus prononcée que la hauteur des degrés est plus considérable, met, en cette circonstance, en grande évidence l'action propre et volontaire des muscles qui l'accomplissent. Car ce membre doit aller à la rencontre du degré suivant, à une hauteur déterminée dont le sensorium a conscience; et cette hauteur précise elle-même le degré de flexion nécessaire pour l'atteindre. On ne dira pas que les lois du pendule ont qualité pour régler ce quantum de mouvement.

On comprend que, dans cet acte complexe, plus est grande l'inclinaison du terrain ou de l'escalier, plus le tronc doit être incliné sur la jambe antérieure, la possibilité d'élever le centre de gravité se liant directement à cette inclinaison.

Dans la marche ascendante, on observe encore que les mouvements alternatifs du centre de gravité vers la droite et vers la gauche sont plus prononcés que dans la marche sur sol horizontal. Dans ce dernier cas, ces mouvements peuvent être presque évités si la marche affecte une certaine rapidité. Mais, dans la progression de bas en haut, l'obligation d'élever, à chaque pas, plus ou moins haut le membre suspendu, rend nécessaire le maintien plus longtemps fixe du point d'appui de tout l'ensemble. Conséquemment, le mouvement de va-et-vient, à droite et à gauche, sera d'autant plus marqué que la pente sera plus roide.

Ce mode de mouvement, la progression de bas en haut, est celui dans lequel l'homme peut déployer le plus d'effet mécanique utile constant pour une dépense donnée et non destructive de force musculaire. Dans un travail journalier de 8 heures, il peut produire, en moyenne, 280,000 kilogrammètres[1].

28. *De la marche en descendant.* Celle-ci diffère de la marche ascendante par une circonstance qui semblerait devoir lui enlever tout caractère pénible, à savoir : l'absence du travail consistant à élever le poids du corps à une hauteur donnée.

Cette circonstance s'accuse en effet par une différence notable dans la fatigue qui suit l'un ou l'autre exercice.

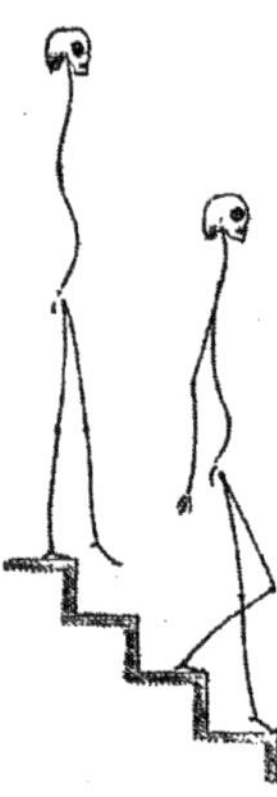

Fig. 12.

Cette fatigue, cependant, n'est point nulle, comme on pourrait être tenté de le croire en considérant que l'on semble agir dans le même sens que la gravité, au lieu d'avoir cette force pour antagoniste.

Or, sans l'avoir autant contre soi que dans la progression de bas en haut, la gravité est cependant encore un adversaire lors de la progression inverse.

Un corps, abandonné à l'action de la pesanteur, prend sous son influence un mouvement uniformément accéléré, qui, en conflit avec l'organisme animé — comme d'ailleurs avec tout organisme — ne serait pas longtemps avant d'en avoir brisé toutes les connexions, tous les éléments. La première manifestation que nous en éprouvons est le *choc* de l'extrémité qui arrive trop brusquement au contact avec le sol.

Dans la marche en descendant, nous devons donc contenir chaque pas dans les conditions du mouvement uniforme, pendant que la gravité tend à lui imprimer le mouvement accéléré.

Or la pesanteur aurait bientôt produit cet effet, si nous lui abandonnions sans réserve notre centre de gravité, c'est-à-dire si nous le projettions inconsidérément *en avant* de la base de sustentation. Nous nous en gardons bien, et ce mouve-

[1] Le kilogrammètre est l'unité de force et représente 1 kilogramme élevé à 1 mètre de hauteur.

ment en avant, qui doit en définitive s'accomplir, nous ne l'accomplissons qu'au moment où la jambe suspendue *va venir au contact* du sol (fig. 12).

Jusque-là, tout le poids du corps est avec soin maintenu sur la base de sustentation, c'est-à-dire reposant sur la jambe postérieure, non plus étendue, mais fléchie, et dont la flexion est graduellement accrue jusqu'au moment où le pied suspendu touche ou va toucher au degré inférieur.

Pendant ce mouvement, le tronc est maintenu droit en arrière, étendu sur le bassin. Quant au membre abdominal fléchi, qui soutient et modère la descente de ce poids, la lutte des forces y est établie entre ce poids à l'une des extrémités des leviers et l'énergie des extenseurs agissant sur l'autre extrémité : le triceps et le soléaire s ɹpportent ici la plus grande partie du travail.

Ces considérations font comprendre par quel mécanisme une descente prolongée sur un terrain en pente, quoique improductive de tout travail, ne laisse point d'entraîner avec elle une certaine dose de fatigue. Cette fatigue représente la transformation de l'action accélératrice de la gravité en un mouvement à périodes uniformes.

29. *Du saut.* Le saut est un déplacement brusque et de totalité du corps, dans lequel celui-ci, comme un objet rigide, est *détaché* du sol et lancé dans une direction donnée.

Ce que l'observation première enseigne à son endroit permet de décomposer en quatre périodes parfaitement distinctes l'accomplissement de ce mouvement. On y reconnaît en effet :

1° Une période de préparation, pendant laquelle le tronc se plie sur les fémurs, les fémurs sur les tibias, les tibias sur les pieds ; inclinaisons mutuelles et successives d'autant plus grandes que le mouvement proposé doit être plus étendu ;

2° Une période d'extension simultanée et rapide de tous les articles ainsi fléchis ;

3° Une période de séparation du sol et du corps, pendant laquelle celui-ci, considéré dans son centre de gravité, parcourt une certaine courbe de la nature des paraboles, comme un mobile inanimé ;

4° Enfin une période de retombée dans laquelle, au moment d'arriver au sol, le corps se ré-infléchit sur toutes les articulations, se *pelotonne* derechef et d'autant plus qu'il tombe de plus haut ou de plus loin.

S'appuyant sur cette description, les auteurs ont conclu avec une sorte d'unanimité que le mouvement ainsi produit était déterminé par le redressement rapide, l'ouverture énergique des articulations précédemment infléchies : la quantité de mouvement produite dans cette rapide extension des articulations, détruite du côté du sol par sa résistance absolue, ne trouvant en l'autre sens que la résistance offerte par le poids du corps, devait nécessairement l'entraîner.

Proposition très-vraie, mais non moins incomplète et impuissante par là à représenter toutes les circonstances, toutes les qualités du mouvement en question.

Et en effet, restreinte à cette formule, l'analyse du mouvement « du saut » nous montre seulement dans cet acte les articulations *s'étendant* successivement et forcément jusqu'à la limite extrême des ouvertures articulaires. La force vive du mouvement produit, la vitesse acquise ne pourra effectivement entraîner le corps qu'au moment où elle n'aura plus d'ouverture articulaire à agrandir. Pour qu'elle puisse agir sur le système entier, il faut qu'il soit devenu rigide ; jusque-là elle manifestera nécessairement son action sur les résistances moindres, sur celles développées à chaque centre de rotation articulaire.

Dans cette expression (tronquée comme nous allons le montrer) des phénomènes du saut, le détachement du corps et du sol n'aurait donc lieu qu'après l'ouverture complète de toutes les articulations précédemment fléchies. Le corps ne pourrait donc être entraîné que dans une seule situation réciproque de toutes les articulations, et partant que dans une seule direction. A ce moment-là seulement, la quantité de mouvement acquise serait obligée de se concentrer sur le centre d'action offert par le système entier. Il y a donc nécessairement un point important négligé, omis, méconnu dans l'exposé de ce mécanisme.

Si nous l'analysons de plus près, nous reconnaissons que le corps part, se détache du sol dans toutes les directions que la volonté ou l'instinct vont indiquer, et qu'il part d'un mouvement brusque, comme ferait la détente d'un ressort.

Ce supplément d'observations montre que le corps peut ainsi devenir rigide et *un* suivant toutes les directions possibles, et qu'il devient tel tout d'un coup. Il n'attend donc point, pour réaliser cette rigidité, que les articulations la lui procurent passivement par le choc de leurs surfaces arrivées successivement à l'extension de leurs ligaments. Cette tension ne correspondrait jamais qu'à une *seule inclinaison* du centre de gravité sur la verticale, et n'offrirait par conséquent qu'une seule échappée au mouvement commencé. Il est donc de toute nécessité que le corps se donne à lui-même cette rigidité, qu'il puisse le faire dans une mesure et sous un angle déterminé, et que la détente qui en résulte ait le caractère que l'on observe dans les mêmes circonstances, dans les corps élastiques.

Dans cette addition et dans l'exposé du mécanisme qui le réalise, se trouve le complément analytique de l'acte physiologique du saut.

Voyons maintenant en quoi consiste ce mécanisme.

Le point essentiel et caractéristique en est le suivant : nous venons de montrer que, pour qu'il y ait enlèvement du corps, pour qu'il se détache du sol, il faut que la vitesse acquise, la force motrice future, ne trouve plus de travail plus facile à accomplir ; il faut que les articulations ne puissent plus continuer à s'ouvrir devant elles, que ce corps, ce composé de leviers inclinés les uns sur les autres, soit devenu rigide. Il le peut aisément, mais il ne le peut que d'une façon : il faut pour cela que les articulations ne puissent plus s'ouvrir, que le mouvement d'extension soit entravé; et il faut que cette entrave soit subitement introduite dans le mouvement. Or, où est la force capable d'entraver le mouvement d'extension articulaire? Chacun l'a nommée : c'est l'action antagoniste des extenseurs, celle des muscles fléchisseurs des mêmes articulations. Il n'en existe point d'autre sur le chemin d'une articulation fléchie qui se rouvre.

Et, pour que cette intervention donne à l'effet produit le caractère d'un ressort, d'une détente, il faut qu'elle ait lieu brusquement.

Voilà donc ce qui se passe dans ce second temps du saut, ou plutôt ce qui le termine, et détermine en même temps le « *lancement* » du corps animé dans une direction donnée.

Arrivé à un degré d'ouverture angulaire en rapport avec l'objet du saut, le mouvement d'extension articulaire est *subitement* et *simultanément* arrêté par la *contraction* active, subite et fixe des fléchisseurs de tous ces articles, lesquels jusque-là accompagnaient passivement leurs leviers respectifs par une distension harmonique avec l'action de leurs antagonistes, les extenseurs.

Le mouvement commencé et accélérateur qui agissait de proche en proche, de l'articulation la plus inférieure jusqu'au tronc lui-même, graduellement éloigné de terre, change ainsi de nature ; s'appliquant subitement au centre de gravité d'un système devenu rigide, il prend le caractère d'une communication brusque de mouvement propre aux vitesses acquises.

Le corps y obéit comme une masse inerte lancée dans une direction donnée.

La direction de ce mouvement, ou la résultante finale qui emporte le corps, la tangente, au premier élément de la trajectoire parabolique, est représentée par la ligne droite qui joint le centre de gravité du système au point d'appui sur le sol, au moment du départ. Les inclinaisons relatives des leviers, le moment où s'introduit dans le mouvement l'arrêt subit de l'extension, déterminent, sous la direction de l'instinct ou de la volonté, l'inclinaison de cette tangente sur l'horizon. Par là se trouve réglée, en avant ou en arrière de la verticale, et dans un degré déterminé, la marche de la trajectoire ou la direction du saut.

L'expérience confirme pleinement ces conclusions théoriques.

Nous nous excusons d'arrêter aussi longtemps le lecteur sur un détail minime en apparence. Notre excuse sera dans l'obscurité dont ce mécanisme, qui est loin d'être isolé dans l'histoire de la locomotion, a été enveloppé jusqu'à ce jour.

Parmi les auteurs qui se sont occupés de cette question, Borelli, Willis, Barthez ont seuls très-bien compris qu'il y avait dans ce mécanisme autre chose que des articulations qui se développent ; ils avaient défini leur pensée en disant qu'il se passait là quelque chose d'analogue à l'effet d'une force *élastique*. Ils comparaient avec raison cet acte dynamique avec la « *vis percussionis* » qui fait l'essence d'une ruade, d'un coup de poing, d'un coup sec, mais sans en pénétrer le caractère même, le mode d'accomplissement physiologique. En faisant voir que cet effet des articles en train de se développer n'est dû qu'à l'immobilisation brusque, par la contraction subite des fléchisseurs, nous croyons avoir jeté sur ce point délicat une lumière utile. Ce mécanisme d'ailleurs se répète en beaucoup d'actes importants de la dynamique animale, et nous le retrouverons dans l'étude de la course, du vol, de la natation. Il explique de même les mouvements sur place que nous venons d'indiquer, la ruade, le coup de poing.

Signalons comme un exemple de la remarquable économie des procédés employés par la nature dans ses actes, ce mouvement des fléchisseurs qui détermine le choc, et qui se trouve procurer, *ipso facto*, les deux autres effets importants que voici :

Fléchi derechef dans toutes ses articulations, le corps présente la moindre surface, et par conséquent développe de la part de l'air la moindre résistance ; secondement, il se trouve tout préparé dans cette attitude aux réactions élastiques qui doivent assurer son arrivée intact au sol, et sans choc brusque, lors de la retombée.

L'étendue du saut, avons-nous dit, dépend, toutes choses étant égales d'ailleurs, du degré de flexion préalable des articles destinés à s'étendre ; elle dépend naturellement aussi de l'énergie des muscles employés au développement des articulations fléchies.

D'un animal à un autre, elle dépendra encore de la vitesse imprimée au centre de gravité précédant le temps de l'extension, c'est-à-dire, tout étant égal d'ailleurs, de la longueur des leviers articulaires, de la force qui les meut, et du moindre poids relatif du corps de l'animal. Aussi Borelli remarque-t-il avec raison que les diverses espèces jouissent d'une aptitude à sauter ou à courir avec *bonds* directement en rapport avec la longueur de leurs membres postérieurs.

On conçoit encore l'accroissement de l'étendue horizontale du saut apporté par une vitesse acquise précédemment par le système comme dans le cas de course, ou bien après un élan. Ces influences sont assez simples pour dispenser de tout supplément d'explication.

30. *De la course.* Nous avons dit déjà que le caractère qui peut servir à différencier la course de la marche rapide, consiste en ceci :

Dans ce dernier mode de progression, la marche, le corps est toujours en contact avec le sol par un des membres inférieurs, et, dans un fort court instant, par les deux à la fois.

Dans la course, au contraire, les pas se composent d'un moment pendant lequel ce contact a lieu, et d'un autre moment pendant lequel le corps est flottant dans l'air.

Il résulte de cette définition, exclusivement tirée des faits, que le pas de course est à la fois, un pas de marche et un saut ; en d'autres termes, qu'en un certain moment du pas de marche, avant que la jambe flottante n'arrive à l'appui, une impulsion brusque détache du sol le système en mouvement.

Comme les deux membres ne touchent jamais le sol à la fois, l'impulsion est nécessairement le fait de celui qui appuie, et le moment où elle a lieu ne peut évidemment appartenir qu'à la dernière phase de son contact.

Le saut a donc lieu, dans la course, par la détente d'une seule jambe, et la retombée sur l'autre.

Les quatre temps du saut se réduisent ainsi à trois : mouvement d'extension de la jambe d'appui — détente accomplie chez elle par l'intervention subite des fléchisseurs — retombée sur l'autre jambe toute préparée à l'état de flexion.

La course s'accomplit donc comme une marche rapide, mais dans laquelle la jambe postérieure n'arrive pas au maximum de son extension, celle-ci étant interrompue par le mécanisme ci-dessus décrit de la détente.

Cette détente détermine un mouvement d'impulsion suivant une ligne légèrement oblique à la direction du trajet, et qui porte le centre de gravité du système du côté de la jambe suspendue en même temps qu'en avant. Cette circonstance doit accroître le mouvement de bascule horizontale du bassin, lequel sera d'autant plus prononcé que ce bassin sera plus large. On peut l'observer chez la femme qui n'est pas, eu égard à cette circonstance, aussi gracieuse dans la course que dans bien d'autres attitudes.

A part cette dérive apportée dans son trajet, le centre de gravité parcourt, comme dans le saut, un petit élément parabolique dont la projection horizontale s'ajoute à la longueur du pas de marche.

On voit d'après cela, que pour une ouverture angulaire donnée des jambes, le pas de la course aura toujours une étendue plus considérable que le pas de marche ; la différence sera la projection horizontale de l'élément parabolique défini ci-dessus.

La retombée devant s'exécuter ici comme dans le saut, de façon à prévenir les chocs brusques ou anéantissements subits de la force vive, la jambe d'appui s'offre au sol, par la pointe du pied étendue et non, comme dans la marche, par le talon.

Ajoutons enfin que, comme dans le saut précédé d'élan, la vitesse acquise par le système, dans les instants antérieurs de la course, ajoute une certaine vitesse à l'impulsion de chaque saut partiel et à la corde horizontale de la trajectoire parcourue.

Dans la course, la nécessité de produire beaucoup de quantité de mouvement en peu de temps, l'obligation où est le sujet de maintenir le centre de gravité du corps dans une situation aussi fixe que possible, par rapport au point d'application des forces qui déterminent l'enlèvement du système, doivent modifier l'étendue des mouvements partiels du tronc qui s'accomplissent dans la marche.

Les oscillations du bassin ne sauraient être évitées : mais celles du tronc lui-même, plus indépendant des moteurs immédiats, le sont ; la course n'est rapide et exempte de pertes inutiles de force vive qu'à la condition que la partie supérieure du tronc soit maintenue dans une quasi-immobilité relative. D'où, pour peu que la course se prolonge, essoufflement, spasmes du diaphragme et autres troubles respiratoires.

« C'est pour cette fin (la fixité de la région thoracique) que l'homme qui court, dit Barthez, fait de grandes inspirations, qu'il les prolonge beaucoup ; qu'il tient le diaphragme dans un état de contraction plus ou moins forte, qu'appuie l'air contenu dans le poumon en quantité plus grande que d'ordinaire.

« Cette fixité de la cage thoracique surtout dans la région diaphragmatique, fait que la répétition des mouvements de la respiration diminue de fréquence. L'aptitude à maintenir cet état est ce qu'on appelle communément *force d'haleine*.

L'immobilité de la cage thoracique, nécessaire dans la course, comme dans bien d'autres actes où doit se déployer d'une façon continue l'énergie musculaire qui y prend un appui fixe, est due, en partie au moins, au maintien de l'occlusion de la glotte, après une inspiration d'une étendue déterminée par la conscience de la durée probable ou prévue de l'*effort* (§ 23).

31. *Du grimper*. Si les appendices plantaires ou les écailles des animaux rampants (nous ne disons pas des reptiles), avaient une longueur appréciable, la remarque qui termine notre discussion relative au mécanisme de la reptation et à la nécessité de l'existence d'un tissu élastique doué de la force de répulsion chez les annelés, ne nous semblerait pas irréfutable. L'analyse du mécanisme du grimper nous représenterait, en effet, sur une grande échelle, les mêmes actes successifs d'*attraction* d'abord et de *répulsion* ensuite, qui caractérisent en définitive l'un et l'autre mode de progression.

Suivons des yeux un jeune drôle qui monte à un mât de cocagne : il est là à moitié route, reprenant haleine. Tout à coup, il recommence ses efforts d'ascension : qu'observons-nous en lui ?

Ses bras embrassent et tiennent serré contre sa poitrine le mât auquel il est accroché ; les jambes, croisées suivant une méthode sur laquelle nous reviendrons, serrent également la tige verticale inflexible. Au moment où il veut *reprendre* son essor, nous remarquons qu'affermissant l'étreinte supérieure formée par ses bras, il élève le cercle formé par ses articles abdominaux, rapprochant ainsi, le plus qu'il peut, ce *cercle d'adhésion inférieure du cercle d'adhésion supérieure*. En ce moment le dos est arrondi ; le rachis fait bosse, il offre une convexité dirigée en dehors. (N'est-ce pas ici l'analogue de la bosse ondulatoire de la chenille?)

Deuxième temps. Ce premier résultat acquis, l'étreinte inférieure étant portée aussi loin que possible, le cercle formé par les bras est relâché. La colonne vertébrale s'étend (sa convexité extérieure fait place à une légère concavité, ou du moins la convexité relative se dessine du côté de la tige d'appui), et les bras peuvent alors atteindre quelques décimètres plus haut et y renouveler leur étreinte circulaire.

Le premier temps se reproduit alors et l'ascension s'effectue par ces mouvements alternatifs d'attraction et de répulsion ou plutôt ici de redressement.

On ne peut se dissimuler que cette seconde phase du mouvement ne soit fort assimilable à la seconde phase de la reptation, et que les muscles fléchisseurs et redresseurs de la colonne vertébrale ne jouent ici un rôle fort analogue à la contraction alternative des fibres gastriques et dorsales, longitudinales des annelés. Allongez les appendices plantaires ou ventraux de ces derniers, leur permettant de se fixer en avant, comme font les bras, lors du redressement de la convexité dorsale, et vous avez identité entre les deux mécanismes.

Nous n'insisterons pas.

Nous croyons pouvoir passer ainsi très-rapidement sur le mécanisme de détail par lequel est effectué l'étreinte supérieure chez l'homme grimpant. Les actes préhensifs sont assez familiers à nos extrémités thoraciques pour que nous abandonnions ce détail à la sagacité de nos lecteurs.

Mais il n'est pas hors de propos de pénétrer un peu plus avant dans cette étude en ce qui concerne le mode par lequel l'étreinte est accomplie par les extrémités abdominales. Comment nos membres inférieurs, affectés à des modes de progression tout à fait différents, s'adaptent-ils à cet acte tout spécial, comment parviennent-ils à former ces cercles compresseurs propres à changer en appui fixe contre l'action de la pesanteur, un cylindre vertical d'un diamètre en rapport avec l'amplitude de l'arc que ces membres peuvent embrasser.

C'est là qu'est toute la difficulté de la question : car, en ce qui concerne les animaux grimpeurs proprement dits, on remarque chez eux tous, ongles acérés, griffes mobiles et longues, pieds transformés en mains (quadrumanes), queues prenantes, etc... toutes dispositions qui rendent l'acte tellement simple qu'il serait puéril d'y insister. C'est une pure question d'histoire naturelle. Chez l'homme, c'est tout différent ; il ne semble point du tout taillé pour grimper, au moins par les membres abdominaux. Étudions-les donc d'un peu près.

A première vue, les cuisses semblent assez bien disposées pour embrasser un tronc d'arbre en rapport de grosseur avec elles, quelque peu à la manière des bras : le plat de la cuisse, l'espace plan triangulaire que présente la face antéro-interne de la cuisse, se prêtent passablement bien à cette accolade momentanée. Mais la jambe ! Elle ne se courbe point en dedans : appliquée en ligne droite à l'arbre, elle forme la tangente, prolongée en dehors, de l'élément de contact fémoral.

Pour s'appliquer au tronc d'arbre, il est donc nécessaire qu'elle soit fléchie, qu'elle s'applique à lui par une seconde portion de cercle inférieur à celui décrit par l'article fémoral.

Or, une disposition particulière de l'articulation du genou favorise singulièrement cette application.

MM. Weber ont fait voir que, si lors de l'extension, la jambe est immobilisée sur le fémur, faisant corps avec lui et dans l'impuissance de tourner sur leur axe vertical commun, il n'en est pas de même lors de la flexion.

Dans la flexion, les condyles du fémur peuvent tourner sur la face supérieure du tibia, autour d'un axe perpendiculaire à celui-ci et qui passerait entre eux : mouvement analogue à celui des deux roues de devant d'une voiture, quand il s'agit de la faire tourner sur place. Ce mouvement peut décrire jusqu'à 30 degrés.

Le condyle externe est plus mobile que l'interne ; dans ce mouvement, il tourne un peu autour de ce dernier qui sert alors d'axe de rotation.

La différence des conditions observées pendant l'extension et la flexion de cet article est d'ailleurs à attribuer aux ligaments latéraux de l'article : distendus pendant l'extension, ils s'opposent à toute déviation latérale ; mais, dans la flexion, étant relâchés, ils ne s'opposent point à la rotation que nous venons de décrire.

Quant à ce mouvement de rotation, il repose sur les éléments suivants :

Pendant la flexion du genou, le ligament latéral interne ne se relâche pas, à beaucoup près, autant que l'externe ; d'autre part, le ligament croisé postérieur (qui vient du condyle interne du fémur) se tend, tandis que l'antérieur se relâche. Il résulte de là que, les ligaments fixés au condyle interne étant relativement plus fixes et plus tendus que ceux du condyle externe, ce dernier sera plus mobile que l'autre.

Ces détails anatomiques sont d'un grand intérêt pour la question physiologique qui nous occupe.

Privé de ce mouvement de rotation pendant la flexion, comme il en est dépourvu pendant l'extension du membre, l'homme n'eût pu embrasser le tronc d'arbre avec ses membres abdominaux qu'à la façon d'une paire de pincettes.

Voyons, au contraire, le parti qu'il tire de la flexion.

La jambe fléchie peut être mise en rapport de contact immédiat avec la surface convexe de la tige de l'arbre par toute une surface concave que forment : 1° la concavité plantaire que permet de presser contre l'arbre l'action des fléchisseurs profonds et dont un des usages les plus saillants se révèle dans cette occasion (trace peut-être de nos premières habitudes sauvages !) ; 2° par une seconde concavité que dessine le tibia sur sa face interne et qui se continue avec la concavité plantaire et la partie interne de la voûte du pied. Quel contraste avec ce que serait le contact en un point unique formé par la convexité du mollet !

Par cette double disposition, disions-nous à ce sujet, dans notre traité de mécanique animale, est procuré non-seulement un rapport harmonique entre l'objet mécanique à remplir et les moyens d'exécution, convexité d'une part, concavité de l'autre, circonstance qui augmente le nombre des points de contact ; mais il en découle un second et immédiat avantage : la presque perpendicularité de direction de l'effort exercé sur l'appui, au moins dans la région plantaire.

Dans cet acte, nous voyons donc un demi-cercle de pression formé supérieurement, dans un plan dirigé quelque peu d'arrière en avant et de haut en bas, par les cuisses et le genou pressés par les adducteurs, les demi-membraneux, tendineux, couturier, droit interne ; secondement, un autre arc de cercle dirigé toujours de haut en bas, mais d'avant en arrière, et formé par les faces concaves internes du tibia et de la voûte métatarsienne, maintenues à l'état de pression par les fléchisseurs du pied sur la jambe.

Cette dernière pression joue un grand rôle dans le second temps du grimper ; car, pendant un moment, le demi-cercle fémoral se relâche quelque peu pour seconder, par l'élévation du bassin, l'extension du rachis, et par là l'accession du cercle des membres thoraciques à une région plus élevée.

32. *De la locomotion chez les quadrupèdes. Mouvements sur place.* — A. *Du cabrer.* A l'article *Station des quadrupèdes*, nous avons établi les conditions de l'équilibre dans l'attitude *active* qui sert de point de départ et d'origine à tous les mouvements sur place et à ceux de translation chez l'animal.

Nous y avons vu que l'animal reposait sur quatre membres représentant en apparence et en avant seulement des supports rigides, mais constitués, en réalité, par une série d'articles inclinés les uns sur les autres, et les extrêmes, soit sur le sol, soit sur le tronc même de l'animal.

Au point de vue du mouvement, considérant que toute la région antérieure est suspendue presque en équilibre sur les membres antérieurs par la sangle tonique que forment les grands dentelés et leurs congénères, nous devrons voir dans la masse charnue formée par la croupe volumineuse et les membres postérieurs de l'animal, les principales puissances auxquelles est confiée la locomotion proprement dite. Si nous nous reportons aux éléments qui président à l'accomplissement du saut (*voy.* ce mot), nous ne pourrons nous empêcher de remarquer combien ces mêmes extrémités postérieures semblent bien disposées pour la détente et la propulsion énergique en avant.

Mais, avant d'entrer dans l'analyse des modes divers de la locomotion proprement dite, nous avons à considérer deux espèces de mouvements sur place, qui se retrouveront plus tard comme éléments dans quelques allures de l'animal.

Parlons d'abord du *cabrer*.

Le cabrer a été déjà l'objet de notre attention : nous en avons analysé le principe quand, sous une forme philosophique, nous avons essayé de nous représenter quelles dispositions la nature avait pu mettre en jeu pour doter un quadrupède de la faculté de se tenir droit sur ses membres postérieurs. Nous avons vu qu'elle avait creusé d'abord vers sa région postérieure, la colonne vertébrale, placé là de forts muscles, multiplié les puissances extensives du rachis sur le bassin, etc.

Pour se cabrer aisément, comme l'homme qui, placé à quatre pattes, se relève, le cheval devrait donc avoir sa région lombaire creusée plus ou moins profondément en haut, ou, à défaut, muni de forts bras de leviers mis en mouvement par des puissances considérables.

C'est cette dernière organisation que l'on trouve chez le cheval. La région lombaire n'y est que peu creusée ; mais, en revanche, la région sacrée, la région dorsale y sont pourvues de longs bras de leviers servant d'attache à de puissants muscles. Et, malgré cela, l'attitude du cabrer ne peut être que temporaire, et encore, pour l'exécuter, a-t-elle besoin, dans sa première phase, d'être secondée par la détente (en saut) des membres antérieurs. Il suffit, à la forge, pour empêcher un cheval de se cabrer, de le priver de cette dernière ressource en lui relevant l'un des membres antérieurs. Il faut alors, pour se relever, qu'il y soit incité par une forte douleur ou un violent caprice.

C'est que le centre de gravité de la masse antérieure est situé plus ou moins près de la verticale passant par le garrot (septième cervicale) : voyez quel long bras de levier mis là à la disposition de la pesanteur !

Aussi, pour se cabrer, l'animal va-t-il commencer par diminuer ce bras de levier; il ramène dans la flexion ses pieds de derrière sous le ventre, de façon à compenser le poids antérieur par celui de l'arrière-train. Alors seulement il tend à étendre le tronc sur ces membres, en développant toute l'énergie des sacro-spinaux, fessiers, ischio-tibiaux, jumeaux.

Tout cela est pourtant encore insuffisant. Il faut que l'action des muscles des gouttières vertébrales s'étende jusqu'au garrot, et que les cervicaux postérieurs, y prenant appui, enlèvent la tête en arrière, portant dans ce sens son centre de gravité et celui de l'encolure.

Et tout cela ne suffit pas encore; il faut qu'il s'y joigne un mouvement de détente, de saut, de la part des extrémités antérieures. Mais aussi, autant est ardu et pénible le premier temps du cabrer, autant est-il malheureusement facile à l'animal, après s'être ainsi dressé, de poursuivre le mouvement et de se renverser en arrière. C'est que, une fois l'animal redressé, la pesanteur n'a plus guère de bras de levier à son service, et qu'alors ses antagonistes, les muscles énumérés plus haut, ont trop de puissance en eux pour que ses effets ne soient pas aisément outre-passés (voy. n° 8).

B. *De la ruade.* La ruade est la contre-partie du *cabrer.* Au lieu de se redresser sur ses pieds de derrière par un saut exécuté sur les pieds antérieurs, l'animal renverse ces actes et par une légère détente soulève sa croupe en l'air, tandis qu'il abaisse au contraire sa tête entre ses jambes de devant étendues et fixées. La croupe s'est élevée, comme dans l'acte du saut, emportant les jambes postérieures fléchies articles sur articles. Arrivées à la hauteur déterminée par le degré de l'impulsion primitive, ces jambes fléchies sont étendues brusquement avec un coup sec, comme le bras et l'avant-bras, dans le coup de poing.

L'ennemi placé à portée, s'il a la malchance d'y demeurer, sert alors d'objet sur lequel s'épuise brusquement la vitesse acquise des membres distendus. Inutile d'en dire davantage et le mécanisme est assez vite compris par qui a pris connaissance de celui du saut.

33. *Du saut (chez le cheval).* Cet examen préalable de deux des mouvements sur place du cheval, nous conduit à une vue très-claire d'un mode également

Fig. 13. (Empruntée à Ch. Bell.)

ment important de la locomotion chez cet animal intéressant ; nous voulons parler du *saut* proprement dit.

Observons un cheval près d'atteindre un obstacle qu'il se propose de franchir.

L'animal se *cabre* en position plus ou moins fléchie, suivant la hauteur de l'obstacle (il se rassemble, fléchissant ses extrémités postérieures dans toutes leurs articulations, les rapprochant du centre de gravité de la masse antérieure) ; en même temps il élève par un léger saut partiel des extrémités antérieures, ces mêmes extrémités fléchies et pelotonnées. — Il *saute* alors, par la flexion puis la *détente* surabondamment expliquée déjà, de ses extrémités postérieures ramassées sous lui.

Une fois en l'air, et quand l'avant-main a dépassé l'obstacle, les membres antérieurs se déploient, s'étendent pour se porter les premiers à la rencontre du sol.

L'arrière-main s'étend en même temps, pour offrir moins de prise à l'obstacle ; l'animal arrive enfin à rencontrer le sol par ses membres antérieurs étendus en avant, dans les articles du pied et du genou, mais très-fléchis dans l'articulation du coude. Le choc se trouve ainsi épuisé sur les extenseurs étendus sur les convexités articulaires des membres antérieurs et non sur la rigidité des os dans leur longueur, comme la figure 13 montre que cela arriverait chez l'homme tombant sur les mains.

34. *De la marche proprement dite ; — du pas.* L'animal voulant se porter en avant, exerce d'abord, sans les mouvoir cependant, une certaine action extensive de ses membres postérieurs (de l'un d'eux principalement), léger effort qui porte, en avant de son point d'appui premier, le centre de gravité du système entier et particulièrement de la masse antérieure. Cette propulsion détermine instinctivement l'animal à soulever et avancer un de ses pieds antérieurs.

Premier fait, premier temps : soulèvement du pied *antérieur droit* (par exemple).

Avant que ce pied n'ait posé à terre ou fait sa battue, le pied *postérieur gauche* se lève à son tour : il est au milieu de sa course au moment où le pied, précédemment levé, fait sa battue. C'est le deuxième temps.

Pendant la seconde moitié du premier temps, ou, ce qui revient au même, la première moitié du second, l'animal a donc un *bipède diagonal* en l'air (antérieur droit — postérieur gauche), le bipède diagonal inverse servant d'appui.

Lorsque le pied postérieur gauche est à la moitié ou près de la moitié de sa course et le pied antérieur droit arrivé à l'appui, le pied *antérieur gauche* se lève ; l'animal est donc sur le bipède latéral droit à l'appui : l'autre bipède latéral est en l'air. Troisième temps.

Enfin le pied postérieur gauche étant lui-même arrivé à l'appui, le pied postérieur droit se lève à son tour, et il s'écoule un temps pendant lequel le corps repose sur le bipède diagonal qui tout à l'heure était en l'air, *c'est le quatrième temps;* il se termine à la battue du pied antérieur gauche.

L'antérieur droit se lève à son tour et l'animal est à l'appui sur le bipède latéral gauche : la série recommence dans le même ordre.

La masse est donc suspendue alternativement sur un bipède latéral et un bipède diagonal ; mais un peu plus longtemps sur ce dernier, sans doute parce que le centre de gravité est mieux arrêté sur la diagonale. Nous verrons d'ailleurs ultérieurement que ce n'est pas là un fait isolé ; les repos alternants sur la diagonale sont un caractère général et constant de toutes les allures naturelles du cheval, sans doute pour le motif que nous venons d'indiquer.

On voit que dans cette allure, le mouvement de propulsion en avant est plutôt sous la dépendance des membres postérieurs. Il y a lieu de penser cependant que l'extension, quoique bien moindre, des articles antérieurs contribue aussi à porter en avant le centre de gravité du corps. Le sens des ouvertures articulaires indique qu'il doit en être ainsi ; d'ailleurs, si on observe au pas des chevaux de trait pesamment chargés, on reconnaît aisément la contraction des extenseurs de l'humérus sur le scapulum et celles des articulations supérieures de l'avant-main qui viennent surplomber en avant des colonnes antérieures.

35. *Du mécanisme de la natation chez les poissons.* Le mouvement de progression des poissons dans l'eau n'a point lieu par les nageoires, simples instruments d'équilibre et de direction. Très-évidemment, la projection en avant du centre de gravité se lie à un mouvement plus ou moins énergique, quelquefois très-énergique, de la queue, c'est-à-dire à l'action développée par les muscles longs et latéraux du corps. Ce mouvement, dès qu'il y a propulsion réelle, que l'animal ne se borne pas à une espèce de repos, ce mouvement est vif, saccadé, à détente, analogue par l'apparence au saut, ainsi que par le mécanisme qui y préside.

Quand on demeure les yeux fixés sur un bassin contenant des poissons se mouvant en différents sens, on observe les phénomènes suivants :

Les mouvements rectilignes très-faibles, ceux de recul, ceux qui ont pour objet de diriger l'animal quand il s'élève ou s'abaisse dans le liquide, ont généralement lieu au moyen des nageoires latérales et de légères ondulations de l'éventail caudal particulièrement destinés au maintien de son équilibre dans l'eau. Nous ne nous occuperons pas de ceux-là : l'œil en fait, à l'instant, apercevoir tout le mécanisme.

On remarque ensuite des mouvements un peu brusques, doués déjà d'une certaine intensité et qui ont pour effet de porter le corps de l'animal vers la droite ou vers la gauche. Ceux-ci sont dignes d'attention. Ils consistent en un choc plus ou moins marqué de la queue, qui frappe l'eau du côté vers lequel le poisson veut se diriger.

Le fait d'observation qui doit servir de base de l'analyse est donc celui-ci :

Un choc brusque imprimé à l'eau du côté vers lequel le poisson va se porter.

Le premier acte de l'animal est donc de se courber avec rapidité du côté vers lequel il veut se porter. Il n'y a point de doute sur le mécanisme de cette première phase de l'acte. Cette courbure est produite par la contraction vive des muscles latéraux de ce même côté, le relâchement adéquate des antagonistes.

Tout d'un coup s'observe un arrêt subit, un *choc*, le mouvement de flexion est instantanément paralysé.

Nous comprenons aujourd'hui par quel procédé, par quel mode d'action la nature produit, dans les corps animés, cette lutte équilibrante ; c'est par la contraction soudaine des muscles antagonistes de ceux dont l'action doit être brusquement entravée. Ici, deux sortes d'agents seulement sont en présence, et ce phénomène se rapproche ainsi davantage de ce qui se passe dans le ressaut de la baguette élastique : les muscles longs de droite, — les muscles longs de gauche. Les premiers ont déterminé la vitesse acquise par les différents points du système ; les seconds la suspendent subitement, et tout l'ensemble devient rigide.

Voilà donc le système en équilibre quant aux forces intrinsèques qui en sollicitaient les divers points ; mais il ne l'est pas relativement à de nouvelles forces qui ont pris naissance pendant la première phase du mouvement. Ce mouvement a déterminé des réactions de la part du milieu ambiant. Or on sait que ces résistances sont, pour toute surface en mouvement, proportionnelles à cette surface et au carré de la vitesse.

D'autre part, l'examen de la configuration du poisson et de sa flexibilité d'autant plus grande qu'on se rapproche davantage de sa queue, nous apprend que, dans ce mouvement, toute la vitesse est, pour ainsi dire, concentrée dans l'extrémité postérieure. Ce sera donc là surtout que s'exercera la réaction développée par le liquide. La résultante de toutes ces réactions partielles, perpendiculaire à la surface courbe au centre commun de ces actions, ne pourra donc que repousser la partie postérieure de l'animal à gauche, si la flexion était à droite, et la tête, par conséquent, de ce dernier côté. Mais en même temps l'animal est repoussé en totalité en arrière.

Comment donc s'obtient le mouvement en avant ?

Un double choc à droite et à gauche s'équilibrerait évidemment quant aux résultantes latérales ; mais il resterait deux composantes dans le sens de la longueur et qui s'ajouteraient. Or un seul coup d'œil jeté sur une figure dessinée *ad hoc* (fig. 14) montre que cette addition aurait pour effet le *recul* et non la *progression* de l'animal. Il se passerait là l'inverse de ce qu'on observe chez de petits annelés aquatiques, et qui *avancent* ainsi par un double choc alternant, mais exécuté par la région antérieure. (*Voy.* la fig. 40, p. 317, de notre *Traité de mécanique animale.*) L'embarras serait grand, si Borelli n'avait observé que, pour se porter en avant, l'animal donne à l'eau un coup de sa queue *deux fois recourbée* (fig. 15). La résultante dans le sens de la longueur du poisson s'exerce donc, en ce cas, *en sens inverse* de ce que nous venons de voir, et l'animal est porté *en avant*.

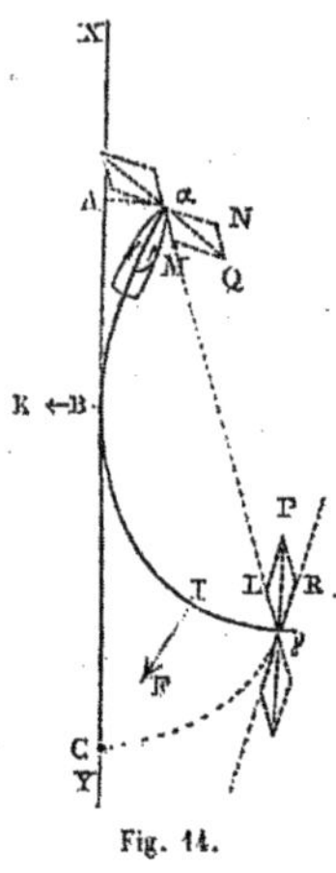

Fig. 14.

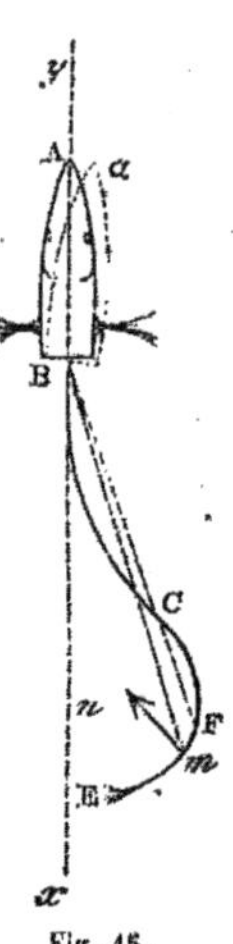

Fig. 15.

Il se passe ici quelque chose de tout à fait analogue à ce qui a été observé dans le saut. La dernière courbure offerte par la queue, élargie en éventail, du poisson, met en rapport avec le milieu ambiant une surface relativement large formant, dans le sens horizontal, une vraie base de sustentation ou plutôt d'appui. Sur cette base l'animal exerce une détente identique, quant à ses effets, à celle qui détermine la projection dans le saut. Seulement, ici, c'est la réaction de l'eau qui repousse en avant le corps de l'animal.

Quant à la détente, avec choc de l'eau, elle est exactement produite de même, à savoir, par l'antagonisme des muscles de gauche paralysant, par leur contraction subite, le mouvement de flexion ou d'extension commencé avec énergie par les muscles latéraux de droite ou réciproquement.

C'est, de part et d'autre, le même mécanisme.

36. *De la natation chez l'homme et les quadrupèdes.* La progression des quadrupèdes dans l'eau n'a aucun rapport avec celle des poissons. L'observation indique, en effet, que le quadrupède nage comme il marche, c'est-à-dire par la même succession de mouvements. Dans la marche, il est vrai, les membres reposent sur un appui fixe qu'est loin d'offrir l'onde humide. Aussi la rapidité et la facilité de la progression y sont-elles singulièrement amoindries. L'eau ne présente pour appui aux membres mis en mouvement que la différence de résistance

offerte par le milieu au membre qui s'étend, et au même membre quand il s'efface. Or, il est visible que cette différence, proportionnelle à celle des surfaces offertes par les membres dans la flexion et l'extension, ne saurait être bien notable. Les quadrupèdes ne trouvent donc pas dans l'eau un élément bien propre à développer leurs facultés locomotrices.

Le mode ou les modes de natation employés par l'homme doivent naturellement trouver place ici. L'homme nage plus ou moins à la manière des quadrupèdes, mais bien moins aisément que la plupart d'entre eux. Les causes de cette différence ont été souvent discutées ; Borelli semble les avoir, le premier, nettement formulées.

L'homme et les quadrupèdes ont cela de commun, que leur pesanteur spécifique est très-peu différente de celle de l'eau. Cette quasi-identité est démontrée par la faculté dont jouissent les nageurs de se maintenir étendus sur le dos pendant des espaces de temps vraiment considérables, sans faire le moindre mouvement.

On observe alors que, dans cette attitude, le visage et le sommet de la face antérieure de la poitrine, souvent même toute la surface pectorale antérieure, baignés, à chaque instant, par de très-minces lames de liquide, font, à des intervalles périodiques, saillie au-dessus de la surface de l'eau; ces intervalles sont ceux des mouvements respiratoires.

Le corps humain, plongé dans l'eau, et à peine inférieur en poids à celui du volume d'eau qu'il déplace, devient donc manifestement plus léger que ce milieu, lors de chaque inspiration.

Retournons maintenant notre nageur sur le ventre, et prions-le de conserver, toujours sans mouvement, la même situation horizontale.

Nous observons alors, et sans surprise, que cette attitude ne peut être bien longtemps conservée. La raison en est aisée à trouver. Le sujet a besoin de respirer ; pour cela il lève la tête, afin que sa bouche et ses narines arrivent à fleur d'eau, et absorbent l'élément vital.

Or ce mouvement préalable de la tête la porte *tout entière au-dessus de l'eau*. Mais alors la tête, partie la plus pesante du corps à volume égal, élevée ainsi au-dessus de l'eau, change du tout au tout les conditions d'équilibre du système. Le corps se trouve peser par son poids entier sur l'eau, et celle-ci ne réagit contre lui que par le poids du volume de fluide déplacé, c'est-à-dire le volume du corps, moins la tête.

Cette différence suffit pour que le corps soit déprimé, qu'il enfonce, si le nageur ne fait quelque mouvement approprié contre la tendance nouvelle qui l'entraîne.

Telle est la circonstance qui, ainsi que l'a très-judicieusement établi Borelli, différencie sensiblement les quadrupèdes de notre espèce. Ceux-ci ont, d'abord, la tête notablement moins pesante que la nôtre, tant à cause des vastes sinus aériens dont elle est sillonnée, que par la petitesse relative de leur encéphale. Secondement, leur organisation cervicale, le mode de jonction de la tête au cou, leur permet manifestement de tenir constamment à la surface de l'eau l'extrémité du museau portant les orifices respiratoires. Placés dans l'eau, dans l'attitude qu'ils auraient à terre, ils demeurent donc en équilibre ; les moindres mouvements de leurs membres peuvent donc produire des effets locomoteurs.

Aussi la plupart des quadrupèdes nagent-ils avec plus ou moins de facilité, tandis que nous ne le pouvons faire qu'avec certaines précautions préparatoires, des efforts et un apprentissage plus ou moins long.

Il est certain que placés dans l'eau, dans la même attitude que les quadrupèdes, nous pouvons nager comme eux, moins bien pourtant, et moins longtemps. Cela ne doit point surprendre; ces mouvements-là ne sont point ou plus les nôtres; et d'ailleurs nous pouvons faire mieux.

Le mode qui nous est le plus favorable est l'imitation de quelques animaux inférieurs de la classe des reptiles, les batraciens, dont les membres sont disposés un peu comme les nôtres. A la perfection près, nous nageons en principe comme la grenouille, beaucoup mieux construite que nous pour cet objet.

Le mouvement capital déterminant ce mode de progression est dû au coup sec des extrémités postérieures préalablement fléchies, absolument comme dans le saut, au point de vue mécanique, bien entendu; car, physiquement, les jambes sont écartées au lieu d'être réunies, et portées dans la rotation en dehors (muscles fessiers), de façon à offrir à l'eau la surface de la plante du pied.

Le mécanisme locomoteur est comparable à ce qui se voit dans le nager des poissons. L'eau refoulée devient un foyer de résistance qui se développe au moment du choc, quand le système mobile devient rigide.

En ce moment-là, les bras ont été joints par leurs extrémités en avant de la tête et de la poitrine, de façon à former un tranchant antérieur, une proue qui fend l'eau, un taille-mer.

Le corps, sous cet effort, tout comme le poisson, file alors en ligne droite.

Au temps suivant, en réalité le premier de la période, et qui correspondrait au temps de préparation pour le saut, les jambes se reploient vers le tronc, toujours dans l'*abduction*. Ce mouvement occasionne une grande perte de force vive pour l'homme, la surface des cuisses développant une assez grande résistance; il est vrai qu'il s'accomplit plus lentement et sans choc, ce qui amoindrit un peu cette perte.

Cette perte est heureusement plus que compensée par l'action des membres antérieurs.

En même temps, exactement, que les jambes se replient, les bras qui étaient étendus en avant décrivent à droite et à gauche une demi-circonférence dans laquelle la paume de la main, verticalement dirigée d'avant en arrière, repousse symétriquement de chaque côté l'eau dans ce dernier sens. Ces extrémités jouent donc ici le rôle de deux avirons.

Ce même acte est bien autrement préparé par l'anatomie de la grenouille.

« Les muscles des membres inférieurs, rappelant ceux de l'homme, sont modifiés, chez les batraciens, en raison de la situation insolite des cuisses qui, chez eux, regardent tout à fait en dehors; secondement, par suite du type particulier qu'affecte le tarse, le tendon des forts muscles du mollet ne s'attache point au talon, mais passe par-dessus et va gagner la plante du pied, pour s'unir au court fléchisseur des orteils, disposition qui favorise non-seulement le saut, mais encore la natation, en permettant à l'animal de frapper avec plus de force, au moyen de ses plantes de pied garnies de membranes natatoires étendues. (Carus, *Anatomie comparée.*) »

Ajoutons que les muscles des cuisses, des articles, sont aplatis, de sorte que cette partie du membre, dans le mouvement de flexion, coupe l'eau par son tranchant. Cette remarque est intéressante en ce qu'elle démontre l'identité du saut et de la natation, comme principe physiologico-dynamique. La grenouille saute dans l'eau, et sans sortir de ce liquide, comme elle saute à terre. Le mode de progression est le même dans les deux cas. Les forces en jeu sont donc les mêmes.

Faisons remarquer, en passant, la propriété anatomique caractéristique qui, en dehors du volume des masses musculaires spéciales, fait de la grenouille un animal sauteur. C'est l'attitude habituelle de flexion des membres postérieurs toujours préparés par là pour le *saut*, et que nous trouvons chez tous les animaux sauteurs.

Les mammifères, les poissons, les reptiles, ne sont pas les seuls animaux qui se meuvent dans l'eau. Nombre de familles parmi les oiseaux jouissent du même avantage : c'est l'ordre entier des *palmipèdes*. Leur histoire, au point de vue qui nous occupe, ne saurait être longue ; doués, en leur qualité d'oiseaux, d'un poids spécifique inférieur à celui de l'eau, ils surnagent naturellement. Leurs pattes, plus ou moins courtes, mais vastes et dont les doigts sont réunis par de larges membranes, forment des rames étendues quand elles se déploient, minces et de peu de surface quand elles reviennent sur elles-mêmes dans le cours de la flexion préalable. Rien de plus simple que ce mécanisme. On peut lire, sur ce chapitre, les belles pages consacrées par Buffon au cygne. Il n'y a rien à oser ajouter à ce remarquable tableau.

Au point de vue mécanique, le seul point qui mérite notre attention plus spéciale, c'est la différence qu'on observe entre les palmipèdes et les autres oiseaux. Ils sont tous plus légers que l'eau. Comment se fait-il donc que ces animaux, hors les palmipèdes, ne puissent aucunement nager et se noient si facilement.

On sait que c'est à raison de la facile imbibition de leurs plumes : dépourvues de l'huile qui colle et réunit les éléments de l'enveloppe extérieure des palmipèdes, les plumes des oiseaux non-nageurs se pénètrent aisément d'eau. Dès lors, l'animal devient promptement assez pesant pour y plonger plus ou moins et, en fin de compte, y perdre la vie. Peut-être l'eau pénètre-t-elle même dans l'intérieur des organes en passant des vacuoles des plumes dans les canalicules aériens intérieurs ! C'est un point que l'on pourrait étudier.

37. *Du vol* (*chez les oiseaux*). « La natation et le vol, dit M. Milne Edwards, sont des mouvements analogues à ceux du saut, mais qui ont lieu dans des fluides dont la résistance remplace, jusqu'à un certain point, celle du sol, dans ce dernier phénomène. »

Nous venons de démontrer non-seulement qu'il en est ainsi pour la natation des poissons, mais en outre d'en exposer le mécanisme. La même tâche nous incombe actuellement pour le vol. Ces propositions ne pouvaient être que « conçues » comme des assimilations vagues, tant que l'objet même servant de comparaison n'avait point été élucidé au point de vue de son mécanisme propre, tant que la théorie du saut était elle-même enveloppée d'un nuage.

Dans l'acte du vol, comme dans tous les phénomènes de la locomotion qui se fondent sur la séparation du corps animé et du sol solide, l'antagoniste à vaincre est l'action de la gravité, s'exprimant par « le poids du corps » à élever et à soutenir dans l'air.

Le point d'appui initial des forces locomotrices peut être encore ici, pour la première phase, le sol ; mais, pendant le cours de la translation, ce point d'appui n'est plus que le fluide ambiant, l'air. La résistance seule de ce fluide pourra donc servir là de support et d'appui.

La résistance d'un fluide est, d'après les lois de la physique, proportionnelle au carré de la vitesse. Le mouvement qui se basera sur la résistance d'un fluide aussi ténu que l'air devra donc offrir une grande vitesse. D'autre part, le poids, obstacle à vaincre, devra être aussi faible que les conditions de l'organisme animal le permettront.

La nature a considérablement fait pour amoindrir cette force antagoniste du mouvement et de l'élévation de l'animal dans les airs. Pour établir cette proposition, nous n'avons qu'à renvoyer le lecteur aux belles préparations déposées par M. le professeur Sappey dans les galeries du muséum et de la Faculté de médecine. Il sera frappé d'admiration en suivant dans son cours cette magnifique canalisation aérienne qui pénètre, pour ainsi dire, toutes les parties qui constituent l'animal destiné au vol. L'air atmosphérique y a partout des réservoirs, depuis la trachée et les deux grandes cavités splanchniques jusqu'au milieu des os; on le suit jusque dans le corps même des plumes, dont la texture, déjà si poreuse, est encore creusée de canalicules communiquant avec ceux des os. Au moment du vol, toutes ces cavités sont ainsi tellement distendues que l'animal, interrompu brusquement dans sa course par le plomb meurtrier, tombant à terre, rebondit sur le sol comme un ballon élastique. Ce qu'il ne fait plus, quelques heures après, si on le jette à terre avec quelque violence.

Mais, si peu de densité absolue qu'offre l'oiseau, il en offre une toujours grande relativement à l'air. Il lui faudra donc, pour prendre appui sur un corps éminemment fugitif et mobile, des forces propres à produire de grandes vitesses, c'est-à-dire de longs leviers et des énergies puissantes. La conséquence de cette première nécessité sera la fixité, la stabilité du corps à mouvoir et des attaches à fournir à ces puissants muscles moteurs et à ces longs leviers. La nature a été au-devant de cet objet, en donnant au squelette de l'oiseau la forme d'une boîte osseuse presque invariable de forme et de dimensions et qui rappelle la carène d'un navire. Les vertèbres dorsales, lombaires, sacrées, sont soudées entre elles; les côtes, au lieu d'être unies au sternum par des cartilages plus ou moins longs, lui sont aussi reliées par des os; en outre, chacune d'elles porte à sa partie moyenne une apophyse aplatie qui se dirige obliquement en arrière, au-dessus de la côte suivante, de façon que tous ces os prennent successivement appui les uns sur les autres. Enfin un vaste sternum, dominé par une énorme crête osseuse (le bréchet) complète en avant cet ovoïde osseux de forme inflexible et constante.

Voilà qui suffit pour assurer l'immutabilité de position du centre de gravité du tronc et la fixité des insertions musculaires du côté de l'animal.

Quant aux insertions mobiles, elles s'appliquent à des leviers successifs dont les rapports sont ceux du bras chez les quadrupèdes, humérus, cubitus, etc., modifiés suivant les nouvelles nécessités fonctionnelles.

L'humérus se relie au tronc par l'intermédiaire d'un appareil saillant qui rappelle notre épaule. Là, dans une cavité glénoïde regardant en haut, en dehors et un peu en arrière, est reçue la tête humérale qui s'y meut comme dans toute énarthrose, en tous sens, mais surtout dans le sens vertical.

Ici se remarque, avec notre épaule, une dissemblance notable : la nôtre est plus ou moins mobile, ne reposant sur l'appui que lui offre le tronc que par sa seule clavicule. Chez l'oiseau, se trouvent à cette pyramide deux appuis au lieu d'un, la clavicule d'une part, soudée fortement avec le sternum et sa congénère, et, d'autre part, l'os caracoïdien, qui se fixe également au sternum, en haut et latéralement. Deux fortes arêtes, de véritables étais, servent donc, en avant et en dehors, de support à la tête humérale, reliée moins fixement au tronc, en arrière seulement, sans doute pour ménager les chocs (fig. 16).

Quant aux muscles moteurs de ce bras, deux, éminemment principaux, s'offrent en antagonisme : le muscle releveur, le muscle abaisseur ou grand pectoral; les autres, plus réduits de volume, sont affectés à des usages de rotation sur l'axe.

L'extrémité périphérique du membre jouit également des mêmes facultés d'extension et de flexion, et l'avant-bras d'un certain degré de pronation et de supination.

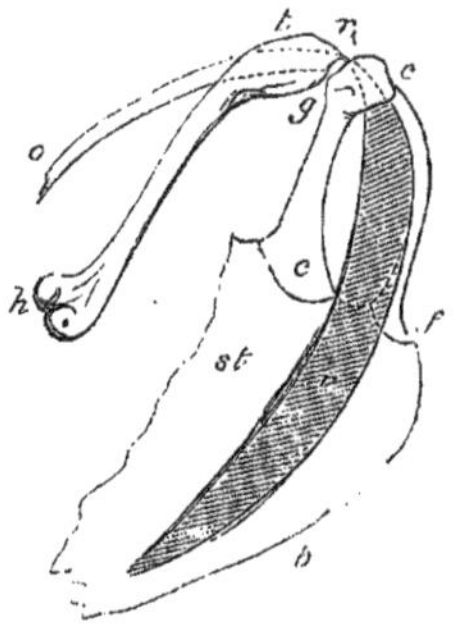

Cela posé, comment a lieu le maintien de l'oiseau en l'air? On le sait : par une succession de battements de l'aile; c'est-à-dire par une série de mouvements alternatifs d'élévation et d'abaissement du bras, mouvements qui ont lieu avec *choc* de l'aile contre l'air à la fin de la flexion ; ce sont là les *battements*. A la suite de chacun d'eux, l'aile demeure un instant rigide, et le corps de l'oiseau est repoussé de bas en haut par la résistance de l'air.

Fig. 16.

st. Sternum. *b.* Bréchet. *fc.* Clavicule. *cc.* Os coracoïdien. *ot.* Scapulum. *rh.* Humérus. *r.* Releveur de l'aile.

Il y a donc là encore un *coup sec;* le mouvement d'abaissement rapide de l'aile qui refoulait l'air avec énergie est subitement entravé, et le système devient rigide. Le premier acte de ce battement est simple, il est produit par le relèvement de l'aile et peut-être aussi par un groupe de fibres, le faisceau le plus supérieur du muscle grand pectoral, jouant le rôle d'une sorte de deltoïde; l'aile exécute ce mouvement sans doute avec une rotation sur elle-même propre à lui faire offrir à l'air, dans le sens du mouvement, la surface la plus étroite. Arrivées au point culminant de sa courbe, les fibres des portions moyenne et inférieure de l'immense grand pectoral entrant en contraction, l'aile, par un léger mouvement de rotation ou pronation, offre à l'air sa surface inférieure la plus étendue, puis elle s'abaisse avec vitesse, refoulant l'air sous le corps de l'oiseau, et des deux côtés symétriquement. A mesure que la vitesse augmente, la réaction de l'air croît en proportion carrée. Tout d'un coup le mouvement de descente de l'aile s'arrête, un choc, un bruit ont lieu. Le système devient rigide. Il cède alors à la force de réaction développée par le mouvement précédent dans l'air sous-jacent, et se voit enlevé suivant la résultante du mouvement réactionnel.

Ce mouvement acquis s'épuise bientôt sur la résistance régulièrement retardatrice de la gravité, et s'il veut continuer à se maintenir en l'air, l'oiseau doit recommencer la même série d'actes successifs.

Ici une question se présente : où sont les éléments dynamiques dont le subit antagonisme vient faire échec au mouvement abaisseur du grand pectoral? Le releveur de l'aile paraît bien mince pour ce rôle nécessairement énergique. Il est vrai qu'on y peut et doit joindre la portion deltoïdienne du grand pectoral. Tous deux sont passivement distendus pendant le mouvement d'abaissement, leur capacité en sera plus éveillée pour manifester leur antagonisme.

Cependant nous ne trouvons pas dans la masse de ces portions musculaires un volume suffisant pour tenir en échec le puissant grand pectoral. La présence des membranes huméro-radiale et cubito-carpienne, membranes élastiques pour la flexion, mais arrivant à l'inextensibilité lors du plus grand développement de l'aile, nous semble indiquer un des éléments de ce mouvement d'arrêt. L'insuffisance des données anatomiques ou expérimentales à notre disposition nous interdit d'être formels dans l'énoncé de cette proposition. Le détail anatomique nous fait ici défaut; mais nous ne saurions mettre la même réserve dans la formule du fait principal : pour produire le battement et la fuite du corps de l'oiseau sous ses effets, pour déterminer un *coup sec*, tel que celui fourni par l'observation, il faut nécessairement qu'une entrave énergique soit apportée brusquement à la continuation du mouvement de descente de l'aile. Nous signalons ce point aux professeurs d'histoire naturelle. Il y a évidemment des desiderata anatomiques dans le degré d'extensibilité relative des membranes alaires et des muscles de l'épaule et du bras.

Le centre de gravité de l'oiseau est naturellement situé un peu en arrière de la ligne verticale qui passerait par le milieu de son axe de suspension inter-glénoïdien. Cette disposition répond parfaitement au sens de la résistance de l'air dont la réaction, dans le vol horizontal, vient servir de support à ce centre en le repoussant en haut et en arrière.

Eu égard à cette même circonstance, le vol de l'oiseau ne peut avoir lieu que difficilement de bas en haut, suivant la verticale exacte. Pour que, dans le vol,

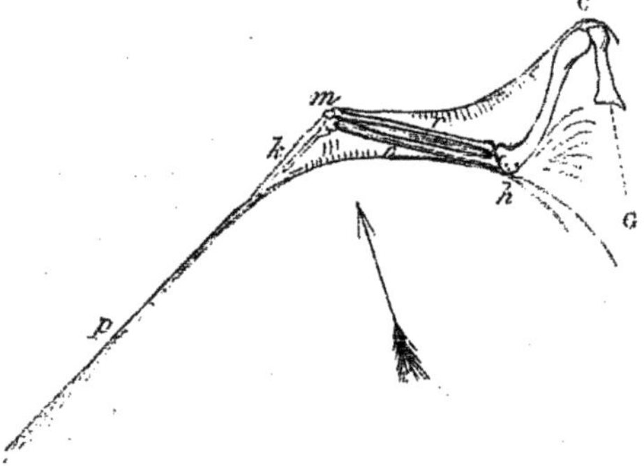

Fig. 17.

l'oiseau ne tourne pas autour de son axe de suspension, il faut que la résultante de la force réactionnelle de l'air passe, à la fois, par son centre de gravité et par le milieu de l'axe de suspension. La direction des battements des ailes doit donc être d'avant en arrière, en même temps que de haut en bas, puisque le mouvement résultant doit être exactement contraire (fig. 17).

La figure ci-jointe montre l'aile développée au moment de l'arrêt subit, sous l'influence entravante du releveur de la portion deltoïdienne du grand pectoral et peut-être (?) de l'inextensibilité ultérieure de la membrane alaire (fig. 17).

G C représente l'os coracoïdien ou *fulcrum*,

C *h* l'humérus,

r le radius,

m k p le carpe et les pennes qui le prolongent; de *m* à C, se voit la membrane alaire huméro-radiale; en dessous, de *h* à *k*, la membrane huméro-cubitale.

La flèche indique la direction moyenne de la réaction de l'air, normale à cette vaste courbe concave qui commence à la région axillaire et finit à l'extrémité des pennes.

L'oiseau veut-il changer de direction, se porter, par exemple, sur la droite : nous le verrons donner alors un coup d'aile plus fort et plus abaissé de ce côté, l'autre aile demeurant fixe et étendue.

Il en est de même si l'oiseau veut descendre en avant. La résistance réactionnelle de l'air lui en donne aussitôt le moyen, s'il lui offre, d'arrière en avant, une surface plus grande. Il y arrive en infléchissant sa queue développée, et en faisant jouer à ses ailes le rôle de parachute.

Ce mouvement de la queue est rendu facile chez l'oiseau par la mobilité des vertèbres coccygiennes, qui sont le siége d'insertions de muscles appropriés à ce mouvement.

Nous terminons cette description par où nous aurions pu commencer : l'exposition du premier acte du vol, plus exactement de la préparation au vol.

La grande dimension qu'offre le développement des ailes, ne permet guère à l'oiseau de les ouvrir, et surtout d'exécuter un battement quand il pose encore à terre. Pour s'envoler, l'oiseau doit donc ou se précipiter d'un point plus ou moins élevé dans l'air, ou s'y élever à une assez grande hauteur par le jeu de ses extrémités postérieures. Il doit, en un mot, sauter en l'air, pour trouver un emplacement suffisant à l'envergure de ses ailes. Aussi tous les oiseaux sont-ils expressément sauteurs ; les dispositions de leurs leviers d'appui sur le sol sont, comme nous avons vu, en rapport parfait avec cette fonction.

La position du centre de gravité, en arrière de l'axe de suspension de la masse, rend très-difficile le vol exactement vertical de l'oiseau. Aussi ne les voit-on généralement s'élever très-haut que par une série de circonférences et en courant des bordées, comme le navire qui louvoie au plus près du vent.

L'oiseau planant dans les airs, s'y soutient à peu de frais ; sa gravité l'entraîne nécessairement encore ; mais peu à peu, et comme une nacelle de ballon soutenue par un parachute. Seulement, de temps à autre, un coup d'aile fait reconquérir à l'oiseau la hauteur verticale qu'il a pu perdre depuis la précédente impulsion, et le ramène au même niveau qu'il parcourt, comme en glissant sur un plan extrêmement peu incliné à l'horizon.

Il est encore, dans le vol de l'oiseau, un exemple curieux à relever, et dans lequel se manifestent avec éclat la force réactionnelle de l'air, et l'effet du coup sec.

« Un oiseau rameur, qui fond avec la plus grande vitesse pour saisir un oiseau voilier, lorsque celui-ci esquive par un mouvement de côté, a la faculté de s'arrêter, au plus fort de sa descente, et de se reporter, sans faire aucun effort, aussi haut que le niveau du point où il est parti (nous mettrons *presque aussi haut;* car *aussi haut* est mathématiquement impossible). Cette particularité de vol a reçu le nom de *ressource*. Huber a observé que, pour produire cet effet, il suffit à l'oiseau rameur de rouvrir tout à coup ses ailes, qu'il tenait serrées contre lui pendant sa descente. Il a vu que l'oiseau se relève de même en ouvrant ses ailes, sans autre battement, à la suite d'un saut plongeur de haut en bas. » (Barthez.)

Le mécanisme de cette action est simple. L'oiseau, animé, grâce à la condensation de son volume, d'une vitesse de chute considérable, arrive, suivant un mouvement uniformément accéléré, à une certaine distance du sol. Là, il ouvre ses ailes sous une certaine inclinaison, et les maintient rigides. La grande vitesse dont il est animé, développe, de la part de l'air, une réaction qui s'accroît tout à coup en proportion directe de la surface. Tant que celle-ci a été relativement petite, l'oiseau descendait; tout d'un coup elle s'accroît notablement, l'oiseau est arrêté. Mais alors il naît du conflit survenu une composante verticale qui, rencontrant sous un certain angle la surface des ailes, imprime au système un mouvement nouveau dirigé en haut et plus ou moins en avant, mouvement qui a tous les caractères de celui du saut, non de celui exécuté en terre ferme, mais du saut dans un fluide, mouvement que prend, par exemple, le poisson sous l'impulsion brusque d'un fouettement de sa queue, en un mot, le résultat d'une brusque condensation de force vive.

58. *Du vol des insectes.* Dans des leçons très-intéressantes, M. Marey a fait dernièrement connaître le résultat de recherches nouvelles entreprises par lui pour découvrir le mécanisme qui préside au vol des insectes.

Ces animaux s'élèvent, se soutiennent et se dirigent dans l'air au moyen de petites voiles membraneuses (leurs ailes), auxquelles ils communiquent un certain mouvement d'une excessive rapidité.

Ainsi, dans une seconde, le nombre de battements (en comptant comme *un* battement la montée et la descente d'une aile) serait :

pour la mouche, de.	330
pour le bourdon, de.	240
pour l'abeille, de.	190
pour la guêpe, de.	110
macroglosse du caille-lait.	72
libellule.	28
papillon (piéride du chou).	9

Ces nombres ont été déterminés par la méthode de l'enregistrement graphique des vibrations, qui a donné déjà tant d'heureux résultats entre les mains de notre savant et ingénieux ami.

Le mouvement des deux ailes est absolument synergique et synchrone; il consiste en un abaissement et une élévation. Aux deux extrémités de la course, la vitesse est nécessairement nulle. D'après les recherches de Chabrier, confirmées par M. Marey, l'abaissement seul serait dû aux muscles, le relèvement à la contractilité d'une membrane élastique, inversement placée par rapport aux muscles, et analogue à la membrane alaire des oiseaux.

D'après les expériences de M. Marey, — et c'est ce qu'elles ont de plus frappant, — l'aile de l'insecte décrirait, dans l'espace, une courbe tout à fait analogue à celle des verges vibrantes et en 8 de chiffre. Ce qui indique que, lors de la montée et de la descente, le plan de l'aile est incliné en sens contraire.

Dans les termes de l'expérience, M. Marey a conclu avec raison que ce mouvement, tout à fait analogue à celui de l'hélice ou de la rame employée au godiller, devrait engendrer une force propulsive horizontale sous l'influence de la résistance de l'air. Cela n'est point douteux.

Mais il a vu encore, dans le même mécanisme, naître une composante pour le mouvement vertical, et cela est moins évident.

Ces composantes ne pourraient naître, dans les conditions d'observation et d'expérience où s'est placé l'auteur, que lors de l'arrêt complet du mouvement de descente ou d'abaissement; mais il trouverait une composante opposée à l'extrémité de la demi-oscillation contraire.

Nous soupçonnons donc, tout en enregistrant avec empressement les premiers résultats expérimentaux acquis par le délicat observateur, qu'il s'est un peu trop hâté de conclure qu'il n'y avait dans ce mécanisme d'autre action que celle du plan incliné ou de l'hélice; nous trouvons de plus quelque peu téméraire d'étendre, sans réserves, cette même et unique explication au vol de l'oiseau et au nager du poisson. Le mécanisme du godiller et de l'hélice est, assurément, exécuté par la queue du poisson dans le mouvement lent et régulier, mais il est manifestement absent de l'espèce de *saut* que fait le poisson, lorsque, sous une brusque et violente impulsion de sa queue, « frappant l'eau, » il file comme un trait et avec une grande vitesse en ligne droite. Il y a là manifestement lieu à réserves et à un complément d'études.

GIRAUD-TEULON.

BIBLIOGRAPHIE. — BORELLI. *De motu animalium.* Leyde, 1685. — BERNOUILLI (J.). La Haye, 1743. — D'AQUAPENDENTE (Fabrice). *Opera anatom. et physiologica.* Leyde, 1738. — HUBER (de Genève). *Observations sur le vol des oiseaux de proie.* Genève, 1784. — WEISS (Emm.). *Sur le mouvement progressif de quelques reptiles.* In *Act. Soc. Helv.*, t. III. — BARTHEZ. *Nouvelle mécanique des mouvements de l'homme et des animaux.* Carcassonne, 1798. — COMPARETTI. *Dynamique animale des insectes.* Padoue, 1800. — RICHERAND. *Mémoires de la Société médicale d'émulation*, t. III. — FUSS. In *Nova act. soc. Petrop.*, 1806. — SILBERSCHLAG. In *Schriften der Berl. Gesellsch. naturf. Freunde*, 1784. — HORNER. In Gehler *Physic. Wörterbuch*, t. IV. — TREVIRANUS. In *Zeitschrift für Physik*, t. IV. — ROULIN. *Recherches théoriques et expérimentales sur le mécanisme des mouvements et des attitudes de l'homme.* In *Journal de Magendie*, t. I. — CHABRIER. *Mém. sur les mouvements progressifs de l'homme et des animaux.* In *Journal du progrès des sciences médic.* — DU MÊME. *Essai sur le vol des insectes.* In *Mém. du Muséum*, t. VI-VIII. — PRÉVOST et DUMAS. *Mém. sur les phénomènes qui accompagnent la contraction musculaire.* In *Journ. de physiologie*, t. III, 1823. — GERDY. *Station et mouvement.* In *Physiol. médicale.* Paris, 1832. — PURKINJE et VALENTIN. *De phenomeno generali et fondamentali motus vibratorii.* Breslau, 1833. — LONGET. *Recherches expérimentales sur l'irritabilité musculaire.* Paris, 1841. — WEBER (E. et W.). *Mécanique des organes de la locomotion.* (Traduction de Jourdan.) Paris, 1843. — MAISSIAT. *Etudes de physique animale.* Paris, 1843. — PRECHTL. *Recherches sur le vol des oiseaux.* Vienne, 1846. — MATTEUCCI. *Leçons sur les phénomènes physiques des corps vivants.* Paris, 1847. — COLIN. *Traité de physiologie comparée des animaux domestiques.* Paris, 1854. — MÜLLER (J.). *Manuel de physiologie.* — BELL (Ch.). *On the Hand.* London, 1834. — GIRAUD-TEULON. *Principes de mécanique animale*, 1858. — BÉCLARD. *Traité élémentaire de physiologie*, 1854. — LONGET. *Ibidem*, 1868. — MAREY. *Revue des cours scientifiques*, 1867-68-69. — DU MÊME. *Du mouvement dans les fonctions de la vie*, 1868. — BERNARD (Claude). *Leçons de physiologie.*

(Empruntée en partie aux ouvrages classiques de physiologie.) G. T.

FIN DU DEUXIÈME VOLUME.

ARTICLES

CONTENUS DANS LE DEUXIÈME VOLUME

PARIS. — IMP. SIMON RAÇON ET COMP., RUE D'ERFURTH, 1.

www.ingramcontent.com/pod-product-compliance
Ingram Content Group UK Ltd.
Pitfield, Milton Keynes, MK11 3LW, UK
UKHW020253230726
13925UKWH00001B/20